Babanod a Phlant Ifanc

Gofal ac Addysg Plant

Marian Beaver

Jo Brewster

Pauline Jones

Anne Keene

Sally Neaum

Jill Tallack

GWASG UWIC PRESS

Cyhoeddwyd yn wreiddiol yn y DU dan yr enw 'Babies and Young Children:
Diploma in Child Care and Education' gan
Nelson Thornes Limited
Delta Place
27 Bath Road
Cheltenham
GL53 7TH

Cyhoeddwyd yr argraffiad hwn gan Wasg UWIC
UWIC, Heol Cyncoed, Caerdydd CF23 6XD
cgrove@uwic.ac.uk
029 2041 6515
a dderbyniodd hawliau unigryw

ISBN 978-1-905617-29-6

Noddwyd gan Lywodraeth y Cynulliad Cenedlaethol
ⓗ Sian Owen ac Elen Evans 2007
Darluniau gwreiddiol ⓗ Nelson Thornes 2001

Cyfieithwyd gan Sian Owen
Golygwyd gan Elen Evans
Cysodwyd gan Andy Dark
Ymchwil lluniau gan Sue Charles
Argraffwyd gan 4word Page & Print Production

CYNNWYS

CYFLWYNIAD

Mae'r llyfr hwn yn cynnwys deunydd penodol a chynhwysfawr ar gyfer myfyrwyr sy'n astudio cyrsiau gofal plant. Mae'r cynllun yn ddeniadol ac yn agored er mwyn hwyluso chwilio am wybodaeth, ac mae'r cynnwys yn gyfredol ac yn berthnasol i ystod eang o gyrsiau.

Mae pob pennod yn cynnwys gwybodaeth sydd yn cyfeirio at elfennau amrywiol o addysg, gofal a datblygiad plant 0-8 mlwydd oed, yn ogystal â deunydd perthnasol am ddamcaniaethwyr blynyddoedd cynnar. Ceir ynddo hefyd wybodaeth am ddyletswyddau'r gweithwyr gofal plant, a'u rôl nhw wrth hybu datblygiad cyfannol pob plentyn yn eu gofal.

Ceir ystod o astudiaethau achos yn y llyfr hwn, a fydd yn dangos i'r myfyrwyr sut y gellir trin mater mewn amgylchedd ymarferol, ac yn dilyn pob un o'r rhain, ceir dau neu dri chwestiwn i'r myfyrwyr eu hateb er mwyn iddynt hybu eu sgiliau datrys problemau.

Mae'r llyfr hwn yn anelu at roi gwybodaeth a dealltwriaeth i fyfyrwyr ar bob agwedd ar ofal plant, mewn modd diddorol, symbylol ac ysgogol.

Pob lwc gyda'ch astudiaethau!

YR AWDURON

Mae **Marian Beaver** wedi gweithio ym myd gwaith cymdeithasol, dysgu a gofal ac addysg y blynyddoedd cynnar. Bu'n dysgu cyrsiau gofal plant addysg bellach am flynyddoedd. Mae'n parhau i weithio mewn addysg bellach yn New College Nottingham, ac yn ogystal ag ysgrifennu, a gweithredu fel gwiriwr allanol i CACHE, mae'n arolygu darpariaeth feithrin ar ran OFSTED.

Mae **Jo Brewster** wedi gweithio fel nyrs, bydwraig ac ymwelydd iechyd. Bu'n dysgu cyrsiau gofal plant addysg bellach yn New College, Nottingham am flynyddoedd, yn ogystal ag ysgrifennu, arolygu darpariaeth feithrin ar ran OFSTED a gweithio fel gwiriwr allanol i CACHE.

Bu **Pauline Jones** yn gweithio mewn gofal preswyl i blant ac fel gweithiwr cymdeithasol cyn darlithio a rheoli o fewn addysg bellach, gan gynnwys gweithio yn West Nottinghamshire College, Mansfield. Datblygodd y Diploma Hyfforddi Nyrs Feithrin ar gyfer myfyrwyr hollol fyddar. Erbyn hyn mae'n rheolwr rhanbarthol ar ran Cychwyn Cadarn.

Mae **Anne Keene** wedi gweithio fel nyrs, bydwraig ac ymwelydd iechyd. Hyd Fehefin 1998 dysgodd a rheolodd raglenni gofal plant yn New College, Nottingham. Erbyn hyn mae'n berchen ac yn rheoli meithrinfa ddydd breifat fawr.

Mae **Sally Neaum** wedi dysgu dosbarthiadau meithrin ar draws yr ystod oedran babanod. Bu'n dysgu ystod o gyrsiau gofal plant mewn coleg addysg bellach, wedi arolygu darpariaeth feithrin ar ran OFSTED, ac erbyn hyn mae'n gweithio ar ei liwt ei hun, yn ysgrifennu ac yn dysgu.

Mae **Jill Tallack** wedi dysgu mewn ysgolion ar draws yr ystod oedran cynradd. Bu'n gweithio am rai blynyddoedd mewn coleg addysg bellach, yn dysgu ar raglenni gofal plant. Yn ogystal ag ysgrifennu, mae'n arolygu darpariaeth feithrin ar ran OFSTED.

SUT I DDEFNYDDIO'R LLYFR HWN

This book has been written and designed to cover the DCE units precisely. It is presented in an attractive, open design for easy reference and all the features are up-to-date and of immediate relevance to the DCE course. The range of features used in the book is described below.

Cyflwyniad i bob rhan

Rhannwyd y llyfr yn benodau gyda chyflwyniad byr i bob pennod.

Cyflwyniad i'r penodau

Mae pob rhan yn cychwyn gyda chrynodeb o'i chynnwys, ac yn cyfeirio at rannau eraill sy'n berthnasol i gynnwys y rhan hon.

Diffiniadau

Nid yw myfyrwyr bob amser yn barod am yr iaith dechnegol a ddefnyddir yn eu deunydd darllen. Pan geir geiriau newydd pwysig o fewn y testun, cewch hyd i ddiffiniad o'r geiriau hynny mewn blwch ar ymyl y tudalen.

Astudiaethau achos

Datblygwyd astudiaethau achos newydd, sy'n dangos sut y gellir trin mater mewn amgylchedd ymarferol. Mae dau neu dri chwestiwn yn dilyn pob enghraifft, er mwyn i chi ymarfer sgìl datrys problemau.

Gwirio'ch cynnydd

Ar ddiwedd pob adran bwysig o fewn rhan, cewch hyd i restr fer o gwestiynau. Drwy ateb y rhain, byddwch yn cadarnhau eich bod yn deall y deunydd darllen.

Termau allweddol

Ar ddiwedd pob rhan, byddwch yn gweld nodyn yn eich atgoffa i ailddarllen yr wybodaeth yn y blychau termau allweddol er mwyn sicrhau eich bod yn deall pob un.

'Nawr rhowch gynnig ar y cwestiynau hyn'

Ar ddiwedd pob rhan ceir nifer o gwestiynau gydag atebion byr. Os atebwch y rhain, byddwch yn dangos eich bod yn deall cysyniadau allweddol y rhan ac yn gallu ysgrifennu amdanynt yn eich geiriau eich hun.

Rhestr Termau

Ar ddiwedd y llyfr cewch hyd i restr termau gynhwysfawr. Mae'n esbonio'r holl dermau allweddol a ddefnyddir.

Sgiliau allweddol

Mae llawer o'r myfyrwyr sy'n astudio gofal plant hefyd angen dangos eu gallu yn y Sgiliau Allweddol. Cewch hyd i ganllawiau ar gyfer pump o Sgiliau Allweddol lefel 2 ar dudalennau ix-xiv. (Bydd mwy o fanylion ar gael gan eich tiwtor, aseswr neu oruchwyliwr.)

Ysgrifennwyd y llyfr hwn i gefnogi cyrsiau gofal plant lefel 3. Mae'n anelu at ddarparu gwybodaeth a dealltwriaeth ac i wella sgiliau ymarferol ar gyfer ystod o weithwyr, gan gynnwys ymgeiswyr NVQ. Rydym yn ffyddiog y byddwch yn ei hoffi - ac yn dymuno pob lwc i chi wrth astudio.

CANLLAWIAU SGILIAU ALLWEDDOL

Cyfathrebu

Wrth wraidd pob ymarfer gweithio da mae cyfathrebu effeithiol. Rydym yn cyfathrebu mewn sawl ffordd yn y gwaith, drwy gyfrwng sgyrsiau, trafodaethau a chyflwyniadau. Gellir gwneud hyn drwy ddefnyddio ffôn, ffacs, llythyr neu e-bost. Efallai y byddwn yn cyfathrebu â chydweithwyr, rheolwyr, plant, eu rhieni a phobl eraill yn y gymuned. Os byddwch yn gofalu am blant, gall yr hyn a ddywedwch a'r hyn a ddeallwch effeithio'n fawr ar les y plentyn. Mae cyfathrebu'n cynnwys y meysydd canlynol.

CYMRYD RHAN MEWN TRAFODAETHAU

Mae'n bwysig bod gweithwyr gofal plant yn gallu siarad yn glir a gwrando'n ofalus, Yn ystod trafodaethau, dylid:

- cadw at y pwnc
- mynegi'ch hun yn glir
- sicrhau bod y trafodaethau'n adeiladol.

Discussions take many forms: informal conversations with colleagues, formal meetings such as staff meetings, planned presentations to groups of people or telephone conversations with, for example, a child's parent or carer.

CYNHYRCHU DEUNYDD YSGRIFENEDIG

Mantais deunydd ysgrifenedig yw bod llai o le i gamddeall a gellir cadw cofnodion cywir. Yn ogystal, gellir rhannu gwybodaeth rhwng sawl person pan nad yw'n bosibl cynnal cyfarfod. Unwaith y bydd rhywbeth ar bapur, fodd bynnag, bydd yn anoddach ei newid. Rhaid i wybodaeth ysgrifenedig fod yn gywir, yn ddarllenadwy, yn hawdd ei deall ac yn addas o ran ei fformat.

Gellir cynhyrchu deunydd ysgrifenedig mewn sawl ffordd. O bosibl, bydd angen i chi gwblhau cerdyn cofnod plentyn, gyrru llythyr at riant, cynhyrchu adroddiad ar gyfer rheolwr meithrinfa, gwneud cais am swydd fel nani ar ffurf llythyr neu gwblhau arolygon a holiaduron wrth helpu i sefydlu grŵp chwarae lleol. Dylid gwirio sillafu, gramadeg ac atalnodi bob amser i sicrhau cywirdeb.

DEFNYDDIO DELWEDDAU

Mae'n debyg eich bod yn gyfarwydd â'r dywediad bod 'llun cystal â mil o eiriau'. Cewch ddigon o gyfle wrth weithio ym myd gofal blynyddoedd cynnar i ddefnyddio lluniau a delweddau i gyfathrebu.

Defnyddiwch ddelweddau clir sy'n berthnasol i'r hyn yr ydych yn dymuno ei ddweud ac sy'n:

● addas ar gyfer y rhai a fydd angen eu deall

● cydnabod a gwerthfawrogi amrywiaeth

● hyrwyddo cyfle cyfartal ac ymarfer gwrth-wahaniaethol.

Gall ddelweddau cynnwys cynlluniau o'r feithrinfa, darluniau ar gyfer taflenni newyddion misol i rieni, graffiau a siartiau presenoldeb i'w defnyddio mewn adroddiad blynyddol, neu ffotograffau trawiadol ar gyfer hysbysebu'ch cyfleusterau. Gellir defnyddio delweddau hefyd er mwyn egluro pwynt mewn trafodaeth grŵp neu un-wrth-un.

DARLLEN AC YMATEB I WYBODAETH YSGRIFENEDIG

Mae deunydd ysgrifenedig yn ein hamgylchynu: cylchgronau, adroddiadau, hysbysebion, amserlenni, arwyddion, llyfrau a thaflenni - mae'r rhestr yn ddiddiwedd. Mae'n bwysig i allu dewis y ffynhonnell iawn at eich pwrpas a'i defnyddio i gael gafael ar yr wybodaeth sydd ei hangen arnoch. Pan fyddwch wedi dewis y ffynhonnell iawn, bydd angen i chi allu cymryd yr wybodaeth berthnasol ohoni, a sicrhau eich bod deall yr wybodaeth ac yn gallu ei chrynhoi.

Yn eich gwaith fel gweithiwr gofal plant bydd angen i chi ddeall dogfennau fel polisïau a gweithdrefnau eich gweithle, amserlenni'n dangos diwrnod y plant, llythyrau gan rieni neu'r cyrff statudol, ac agenda a munudau ar gyfer cyfarfodydd. Yn ogystal, bydd angen i chi ddehongli unrhyw luniau a delweddau sy'n cyd-fynd â'r wybodaeth ysgrifenedig.

Rhifedd

Efallai y byddwch yn synnu i ganfod pa mor aml y byddwch yn gweithio gyda rhifau, data a datrys problemau mathemategol yn eich gwaith gyda phlant. Mae trin rhifau yn symlach os ydych yn deall pam eich bod yn gwneud hynny. Mae'n bwysig bod yn fanwl gywir. Mae rhifedd yn cynnwys y meysydd canlynol.

CASGLU A CHOFNODI DATA

Mae data yn wybodaeth rifol; rhaid i chi allu casglu a chofnodi gwybodaeth o'r fath.

Pan fyddwch yn gwybod sut fath o wybodaeth sydd ei hangen arnoch, bydd rhaid i chi benderfynu sut yr ydych am fynd ati i'w gasglu, cyflwyno'ch tasgau yn y drefn iawn a chofnodi'ch canlyniadau yn glir ac yn fanwl gywir. Efallai y byddwch yn dymuno cofnodi gwybodaeth gan rieni mewn cyfweliad cofrestru neu gofnodi lefelau presenoldeb mewn meithrinfa dros gyfnod o wythnosau. Mae'n bosibl y bydd angen i chi gynllunio cornel cartref newydd, mesur y gofod sydd ar gael a llunio cynllun manwl gywir o'ch cynigion. Efallai y byddwch yn casglu arian gan rie

Un cwestiwn y bydd angen i chi ofyn i chi'ch hun wrth gasglu data yw pa mor fanwl gywir y mae angen i chi fod. Os byddwch yn cynnal arolwg o'r amser y bydd plant yn cyrraedd y feithrinfa, mae'n bosibl na fydd angen cofnodi'r amser yn fanylach nag i'r pum munud agosaf. Os byddwch yn casglu arian gan rieni, nid oes lle i wneud camgymeriadau!

DELIO Â PHROBLEMAU

O bryd i'w gilydd, byddwch yn dod ar draws problemau yn y gwaith y bydd angen eu datrys drwy ddefnyddio technegau rhifol. Mae'n bwysig i ddewis y dechneg gywir o'r cychwyn cyntaf a sicrhau eich bod yn gwneud popeth yn y drefn iawn. Rhaid i'r cyfrif fod yn gywir a dylech wirio'ch gwaith i wneud yn siŵr nad oes unrhyw gamgymeriadau a bod eich canlyniadau'n gwneud synnwyr.

Mae'n bosibl y bydd angen i chi:

- benderfynu ar feintiau o ddeunyddiau tafladwy megis papur, paentiau neu glai y bydd eu hangen ar gyfer gweithgaredd
- gallu dweud faint o arian a wariwyd mewn cyfnod penodol
- helpu i gynnal arolygon lleol ar gyfer agoriad meithrinfa newydd.

Bydd angen techneg arbennig ar gyfer pob un o'r uchod, a rhaid cyflwyno canlyniadau pob un mewn ffordd briodol.

DEHONGLI A CHYFLWYNO DATA

Mae'n amhosibl deall meintiau sylweddol o ddata os nad ydynt wedi'u cyflwyno'n glir; mae llun yn gallu cynrychioli mil o eiriau, ac yn yr un ffordd mae graff yn gallu cynrychioli mil o rifau. Mae'n weddol sicr y byddwch chi, neu rywun arall, yn gwneud penderfyniadau a seiliwyd ar yr wybodaeth y byddwch yn ei chyflwyno, ac felly dylai'r graffiau, siartiau, tablau, pictogramau, cynlluniau, darluniau neu luniadau a ddefnyddir fod yn glir ac yn briodol. Dylech amlinellu prif nodweddion eich data, sicrhau bod yr echelinau neu'r labeli priodol yn glir ac esbonio sut mae eich canlyniadau'n berthnasol i'r broblem.

Gellir cyflwyno canlyniad arolwg meithrinfa mewn graffiau, siartiau a thablau, tra defnyddir cynlluniau a diagramau, o bosibl, i gyflwyno cynigion i newid y ffordd mae gofod y feithrinfa yn cael ei ddefnyddio.

Technoleg Gwybodaeth

Erbyn hyn, mae'r rhan fwyaf o wybodaeth yn cael ei storio'n electronig, neu ar system technoleg gwybodaeth (neu TG). Mantais systemau o'r fath yw eu bod hefyd yn gallu aildrefnu, trin a darparu gwybodaeth a (yn ddamcaniaethol, o leiaf!) lleihau maint y papur a ddefnyddir yn y gweithle. Mae technoleg gwybodaeth yn cynnwys y meysydd canlynol.

PARATOI GWYBODAETH

Ni cheir gwybodaeth well allan o system na'r wybodaeth a roddir i mewn, ac felly dylai pob gwybodaeth fod yn fanwl gywir. Mae'n bwysig i gynllunio'n ofalus fel bod yr wybodaeth a roddwch i mewn ar ffurf briodol, ac fel bod modd golygu'r wybodaeth yn ddidrafferth ar ôl ei mewnbynnu. Yn ogystal, dylech gadw'r holl wybodaeth mewn ffeiliau a phlygellau trefnus a gwneud copïau wrth gefn, rhag ofn y bydd rhywbeth yn mynd o'i le ar y ffeiliau sy'n cael eu storio'n ganolog.

Er enghraifft, dylid trefnu enwau, cyfeiriadau a chodau post rhieni fel y gellir cael gafael ar yr wybodaeth yn hawdd ar gyfer postio; dylid cofnodi canlyniadau arolygon a holiaduron yn ofalus fel y gellir eu trosglwyddo i daenlen a mewnbynnu gwybodaeth darddiad ar gyfer taflen newyddion tymhorol (testun, lluniau, tablau neu graffiau) fel y gellir ei chyfuno'n electronig i mewn i un ffeil.

PROSESU GWYBODAETH

Nid yw mewnbynnu gwybodaeth i system ynddo'i hun yn ddefnyddiol iawn. Gallu'r cyfrifiadur i gyrraedd a dewis gwybodaeth mewn gwahanol ffyrdd, i gyfuno gwybodaeth o wahanol ffynonellau ac i greu allbwn sy'n hawdd ei ddefnyddio yw'r hyn sy'n peri ei fod yn arf defnyddiol. Bydd darganfod, adalw, golygu, cyfuno ac aildrefnu gwybodaeth yn eich helpu i drefnu data crai yn ôl eich angen.

Er enghraifft, ar ôl rhoi trefn ar gyfeiriadau rhieni er mwyn creu post-daliadau, llythyrau unigol, cyrraedd rhieni plant o fewn ystod oedran arbennig neu o fewn ardal bost benodol. Gellir prosesu'r data crai o'r arolwg yn graffiau, siartiau neu dablau, a gellir gosod rhannau unigol o'r daflen newyddion ar fformat priodol.

CYFLWYNO GWYBODAETH

Mae cyflwyno gwybodaeth mewn ffordd glir a phroffesiynol yn werthfawr i chi, yn ogystal â'ch cyflogwr. Gall y syniadau gorau gael eu hanwybyddu os na chyflwynir hwy'n safonol; mae'n bosibl na fydd neb yn deall eich pwynt. Mae gweithio mewn ffordd broffesiynol yn arbennig o bwysig wrth weithio gyda phlant, gan y bydd angen, o bosibl, i chi gael cymeradwyaeth, hyder a chefnogaeth rheini, yr awdurdod lleol a'r gymuned ehangach – yn ogystal â'ch cyflogwr.

Dylech allu cyflwyno'r wybodaeth a broseswyd mewn ffordd briodol a dewis y feddalwedd orau i wneud hynny. Mae cysondeb yn bwysig a dylech bob amser gadw'ch gwaith gorffenedig mewn ffeiliau a drefnwyd yn ofalus, a gwneud copïau'n aml.

Byddwch yn cael enw am fod yn drylwyr ac yn broffesiynol drwy wneud y canlynol:

- cyflawni a diweddaru eich post yn gyson ac yn fanwl gywir

- cynhyrchu arolygon ac adroddiadau eraill ar ffurf adnabyddadwy ar fformat cyffredin

- cyhoeddi eich taflen newyddion i'r un safon uchel bob tymor.

GWERTHUSO'R DEFNYDD O DECHNOLEG GWYBODAETH

Mae'n bwysig eich bod yn gwybod pryd y gall technoleg gwybodaeth hwyluso pethau – a phryd na all wneud hynny! Mae'n bwysig hefyd i ddeall yr ystod o feddalwedd sydd ar gael a beth yw ei swyddogaethau a'i gyfyngiadau.

Mae cyfrifiadur a'i feddalwedd yn debyg i unrhyw beiriant arall. Rhaid ei gynnal yn ofalus, a rhaid cofnodi namau a phroblemau fel y gellir eu datrys. Mae'n bwysig hefyd bod eich arferion gweithio'n iach ac yn ddiogel, a'ch bod yn amddiffyn eich hun a'ch peiriant drwy leoli'r allweddell a'r sgrin yn gywir, cadw trefn ar geblau, cadw bwyd a diod i ffwrdd o'r man gwaith, a storio cyfarpar yn bell o ffynonellau gwres a chyfarpar trydanol eraill.

Gwella dysgu a pherfformiad

Mae gan bob un ohonom gryfderau a gwendidau, ac mae'n bwysig ein bod ni'n gwybod beth ydynt er mwyn gwella'n dysgu a'n perfformiad. Bydd gosod targedau ac adolygu cynnydd yn eich helpu i ffocysu'n gliriach ar yr hyn sydd angen i chi ei wneud. Mae gwella eich dysgu a'ch perfformiad yn cynnwys y canlynol:

ADNABOD TARGEDAU

Dylech chi allu adnabod eich cryfderau a'ch gwendidau a chyflwyno tystiolaeth i gefnogi eich barn. Yn ogystal, bydd rhaid i chi allu helpu i osod targedau tymor-byr er mwyn mesur eich cynnydd, ar y cyd â'ch athro, aseswr neu oruchwyliwr yn y gweithle. Pan fydd y targedau wedi eu gosod, gwnewch yn siŵr eich bod yn deall yr hyn sy'n cael ei ofyn gennych!

DILYN AMSERLENNI I GYRRAEDD EICH TARGEDAU

Ar ôl cytuno ar eich targedau ar gyfer gwella, dylech allu eu dilyn heb ormod o oruchwyliaeth, o fewn y raddfa amser a bennwyd. Wrth gwrs, byddwch yn cael cefnogaeth yn eich gwaith a dylech wybod sut i wneud defnydd da o hyn er mwyn gwella'ch gwaith a chyrraedd eich targedau.

Gweithio gydag eraill

Mae'n annhebygol y byddwch yn gweithio ar eich pen eich hun os byddwch yn gweithio ym myd gofal plant. Gall dysgu gyda phobl eraill fod yn her fawr, ond y mae hefyd yn rhoi llawer o foddhad. Mae gweithio gydag eraill yn cynnwys y meysydd canlynol.

ADNABOD NODAU A CHYFRIFOLDEBAU CYFFREDIN

Wrth weithio gydag eraill bydd angen gallu adnabod a chytuno ar nodau grŵp. Yn ogystal, bydd angen i chi fod yn glir ynghylch pwy sy'n gyfrifol am beth a'r ffordd yr ydych yn mynd i drefnu cydweithio.

GWEITHIO TUAG AT NODAU CYFFREDIN

Wedi i chi ddeall eich cyfrifoldebau, dylech fynd ati i drefnu eich gwaith fel y gallwch gyrraedd eich nodau mewn pryd. Bydd angen i chi gadw at y dulliau gweithio y cytunwyd arnynt gan y grŵp.

CYDNABYDDIAETH

Hoffai'r awdur a'r cyhoeddwyr ddiolch i'r canlynol am eu caniatâd i atgynhyrchu deunydd yn y llyfr hwn:

Ysgol Bro Gwydir, Conwy: t232; Photofusion Picture Library: t249; Ysbyty Great Ormond Street: t303; Sally & Richard Greenhill: t57 & t650: Cymdeithas Genedlaethol Ecsema: t303; St John's Institute of Dermatology: t303; DfEE am ddyfyniadau o'r *National Literacy Strategy: Framework for Teaching Literacy from Reception to Year 6* (1998) a'r *National Numeracy Strategy: Framework for Teaching Mathematics from Reception to Year 6* (1999) t 384; Ward Lock Educational am ddyfyniad o *Listening to Children Talking*, Joan Tough, 1976; t154; L Murray & L Andrews am ddyfyniad o *The Social Baby: Understanding Babies' Communications from Birth*, the Children's Project, Llundain, 2000: t501; Biwro Cenedlaethol y Plant am ddyfyniad o *Young Children in Group Day Care: Guidelines for Good Practice*: t624.

Mae'r bennod hon yn canolbwyntio ar ddatblygu'r sgil proffesiynol pwysig o arsylwi ac asesu plant. Byddwch yn ystyried yr hyn a gyfrifir yn arfer da o ran arsylwi a sut i sicrhau hyn yn eich gwaith eich hun. Edrychir yn fanwl ar ystod o ddulliau arsylwi a thrafodir y defnydd a wneir ohonynt. Wrth i'ch sgiliau a'ch gwybodaeth ddatblygu, byddwch yn dod i ddeall sut i ddadansoddi a gwerthuso'ch arsylwadau, a defnyddio'ch darganfyddiadau i wella'ch gwaith gyda phlant.

ARSYLWI AC ASESU

*B*ydd y bennod hon yn trafod y pynciau canlynol:

⌣ *pwysigrwydd arsylwi ac asesu*

⌣ *arfer da wrth arsylwi ac asesu*

⌣ *dulliau arsylwi ac asesu*

⌣ *gwerthuso'ch arsylwadau.*

Pwysigrwydd arsylwi ac asesu

Wrth hyfforddi, byddwch yn treulio llawer o amser yn dysgu sut i arsylwi plant ac yn ymarfer eich sgiliau yn y maes hwn. Er mwyn ennill eich cymhwyster, bydd rhaid i chi ddangos eich gallu yn y maes hwn drwy gyflwyno portffolio o arsylwadau ac asesiadau o blant o bob oedran, o enedigaeth hyd 7 mlwydd 11 mis oed, yn ffocysu ar bob agwedd ar ddatblygiad, o fewn gwahanol gyd-destunau a chan ddefnyddio ystod o ddulliau priodol o gofnodi. Wrth i chi weithio drwy'r bennod hon byddwch yn gallu dangos sut mae eich gwybodaeth a'ch profiad proffesiynol yn datblygu wrth ddod i gasgliadau wedi'u seilio ar eich arsylwadau.

PAM ARSYLWI?

Mae **arsylwi**'n sgìl proffesiynol hanfodol i weithwyr gofal plant. Rydym ni'n arsylwi plant er mwyn:

- deall patrwm y datblygiad
- casglu gwybodaeth er mwyn gwneud **asesiadau** am gynnydd plentyn mewn perthynas â normau datblygiad
- dysgu am ddiddordebau plentyn neu grŵp o blant
- nodi unrhyw broblemau penodol posibl y bydd y plentyn, o bosibl, yn eu profi
- cwrdd ag anghenion penodol unigolion neu grwpiau o blant
- dod i ddeall plant fel unigolion
- asesu'r hyn a gyflawnwyd gan y plentyn ac yna cynllunio ar gyfer y cam nesaf
- cofnodi a dogfennu unrhyw ymddygiad anarferol neu unrhyw ymddygiad sy'n achosi pryder
- rhoi gwybodaeth am y plentyn i rieni ac unrhyw rai eraill a fu'n ymwneud â'r plentyn
- gwerthuso effeithiolrwydd y ddarpariaeth ar gyfer plant.

Mae gweithwyr gofal plant yn gwneud arsylwadau ac yn ymateb iddynt mewn modd greddfol o hyd – yn sylwi bod plentyn wedi cwympo ac yn ceisio cysuro, yn sylwi bod yr hambwrdd papur yn wag, ac yn ei ail-lenwi. Fodd bynnag, mae lle hefyd ar gyfer arsylwi mewn ffordd strwythuredig, gyda nod a phwrpas amlwg ac a gofnodir yn briodol. O ganlyniad, bydd yn bosibl dod i gasgliadau ynglŷn â chynnydd ac anghenion plant ac yn bwysig iawn, ystyried awgrymiadau ynglŷn â sut y dylid gweithredu.

termau allweddol

Arsylwi

cofnod o ymateb plentyn i weithgaredd neu sefyllfa, a ddefnyddir gan weithwyr proffesiynol i benderfynu cynnydd ac anghenion

Asesu

cyfateb perfformiad plentyn i raddfa safonol, gan fesur eu cyflawniadau neu normau datblygiad

Gwirio'ch cynnydd

Rhestrwch rai o'r rhesymau pam yr ydym ni'n arsylwi plant.

Pam fod arsylwi strwythuredig a gofnodwyd yn ddefnyddiol i weithwyr gofal plant?

Beth yw'r gwahaniaeth rhwng arsylwi ac asesu?

Arfer da wrth arsylwi ac asesu

Wrth i chi ddechrau arsylwi plant mae'n bwysig eich bod chi'n cydymffurfio â gofynion arfer proffesiynol da, yn enwedig mewn perthynas â chydnabod a sicrhau hawliau plant a'u teuluoedd.

CYFRINACHEDD

Un ffordd o ddangos eich parch tuag at hawliau plant yw drwy arfer cyfrinachedd. Er mwyn rhoi darlun clir o'r plentyn neu'r plant rydych chi'n eu harsylwi, efallai y byddwch chi'n cofnodi gwybodaeth gyfrinachol am y plentyn. Wrth wneud sylwadau am y plentyn ar gyfer eich portffolio, dylech guddio hunaniaeth y plentyn, fel arfer drwy ddefnyddio llythrennau cyntaf neu enwau cyntaf yn unig, ac ni ddylech ddatgelu enw'ch lleoliad. Eich cyfrifoldeb chi yw sicrhau na ddefnyddir y wybodaeth a chynhwysir mewn sylwadau mewn modd sy'n niweidio neu'n gwneud i'r plentyn neu'r teulu deimlo'n lletchwith. Wrth ddatgelu gwybodaeth dylech bob amser ystyried lles y plentyn. Os sylwch ar rywbeth sy'n peri pryder neu ofid i chi, er lles y plentyn dylech godi'r mater â'ch rheolwr llinell neu arolygwr y lleoliad, fel y gallant hwy weithredu mewn modd priodol. Ym mhob sefydliad gofal plant, ceir polisi clir ynglŷn â rhannu gwybodaeth gyfrinachol, a rhaid i'r staff lynu wrtho. Fel aelod o'r staff, mae'n debyg y bydd eich arsylwadau yn rhoi gwybodaeth i weithwyr proffesiynol eraill sy'n gweithio gyda'r plant, er enghraifft gweithwyr cymdeithasol, therapyddion lleferydd neu seicolegwyr addysg.

Yn ystod eich cyfnod mewn lleoliad gwaith bydd rhaid i chi sicrhau bod gennych ganiatâd arolygwr y lleoliad cyn gwneud arsylwadau am y plant yr ydych yn gweithio â hwy a dangos yn eich portffolio eich bod chi wedi gwneud hynny. Yn y mwyafrif o leoliadau, mae'r staff yn esbonio i'r rhieni bod eu plant yn mynd i gael eu harsylwi wrth chwarae a gweithio yn y lleoliad, at yr ystod o bwrpasau a ddisgrifiwyd uchod. Mewn lleoliadau lle hyfforddir myfyrwyr, bydd y staff yn esbonio bod rhaid i'r myfyrwyr wneud arsylwadau fel rhan o'u gwaith yn y lleoliad ac fel arfer bydd rhieni'n fodlon caniatáu i'r myfyrwyr wneud hyn. Fodd bynnag, nid yw pob rhiant yn fodlon, a dylech bob amser sicrhau bod gennych ganiatâd i arsylwi plentyn penodol. Os byddwch yn defnyddio ffotograffau neu dâp fideo, sy'n dangos pwy yw'r plentyn, ar gyfer cofnodi'ch arsylwadau, rhaid gwneud yn siŵr bod gennych ganiatâd y rhieni.

RHANNU ARSYLWADAU ER MWYN CYNLLUNIO A DARPARU

Bydd staff yn trafod yr arsylwadau a wnaed am blant yn y lleoliad, ac yn eu defnyddio i wneud penderfyniadau ynglŷn â chynllunio'r camau nesaf ar gyfer unigolion neu grwpiau o blant ac i nodi unrhyw weithredu a ddylai ddigwydd. Er enghraifft, efallai bydd yr arsylwad yn dangos bod rhywfaint o'r offer chwarae y tu hwnt i gyrraedd y plant, gan olygu bod rhaid ail-drefnu'r man chwarae. Fel myfyriwr, mae cymryd rhan yn y trafodaethau a chyfrannu'r hyn a ddysgoch o'ch cyfnod arsylwi'n werthfawr iawn, gan y bydd yn eich helpu i ddeall gwerth ymarferol yr arsylwi. Yn aml bydd staff yn rhannu'r arsylwadau a wnaed o'r plant gyda'r rhieni, gan roi cyfle iddynt rannu eu harsylwadau eu hunain o'r plant yn eu cartref. Mae hyn yn rhoi darlun llawnach i'r staff o'r plentyn. Mae'n debyg, hefyd, y bydd yr arsylwadau yn cael eu rhannu â gweithwyr proffesiynol eraill fel rhan o'r gweithdrefnau asesu, monitro neu gynnal.

term allweddol

Gwrthrychol
yn rhydd o ddylanwad teimladau neu feddyliau personol

GWRTHRYCHEDD

Yn ddieithriad, dylai arsylwadau fod yn **wrthrychol**, hynny yw, yn rhydd o ddylanwad teimladau neu feddyliau personol. Gall y canlynol ddylanwadu ar eich dealltwriaeth o'r plentyn:

- profiad blaenorol o'r plentyn neu o blant eraill
- eich agweddau a'ch gwerthoedd eich hunan

- eich anghenion a'ch personoliaeth

- sylwadau a wnaed gan eraill.

Os oes gennych syniad yn barod o'r hyn yr ydych yn disgwyl ei ganfod, wrth ddod at blentyn neu sefyllfa, bydd hyn yn dylanwadu ar yr hyn a welwch ac yn tanseilio dilysrwydd eich arsylwadau. Un ffordd o sicrhau gwrthrychedd wrth arsylwi yw cofnodi'r hyn a weloch, yn hytrach na gwneud rhagdybiaethau am y plentyn neu ei ymddygiad. Er enghraifft:

- 'Taflodd Aled ei hun ar y llawr gan sgrechian, cicio'i draed a bwrw'r awyr â'i ddyrnau' *nid* 'Roedd Aled yn gynddeiriog'.

- 'Cipiodd Sioned y ddol oddi ar Nia, cyn ei chicio a brathu ei braich' nid 'Mae Sioned yn blentyn ymosodol'.

Yn ogystal, bydd cynnal agwedd wrthrychol yn haws os gallwch osgoi:

- neidio i gasgliadau, e.e. 'mae'n fachgen drwg'

- cyffredinoli, e.e. 'mae pob plentyn yn crïo pan fydd eu mam yn eu gadael'

- mynegi barn bersonol, e.e. 'mae hi'n blentyn annwyl'

- labelu plant, e.e. 'mae hi'n fwli'

- priodoli teimladau i blant, e.e. 'roedd ofn arnyn nhw'.

Mae pob un o'r esiamplau uchod yn rhoi barn oddrychol. Mae rhoi disgrifiad cywir o'r hyn a welwch yn sicrhau bod eich arsylwadau'n wrthrychol.

Agwedd arall ar wrthrychedd yw'r posibilrwydd o gynnwys rhagfarn a stereoteipio yn eich arsylwadau a'ch asesiadau o blant. Mae'n bosibl bod gennych ddisgwyliadau o blant sy'n ymwneud â'ch cefndir ieithyddol, diwylliannol neu gymdeithasol eich hun, ac mae'n bosibl y bydd hynny'n eich arwain i wneud rhagdybiaethau am ddatblygiad ac ymddygiad plant o gefndiroedd sy'n ddieithr i chi. Er enghraifft:

- Barnu bod gan blentyn Pacistanaidd 4 oed sgiliau hunanofal a llawdriniol gwan am ei bod hi'n cael trafferth defnyddio cyllell a fforc amser cinio. Byddai angen i chi ddeall mai cymdeithasau Gorllewinol sy'n defnyddio cyllyll a ffyrc ar y cyfan, ac mae'n bosibl nad yw'r plentyn yn eu defnyddio yn y cartref.

- Tybio bod plentyn yn haerllug ac yn brin o sgiliau cymdeithasol am nad yw'n edrych yn eich llygaid pan fyddwch yn siarad ag ef. Byddai gofyn i chi ddeall bod rhai diwylliannau'n ystyried na ddylai plentyn edrych yn syth i lygaid oedolyn, gan fod hyn yn arwydd o anghwrteisi.

- Casglu bod gan blentyn sy'n siarad dim ond ychydig o Gymraeg broblemau ieithyddol, er ei fod yn rhugl yn ei iaith gyntaf. Mae'n gywirach, o bosibl, i nodi bod angen cefnogaeth arno i ddatblygu ei allu i ddefnyddio'r iaith Gymraeg.

Lle defnyddir asesiadau safonol i fesur cynnydd plant, dylid sicrhau nad oes unrhyw dueddiad diwylliannol yn y profion. Er enghraifft, ni fyddai plentyn o gefndir traddodiad celfyddyd Islamaidd, sy'n pwysleisio patrwm ac addurn, yn hytrach na chynrychioli pethau byw, yn dangos ei alluoedd yn llawn os caiff ei fesur yn ôl graddfa sy'n pennu oedran meddyliol drwy ofyn i blentyn dynnu llun ffigur ac ennill pwyntiau am bob manylyn.

CYFYNGIADAU ARSYLWI AC ASESU

Ni chewch ddarlun llawn a dibynadwy wrth arsylwi plentyn unwaith yn unig, ac ni ddylech ddod i gasgliadau brysiog ar sail hyn. Er mwyn rhoi barn deg ar allu neu gynnydd plentyn, neu i ddatrys unrhyw broblemau, byddai'n rhaid cael darlun llawnach, wedi'i seilio o bosibl ar nifer o arsylwadau dros gyfnod o amser, a chan gymryd i ystyriaeth ffactorau a allai ddylanwadu ar ymddygiad neu ymateb y plentyn. Er enghraifft, gall plentyn 1 oed roi ei phen yng nghôl ei mam pan fydd yr ymwelydd iechyd, wrth wneud asesiad arferol o'i datblygiad, yn gofyn iddi godi a dosbarthu siapiau yn eu grwpiau cywir. Ni fyddai'r ymwelydd iechyd yn tybio na allai'r plentyn afael yn y siâp a'i osod yn y lle cywir, ond yn hytrach yn casglu na ddewisodd wneud hynny, efallai am fod yr ymwelydd ei hun a'r sefyllfa'n ddieithr i'r plentyn. Nid yw asesiadau a wnaed o blant blinedig neu ansicr mewn amgylchiadau anghyfarwydd yn debygol o roi darlun cywir. (Fodd bynnag, mae'n bosibl y byddwch wedi sylwi ar rywbeth sy'n codi pryderon ac sy'n awgrymu bod y plentyn mewn perygl. Mae'n gyfrifoldeb arnoch i godi'r mater gydag arolygwr y lleoliad, a fydd yn gwneud ymholiadau pellach ac yn gweithredu mewn modd priodol.)

Astudiaeth achos ...

... defnyddio arsylwi

Roedd Aled wedi mynychu'r feithrinfa am tua 6 mis. Yn y feithrinfa, mae'r staff yn gwneud arsylwadau gan ffocysu ar blant unigol yn gyson a thrafod eu darganfyddiadau mewn cyfarfodydd tîm. Y teimlad oedd bod Aled wedi ymgartrefu'n dda ac yn mwynhau'r rhan fwyaf o'r gweithgareddau. Arsylwodd y nyrs feithrin Aled am sesiwn fore gyfan, gan ganolbwyntio ar ei allu i ryngweithio â phlant eraill ac ar y gweithgareddau y dewisai gymryd rhan ynddynt. Er ei fod i'w weld yn rhan o'r grŵp, sylwodd ei fod yn treulio llawer o'r amser yn gwylio'r plant eraill yn chwarae ac nad oedd yn gallu cymryd rhan yn llawn yn y gweithgaredd. Dewisodd ystod o weithgareddau ond yn ystod y sesiwn honno, gwnaeth osgoi peintio a chrefft. Trafodwyd hyn gydag aelodau eraill o'r staff yn ystod y cyfarfod tîm. Roeddent wedi sylwi arno'n ymgolli mewn peintio a chrefft ar adegau eraill, ac nid oeddent o'r farn bod ei ddewis i beidio â chymryd rhan y tro hwn yn arwyddocaol. Er hyn, credwyd y dylid rhoi cyfle iddo ddechrau chwarae mewn grŵp ac awgrymwyd y dylai aelod o'r staff chwarae ochr yn ochr ag Aled mewn grŵp a'i annog i fod yn fwy pendant. Yn y cyfarfod nesaf, byddent yn adolygu'r sefyllfa ac yn penderfynu a oedd achos o hyd i bryderu.

1. Pam fod arsylwi gyda ffocws pendant yn ddefnyddiol yn y sefyllfa hon?

2. Pa syniadau rhagdybiedig fyddai'r staff wedi gallu eu cael am Aled?

3. Yn eich lleoliad neu eich man gwaith chi, pa ddefnydd a wneir o arsylwi?

BETH YDYCH CHI'N EI ARSYLWI?

- Arsylwch blant unigol wrth chwarae a chymryd rhan mewn gweithgareddau eraill. Cewch ganlyniadau gwell wrth wylio plant mewn sefyllfaoedd cyfarwydd, sy'n codi'n naturiol o ddydd i ddydd yn hytrach na rhai a grëwyd yn benodol at bwrpas arsylwi. Efallai y byddwch yn awyddus i ffocysu ar faes datblygiad, ar agwedd o'r cwricwlwm neu faes sy'n achosi pryder. Bydd pob plentyn, ac nid yn unig y rhai sy'n achosi pryder, yn elwa o gael eu harsylwi.

- Arsylwch grwpiau o blant ac edrychwch ar y rhyngweithio a'r cydweithrediad. Bydd grwpiau bach yn rhoi'r cyfle i chi gymharu sgiliau ac ymatebion.

- Edrychwch ar ddarn o gyfarpar neu weithgaredd penodol i weld sut mae plant yn ymateb iddo.

● Arsylwch blant dros gyfnod o amser. Mapiwch eu llwybrau o amgylch yr ystafell. A ydynt yn cymryd rhan ym mhob gweithgaredd? A ydynt yn osgoi rhai lleoedd?

AM BETH DDYLECH CHI CHWILIO?

Cofiwch gyfeirio at fatrics arsylwi eich cwrs, er mwyn sicrhau bod eich portffolio'n cynnwys yr ystod ofynnol. Bydd disgwyl i chi gwblhau arsylwadau ar draws yr ystod oedran, yn ymwneud â phob maes datblygiad, o blant ag anghenion arbennig ac o fewn amryw o gyd-destunau.

WRTH ARSYLWI MAES DATBLYGIAD, CHWILIWCH AM DYSTIOLAETH O:

DDATBLYGIAD CORFFOROL – SGILIAU MOTOR BRAS

● Defnyddio sgìl cydbwyso

● Rheoli symudiad wrth redeg, sgipio, hercian, neidio

● Cyd-symudiad corff cyfan

● Defnyddio nerth

● Ymarfer sgìl

DATBLYGIAD CORFFOROL – SGILIAU MOTOR MANWL

● Defnyddio symudiadau bys manwl (sgiliau llawdriniol)

● Defnyddio cyd-symudiad llaw-llygad

● Sgiliau gosod a lleoli

DATBLYGIAD GWYBYDDOL

● Canolbwyntio

● Defnyddio dychymyg

● Defnyddio'r cof

● Bod yn greadigol

● Arbrofi ac ymchwilio

● Meddwl yn ofalus, deall

● Defnyddio'r synhwyrau i ymchwilio

● Datrys problemau

● Defnyddio symbolau, e.e. pren mesur ar gyfer cleddyf, dol ar gyfer babi

● Dealltwriaeth o gysyniadau, e.e. lliw, siâp, maint, rhif

● Dynwared eraill, oedolion neu blant

DATBLYGIAD IEITHYDDOL

● Gwrando ar eraill

● Meddwl yn uchel

● Trafod syniadau

● Dilyn cyfarwyddiadau

● Defnyddio geiriau yn ystyriol, yn ofalus, yn ddychmygus

● Disgrifio gwrthrych neu ddigwyddiad

● Darllen neu ddilyn cynllun

● Cofnodi drwy ddarlunio neu ysgrifennu

● Ynganiad, datganiad, goslef

● Iaith ddi-eiriau

● Gramadeg, amserau, defnydd priodol o rannau ymadrodd

● Cymhlethdod brawddegau – un gair, syml, cymhleth

● Defnydd o eirfa

● Pwrpas iaith y plant

DATBLYGIAD CYMDEITHASOL

● Cysylltu â ffrindiau neu berthnasau

● Cysylltu ag oedolion a phlant dieithr

● Rhannu – lle, cyfarpar

● Cydweithredu ag eraill

● Cymryd eu tro

● Gweithio mewn grŵp, gyda phartneriaid

DATBLYGIAD EMOSIYNOL

● Chwilio am dystiolaeth o deimladau, e.e. hapus, wedi ymlacio, hyderus, wedi difyrru, bodlon, balch, trist, dryslyd, blin, dig, ofnus, swil, ayyb.

● Cofnodi sut mae'r plentyn yn delio â'r teimladau hynny

Arsylwi babanod dan 1 oed

Wrth arsylwi datblygiad babanod ifanc, bydd ffocysu ar y canlynol yn ddefnyddiol:

- *Motor bras* – symudiadau corff bras gan gynnwys rheoli'r pen, rholio drosodd, eistedd, cropian, tynnu ei hun i fyny i sefyll a cherdded.

- *Motor manwl* – cyd-symudiad llaw-llygad gan gynnwys symudiadau braich ar hap, dal llygaid, ffocysu, ymdrechion i afael mewn a thrin gwrthrychau.

- *Cymdeithasol a chwarae* – sut mae'r babi yn ymwneud ac yn rhyngweithio â rhieni, gofalwyr, teulu ac eraill. Edrychwch am yr arwyddion cyntaf o ymddygiad cymdeithasol yn eu gwenu, chwerthin, dynwared, adnabod pobl a sefyllfaoedd.

- *Clyw ac iaith* – sut mae'r baban yn ymateb i synau amrywiol, cŵan, clebran baban, adnabod synau a lleisiau cyfarwydd, deall iaith, e.e. ymateb i 'Na' a'i enw ei hun.

Plant gydag anghenion penodol

Mae'n bosibl y bydd gan blant angen penodol sy'n effeithio ar eu datblygiad. Gall hwn fod yn angen tymor-hir – plentyn â nam ar ei glyw – neu dymor-byr, megis teimlo'n ansicr ar ôl geni baban newydd. Bydd ffocws eich arsylwad yn pennu a yw ystyried angen penodol y plentyn yn berthnasol wrth ddadansoddi eich canfyddiadau. Er enghraifft, os oes gan blentyn angen penodol yn ymwneud â'i symudedd, byddai hyn yn berthnasol wrth arsylwi datblygiad corfforol, ond efallai yn amherthnasol wrth ystyried sgiliau ieithyddol.

PRYD DDYLECH CHI ARSYLWI?

Mae arsylwi plant yn rhan bwysig o'ch hyfforddiant a dylech ei wneud dim ond pan fyddwch yn gweithio mewn lleoliad. Dylech drafod yr hyn sydd angen i chi ei wneud gydag arolygwr y lleoliad a chytuno ar amserau eich arsylwi. Yn aml bydd staff yn eich helpu i ddewis y sawl a fydd yn cael eu harsylwi a'r sefyllfa os esboniwch beth yw ffocws eich arsylwi.

COFNODI ARSYLWADAU

- Ceisiwch beidio â gadael i blant wybod eich bod chi'n arsylwi plentyn neu grŵp o blant penodol gan fod hyn yn debygol o effeithio ar eu hymddygiad.

- Os nad ydych chi'n cymryd rhan yn y gweithgaredd, chwiliwch am safle anamlwg fel y gallwch weld y plentyn ond heb amharu ar ei ofod personol.

- Ceisiwch beidio â gadael i'ch llygaid gyfarfod gan fod perygl y bydd hynny'n annog y plentyn i ddod atoch, a thrwy hynny yn effeithio ar eich ffocws.

- Bydd angen i chi wneud nodiadau wrth arsylwi rhag ofn na fyddwch chi'n cofio'r manylion. Mae llyfr nodiadau bach yn llai amlwg na ffeil drom.

- Dylech gofnodi'ch nodiadau'n llawnach mor fuan â phosibl wedi'r arsylwad neu mae perygl y byddwch yn anghofio ystyr byrfoddau a geiriau allweddol.

- Weithiau mae gofyn paratoi'n ofalus. Er enghraifft, os ydych chi'n arsylwi'r modd mae'r plant yn gwasgaru eu hunain o amgylch y dosbarth, yna bydd rhaid cynnwys braslun o gynllun yr ystafell. Gellir dyfeisio rhestrau gwirio at nifer o bwrpasau. Mae'r rhain yn rhwydd eu llenwi, yn enwedig wrth arsylwi gweithgaredd gyda grŵp.

- Os oes gennych ddiddordeb mewn rhyngweithiad ieithyddol plant, efallai y byddwch yn awyddus i ddefnyddio recordydd tâp bach, nad yw'n rhy amlwg. (Gall sŵn cefndir fod yn broblem wrth ddefnyddio'r dull hwn.)

- Bydd modd defnyddio camerâu fideo mewn nifer o leoliadau, ond mae ffilmio'n yn ymwneud â chyfrinachedd a hefyd yn effeithio, o bosibl, ar ymddygiad y plant.

Lleolwch eich hun mewn safle anamlwg, tu hwnt i ofod personol y plentyn

Gwirio'ch cynnydd

1   Sut allwch chi sicrhau cyfrinachedd wrth arsylwi plant?

2. Pam fod gwrthrychedd yn bwysig wrth arsylwi?

3. Sut gall arsylwi helpu o ran cynllunio ar gyfer y plant?

4. Disgrifiwch sut y gallwch osgoi dod i'r casgliadau anghywir wrth arsylwi.

5. Pam ddylech chi geisio bod yn anamlwg wrth arsylwi plant?

Dulliau arsylwi ac asesu

Bydd yr adran hon yn cyflwyno amryw o wahanol ddulliau cofnodi arsylwadau, gan eich helpu i ddewis y dull mwyaf priodol ar gyfer ffocws eich arsylwi. Bydd hefyd yn rhoi braslun o'r wybodaeth gefndirol y bydd gofyn i chi ei chynnwys yn eich portffolio i gyd-fynd â phob arsylwad.

Gellir defnyddio nifer o ddulliau er mwyn arsylwi plant. Yn ystod y cyfnod hyfforddi bydd cyfle i ymarfer amryw ohonynt. Wrth ennill profiad, byddwch yn gallu dewis neu addasu dull fel ei fod yn briodol ar gyfer eich arsylwad.

Rhestrir rhai dulliau isod, a cheir nifer o rai eraill. Bydd gan bob dull fanteision ac anfanteision. Bydd eich gallu i ddewis y dull gorau at eich pwrpas a nodi ei gryfderau a'i wendidau'n elfen bwysig o'r marc a enillwch am eich portffolio.

NARATIF (DULL DISGRIFIADOL)

Mae hwn yn gofnod mewn rhyddiaith o'r hyn a welwch wrth arsylwi. Mae'n ddefnyddiol gan ei fod yn gallu rhoi darlun manwl o'r hyn sy'n digwydd. Efallai y bydd cofnodi popeth a welwch yn anodd, a gallwch ddefnyddio byrfoddau a geiriau allweddol i'ch helpu. Mae cadw'ch ffocws yn anodd weithiau. Os ydych yn arsylwi er mwyn dysgu am sgiliau motor bras plentyn, yna rhaid i chi ddisgyblu'ch hun i chwilio am ddigon o dystiolaeth o'r sgiliau hyn yn bennaf, ac i gofnodi hyn. Wrth arsylwi, ni ddylech grwydro trwy gofnodi, er enghraifft, ymddygiad cymdeithasol neu iaith, gan nad yw'r rhain yn rhan o'ch ffocws. Mae dewis y gweithgaredd cywir ar gyfer eich arsylwi hefyd yn hanfodol ar gyfer llwyddiant, pa bynnag ddull a ddefnyddiwch. Os ydych yn awyddus i gael gwybodaeth am sgiliau cymdeithasol, mae angen i chi arsylwi pan fydd y plant yn cael cyfle i ymwneud â'i gilydd: ni fyddai arsylwi'r plant yn darllen yn dawel yn rhoi llawer o dystiolaeth am hyn.

Arsylwad naratif

NOD – *i arsylwi Aled yn ystod sesiwn 'barasiwt' Addysg Gorfforol.*

PWRPAS – *i asesu sgiliau motor bras Aled.*

Roedd y plant yn sefyll mewn cylch, yn dal dwylo, o gwmpas y parasiwt, a oedd wedi'i agor ar y llawr. Roedd Aled yn sefyll yn syth gan ddal dwylo plentyn ar y naill ochr a'r llall iddo, ac roedd yn cael ei dynnu'r ddwy ffordd. Yn gyntaf, cafodd ei dynnu i'r dde a herciodd ar ei goes dde, yna cafodd ei dynnu i sefyll ar ei goes chwith a symudodd ei droed i gadw'i gydbwysedd. Gofynnodd yr athro i'r plant eistedd ar y llawr, felly gollyngodd Aled ddwylo'r plant a disgynnodd i'r llawr yn sydyn, gyda'i goes dde wedi'i chroesi'n barod dros ei goes chwith. Plygodd ei goesau yn y pen-glin a'u croesi fel bod gwadnau ei draed yn pwyntio i ffwrdd ohono. Defnyddiodd gyhyrau mawr ei fraich i'w codi yn yr ysgwyddau a'u plygu yn y penelinoedd. Plygodd ei fraich dde dros ei fraich chwith a daliodd afael yn rhan uchaf ei ddwy fraich cyferbyn.

Wedyn, gofynnwyd i'r plant sefyll i fyny. Agorodd Aled ei freichiau a'i goesau drwy godi ei goes dde dros ei goes chwith. Defnyddiodd ei droed dde, a oedd bellach yn wastad ar y llawr, i wthio'i hun i fyny i safle sefyll a gwnaeth yr un peth yn gyflym gyda'i droed chwith. Roedd wedi rhoi ei ddwylo'n wastad ar y llawr er mwyn cadw ei gydbwysedd ac wrth sefyll i fyny gafaelodd yn nolen y parasiwt a'i chodi hefyd. Gofynnwyd i'r plant godi'r parasiwt yn ofalus a'i ollwng eto. Cododd Aled ei freichiau nes eu bod yn syth ac ymestynnodd tuag i fyny gan sefyll ar flaenau'i draed fel ei fod yr un uchder â'r ddau blentyn bob ochr iddo. Siglodd ychydig ar flaenau'i draed wrth geisio cadw'i gydbwysedd. Ar ôl ei godi ddwywaith, cododd ef i'r awyr a'i ollwng drwy godi'i freichiau a'u hymestyn uwch ei ben. Gollyngodd ei freichiau a gafaelodd yn y ddolen pan ddisgynnodd y parasiwt eto.

Galwyd enw Aled ar ôl ychydig funudau, a thrwy godi'i freichiau'n gyflym a gollwng ei afael yn y parasiwt, roedd yn gallu mynd oddi tano drwy blygu ei ben a'i wddf i lawr ychydig a rhedeg i'r ochr arall o dan y parasiwt. Rhedodd yn gyflym iawn, ar draed gwastad, gan blygu'i bengliniau wrth godi'r naill goes a'r llall. Roedd ei freichiau wedi plygu wrth y penelinoedd a symudent yn ôl ac ymlaen bob yn ail wrth iddo redeg. Cododd Aled ei freichiau a gafaelodd mewn dolen eto.

Wedyn, rhoddwyd pêl ar y parasiwt a'i rholio o gwmpas y parasiwt mewn cylch wrth i'r plant godi a gostwng eu breichiau. Roedd Aled yn ysgwyd y parasiwt i fyny ac i lawr yn gyflym, drwy godi ei freichiau syth o'i ysgwydd a'u symud i fyny ac i lawr wrth blygu ac yn sythu ei gefn a'i bengliniau. Yn y man, dechreuodd wylio'r plant eraill, a oedd yn aros i'r bêl eu cyrraedd cyn codi'r parasiwt, a'u hefelychu. Gofynnwyd iddynt eistedd i lawr eto, a chododd Aled ei goes dde, wedi'i phlygu wrth ei benglin, a'i chroesi dros ei goes chwith. Yn gyflym disgynnodd i'r llawr ar ei ben ôl, gan adael i'w bengliniau ymlacio fel y gallai eistedd yn groesgoes eto. Roedd yn parhau i afael yn nolen y parasiwt gyda'i ddwy law, ac eisteddodd yn hollol lonydd wrth i blant gropian yn eu tro o dan y parasiwt i gasglu bag ffa. Symudai ei ben o un ochr i'r llall wrth i bob plentyn symud. Wrth i Robert redeg heibio iddo gyda'r bag ffa gwaeddodd Aled 'Rho 5 i fi' a chodi ei fraich yn uchel yn yr awyr gyda chledr wastad ei law yn wynebu Robert.

Galwyd enw Aled a thaflodd ei hun o dan y parasiwt drwy godi'i ddwy fraich yn uchel a thaflu ei hun ymlaen nes ei fod yn pen-glinio, mewn safle gropian. Cropiodd yn gyflym iawn tuag at y bag ffa drwy ddefnyddio'r glun i symud un coes ar ôl y llall, a symud ei freichiau bob yn ail gyda'i gledrau yn wastad ar y llawr i gadw'i gydbwysedd. Diflannodd o dan y parasiwt ac yna daeth allan, pen yn gyntaf, a gan ddal i gropian trodd ei hun drosodd drwy osgilio'i fraich chwith yn ôl dros ei gorff a glanio ar ei ben ôl. Roedd ei goesau'n ymestyn o'i flaen, wedi'u plygu wrth y pen-glin. Dywedodd yr athro dosbarth wrth y plant ei bod hi'n bryd gorffen, gan bacio'r parasiwt.

PLENTYN TARGED (WEDI'I RAGNODI)

Mae'r dull hwn yn ddefnyddiol am ei fod yn caniatáu i'r arsylwr gofnodi'n gyflym, yn gywir ac yn anamlwg, gan ddefnyddio categorïau wedi'u rhagnodi. Mae'r ffocws yn parhau i fod ar y plentyn targed (PT) drwy gydol yr arsylwi gan fod popeth a gofnodir yn ymwneud â'r plentyn hwnnw. Er mwyn defnyddio'r dull yn llwyddiannus, mae gofyn i'r arsylwr baratoi'r daflen gofnodi yn benodol at bwrpas yr arsylwi ac ymgyfarwyddo'n drylwyr â'r codio a ddefnyddir ar gyfer y categorïau.

SAMPLU AMSER

Mae'r dull hwn yn golygu arsylwi am gyfnod penodol yn gyson, er enghraifft am 2 funud bob hanner awr yn ystod sesiwn. Gellir ffocysu ar blentyn neu grŵp o blant neu weithgaredd neu ddarn o offer. Gellir ei ddefnyddio at nifer o bwrpasau. Byddai nodi'r ystod o weithgareddau a ddewiswyd gan blentyn yn dangos a yw'n dilyn rhaglen gytbwys. Gallai cofnodi'r rhyngweithiad rhwng plentyn a phlant eraill ddangos sgiliau cymdeithasol a phatrymau cyfeillgarwch. Byddai cofnodi ymatebion i weithgaredd penodol yn helpu staff i werthuso'r ddarpariaeth. Un o anfanteision y dull hwn yw bod angen i'r arsyllwr fod yn ddisgybledig ynglŷn â chofnodi dim ond yr hyn sy'n digwydd yn ystod y cyfnod 'gwylio' a bod rhaid cadw llygad ar yr amser.

SAMPLU DIGWYDDIAD

Gall y dull hwn fod yn ddefnyddiol ar gyfer gwylio agwedd o ymddygiad a allai achosi pryder, dros gyfnod penodol o amser, er enghraifft, pa mor gyson mae plentyn yn colli ei dymer yn ystod wythnos. Mae'n caniatáu i'r arsyllwr weld a yw'r digwyddiadau'n dilyn patrwm amlwg, i adnabod sbardunau posibl ac i gael trosolwg o'r sefyllfa. O bosibl, gofynnir i rieni gofnodi digwyddiadau hefyd.

	LLYTHRENNAU: LF	RHYW: G	OED: 4:4
	DYDDIAD AC AMSER YR ARSYLWI: 16.6.01		
COFNOD O'R GWEITHGAREDD	COFNOD O'R IAITH	TASG	CYMDEITHASOL
1 MUN PT wrth y bwrdd gweithgareddau yn gwneud model o sbwriel	PT→0 'pasia'r siswrn' 0→PT pan fydd Sion wedi gorffen	Celf	GB
2 FUN PT yn aros am siswrn	PT yn mwmian cân	A	GB
3 MUN PT yn torri bocs grawnfwyd mawr	PT↔P (am y modelau maent yn eu gwneud)	Celf	GB
4 MUN PT yn gludio model	PT→0 'Edrycha ar f'awyren i! Ga'i beintio fe?'	Celf	GB
5 MUN PT yn mynd at y bwrdd peintio i beintio'i fodel		Celf	UN
6 MUN PT yn mynd i'r ystafell ymolchi i olchi'i ddwylo	PT↔P (trafod Neighbours ar y teledu) 0 yn gwylio	GD	PÂR +0
7 MUN PT yn sychu'i ddwylo	PT↔P (yn dal i sgwrsio) 0 yn gadael yr ystafell	GD	PÂR
8 MUN PT & P yn mynd allan ac yn rhedeg ar ôl ei gilydd o gwmpas y maes chwarae	gweiddi	GA	PÂR

Codau: PT – Plentyn Targed   A – Aros   GA – Grŵp Anffurfiol
P – Plentyn   C – Gweithgareddau Celf   GB – Grŵp bach
O – Oedolyn   GD – Gweithgareddau Domestig   UN – Unig

DYDDIAD: 16.6.01   DULL: Plentyn Targed
arsylwad wedi'i ragnodi

NOD A/NEU'R RHESWM DROS ARSYLWI:

I ganfod unrhyw newid posibl mewn ymddygiad o ganlyniad i enedigaeth babi newydd

MANYLION Y SEFYDLIAD:

Dosbarth meithrin

CYD-DESTUN UNIONGYRCHOL:

Ddim yn berthnasol

DECHREUWYD ARSYLWI: 10.35 am

GORFFENNWYD ARSYLWI: 10.44 am

NIFER YR OEDOLION YN Y SEFYDLIAD: 2

NIFER Y PLANT YN Y SEFYDLIAD: 20

ENW(AU) CYNTAF Y PLENTYN/PLANT SY'N CAEL EI/EU (H)ARSYLWI: LLŴR

OED: 4:4

RHYW: G

CYFRWNG A DDEFNYDDIWYD A CHYFIAWNHAD (OS OES ANGEN):

LLOFNOD YR AROLYGWR	LLOFNOD Y TIWTOR	CANIATÂD OS YW'N BERTHNASOL
C. Clarke	J. Brown	✓

Arsylwad plentyn targed

NOD – i gofnodi unrhyw ymddygiad gwrthgymdeithasol dros gyfnod o wythnos.

PWRPAS – i weld a yw adegau'r ymddygiad yn dilyn patrwm.

DYDDIAD AMSER	YMDDYGIAD	HANES BLAENOROL	PWY OEDD YNO	CANLYNIAD
20.6.00 11.05	Roedd Ll wedi gosod ei ddwy law o amgylch gwddf A o'r tu ôl.	Roedd plant dosbarth 5 yn cerdded mewn llinell sengl i mewn i'r dosbarth ar ôl amser chwarae.	Roedd y plant eraill yn dilyn ar ôl Ll ac roedd I yn yr ystafell yn barod.	Ymyrrais, a chysurais A. Yna dywedais wrth yr athrawes, a siaradodd hi â Ll ar unwaith. Cyfaddefodd, gan ddweud "roedd hi'n dweud celwydd, achos roedd hi'n dweud bod Losin 'da fi, ond does dim 'da fi". Dywedwyd wrth Ll am ymddiheuro wrth A ac os oes ganddo broblem, y dylai siarad am y peth.
21.6.00 10.40	Ciciodd Ll J ar gefn ei goes.	Roedd y plant yn tacluso'r byrddau cyn amser chwarae.	Roedd J ac Ll ar eu pen eu hunain wrth y bwrdd. Eisteddodd yr athrawes wrth ei desg.	Symudodd J i ffwrdd o Ll. Dywedodd yr athrawes wrth J a Ll i aros ar ôl yn y dosbarth wrth i'r lleill fynd allan. Holwyd Ll ynglŷn â'r cicio, ac atebodd: "roedd o'n dwyn fy mheniau a fy rwber". Torrodd J ar ei draws, a dweud ei fod o'n eu rhoi'n ôl yn y cês pensiliau yn unig. Dywedwyd wrth Ll na ddylai gicio na brifo neb, beth bynnag fo'r rheswm. Yna, bu'n rhaid iddo aros i mewn yn ystod amser chwarae.
21.6.00 10.55	Gwthiodd Ll K o'r tu cefn a syrthiodd K ar y llawr. Yna, pwyntiodd Ll ei fys i mewn i foch K a dweud "Ti ddim yn cael bod yn fy ngêm i".	Roedd hi'n amser chwarae, ac roedd llawer o blant blwyddyn 1 yn chwarae'r gêm tip yn y maes chwarae a'r maes dringo.	y dosbarth cyfan, ac athrawes a finnau'n goruchwylio.	Ymyrrodd yr athrawes a dywedodd wrth Ll i sefyll gyda hi. Aeth K ymlaen i chwarae'r gêm.
26.6.00 1.40	Taflodd Ll focs o arian ar y llawr cyn gwthio'r bwrdd ymlaen i mewn i frest C.	Roedd Ll a C yn chwarae gêm siopa.	Roedden nhw ar eu pen eu hunain wrth y bwrdd ac roedd yr athrawes yn eistedd ar weddol agos gyda dau o blant eraill.	Edrychodd C ar wyneb Ll gyda'i lygaid yn llydan agored a'i geg ar agor. Ymyrrodd yr athrawes a mynnodd fod Ll yn gollwng ei afael yn y bwrdd ac yn casglu'r arian o'r llawr. Ciciodd Ll goes y bwrdd ac yna dechreuodd gasglu'r arian. Wedyn gofynnwyd iddo eistedd yn ei hymyl hi tra roedd y plant eraill yn chwarae mewn parau.

Arsylwad samplu digwyddiad

NOD – i arsylwi E drwy gydol y sesiwn, am dri munud bob 15 munud.

PWRPAS – i nodi unrhyw ffactorau a effeithiai ar ei berfformiad ac i asesu unrhyw angen am gymorth.

AMSER/SEFYDLIAD	POBL ERAILL YNO	GWEITHREDU & YMATEB	IAITH
9.00 Dosbarth	Dosbarth cyfan ar gyfer cofrestru a gwasanaeth.	Eistedd a gwrando'n astud. Dwylo ar ei wyneb, yn dechrau edrych o'i amgylch.	Yn ateb "ie" i'w enw. Iaith corff, yn pwyso ar draws y ddesg.
9.15 Dosbarth	Prawf sillafu ar gyfer y dosbarth cyfan.	Yn paratoi ei hun, gyda'i lyfr sillafu a'i bensil.	Yn disgwyl yn dawel wrth i'r athrawes ddarllen y rhestr geiriau yn agored fesul grŵp.
9.30 Dosbarth	Dosbarth cyfan.	E yn crwydro o amgylch y byrddau gyda'i ddalen sillafu. Dylai fod yn sefyll mewn rhes er mwyn mynd â'r sillafu newydd i'n ystafell gotiau.	Mae'r athrawes yn gofyn i E a gw'n gwybod beth ddylai ei wneud. Mae'n gwenu arni ac yn dweud "ydw". Mae'r athrawes yn gofyn i E ymuno â'r rhes o blant.
9.45 Llyfrgell, yn rhoi cyfarwyddiadau i mi ar sut i ddefnyddio'r Roamer.	E a C.	Roedd gan E ddiddordeb mawr, a rhoddodd gyfarwyddiadau manwl i mi ar sut i ddefnyddio'r Roamer.	Dywedodd E, "I ddefnyddio'r Roamer rhaid i chi wasgu'r botwm ar yr ochr, gwasgu CM, gwasgu un o'r saethau, gwasgu rhif a MYND."
10.00 Bwrdd crefftau yn yr ardal rhwng y Llyfrgell a'r dosbarth.	J a T.	Torri papur a cherdyn ar gyfer nyth gwdi hŵ.	Dywedodd E "Dych chi'n troi'r papur, ar lawr y nyth mae'r babis yn chwarae", gan bwyntio, "dyna'u ratl nhw".
10.15 Ardal Grefftau	J, P a T.	Sefyll wrth y bwrdd yn gwneud cynefin tylluan. Yn aros wrth ei waith i wylio J a P yn gwneud eu nyth. Roedd E i fod yn gweithio gyda T.	Syllu ar J a P yn gweithio. Yr athrawes yn cerdded trwy'r ardal ac yn gofyn i E os gw'n helpu T gyda'u model. Mae E yn nodio'i ben.".
10.30 Dosbarth amser llaeth	Dosbarth cyfan ac athrawes o ddosbarth arall.	Yn eistedd, yn yfed sudd o fflasg.	Ddim yn sgwrsio ag unrhyw un o'i gyd-ddisgyblion; yn canolbwyntio ar yfed.
10.45 Amser chwarae	Mewn llinell dosbarth, yn sefyll rhwng S a T.	Yn sefyll rhwng T ac C, yn siglo'n ôl ac ymlaen, yn bwrw i mewn iddynt.	E yn gwenu, yn nodio'i ben.

Arsylwad samplu amser

13

SIART LLIF

Mae siart llif yn ddull o ddilyn a chofnodi symudiadau plentyn ar ffurf ddiagramatig. Gellir ei ddefnyddio at nifer o bwrpasau. Bydd yn dangos dewisiadau'r plentyn o ran y ddarpariaeth, gan nodi'r pethau nad yw'n eu profi. Gall hefyd ddynodi rhyngweithio cymdeithasol a grwpiau cyfeillgarwch ac, os nodir amseroedd, rhoi syniad o allu plentyn i barhau i ymddiddori mewn gweithgaredd dros gyfnod o amser. Mae'n ddefnyddiol i baratoi cynllun o'r ystafell, gan ddangos beth sydd ar gael yn ystod y sesiwn benodol. Gan fod y dull hwn yn cofnodi symudiad a dewisiadau, nid yw'n ddull defnyddiol os disgwylir i'r plant aros yn yr un lle dros y cyfnod. (Gellir defnyddio gwahanol ddulliau diagramatig i ddilyn symudiadau plant. Mae'r canlynol yn enghraifft o un math o siart.)

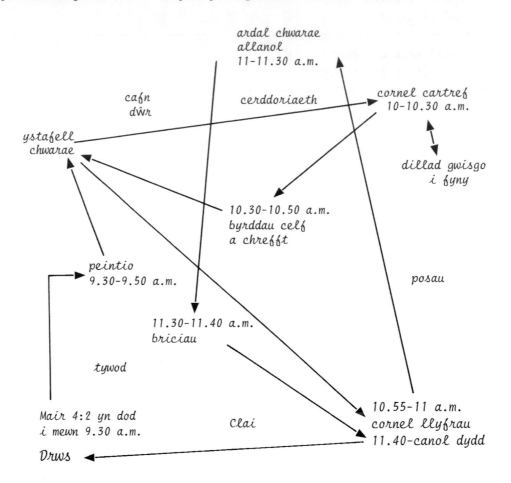

Arsylwad siart llif **Nod** – i gofnodi symudiadau plentyn yn ystod y sesiwn feithrin.
Pwrpas – i wneud sylwadau ar ei dewisiadau a'i thueddiadau wrth chwarae.

RHESTR WIRIO

Mae hon yn ffordd ddefnyddiol o gasglu llawer o wybodaeth a'i chofnodi'n syml, fel arfer drwy dicio siart. Gellir defnyddio rhestrau gwirio i gymharu perfformiad grŵp o blant. Gallwch ddyfeisio'ch rhestrau gwirio eich hun, er mwyn asesu sgìl neu agwedd ar ddatblygiad, neu gallwch gyfeirio at un o nifer o raddfeydd a rhestrau gwirio datblygiadol a gyhoeddwyd yn barod. Mae **asesiad sylfaen** yn dibynnu ar y defnydd o asesu sy'n defnyddio rhestr wirio.

Mae'r esiampl ganlynol yn rhoi'r cyfle i arsylwi nifer o fabanod o'r un oedran i gymharu eu cynnydd datblygiadol.

NOD – *i arsylwi nifer o fabanod 3 mis oed.*

PWRPAS – *i nodi'r tebygrwydd a/neu'r gwahaniaethau yn eu cyflawniadau corfforol datblygiadol.*

CYFLAWNIAD CORFFOROL	BABI A OED:	BABI B OED:	BABI C OED:	SYLWADAU
Yn gorwedd wyneb i lawr, yn codi'i ben ac yn defnyddio'i elinau i gynnal ei frest				
Yn ysigo wrth ei goesau pan ddelir ef ar ei sefyll				
Y coesau a'r breichiau'n symud yn llyfn ac yn barhaus				
Mewn crogiant mentrol, delir y pen uwchlaw gwastad y cefn				
Nid yw'r pen yn araf i symud pan dynnir ef ar ei eistedd				
Yn dal y ratl am gyfnod byr pan roddir ef yn ei law				
Chwarae â'r bysedd				
Yn troi'i ben i ddilyn symudiadau oedolyn				

Arsylwad rhestr wirio

CIPLUN

Mae hon yn dechneg ddefnyddiol ar gyfer gwerthuso'r ddarpariaeth sydd ar gael i'r plant. Gall ddangos pa weithgareddau a wneir gan blant, lleoliad y staff a dangos sut y defnyddir gofod. Lluniwyd yr esiampl ganlynol i weld faint oedd ystod y cyfleoedd ar gyfer dysgu mathemategol yn ystod y sesiwn. Mae'r ail ddalen yn dangos dadansoddiad y myfyriwr o'r gweithgareddau ac o'r maes mathemategol a gynigir. Gan ei bod hefyd yn cofnodi presenoldeb oedolion yn y gweithgareddau, gallai gysylltu hyn â'u rôl yn hyrwyddo dealltwriaeth fathemategol.

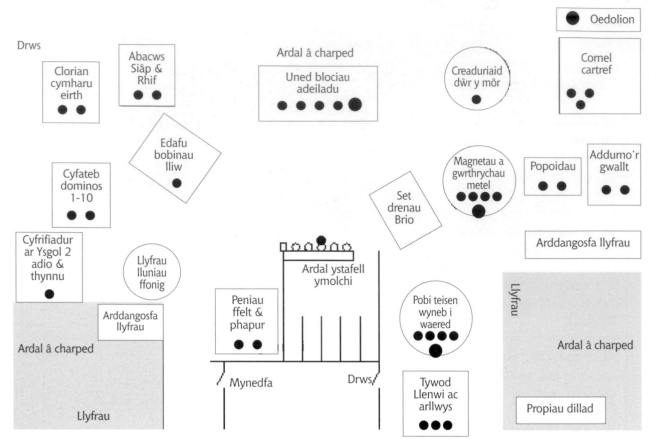

Arsylwad ciplun – (dalen 1) **Nod** – i gofnodi'r gweithgareddau a gynigir yn ystod sesiwn.
Pwrpas – i nodi'r ystod o gyfleoedd mathemategol sydd ar gael.

	Blociau	Pobi	Cyfrifiadur	Tywod	Dŵr	Dominos	Clorian	Abacws	Edafu	Cornel cartref
Rhif										
cyfateb	✓		✓			✓	✓	✓	✓	✓
didoli	✓	✓	✓			✓	✓	✓	✓	✓
cyfatebiaeth un-i-un		✓	✓				✓	✓		✓
rhif prifol	✓		✓				✓	✓	✓	✓
rhif trefnol	✓	✓		✓		✓		✓	✓	✓
Gofod										
topolegol	✓	✓		✓	✓	✓		✓	✓	✓
ewclidaidd	✓			✓		✓		✓	✓	
Amser										
personol		✓		✓						
cyffredinol		✓		✓						
cyfaint & chynhwysedd		✓		✓						
siâp	✓			✓		✓		✓	✓	✓
maint	✓			✓				✓	✓	✓
arwynebedd	✓	✓		✓	✓	✓			✓	✓
patrwm	✓			✓	✓	✓		✓	✓	
pwysau	✓	✓		✓	✓		✓		✓	
hyd	✓					✓			✓	

(dalen 2) Dadansoddiad o'r cyfleoedd mathemategol sydd ar gael

DARLUN CYMDEITHASOL/SOSIOGRAM

Mae sosiogram yn dangos patrymau cyfeillgarwch o fewn grŵp ar ffurf ddiagramatig. Gallwch arsylwi dewisiadau'r plant o ran eu ffrindiau a'u plotio ar ddiagram neu fe allwch holi'r plant am eu ffrindiau. Mae angen cofio bod plant ifanc yn ei chael hi'n anodd dweud pwy yw eu ffrind a bod cyfeillgarwch o fewn y grŵp oedran hwn yn debyg o fod yn gyfnewidiol a hyblyg. (Mae nifer o wahanol fformatau y gellir eu defnyddio i gyflwyno arsylwadau sosiogram.)

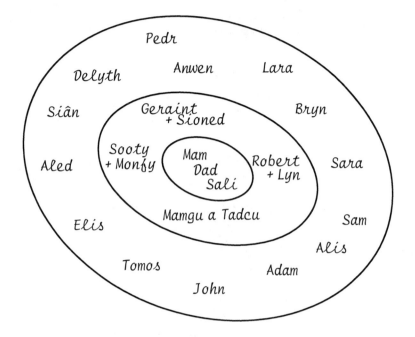

Arsylwad sosiogram

Yn yr enghraifft uchod, gofynnwyd i grŵp o blant 7 oed feddwl am y bobl sydd agosaf atynt. Rhoddodd y plentyn hwn ei pherthnasau agosaf (Mam, Dad a'i chwaer Sali) yn y canol. Yn y cylch nesaf rhoddodd berthnasau eraill, ffrindiau agos i'r teulu ac anifeiliaid anwes y teulu. Roedd y cylch allanol yn cynnwys enwau ei ffrindiau yn y dosbarth. Aeth pob plentyn arall ati i lenwi diagramau tebyg ac roedd y gweithiwr gofal plant yn gallu'u cymharu drwy edrych ar batrymau cyfeillgarwch o fewn y grŵp a gweld a oedd y dewisiadau o gyfeillion yn cyfateb.

GWYBODAETH GEFNDIROL

Fel myfyriwr, pa ddull bynnag y defnyddiwch ar gyfer yr arsylwadau, dylech gofnodi manylion am y plentyn/plant sy'n cael eu harsylwi, y sefydliad a chyd-destun a ffocws eich arsylwad fel y gall eich tiwtor wneud dyfarniad ar eich gwaith er mwyn asesu eich cynnydd a graddio'ch gwaith. Mae rhai tiwtoriaid yn gofyn am brofforma wedi'i gwblhau i gyd-fynd â phob arsylwad er mwyn gwirio bod popeth wedi'i gynnwys. Ceir esiampl isod.

ENW: Delyth Jones	**TIWTOR:** Mair Williams
RHIF ARSYLWI: 7	**DYDDIAD YR ARSYLWI:** 15 Ion 2001
AMSER DECHRAU: 9.55am	**AMSER GORFFEN:** 10.05

TEITL: Cwricwlwm Blynyddoedd Cynnar

UNIGOLYN/GRŴP: Unigolyn

'Rydw i'n tystio i'r arsylwad hwn gael ei gynnal fel y nodwyd a chyda fy nghaniatâd':
Llofnod yr arolygwr sefydliad :

NOD: I arsylwi Rahila yn yr ardal chwarae rôl (caffi)

PWRPAS: I wneud sylwadau am chwarae Rahila yn y maes hwn, gan ffocysu ar ei sgiliau iaith a chymdeithasol

DULL: Naratif. Dewisais y dull hwn gan ei fod yn caniatáu i mi ffocysu ar y plentyn am gyfnod byr ond dwys a chofnodi ei iaith a'i rhyngweithiad â'r plant eraill yn fanwl.

MATH O LEOLIAD: Dosbarth feithrin (30 lle) mewn ysgol gynradd sirol

PLANT YN CYMRYD RHAN:

Enw cyntaf	Oed (Bl & misoedd)	Ffactorau perthnasol eraill
Rahila	4 blynedd 1 mis	Punjabi yw iaith Rahila yn ei chartref. Mae hi'n siarad Saesneg yn y feithrinfa

OEDOLION YN BRESENNOL YN YSTOD YR ARSYLWI A'U ROLAU:
Athrawes feithrin, 2 weithiwr gofal plant feithrin a finnau (myfyriwr)

CYD-DESTUN/AMGYLCHEDD UNIONGYRCHOL:

Trefnwyd y feithrinfa gydag ystod o weithgareddau i'w cynnig i'r plant.

Roedd y plant wedi bod yn eu grwpiau ar gyfer amser cylch a gofynnwyd iddynt beth fyddent yn ei wneud nesaf. Dywedodd Rahila ei bod hi eisiau chwarae yn y caffi a chytunodd ei ffrind Anwen â hi. Wrth i amser cylch ddod i ben, cerddodd draw i'r caffi lle'r oedd dau o blant yn chwarae'n barod. Aeth i nôl ffedog gweinydd a'i chlymu.

Profforma i gyd-fynd ag arsylwad myfyriwr

Mae rhywfaint o'r wybodaeth a welir yma'n berthnasol i ofynion eich cwrs o ran asesu, ond bydd angen rhai manylion cefndirol ar gyfer unrhyw arsylwad a wneir o blentyn mewn cymhwyster proffesiynol, fel y nodir yma:

- Mae amser a dyddiad yn dangos pa mor gyfredol a dilys yw'r arsylwad. Gallai hyn fod yn hynod o bwysig yn achos arsylwad a ddefnyddir ar mewn achos gwarchod plant neu unrhyw achosion cyfreithiol eraill.

- Mae nod neu bwrpas yn dangos beth yw ffocws eich arsylwad. Wrth gofnodi gwybodaeth, dylech gyfeirio ati – mae'n eich atgoffa o'r hyn rydych chi'n awyddus i ymchwilio iddo. Mae eich nod yn dweud beth rydych chi'n bwriadu ei wneud – arsylwi Siôn ar y ffrâm ddringo – ac mae eich pwrpas yn dangos pam rydych chi'n arsylwi – i ddysgu am ei sgiliau dringo a chydbwyso.

- Mae nodi oedran y plentyn yn bwysig hefyd. Os byddwch yn asesu cynnydd datblygiadol y plentyn, bydd angen i chi wybod ei oed cronolegol fel y gallwch ei gymharu â'r norm datblygiadol ar gyfer yr oed hwnnw. Yn achos babanod ifanc iawn, dylech gofnodi'r oedran mewn wythnosau.

- Bydd rhaid i chi ystyried pa 'wybodaeth arall berthnasol' i'w chynnwys a bydd hyn yn berthnasol i'ch ffocws. Yn yr enghraifft uchod, sy'n bwrw golwg manwl ar ddatblygiad iaith plentyn, mae'n amlwg bod cofnod ynglŷn â'i dwyieithrwydd yn berthnasol. Mae'n bosibl y bydd gofyn nodi ffactorau perthnasol eraill, yn dibynnu ar beth a pham rydych chi'n arsylwi. Mewn rhai arsylwadau, gall fod ffactorau megis anghyfarwydd-deb â'r sefydliad neu newid yn yr amgylchiadau gartref yn berthnasol. Bydd nodi'r ffactorau hyn yn eich galluogi i ddadansoddi'ch arsylwad yn fwy manwl.

- Mae nodi'r cyd-destun uniongyrchol yn helpu i roi cefndir i'ch arsylwad a gall gynnwys ffactorau sy'n berthnasol i'r hyn a arsylwir. Gallai hyn fod yn arbennig o bwysig pan drafodir neu cyfeirir at yr arsylwad i ffwrdd o'r sefydliad.

Gwirio'ch cynnydd

1   *Pam fod rhestr wirio'n ddull arsylwi ddefnyddiol?*

2. *Pe baech yn pryderu am agwedd ar ymddygiad y plentyn, pa ddull arsylwi allai fod yn ddefnyddiol?*

3. *Pa ddull allai fod yn ddefnyddiol i ddysgu am grwpiau cyfeillgarwch plentyn?*

4. *Pam ddylid sicrhau bod gan arsylwadau ffocws?*

5. *Pam ei bod hi'n bwysig i gynnwys gwybodaeth gefndirol ochr yn ochr â'ch arsylwadau?*

Gwerthuso'ch arsylwadau

O safbwynt yr unigolyn, bydd gwerthuso arsylwadau yn dangos potensial y plentyn i ddysgu ac yn gallu helpu asesu'r cynnydd a wnaed. Ar raddfa ehangach, bydd gwerthuso darpariaeth drwy arsylwi'n dangos pa mor effeithiol y gweithredir cynlluniau ac y cyflawnir yr amcanion dysgu yr anelir atynt. Yna, gall staff gynllunio ar gyfer sesiynau dilynol, gan wneud addasiadau o safbwynt trefniadaeth, adnoddau, rhyngweithiad a disgwyliadau ar sail hyn.

Gallwch ddadansoddi'r hyn a ddysgoch am y plentyn/plant neu'r ddarpariaeth ar sail yr hyn a gofnodwyd, yn adran werthuso'ch arsylwad. Bydd y mwyafrif o werthusiadau'n cynnwys yr elfennau canlynol:

- dehongliad
- asesiad
- argymhellion
- casgliad/yr hyn a ddysgwyd yn bersonol.

Nid yw'n angenrheidiol i chi ddefnyddio'r penawdau uchod wrth gyflwyno'ch gwaith, ond dylai'ch gwerthusiad gynnwys pob elfen.

Ar ddiwedd pob un o'r adrannau canlynol ceir enghraifft o werthusiad a godwyd o arsylwad myfyriwr. Roedd yr arsylwad yn ffocysu ar sgiliau motor manwl dau blentyn, un yn 5 oed a'r llall yn 6 oed.

DEHONGLIAD

Byddwch yn cael budd o ddadansoddi'ch arsylwad o safbwynt eich ffocws. Bydd hyn yn golygu edrych yn ôl a gweld sut mae'r hyn a gofnodwyd gennych yn cysylltu â'ch ffocws. Er enghraifft, pe baech yn awyddus i ddarganfod gallu plentyn i gyd-dynnu â'i chyfoedion a gweithio fel aelod o grŵp, byddech yn edrych ar yr arsylwad ac yn nodi unrhyw enghreifftiau o rannu, cymryd tro, trafod, ymuno i mewn ayyb. (Gall pen goleubwyntio eich helpu wrth wneud hyn.) Yna gallwch greu cysylltiad rhwng yr hyn a arsylwyd a'r agweddau ar ddatblygiad cymdeithasol yr oeddech yn ffocysu arnynt, er enghraifft:

- chwaraeodd y gêm ac roedd hi'n fodlon aros ei thro
- gofynnodd i'w ffrind ddod i chwarae'r gêm gyda nhw
- pan ddaeth y gêm i ben, hi oedd yr un a drefnodd y tacluso

ac yn y blaen, nes y byddwch wedi cyfeirio at bopeth sydd yn berthnasol yn eich barn chi. Os defnyddiwyd prawf neu dasg asesu safonol gyda'r plentyn, bydd eich dehongliad yn cynnwys edrych yn ôl ar yr ymatebion a sgorio.

"Roeddwn i'n chwilio am sgiliau motor manwl T ac E. Roedd y ddau'n eu dangos yn glir drwy gydol yr arsylwi. Gwrandawodd y ddau ar gyfarwyddiadau'r athro, gan ddangos eu bod yn effro ac ar flaenau'u traed gan eu bod nhw'n awyddus i gyflawni'r dasg. Roedd y ddau'n gallu rheoli eu symudiadau manwl yn dda, gan eu bod yn gwybod sut i ddal y pensil yn eu ffordd eu hunain, er mwyn ysgrifennu. Gosododd E'r llythrennau'n daclus ar y llinellau a ddarparwyd yn barod. Ni lwyddodd T i wneud hynny bob tro, ond pan fyddai'n canolbwyntio, roedd ei sgiliau ysgrifennu'n dda. Roedd rhai o'i lythrennau ychydig yn gam. Weithiau byddai'n cael trafferth ffurfio'r llythyren 'p' (ffurfiai'r goes ddwywaith, ac felly ni fyddai'n codi'r pensil i ffurfio'r darn crwn).

Roedd cydsymudiad da rhwng llygaid a dwylo'r ddau blentyn, gan eu bod nhw'n gwybod pa offer ysgrifennu i'w dewis ac aethant ati i liwio'n daclus o fewn y llinellau. Ar ôl ysgrifennu am gyfnod hirach, sylwais fod y ddau blentyn yn tueddu i wasgu'n galed. Roeddent yn gwybod yn iawn sut i dacluso, gan roi'r holl ddeunydd ysgrifennu yn y bocsys cywir, a gosod y papur yn y canol, wyneb i fyny. Mae hyn yn dangos rheoliad lleoli da.

ASESIAD

Erbyn hyn dylech allu asesu'r hyn a arsylwyd, hynny yw cymharu eich canlyniadau

â'r hyn y byddech yn disgwyl ei weld gan blentyn o'r oed hwn. Yn achos profion safonol neu dasgau asesu, gallwch gyfateb y sgoriau a gofnodwyd gennych yn erbyn tablau i gael canlyniad. Ar gyfer arsylwadau eraill, bydd angen i chi gyfeirio at safonau datblygiad cyhoeddedig a hefyd cymharu'r plentyn â'i chyfoedion. Dylech fod yn wyliadwrus rhag neidio i gasgliadau a gwneud datganiadau cyffredinol ar sail un arsylwad, a dylech hefyd gymryd i ystyriaeth unrhyw amgylchiadau arbennig a allai ddylanwadu ar eich asesiad. Er enghraifft, efallai y byddech yn disgwyl bod y mwyafrif o blant 5 oed yn gymdeithasol ac yn gallu ymuno'n rhwydd â grŵp. Fodd bynnag, gall y plentyn 5 oed fod yn fwy tawedog yn ystod ei wythnos gyntaf mewn grŵp. Gall fod ffactorau eraill hefyd yn dylanwadu ar ganlyniadau'ch arsylwad; efallai bod y drefn arferol neu'r staff wedi newid. Dylech gyfeirio at hyn hefyd, os yw'n arwyddocaol yn eich barn chi. Yn yr adran hon cewch gyfle i ystyried damcaniaethau am ddatblygiad plentyn a chanlyniadau ymchwil ac astudiaethau a'u cymharu â'ch darganfyddiadau eich hunan. (Pan gyfeiriwch at ddeunydd cyhoeddedig, dylech gynnwys cydnabyddiaeth a llyfryddiaeth.) Bydd asesiad ystyriol a chraff yn cynnig sail sy'n caniatáu i chi wneud argymhellion ynglŷn â'r plentyn neu'r ddarpariaeth.

'Cymharaf E a T â gweddill y dosbarth. Roedd y plant i gyd yn gwybod pa dasgau y gofynnwyd iddynt eu cyflawni a pha offer ysgrifennu roedd ei angen arnynt. Roedd T ac E yn gwybod beth oedd ei angen arnynt hefyd. Sylwais fod y mwyafrif o blant yn llawdde, ac mae hyn yn wir am E hefyd. Mae T yn llawchwith, gan olygu bod ei ochr chwith yn fwy craff. Mae'n tueddu i ddefnyddio'i law chwith yn unig i godi pethau. Mae T yn dioddef o hemiplegia (ei ochr dde sydd wannaf), ac nid yw'n ei defnyddio fel rheol.

Mae'r mwyafrif o blant, gan gynnwys E, yn dal pensil yn agos at y nib ac yn pwyso'u harddyrnau ar y papur wrth ysgrifennu, gan olygu eu bod yn ysgrifennu'n gyflymach. Roedd llaw T yn gorwedd pellter uwchlaw'r nib ac nid oedd yn pwyso ar y papur o gwbl, gan arafu ei ysgrifennu o bosibl, a chan wneud i'w ysgrifen ymddangos yn fwy sigledig nag ysgrifen y plant eraill. Gallai llaw ansefydlog fod yn rheswm arall dros hyn.

Weithiau mae T yn colli canolbwyntiad ac mae'n rhaid ei wthio i barhau â'i waith. Gall fod y parlys un ochr yn gyfrifol am hyn, gan ei fod yn blino'n gyflymach nag E a phlant eraill am fod un ochr o'i gorff yn wannach. Mae T yn gwneud mwy o ymdrech na rhai o'r plant eraill, er ei fod yn ysgrifennu'n arafach na'r plentyn cyffredin.

Mae pob plentyn yn datblygu'n wahanol ac mewn gwahanol ffyrdd. Ni all y graddfeydd datblygiad wneud mwy nag awgrymu cam cyrhaeddiad plentyn yn ôl datblygiad cyfartalog. Ond am fod plant yn unigolion nid oes oed penodol ar gyfer cyrraedd un 'garreg filltir' mewn datblygiad. Bydd angen mwy o amser ar blant sy'n araf i ddatblygu. Byddant yn cyrraedd y raddfa yn eu hamser eu hunain, ac mae'n gyfrifoldeb ar y gweithiwr addysg a'r gweithiwr gofal sylfaenol i weld hyn ac i geisio cefnogi ac annog y plentyn. Roedd E a T yn cyflawni gofynion graddfa Frankel a Hobart (1994) ar gyfer plant 5 oed gan eu bod yn gallu rheoli'r pensil a'r creon, copïo ysgrifen oedolyn a lliwio lluniau'n daclus. Roedd T yn lliwio'n daclus am ei fod yn symud ei law'n araf ac yn lleoli ei greon yn gywir. Roedd E yn lliwio'n gyflymach. (Ond nid yw'n dioddef o gyflwr sy'n effeithio ar ei sgiliau llawdriniol.) Yn fy marn i, nid yw'r raddfa wedi cymryd anableddau i ystyriaeth, gan nad yw T, sy'n 6, yn gallu clymu'i gareiau, am fod ganddo un fraich gref. Rhaid defnyddio'r ddwy fraich i wneud hyn. Dylai plant 6 oed allu clymu'u careiau, yn ôl Frankel a Hobart (1999). Mae T yn blentyn disglair, ond bydd ei anabledd yn amharu ar ei allu i ddysgu'r sgìl hwn. Mae graddfeydd datblygiad eraill yn wahanol. Mae graddfa ddatblygiad arall, Sharman, Cross a Vennis (1995), yn datgan na ddylai plant allu clymu eu careiau'n 5 oed. Mae hyn yn profi mai dim ond canllawiau yn unig wneud â datblygiad plant yw'r graddfeydd hyn.'

ARGYMHELLION

Yma gallwch wneud awgrymiadau ynglŷn â'r camau nesaf. Gallai hyn ymwneud â darparu profiadau neu weithgareddau penodol ar gyfer plentyn neu grŵp o blant, gefnogi agwedd benodol ar ddatblygiad neu atgyfnerthu sgìl neu gysyniad. Efallai y byddwch wedi nodi'r angen am gymorth ychwanegol yn achos un plentyn neu fod angen trafod rhywbeth gyda'r tîm ac efallai arsylwi ymhellach. Wrth gofnodi'ch argymhellion, dylech geisio bod yn realistig ac yn ystyriol o deimladau'r staff a fydd yn edrych ar eich gwaith. Ni fydd sylwadau megis 'dylai'r gweithiwr gofal plant dalu mwy o sylw i T, yn lle siarad gyda'i chydweithiwr' yn creu perthynas dda â'ch cydweithwyr, hyd yn oed os yw'n wir yn eich barn chi!

> *'Mae'n amlwg bod E a T ill dau'n mwynhau gwaith ysgrifenedig, gan iddynt ddechrau arno gyn gynted ag y peidiodd yr athro siarad, gan ddangos eu bod yn awyddus i'w wneud. Er mwyn cynnal safon uchel o ran eu gwaith ysgrifenedig, mae angen iddynt ymarfer ysgrifennu a dal yr offeryn, er mwyn teimlo'n gyffyrddus a sicrhau nad ydynt yn blino cymaint wrth ysgrifennu. Yn ogystal, bydd ymarfer cyson yn arwain at waith taclusach. Sylwais fod E a T yn tueddu i gadw'u pennau'n isel ac yn agos at y papur wrth weithio. Dylent gadw'u cefnau'n syth a'u pen yn uchel, er mwyn osgoi straenio'u gyddfau a'u cefnau yn y dyfodol.*
>
> *Pan oedd E a T yn sicr o'u sillafu, roeddent yn ysgrifennu'n gyflymach. Os oeddent yn ansicr ynglŷn â sut i sillafu gair, roeddent yn tueddu i ysgrifennu'n arafach a gwasgu mwy ar y papur. Bydd dysgu sut i sillafu'n gywir yn cyflymu'u hysgrifennu ac yn golygu na fyddant yn gwasgu mor drwm. Yn fy marn i, oherwydd ei gyflwr, dylai T ymarfer ei ochr wannach, er mwyn cryfhau cyhyrau ei gorff. Mae cylchdroi'r fraich a gwneud defnydd ohoni i godi gwrthrychau'n dda at weithio'r cyhyrau, er mwyn cadw'i fraich rhag gwyro oherwydd gwendid, fel y gwna ar hyn o bryd. Mae T yn gallu blino'n gynt na phlant eraill. Dylai gael digon o gwsg, fel y gall ganolbwyntio a bod yn fwy effro ar gyfer y tasgau mwy dwys, ond gallai hyn fod yn wir yn achos unrhyw blentyn yn yr oed hwn.'*

CASGLIAD

Yn yr adran hon gallwch ystyried yr hyn a ddysgoch o'r arsylwad. Erbyn hyn, efallai y bydd gennych ddeoalltwriaeth well o agwedd benodol ar ddatblygiad plentyn, neu efallai ei fod yn ymwneud yn benodol â grŵp y buoch yn ei arsylwi, efallai mewn perthynas ag ystod gallu dosbarth o blant 5 oed. Yn ogystal, dylech ddefnyddio'r adran hon i ystyried y dull arsylwi a ddefnyddiwyd gennych mewn perthynas â'ch ffocws. Beth oedd ei chryfderau? Beth oedd y cyfyngiadau? A fyddai dull arall wedi datgelu mwy? Gallech hefyd ystyried a ddylech wylio'r un plentyn neu grŵp o blant eto, efallai yn ymgymryd â gweithgaredd arall neu mewn sefyllfa arall er mwyn cael darlun mwy cyflawn o'ch ffocws..

> *'Naratif yw fy null arsylwi i. Mae hwn yn ddull da am fod rhaid i chi ysgrifennu i lawr holl symudiadau'r plant a welwch. Mae hi fel adrodd stori wrth rywun na welodd y symudiadau. Rydych chi'n rhoi syniad iddynt o le mae'r plant hyn wedi cyrraedd o ran sgiliau motor manwl. Er hyn, mae anfanteision i'r dull hwn, am ei bod hi'n anodd weithiau, wrth ddisgrifio'r holl fanylion a welwyd yn y sefyllfa, i ddod o hyd i eiriau sy'n gwneud popeth yn glir i'r darllenydd. Hefyd, mae'n anodd edrych ac ysgrifennu ar yr un pryd. Mae'n rhwydd colli nifer o symudiadau bach. Mae yna ddulliau eraill o arsylwi. Gall dau berson arsylwi un plentyn yr un, yna cyfnewid papurau, er mwyn rhoi cymorth i'r ymennydd a chyflymu'r broses. Mae dau berson yn gwylio un plentyn ar y cyd yn beth da, gan fod un person yn gallu gweld symudiadau gwahanol i'r llall. Yna gallwch*

rannu nodiadau. (Arsylwad cymharol.)

Mae ffilmio plentyn yn eich galluogi i ailadrodd adrannau, fel y gallwch ysgrifennu'r pethau a gollwyd. Ond mae angen caniatâd am hyn gan y rhiant a'r goruchwyliwr lleoliad. Mae'n bosibl na fydd y rheini'n fodlon iawn i ddatgelu pwy yw eu plentyn. Nid yw'r dull hwn yn gyfrinachol. Rydw i'n credu, pe bawn i'n cael gwneud arsylwad arall wedi'i seilio ar sgiliau motor manwl, byddwn yn edrych ar agweddau eraill ar y sgìl. Er fy mod wedi cyflawni fy nodau penodol drwy wylio E a T yn ymgymryd â'r gweithgareddau hyn, nid oedd yn delio â phob agwedd ar sgiliau motor manwl. Pe bawn i'n edrych ar eu sgiliau torri a'u gallu i roi posau mewn trefn hefyd, byddai gen i well ddealltwriaeth o'u datblygiad cyffredinol yn y maes hwn, gan na all un agwedd roi darlun llawn. O bosibl, byddai'n rhaid i mi ofyn i'r athrawes newid ei chynlluniau er mwyn rhoi cyfleoedd i'r plant ddangos y sgiliau hyn. Gallwn gymryd y plant allan o'r dosbarth i gyflawni'r gweithgareddau gofynnol, ond yna gallent golli tir drwy golli'r wers. Hefyd, efallai byddai rhai plant yn holi pam fod rhai yn cael y cyfle i wneud y gweithgareddau ac eraill ddim, gan greu lletchwithdod. Gallai T ac E deimlo eu bod ar wahân i'r lleill, ac ni fyddai hyn yn beth da iddynt.'

Gwirio'ch cynnydd

Beth yw pwrpas gwerthuso arsylwadau?

Sut allwch chi ddehongli'ch arsylwad?

Beth ddylech chi ei gynnwys yn eich adran asesu?

Pam fod gwneud argymhellion wedi'u seilio ar eich arsylwad yn ddefnyddiol?

Nawr rhowch gynnig ar y cwestiynau hyn

Pam fod arsylwi'n sgìl proffesiynol mor bwysig?

Nodwch rai dulliau o gofnodi arsylwadau.

Pam fod creu cyfatebiaeth rhwng eich dewis o ddull a ffocws eich arsylwi'n bwysig?

Sut gall arsylwi gyfrannu at eich gwybodaeth am, a'ch dealltwriaeth o ddatblygiad plentyn?

Yn y bennod hon, byddwch yn dysgu am gynllunio gweithgareddau, profiadau ac arferion i fabanod a phlant. Byddwch yn dysgu am y cylch cynllunio: sut i gynllunio, paratoi a gwerthuso gweithgareddau, a sut i ryngweithio â'r plant yn ystod y gweithgaredd.

Mae'r bennod hon yn eich helpu i ddeall pam fod cynllunio'n bwysig a beth ddylech chi ei gynnwys yn eich cynlluniau. Mae'n rhoi braslun o rôl a chyfrifoldebau oedolion wrth gynllunio profiadau dysgu priodol sy'n hyrwyddo cyfleoedd cyfartal.

CYNLLUNIO A GWERTHUSO GWEITHGAREDDAU AC ARFERION

*B*ydd y bennod hon yn trafod y pynciau canlynol:

⌣ *pam cynllunio?*

⌣ *y cylch cynllunio.*

Pam cynllunio?

Mae ymchwil ar **ddadl natur-magwraeth** yn dangos bod ansawdd eu hamgylchedd yn dylanwadu'n sylweddol ar allu plant i ddysgu. Wrth ystyried yr amgylchedd hwnnw, rhaid ystyried yr oedolion sy'n gofalu am blant. Wrth gynllunio amgylchedd dysgu i blant, felly, mae'n bwysig ein bod ni'n gwybod sut i gynllunio, paratoi a monitro gweithgareddau plant a hefyd yn gwybod sut i ryngweithio â phlant yn ystod y gweithgareddau fel eu bod yn dysgu cymaint ag y gallant. Drwy ystyried yr amgylchedd dysgu'n ofalus, gellir helpu plant i gyrraedd eu llawn botensial.

Mae cynllunio effeithiol hefyd yn sicrhau bod **dilyniant** a **chysondeb** i'w gweld yn y ddarpariaeth a'r rhyngweithio. Dylid bob amser sicrhau bod y cynllunio'n berthnasol i anghenion y plant. Bydd yr anghenion hyn yn newid o hyd, a bydd gofyn ystyried y newid hwn wrth gynllunio. O fewn y cylch cynllunio, mae'r parhad yn amlwg pan fo'r gweithgareddau a gynlluniwyd yn cyfeirio at yr anghenion hyn a naill ai'n ailadrodd gwaith y mae gofyn ei ailadrodd neu'n symud ymlaen i ddatblygu sgiliau a chysyniadau pellach.

Mae'r cysondeb yn amlwg pan fo'r staff i gyd yn gweithio tuag at yr un nodau. Rhaid sicrhau, felly, bod y gweithgaredd a'i ffocws yn glir yn y cynlluniau. Mae hyn yn arbennig o bwysig os bydd staff yn absennol ac eraill yn gyfrifol am roi'r gweithgaredd ar waith.

Y cylch cynllunio

Dylai'r plant eu hunain fod yn fan cychwyn ar gyfer cynllunio a rhyngweithio llwyddiannus. Yn gyntaf rhaid ystyried anghenion a diddordebau'r plant, ac yna eu datblygu drwy weithgareddau a phrofiadau a, lle bo hynny'n gymwys, eu cysylltu ag agweddau ar y cwricwlwm. Trwy fonitro a gwerthuso'r broses weithredu, crëir sail ar gyfer cam nesaf y cynllunio.

CYNLLUNIO

Wrth gynllunio gweithgaredd neu brofiad, rhaid ystyried nifer o bethau'n ofalus, ac yn aml eu cofnodi.

Anghenion a lefelau datblygiad y plant yw'r man cychwyn. Cesglir yr wybodaeth hon drwy werthuso gweithgareddau a phrofiadau blaenorol a thrwy gyfrwng trefnau asesu ffurfiol, e.e. Asesiad Sylfaenol, siartiau datblygu, cynlluniau addysg unigol (IEPau).

Rhaid cael **rhesymeg**, neu reswm dros wneud y gweithgaredd. Weithiau, cofnodir hyn fel **canlyniad dysgu**, h.y. yr hyn y bydd y plant yn ei ddysgu drwy wneud y gweithgaredd. Yn achos sefydliadau meithrin ac ysgolion, ceir braslun o'r hyn y mae gofyn i'r plant ei ddysgu yn y Canlyniadau Dysgu Dymunol ac yng Nghyfnod Allweddol Un o'r Cwricwlwm Cenedlaethol. Dylid cyfeirio at y cwricwla hyn wrth gynllunio gweithgareddau a phrofiadau.

Lle nad yw'r cwricwla hyn yn berthnasol, dylid cyfeirio at anghenion datblygu'r plant, er enghraifft, rhaid chwarae a siarad â baban 8 mis oed er mwyn ei symbylu.

Rhaid cael adnoddau digonol er mwyn sicrhau bod gweithgaredd yn llwyddo. Mae'n bwysig bod pob adnodd ar gael er mwyn galluogi'r plant i archwilio a dysgu yn ystod y gweithgaredd. Pan fo galw am adnoddau anarferol, rhaid nodi hyn yn y dogfennau cynllunio fel bod y staff sy'n paratoi'r gweithgaredd yn deall beth sydd ei angen.

Rhaid ystyried staffio'n ofalus wrth gynllunio. Mae angen ystyried y lefel o ryngweithio sy'n ofynnol er mwyn i blant gyflawni'r canlyniad dysgu a nodwyd ar gyfer y gweithgaredd. Ar rai adegau, bydd angen llawer o ryngweithiad rhwng yr oedolyn a'r plentyn, tra ar adegau eraill gall y plant brofi'r gweithgareddau heb unrhyw ymyrraeth.

Paratoi

Mae paratoi yn golygu cynllunio'n ofalus fel bod yr amgylchedd a ddarparwyd yn ateb anghenion plant ar bob lefel o'u datblygiad. Mae'n bwysig bod yn ymarferol wrth baratoi'r amgylchedd. Dylid cyflwyno'r gweithgareddau mewn ffordd ddeniadol er mwyn annog y plant i gymryd rhan, er enghraifft:

- casglu eitemau tebyg at ei gilydd fel bod modd dod o hyd iddynt yn rhwydd
- sicrhau bod digon o le i weithio o gwmpas yr adnoddau

MAES	DYDD LLUN	DYDD MAWRTH	DYDD MERCHER
Bwrdd ysgrifennu	**GWEITHGAREDD:** *Edafu gleiniau*	**GWEITHGAREDD:** *Dargopïo patrymau mewn tywod ac ar bapur*	**GWEITHGAREDD:** *Ysgrifennu capsiynau ar gyfer arddangosfa am yr Hydref* *Grŵp coch arsylwi oedolyn yn ysgrifennu* *Grŵp gwyrdd uwchben goleubwyntiwr* *Grŵp glas argraffu copi brintio*
	CANLYNIAD DYSGU: • *symudiad llaw-llygad* • *datblygu rheolaeth ymudol manwl*	**CANLYNIAD DYSGU:** *Fel Dydd Llun a* • *chyfeiriadaeth chwith i'r dde* *Grŵp coch ffocysu ar afael mewn pensil* *Grŵp glas ffocysu ar ffurfio llythrennau*	**CANLYNIAD DYSGU:** *Fel Dydd Mawrth ac* • *ymwybyddiaeth o bwrpasau ysgrifennu* • *ffurfio llythrennau*
	STAFF *Sam*	**STAFF** *Sam*	**STAFF** *Betty*
	ADNODDAU *Gleiniau o wahanol feintiau*	**ADNODDAU** *Hambyrddau a thywod sych* *Papur, pensiliau ayyb*	**ADNODDAU** *Cerdyn ar gyfer arddangosfa ar ben bwrdd, peniau goleubwyntio*

Mae'r adran hon yn dangos beth fydd y plant yn ei wneud. Gwahaniaethir y gweithgareddau i blant sydd wedi cyrraedd gwahanol gamau datblygu.

Mae'r adran hon yn nodi beth fydd plant yn ei ddysgu wrth wneud y gweithgaredd. Datblygir sgiliau Dydd Llun yn ystod gweithgareddau gweddill yr wythnos.

Nodir bod gan y gweithgaredd wahanol ffocws, yn ôl lefel datblygiad y plant.

Enghraifft o ddogfen gynllunio

- sicrhau mynediad rhwydd i'r adnoddau angenrheidiol
- cychwyn gweithgaredd i ddangos sut y gellir defnyddio adnoddau.

Bydd rhaid cyflwyno rhai gweithgareddau'n ffurfiol er mwyn gwneud y mwyaf o'r cyfle i ddysgu. Er enghraifft:

- bydd plant yn cael budd o edrych ar y cyfarpar a ddarperir ar gyfer chwarae rôl meddygon a nyrsys ac efallai'n gosod rhwymynnau ar ei gilydd
- bydd plant yn gwehyddu ac yn edafu'n fwy llwyddiannus os dangosir iddynt sut i wneud hynny cyn dechrau
- bydd plant yn elwa o wybod sut y defnyddir offer ar fainc waith er mwyn cydosod ac uno deunyddiau.

Astudiaeth achos ...

... cynllunio a rhyngweithio wrth chwarae

Ers tro, roedd staff y feithrinfa wedi bod yn poeni am y ffordd roedd y plant yn trin y gornel gartref. Sylwodd y staff bod y plant yn symud i mewn ac allan o'r lle'n gyflym, heb aros i chwarae am fwy na dau funud. Sylwyd hefyd bod nifer sylweddol o'r plant yn osgoi'r gornel, ac yn anwybyddu'r gweithgaredd yn llwyr. Âi'r oedolion i mewn i'r gornel dim ond er mwyn dod o hyd i ddarn o gyfarpar neu i ddatrys anghytundeb.

Yn y cyfarfod cynllunio, penderfynodd y staff fod angen cymryd camau cadarnhaol i wella ansawdd y chwarae yn yr ardal hon. Roedd gwaith y tymor wedi'i seilio ar stori'r 'Tri Arth' ac mewn dim o amser, trawsnewidiwyd y gornel yn fwthyn yr eirth yn y goedwig. Am gyfnod yn ystod pob sesiwn, arhosai un aelod o'r staff yn y bwthyn a chynlluniwyd nifer o wahanol weithgareddau penodol, pob un yn gysylltiedig â thema'r Tri Arth.

Ar ôl wythnos, trafododd y staff y newidiadau. Roedd pob plentyn wedi ymweld â'r bwthyn a'r mwyafrif ohonynt wedi cymryd rhan mewn ystod o weithgareddau a gynlluniwyd ymlaen llaw, gan roi'r eirth mewn gwelyau o'r maint iawn, gosod y bwrdd ar gyfer brecwast, gwneud uwd ayyb. Dechreuasant ddyfeisio eu chwarae eu hunain hefyd, gan ganolbwyntio mwy a chymryd mwy o ran, i bob golwg. Cytunai'r staff mai ffocws newydd y bwthyn a ddenodd y plant yn y lle cyntaf, ac wrth iddynt ddod i arfer â hyn, bod presenoldeb oedolyn yn yr ardal wedi helpu'r plant i ddatblygu eu chwarae ac i ymroi'n llawn i bob digwyddiad yn y gornel.

1. Pam oedd y plant yn anwybyddu'r gornel gartref, yn eich barn chi?

2. Pam oedd y staff yn poeni?

3. Beth oedd rôl yr oedolyn yma?

4. Sut allai'r feithrinfa ddatblygu'r math hwn o chwarae yn y dyfodol?

Rhyngweithiad

Rhaid i bob rhyngweithiad â'r plant gymryd i ystyriaeth eu hanghenion datblygiadol unigol a'r canlyniad dysgu a nodwyd ar gyfer y gweithgaredd neu'r profiad. Gellir casglu rhywfaint o'r wybodaeth hon drwy wylio a rhaid ei chynnwys yn y cynllunio. Yma, mae'n bwysig ystyried materion ymarferol megis yr amser sydd gan oedolion.

Gall rhyngweithio gynnwys

- siarad â phlant
- gofyn cwestiynau
- cynnig anogaeth
- chwarae ochr yn ochr â phlant
- cynnig awgrymiadau ac arweiniad a fydd yn ymestyn dysgu'r plant.

Gall rhyngweithio ddigwydd o fewn fframwaith strwythuredig neu ddistrwythur. Bydd cyfleoedd i ryngweithio a datblygu sgiliau'r plant yn codi drwy'r dydd. Yna, mae'r rhyngweithio rhwng yr oedolyn a'r plentyn yn codi'n naturiol o ddiddordebau a chwestiynau'r plentyn.

Astudiaeth achos ...

... gwneud car grand prix

Roedd Carys, plentyn pedair oed, wedi bod yn gwylio'r grand prix ar y teledu dros y penwythnos. Ddydd Llun, daeth o hyd i'r trac ceir a'i osod i fyny. Yn anffodus, doedd ganddi ddim ceir Fformiwla 1 i'w gosod ar y trac, dim ond ceir cyffredin. Awgrymodd y gwarchodwr plant eu bod yn gwneud un eu hunain.

Yn gyntaf, edrychasant yn fanwl ar gar gan drafod y tebygrwydd a'r gwahaniaeth rhwng y car hwnnw a char Fformiwla 1. Aethant ati i ystyried cynllun y car a beth fyddai ei angen arnynt i'w wneud. Yna, adeilasant y car gyda'i gilydd.

Aeth Carys â'r car at y trac i chwarae. Yn y man, ymunodd y gwarchodwr plant yn y chwarae. Yn ystod y chwarae, dywedodd Carys nad oedd yr olwynion ar ei char hi'n troi fel olwynion car go iawn, ac y byddai'n fwy o hwyl petaent yn gwneud hynny. Arbrofodd Carys a'r gwarchodwr plant gyda nifer o wahanol ddulliau o osod yr olwynion ar y car nes eu bod yn troi'n llwyddiannus.

Yn y gweithgaredd hwn mae'r syniadau'n llifo o ddiddordebau a syniadau'r plentyn. Mae'r gwarchodwr plant yn nodi diddordeb Carys ac yn cyfrannu'r amser, yr adnoddau a'r rhyngweithiad ag oedolyn sy'n angenrheidiol er mwyn ei helpu i ddatblygu ei syniadau.

1. Sut ddangosodd Carys ei diddordeb a'i syniadau i'r gwarchodwr plant?

2. Sut aeth y gwarchodwr plant ati i ddatblygu'r syniadau hyn?

3. Pa sgiliau a chysyniadau y gellid eu datblygu drwy gyfrwng y gweithgareddau a gynigiwyd gan y gwarchodwr plant?

Ar adegau eraill, bydd y rhyngweithiad yn fwy ffurfiol. Fel rheol bydd hyn yn dod o'r cynllunio. Bydd y cynlluniau'n rhoi braslun o'r sgìl neu gysyniad y mae angen ei ddatblygu a bydd y rhyngweithiad rhwng yr oedolyn a'r plentyn yn anelu at sicrhau bod y plentyn yn dysgu'r sgìl/cysyniad hwnnw.

Astudiaeth achos ...

... datblygu cysyniad amser

Yn ystod amser grŵp, dangosodd oedolyn bedwar ffotograff o fabi, plentyn, person yn ei arddegau ac oedolyn i'r plant. Dechreuwyd trafod y ffotograffau yn nhermau pa un oedd y babi ayyb a sut y gwyddent hynny. Gwnaeth y plant sylwadau am feintiau'r bobl, gan geisio dyfalu eu hoedran.

Yn y man, dywedodd yr oedolyn wrth y plant mai'r un person oedd ym mhob llun a gofynnodd iddynt sut y gallai hynny fod, gan fod pob un yn wahanol. Trafododd y plant eu teuluoedd eu hunain a'r syniad o dyfu i fyny.

Gofynnodd yr oedolyn i'r plant ddod â llun ohonynt hwy eu hunain yn fabanod. Wrth i'r plant ddod â'r lluniau i mewn, fe'u gosodwyd ar binfwrdd dan y pennawd 'Dyfalwch bwy?' Roedd y plant yn mwynhau edrych ar y lluniau a dyfalu.

Yn ddiweddarach, edrychodd yr oedolyn ar y lluniau gyda'r plant, a nodi pwy oeddent. Cafwyd trafodaeth ynglŷn â sut yr oeddent wedi dyfalu pwy oedd pwy. Gallai'r plant weld tebygrwydd rhwng nodweddion wynebau'r babanod a'r plant, a deall bod y babanod wedi tyfu i fyny.

1. Sut mae'r rhyngweithiad gydag oedolyn yn ystod y gweithgaredd hwn yn helpu'r plant i ddatblygu cysyniad amser?

2. Pam oedd rhaid cyflwyno a dysgu'r cysyniad hwn mewn ffordd strwythuredig?

3. Meddyliwch am gysyniadau a/neu sgiliau eraill y mae angen eu cyflwyno fel hyn.

Arsylwi, monitro a gwerthuso

Drwy werthuso gweithgareddau a phrofiadau ceir gwybodaeth werthfawr am lwyddiant y gweithgaredd a'r hyn mae'r plant wedi ei ddysgu neu'r sgiliau a ddefnyddiwyd ac a ddatblygwyd. Mae hyn yn creu sylfaen ar gyfer cynllunio a pharatoi'r ardal, a hefyd ar gyfer rhyngweithio â'r plant.

Gall arsylwi a monitro fod yn ffurfiol neu'n anffurfiol. Gall ffocysu ar y plentyn, yr oedolyn a/neu'r gweithgareddau.

Mae asesiad ffurfiol yn cynnwys:

- asesiad sylfaenol
- sylwadau ysgrifenedig
- rhestrau gwirio
- siartiau datblygu.

Mae asesiad anffurfiol yn ymwneud â'r pethau y byddwch yn sylwi arnynt wrth chwarae a rhyngweithio â'r plant. Gallent fod yn ffeithiau am y plant, yr oedolyn a/neu'r gweithgaredd. Yn y man, gall y pethau hyn gael eu cynnwys o fewn asesiad ffurfiol, ond ar y cychwyn, maent yn codi'n naturiol ac yn llifo o chwarae a sgwrsio'r plant.

Mae cynllunio profiadau a gweithgareddau plant yn broses gyfredol; mae'r meysydd yn gyd-ddibynnol. Rhaid i bobl sy'n gweithio gyda phlant ifanc ailasesu'n gyson yr hyn a ddarperir wrth i'r plant dan eu gofal dyfu a datblygu. Mae'r diagram hwn o'r cylch cynllunio'n dangos y patrwm cynllunio, paratoi, rhyngweithio a monitro fel proses parhaus.

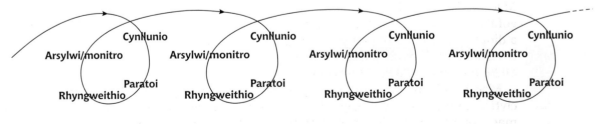

Y cylch cynllunio

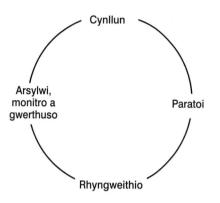

Beth yw anghenion y plant?

Beth yw lefelau datblygiadol y plant?

Beth yw amrediad y lefelau datblygiadol o fewn y grŵp?

Lle bo hynny'n briodol, pa gwricwlwm ddylai fod yn sail i'r cynlluniau?

A oes thema neu bwnc cyfredol?

Beth yw lefelau a chyfrifoldebau'r staff?

Pa adnoddau sydd ar gael?

Faint o amser sydd ar gael?

Beth yw'r ystyriaethau diogelwch?

Beth sydd angen ei gofnodi?

Beth yw'r dysgu sy'n digwydd?

A atebwyd anghenion y plant?

Pa mor effeithiol oedd rhyngweithiad oedolyn?

A oedd pob plentyn yn gallu cymryd rhan?

A ddefnyddiwyd amser y staff yn effeithiol?

A ddefnyddiwyd amser, gofod ac adnoddau'n dda?

Beth oedd yn arwyddocaol am yr hyn a welwyd?

A oes angen cofnodi unrhyw beth a welwyd?

Cynllun

Arsylwi, monitro a gwerthuso

Paratoi

Rhyngweithio

A ydy pob un o'r adnoddau angenrheidiol ar gael ac yn rhwydd eu cyrraedd?

A gyflwynir y gweithgaredd yn ddeniadol, i ddal sylw'r plant?

A ddefnyddir y gofod sydd ar gael yn effeithiol?

Ydy'r ardal yn ddiogel?

Mae dulliau cyfathrebu â phlant yn cynnwys:

• siarad gyda phlant

• gofyn cwestiynau

• cynnig anogaeth

• chwarae ochr yn ochr â'r plant

• cynnig awgrymiadau ac arweiniad er mwyn ymestyn dysgu'r plant. Gallai hyn gynnwys awgrymu defnyddio darnau eraill o gyfarpar lle bo hynny'n briodol.

Rôl yr oedolyn wrth hyrwyddo datblygiad gwybyddol

CYNLLUNIO ARFERION, GWEITHGAREDDAU A PHROFIADAU I FABANOD A PHLANT IFANC IAWN

Cynllunio

Mae cynllunio i gwrdd ag anghenion plant yr un fath ar gyfer babanod a phlant ifanc iawn ag ar gyfer plant hŷn. Rhaid i chi ddeall yr hyn rydych chi'n ei wneud, a'r rheswm dros ei gyflawni. Rhaid i chi baratoi'n ofalus, rhyngweithio'n effeithiol ac yna gwerthuso pa mor llwyddiannus ydoedd.

Yn achos plant rhwng 0 ac 1 oed rhaid gwneud cynlluniau i ofalu amdanynt yn gorfforol, i sefydlu arferion a darparu profiadau a fydd yn symbylu eu synhwyrau. Mae gan blant 0 i 1 oed lawer o anghenion corfforol y mae'n rhaid i'r oedolion sy'n gofalu amdanynt eu cyflenwi, er enghraifft diet cytbwys, glendid, gorffwys a chwsg a diogelwch. Mae'r anghenion hyn yn ffurfio rhan o fywyd bob dydd. Fodd bynnag, wrth gynllunio mae angen i chi feddwl am a chofnodi sut, pam a ble y bydd anghenion plant yn cael eu cyflenwi.

Mae hyn hefyd yn wir mewn perthynas â threfn y dydd, er enghraifft newid clytiau, amser gwely a gwisgo. Dylai'r cynlluniau ddweud pam ei bod yn bwysig, beth mae'r plentyn yn dysgu drwy'r profiad a sut y caiff ei drefnu. Mae'r siart isod yn cynnig rhai esiamplau o gyfleoedd dysgu o fewn trefn y dydd.

Cyfleoedd dysgu o fewn y drefn ddyddiol

● Cyfle ardderchog i greu cwlwm cariad â phlentyn, wrth i ryngweithiad greu'r ymwybyddiaeth yn y plentyn ei fod yn cael ei garu, bod angen amdano, a'i fod yn rhoi ac yn derbyn pleser.

● Yn bodloni'r angen am gyffyrddiad corfforol a sylw gan oedolion.

● Yn bodloni'r angen am gysur corfforol, h.y. cynhesrwydd, glendid, diogelwch.

● Yn darparu cyfleoedd ar gyfer rhyngweithio cymdeithasol, er enghraifft cyswllt llygaid a gwenu.

● Yn darparu cyfleoedd i glywed ac ymateb i iaith.

● Yn darparu cyfleoedd i ddatblygu sgiliau motor bras, e.e. cicio coes, chwifio braich, rholio.

term allweddol

Lefel datblygiadol

y cam y mae plentyn wedi ei gyrraedd yn ei ddatblygiad. Nid yw hwn o reidrwydd yn gyson ag oed cronolegol y plentyn (oedran mewn blynyddoedd)

term allweddol

Gweithiwr allweddol

cyfundrefn staff lle mae aelod penodol o'r staff yn cymryd y cyfrifoldeb am grŵp o blant

Rhaid cysylltu cynlluniau ar gyfer gweithgareddau a phrofiadau i symbylu a diddori plant yn ôl **lefel datblygiadol** y plentyn. Gofynnwch pam y cynigir y gweithgaredd neu'r profiad hwn i blentyn ar y cyfnod penodol hwn o'i ddatblygiad. Gall fod yn ddefnyddiol ystyried y meysydd datblygiad, megis y corfforol, deallusol, ieithyddol, emosiynol a'r cymdeithasol, er mwyn nodi anghenion a chynllunio gweithgareddau priodol. Mae'r siart ar dudalennau 33-4 yn cynnig rhai awgrymiadau ar gyfer gweithgareddau i blant ifanc iawn.

RÔL YR OEDOLYN

Mae llawer o ganolfannau yn defnyddio cyfundrefn **gweithiwr allweddol** wrth drefnu eu staff i weithio gyda babanod a phlant ifanc. Ystyr hyn yw bod un person penodol yn cymryd cyfrifoldeb am grŵp o blant. Mae hyn yn caniatáu i'r aelod o'r staff ffurfio perthynas agos â phob plentyn. Mae'r oedolyn yn gyfrifol am ddod i adnabod anghenion a galluoedd pob plentyn ac yna i gynllunio gweithgareddau priodol. Yn ogystal, bydd y gweithiwr allweddol yn cysylltu â'r rhieni/gofalwyr ac asiantaethau eraill sy'n gysylltiedig â'r plentyn, lle bo hynny'n briodol. Mae'r gyfundrefn hon yn sicrhau bod y rhieni/gofalwyr yn gallu trafod â pherson neilltuol sy'n adnabod y plentyn yn dda iawn.

Mae rôl yr oedolyn yn hanfodol wrth gynllunio gweithgareddau neu drefnau, a rhaid ei ystyried yn ofalus. Wrth reswm, yn achos trefnau a gofal corfforol plant mae'r oedolyn yn gyfrifol am hylendid a diogelwch. Dylid nodi yn y cynlluniau pam fod hyn yn bwysig, a'r hyn y dylai'r oedolyn ei wneud i sicrhau bod yr amgylchedd yn lân ac yn ddiogel.

Hefyd, rhaid i oedolion ryngweithio â phlant er mwyn symbylu eu synhwyrau. Rhaid i fabanod a phlant ifanc gael amgylchedd sy'n caniatáu iddynt glywed a dechrau ymateb i iaith ac yn rhoi cyfleoedd i ryngweithio'n gymdeithasol ag eraill.

Mae rhyngweithio effeithiol yn cynnwys:

● tynnu sylw at bethau a'u henwi

● gwneud sylwadau ar yr hyn sy'n cael ei wneud

● cyflwyno geirfa

● adlewyrchu (efelychu) synau a mynegiant wyneb y plentyn

● adlewyrchu (efelychu) gweithredoedd y plentyn

● chwarae ochr yn ochr â'r plentyn i fodelu gweithredoedd a sgiliau.

Dylai rhyngweithiad â'r plentyn gael ei gynnwys yn rhesymeg y cynlluniau ar gyfer plant 0-1 oed, ynghyd ag unrhyw angen penodol a nodwyd gan y staff a/neu'r gweithiwr allweddol.

GWEITHGAREDDAU SYMBYLUS GYDA PHLENTYN MIS OED

Dylai'r holl arferion gofal alluogi'r baban i symud ymlaen yn gorfforol, i arbrofi wrth symud, ac i wella'i gydsymud. Er enghraifft, wrth newid dillad ac yn y bath, rhowch le a chyfle i'r baban gicio'n ddiogel heb glytiau na dillad.

- Mae profiadau synhwyraidd, megis tylino'r corff ac anwesu'n dyner, yn helpu'r baban i deimlo'n ddiogel ac i ddatblygu sensitifrwydd i gyffyrddiad.

- Mae crudiau crog sy'n cludo'r baban o un ystafell i'r nesaf gyda'i ofalwr yn ysgogi sgiliau gweledol wrth iddynt edrych ar y byd o'i gwmpas. Mae teganau bach wedi'u gosod yn rhimyn ar draws y gadair hefyd yn helpu'r baban i ganolbwyntio'i olwg a gwella'r cydsymud llaw a llygad.

GWEITHGAREDDAU SYMBYLUS GYDA PHLENTYN 3 MIS OED

- Cynigiwch deganau y gall baban eu dal yn ogystal ag edrych arnynt, er enghraifft ratl lliwgar iawn wedi'u gwneud o ddeunyddiau ysgafn, diogel sy'n gwneud synau diddorol, neu bêl â sŵn cloch.

- Mae chwythu swigod yn swyno babanod yn yr oed yma, wrth iddynt eu gwylio'n codi ac yn ffrwydro.

- Caneuon yn cynnwys gweithredoedd gyda'r baban yn eistedd ar eich glin, yn rhoi'r cyfle i'r baban sboncio a chael ei draed dano.

- Bydd teganau sydd ar gampfa faban neu ar linyn uwchben crud yn symbylu'r baban i ymestyn ei freichiau a gafael mewn gwrthrychau diddorol.

- Rhowch gyfle i ymarfer – gadewch i'r baban orwedd yn ddiogel ar fat llawr heb glwt neu ddillad fel y gall arbrofi gyda'i symudiadau a datblygu ei sgiliau cydsymud ymhellach. Rhowch y baban i orwedd wyneb i lawr gan ei helpu i ddatblygu'r cryfder i gynnal rhan uchaf ei gorff ar ei benelinoedd a pharatoi ar gyfer rholio'i gorff drosodd.

GWEITHGAREDDAU GYDA PHLENTYN 6 MIS OED

- Cynigiwch deganau sy'n nythu ac yn pentyrru, er enghraifft biceri crwn.

- Darparwch friciau i'w dal a'u bwrw yn erbyn ei gilydd – bydd oedolion sy'n defnyddio briciau i adeiladu yn annog y baban i efelychu'r gweithredoedd a phrofi pleser wrth weld y tŵr yn disgyn.

- Cynigiwch wrthrychau y gall y baban afael ynddynt a'u trosglwyddo o law i law, ac sy'n ddiogel i'w rhoi yn y geg.

- Cynigiwch fysfwydydd – dan oruchwyliaeth bob amser.

- Gadewch i'r baban brofi ansawdd eu bwyd gyda'u bysedd.

- Darparwch brofiad synhwyraidd drwy gynnig bagiau ffa yn cynnwys gwahanol bethau, megis reis neu greision ŷd.

- Rhowch ddrych plastig i'r baban afael ynddo ac adnabod ei hun yn yr adlewyrchiad!

- Anogwch y baban i chwifio'i law wrth ffarwelio.

- Chwaraewch gemau clapio a chwarae mig.

- Ailadroddwch rigymau bys, megis 'Un bys, dau fys, tri bys yn dawnsio'.

- Edrychwch ar lyfrau sy'n llawn lluniau a thynnwch sylw'r baban at wrthrychau cyfarwydd.

- Anogwch y baban i ymarfer drymio, gan ddefnyddio sosbenni wedi'u troi at i fyny a llwyau pren, a'u rhoi yn y geg a'u defnyddio i arbrofi.

- Os gollyngir tegan, bydd y baban yn edrych i weld lle mae'n disgyn, os yw o fewn cwmpas ei olwg.

- Os bydd tegan yn disgyn ac yn diflannu o'i olwg, nid yw'r baban yn chwilio amdano. Yn yr oed yma, nid yw'r byd yn ymestyn ymhellach na golwg y baban!

GWEITHGAREDDAU GYDA PHLENTYN 9 MIS OED

- Rholiwch beli fel y gall y baban eu dal ar ei eistedd.

- Bydd clymu llinynnau i deganau bach ar olwynion yn annog gafael gefail wrth i'r baban ymdrechu i dynnu'r tegan tuag ato.

- Darparwch deganau ar gyfer y baddon, y gellir eu defnyddio i dywallt a'u gwasgu.

- Cynigiwch deganau a gwrthrychau sy'n creu canlyniadau penodol, fel y bydd y baban yn dysgu am achos a chanlyniad; er enghraifft, mae peli ac olwynion yn rholio pan gânt eu gwthio, mae briciau yn pentyrru, ac mae rhai teganau'n gwichian wrth gael eu gwasgu.

GWEITHGAREDDAU GYDA PHLENTYN 12 MIS OED

Bydd y cyfarpar canlynol yn darparu cyfleoedd addas ar gyfer datblygu sgiliau motor manwl:

- bocsys a chynwysyddion gyda gwrthrychau bach i roi ynddynt a'u tynnu allan

- cynwysyddion sy'n dal siapiau crwn

- cwpanau a bocsys sy'n pentyrru ac yn nythu

- peli y gellir eu taflu a'u rholio

- creonau cwyr trwchus, diwenwyn i wneud marciau ar bapur

- llyfrau bwrdd er mwyn pwyntio at luniau a throi tudalennau

- briciau i ymarfer adeiladu.

Cofiwch: yn 12 mis oed, mae babanod yn y cyfnod llafar o hyd ac yn tueddu i roi gwrthrychau yn eu ceg. Mae hyn yn creu perygl o dagu a dylid goruchwylio babanod bob amser.

GWEITHGAREDDAU GYDA PHLENTYN 15 MIS OED

Darparwch:

- gleiniau mawr crwn a chiwboid y gellir eu hedafu gyda chareiau trwchus

- briciau bach ar gyfer adeiladu

- creonau a brwshys paent

- llyfrau yn cynnwys cymeriadau cyfarwydd â lluniau y gellir pwyntio atynt

- poteli plastig a jariau capiau sgriwio y gellir eu tynnu a'u newid

- teganau byd bach, megis Duplo

- llwy a fforc ar adegau prydau bwyd i ymarfer sgiliau bwyta.

GWEITHGAREDDAU GYDA PHLENTYN 18 MIS OED

Darparu cyfleoedd ar gyfer:

- chwarae â thywod a dŵr – jygiau i dywallt, potiau plastig i'w llenwi

- peintio â'r bysedd a phrintio â'r llaw a'r troed

- peintio â dŵr gan ddefnyddio brwshys mawr a bwcedi o ddŵr

- ymarfer sgiliau tynnu llun gyda sialc a chreonau mawr

- helpu gydag arferion cartref – tynnu llwch, sugno llwch, ayyb.

- jig-sos darnau mawr

- teganau adeiladu darnau mawr yn cynnwys darnau y gellir eu troelli, troi, morthwylio a'u gwthio i'w lle

- edafu gleiniau

- teganau gwthio a thynnu.

GWERTHUSO CYNLLUNIAU

Mae angen gwerthuso pob cynllun er mwyn casglu gwybodaeth am lwyddiant y gweithgaredd neu brofiad ac i greu sail ar gyfer cynllunio pellach. Dyma rai o'r cwestiynau y mae'n rhaid eu gofyn:

- A wnaeth y gweithgaredd neu'r arfer gwrdd ag anghenion y plant?
- Os na wnaeth, beth oedd y rheswm dros hynny a sut gellid ei newid?
- A oedd yn ddigon hyblyg i'w addasu, pe bai gofyn gwneud hynny?
- A oedd yr holl gyfarpar angenrheidiol ar gael?
- A oedd y rhyngweithio'n briodol?
- Os nad oedd, sut aethoch chi ati i'w newid a/neu beth fydd rhaid ei newid y tro nesaf?

Y BROSES CYNLLUNIO

Dylai cynllunio fod yn ystyrlon, hydrin a defnyddiol. I raddau gellir cyflawni'r nod drwy ystyried y meysydd canlynol.

Cynllunio fel tîm

Dylai pawb sy'n gweithio gyda phlant gymryd rhan yn y broses gynllunio. Bydd hyn yn helpu i ddatblygu synnwyr perchenogaeth gan fod pawb yn gallu cyfrannu rhywbeth a bydd yn sicrhau dull gweithredu cyson. Yn ogystal, mae'n golygu y gellir rhannu'r tasgau paratoi a'r casglu adnoddau. Dylid hefyd annog myfyrwyr i gymryd rhan mewn cynllunio fel rhan annatod o'u hyfforddiant ac mae'n bosibl y gallant roi persbectif arall ar y broses. I'r perwyl hwn, dylid trefnu cyfarfodydd cynllunio ar adegau pan fydd pawb sy'n cymryd rhan yn gallu bod yn bresennol. Rhaid i rywun fod yn gyfrifol am drefnu'r cyfarfodydd hyn a sicrhau bod pobl yn cyfranogi. Mewn rhai canolfannau, bydd aelod hŷn o'r staff yn gwneud hyn; mewn mannau eraill bydd amryw o bobl yn cymryd y cyfrifoldeb yn eu tro.

Astudiaeth achos ...

... cynllunio fel tîm

Byddai tîm y feithrinfa bob amser yn cyfarfod i gynllunio eu thema nesaf tua deufis cyn ei gyflwyno. Gan fod dwy nyrs feithrin yn rhannu swydd yn y feithrinfa, trefnwyd y cyfarfodydd cynllunio a thîm ar ddiwrnod y newid drosodd, sef y diwrnod pan ddeuai myfyrwraig a astudiai i fod yn nyrs feithrin yno ar leoliad. Mewn cyfarfod tîm blaenorol trafodwyd nifer o themâu posibl a phenderfynwyd mai cludiant fyddai ffocws gwaith yr hanner-tymor.

Ar ddechrau'r cyfarfod, aeth y staff ati i saethu syniadau a'u cofnodi ar siart troi. Yna, cysylltwyd yr awgrymiadau hyn â'r meysydd cwricwlwm ac fe'u hystyriwyd yn ofalus. Nodwyd y bylchau mewn rhai meysydd, a gwnaed awgrymiadau yn ogystal ynglŷn â sut y gellid defnyddio'r meysydd gweithgaredd arferol i ddatblygu'r thema. Yna, ystyriodd y grŵp pa adnoddau y byddai eu hangen i gefnogi'r thema. Gwirfoddolodd aelodau o'r staff i chwilio am yr adnoddau, gan benderfynu cysylltu â'r gwasanaeth llyfrgell i archebu casgliad prosiect yn gyntaf. Awgrymwyd rhai teithiau a dywedodd aelod arall o'r staff y byddai'n ymchwilio i hyn ac adrodd yn ôl. Awgrymodd y fyfyrwraig y gellid gwneud defnydd o'r cyfarpar yn y coleg, a dywedodd y byddai'n trefnu ei fenthyg ac efallai cynllunio i'w ddefnyddio gyda'r plant. Awgrymodd rhywun arall y gellid aildrefnu rhywfaint o'r dodrefn i greu lle ar gyfer ardal chwarae dramatig arall a chytunwyd ar hynny.

Byddai plant newydd yn ymuno â'r feithrinfa ar ddechrau'r hanner-tymor nesaf ac ystyriwyd y cynllunio ar gyfer eu cyfnod o ymgartrefu ochr-yn-ochr â'r cyflwyniad. Ar ddiwedd y cyfarfod, ailadroddodd yr athrawes feithrin yr hyn a benderfynwyd gan ddweud y byddai'n cynhyrchu copi o'r cynllun i bob un o'r cyfranogwyr ac y byddai'n arddangos fersiwn ohono ar hysbysfwrdd y feithrinfa at sylw rhieni.

Ystyriwyd datblygu'r thema yn ystod cyfarfodydd tîm dilynol a chytunwyd i wneud dadansoddiadau wythnosol yn cynnwys mwy o gynllunio. Pan gychwynnwyd gweithio ar y thema, addaswyd rhai o'r syniadau cychwynnol a chynhwyswyd eraill mewn ymateb i adwaith y plant. Cymerodd rhieni ran drwy fenthyg adnoddau a gwneud awgrymiadau. Derbyniwyd sawl cynnig i helpu, gan gynnwys un rhiant a drefnodd i ddod i'r feithrinfa a siarad am ei waith yn gyrru trenau.

1. Rhowch amlinelliad o gydrannau cynllunio, fel y'i gwelir yn yr astudiaeth achos hon.

2. Pam fod y cynllunio hwn mor llwyddiannus?

3. Edrychwch yn fanwl ar y broses cynllunio yn eich gweithle chi. A allech chi awgrymu sut y gallai fod yn fwy effeithiol?

Cynllunio a hyblygrwydd

Ni ddylai cynllunio gyfyngu ond yn hytrach ganiatáu hyblygrwydd wrth ymateb i ddiddordebau'r plant. Weithiau bydd plant yn ymateb mewn modd sy'n annisgwyl ond yr un mor werthfawr. Ceisiwch ymateb yn ddigymell weithiau – gallai'r tryc lindysyn sy'n dod i balu'r maes chwarae gynnig cyfle gwerthfawr i ddysgu, er nad oeddech wedi cynllunio ar ei gyfer. Yn yr un modd, byddai'n annoeth i wrthod gadael i'r plant chwarae yn yr eira cyntaf a welsant erioed, dim ond am fod gennych gynllun arall ar gyfer y diwrnod hwnnw.

Cynnwys rhieni

Gwnewch yn siŵr fod rhieni'n gwybod am y cynlluniau. Mae hyn yn arbennig o bwysig yn achos y rhieni hynny sy'n gweithio ochr yn ochr â chi gyda'r plant. Fodd bynnag, bydd pob rhiant yn elwa o wybod beth yn union rydych yn ei wneud ac o bosibl yn gallu cyfrannu at y dysgu, naill ai drwy gyfrannu amser neu adnoddau neu drwy barhau â'r gwaith gartref gyda'u plant. Gellir arddangos y cynlluniau yn y ganolfan neu eu cynnwys yn y cylchlythyrau rheolaidd..

Cofnodi cynllunio

Mae angen cofnodi cynllunio er mwyn gallu cyfeirio ato a bod yn atebol drosto. Nid oes un ffordd amlwg o wneud hyn, a bydd canolfannau penodol yn datblygu eu dulliau cofnodi eu hunain yn unol â'u hanghenion.

Bydd cynllunio tymor-hir ynghlwm wrth ddogfennau polisi'r cwricwlwm, rhai wedi'u llunio gan y ganolfan ac eraill yn statudol, ac i ddatganiadau sy'n darparu fframwaith gweithredol ar gyfer y ganolfan.

Mae llawer o ganolfannau yn cofnodi'u cynllunio tymor canolig ar weoedd thema neu gridiau. Yma trefnir y cynllunio o amgylch meysydd datblygu a/neu gwricwlwm a'i gysylltu â gweithgareddau neu brofiadau penodol. Mae hyn yn rhoi fframwaith weddol fanwl sy'n dangos bwriadau y gellir eu haddasu neu ychwanegu atynt wrth i'r thema ddatblygu.

Gellir cofnodi cynllunio wythnosol neu ddyddiol mewn amryw o ffyrdd, gan ddefnyddio gridiau, gweoedd, siartiau neu nodiaduron. Ynddynt nodir gweithgareddau penodol ynghyd â'r adnoddau angenrheidiol, gan dynnu sylw weithiau at ffocws y gweithgaredd.

Yn ogystal, bydd aelodau o'r staff yn cynllunio i weithio gyda phlant neu grwpiau o blant arbennig yn wythnosol neu'n ddyddiol. Mae'n rhwydd diweddaru'r math hwn o gynllunio tymor byr pe bai aelod o'r staff yn absennol neu ymweliad neu ddigwyddiad annisgwyl yn codi. Mae hygyrchedd y cynllunio yn sicrhau parhad pan fydd aelodau o'r staff yn absennol a rhywun arall yn gyfrifol am y rhaglen.

termau allweddol

Cyfleoedd cyfartal

pawb yn cyfranogi i gymdeithas gorau y gallant, beth bynnag fo'u hil, crefydd, anabledd, rhyw neu gefndir cymdeithasol

Gweithredu cadarnhaol

gweithredu i sicrhau bod gan unigolyn neu grŵp arbennig hawl cyfartal i lwyddo

Stereoteipio

pan gredir bod gan bob aelod o grŵp yr un nodweddion â'i gilydd; yn aml seilir hyn ar hil, rhyw neu anabledd

Gwerthuso

Mae gwerthuso'n rhan hanfodol o'r broses gynllunio. Drwy arsylwi'n barhaol ar ymateb a chynnydd y plant mae'r staff yn gallu asesu a yw eu cynllunio a'u dysgu'n cwrdd ag anghenion y plant. Bydd yr wybodaeth hon yn galluogi'r staff i gynllunio yn y modd mwyaf effeithiol er mwyn cwrdd â'r anghenion hynny, sy'n newid yn gyson.

YMARFER GWRTHWAHANIAETHOL/GWRTHRAGFARN WRTH DDARPARU GWEITHGAREDDAU I BLANT

Gall gweithgareddau a phrofiadau a ddarparwyd ar gyfer plant fod yn ffordd rymus o hyrwyddo **cyfleoedd cyfartal**. Mae gan weithwyr gofal plant gyfrifoldeb i gyflwyno gweithgareddau a phrofiadau mewn modd sy'n cynnwys ac yn galluogi pob plentyn ac yn adlewyrchu profiadau pob rhan o'r gymdeithas. Wrth gynllunio a dysgu'r gweithgareddau a'r profiadau rhaid sicrhau bod cyfle cyfartal i bawb, beth bynnag fo'u hil a'u diwylliant, eu rhyw, cefndir economaidd cymdeithasol neu anabledd. Rhaid iddo hefyd ystyried sut y gellir datblygu potensial y plant hynny sy'n fwy swil, yn fwy ymosodol neu'n fwy hyderus na gweddill y grŵp. Nid yw trin pob plentyn yr un fath yn sicrhau cyfle cyfartal i bawb. Rhaid i ni fod yn ymwybodol bod rhai plant o fewn ein cymdeithas yn fwy tebygol o brofi anfantais nag eraill ac efallai y bydd angen rhywfaint o **weithredu cadarnhaol** i'w helpu i lwyddo. Mae hon yn ystyriaeth bwysig wrth gynllunio'r cwricwlwm.

Mae gweithgareddau a phrofiadau yn rhoi nid yn unig sgiliau a gwybodaeth, ond hefyd agweddau a gwerthoedd. Mae'r blynyddoedd cynnar yn hanfodol ar gyfer datblygu agweddau'r plant tuag atynt hwy eu hunain a'r byd o'u cwmpas. Bydd gweithgareddau sy'n hyrwyddo cyfle cyfartal yn caniatáu i'r plant deimlo'n gadarnhaol amdanynt hwy eu hunain a'u cyflawniadau, i fod yn rhydd o **stereoteipio** ac i werthfawrogi amrywiaeth.

Astudiaeth achos ...

. . . gwerthfawrogi amrywiaeth

Teimlai Caren bod gan y plant yn y cylch chwarae gwledig, gwbl-wyn y gofalai amdano ychydig iawn o brofiad o ddiwylliannau eraill. Gwrandawent ar gerddoriaeth yn rheolaidd ac yn ystod un sesiwn chwaraeodd gerddoriaeth Indiaidd i'r plant. Roedd Caren wedi cynllunio'r sesiwn yn ofalus ac wedi benthyg bocs o offerynnau cerddoriaeth Indiaidd o ganolfan adnoddau cyfagos. Ar ôl chwarae'r tâp ddwywaith, dangosodd yr offerynnau i'r plant, eu chwarae fel y gallai'r plant glywed eu sŵn, a'u rhoi i'r plant fel y gallent eu chwarae hefyd. Wrth chwarae'r tâp eto, gallai'r plant adnabod rhai o'r offerynnau wrth iddynt ymddangos yn y darn. Ar ôl i'r plant ymgyfarwyddo â'r offerynnau a deall sut i'w defnyddio, fe'u gosodwyd yn y gornel gerddoriaeth fel y gallai'r plant eu defnyddio wrth chwarae. Daeth cerddoriaeth Indiaidd yn rhan o sesiynau dawnsio rheolaidd y cylch chwarae ac yn ddiweddarach y tymor hwnnw, roedd Caren yn gallu trefnu bod grŵp o ddawnswyr Indiaidd o'r Grŵp Celf yn y Gymuned cyfagos yn ymweld â'r cylch chwarae.

1. *Pam fod hwn yn brofiad gwerthfawr i'r plant?*

2. *Sut aeth Caren ati i sicrhau y byddai'r gweithgaredd yn llwyddo?*

3. *Meddyliwch am ddulliau eraill, ystyrlon y gellid eu defnyddio i ymestyn profiad y grŵp o amrywiaeth ddiwylliannol*

Hyrwyddo cyfleoedd cyfartal drwy weithgareddau a phrofiadau

Mae'r adran hon yn rhoi awgrymiadau ymarferol ynglŷn â hyrwyddo cyfleoedd cyfartal drwy'r gweithgareddau a'r profiadau a ddarperir i blant. Mae'n bwysig deall nad yw'r adnoddau ynddynt eu hunain yn hyrwyddo cyfleoedd cyfartal. Y staff sy'n gyfrifol am sicrhau bod persbectif cyfleoedd cyfartal yn rhan annatod o gynllunio ac am gyflwyno gweithgareddau ac adnoddau mewn modd sy'n datblygu ymwybyddiaeth plant o'r materion hyn.

Er enghraifft, yn yr amgylchedd gweledol:

term allweddol

Delweddau cadarnhaol

cynrychiolaeth o drawstoriad o nifer o rolau a sefyllfaoedd bob dydd, i herio stereoteipiau ac i ymestyn a chynyddu disgwyliadau

- Dangoswch **ddelweddau cadarnhaol** yn y sefydliad. Ni chynrychiolir pobl ddu, gwragedd a phobl ag anableddau yn ddigonol yn yr amgylchedd gweledol ehangach. Dewiswch ddelweddau sy'n herio stereoteipiau, er enghraifft bargyfreithiwr du, meddyg anabl, heddwraig.

- Rhowch gyfle i'r plant gynrychioli'u hunain yn gywir. Darparwch ddrychau a phaent a chreonau sy'n caniatáu i'r plant gyfleu lliw eu croen.

- Edrychwch ar y lluniau yn y llyfrau a'r posteri a ddarperir gennych. A ydynt yn cyfleu delwedd gadarnhaol neu a ydych yn gweld lluniau llinell o blant gwyn wedi'u harlliwio i gynrychioli hiliau du, merched bob amser yn y cefndir, mewn rôl gynorthwyol neu bobl anabl yn ymddangos yn ddiymadferth ac yn ddibynnol ar eraill?

- Mae ymwelwyr yn gallu herio stereoteipiau – tad gyda'i faban newydd, deintydd du, merch sy'n gweithio fel trydanwr.

Dewis teganau a chynllunio gweithgareddau

- Edrychwch ar jig-sos, gemau, ffigurau chwarae, offerynnau cerddoriaeth a'u deunydd pacio hefyd. A ydynt yn dangos amrywiaeth ddiwylliannol? A ydynt yn annog merched a bechgyn ill dau i chwarae? A gynrychiolir plant ag anableddau?

- Darperwch ddoliau sy'n cynrychioli gwahanol grwpiau hiliol. Peidiwch â phrynu doliau du gyda nodweddion wynebol gwyn neu wallt person gwyn. Edrychwch i weld sut mae'r plant yn chwarae â'r doliau. Meddyliwch am y neges a gyflëir pan osodir y doliau gwyn yn ofalus mewn pramiau ac y teflir y doliau du i mewn i focs. Anogwch y bechgyn i ddangos eu bod yn gallu cofleidio a gofalu am 'fabanod'.

- Gall y gornel gartref gynnig lle diogel a chysurlon i chwarae. Gwnewch yn siŵr fod eich dewis o gyfarpar coginio a bwyd chwarae yn adlewyrchu amrywiaeth o ddiwylliannau a thraddodiadau. Os byddwch yn cyflwyno cyfarpar newydd a dieithr, megis gweill bwyta, gwnewch yn siŵr bod y plant yn gwybod sut i'w defnyddio'n iawn.

- Mae dillad ar gyfer gwisgo i fyny yn rhoi cyfle i'r plant ehangu eu chwarae rôl. Peidiwch â mynnu bod rhai eitemau 'ar gyfer bechgyn' a rhai 'ar gyfer merched' ac anogwch y plant i roi cynnig ar bopeth. Darperwch ddillad bob dydd o ystod o ddiwylliannau ond peidiwch â gor-gyffredinoli – mae plant Pacistanaidd yr un mor debygol o wisgo tracwisgoedd neu jîns ag ydynt o wisgo shalwar-kameez!

term allweddol

Tocynistiaidd

cynrychiolaeth arwynebol o grwpiau lleiafrifol neu dan anfantais, er enghraifft cynnwys un plentyn du mewn llyfryn ysgol, un wraig ar y bwrdd cyfarwyddwyr

- Dathlwch amryw o wyliau. Bydd y plant sy'n dathlu'r gwyliau hyn yn teimlo eu bod yn cael eu gwerthfawrogi: bydd eraill yn cael cip ar a dealltwriaeth o ddiwylliannau anghyfarwydd. Rhaid cymryd gofal i osgoi agwedd **docynistaidd** sy'n pwysleisio agweddau 'egsotig' gwahaniaeth diwylliannol. Rhaid ymchwilio'n ofalus i ddathliadau gwyliau er mwyn sicrhau bod ganddynt arwyddocâd addysgol. Gofynnwch am gymorth gan grwpiau cymunedol neu rieni. (Meddyliwch am y neges rydych yn ei chyfleu am werth cymharol gwyliau wrth dreulio chwe wythnos yn paratoi ar gyfer y Nadolig a phrynhawn yn trafod Diwali.)

- Gellir elwa ar y cyfle i gyflwyno gwahanol ryseitiau a blasu ystod o fwydydd yn ystod sesiynau coginio. Ceir cyfle hefyd i herio unrhyw syniadau ynglŷn â phwy ddylai coginio yn ôl stereoteipiau. Unwaith eto, wrth drafod diet diwylliannol peidiwch â gor-gyffredinoli. Bydd plant o deuluoedd Caribîaidd o bosibl yn mwynhau bwyta reis a phys, ond byddant hefyd yn bwyta pizza ac yn mynd i McDonald's.

- Gwnewch yn siŵr nad ydy un grŵp o blant yn dominyddu'r gweithgareddau gan gau eraill allan. Mae'n bosibl y bydd angen eithrio un grŵp am gyfnod tra bod eraill yn cael cyfle i ennill hyder a sgiliau.

- Dylai'r ddarpariaeth ar gyfer gweithgareddau creadigol adlewyrchu amrywiaeth ddiwylliannol. Dangoswch ystod o draddodiadau ac arddulliau celfyddydol i'r plant a darperwch ystod o ddeunydd y gallant weithio arno. Chwaraewch bob math o gerddoriaeth, gan ddarparu offerynnau, a bydd hyn yn dylanwadu ar allu'r plant i greu cerddoriaeth.

- Gwnewch yn siŵr fod pob plentyn yn gallu cymryd rhan yn yr ystod o weithgareddau, gan gynnwys y rhai ag anableddau. Gall hyn olygu y bydd gofyn newid yr amgylchedd ffisegol, er enghraifft gosod gweithgaredd adeiladu ar ben bwrdd fel y gall plentyn mewn cadair olwyn ei gyrraedd neu efallai bydd gofyn darparu cyfarpar arbenigol, er enghraifft dominos cyffyrddol fel y gellir cynnwys plentyn â nam gweledol yn y gêm.

Adnabod grym iaith

- Gwerthfawrogwch amrywiaeth iaith. Anogwch y plant i wrando ar ieithoedd eraill. Dysgwch gyfarchiadau a rhigymau a rhannwch lyfrau iaith ddeuol gyda'r plant.

- Dewiswch lyfrau ac adroddwch straeon sy'n herio stereoteipiau ac yn darparu modelau rôl cadarnhaol.

- Cyflwynwch straeon a rhigymau o nifer o draddodiadau llenyddol.

Astudiaeth achos ...

. . . darparu ar gyfer anghenion arbennig

Cafodd Nia ei geni'n ddall. Cafodd gynnig lle mewn cylch chwarae mewn ysgol i blant â nam gweledol pan oedd yn 3 oed, ond dewisodd ei rhieni ei gyrru i ddosbarth meithrin mewn ysgol leol lle fu ei dwy chwaer. Ar y cychwyn, roedd y staff yn bryderus ac yn poeni na fyddai'r feithrinfa yn amgylchedd addas ar gyfer plentyn dall, ond ar ôl trafod hyn gyda'i rhieni, cytunodd y dylai ddod atynt. Treuliodd y staff amser yn ystyried yr amgylchedd ffisegol ac yn nodi llwybrau y gellid eu dynodi â marcwyr cyffyrddol y gallai Nia eu dilyn. Aethant ati i gynllunio gweithgareddau, gan sicrhau na fyddai'r un plentyn yn cael eu heithrio rhag cymryd rhan.

Ymwelodd Nia â'r feithrinfa gyda'i rhieni cyn cychwyn. Ar y dechrau, roedd y plant arall yn chwilfrydig ac yn gofyn cwestiynau am ddallineb a atebwyd mewn ffordd ddidwyll. Ymgartrefodd yn gyflym ac yn hyderus, gan gymryd rhan lawn yn y gweithgareddau, weithiau gyda chymorth oedolyn, ond yn amlach yn annibynnol.

Roedd cyfarpar a chyngor ar gael i'r feithrinfa gan yr uned nam gweledol lleol a Sefydliad Cenedlaethol Brenhinol y Deillion (RNIB). Symudodd Nia i'r ysgol yn 5 oed, gydag hyder ac hyfedredd, ar ôl elwa'n fawr o'i chyfnod cyn ysgol.

1. *Pam fod profiad Nia mor llwyddiannus?*

2. *Beth yw rôl yr oedolyn yma?*

Y cwricwlwm cudd: beth arall mae plant yn ei ddysgu o'r gweithgareddau a'r profiadau a ddarperir ar eu cyfer?

Mae'n bosibl bod agweddau a gwerthoedd y rhai sy'n gweithio gyda phlant ac yn dysgu'r cwricwlwm yn bwysicach na'r cwricwlwm 'swyddogol' o ran hyrwyddo cyfleoedd cyfartal. Gelwir hyn weithiau yn **gwricwlwm cudd** a daw plant yn ymwybodol ohono drwy'r ffordd rydym yn siarad â hwy a'r hyn rydym yn disgwyl ganddynt.

Dyma rai enghreifftiau o'r modd y gall y cwricwlwm cudd weithio yn erbyn cyfleoedd cyfartal:

- disgwyliad a derbyniad bod chwarae bechgyn yn fwy garw na chwarae merched

- oedolion yn rhoi mwy o amser i fechgyn (mae nifer o astudiaethau wedi dangos hyn)

- bod â disgwyliadau isel o ymddygiad a chyflawniad plant o grwpiau lleiafrifol

- ystyried bod gemau a gweithgareddau penodol yn fwy addas i un rhyw nag i'r llall

- bod yn orofalus o blant ag anableddau

- sylwadau fel 'Dydy bechgyn ddim yn crïo'; 'Dyma lun o briodas. Bydd y merched yn hoffi hwn'; 'Beth am gael dau fachgen cryf i symud y bwrdd yma'; 'Gall y merched olchi'r cwpanau'; 'Dydy merched ddim yn ymladd'.

Mae plant yn amsugno'r negeseuon hyn a gallant ddylanwadu ar eu hunan-delwedd. Rhaid i agweddau a gwerthoedd y staff, yn ogystal â chynnwys y cwricwlwm, fynd i'r afael â materion cyfleoedd cyfartal.

Mae gweithwyr gofal plant yn ddylanwad pwysig ar agweddau a gwerthoedd plant – mae plant yn gwylio ac yn dilyn ymatebion oedolion. Oherwydd eu rôl ddylanwadol, mae'n bwysig bod staff yn cymryd materion yn ymwneud â chyfartaledd o ddifrif ac nad ydynt yn eu trin yn ysgafn.

Gwirio'ch cynnydd

Pam fod cyfleoedd cyfartal yn agwedd bwysig o'r hyn rydym yn ei ddarparu i blant ifanc?

Sut gellir hyrwyddo cyfleoedd cyfartal drwy gyfrwng yr hyn a ddarperir?

Beth yw stereoteipio a pham y dylem herio stereoteipiau?

Pam fod hyrwyddo cyfleoedd cyfartal yn fater pwysig ym mhob lleoliad?

Sut gall staff ddangos eu bod yn ymroi i hyrwyddo cyfleoedd cyfartal?

term allweddol

Cwricwlwm cudd

negeseuon a gyflëir, yn anfwriadol yn aml, i blant o ganlyniad i agweddau a gwerthoedd yr oedolion sy'n dysgu'r cwricwlwm

Bydd y bennod hon yn eich galluogi i weithio'n ddiogel gyda phlant ac i ddarparu gofal a symbyliad mewn sefydliadau gwahanol. Byddwch yn deall eich rôl chi, a rôl gweithwyr proffesiynol eraill, mewn perthynas â darparu amgylchedd positif, tu mewn a thu allan, a fydd yn ateb gofynion, gan gynnwys gofynion maethol, pob plentyn. Byddwch hefyd yn dysgu sut i adnabod a deall arfer gorau wrth ddarparu gofal corfforol, ac i ddeall y ddeddfwriaeth, rheoliadau, polisïau ac ymarfer proffesiynol sy'n cynnal hyn.

 NODWEDDION AMGYLCHEDD GOFAL PLANT AC ADDYSG POSITIF

YMARFER PROFFESIYNOL WRTH GREU AMGYLCHEDD GOFAL AC ADDYSG POSITIF

GOFAL CORFFOROL

YMARFER DA I GEFNOGI GOFAL CORFFOROL AC AMGYLCHEDD POSITIF

DIET, MAETH A BWYD

NODWEDDION AMGYLCHEDD GOFAL AC ADDYSG PLANT POSITIF

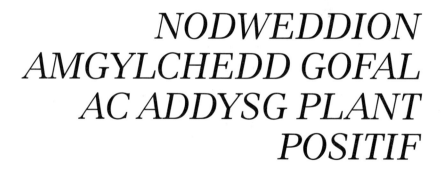

Dylai gweithwyr gofal plant gynllunio a chreu amgylchedd sy'n ofalgar, yn symbylol ac yn ddeniadol i blant, ac yn cwrdd â'u hanghenion yn y ffordd orau yn ôl eu hoedran. Mae nifer o ffactorau ynghlwm wrth greu amgylchedd sy'n symbylol a gofalgar i blant. Gellir ei greu drwy ddarparu ystod o gyfarpar ac adnoddau sy'n briodol i'r oedran, ystyried cynllun ac addurn yr ystafell, gan gynnwys diogelwch, ac arfer sgiliau dysgu da ac agwedd ofalgar. Yn ogystal, mae arddangosfeydd a byrddau diddordeb yn ffordd effeithiol o greu amgylchedd symbylol a deniadol i blant a hybu eu hunan-barch.

Mae'n bosibl mai'r amgylchedd gofal plant ac addysg yw'r unig le y tu hwnt i'w gartref lle nad yw'r plentyn yn cael cwmni ei brif ofalwr. Mae angen i weithwyr gofal plant ddarparu lleoliad cysurlon i'r plant dan eu gofal. Os gofalir am eu hanghenion o fewn amgylchedd cyfeillgar a meithringar, bydd yn hybu eu teimladau o sicrwydd a lles.

Bydd y rhan hon yn ymdrin â'r pynciau canlynol:

‿ yr amgylchedd materol

‿ creu amgylchedd symbylol i blant

‿ amgylchedd cysurlon.

Yr amgylchedd materol

TREFNU'R AMGYLCHEDD

Lleolir sefydliadau gofal plant mewn amrywiaeth o fannau. Bydd rhai yn fodern ac wedi eu codi at y pwrpas, ond bydd eraill wedi eu lleoli mewn adeiladau na chafodd eu cynllunio ar gyfer plant. Mewn ardal fawr, megis neuadd bentref, gellid cynnal nifer o weithgareddau ar yr un pryd. Yn y cartref, dim ond un neu ddau weithgaredd a all ddigwydd ar y tro, ond newidir y lleoliad a chynllunnir gweithgareddau eraill, megis siopa, yn ystod y dydd.

Er mwyn creu sefydliad croesawgar, diogel, cysurlon a symbylol i'r plant, mae'n bwysig dewis dodrefn ac offer a chynllunio'r amgylchedd yn ofalus.

Wrth benderfynu sut i drefnu'r amgylchedd, mae'n bwysig ystyried y ffactorau canlynol.

term allweddol

Rheoliadau
rheolau ffurfiol y mae'n rhaid eu dilyn

Rheoliadau awdurdod lleol

Er mwyn cydymffurfio â gofynion Deddf y Plant 1989, mae pob adran gwasanaethau cymdeithasol yn paratoi canllawiau ar gyfer darparwyr gofal dydd, gan gynnwys gwarchodwyr plant. Mae'r canllawiau hyn yn ymdrin ag agweddau ar ofal plant megis diogelwch, gwres, awyriad, hylendid a mannau chwarae allanol. Yn ogystal, mae **rheoliadau'n** ymdrin â maint y gofod sy'n ofynnol ar gyfer pob plentyn a nifer yr oedolion y mae eu hangen i ofalu am y plant. (Am fwy o wybodaeth, gweler Pennod 4.)

Gofynion diogelwch

Dylid sicrhau bod gofod, gwres, awyriad a golau digonol. Dylid gosod gardiau priodol ar declynnau gwresogi. Dylid sicrhau bod allanfeydd wedi eu cau yn ddiogel ac nad yw plant yn gallu eu hagor. Dylai drysau, allanfeydd argyfwng a diangfeydd tân fod yn rhydd o rwystrau bob amser. Dylai staff fod yn ymwybodol o'r sut i weithredu pan fydd argyfwng, megis tân, a dylid cynnal driliau ac ymarferion yn gyson.

Teimlo'n ddiogel

Bydd croesawu plant i mewn i amgylchedd deniadol a gynlluniwyd yn ofalus yn helpu i roi sicrwydd i blentyn dihyder. Dylai sefydliadau gofal plant ofalu am anghenion y plant drwy gynnwys cyfarpar maint plentyn, arddangosfeydd deniadol ac awyrgylch dawel, lonydd.

Dengarwch

Bydd dodrefn, carpedi a llenni oll yn helpu i greu amgylchedd deniadol y gall plant weithio ynddo. Mewn amgylchedd plentyn-ganolog, dylid dewis yr eitemau hyn gyda phlant mewn golwg, yn enwedig wrth ystyried maint a gwydnwch.

Gofod

Rhaid i blant gael digon o le i chwarae, ond yn aml nid yw ardal fawr, agored yn arwain at y chwarae mwyaf buddiol. Dylid rhannu gofodau mawr drwy symud dodrefn i mewn i ardaloedd llai sy'n cynnig gweithgareddau o fathau gwahanol, er enghraifft, ardal dywod/dŵr/peintio/chwarae llawn dychymyg/llyfrau. Bydd hyn yn annog y plant i ganolbwyntio ac yn caniatáu hyblygrwydd o safbwynt trefniadaeth y gofod.

Yn yr Awyr Agored

Mae'r ardal y tu allan i'r adeilad yn rhan bwysig o addysg y plant a dylid ei chynllunio'n ofalus. Gallwch ddileu peryglon amlwg, wrth ystyried cyfarpar mawr megis llithrennau a fframiau dringo, drwy eu lleoli'n ofalus a sicrhau digon o oruchwyliaeth. Dylid darparu gofod tarmac neu balmantog ac, os oes modd, sicrhau bod rhywfaint o laswellt a gofod i dyfu pethau.

Cysur

Sicrhewch fod tymheredd y sefydliad yn aros rhwng 16 a 24°C (60-75°F) a bod digon o awyr iach yn cylchdroi yn yr adeilad. Dylai'r golau fod yn ddigonol ar gyfer y gweithgareddau a ddarperir ym mhob rhan o'r lleoliad. Bydd ardal dawel gyda charped a/neu glustogau lle gall y plant osod eu hunain ac edrych ar lyfrau neu wneud pos yn eu hannog i afael mewn llyfrau a'u darllen neu gymryd rhan mewn gweithgareddau mwy llonydd.

Gweithio fel unigolion, mewn parau neu grwpiau

Gellir addasu'r amgylchedd i annog plant i weithio ar ben eu hunain, gyda phartneriaid neu mewn grwpiau. Mae ardal wedi'i charpedu yn dda ar gyfer cyfnodau cofrestri, rhannu newyddion ac ar gyfer dweud stori. Yn ogystal, mae modd annog plant i weithio mewn grwpiau drwy osod byrddau bach gyda chadeiriau. Gellir gwneud yr un math o beth er mwyn annog gwaith unigol, megis darllen i'r gofalydd a defnyddio'r cyfrifiadur.

Symud o un gweithgaredd i'r llall

Rhaid i oedolion a phlant allu cyrraedd bob rhan o'r lleoliad. Wrth gynllunio'r amgylchedd dylid sicrhau bod digon o ofod rhwng y gweithgareddau a mynediad rhwydd i'r ystafell gotiau, toiledau a'r ardaloedd allanol.

Mynediad i gyfarpar

Mae plant wrth eu bodd yn cymryd cyfrifoldeb ac yn gwneud penderfyniadau o fewn fframwaith diogel. Dylid sicrhau bod gan y plant fynediad rhwydd i adnoddau fel y gallant ddewis pa ddefnyddiau y byddant yn eu defnyddio.

Darparu amrywiaeth o weithgareddau

Bydd angen i'r gweithiwr gofal plant newid y gweithgareddau a gynigir, efallai gyda chymorth y plant. Gellir annog plant i fod yn gyfrifol am rannau o'r lleoliad, gan storio cyfarpar, tacluso rhai mannau a chlirio ysbwriel o'r tu allan i'r lleoliad. Gall y plant helpu i baratoi a dosbarthu byrbrydau yn ogystal.

SICRHAU HYGYRCHEDD

Dylai pob gweithgaredd ac ardal o fewn y lleoliad fod yn **hygyrch** i bob plentyn. Bydd plant ag anghenion arbennig yn teimlo bod croeso iddynt mewn sefydliad a gynlluniwyd gyda'u hanghenion hwy mewn golwg. Efallai y bydd plant ag anabledd corfforol angen drysau lletach, rampiau, toiledau mwy a gofod i symud o amgylch y dodrefn yn y dosbarth.

Mae'n bosibl y bydd plant â nam ar y synhwyrau angen cyfarpar i hybu eu gallu

synhwyraidd. Er enghraifft, bydd plentyn byddar angen teclyn clywed, golau digonol a'r defnydd o'r Arwyddiaith Brydeinig. Rhaid i'r llawr fod yn glir a'r dodrefn a'r ardaloedd gweithgareddau wedi'u trefnu yn yr un ffordd yn achos plentyn â nam ar y golwg. Dylid cynllunio unrhyw newidiadau i'r amgylchedd materol a'u hesbonio i'r plentyn ymlaen llaw. Efallai y bydd llyfrau print bras yn ddefnyddiol, ac mae'n bwysig i ddarparu profiadau cyffyrddol cyfoethog ac amrywiol.

AMGYLCHEDD PLENTYN-GYFEIRIEDIG

Mae sawl ffordd o sicrhau bod amgylchedd gofal-plant na chafodd ei adeiladu'n bwrpasol, megis cartref y teulu, yn fwy diogel a chyfeillgar i'r plentyn. Dylid darparu:

- byrddau a chadeiriau bach
- toiledau neu seddau toiled bach
- grisiau i sicrhau bod sinciau'n rhwydd eu cyrraedd ac i alluogi plant i gyrraedd pethau
- giatiau grisiau a gardiau tân
- dolennau allan o gyrraedd y plant lle mae angen eu rhwystro rhag mynd i fannau eraill
- cloeon ar gypyrddau nad yw plant yn eu defnyddio, ac ar oergelloedd a ffenestri ar loriau uwch
- cypyrddau isel ar gyfer storio cyfarpar/llyfrau/gweithgareddau creadigol y gall y plant eu dewis eu hunain.

Gellir annog gweithgareddau grŵp mewn amgylchedd plentyn-ganolog

LLE CHWARAE ALLANOL

Mae angen i blant fod allan yn yr awyr iach mor aml â phosibl ac i gymryd rhan mewn gweithgareddau chwarae egnïol. Mae'n bosibl y bydd angen addasu'r amgylchedd allanol i ganiatáu hyn, neu efallai y bydd gofyn i'r plant fynd am dro

neu i'r parciau neu lefydd chwarae os na cheir gardd neu ofod i chwarae y tu allan i'r lleoliad. Dylai'r lle chwarae y tu allan fod yn fan diogel. Dylai gynnig amrywiaeth o arwynebau, ardaloedd a orchuddir pan fydd hi'n glawio a mannau cysgodol ar gyfer dyddiau poeth. Os yw'n bosibl, dylid sicrhau bod coed a phlanhigion o fewn ffiniau'r ardal allanol. Dylid cynllunio'r gweithgareddau yn yr ardal allanol yn y fath fodd fel bod lle i redeg ac i ddefnyddio teganau gydag olwynion yn ddiogel, ac ar yr un pryd gadael lle ar gyfer ardal lle gellir cymryd rhan mewn gweithgareddau mwy llonydd.

Astudiaeth achos ...

... chwarae tu allan mewn tywydd poeth

Mae Mair yn warchodwr plant ac yn gofalu am dri phlentyn bob dydd – Twm a Falmai, y ddau'n 3 oed, a Dafydd sy'n 4. Mae'n ddiwrnod poeth a heulog iawn, yn rhy boeth i fod i mewn. Mae gan Mair dy a gardd lle mae'r plant yn hapus iawn i chwarae; mae rhywfaint o gysgod dan y goeden mewn un rhan o'r ardd. Mae Mair yn sicrhau bod hufen haul ffactor uchel ar groen y plant ac mae hi'n rhoi mwy ar eu croen yn gyson. Yn ogystal, mae'n sicrhau bod gan y plant ddigon i yfed.

1. Sut y gellir trefnu'r chwarae allanol fel ei fod yn addas i'r plant ar ddyddiau fel hyn?

2. Rhestrwch dri gweithgaredd a fyddai'n briodol ar gyfer gardd cartref teuluol ar ddiwrnod poeth.

3. Sut gallech chi greu mwy o gysgod yn yr ardd, a hynny'n gyflym?

CADW'R AMGYLCHEDD YN HYLAN

Mae'n bwysig iawn y cedwir at weithdrefnau hylendid manwl mewn lleoliadau gofal plant fel na achosir traws halogiad na thraws heintiad.

Rhestr wirio amgylchedd hylan

Yr amgylchedd

- Cadwch arwynebau gwaith ac offer cegin yn lân.

- Defnyddiwch ddiheintydd i lanhau arwynebau gwaith yn gyson.

- Golchwch arwynebau ac offer ar ôl iddynt gyffwrdd â bwyd amrwd, yn enwedig cig, pysgod a dofednod, gan ddefnyddio dŵr poeth, sebonllyd.

- Golchwch lieiniau sychu llestri, clytiau llestri a chlytiau golchi eraill yn gyson ar gylchred poethaf y peiriant golchi, neu defnyddiwch ddŵr poeth iawn os ydych chi'n golchi â llaw.

- Golchwch deganau plant o leiaf bob dydd neu ar ôl bob sesiwn o leiaf gan ddefnyddio dŵr poeth, sebonllyd neu ddiheintydd.

- Cadwch ardal y toiledau'n lân. Diheintiwch y seddau, dolennau, dolennau'r drysau a thapiau'r sinc ar ôl bob sesiwn o leiaf. Cadwch y biniau ysbwriel ynghau ac allan o gyrraedd y plant. Yn achos cewynnau a mathau eraill o wastraff yn ymwneud â hylifau corfforol, dylid eu lapio'n ofalus a'u gosod yn y biniau dynodedig gan ddilyn polisi'r lleoliad. Rhaid i weithwyr gofal plant sicrhau eu bod yn gwisgo menig latecs wrth drin unrhyw wastraff a halogwyd gan hylifau corfforol.

- Dylid sychu unrhyw golledion ar unwaith; dylid neilltuo mopiau gwahanol ar gyfer gwahanol ardaloedd o fewn y lleoliad.

● Dylid defnyddio toddiant cannydd i sychu unrhyw golledion neu ddamweiniau yn ymwneud â gwastraff corfforol, a rhaid gwisgo menig a ffedogau.

Hylendid personol (yn cynnwys gweithwyr a phlant)
Rhaid golchi'ch dwylo cyn:

● paratoi bwyd

● paratoi poteli babanod neu fwyd diddyfnu

● bwyta ac yfed

● trin briwiau neu grafiadau bach (dylid gwisgo menig hefyd)

● rhoi moddion i blant.

Dylech olchi'ch dwylo ar ôl

● mynd i'r toiled

● trin bwyd amrwd

● newid cewynnau

● sychu trwynau

● peswch neu disian

● cyffwrdd ag anifeiliaid anwes neu eu hoffer.

Anifeiliaid

● Cadwch anifeiliaid anwes yn rhydd o heintiau.

● Cadwch anifeiliaid anwes allan o ardaloedd paratoi bwyd.

● Golchwch a storiwch offer anifeiliaid anwes ar wahân.

● Cadwch fwyd anifeiliaid anwes a hambyrddau baw allan o gyrraedd plant.

Paratoi bwyd

● Sicrhewch fod bwyd yn cael ei drin a'i storio'n gywir.

● Paratowch fwyd gan ddilyn y cyfarwyddiadau ar y deunydd pacio ac mewn ryseitiau.

Y BYD NATURIOL

Mae plant yn mwynhau ac yn dysgu o weithgareddau sy'n ymwneud â thyfu planhigion ac ymchwilio i'r byd byw. Mae plant yn gallu manteisio mewn sawl ffordd wrth gymryd rhan mewn gweithgareddau garddio, os ceir ymwybyddiaeth o'u lefel datblygiad ac os addasir y disgwyliadau yn unol â hynny. Mae diogelwch yn bwysig, a rhaid sicrhau bod ffensiau a llidiardau'n ddiogel.

Mae manteision y gweithgareddau hyn yn cynnwys:

● mwy o wybodaeth am brosesau a chylchredau biolegol wrth i hadau ddatblygu'n blanhigion

● synnwyr o gyflawniad wrth i'r plant wylio'r planhigion yn tyfu

● gwell ymwybyddiaeth o sut i ofalu am blanhigion, er enghraifft yr angen am ddyfrio a bwydo cyson

- datblygu iaith wrth ddefnyddio geiriau newydd i ddisgrifio'r planhigion, camau eu datblygiad a gweithgareddau garddio

- dysgu sgiliau newydd, megis plannu, palu, dyfrio, tocio

- ymwybyddiaeth o amser yn ystod y gylchred dyfiant

- dysgu am faterion diogelwch, er enghraifft peidio â bwyta aeron neu flodau, cymryd gofal wrth drin offer garddio, hylendid ar ôl garddio.

ANIFEILIAID ANWES

Efallai y bydd cyfle i gadw anifeiliaid anwes yn y sefydliad gofal plant. Bydd plant yn mwynhau dysgu am anifeiliaid a chymryd cyfrifoldeb am eu gofal. Fodd bynnag, mae'n bwysig canfod a oes gan un o'r plant neu aelod o'r staff alergedd i anifail anwes o ryw fath. Dylid cadw anifeiliaid anwes i ffwrdd o ardaloedd paratoi bwyd a dylid dysgu'r plant i olchi eu dwylo ar ôl cyffwrdd ag anifeiliaid anwes.

Gwirio'ch cynnydd

Pa ffactorau sy'n bwysig wrth gynllunio sefydliad gofal plant?

Pa fath o offer fyddai'n caniatáu i'r lleoliad fod yn fwy plentyn-ganolog?

Sut gellir sicrhau bod plentyn ag anabledd corfforol yn teimlo'n gartrefol ac yn ddiogel yn y sefydliad gofal plant?

Sut gellir addasu'r amgylchedd er mwyn galluogi plentyn â nam ar ei olwg i wneud y defnydd mwyaf o'r holl gyfleusterau?

Beth yw'r manteision a ddaw i blant wrth ymchwilio i'r byd naturiol?

Creu amgylchedd symbylol i blant

Mae arddangosfeydd a byrddau diddordeb yn ffyrdd effeithiol o greu amgylchedd symbylol a deniadol i blant ac o wella eu hunan-barch.

PWYSIGRWYDD ARDDANGOS

Mae arddangos yn bwysig mewn sawl ffordd. Mae'n gallu:

- symbylu dysgu ar draws pob maes o'r cwricwlwm

- annog plant i edrych, meddwl, ystyried, archwilio, ymchwilio a siarad ac ymateb i'w diddordebau

- gweithredu fel ysgogiad i'r synhwyrau a'r dychymyg

- rhoi syniadau i blant, a hyrwyddo ymchwil pellach

- annog rhieni i gymryd rhan yn addysg eu plant, ac atgyfnerthu'r cysylltiadau â'r cartref

- annog hunan-barch drwy ddangos gwerthfawrogiad o waith y plant

- annog cyfathrebu â phlant

- creu amgylchedd deniadol, a denu sylw plant

- annog ymwybyddiaeth o'r gymuned ehangach, adlewyrchu amrywiaeth ddiwylliannol gyfoethog cymdeithas ac atgyfnerthu'r gallu i dderbyn gwahaniaethau.

Dylid ystyried a chynllunio am ba hyd y cynhelir yr arddangosfa. Dylid tynnu arddangosfa sydd bellach yn hen neu'n colli ei lliw i lawr. Dylid cadw arddangosfa dim ond os yw'n berthnasol i'r cwricwlwm ac os cyfeirir ati o hyd. Gellir defnyddio arddangosfeydd fel rhan annatod o'r cwricwlwm, ac yn enwedig i adlewyrchu agweddau ar y gwaith pwnc. Pan gychwynnir ar waith pwnc newydd, mae'n bwysig cynllunio a gwneud arddangosfeydd newydd.

LLEOLIAD YR ARDDANGOSFA

Dylid gosod arddangosfeydd mewn man lle gellir eu gweld a'u cyffwrdd yn rhwydd, os yw hynny'n briodol. Byddai o fudd i oedolion blygu fel eu bod yn edrych ar yr amgylchedd o lefel golwg plentyn. Bydd lleoliad yr arddangosfa yn dylanwadu ar y maint a'r math o arddangosfa. Gellir troi wal wastad yn arddangosfa dri dimensiwn os oes digon o ofod o'i blaen. Drwy ei haddurno'n briodol, gellir troi cornel yn ardal chwarae lawn dychymyg; gellir gosod yr arddangosfa ar fwrdd, cwpwrdd neu sgrin.

Mae arddangos gwaith yn annog diddordeb y plant

CYNNWYS YR ARDDANGOSFA

Mae amrywiaeth yn sicrhau bod arddangosfeydd yn ddiddorol, felly mae'n bwysig newid y steil, techneg a'r cynnwys. Mae arddangosfeydd yn gallu cynnwys peintiadau, eitemau o waith plant unigol, ymdrechion ar y cyd, defnyddiau naturiol a phlanhigion, gwrthrychau o ddiddordeb, ffotograffau, lluniau, collage/gludwaith, gwrthrychau real, y defnydd o wahanol liwiau, gweadau a labeli.

Dylai pob plentyn allu cyfrannu i'r arddangosfeydd yn eu hamgylchedd. Wrth edrych o amgylch yr ystafell, byddai'n dda gweld darn o waith gan bob plentyn, neu dystiolaeth o'u gwaith fel rhan o grŵp.

Dylai'r plant gymryd rhan yn y broses o ddewis y gwaith a fydd yn cael ei

arddangos a hefyd, lle bo hynny'n bosibl, mowntio'r gwaith a chreu'r arddangosfa.

Rhaid sicrhau bod labeli a phenawdau'n glir, o faint priodol, mewn llythrennau is ac eithrio ar ddechrau brawddegau ac enwau priod, ac yn cynnwys ieithoedd cartref plant yn y sefydliad. Os ysgrifennir labeli a phenawdau â llaw dylid eu printio'n ofalus, ac mae'n bwysig i ddefnyddio llinellau parod i ymarfer printio nes eich bod yn ddigon hyderus i brintio'n ddigymorth.

Defnyddiwch linellau parod i'ch helpu i ymarfer eich printio

Dylai arddangosfeydd sy'n cynnwys pobl adlewyrchu, lle bo hynny'n bosibl ac yn briodol, **cymdeithas amlddiwylliannol, amlallu** a pheidio â dangos unrhyw ogwydd ar sail rhyw. Dylai arddangosfeydd gyfleu delweddau cadarnhaol mewn unrhyw leoliad. Yn aml, nid yw pobl ddu, gwragedd a phobl ag anableddau'n cael eu cynrychioli'n ddigonol yn yr amgylchedd gweledol ehangach. Wrth gynllunio arddangosfeydd, dylai gweithwyr ddewis delweddau sy'n herio stereoteipiau. Dylai plant gael y cyfle i bortreadu'u hunain yn gywir. Dylai gweithwyr ddarparu drychau, paentiau a chreonau sy'n caniatáu i'r plant greu tôn eu croen eu hunain.

Ym mynedfa'r ganolfan mae rhieni, plant ac ymwelwyr yn cael yr argraff gyntaf o'ch gwaith. Bydd mynedfa groesawgar sy'n cynnwys arddangosfeydd o waith y plant yn helpu i roi argraff gadarnhaol a dangos eich safonau proffesiynol.

Mae cynllunio a chyflwyno da yn hanfodol ar gyfer creu arddangosfeydd llwyddiannus

TECHNEGAU ARDDANGOS

Mae'n bwysig cynllunio arddangosfeydd, gan ystyried pob agwedd cyn cychwyn. Ar ôl penderfynu ar y lleoliad, dylid ystyried lliwiau priodol, cefndir, gorchuddion a borderi.

Mae cyflwyniad da yn hanfodol, gan gynnwys mowntio da a llythrennu o safon uchel. Ni ddylid defnyddio gormod o styffylau a defnyddiau gludiog.

Dylid meddwl yn ofalus am liwiau. Does dim rheolau – mae lliwiau llachar yn gallu bod yn effeithiol, ond gall fod du a gwyn yn briodol hefyd.

Astudiaeth achos ...

... ymweliad â'r theatr

Mae'n fis Rhagfyr ac mae staff ysgol fabanod yn y wlad yn cynllunio i fynd â'r plant i berfformiad pantomeim i ysgolion, mewn theatr mewn tref gyfagos. Ar ôl dychwelyd, bwriedir gwneud llawer o waith trawsgwricwlaidd, gan gynnwys creu arddangosfa yn dangos y llwyfan a'r gynulleidfa yn y theatr.

Mae'r ymweliad yn un llwyddiannus iawn. Ar ôl dychwelyd, mae'r athrawes yn trafod y pethau a'r bobl a welwyd gyda'r plant, ac yn sicrhau eu bod nhw wedi deall stori'r pantomeim. Mae'n gweld bod y plant wedi sylwi ar blant o gefndiroedd ethnig gwahanol a phlant ag anghenion arbennig yn y gynulleidfa. Fel rhan o'r arddangosfa, anogir y plant i dynnu llun bach ohonyn nhw eu hunain ac ychydig beintiadau o blant eraill yn y gynulleidfa. Mae'r plant yn mwynhau peintio'u hunain ac eraill, ac wedyn torri o gwmpas y lluniau a helpu i'w glynu ar yr arddangosfa. O ganlyniad, ceir llun lliwgar, amlhiliol, amlallu sy'n sbarduno llawer o drafodaeth ymhlith y plant, a chyda'u rhieni ac ymwelwyr eraill â'r dosbarth.

1. Pam y gallai mynd â phlant o gefndir gwledig i theatr mewn tref fod yn arbennig o berthnasol?

2. Pam fod peintio lluniau ohonyn nhw eu hunain ar gyfer yr arddangosfa yn brofiad gwerthfawr i'r plant?

3. Beth yw pwysigrwydd y drafodaeth am y bobl a welwyd gan y plant yn y gynulleidfa?

4. Pam fod peintio plant eraill o fudd i'r plant, yn eich barn chi?

5. Pam fod yr arddangosfa hon yn bwysig o ran sbarduno trafodaeth?

BYRDDAU DIDDORDEB

Gellir defnyddio byrddau diddordeb i ddilyn thema neu'r pwnc dosbarth, neu waith ar gyfer arddangosfa/casgliadau yn dilyn ymweliad diweddar. Dylent fod ar uchder addas i'r plant, gan arddangos gwrthrychau tri dimensiwn, a bod wedi'u lleoli mewn rhan dawel o'r sefydliad. Dylid gorchuddio'r bwrdd, a gosod unrhyw beth na ddylid ei gyffwrdd mewn cynhwysydd amddiffynnol, megis tanc plastig.

Mae helpu plant i ddysgu am y byd naturiol yn hanfodol – mae gweld sut mae pethau'n tyfu ac yn datblygu yn rhan bwysig o ddysgu am y byd. Gall plant gasglu ac arddangos eu darganfyddiadau – o ddail yr Hydref i greaduriaid y môr. Mae iechyd a diogelwch yn bwysig wrth arddangos gwrthrychau o'r fath – byddwch yn ymwybodol o beryglon arddangos aeron a phlanhigion gwenwynllyd, neu wrthrychau miniog. Dylai bwyd a gynhwysir mewn arddangosfa fod yn ffres, a dylid ei newid yn gyson. Dylid sicrhau bod cyfeirlyfrau ar gael fel bod y plant yn gallu ymchwilio i'w meysydd diddordeb

Creu arddangosfeydd diddorol

Gellir sicrhau bod arddangosfeydd yn ddiddorol drwy wneud defnydd da o'r canlynol:

- *lliw* – mae cefndir a border sy'n cydweddu yn dangos gwaith y plant ar ei orau; gall gorchudd ychwanegu at ddiddordeb yr arddangosfa

- *gwead* – ychwanegwch bethau sy'n ddiddorol eu cyffwrdd ac yn cyferbynnu â'i gilydd, er enghraifft cerrig crwn llyfn, sgleiniog a phapur gwydrog garw

- *symudiad* – ystyriwch arddangosfeydd sy'n hongian

- *sŵn* – mae papur sy'n craclo, pethau y gellir eu hysgwyd ac offerynnau cerdd a wnaed gan y plant yn bethau deniadol ar gyfer arddangosfa

- cymeriadau sy'n ymddangos mewn llyfrau a ddarllenir yn ystod amser stori ac sydd felly'n gyfarwydd i'r plant; pobl sydd wedi ymweld â'r sefydliad neu y cyfarfuwyd â nhw ar daith.

Manteision gwaith arddangosfa o safbwynt datblygiad y plentyn

- *Sgiliau motor manwl* – gosod, torri, gludio, lluniadu, peintio.

- *Sgiliau motor bras* – cydlyniant, estyn, ymestyn, plygu, cydbwyso.

- *Datblygiad gwybyddol (deallusol)* – mae'n annog sgiliau datrys problemau, gwneud penderfyniadau a meddwl, ac yn ysgogi'r cof.

- *Sgiliau mathemategol* – defnyddio a chreu patrymau, siapiau, onglau. Mesur, amcangyfrif.

- *Datblygiad iaith* – geiriau a geirfa newydd, y defnydd o gyfeirlyfrau, sgiliau trafod a gwrando, gofyn cwestiynau.

- *Datblygiad emosiynol* – synnwyr o gyflawniad a mwy o hunan-barch, mae plant yn teimlo'n falch pan fydd eu rhieni'n gweld eu gwaith mewn arddangosfa. Mae arddangosfeydd sy'n ddeniadol ac yn gyffrous yn helpu plant i deimlo'n gartrefol yn y lleoliad.

- *Datblygiad personol a chymdeithasol* – yn hybu gwaith tîm a chydweithrediad rhwng oedolion a phlant, gan beri bod adnoddau a syniadau'n cael eu rhannu. Mae'n rhoi cyfleoedd i brofi defnyddiau a gweadau newydd, ac yn ysgogi'r synhwyrau. Mae'n hybu ymwybyddiaeth a dealltwriaeth o amrywiaeth ddiwylliannol.

Gwirio'ch cynnydd

Beth yw manteision arddangosfeydd da?

Pam fod arddangos gwaith y plant yn bwysig?

Beth ddylid ei ystyried cyn cynllunio arddangosfa?

Sut gellir defnyddio byrddau diddordeb?

Sut mae arddangos yn hyrwyddo datblygiad?

Amgylchedd cysurlon

Gall fod mai'r amgylchedd gofal ac addysg plant yw'r unig le y tu allan i gartref y plant lle nad yw'r plentyn yn cael cwmni ei brif ofalwr. O ganlyniad, mae'n

bwysig iawn bod gweithwyr gofal plant yn darparu amgylchedd cysurlon i blant dan eu gofal. Os cwrddir ag anghenion y plant o fewn amgylchedd cyfeillgar a meithringar, byddant yn teimlo'n fwy diogel a bodlon.

DARPARU AMGYLCHEDD DIOGEL

Er mwyn sicrhau bod plant yn derbyn sicrwydd digonol a phriodol y mae ei angen arnynt, rhaid i weithwyr gofal plant wybod am ddatblygiad cymdeithasol ac emosiynol nodweddiadol. Bydd edrych ar y byd o safbwynt y plentyn yn helpu i ddeall eu hofnau. Mae'r mwyafrif o fabanod hyd at 6 mis oed yn teimlo ofn wrth glywed synau uchel a gweld symudiadau sydyn. Ymhlith yr ofnau a brofir gan blant bach a phlant hŷn mae bod ar wahân, synau uchel, y tywyllwch, pryfaid cop, dieithriaid, anifeiliaid, gwaed a phryderon eraill.

Dylid sicrhau bod pob plentyn yn cael ei warchod rhag niwed corfforol, ond mae angen iddynt deimlo'n ddiogel yn emosiynol hefyd. Gallwch osgoi niwed corfforol drwy addasu'r amgylchedd ffisegol; gellir rhannu ardaloedd mwy yn ardaloedd llai ar gyfer gweithgareddau tawelach. Yn achos plant dan oed ysgol, dylid cynnig profiadau sy'n debyg i'r rhai a geir yn y cartref, megis ymweld â'r siopau neu'r parc, a phostio llythyrau. Byddai cynnal cyfnodau cysgu ac arferion dyddiol tebyg yn helpu'r plentyn i deimlo'n fwy diogel.

Mae plant yn teimlo'n ddiogel gyda phethau cyfarwydd

CYSURO PLANT

Bydd y mwyafrif o blant sy'n teimlo ofn yn crïo ac yn chwilio am gysur gan oedolyn gofalgar. Nid yw rhai ofnau yn cael eu dangos mewn ffordd mor amlwg, a gall plentyn ddangos arwyddion o fod yn gyffredinol bryderus. Gall plant mewn amgylchedd anghyfarwydd ymateb mewn amryw ffyrdd. Gallant ddangos eu hofnau drwy grïo, gafael yn dynn yn eu rhiant/gofalwr, bod yn anfodlon i dderbyn profiadau newydd, colli archwaeth bwyd, methu â chysgu. Nid yw plant yn gallu dweud wrth yr oedolyn beth yw ffynhonnell eu pryder bob tro, ac felly rhaid i'r gweithiwr gofal plant geisio darganfod beth yw achos yr ofn.

Mae'r dull o drin y broblem yn dibynnu ar achos y pryder. Mae'n bosibl y bydd gofyn rhoi mwy o sicrwydd nag y rhagwelwyd i rai plant, mewn rhai sefyllfaoedd, felly mae'n bwysig i wybod am unrhyw ddulliau arbennig o helpu plant unigol. Bydd gwrando ar yr hyn sydd gan rieni a gofalwyr i ddweud am hyn yn help. Fel rheol, bydd plant yn ymateb yn gadarnhaol i'r gweithredoedd canlynol:

● Esboniadau clir a didwyll ynglŷn â'r hyn sy'n mynd i ddigwydd. Efallai y bydd gofyn ailadrodd yr esboniadau hyn, gan na fydd plant ifanc, o bosibl, yn cofio ac yn deall yr hyn a ddywedwyd.

- Yn achos digwyddiad annisgwyl, esboniad clir o'r hyn sydd newydd ddigwydd

- Cofleidiad i gysuro – er na fydd rhai plant, o bosibl, yn dymuno cysur corfforol

- Hybu gweithgareddau sy'n lleihau'r pwysau a'r straen, megis *playdough*, edrych ar lyfrau, peintio

- Sicrhau bod y pethau sy'n rhoi cysur iddynt, megis blanced arbennig neu degan meddal, wrth law. Mae hyn yn arbennig o bwysig yn achos plant dan 2 oed. Ni ddylid rhwystro plant ifanc rhag cadw'r pethau sy'n rhoi cysur iddynt gan eu bod yn helpu i greu pont rhwng eu cartref a'r amgylchedd gofal. Yn ogystal, maen nhw'n bwysig o ran helpu'r plant i fod yn fwy hyderus ac annibynnol mewn sefyllfaoedd newydd. Dylai'r gwrthrychau cysur fod o fewn cyrraedd y plant. Byddai'n werthfawr i gadw'r gwrthrychau cysur, sydd wedi'u labelu gydag enwau'r plant, mewn lleoliad canolog nes y bydd galw amdanynt. Byddai'n ddefnyddiol i gadw rhestr o gysurwyr a meddyginiaethau penodol mewn man lle gall y staff ei gweld a chyfeirio ati.

NEWIDIADAU A DIGWYDDIADAU ANNISGWYL

Mae'n rhwydd i blant deimlo'n ansicr a chael eu cynhyrfu pan fo'r drefn arferol neu'r amgylchedd yn newid. Bydd eu cynnwrf yn fwy fyth os yw'r newidiadau'n annisgwyl neu os na roddwyd esboniad ymlaen llaw am y newid, felly mae'n bwysig bod plant yn cael eu rhybuddio, lle bo modd gwneud hynny, am unrhyw newidiadau y gwyddoch amdanynt. Bydd dweud wrth y plant am yr hyn sy'n mynd i ddigwydd mewn geiriau syml a dealladwy yn eu cadw rhag poeni. Mae'n bwysig bod agwedd gweithwyr gofal plant tuag at y newidiadau yn bositif ac yn obeithiol, gan y bydd hyn yn tawelu meddyliau'r plant. Bydd angen ailadrodd ac atgoffa'r plant am yr hyn sy'n mynd i ddigwydd. Mae'r ffaith bod gweithiwr gofal plant yn gadael neu'n absennol o ganlyniad i salwch neu wyliau yn un o'r newidiadau sy'n peri'r cynnwrf mwyaf ymhlith plant. Lle bo hynny'n bosibl, dylid paratoi plant ar gyfer newidiadau, ond nid yw'n bosibl cynllunio ar gyfer digwyddiadau annisgwyl felly bydd angen tawelu meddyliau a chysuro'r plant os byddant yn gofidio.

Astudiaeth achos ...

... ymwelydd annisgwyl

Roedd y plant yn Ysgol Feithrin y Fedwen yn mwynhau eu byrbryd o ffrwythau a llaeth ganol bore. Roedd hi'n ddiwrnod cynnes, ac roedd Helen yr arweinydd wedi agor y drws allanol. Roedd y plant gyda'i gilydd ar y carped, yn trafod digwyddiadau'r bore ac yn rhannu newyddion o'u cartrefi. Roedd Helen yn siarad gyda'r plant pan sylwodd fod Twm a Teleri'n chwerthin ac yn pwyntio at y drws. Safodd Helen ar ei thraed ac ar yr eiliad honno daeth ci mawr i'r golwg, gan ddechrau cyfarth yn uchel. Dechreuodd rhai o'r plant ieuengaf grïo ac roedd golwg bryderus ar y rhai hŷn. Brysiodd Lisa, un o'r cynorthwywyr eraill, at y drws a'i gau, gan adael y ci y tu allan. Parhaodd y ci i gyfarth yn uchel, fodd bynnag, gan gynhyrfu mwy o'r plant. Cysurodd Helen a Lisa y plant, ond roeddent yn falch o weld perchennog y ci. Ymddiheurodd hwnnw, gan ddweud bod y ci wedi rhedeg i ffwrdd, ac esboniodd ei fod yn gi swnllyd ond yn gyfeillgar. Rhoddodd dennyn am y ci, a'i dawelu.

1. Beth fyddech chi'n ei wneud i helpu'r plant ar ôl i'r ci fynd?

2. Pa weithgareddau fyddai'n gallu helpu'r plant i ailadrodd yr hanes?

3. Sut fyddech chi'n helpu'r plant i ddysgu mwy am gŵn a phryd mae'n ddiogel i'w cyffwrdd a mynd yn agos atynt?

YMBERTHYN

Mae angen i blant ddatblygu synnwyr o berthyn a byddant yn teimlo'n fwy cartrefol mewn lleoliad sy'n cynnwys gwrthrychau sy'n gyfarwydd iddynt am eu bod i'w cael yn eu cartrefi ac yn adlewyrchu eu diwylliant. Dyma rai enghreifftiau:

- Dylai'r ardal chwarae cartref gynnwys ystod o wahanol fathau o gyfarpar coginio – *woks*, gradelli, gweill bwyta, yn ogystal â sosbenni, tegellau, cyllyll a ffyrc.

- Dylai dillad ar gyfer gwisgo i fyny adlewyrchu amrywiaeth o ddiwylliannau a chynnwys *saris*, penwisgoedd, gorchuddion.

- Dylai fod amrywiaeth o lyfrau ar gael yn dangos delweddau cadarnhaol o hiliau, diwylliannau a rhywiau gwahanol ac yn adlewyrchu cyfleoedd cyfartal (am fwy o wybodaeth am ymarfer wrth-wahaniaethol/wrth-ragfarn, gweler Uned Deg).

- Dylai arddangosfeydd adlewyrchu pob diwylliant yn y gymdeithas. Gellir annog plant i gynhyrchu celf a/neu waith ysgrifenedig am eu cartrefi a'u teuluoedd er mwyn eu harddangos.

- Dylid gwahodd ymwelwyr i ddod i siarad â'r plant a'u helpu i brofi a gwerthfawrogi amrywiaeth gymdeithasol a diwylliannol.

- Dylid rhoi labelu yn cynnwys enwau a/neu luniau ar begiau cot.

- Dylid personoli cyfarpar – enwau ar gwpanau, gwlanenni 'molchi, hambyrddau gwaith, ayyb.

CYNNIG CYSUR

Dylai gweithwyr gofal plant fod yn gynnes, yn ofalgar ac yn ymatebol. Mae plant yn gwybod yn iawn pwy sy'n gwerthfawrogi ac yn mwynhau eu cwmni, a phwy sydd ddim yn cymryd diddordeb. Bydd y pwyntiau canlynol yn eich helpu os nad ydych yn hyderus ac yn rhoi negeseuon positif i'r plant dan eich gofal.

- Byddwch yn llonydd a cheisiwch siarad yn dawel.

- Gwnewch yn siŵr bod eich llygaid yn cyfarfod wrth siarad â phlant a cheisiwch fynd i lawr at lefel eu llygaid nhw, eisteddwch gyda nhw neu cyrcydwch os ydynt yn chwarae ar y llawr.

- Deliwch â'u hanghenion yn gyflym. Sylwch ar yr arwyddion di-eiriau a cheisiwch ragweld eu hanghenion; er enghraifft, efallai bod plentyn sy'n symud o un droed i'r llall yn dymuno mynd i'r tŷ bach.

- Byddwch yn barod i gofleidio plentyn bach sy'n anhapus neu wedi'i gyffroi. Ar y llaw arall, peidiwch byth â gorfodi cysur corfforol ar blentyn nad yw'n ei ddymuno.

- Ceisiwch symbylu sgwrs a rhoi amser i'r plant siarad. Gofynnwch gwestiynau agored a fydd yn annog plentyn i ateb gyda mwy nag ie neu nage.

- Byddwch yn serchog, yn bositif ac yn gwrtais bob amser. Mwynhewch eich perthynas â'r plant dan eich gofal.

Gwirio'ch cynnydd

Sut gall gweithwyr gofal plant helpu plant i deimlo'n ddiogel?

Pa ofnau sy'n gyffredin ymhlith plant ifanc?

Sut gall oedolion gysuro plant sydd wedi'u cyffroi?

Sut gellir annog ymdeimlad o berthyn mewn sefydliad gofal plant?

Disgrifiwch sut y byddech yn esbonio i grŵp o blant bod y gwasanaeth tân yn dod i brofi'r hydrantau tân y bore 'ma.

Nawr rhowch gynnig ar y cwestiynau hyn

Wrth gynllunio'r ardaloedd chwarae mewnol ac allanol a gosod y cyfarpar yn eu lle, beth yw'r prif ffactorau y dylid eu hystyried?

Disgrifiwch rai tasgau a fyddai'n addas i blant rhwng 2 a 5 oed, er mwyn annog synnwyr o gyfrifoldeb tuag at yr amgylchedd.

Sut gall gwaith ar gyfer arddangosfa hyrwyddo datblygiad cyffredinol plant?

Ym mha ffyrdd y gellir defnyddio arddangosfeydd i hyrwyddo delweddau cadarnhaol o'r gymdeithas?

Disgrifiwch ymddygiad plentyn sydd newydd gyrraedd eich sefydliad gofal plant ac sy'n poeni am fod yr amgylchedd yn anghyfarwydd. Sut gallech chi helpu'r plentyn hwn a chael gwared ar ei bryderon?

YMARFER PROFFESIYNOL WRTH GREU AMGYLCHEDD GOFAL AC ADDYSG POSITIF

Mae darparu amgylchedd gofal ac addysg positif i blant yn dibynnu ar ymrwymiad staff i anghenion a hawliau plant, ac i'w gallu a'u parodrwydd i wneud eu gwaith mewn ffordd broffesiynol.

Hawliau ac anghenion plant

Mae'r datganiadau canlynol, o *Young Children in Group Day Care: Guidelines for Good Practice* gan Uned Plentyndod Cynnar Biwro Cenedlaethol y Plant, yn amlinellu set o gredoau heriol ynglŷn ag anghenion a hawliau plant ifanc. Mae'r datganiadau hyn yn berthnasol i bob lleoliad gofal ac addysg.

- Mae lles plant o'r **pwys mwyaf**.

- Mae plant yn unigolion yn eu rhinwedd eu hunain, ac mae eu hanghenion, galluoedd a'u potensial yn amrywio. O ganlyniad, dylai unrhyw gyfleuster gofal dydd fod yn hyblyg ac yn sensitif wrth ymateb i'r anghenion hyn.

- Gan fod gwahaniaethu o bob math yn rhan o fywydau dyddiol llawer o blant, rhaid gwneud pob ymgais i sicrhau nad yw gwasanaethau nac ymarfer yn ei adlewyrchu nac yn ei gadarnhau, ond yn brwydro yn ei erbyn. Felly, dylai cyfle cyfartal i blant, rhieni a staff fod yn eglur ym mholisïau ac ymarfer cyfleuster gofal dydd.

- Derbynnir bod gweithio mewn partneriaeth â rhieni o werth a phwysigrwydd eithriadol.

- Gall arfer da mewn gofal dydd i blant wella eu datblygiad cymdeithasol, deallusol, emosiynol, corfforol a chreadigol llawn.

- Mae plant ifanc yn dysgu ac yn datblygu orau drwy eu hymchwil a'u profiadeu hunain. Mae cyfleoedd fel hyn i ddysgu a datblygu yn seiliedig ar berthnasau sefydlog, gofalgar, arsylwi cyson ac asesu cyfredol. Bydd hyn yn creu **ymarferwyr adlewyrchol** sy'n defnyddio'u harsylwadau i gyfoethogi'r profiadau dysgu a gynigir ganddynt.

- Mae gwerthuso polisïau, gweithdrefnau ac ymarfer yn gyson ac yn drylwyr yn gymorth i ddarparu gofal dydd o safon uchel.

Mae plant yn dysgu ac yn datblygu orau drwy ymchwilio a phrofi drostynt hwy eu hunain

Gweithwyr proffesiynol gofal plant

Mae gwaith gweithwyr proffesiynol gofal plant yn cynnwys yr ymrwymiadau canlynol:

- gofalu bod anghenion a hawliau plant a'u rhieni yn bwysicach na'ch anghenion chi'ch hun
- parch at ddewisiadau a rhyddid pobl eraill
- parchu egwyddorion cyfrinachedd
- dangos cyfrifoldeb, dibynadwyaeth ac atebolrwydd
- bod yn fodlon cynllunio, gwneud, cofnodi ac adolygu
- gweithio mewn partneriaeth gyda rhieni neu ofalwyr
- bod yn ymrwymedig i ddatblygiad personol a mwy o hyfforddiant.

RHOI ANGHENION A HAWLIAU PLANT A'U RHIENI'N GYNTAF

Bydd gofyn i chi ateb anghenion plant, hyd eithaf eich gallu o fewn eich swydd, beth bynnag yw eich dewis neu ragfarnau personol. Mae hyn yn golygu cydnabod gwerth ac urddas pob bod dynol, heb ystyried eu grŵp economaidd cymdeithasol, tarddiad ethnig, rhyw, statws priodasol, crefydd neu anabledd. Mae hyn yn arbennig o bwysig yn achos plant ifanc na fydd, o bosibl, yn gallu deall neu fynegi eu hawliau a'u hanghenion yn llawn.

Efallai y bydd gweithio gyda phlant ifanc yn rhoi teimlad mawr o foddhad i chi, ond nid yw'r plant yno i ddarparu hyn ar eich cyfer chi; rydych chi yno i gwrdd â'u hanghenion hwy.

Llinellau rheoli ac adrodd yn ôl

*E*r mwyn bod yn rhan effeithiol o sefydliad, mae gofyn eich bod chi'n ymwybodol o'r bobl sy'n gweithio yno, eu rôl, eu cyfrifoldebau a'u hatebolrwydd, gan gynnwys eu rheolaeth linell. Mae angen i chi fod yn glir ynglŷn â'ch rôl, eich cyfrifoldebau a'ch atebolrwydd chi o fewn y sefydliad.

CYFRIFOLDEB, DIBYNADWYAETH AC ATEBOLRWYDD

Mae dangos cyfrifoldeb ac atebolrwydd yn golygu bod yn barod i wneud rhywbeth y gofynnwyd i chi ei wneud, os yw hynny'n rhan o'ch maes cyfrifoldeb. Efallai y bydd angen i chi nodi'r cyfarwyddiadau i lawr, er mwyn gallu eu dilyn yn gywir. Wedyn, byddwch yn cyflawni'r tasgau i'r safon ofynnol, o fewn yr amser penodedig, gan sicrhau eich bod chi'n ymwybodol o bolisïau a gweithdrefnau eich gweithle.

Efallai y bydd angen i chi ofyn i'ch rheolwr llinell neu rywun â swyddogaeth goruchwylio os nad ydych yn deall y dasg yn iawn, neu os ydych o'r farn nad yw'r gwaith yn gyfrifoldeb i chi. Mae'n bosibl y bydd angen i chi wrthod cyflawni rhai tasgau nes y bydd rhywun sy'n goruchwylio wedi dangos i chi sut i'w gwneud, neu hyd y byddwch wedi derbyn yr hyfforddiant priodol.

Os oes gennych awgrymiadau ynglŷn â gwneud newidiadau, siaradwch â'r person priodol, yn hytrach na chwyno y tu ôl i'w gefn. Mae trafod materion positif a negyddol yn agored yn helpu staff i ffurfio perthynas positif â'i gilydd. Mynegwch eich barn, ond byddwch yn barod i wrando ar farn pobl eraill hefyd.

EGWYDDORION CYFRINACHEDD

Dylech dderbyn gwybodaeth sensitif yn ymwneud â phlant a'u teuluoedd dim ond os oes ei hangen arnoch i gwrdd ag anghenion y plentyn a'r teulu dan sylw yn effeithiol. Ni ddylid ei rhoi, na'i derbyn, er mwyn bodloni'ch chwilfrydedd neu wneud i chi deimlo'n bwysig neu mewn safle i reoli'r sefyllfa.

Er bod egwyddorion cyfrinachedd i bob golwg yn hawdd eu deall, gall eu rhoi ar waith fod yn gymhleth ac mae gofyn arfer hunanreolaeth ac ymrwymiad i les y plentyn a'i deulu.

CYNLLUNIO, GWNEUD, COFNODI AC ADOLYGU

Bydd angen i chi dreulio amser yn meddwl ac yn cynllunio ymlaen llaw ar gyfer eich gwaith gyda phlant ifanc. Mae cynllunio, gwneud, cofnodi ac adolygu'n ffordd dda o wneud hyn. Anogwch eich cydweithwyr i wneud sylwadau am eich gwaith, gan y byddwch yn derbyn adborth pwysig a fydd yn eich helpu i wella'ch dull o weithio.

Eich nod, wrth gynllunio, fydd cynnwys pob plentyn a sicrhau bod pawb yn cymryd rhan lawn yn y cwricwlwm neu'r gweithgaredd, beth bynnag yw eu **cefndir diwylliannol**, grŵp economaidd cymdeithasol, crefydd neu anabledd. Byddwch hefyd yn ceisio osgoi rhoi tasgau ailadroddus sy'n rhoi pwyslais ar yr oedolyn, ond yn hytrach yn ceisio helpu plant i ddatblygu eu creadigrwydd a chyflawni eu potensial i ddysgu i'r eithaf.

---

term allweddol

Cefndir diwylliannol

ffordd o fyw teulu'r plentyn, sef cefndir ei fagwraeth

Dulliau i hyrwyddo'r berthynas rhwng y sefydliad gofal ac addysg a'r cartref a'r teulu

termau allweddol

Arferion

canllawiau arbennig ar gyfer ymddwyn, a ddilynir gan grwpiau penodol o bobl

Gwerthoedd

credoau bod rhai pethau penodol yn bwysig ac y dylid eu gwerthfawrogi, er enghraifft, hawl person i'w heiddo ei hun

Credoau ysbrydol

yr hyn mae person yn ei gredu am y byd anfaterol

GWEITHIO MEWN PARTNERIAETH GYDA RHIENI NEU OFALWYR

Mae gweithwyr proffesiynol yn sylweddoli pa mor bwysig yw'r berthynas â rhieni neu ofalwyr. Er mwyn cyflawni'ch dyletswyddau mewn ffordd broffesiynol, rhaid i chi ddangos eich bod chi'n deall pwysigrwydd gweithio gyda rhieni neu ofalwyr, parchu eu sylwadau a'u dymuniadau, a chydnabod mai nhw, yn aml, sy'n adnabod eu plant orau. Er mwyn gwneud hyn mae'n hanfodol deall a gwerthfawrogi cefndir diwylliannol plant unigol, neu ystyried eu **harferion**, **gwerthoedd** a'u **credoau ysbrydol**.

Os oes gennych faterion crefyddol neu ddiwylliannol a allai effeithio ar eich gwaith, bydd angen i chi eu trafod gyda'ch rheolwr llinell. Er enghraifft, efallai nad ydych chi'n barod i weithio ar ddyddiau penodol oherwydd eich arferion crefyddol.

Mae gweithwyr proffesiynol yn deall pwysigrwydd creu partneriaeth â rhieni neu ofalwyr

Gweithio fel rhan o dîm

term allweddol

Amlddisgyblaethol

yn cynnwys gwahanol weithwyr proffesiynol

Yn y lleoliad gwaith, mae gweithwyr gofal plant fel rheol yn gweithio gyda'u cydweithwyr fel rhan o dîm. Gall fod yn **dîm amlddisgyblaethol**, gyda chynrychiolwyr o nifer o grwpiau proffesiynol eraill, er enghraifft athrawon a gweithwyr cymdeithasol. Gall fod o werth i'r sawl sy'n gweithio fel nanis neu warchodwyr plant ystyried eu hunain fel rhan o dîm sy'n cynnwys teulu'r plentyn.

MANTEISION GWEITHIO FEL TÎM

Mae manteision a allai ddod o weithio mewn tîm yn cynnwys y canlynol:

- cydbwysir gwendidau aelodau unigol o'r staff gan gryfderau pobl eraill
- mae aelodau'n symbylu, ysgogi, annog a chefnogi ei gilydd
- defnyddir sgiliau pob aelod er mwyn dod o hyd i'r ateb gorau
- mae modd sicrhau mwy o gysondeb wrth ofalu am blant a'u teuluoedd
- mae aelodau unigol o'r staff yn teimlo eu bod yn perthyn ac yn gallu rhannu problemau, anawsterau a llwyddiannau

Yn y gweithle, fel rheol, mae gweithwyr gofal plant yn gweithio gyda chydwiethwyr fel rhan o dîm

- rhennir cyfrifoldeb, yn ogystal â mewnwelediad
- yn aml, bydd unigolion yn fwy parod i fabwysiadu dulliau newydd o feddwl neu weithio
- mae bod yn aelod o dîm yn bodloni'r angen i ymberthyn ac ennill parch, ac arddel delfrydau a nodau a gadarnheir ac a rennir gan eraill
- mae'r plant yn gweld y manteision sy'n dod o bobl yn cydweithio ac yn cydweithredu â'i gilydd.

Gwirio'ch cynnydd

Yn ôl y datganiadau o anghenion a hawliau plant, beth ddylai'r ystyriaeth bwysicaf fod bob amser o safbwynt gofal ac addysg plant ifanc?

Pryd ddylai gweithiwr gofal plant dderbyn gwybodaeth sensitif am blant a'u teuluoedd?

Pam fod angen nodi i lawr, o bosibl, y cyfarwyddiadau a dderbyniwch?

Pam fod angen i weithwyr gofal plant wrthod gwneud rhai tasgau?

Nawr rhowch gynnig ar y cwestiynau hyn

Beth yw anghenion a hawliau plant ifanc?

Esboniwch fanteision gweithio gyda chydweithwyr mewn tîm.

GOFAL CORFFOROL

Mae pob gweithiwr gofal plant yn derbyn bod plant yn wahanol i'w gilydd ac mai cwrdd ag anghenion unigol yw sail darparu cyfle cyfartal. Mae'r rhan hon yn canolbwyntio ar rai agweddau pwysig ar ofal corfforol plant ifanc ac yn tynnu sylw at y gofal penodol sydd ei angen ar gyfer hyrwyddo iechyd a datblygiad da.

Hyrwyddo datblygiad corfforol

Rhaid sicrhau bod gan fabanod a phlant ifanc amgylchedd diogel ond symbylol os ydynt am dyfu a datblygu i'w llawn potensial. Rhaid iddynt gael digon o le ac anogaeth er mwyn datblygu sgiliau newydd, a chael y cyfle i ymarfer a pherffeithio eu techneg. Bydd amgylchedd positif, lle mae oedolion yn canmol ymdrechion plant ac yn cydnabod eu llwyddiannau'n hybu ymddiriedaeth a chynnydd.

1-4 OED

Mae llawer o fabanod yn gallu symud o gwmpas erbyn eu pen-blwydd cyntaf. Mae'r rhyddid newydd hwn i symud yn gyffrous a dylid ei annog, ond mae elfen o risg bob amser. Nid yw babanod yn deall beth yw perygl ac mae arnynt angen oedolyn gwyliadwrus i sicrhau eu bod yn ddiogel. Byddant yn disgyn yn aml hyd nes y byddant yn gallu rhagweld peryglon ac osgoi unrhyw rwystrau sy'n sefyll yn eu ffordd. Ni ddylid eu rhwystro rhag archwilio ac ymchwilio i'r byd, ond yn hytrach eu hannog o fewn amgylchedd diogel. Maent yn awyddus i ddarganfod popeth am y pethau sydd o'u hamgylch, a bydd oedolyn sy'n gallu gweld y byd o safbwynt plentyn yn hwyluso'r broses. Gallai amgylchedd sy'n ddiogel i'w archwilio gynnwys cynwysyddion gyda chynhwysion diogel ond diddorol, ac nid gwagio droriau ar hap. Bydd cwpwrdd 'diogel' yn llawn pethau cyffrous y gellir eu newid yn gyson yn ychwanegu at y wefr o ddarganfod a dysgu.

Wrth i blant fynd yn hŷn ac wrth i'w sgiliau motor bras ddatblygu, gallant redeg yn rhwydd, gan ddisgyn weithiau, ond yn anamlach nag o'r blaen. Gallant ddringo grisiau, neidio, reidio treisicl ac yn raddol dechrau defnyddio'r pedalau.

I hyrwyddo datblygiad, rhaid i ofalwyr ddarparu:

- gofod
- cyfle
- y rhyddid i ddysgu o brofiad

- sicrwydd

- canmoliaeth

- mynediad i rywfaint o offer.

4-7 OED

Bydd y sgiliau a ddysgwyd yn ystod y ddwy flynedd gyntaf yn cael eu perffeithio yn ystod plentyndod. Bydd y plentyn 18 mis oed sy'n betrusgar ac yn sigledig wrth redeg yn gwibio pan fydd rhwng 4 a 7 oed. Yn y man, bydd y plentyn bach sy'n dringo ar gadair yn cyflawni campau mwy beiddgar o hyd ar gyfarpar dringo. Mae sgiliau plant yn datblygu o ddydd i ddydd, a rhaid parhau i gynnig cyfle i'w hymarfer. Er enghraifft, bydd plentyn yn mynd ar gefn treisicl ac yn ei wthio gyda'r traed, ond yn y man bydd yn defnyddio beic heb sefydlogyddion, gan ei symud yn ofalus o amgylch rhwystrau a defnyddio'r breciau'n effeithiol ac yn ddiogel.

Wedi i blentyn berffeithio'r sgiliau sylfaenol o gerdded, rhedeg a dringo, bydd ei ddatblygiad corfforol yn dibynnu ar y cyfleoedd a roddir iddo. Mae'r gweithgareddau sy'n plesio plant yn cynnwys sglefrio ar rew, gymnasteg, jiwdo, marchogaeth ceffylau a bale.

Rhaid talu am rai gweithgareddau corfforol a gall darparu gwersi fod yn ddrud, ond mae nifer cynyddol o blant yn cymryd rhan ynddynt. Mae rhai sefydliadau elusennol yn ariannu plant sy'n dangos sgiliau ym myd chwaraeon, ond sy'n dod o deuluoedd na all fforddio talu am hyfforddiant.

Nid yw'r gweithgareddau hyn yn hanfodol ar gyfer datblygiad corfforol iach, a bydd y cyfleoedd sydd ar gael yn dibynnu i raddau ar leoliad cartref y plentyn ac yn rhannol ar amgylchiadau ariannol y teulu. Er enghraifft, mae'n bosibl y bydd plentyn sy'n byw mewn gwlad lle mae llawer o eira yn gallu sgïo, a phlentyn sy'n byw ar fferm yn gallu marchogaeth ceffyl. Mae'n bosibl y bydd diddordebau a hobïau cyfredol y rhieni neu'r gofalwyr yn dylanwadu ar y math o weithgaredd a gynigir i'r plentyn.

Mae rhai gweithgareddau fel nofio, reidio beic a phêl-droed yn gyffredin iawn, ond mae angen ymarfer pob un ohonynt. Bydd hyn yn cynyddu hyder, a fydd yn ei dro yn annog cynnydd. Wrth i blant ddatblygu sgil penodol, bydd eu hunan-barch yn cynyddu. Bydd oedolyn sy'n dangos diddordeb ac yn eu hannog i ailadrodd sgil, heb

... o wthio cerbydau 3-olwyn gyda'r traed ...   ... i reoli beic heb sefydlogyddion

wthio neu ddangos siom os nad yw'r plentyn yn llwyddo ar unwaith, yn helpu'r broses.

Nid yw pob plentyn yn mwynhau gweithgaredd neu ymdrech corfforol. Wrth iddynt dyfu a datblygu diddordebau eraill, megis darllen, efallai y byddant yn dewis peidio cymryd rhan mewn gweithgareddau awyr agored. Dylid annog yn ofalus, ond heb bwyso gormod ar y plentyn i gymryd rhan. Bydd gweld plant eraill yn mwynhau eu hunain yn fwy o gymhelliad nag oedolyn sy'n plagio o hyd.

DATBLYGIAD CORFFOROL YN YR YSGOL FEITHRIN AC YSGOL FABANOD

Yn yr ysgol feithrin ac ysgol fabanod, mae'r cwricwlwm yn cynnig cyfle i gymryd rhan mewn amrywiaeth eang o weithgareddau corfforol. Yn yr ysgol feithrin, gall chwarae yn yr awyr agored gyda threisiclau, pramiau, trolïau, blociau adeiladu mawr, cuddfannau, teiars a fframiau dringo greu amgylchedd sy'n arwain at weithgarwch corfforol llawn dychymyg. Mae modd cymell gweithgarwch drwy ddefnyddio cerddoriaeth i annog symudiad, a defnyddio'r corff i ddehongli'r synau. Gall gweithgareddau grŵp helpu plant heb hyder.

Yn yr ysgol fabanod, gallai'r canlynol gynnig cyfle ar gyfer ymarfer corff:

- Addysg Gorfforol, cyfarpar, dawns, cerddoriaeth a symudiad

- pêl-droed, rownderi a gêmau eraill i dimau, gweithgareddau taflu a dal, nofio

- Clybiau Urdd, *Rainbows*, *Beavers* a grwpiau eraill sy'n rhoi'r cyfle i blant gymryd rhan mewn gweithgareddau corfforol

- dylid annog gweithgareddau sy'n herio'r stereoteip, megis merched yn chwarae pêl-droed a bechgyn yn defnyddio rhaffau sgipio.

Plant gydag anableddau

Wrth ofalu am blant gydag anableddau, mae'n hanfodol cofio bod pob plentyn yn unigolyn unigryw gydag anghenion penodol, a fydd yn dibynnu ar eu galluoedd eu hunain a'u gallu i fod yn annibynnol.

Mae'n bosibl na fydd plant ag anableddau yn gallu cyrraedd y lefel o gymhwysedd corfforol a ddisgwylir gan eu grŵp oedran, felly dylid darparu rhaglen unigol i symbylu'r plentyn, a fydd yn ei alluogi i ddatblygu yn ei amser ei hun o fewn y dilyniant datblygiad arferol. Mae'n bosibl y byddant yn treulio mwy o amser yn meistroli pob cam cyn symud ymlaen i'r nesaf. Rhaid cymharu eu cyflawniadau datblygiad presennol â'u cyflawniadau yn y gorffennol, fel y gellir asesu'r cynnydd a chydnabod unrhyw welliant.

Cofiwch mai plant ydy plant ag anableddau. Rhaid edrych yn bositif ar eu hanghenion arbennig/unigol a'u trin fel anghenion ychwanegol at y rhai sy'n gyffredin â rhai plant 'cyffredin'. Dylid annog a chanmol pob llwyddiant er mwyn eu helpu i ddatblygu hunan-barch. Nhw sy'n bwysig, ac nid ydynt yn cael eu cymharu â phlant eraill, cyfoedion neu frodyr a chwiorydd. Gall plant ag anableddau deimlo'n rhwystredig os na fyddant yn llwyddo i feistroli sgìl yn gyflym, a bydd arnynt angen cymorth ychwanegol, os nad cymorth arbenigol. Bydd addasu'r amgylchedd at eu hanghenion unigol hwy yn eu helpu i ddatblygu.

Datblygu amgylchedd diogel

Mae plant yn gyfrifoldeb i'r oedolion sy'n gofalu amdanynt. Yn aml, y rhieni yw'r oedolion hynny, ond weithiau bydd nani, gwarchodwr plant neu gylch chwarae neu staff ysgol feithrin yn gyfrifol amdanynt. Maent yn gyfrifol am y plentyn yn absenoldeb y prif ofalwr. Mae'n hanfodol bwysig i sicrhau bod y plentyn yn ddiogel, a thrwy wneud hynny, atal damweiniau.

Ystyr damwain yw digwyddiad na chafodd ei ragweld. Heb os, mae'r diffiniad hwn yn gamarweiniol, gan ei fod yn awgrymu na ellir rhwystro damwain rhag digwydd, ond mewn gwirionedd gellir rhwystro'r mwyafrif o ddamweiniau sy'n digwydd i blant, gyda gofal ac ystyriaeth.

Awyr iach

Mae angen i bob plentyn gael awyr iach yn gyson, a gorau oll, cael y cyfle i chwarae yn yr awyr agored. Os nad yw'r amodau'n caniatáu chwarae yn yr awyr agored – os yw'n niwlog neu'n bwrw glaw yn drwm – dylid sicrhau bod yr ardal chwarae o fewn yr adeilad wedi'i awyru'n ddigonol fel y gellir derbyn digon o awyr iach ac osgoi creu gormod o garbon deuocsid.

Dyma rai o fanteision awyr iach:

- mae'n cynnwys ocsigen; mae anadlu ocsigen i mewn i'r corff yn rhoi egni ac yn symbylu ymarfer corff
- mae'n cynnwys llai o ermau na'r awyr a geir o fewn adeilad; lledir germau gan belydrau uwchfioled yr haul
- mae bod yn yr haul yn helpu'r croen i greu fitamin D, sy'n bwysig ar gyfer creu esgyrn a dannedd iach.

Gwirio'ch cynnydd

Sut gellir annog plant i wella'u sgiliau corfforol?

Pa ffactorau diogelwch y dylid eu hystyried wrth ddarparu cyfleoedd i blentyn bach ddatblygu'n gorfforol?

Pa fath o amgylchedd y dylai gofalwyr ei ddarparu er mwyn ysgogi datblygiad corfforol?

Pa gyfleusterau ar gyfer chwarae corfforol y dylid eu cynnwys mewn ysgol feithrin?

Sut gall sgiliau corfforol effeithio ar hunan-barch?

Sut gellir annog plant ag anableddau i ddatblygu'n gorfforol?

Beth yw manteision awyr iach?

Ymarfer Corff

Mae ymarfer corff yn rhan anhepgor a naturiol o fywyd pawb. Mae'n arbennig o bwysig i blant ifanc, gan fod angen iddynt ddatblygu a pherffeithio sgiliau corfforol.

Mae pob math o ymarfer corff yn cryfhau'r cyhyrau, o'r adeg pan fydd baban yn cicio ar lawr i blentyn 7 oed yn chwarae pêl-droed. Bydd annog ymarfer corff yn gynnar ym mywyd y plentyn yn gosod y seiliau ar gyfer oes o weithgarwch iach.

Mae cred gyffredinol nad yw llawer o blant yn cael digon o ymarfer corff ac y byddant yn fwy tebygol o ddioddef o glefyd y galon a/neu broblemau iechyd eraill wrth heneiddio.

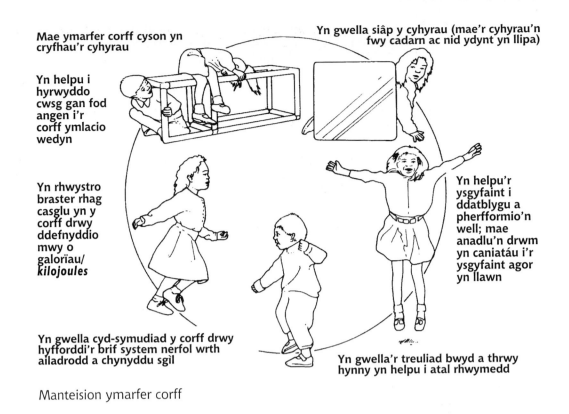

Mae ymarfer corff cyson yn cryfhau'r cyhyrau

Yn helpu i hyrwyddo cwsg gan fod angen i'r corff ymlacio wedyn

Yn gwella siâp y cyhyrau (mae'r cyhyrau'n fwy cadarn ac nid ydynt yn llipa)

Yn rhwystro braster rhag casglu yn y corff drwy ddefnyddio mwy o galorïau/ kilojoules

Yn helpu'r ysgyfaint i ddatblygu a pherfformio'n well; mae anadlu'n drwm yn caniatáu i'r ysgyfaint agor yn llawn

Yn gwella cyd-symudiad y corff drwy hyfforddi'r brif system nerfol wrth ailadrodd a chynyddu sgìl

Yn gwella'r treuliad bwyd a thrwy hynny yn helpu i atal rhwymedd

Manteision ymarfer corff

Gwirio'ch cynnydd

Pam fod ymarfer corff yn bwysig?

Beth yw manteision ymarfer corff cyson?

Pa afiechydon y bydd plant yn fwy tebygol o'u datblygu os na chant ddigon o ymarfer corff?

Gorffwys a chysgu

Mae angen gorffwys ar ôl gwneud ymarfer corff, a bydd plant yn gwybod pryd i roi'r gorau i weithgarwch egnïol wrth iddynt ddechrau blino.
Mae gorffwys yn:

- caniatáu i'r meinweoedd adfer
- gadael i gyfradd curiad y galon ddisgyn i'w lefel arferol
- sicrhau'r amnewidiad ocsigen
- caniatáu i dymheredd y corff ddisgyn i'w lefel arferol
- gadael i'r brif system nerfol (CNS) ymlacio
- caniatáu i'r corff dderbyn bwyd os oes angen
- rhwystro'r cyhyrau rhag brifo a throi'n anhyblyg ar ôl gwneud llawer o ymarfer corff.

Dylai plant wneud ymarfer corff yn gyson er mwyn gwella eu cryfder, ystwythder a'u

stamina, ond dylent gael cyfle i orffwys – boed hynny'n ymlacio, cysgu neu newid gweithgaredd. Mae ardaloedd tawel ar gyfer ymlacio mewn ysgol feithrin yn werthfawr am eu bod yn rhoi cyfle i blant orffwys ac adennill eu nerth. Gall yr ysgol feithrin a'r cartref ddarparu cornel llyfrau, amser stori, cornel cartref, clustogau cyfforddus a gweithgareddau ymlacio. Nid oes rhaid i blentyn wynebu heriau o hyd; weithiau mae'n ddefnyddiol iddo gael teganau neu weithgareddau sy'n gymharol rwydd eu cyflawni, heb orfod canolbwyntio gormod.

CWSG

Rhaid i bawb gysgu ond mae anghenion pawb yn wahanol. Bydd oedran a chamau datblygiad plant, cyfanswm yr ymarfer corff a wneir ganddynt a hefyd eu hanghenion personol yn dylanwadu ar eu hangen am gwsg.

Mae cwsg yn fath arbennig o orffwys sy'n caniatáu i'r corff ymadfer, yn gorfforol ac yn feddyliol. Mae dau fath o gwsg:

- **cwsg trwm ymlaciol (DRS)**

- **cwsg symudiad llygad cyflym (REM),** neu gwsg breuddwydio.

Y gred gyffredinol yw nad ydy babanod yn breuddwydio, ond yn hytrach eu bod nhw'n cael cyfnodau o REM, efallai am fod eu hymenyddiau yn ceisio deall yr holl symbyliadau allanol a dderbyniwyd yn ystod y dydd. Ceir cyfnodau o DRS ac REM bob yn ail wrth gysgu. Mae'n bwysig bod y cyfnodau o REM yn gyflawn er mwyn deffro gyda egni o'r newydd. Gall plant a gafodd eu deffro yn ystod y cyfnod hwn o gwsg deimlo'n gysglyd, wedi colli cyswllt â'u hamgylchedd neu'n ddryslyd.

Arferion cysgu

Mae anghenion cysgu babanod a phlant yn amrywio. Bydd rhai babanod i bob golwg yn cysgu ac yn bwyta am y misoedd cyntaf, tra bydd eraill yn cysgu am gyfnodau byr yn unig. Mae plant bach yn amrywio hefyd. Bydd rhai'n cael hoe yn y bore a'r prynhawn, ond bydd dim ond un o'r rhain, neu ddim o gwbl, yn ddigonol i blant eraill.

Mae rhai plant yn deffro'n gyson yn ystod y nos, hyd yn oed ar ôl mynd i gysgu'n hwyr. Ni ellir gwneud llawer i rwystro hyn rhag digwydd, ac eithrio drwy weithredu'n synhwyrol. Mae hyn yn cynnwys:

- bod yn amyneddgar

- peidio â chyffroi'r plentyn, gan aros yn dawel ac yn llonydd, heb annog cyfathrebu

Rhaid i bawb gael cwsg

- gadael i'r plentyn aros yn y llofft (peidiwch â mynd â'r plentyn i rywle lle mae gweithgarwch)

- annog ymarfer corff bob dydd

- ceisio lleihau pwysau neu bryderon

- bod yn barod i ddefnyddio gwely'r gofalwr plant – gall hyn ddatrys y broblem o ddeffro yn ystod y nos.

Trefn amser gwely

Mae'n bosibl y bydd disgwyliadau cymdeithasol a diwylliannol yn golygu y gall plant aros ar eu traed yn hwyrach gyda'r nos. Cyn belled ag y bo'r plentyn yn cael y cyfle i dderbyn digon o gwsg, ni ddylai hyn greu problemau.

Os bydd gofyn i blentyn gyrraedd yr ysgol feithrin neu ysgol y babanod erbyn 8.45 i 9 y bore, rhaid iddo fynd i'r gwely yn ddigon cynnar i ganiatáu digon o gwsg. Mae'n bosibl y bydd plant sy'n rhannu llofft neu'n byw mewn llety gwely a brecwast yn cael mwy o anhawster i gysgu o ganlyniad i'r hyn sy'n digwydd o'u cwmpas, ac efallai y bydd yn anoddach delio â hwy oherwydd hyn.

Er mwyn rhoi'r plentyn i'r gwely'n llwyddiannus gyda'r nos, mae'n bwysig sefydlu **trefn amser gwely** cyson. Mae'r un broses bob nos yn helpu'r plentyn i deimlo'n ddiogel ac yn gyffyrddus, ac felly yn ei helpu i gysgu. Rhaid i blant gael cyfnod o ymlacio cyn cysgu, ac ni ddylid bygwth eu gyrru i'r gwely fel cosb. Gall hyn greu problemau pan ddaw amser gwely. Awgrymir y drefn ganlynol:

- Pryd teuluol, tua dwy awr cyn amser gwely – mae hwn yn gyfle i drafod digwyddiadau'r diwrnod. Mae babanod a phlant bach yn mwynhau'r achlysur cymdeithasol hwn hefyd.

- Amser chwarae – gyda brodyr a chwiorydd a gofalwyr; amser ar gyfer sylw unigol.

- Amser ymolchi yn y baddon – hwyl, chwarae, ymlacio, dysgu trefnau hylendid; siarad am bryderon, profiadau; dylai fod yn gyfnod un ac un os yw'n bosibl.

- Cynigiwch ddiod os oes angen.

- Amser stori – gorau oll, yn y gwely, ar ôl dweud nos da wrth aelodau eraill o'r teulu a glanhau eu dannedd; dylai amser stori fod yn gyfle i gofleidio, ac i gwtsio lan yn y gwely a pharatoi at gysgu.

- Cysgu, mewn gwely cysurus a chynnes heb olau, neu gyda golau nos os yw'r plentyn yn dymuno hynny.

Dylai amser stori roi cyfle i gofleidio, ac i gwtsio lan yn y gwely, yn barod am gwsg

Ceisiwch dawelu unrhyw sŵn uchel a ddaw o sgwrsio neu'r teledu ac a all darfu ar gwsg. Nid yw hyn yn bosibl bob tro, a bydd yn dibynnu ar y sefyllfa unigol.

Gall trefn gyfarwydd a sicrhad bod gofalwyr wrth law annog plant sy'n anfodlon mynd i'r gwely i ymdawelu a chysgu.

Gwirio'ch cynnydd

Beth yw manteision gorffwys?

Pa fath o weithgareddau ddylai fod ar gael i blant er mwyn caniatáu iddynt gysgu yn ystod diwrnod prysur?

Pa ffactorau sy'n dylanwadu ar anghenion cysgu plant?

Beth yw enw'r ddau fath o gwsg?

Sut gellir annog plant i ddilyn trefn gysgu synhwyrol?

Hyfforddi i ddefnyddio'r toiled

term allweddol

Hyfforddi i ddefnyddio'r toiled

dysgu plant bach sut i wagio'r bledren a'r perfeddion i mewn i boti a/neu doiled mewn modd sy'n dderbyniol i gymdeithas

Mae nifer o wahanol ddamcaniaethau ynglŷn â **hyfforddi i ddefnyddio'r toiled** – sut a phryd i hyfforddi babanod a phlant i ddefnyddio'r poti a'r toiled. Mae rhai pobl yn honni eu bod wedi 'hyfforddi' eu plant cyn eu pen-blwydd cyntaf. Eithriadau ydy'r rhain! Mae amrywiadau mawr yn y maes datblygiad hwn, fel ym mhob maes arall.

Ni ellir sicrhau y bydd plentyn yn lân ac yn sych hyd nes y bydd wedi cyrraedd 2 i 3 oed, pa oedran bynnag yr oedd pan welodd y poti am y tro cyntaf. Nid oes rheswm dros ruthro i ddysgu'r sgìl hwn. Mae'n llawer haws ei gyflawni os gadewir hyn nes bydd y plentyn yn ddwy oed fan lleiaf, oni bai ei fod yn dangos diddordeb cyn hynny.

CANLLAWIAU CYFFREDINOL AR GYFER HYFFORDDI I DDEFNYDDIO'R TOILED

- Rhaid i'r plentyn ddeall yr angen i ddefnyddio'r toilet neu'r poti. Rhaid bod y brif system nerfol yn ddigon datblygedig i ganiatáu i'r ymennydd ddeall y neges bod y perfedd neu'r bledren yn llawn. Mae'n bosibl y bydd baban 12 i 18 mis oed yn gwybod eu bod wedi gwlychu neu drochi ei hun, ond ni fydd eto'n gallu rhagweld hynny.

- Rhaid bod ganddynt ddigon o iaith i ddweud wrth eu gofalwr, ar lafar neu drwy weithred, eu bod yn awyddus i fynd.

- Mae gormod o bwysau, yn rhy gynnar, yn gallu troi'r plentyn yn erbyn y syniad a chreu 'maes brwydr'.

- Arhoswch nes bod y plentyn yn barod.

- Gwnewch yn siŵr fod hyfforddi'n hwyl! Dylai gofalwyr fod yn ddigyffro ac ymatal rhag dangos anfodlonrwydd neu ddicter pan fydd damweiniau'n digwydd. Mae'n bosibl y bydd y plentyn wedi'i gynhyrfu'n fwy na'r oedolyn, hyd yn oed, ac yn haeddu cydymdeimlad.

- Cynigiwch rôl-fodelau da. Bydd gweld plant neu oedolion eraill yn defnyddio'r toiled yn helpu'r plentyn i ddeall y broses.

- Yn ddamcaniaethol, rheoli'r perfedd sy'n dod yn gyntaf; mae'n bosibl y bydd plentyn yn adnabod y teimlad o berfedd llawn cyn synhwyro pledren lawn. Er hyn, mae'r mwyafrif o ofalwyr yn dweud bod plant yn sych cyn eu bod yn lân.

Mae'n bosibl mai'r rheswm dros hynny yw bod plant yn awyddus i basio dŵr yn amlach nag y maent i agor eu perfeddion, sy'n golygu eu bod yn ymarfer mwy.

- Sicrhewch fod poti mewn golwg am gyfnod hir cyn iddo gael ei ddefnyddio. Bydd y plant yn gyfarwydd ag ef ac yn gallu eistedd arno fel rhan o'u chwarae.

- Chwiliwch am arwyddion sy'n dangos bod y perfedd yn gweithio a chynigiwch y poti, ond peidiwch â'i orfodi arnynt. Os ceir llwyddiant, ewch ati i longyfarch y plentyn a dangoswch eich bod chi'n falch.

- Mae hyfforddi'n rhwyddach yn ystod tywydd da, pan fydd plant yn gallu rhedeg heb gewynnau neu drôns. Byddant yn ymwybodol o beth sy'n digwydd wrth iddynt basio dŵr neu agor eu perfeddion.

GWLYCHU GWELY

term allweddol

Enwresis
gwlychu'r gwely'n anwirfoddol wrth gysgu

Mae gwlychu gwely (**enwresis**) yn gyflwr etifeddol yn aml, ac mae'n fwy cyffredin ymhlith bechgyn. Os yw'n dechrau wedi i'r plentyn fod yn sych am gyfnod hir, gall fod oherwydd heintiad yn y llwybr wrinol neu ddigwyddiad dirdynnol, er enghraifft babi newydd, symud tŷ neu ysgol neu farwolaeth perthynas neu ffrind. Gallai salwch achosi atchweliad hefyd.

Fel rheol, mae plant yn peidio gwlychu gwely ohonyn nhw eu hunain. Mae damweiniau'n digwydd yn aml a dylid dangos cydymdeimlad yn hytrach nag anfodlonrwydd. Does dim angen poeni am ddamweiniau achlysurol, oni bai bod y plentyn yn ofidus. Bydd ymweld â meddyg neu ymwelydd iechyd cydymdeimladol yn helpu.

BAEDD

term allweddol

Encopresis
baeddu'r trôns, y llawr neu rywle arall yn fwriadol, a hynny ar ôl dysgu sut i reoli'r perfedd

Mae baeddu'n (**encopresis**) gallu digwydd pan fydd plentyn yn gwrthod defnyddio'r poti neu'r toiled, rhywbeth a fydd yn troi'n atgasedd yn y man, ac yn ymatal nes y bydd cyfle yn codi rhywle arall. Gall faeddu ddigwydd o ganlyniad i gyffro emosiynol, neu gall achosi hynny. Rhaid trin plant sy'n dioddef o hyn yn sensitif iawn. Mae modd datrys y sefyllfa, yn aml gyda chymorth yr ymwelydd iechyd a/neu'r meddyg teulu.

Gwirio'ch cynnydd

Pa arwyddion allai ddangos bod plentyn yn barod i ddysgu sut i ddefnyddio'r toiled?

Erbyn pa oedran, fel rheol, mae plant yn lân ac yn sych yn ystod y dydd?

Beth yw enwresis?

Pa ffactorau allai cyfrannu at enwresis?

Beth yw encopresis?

Hyfforddi i ddefnyddio'r toiled yn llwyddiannus: dau safbwynt

Astudiaeth achos ...

... hyfforddi i ddefnyddio'r toiled yn llwyddiannus

Dim ond dwyflwydd oed yw Siôn ac nid yw'n dangos unrhyw ddiddordeb yn y poti. Mae ei fam, Elin, wedi bod yn gadael y poti o fewn cyrraedd yn ystod ail flwyddyn Siôn ac mae e'n gyfarwydd iawn ag ef – mae'n awyddus bob amser i eistedd arno cyn cael bath, ond nid yw wedi ei ddefnyddio o gwbl! Mae'n dweud wrth ei fam pan fydd e wedi pasio dŵr neu wedi baeddu'i glwt. Dydy Elin ddim yn poeni – mae hi wedi penderfynu ceisio hyfforddi Siôn yn ystod gwyliau gwersylla'r teulu. Mae'n esbonio i Siôn y bydd e'n gallu rhoi'r gorau i wisgo clytiau yn y dydd pan fydd y teulu ar eu gwyliau, ac y bydd hi'n mynd â'r poti gyda nhw i bob man. Ar y traeth, mae Siôn yn pasio dŵr yn y tywod yn aml yn ystod y dyddiau cyntaf, ac yna'n dechrau dweud wrth ei rieni pan fydd ar fin gwneud hynny! Maen nhw'n ei annog i ddefnyddio'r poti a phan fydd e'n gwneud hynny, yn clapio ac yn ei longyfarch ar ei gamp. Mae Siôn yn dechrau gofyn am y poti ac er gwaethaf ambell 'ddamwain', mae e wedi rhoi'r gorau i glytiau erbyn diwedd y gwyliau.

1. Pam fod 'hyfforddiant' ar wyliau mor llwyddiannus?

2. Sut fu agwedd ei rieni o gymorth i Siôn yn ystod y broses hon?

Hylendid: gofalu am wallt, croen a dannedd

term allweddol

Hylendid
Astudiaeth o egwyddorion iechyd

Mae angen cymorth a goruchwyliaeth oedolion ar bob plentyn o ran eu hylendid personol. Mae'n bwysig sefydlu safonau hylendid uchel yn ystod plentyndod am eu bod yn:

- helpu i atal afiechyd
- cynyddu hunan-barch a derbyniad gan gymdeithas
- paratoi plant at fywyd trwy eu dysgu sut i ofalu amdanyn nhw eu hunain.

I werthfawrogi pwysigrwydd hylendid, mae'n bwysig deall swyddogaethau'r croen a'r gwallt. Dangosir adeiladwaith croen isod.

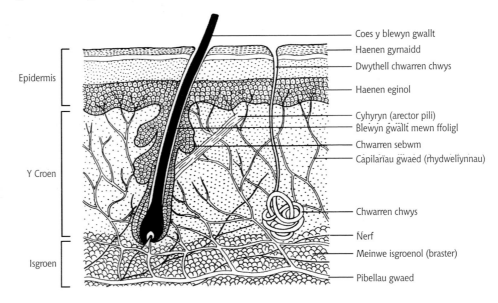

Epidermis

Y Croen

Isgroen

Coes y blewyn gwallt
Haenen gyrnaidd
Dwythell chwarren chwys
Haenen eginol
Cyhyryn (arector pili)
Blewyn gwallt mewn ffoligl
Chwarren sebwm
Capilarïau gwaed (rhydwelïynnau)
Chwarren chwys
Nerf
Meinwe isgroenol (braster)
Pibellau gwaed

Adeiladwaith croen

SWYDDOGAETHAU'R CROEN

Mae'r croen yn cyflawni'r swyddogaethau isod:

termau allweddol

Sebwm

sylwedd olewog sy'n iro'r croen. Fe'i cynhyrchir gan y chwarennau sebwm ac fe'i secretir trwy goes y blewyn gwallt

Chwys

hylif a grëir yn y chwarennau chwys ac a secretir trwy'r mandyllau ar wyneb y croen

- *amddiffyn* – yr organau o dan y croen ac yn erbyn germau sy'n dod i mewn i'r corff

- *synhwyro* – organ gyffwrdd yw'r croen, sy'n synhwyro a yw gwrthrych yn boeth, oer, feddal neu'n galed

- *secretu sebwm* – sylwedd olewog, sy'n iro'r gwallt, yn sicrhau bod y croen yn ystwyth ac yn ddiddos, ac yn amddiffyn y croen rhag lleithder a gwres

- *cynhyrchu fitamin D* – syntheseisir fitamin D pan dderbynnir pelydrau uwch-fioled gan yr haul. Mae angen fitamin D i sicrhau bod esgyrn yn tyfu'n iach. (Mae'n bosibl y bydd angen ychwanegyn fitamin D ar blant du yn y gaeaf, gan nad yw eu croen yn gwneud fitamin D yn hawdd.)

- *chwysu* – mae'r croen yn ysgarthu chwys ac mae hyn yn cael gwared ar rai o'r cynhyrchion gwastraff. Mae chwysu'n helpu i reoli'r tymheredd pan fo'r corff yn boeth.

CANLLAWIAU AR GYFER HYLENDID DA

Am fod gan y corff gynifer o swyddogaethau pwysig ac am mai dyma'r rhan gyntaf o'r corff i ddod i gysylltiad â'r amgylchedd, rhaid gofalu amdano'n ddigonol. Nid yw hyn yn golygu golchi'r croen yn ddi-baid – mae gormod o ymolchi cynddrwg â pheidio ag ymolchi digon, gan fod posibilrwydd y bydd y croen yn sych ac yn ddolurus, ac y mae hefyd yn golchi'r sebwm sy'n ei amddiffyn i ffwrdd.

- Golchwch yr wyneb a'r dwylo yn y bore a chyn prydau bwyd.

- Golchwch y dwylo ar ôl ymweld â'r toiled ac ar ôl chwarae bawlyd.

- Torrwch yr ewinedd yn gyson er mwyn eu cadw'n fyr. Bydd hyn yn rhwystro'r baw rhag casglu ynddynt.

- Rhaid i blant bach sy'n chwarae y tu allan ac yn mynd yn fudr, yn boeth ac yn chwyslyd, gael bath neu gawod bob dydd. Sychwch nhw'n drylwyr, yn enwedig rhwng bysedd y traed ac ym mhlygiadau'r croen er mwyn osgoi dolur a chracio.

- Chwiliwch am frechau ar y croen, neu ddolur. Os rhagnodir triniaeth, rhaid ei dilyn.

- Mae angen lleithio croen du. Mae rhoi olew yn nŵr y bath a thylino'r corff ag olew almon neu fenyn cnau coco wedyn yn helpu i gadw'r croen rhag troi'n sych.

- Os nad oes angen i blentyn gael bath bob dydd, bydd golchi trylwyr yn ddigon da. Cofiwch annog plant i olchi eu penolau ar ôl golchi'r wyneb, y gwddf, y dwylo a'r traed.

- Does dim angen golchi'r gwallt fwy nag unwaith neu ddwywaith bob wythnos, oni bai ei fod yn llawn bwyd neu olion chwarae bawlyd! Peidiwch â defnyddio sychwr gwallt bob tro ar ôl golchi'r gwallt gan fod hyn yn gallu niweidio'r gwallt.

- Defnyddiwch ddŵr glân i rinsio'r siampŵ allan o'r gwallt. Mae cyflyrwyr yn dda ar gyfer gwallt sy'n anodd ei gribo.

- Rhaid rhoi olew gwallt ar wallt du, cyrliog bob dydd er mwyn ei gadw rhag sychu a thorri. Defnyddiwch grib gyda dannedd bras.

- Mae angen amddiffyn y croen rhag yr haul er mwyn osgoi llosgi a pheryglon cancr. Defnyddiwch floc haul neu hufen haul ffactor uchel a monitrwch hyd yr amser a dreulir yn yr haul. Dylai croen du gael yr un gofal â chroen golau.

Mae cael bath bob dydd yn angenrheidiol i blant bach sy'n chwarae yn yr awyr agored

Astudiaeth achos ...

... llosg haul annisgwyl

Mae Aled, 4 oed, yn blentyn bywiog sy'n hoffi chwarae yn yr awyr agored ym mhob tywydd. Yn aml yn yr haf bydd y gwarchodwr plant sy'n gofalu amdano'n mynd â'r plant i bwll padlo lleol, lle byddant yn cael picnic ar y gwair yn ymyl y dŵr – mae lle chwarae gerllaw, lle gall y plant chwarae. Mae hi'n sicrhau bod y plant yn gwisgo hufen, hetiau a chrysau T pan fydd hi'n heulog. Un diwrnod cynnes ond cymylog ym mis Mai mae hi'n mynd â nhw i'r parc am bicnic, heb ddisgwyl iddynt ddefnyddio'r pwll. Mae Aled yn mynnu tynnu ei ddillad hyd at ei drôns er mwyn padlo ac yn treulio dwyawr yn chwarae yn y dŵr. Ar ôl cyrraedd adref mae'n cwyno bod ei ysgwyddau a'i gefn yn brifo. Mae'r gofalwr plant yn gweld bod croen du Aled yn dywyll ac yn chwyddedig.

1. Beth sy'n peri bod Aled yn anghyffyrddus?
2. Sut y byddai wedi bod yn bosibl osgoi hyn?

Manteision hylendid da

- Mae croen clir, iach a gwallt gloyw yn arwydd o iechyd da.
- Mae'r plentyn yn edrych yn ddeniadol ac yn teimlo'n dda, ac yn datblygu hunanddelwedd gadarnhaol.
- Mae ymolchi'n donig; mae'n gwneud i blant deimlo'n iach.
- Mae'n rhwystro haint rhag datblygu (gall fynd o un plentyn i'r llall drwy gyfrwng dwylo ac ewinedd budr).
- Mae'n cynnal iechyd da.
- Mae arferion da yn gosod patrwm am oes.
- Mae'n caniatáu i'r croen weithredu fel y dylai.
- Mae'n trin problemau'r croen, er enghraifft ecsema, brech o ganlyniad i chwysu; mae croen sy'n cosi'n gallu atal plentyn rhag cysgu a pheri ei fod yn biwis ac yn aflonydd. Gall hynny effeithio ar ei ddatblygiad yn gyffredinol.

73

DANNEDD

Gall dannedd ymddangos ar unrhyw adeg yn ystod dwy flynedd gyntaf oes plentyn. Fel rheol, disgwylir iddynt dyfu yn ystod y flwyddyn gyntaf, ond nid yw hyn yn wir bob tro. Fel rheol, byddant yn ymddangos yn ôl y drefn a ddangosir isod, ond weithiau bydd amrywiadau. Gelwir yr ugain dant cyntaf yn **ddannedd sugno**, a byddant yn gyflawn, fwy neu lai, erbyn i'r plentyn gyrraedd tair oed. Rhwng 5 a 6 oed, bydd y plentyn yn dechrau colli'r dannedd hyn wrth i'r dannedd parhaol ymddangos. Mae 32 dant parhaol, ac mae'r gofal a roddir iddynt yn ystod plentyndod yn eu helpu i barhau am oes.

term allweddol

Dannedd sugno
yr ugain dant cyntaf

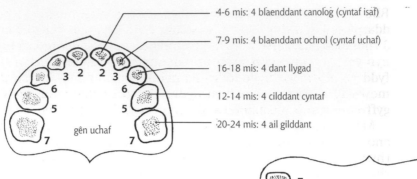

4-6 mis: 4 blaenddant canolog (cyntaf isaf)

7-9 mis: 4 blaenddant ochrol (cyntaf uchaf)

16-18 mis: 4 dant llygad

12-14 mis: 4 cilddant cyntaf

20-24 mis: 4 ail gilddant

gên uchaf

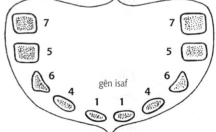

gên isaf

Diagram yn dangos ym mha drefn y bydd y dannedd sugno'n ymddangos fel rheol

Tarddiad dannedd

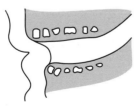

Gellir gweld y dannedd sugno'n datblygu o fewn yr ên

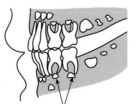

Mae pob un o'r dannedd sugno yn y golwg. Mae'r dannedd parhaol yn datblygu o dan y dannedd sugno

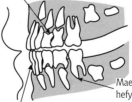

Mae gwreiddiau'r dannedd sugno sydd ar ôl yn dechrau diflannu

Mae'r cilddannedd cyntaf hefyd wedi ymddangos

Cymerwyd lle'r dannedd sugno ar flaen y ddwy ên (y blaenddannedd) gan y dannedd parhaol

Datblygiad y dannedd

Gofalu am y dannedd

Rhowch frws dannedd meddal i fabi fel y gall ddod i arfer ag ef a'i ddefnyddio. Nid oes rhaid i fabanod gael dannedd cyn dechrau dysgu am hylendid genol (ceg). Byddant yn mwynhau chwarae â'r brws, gan ei roi yn eu cegau a'i sugno a rhwbio'u deintgig wrth iddynt dyfu. Rhowch gyfle iddynt wylio oedolion a brodyr a chwiorydd yn glanhau eu dannedd. Pan ddaw'r cyntaf i'r golwg, ceisiwch ei lanhau'n ofalus gyda brws bach, meddal. Os nad yw'r babi'n hoffi hynny, peidiwch â'i orfodi i dderbyn y driniaeth – cymrwch arnoch mai chwarae gêm yr ydych, gan roi hwb i'w hyder. Bydd hylenydd deintyddol yn gallu cynnig cymorth proffesiynol – bydd y deintydd yn trefnu hyn. Sicrhewch fod glanhau'r dannedd yn arferiad: yn y bore ar ôl brecwast ac ar ôl y ddiod neu'r byrbryd olaf cyn mynd i'r gwely. Dylid annog glanhau'r dannedd ar ôl prydau bwyd, ond ni fydd hyn yn bosibl bob amser.

Diet

Rhowch gyfle i ddanedd iach ddatblygu a cheisiwch eu rhwystro rhag pydru drwy ddarparu diet iach sy'n cynnwys llawer o galsiwm ac ychydig iawn o siwgr. Peidiwch â rhoi diodydd melys i fabanod a phlant, yn enwedig mewn potel neu ddymi; bydd hyn yn creu haenen o siwgr ar y deintgig a'r dannedd ac yn arwain at greu asid, a fydd yn ei dro yn hydoddi'r enamel ar y dannedd. Mae siwgr yn gallu treiddio i mewn i'r deintgig ac achosi pydredd cyn i'r dannedd ymddangos. Mae hyn yn gyffredin ymhlith babanod a phlant sy'n cael cynnig diodydd melys yn aml.

Mae plant yn siŵr o fynnu melysion. Rhowch y rhain ar ôl pryd o fwyd ac anogwch hwy i lanhau eu dannedd. Peidiwch â chynnig melysion a byrbrydau melys rhwng prydau bwyd, gan y bydd hyn yn arwain at bydru. Os oes rhaid bwydo plentyn rhwng prydau bwyd, rhowch fwyd y mae'n rhaid ei gnoi ac sy'n hybu iechyd y deintgig a'r dannedd, megis afalau, moron a bara.

Fflworid

Profwyd bod **fflworid** mewn dŵr yn cryfhau'r enamel ar y dannedd, ac felly'n atal pydredd. Mewn ardaloedd lle nad oes llawer o fflworid yn y cyflenwad dŵr, gellir rhoi diferion mewn diodydd bob dydd. Mae past dannedd hefyd yn helpu i atal pydru.

Y deintydd

Ewch i weld y deintydd yn gyson. Mae babi sy'n ymweld â'r deintydd gydag oedolyn, ac yna'n derbyn eu hapwyntiadau eu hunain, yn teimlo'n fwy hyderus am y broses. Paratowch blant ar gyfer eu hapwyntiadau gyda'r deintydd drwy esbonio beth fydd yn digwydd a chwarae rôl. Peidiwch byth â chyfleu dychryn, ofn neu bryder oedolion ynglŷn ag ymweld â'r deintydd.

ANNOG HYLENDID ANNIBYNNOL

Mae gofalwyr yn gallu annog plentyn i ddatblygu hylendid annibynnol mewn sawl ffordd.

- Cynigiwch rôl fodelau cadarnhaol.
- Sefydlwch arferion gofal sy'n annog glendid o ddechrau babandod.
- Sicrhewch fod hylendid yn hwyl: defnyddiwch deganau yn y baddon, cwpanau a chynwysyddion, suddwyr ac arnofwyr.
- Rhowch wlanen ymolchi, brws dannedd, brws gwallt ac ati i'r plentyn o'i ddewis ei hunan.
- Gadewch i'r plentyn olchi ei hunan a chymryd rhan pan fyddant yn cael baddon. Gadewch iddynt frwsio'u gwallt gyda brws meddal a chrib gyda dannedd crwn.
- Darparwch stepen fel y gall gyrraedd y basn i olchi a glanhau'r dannedd.
- Sicrhewch fod torri gwallt yn hwyl hefyd: mae rhai barbwyr a thrinwyr gwallt yn arbenigo mewn gwallt plant.

Gwirio'ch cynnydd

Beth yw swyddogaethau'r croen?

Pa ofal dylid ei roi i groen du yn benodol?

Beth yw manteision hylendid da?

Sut y gellid annog annibyniaeth o ran hylendid?

Faint o ddannedd sugno a geir?

Sut y gellir annog dannedd iach?

Dillad ac esgidiau

Mae plantos bach a phlant yn ymdrechu wrth chwarae, ac felly'n baeddu. Er cael eu golchi wedyn er mwyn aros yn iach ac yn gysurus, byddant yn fudr eto'n fuan, gan fod pwll mwdlyd, palu pridd a chwilota yn y pwll tywod yn ormod o demtasiwn! Mae hyn yn ymddygiad normal a dylid ei annog. Ni ddylid pwyso ar blant i aros yn lân neu ni fydd y chwarae'n ddigymell nac yn gyffrous.

Yn anorfod, bydd plant bach yn baeddu wrth chwarae

DILLAD
Dylid sicrhau bod dillad yn ddigon cysurus a llac i ganiatáu symudiadau rhydd, ond yn ffitio'n ddigon da i atal unrhyw ddarnau rhydd o ddefnydd rhag cydio a rhwystro symudiadau. Dylid gallu eu golchi'n rhwydd; mae plant yn baeddu'n rhwydd. Dylid disgwyl hyn yn hytrach na'i farnu.

Dylai'r ffasneri ar y dillad fod yn rhwydd i'r plant eu trin, er enghraifft botymau mawr, toglau, felcro a ffasnyddion sip.

Dillad isaf

- Mae cotwm yn well, gan ei fod yn amsugno chwys ac yn fwy cysurus.
- Pan fydd babanod yn gwisgo clytiau, bydd fests un-darn yn amddiffyn rhag mannau oer.

Dillad yn gyffredinol

- Trowsus a throwsus byr yw'r pethau gorau ar gyfer bechgyn a merched pan fydd plentyn yn cropian ac yn disgyn. Yn aml bydd ffrogiau'n amharu ar chwarae bywiog.
- Mae tracwisgoedd ymestynnol yn ddelfrydol.
- Dyngarîs, ac eithrio pan fydd y plentyn yn dysgu sut i ddefnyddio'r toiled, gan eu bod yn anodd eu hagor a'u tynnu'n gyflym a'u gwisgo eto.
- Crysau T, siwmperi cotwm.
- Ychwanegwch haenau ysgafn pan fydd y tywydd yn oer.

Cotiau

- Mae cot law lliwgar gyda chwfl yn gynnes ac yn hawdd ei olchi. Gellir ychwanegu haenau is pan fydd y tywydd yn oer iawn.
- Mae trowsus ac esgidiau glaw diddos yn caniatáu i blant dasgu'n hapus mewn pyllau dŵr.

Pyjamas

- Defnyddiwch siwtiau un-darn heb draed, gyda sanau o'r maint cywir.

ESGIDIAU

Mae esgyrn y traed yn datblygu o gartilag, ac yn feddal ac yn rhwydd eu hanffurfio os nad yw'r esgidiau neu'r sanau'n ffitio'n gywir. O bosibl, ni fydd y plentyn yn cwyno am boen gan fod y cartilag yn mowldio'i hunan i ffurf yr esgid.

Ni ddylid gwisgo esgidiau ac eithrio pan fydd hynny'n angenrheidiol, ac nid o fewn y tŷ. Gorau oll os bydd y plentyn yn cerdded yn droednoeth, gan fod hynny'n ei alluogi i ddefnyddio bysedd ei draed er mwyn cadw ei gydbwysedd, am fod y llawr yn gallu teimlo fel llawr sglefrio pan fydd baban neu blentyn yn gwisgo sanau'n unig. Os bydd y lloriau'n oer neu'n llaith, gellir gwisgo sanau gyda gwadnau gwrth-lithr. Nid oes angen esgidiau nes bydd y plentyn yn cerdded yn yr awyr agored, pan fyddant yn amddiffyn y traed ac yn eu cadw'n gynnes.

Mae traed yn tyfu dau neu dri faint bob blwyddyn nes i blentyn cyrraedd pedair oed. Y prif ofalwr sy'n gyfrifol am sicrhau bod esgidiau'n ffitio'n gywir. Dylid gwneud hyn yn gyson drwy wirio tyfiant y traed. Rhaid i arbenigwr a hyfforddwyd ym maes esgidiau plant eu harchwilio bob tri mis. Mae'r hyd a'r lled, ill dau, yn bwysig.

Dylai esgidiau:

- amddiffyn y traed
- fod yn rhydd o fannau garw sy'n rhwbio yn erbyn y traed
- fod yn ddigon mawr i ganiatáu tyfiant

- gynnwys ffasner addasadwy, er enghraifft bwcler neu felcro
- fod yn ystwyth a chaniatáu i'r traed symud
- ffitio o amgylch y sawdl
- gynnal y troed a'i atal rhag llithro ymlaen.

Rhaid i faint y sanau gyfateb â maint yr esgid. Ni ddylid defnyddio sanau ymestynnol.

Gwirio'ch cynnydd

Pa fath o ddillad sy'n addas ar gyfer plentyn bach?

Pam fod esgidiau'n angenrheidiol?

Ar gyfartaledd, sawl maint y bydd traed yn tyfu mewn blwyddyn cyn i'r plentyn gyrraedd 4 oed?

Pa mor aml ddylai arbenigwr fesur traed plant?

Beth yw nodweddion pâr o esgidiau da?

Nawr rhowch gynnig ar y cwestiynau hyn

Sut gall gweithiwr gofal plant fynd ati i hyrwyddo datblygiad corfforol?

Esboniwch pam fod cyfleoedd cyfartal yn bwysig wrth ddarparu gofal corfforol i blant.

Pam ei bod hi'n bwysig i sefydliadau gofal plant ddarparu ystod o weithgareddau a fydd yn rhoi cyfleoedd i'r plant gael ymarfer a gorffwys?

Pa gamau cadarnhaol gall rhieni a gofalwyr eu cymryd i sicrhau bod symud ymlaen o wisgo clytiau i ddefnyddio'r toiled yn broses bleserus?

Sut y gellir annog plant i ddatblygu arferion hylendid annibynnol?

YMARFER DA I GEFNOGI GOFAL CORFFOROL AC AMGYLCHEDD POSITIF

Mae gan weithwyr gofal plant gyfrifoldeb i gadw'r plant sydd dan eu gofal yn ddiogel. Rhaid sicrhau bod amgylchedd symbylol a chyffrous yn cynnwys elfennau diogelwch hanfodol i amddiffyn plant. Dylid rhagweld ac osgoi profiadau peryglus. Er mwyn atal damweiniau a niwed anfwriadol rhag digwydd i blant, dylai gofalwr gwyliadwrus fod yn bresennol yn y cartref, yn y sefydliad gofal plant, ar wibdeithiau ac wrth deithio o le i le.

Polisïau a dulliau gweithredu diogel yn y gwaith

DEDDF IECHYD A DIOGELWCH YN Y GWAITH 1974

Mae'r Ddeddf Iechyd a Diogelwch yn y Gwaith 1974, sef prif ddeddfwriaeth y maes hwn, yn rhoi arweiniad cyffredinol am iechyd a diogelwch. Ers pasio Deddf 1974, pasiwyd nifer o reoliadau (e.e. Rheoliadau Rheoli Sylweddau sy'n Peryglu Iechyd (COSHH) 1999) sy'n rhoi mwy o fanylion am sefyllfaoedd penodol. Cyflwynwyd rhai o'r rheoliadau hyn er mwyn sicrhau bod cyfraith iechyd a diogelwch y DU yn cyd-fynd â chyfreithiau Ewropeaidd.

Dan Ddeddf 1974 mae gan gyflogwyr a gweithwyr ill dau ddyletswyddau:

- Rhaid i gyflogwyr gynhyrchu polisi ysgrifenedig sy'n esbonio sut y byddant yn sicrhau iechyd, diogelwch a lles pawb sy'n defnyddio'u hadeiladau.

- Rhaid i weithwyr gydweithredu â'r trefniadau hyn a chymryd gofal rhesymol ohonyn nhw'u hunain ac eraill.

RHEOLIADAU AWDURDOD LLEOL (DEDDF PLANT 1989)

Rhaid i bob sefydliad gofal plant sy'n gofalu am blant am fwy na dwy awr ar y tro gofrestru â'r awdurdod lleol ac mae'r llywodraeth yn mynnu eu bod yn cynnal safonau iechyd a diogelwch penodol. Rhaid i bob sefydliad gofal plant ddilyn rheoliadau'r awdurdod lleol er mwyn cydymffurfio â Deddf Plant 1989. Mae pob adran gwasanaethau cymdeithasol yn cyhoeddi rheoliadau ar gyfer darparwyr gofal dydd, gan gynnwys gwarchodwyr plant. Mae'r rhain yn ymwneud ag agweddau ar ofal plant megis diogelwch, gwres, awyriad, hylendid a mannau chwarae awyr agored. Yn ogystal, mae rheoliadau'n ymdrin â'r gofod sy'n angenrheidiol ar gyfer pob plentyn a nifer yr oedolion sy'n ofynnol i ofalu am y plant.

Dan Ddeddf Plant 1989 mae gan awdurdodau lleol gyfrifoldeb i sicrhau bod y gofynion sylfaenol mewn perthynas â safonau gofal dydd i blant dan 8 oed yn cael

eu cyflawni, drwy gyfrwng cofrestru a thrwy arolygu'r gofal a ddarperir. Rhaid cynnal arolwg o leiaf unwaith y flwyddyn. Ar ôl mis Medi 2001 bydd y Swyddfa Safonau mewn Addysg (ESTYN) yn gyfrifol am hyn.

Dyma **gymarebau** oedolion a phlant ar gyfer y grwpiau oedran hyn:

0-1 oed	1 oedolyn i bob 3 phlentyn
1-3 oed	1 oedolyn i bob 4 plentyn
3-5 oed	1 oedolyn i bob 8 plentyn.

term allweddol

Cymhareb

perthynas neu gyfran rifiadol un maint â maint arall

Dyma'r lleiafswm gofynnol. Byddech yn disgwyl bod llai o blant yng ngofal pob oedolyn pe bai gan rai o'r plant anghenion arbennig. Yn ogystal, mae angen i blant fynd allan a mwynhau gwibdeithiau lleol i'r siopau neu'r parc, a byddai'n rhaid cael mwy o oedolion dan yr amgylchiadau hynny.

Dyma'r gofod sy'n ofynnol ar gyfer pob plentyn:

0-2 oed	40tr^2 (3.72 m^2)
2-3 oed	30tr^2 (2.79 m^2)
3-5 oed	25tr^2 (2.32 m^2)

YMDDYGIAD CYFFREDINOL

Yn ogystal â chydymffurfio â rheoliadau'r awdurdod lleol, bydd gan bob lleoliad gofal plant bolisi iechyd a diogelwch sy'n cynnwys:

- rheolau diogelwch clir yn ymwneud ag ymddygiad plant, sy'n dangos beth a ddisgwylir ganddynt ac yn eu hannog i ymddwyn mewn modd synhwyrol a chyfrifol, er enghraifft trwy gerdded yn lle rhedeg ar hyd y coridorau, a chadw i'r chwith mewn coridorau ac ar y grisiau, a thrwy beidio â gweiddi, ymladd neu fwlio

- rhagofalon diogelwch llym, er enghraifft digon o ofod i ganiatáu symud o amgylch yr adeilad a'r dosbarthiadau'n ddiogel, drysau gyda chliciedau diogelwch, arwynebau gwrth-lithr, gwydr diogelwch, cyfarpar campfa diogel

- gweithdrefnau yn ymwneud â defnyddio cyfarpar

- polisïau ar gyfer delio â cholli hylifau'r corff

- gweithdrefnau yn caniatáu i'r staff dynnu sylw at beryglon posibl

- rheolau clir i sicrhau bod staff yn ymarfer diogelwch, er enghraifft cau ac agor llidiardau diogelwch, tynnu sylw at gyfarpar difrodedig neu wallus a chadw diodydd poeth allan o gyrraedd plant

- polisïau ar gyfer casglu plant.

DIOGELWCH O FEWN SEFYDLIADAU

Cyflwynodd nifer o sefydliadau gofal plant fesurau diogelwch llym yn y blynyddoedd diwethaf. Gallant gynnwys drysau wedi'u cloi pan fydd y plant yn yr adeilad, a bathodynnau yn dangos enwau'r staff a'r disgyblion. Mae ffonau a chlychau wrth ddrysau mynediad yn rhoi cyfle i'r staff holi ynglŷn â natur yr ymweliad cyn gadael ymwelwyr i mewn i'r adeilad. Argymhellir trefnu apwyntiad cyn ymweld â sefydliad gofal plant gan fod hyn yn dangos parch at bolisïau diogelwch y sefydliad. Mae'r staff yn goruchwylio'r plant yn ystod amser chwarae yn yr awyr agored, er mwyn sicrhau eu diogelwch fel unigolion ac mewn grŵp.

Mynd adref

Rhaid i weithwyr gofal plant ofalu bod y staff yn nabod yr oedolion sy'n dod i gasglu'r plant. Mewn nifer o sefydliadau, bydd y polisi yn nodi mai dim ond oedolyn a enwir a gaiff gasglu'r plant. Os na allant gasglu'r plentyn eu hunain, dylai rhieni rhoi gwybod i'r staff pwy fydd yn dod i'w casglu. Gorau oll os bydd y plant yn aros yn yr adeilad wrth ddisgwyl cael eu casglu. Dylai fod gan bob sefydliad weithdrefn ar gyfer casglu plant.

GWEITHDREFNAU MEWN ARGYFWNG

Dylai fod gan bob sefydliad:

- weithdrefnau ysgrifenedig ar gyfer argyfwng
- staff a hyfforddwyd i gyflawni cymorth cyntaf
- cyfarpar cymorth cyntaf
- llyfr damweiniau er mwyn cofnodi pob digwyddiad lle cyflawnwyd cymorth cyntaf
- adolygiad cyson o ddigwyddiadau neu ddamweiniau i dynnu sylw at feysydd sy'n peri pryder
- rhaglen arfaethedig ar gyfer atal damweiniau.

GWEITHDREFNAU YMGILIAD A THÂN

Dylid arddangos ac esbonio gweithdrefnau ymgiliad a thân yn glir i bawb sy'n dod i mewn i'r adeilad. Yn ôl y gyfraith, rhaid cynnal ymarferion yn gyson a dylai'r staff i gyd fod yn ymwybodol o'r dulliau gweithredu ymgiliad. Bydd swyddog tân yn ymweld yn gyson i wirio hyn.

Gwirio'ch cynnydd

Sut y gellir sicrhau diogelwch plant sydd ar fin mynd adref?

Pa weithdrefnau argyfwng ddylai fod yn weithredol ym mhob sefydliad gofal plant?

Sut y gellir osgoi damweiniau mewn sefydliadau gofal plant?

Astudiaeth achos ...

... diogelwch ar y ffyrdd

Mae Ceri'n warchodwr plant sy'n gofalu am ddau blentyn dan bump oed yn ystod y dydd. Mae hi'n talu sylw mawr i faterion diogelwch ac mae swyddog o'r Uned Dan Wyth Oed o fewn yr adran wasanaethau cymdeithasol lleol yn arolygu ei chartref yn gyson. Mae'r swyddog yn nodi'r cyfarpar diogelwch a'r modd y caiff ei ddefnyddio, er enghraifft gard tân a llidiart ar y grisiau.

Yn ogystal, mae Ceri'n casglu dau o blant o ysgol y babanod ac yn mynd â nhw i'w chartref nes bydd eu rhieni yn gorffen gweithio ac yn dod i'w casglu. Mae cerdded gyda phedwar o blant yn gyfrifoldeb mawr iawn, ac er nad oes rhaid i Ceri groesi ffyrdd prysur, mae hi'n ymwybodol o ddiogelwch y plant wrth ddefnyddio'r palmant a chroesi cyffyrdd bach. Mae'r ddau ieuengaf wedi'u clymu i mewn i'r goets baban ddwbl. Mae Nia a Catrin, y ddwy ohonynt yn 7 oed, yn cerdded o flaen Ceri a'r plant eraill. Ni chant ruthro ymlaen ar eu pennau eu hunain, ond yn hytrach rhaid iddynt gerdded yn bwyllog ac aros wrth ymyl y ffordd er mwyn i'r grŵp groesi'r ffordd gyda'i gilydd.

1. Mae Ceri'n defnyddio llidiart ar y grisiau a gard tân. Pa fesurau diogelwch eraill

ddylai hi eu gweithredu er mwyn diogelu'r plant yn ei chartref?

2. Sut bydd hi'n sicrhau diogelwch y plant ar y ffordd i'r ysgol ac yn ôl?

3. Allwch chi feddwl am unrhyw fesurau diogelwch eraill y gallai Ceri eu rhoi ar waith er mwyn diogelu'r plant ar y palmant a'r ffordd?

Damweiniau

RHAGWELD DAMWEINIAU

Ar ddechrau eu bywydau, nid yw plant yn ymwybodol o berygl. Maent yn dibynnu'n llwyr ar eu gofalwyr am eu diogelwch a'u goroesiad. Rhaid i ofalwyr wybod llawer am ddatblygiad plentyn er mwyn gallu rhagweld pryd fydd damwain yn digwydd o ganlyniad i sgiliau corfforol neu chwilfrydedd y plentyn. Er enghraifft, bydd baban 4-5 mis oed i'w weld yn ddiogel wrth orwedd ar y soffa, hyd y diwrnod pan fydd yn rholio drosodd ac yn syrthio ar y llawr. I bob golwg, ni fydd gan y baban bach sy'n eistedd ar gôl y gofalwr pan fydd hi'n yfed paned o de ddiddordeb yn y gwpan na'i chynnwys, hyd y diwrnod pan fydd ganddo ddigon o gyd-symudiad corfforol i allu gafael yn y cwpan a llosgi ei hun. Mae babanod a phlant yn newid o hyd. Bydd y pethau a gyflawnant am y tro cyntaf yn annisgwyl, ond dylid disgwyl gweld eu galluoedd yn cynyddu. Dylai gofalwyr ragweld ac osgoi sefyllfaoedd peryglus.

DIOGELU PLANT RHAG DAMWEINIAU

Ni all babanod a phlant bach gofio'r hyn a ddywedwyd wrthynt o un funud i'r llall. Mae dweud 'Na!' wrth iddynt gropian tuag at y tân agored yn siŵr o beri iddynt aros am funud, ond nid am hir. Nid yw hyn yn ymddygiad drwg neu anufudd; maent yn chwilfrydig wrth natur ac yn gorfod chwilio i mewn i bopeth. Mae ganddynt lawer o egni a byddant yn dal i ymdrechu nes llwyddo. Fel rheol bydd oedolion yn annog hyn, ac felly bydd babanod mewn penbleth ac wedi'u cynhyrfu pan rwystrir hwy rhag ymchwilio i sefyllfa beryglus, er enghraifft drwy dynnu ar y weiren atyniadol sy'n hongian o'r wyneb gweithio yn y gegin, gwagio cypyrddau'r gegin, neu afael mewn dolen padell sy'n eistedd ar y pentan. Rhaid i'r gofalwr geisio sicrhau bod pob sefyllfa'n ddiogel, gan adael lle i blant chwilio ar yr un pryd.

Pan fydd plant yn tyfu a'u cof yn datblygu, bydd eu hymwybyddiaeth o berygl yn cynyddu. Byddant yn dechrau cofio sut deimlad yw poeth, a'i fod yn boenus, ac o ganlyniad yn osgoi cyffwrdd â drws y popty neu'r rheiddiadur. Maent yn dechrau amddiffyn eu hunain. Wrth aeddfedu, o bosibl byddant yn dechrau defnyddio'u profiad i amddiffyn plant llai.

Mae'n angenrheidiol o hyd i greu cydbwysedd rhwng amddiffyn y plentyn rhag perygl, ac eto gadael lle a chyfle iddynt ymchwilio a datblygu yn eu hamser eu hunain i'w llawn dwf. Er mwyn sicrhau'r cydbwysedd, bydd angen i oedolyn ddarparu amgylchedd diogel ar gyfer archwilio. Rhaid sicrhau bod y cartref, y feithrinfa, y car, yr ysgol a'r maes chwarae mor ddiogel â phosibl i'r plentyn. Mae'n angenrheidiol bod oedolyn gwyliadwrus yn bresennol bob amser.

YSTADEGAU DAMWEINIAU

Anafiadau anfwriadol (damweiniau) yw achos mwyaf marwolaethau plant dros 1 oed. Mae'r mwyafrif o ddamweiniau yn digwydd yn y cartref, a phlant 1 i 4 oed yw'r rhai sy'n wynebu'r perygl mwyaf.

Mae achosion anafiadau anfwriadol yn uniongyrchol gysylltiedig â:

Mae plant wrth eu bodd yn archwilio

- oed/cam datblygiadol y plentyn
- canfyddiad cyfnewidiol y plentyn o berygl
- pa mor agored yw plentyn i beryglon gwahanol ar wahanol oedrannau.

Mae dosbarth cymdeithasol yn gallu dylanwadu ar debygolrwydd damwain – mae rhai anafiadau hyd at chwe gwaith yn fwy cyffredin yn ardaloedd tlotaf y DU o'u cymharu â'r ardaloedd cyfoethocaf.

Mae agweddau at ofal plant yn gallu dylanwadu ar hyn hefyd, er enghraifft:

- faint o annibyniaeth a ganiateir i blentyn
- goruchwyliaeth wrth deithio'n ôl ac ymlaen i'r ysgol
- cyfleoedd i chwarae'n ddiogel yn yr awyr agored – efallai y bydd plant yn cael chwarae ar y stryd a chroesi'r ffordd cyn y byddant yn ddigon hen i wybod a yw'n ddiogel i wneud hynny.

FFACTORAU CYFFREDIN DAMWEINIAU

Bodau dynol yw gofalwyr, ac ar adegau mae'n bosibl y byddant yn llai gwyliadwrus nag arfer, ond wrth ofalu am blant rhaid dangos ymwybyddiaeth bob amser. Mae'n bosibl y bydd plant yn mentro mwy pan fydd rhywbeth wedi tynnu sylw'r oedolyn, neu pan welant blant eraill yn gwneud pethau peryglus. Gallai damweiniau ddigwydd yn y sefyllfaoedd canlynol:

Straen

Pan fydd oedolion neu blant yn poeni neu'n bryderus, mae'n bosibl y byddant yn llai gwyliadwrus neu ofalus. Mae esgeulustod yn creu sefyllfaoedd peryglus.

Brys

Pan fydd rhywun yn hwyr ar gyfer ysgol neu apwyntiad, mae'n bosibl na fyddant yn cymryd cymaint o ofal; er enghraifft, gallent redeg ar draws y ffordd.

Blinder

Mae blinder yn peri i bawb fod yn llai effro. Bydd oedolion yn falch bod y plant yn chwarae'n dawel, gan roi cyfle iddynt orffwys. Efallai nad ydynt yn ymwybodol bod llidiart yr ardd ar agor, neu fod y plant wedi crwydro i ben balconi'r fflat.

Cofiwch fod plant sy'n chwarae'n dawel o bosibl wedi dod o hyd i rywbeth sy'n eu

swyno. Sicrhewch nad ydynt yn chwarae gyda rhywbeth peryglus neu mewn sefyllfa a allai fod yn beryglus.

Tanddiogelu

Mae plant nad ydynt yn cael eu goruchwylio gan oedolion gofalgar yn fwy tebygol o gael damweiniau. Nid oes neb wedi dangos y peryglon iddynt, ac felly maent yn cael chwarae mewn sefyllfaoedd peryglus.

Gorddiogelu

Mae plant sy'n cael eu gwarchod cymaint fel nad ydynt yn cael archwilio yn debygol o fod yn llai ymwybodol o berygl pan fyddant ar eu pennau eu hunain. O bosibl, byddant yn cael eu denu i wneud rhywbeth na chaniateir fel rheol.

Gwirio'ch cynnydd

Pam ei bod hi'n bwysig bod oedolion yn ymwybodol o ddiogelwch wrth weithio gyda phlant ifainc?

Sut gall agweddau tuag at ofal plant ddylanwadu ar ystadegau yn ymwneud â damweiniau?

Pryd mae damweiniau'n debygol o ddigwydd?

Sut gall blinder oedolion gynyddu'r perygl o ddamweiniau i blant dan eu gofal?

Ble mae'r mwyafrif o ddamweiniau'n digwydd?

ATAL DAMWEINIAU RHAG DIGWYDD

Mae atal damweiniau'n llwyddiannus yn dibynnu i raddau helaeth ar y canlynol.

Rôl fodelau

Y ffordd bwysicaf o leihau perygl yw trwy osod esiampl dda i blant. Mae plant yn dynwared gweithredoedd oedolion, felly mae gan oedolion gyfrifoldeb i'w dysgu sut i fod yn ddiogel, er enghraifft wrth groesi'r ffordd, gwisgo gwregys diogelwch a chau'r drws.

Addasu'r amgylchedd

Sicrhewch fod y cartref, ac ardaloedd eraill a ddefnyddir gan blant, mor ddiogel â phosibl, ond ar yr un pryd gadewch iddynt fod yn annibynnol, a dysgu eu hunain.

Addysg

Rhaid dysgu plant am ddiogelwch. Nod ymgyrchoedd cenedlaethol fel *Chwarae'n Ddiogel (Play it Safe)*, *Rheolau'r Groes Werdd (Green Cross Code)* a *Dieithryn Drwg (Stranger Danger)* oedd cynyddu ymwybyddiaeth o faterion yn ymwneud â diogelwch. Gellir dysgu plant sut i osgoi peryglon ac ymdopi â sefyllfa beryglus. Rhaid addysgu oedolion am hyn, hefyd, gan gynnwys gweithwyr gofal plant, athrawon, rhieni, gweithwyr proffesiynol iechyd a'r sawl sy'n cynllunio amgylcheddau megis canolfannau siopa, parciau neu ffyrdd.

Cynnyrch diogel

Dylai fod pob darn o gyfarpar yn ddiogel i'w ddefnyddio gyda phlant. Gorau oll os yw

term allweddol

Deddfwriaeth ddiogelwch
cyfreithiau a wnaed er mwyn atal damweiniau a hyrwyddo diogelwch

wedi cael ei gymeradwyo am ddiogelwch ac yn dangos nod barcut y Sefydliad Safonau Prydeinig (BSI), marciau safonau Ewropeaidd neu farc diogelwch Bwrdd Cymeradwyo Trydanol Prydeinig (BEAB) (gweler tudalen 472).

Deddfwriaeth

Gall roi pwysau ar lywodraeth leol a chenedlaethol beri iddynt lunio a gorfodi **deddfwriaeth ddiogelwch**, sy'n helpu i atal damweiniau rhag digwydd ac i hyrwyddo diogelwch.

Gwirio'ch cynnydd

Sut y gellir addasu'r amgylchedd gofal plant i sicrhau ei fod mor ddiogel â phosibl ar gyfer plant?

Pa ymgyrchoedd cenedlaethol sydd wedi helpu i gynyddu ymwybyddiaeth o faterion diogelwch?

Sut gall oedolion sicrhau bod y cynnyrch a brynant ar gyfer eu plant yn ddiogel?

Diogelwch yn y cartref

Mae pawb yn ymlacio gartref, ac fel rheol yn teimlo'n ddiogel am eu bod yn eu cartref. Mae'n amlwg nad yw hyn yn wir. Mae'n ddiddorol nodi bod y rhan fwyaf o'r damweiniau sy'n digwydd yn y cartref yn digwydd yn ystod misoedd yr haf, yn enwedig ym mis Gorffennaf. Plant sydd rhwng 1 a 4 oed sydd fwyaf mewn perygl, am eu bod yn gallu symud ac eisiau crwydro, ond heb allu rhagweld peryglon. Mae'r ffigurau ar gyfer damweiniau yn dangos bod bechgyn mewn mwy o berygl na merched. Isod rhestrir achosion damweiniau yn y cartref a sut i'w hatal rhag digwydd.

TÂN

Achosir y mwyafrif o farwolaethau gan dân yn y cartref. Fel rheol bydd marwolaeth yn digwydd o ganlyniad i anadlu mygdarthau gwenwynig o ddodrefn.

Ataliad

term allweddol

Fflamadwy
defnydd sy'n llosgi'n hawdd

- Ceisiwch leihau'r posibilrwydd o dân, er enghraifft trwy beidio â gadael matsis o fewn cyrraedd plant, cyfyngu ar ysmygu, defnyddio gard tân (mae'n anghyfreithlon i adael plentyn dan 12 oed mewn ystafell gyda thân agored), osgoi defnyddio pedyll sglodion, a storio petrol a defnyddiau **fflamadwy** (llosgadwy) eraill yn gywir.

- Ceisiwch sicrhau nad yw defnyddiau megis dillad nos neu ddodrefn meddal yn mynd ar dân trwy ofalu bod plant yn gwisgo dillad nos wedi eu gwneud o ddefnydd nad yw'n llosgi'n hawdd a thrwy sicrhau bod dodrefn meddal wedi eu gwneud o ddeunydd a sbwng gwrthdan – dylai fod gan ddeunyddiau modern labeli yn dangos hyn (mae hen ddodrefn meddal yn arbennig o beryglus o ran achosi tân).

- Cadwch dân rhag lledaenu trwy ddefnyddio drysau tân (a ddylai fod ar gau bob amser), diffoddwyr tân a blancedi tân.

● Bydd defnyddio system rhybudd cynnar megis larwm mwg yn sicrhau bod gennych funudau ychwanegol i ddianc rhag tân. Dylai pob tŷ gynnwys o leiaf un, yn enwedig os yw plant yn byw yno.

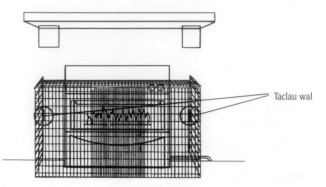

Taclau wal

Gard tân wedi ei osod yn gywir

CWYMPIADAU

Cwympiadau sy'n gyfrifol am hanner y damweiniau sy'n digwydd i blant yn y cartref, a phlant bach sydd fwyaf mewn perygl. Dyma rai sefyllfaoedd peryglus:

● baban mewn sbonciwr babi neu garicot a osodwyd mewn safle uchel megis bwrdd neu wely

● gosod y baban mewn safle uchel

● plant bach mewn tŷ heb lidiart ar y grisiau, neu gyda ffenestri agored, balconïau neu welyau ar ben ei gilydd heb amddiffyniad i'w diogelu.

Ataliad

● Peidiwch byth â gadael babanod ar safle uchel; yn hytrach, gadewch iddynt orwedd ar y llawr.

● Defnyddiwch lidiardau grisiau ar ben ac ar waelod y grisiau, i gadw babanod a phlant bach rhag dod i mewn i'r gegin heb oedolyn, neu rhag mynd trwy'r drws cefn neu flaen.

● Dysgwch blant sut i ddefnyddio'r grisiau'n ddiogel, sut i gropian i fyny ac i lawr heb oruchwyliaeth. Bydd hyn yn hwb i'w hyder ac yn lleihau eu hofn. Dylai helpu i atal damweiniau pe bai'r llidiardau'n cael eu gadael ar agor yn ddamweiniol. Sicrhewch fod y rheiliau canllawiau grisiau yn ddigon agos at ei gilydd fel na all blentyn bach ddringo rhyngddynt.

● Defnyddiwch gloeon neu gliciedau ffenestr na all plant eu hagor.

● Symudwch y dodrefn i ffwrdd o'r ffenestri fel na fydd plant yn cael eu denu i ddringo arnynt.

● Peidiwch â defnyddio cerddwyr baban. Mae'r rhain yn beryglus iawn ac yn achosi llawer o ddamweiniau. Nid ydynt yn angenrheidiol; bydd babanod yn dysgu cerdded pan fyddant yn barod i wneud hynny

● Defnyddiwch awenau mewn pram, cadair wthio a throli uwchfarchnad.

● Gosodwch gyfarpar dringo awyr agored ar arwynebau diogel megis gwair neu asglodion pren.

Defnyddiwch lidiart risiau bob amser

Rhaid strapio plant mewn cadeiriau uchel yn ddiogel

LLOSGI A SGALDIO

Babanod a phlant bach sy'n dioddef amlaf o losgiadau a sgaldiadau. Dyma rai o'r achosion:

- dŵr y baddon yn rhy boeth
- diod boeth yn cael ei golli dros y plentyn
- tynnu fflecs y tegell
- saim poeth o badell goginio neu sglodion
- llosgiadau cyffwrdd gan danau, rheiddiaduron, haearnau smwddio, ayyb.
- chwarae gyda matsis.

Ataliad

- Defnyddiwch gorlan chwarae os byddwch yn coginio a defnyddiwch lidiart ddiogelwch i atal plant bach rhag dod i mewn i'r gegin.
- Defnyddiwch fflecs tegell torchog.
- Defnyddiwch sgrin popty a throwch ddolennau'r pedyll tuag i mewn.
- Peidiwch â rhoi matsis o fewn cyrraedd plentyn. Dylent fod yn ddiogel dan glo.
- Defnyddiwch ddillad anfflamadwy.
- Dysgwch blant am beryglon tân.
- Cadwch blant i ffwrdd o goelcerthi a thân gwyllt, ac eithrio pan gynhelir arddangosfa gyhoeddus ddiogel.
- Rhowch ddŵr oer yn y baddon yn gyntaf.

TAGU

Bob blwyddyn mae plant yn marw oherwydd damweiniau tagu. Dyma yw achos mwyaf cyffredin marwolaeth ddamweiniol plant dan un oed. Erbyn cyrraedd 6 mis

oed, mae babanod yn gallu gafael mewn gwrthrychau a'u harchwilio drwy eu rhoi yn eu cegau. Rhaid cadw gwrthrychau bach megis marblys, Lego, cnau daear, botymau, a thopiau poteli a pheniau allan o'u cyrraedd.

Ataliad

Cyfrifoldeb y gofalwr yw sicrhau bod pob eitem sydd â'r potensial i fod yn beryglus y tu hwnt i afael y plentyn.

- Rhaid i ddymïau gydymffurfio â safonau diogelwch, gyda thyllau yn y fflans, rhag ofn y caiff ei dynnu i gefn y gwddf.

- Peidiwch byth â gadael eitemau bach yn gorwedd o gwmpas y tŷ.

- Peidiwch â defnyddio teganau gyda darnau bach sy'n anaddas ar gyfer plant ifainc.

- Ni ddylai cnau daear fod ar gael, a pheidiwch â'u rhoi i'r plentyn.

- Peidiwch â gadael i'r plentyn chwarae wrth fwyta.

MYGU

Mae **mygu'n** digwydd pan fydd y llwybrau anadlu wedi'u gorchuddio fel na all yr aer deithio i'r ysgyfaint. Mae crogi a llindagu hefyd yn atal y cyflenwad aer.

term allweddol

Mygu
atal anadlu

Ataliad

- Mae rhai eitemau tŷ yn beryglus i fabanod a phlant bach, er enghraifft bagiau plastig, cortynnau o gwmpas gyddfau dillad a chobenyddion.

- Peidiwch byth â chynnal-fwydo baban (h.y. peidiwch â gosod y botel fel bod y baban yn sugno heb gael ei gynnal).

- Sicrhewch nad oes gan y crud neu'r pram ymylon garw a allai ddal y dillad a chrogi'r baban wrth iddo symud.

- Peidiwch â defnyddio nythod baban, oni bai eich bod chi'n ei ddefnyddio i gario'r baban.

- Peidiwch â defnyddio cwiltiau ar gyfer babanod dan un oed.

- Rhybuddiwch blant hŷn ynglŷn â pheryglon rhaffau, llinynnau, a mannau peryglus megis hen oergelloedd, rhewgelloedd a chypyrddau, lle gallent gael eu cau i mewn.

TORIADAU

Eitemau cyffredin fel gwydr, cyllyll miniog neu ganiau tun sy'n achosi toriadau fel rheol; mae eitemau megis offer garddio neu ffenestri blaen car a ffenestri sydd wedi'u torri hefyd yn beryglus.

Ataliad

- Cadwch gyllyll allan o gyrraedd plant.

- Defnyddiwch gwpanau a photeli plastig.

- Defnyddiwch wydr diogelwch mewn drysau neu defnyddiwch ffilm ddiogelwch i orchuddio gwydr.

- Gosodwch sticeri ar ddarnau mawr o wydr megis drysau patio, fel ei bod hi'n amlwg pan fyddant ar gau; mae'n fwy diogel o lawer i osod byrddau dros wydr lefel isel o'r math hwn.

TRYDAN A THRYDANU

Crëir y perygl mwyaf o drydanu yn y cartref pan fydd plant bach yn gwthio pethau i mewn i'r socedi trydan. Gall gyfarpar trydanol yn yr ystafell ymolchi ladd, ac mae'n anghyfreithlon i gael socedi yno, ac eithrio rhai ar gyfer eillwyr neu frwsys dannedd trydanol. Mae dyfeisiau trydanol diffygiol yn farwol.

Ataliad

- Defnyddiwch socedi diogelwch, i rwystro bysedd bach neu wrthrychau rhag mynd i mewn.

- Defnyddiwch dorwyr cylchedau, a fydd yn torri'r cyflenwad trydan ar unwaith pan fydd cylched fer yn digwydd.

- Diffoddwch y socedi pan na fyddant yn cael eu defnyddio.

- Peidiwch â defnyddio sychwr gwallt nac unrhyw ddarn arall o gyfarpar trydanol yn yr ystafell ymolchi.

- Sicrhewch fod pob darn o gyfarpar trydanol yn ddiogel, er enghraifft sicrhewch nad yw'r fflecsys wedi treulio.

Astudiaeth achos ...

... hyrwyddo diogelwch yn y cartref

Mudiad gwirfoddol yw 'Diogelwch yn Gyntaf' a sefydlwyd gan rieni yn byw mewn ardal ddifreintiedig o ddinas yng Nghanolbarth Lloegr, gyda'r bwriad o leihau'r nifer o ddamweiniau yn ymwneud â phlant yn eu hardal. Yn ôl astudiaeth 'Daearyddiaeth Damweiniau' a gynhaliwyd gan Adran Damwain ac Argyfwng Plant ysbyty'r ddinas, roedd 30 y cant o'r holl anafiadau damweiniol a ddeuai i'r adran ddamweiniau yn ymwneud â phlant oedd yn byw o fewn dalgylch eu cod post. Gyda chydweithrediad y cyngor lleol a'r awdurdod iechyd mae'r grŵp wedi llwyddo i ennill grant gan y Gronfa Gymdeithasol Ewropeaidd (ESF). Yn ogystal, clustnodwyd arian ar eu cyfer gan gynhyrchydd cyfarpar diogelwch yn y cartref. Mae rhieni'n gwirfoddoli i ymweld â theuluoedd gyda phlant dan bump oed sy'n byw yn yr ardal, ac yn rhoi'r cyfle iddynt brynu cyfarpar diogelwch (llidiardau grisiau, cloeon ar gyfer ffenestri, gardiau popty, cloriau socedi, larymau tân a gardiau tân) am hanner y pris manwerthol. Am fod y gwirfoddolwyr yn bobl leol ac yn deall problemau penodol y teuluoedd, bydd croeso iddynt ar y cyfan. Mae teuluoedd sy'n dibynnu ar fudd-daliadau nawdd cymdeithasol yn derbyn y cyfarpar angenrheidiol yn rhad ac am ddim.

1. *Pam fod cloriau soced, larymau tân a gardiau tân yn eitemau diogelwch pwysig?*

2. *Pa fathau eraill o gefnogaeth (heblaw am gyfarpar diogelwch) y gellid eu cynnig i deuluoedd i sicrhau diogelwch plant?*

3. *Yn eich barn chi, a ddylid annog y math hwn o weithredu cymdeithasol? Os felly, pam fod hynny'n bwysig?*

GWENWYNO

Bob blwyddyn mae llawer o blant yn cael eu derbyn i'r ysbyty ar ôl cymryd sylwedd gwenwynig. Plant rhwng 2 a 3 oed sydd fwyaf tebygol o wneud hyn. Maent yn awyddus i wybod mwy am eu hamgylchedd ac yn fodlon blasu unrhyw beth sy'n ymddangos yn fwytadwy. Mae llawer o dabledi'n edrych fel melysion, ac mae hylifau peryglus yn gallu edrych fel diodydd ysgafn. Efallai y bydd gwenwynau megis moddion oedolion, canyddion neu hylifau golchi na chafodd eu storio'n gywir o fewn cyrraedd y plant.

Ataliad

- Defnyddiwch gynwysyddion na all plant eu hagor.

- Caewch bob cynhwysydd ar ôl ei ddefnyddio.

- Storiwch foddion mewn cwpwrdd uchel, gorau oll dan glo. Os nad oes clo, defnyddiwch glicied na all plentyn ei hagor.

- Rhowch gloeon na all plentyn eu hagor ar bob cwpwrdd.

- Peidiwch â storio sylweddau peryglus yn y cwpwrdd dan y sinc. Chwiliwch am ardal storio fwy diogel.

- Cadwch gemegau yn eu cynwysyddion gwreiddiol. Peidiwch â'u storio mewn hen boteli neu jariau jam a allai ddenu plant bach.

- Cadwch blant rhag bwyta aeron neu hadau o'r ardd neu'r parc.

Gwirio'ch cynnydd

Sut y gellir atal tanau rhag digwydd?

Pa blant sydd fwyaf tebygol o ddisgyn?

Beth allai achosi llosgiadau a sgaldiadau?

Sut y gellir addasu'r cartref i leihau'r perygl o losgiadau?

Sut y gellir atal damweiniau tagu rhag digwydd?

Diogelwch yn yr awyr agored

ARDALOEDD CHWARAE

Dylai oedolyn cyfrifol oruchwylio'r plant pan fyddant yn chwarae yn yr awyr agored. Dylai oedolyn cyfrifol:

- sicrhau bod yr holl gyfarpar a'r ardal chwarae yn ddiogel cyn gadael i'r plant ddechrau chwarae

- annog chwarae cydweithredol

- annog y plant i beidio ag ymddwyn yn ymosodol

- sicrhau bod y cyfarpar dringo wedi'i leoli ar arwynebau glanio meddal, addas gyda gofod o'i amgylch

- gloi llidiardau allanol a sicrhau na all y plant adael yr ardal chwarae heb oruchwyliaeth

- gael gwared ar beryglon potensial, er enghraifft cyfarpar wedi'i dorri, ymylon miniog, ysbwriel peryglus

- sicrhau bod y cyfarpar chwarae yn addas i oedran y plant yn y grŵp

- adael i'r plant ddychwelyd i'r ardal chwarae fewnol os dymunant wneud hynny, dan oruchwyliaeth

- ddarparu ardaloedd ar gyfer chwarae o fath arall, er enghraifft teganau gydag olwynion, chwarae gyda phêl, cwrs rhwystrau.

DIOGELWCH AR Y FFORDD

Mae plant mewn perygl ar y ffordd, wrth gerdded a hefyd wrth deithio mewn cerbydau modur. Gall gweithwyr gofal plant sicrhau eu bod yn ddiogel wrth gerdded drwy:

- osod esiampl dda wrth groesi'r ffordd

- annog rhieni i beidio â gadael i blant dan wyth oed groesi'r ffordd ar eu pennau eu hunain

- ganiatáu i blentyn adael y sefydliad dim ond pan fyddant yng nghwmni oedolyn cyfrifol sy'n gyfarwydd iddynt

- sicrhau bod y gymhareb yn gywir o ran nifer yr oedolion a phlant ar deithiau ac ymweliadau

- gael a defnyddio patrôl croesi'r ffordd y tu allan i ysgolion

- siarad â phlant am ddiogelwch ar y ffordd a'u dysgu am Reolau'r Groes Werdd

- annog plant i beidio â chwarae ar y ffyrdd a'r palmentydd.

Mynd ar wibdeithiau gyda phlant

Dylai gweithwyr gofal plant allu cynllunio gwibdeithiau priodol i blant ac i sicrhau eu diogelwch bob amser. Pan ddewisir gwibdaith addas ar gyfer oedran/cam datblygiad y plant, rhaid bod yn ymwybodol o'r gofynion statudol a'r materion sydd ynghlwm wrth y wibdaith.

Mae'r ffactorau canlynol yn arbennig o bwysig wrth gynllunio i fynd â phlant ar wibdaith:

- diogelwch

- dillad priodol

- bwyd/lluniaeth

- cyfarpar angenrheidiol

- cynnwys y rhieni.

CYNLLUNIO GWIBDAITH

Ystyr gwibdaith yw unrhyw daith fer i ffwrdd o'r sefydliad gofal ac addysg arferol. Gall amrywio o ymweliad â'r siopau i ddiwrnod cyfan i ffwrdd. Os cynllunnir yn drwyadl, bydd hyn yn brofiad pleserus ac addysgol i'r plant. Mae manteision eang i wibdeithiau gan eu bod yn rhoi'r cyfle i blant:

- fanteisio ar brofiadau newydd ac anghyfarwydd

- ddysgu am yr amgylchedd yn gyffredinol neu ardal benodol

- ddysgu mwy am rywbeth sy'n eu diddori neu bwnc addysgol

- gyfarfod pobl newydd.

DEWIS BLE I FYND

Gall fod y broses o ddewis ble i fynd â'r plant yn un hawdd – efallai bod man cyfarfod lleol lle bu plant eraill o'ch sefydliad chi ar ymweliad. Fodd bynnag, wrth gynllunio trip, cofiwch ystyried y canlynol:

Oedran a cham datblygiad y plant

Mae plant cyffredin rhwng 1 a 7 oed yn amrywio o ran eu galluoedd corfforol, yn ogystal â'u gallu i ganolbwyntio a'u sgiliau deallusol. Dewiswch gyrchfan sy'n addas ar gyfer pob grŵp oedran sy'n mynd ar y daith. Meddyliwch am yr hyn rydych chi'n awyddus i'r plant ei ddysgu (canlyniadau dysgu) o'r daith, pa un ai ymweliad â llyfrgell ydyw, neu ddiwrnod ar fferm.

Cymorth gan oedolion

Yn gyffredinol, dyma'r gymhareb oedolion a phlant ar deithiau i ffwrdd o'r lleoliad:

1 oedolyn i bob plentyn 0-2 oed
1 oedolyn i bob 2 blentyn 2-5 oed
1 oedolyn i bob 5 plentyn 5-8 oed.

Mae'n hanfodol bod y gymhareb oedolion a phlant yn uwch ar daith i ffwrdd o'r lleoliad am fod mwy o beryglon yn bodoli. Gallai peryglon gynnwys:

- trafnidiaeth

- amgylchedd newydd heb derfynau pendant, ffisegol

- trefn wahanol i'r diwrnod a'r bobl ychwanegol sydd eu hangen i gludo cyfarpar, er enghraifft blwch cymorth cyntaf, adnoddau picnic/byrbryd/addysgol ayyb.

Pellter y cyrchfan

Gall hyn olygu'r gwahaniaeth rhwng taith am y bore, y prynhawn neu ddiwrnod cyfan. Mae'n hanfodol i sicrhau bod yr amser a dreulir yn y cyrchfan yn werthfawr. Nid yw plant yn hoffi treulio gormod o amser yn teithio.

Cost

Os codir pris am fynediad neu gostau teithio, mae'n bosibl na fydd pob plentyn yn gallu mynd. Sicrhewch fod digon o arian i dalu am yr holl blant.

Cludiant

A oes modd cerdded i'r cyrchfan? Os ddim, a oes rhai'n gallu cynnig lifft? A oes ganddynt wregysau plant yn eu ceir?

A oes gan y sefydliad fws mini? A oes gan y gyrwyr yswiriant?

Os ydych chi'n defnyddio sefydliad allanol ar gyfer cludiant, sicrhewch fod:

- ganddynt yswiriant

- y cerbyd yn ddigon mawr i gynnig sedd i bawb – oedolion a phlant

- digon o wregysau plant, seddau cyfnerthu, gwregysau ayyb

- y cerbydau'n ddiogel.

CAMAU YN Y BROSES CYNLLUNIO

1. O bosibl, bydd gan yr awdurdod lleol reoliadau'n ymwneud â gwibdeithiau ac mae'n bwysig i ddarganfod mwy am hyn fel bod eich trefniadau'n cyd-fynd â'r gofynion hyn.

2. Gwnewch ymchwil i ddysgu mwy am eich cyrchfan, er enghraifft amseroedd agor a'i hygyrchedd i blant. O bosibl gallwch fynd ar ymweliad i ddysgu mwy. A oes cyfleusterau cyhoeddus? Ardaloedd picnic? Lluniaeth? Darpariaeth cymorth cyntaf?

3. Paratowch amserlen ar gyfer y dydd. Bydd angen i bawb wybod pryd y

byddwch yn gadael ac yn cyrraedd. Sicrhewch fod eich rhaglen am y dydd yn ymarferol a bod digon o amser i wneud popeth a gynlluniwyd.

4. Cynlluniwch ar gyfer mynd â'r cyfarpar angenrheidiol gyda chi, er enghraifft rhifau ffôn i'w defnyddio mewn argyfwng, ffôn symudol, cofrestri, bocs cymorth cyntaf, camera, arian a thapiau sain. Gofynnwch i'r plant ddod ag eitemau gyda hwy, er enghraifft pecyn cinio, dillad ar gyfer tywydd gwlyb, pensiliau/papur, hetiau haul, hufen haul.

5. Ymgynghorwch â'r rhieni. A yw'n angenrheidiol cael caniatâd rhieni ar bapur i fynd ar daith i ffwrdd o'r sefydliad? Bydd angen iddynt wybod am y gost, rhaglen y dydd, trefniadau ar gyfer cludiant, anghenion arbennig – cinio, dillad ayyb. Y ffordd orau o wneud hyn yw trwy yrru llythyr adref yn cynnwys ffurflen gydsynio.

6. Am resymau yn ymwneud ag amddiffyn plant, nid yw'r mwyafrif o sefydliadau'n gofyn i'r plant wisgo labeli yn dangos eu henwau.

7. Paratowch y plant ar gyfer y trip. Trafodwch y trip ac esboniwch beth fydd yn digwydd.

Gwirio'ch cynnydd

Beth yw manteision mynd â phlant ar wibdeithiau?

Pam fod angen sicrhau bod y gymhareb oedolion a phlant yn uwch ar wibdeithiau?

Beth yw camau'r broses gynllunio ar gyfer gwibdaith?

Pa faterion diogelwch y dylid eu cofio wrth drefnu cludiant ar gyfer gwibdaith?

Nawr rhowch gynnig ar y cwestiynau hyn

Sut gall oedolion warchod plant rhag anafiadau anfwriadol yn y cartref?

Beth gall gweithiwr gofal plant ei wneud i sicrhau bod plant yn ddiogel mewn sefydliad?

Beth yw swyddogaeth gweithiwr gofal plant o ran trefnu gwibdaith i blant?

Esboniwch pam fod plant dan 1 oed yn fwy tebygol o dagu na phlant eraill a sut y gellir atal hyn rhag digwydd.

DIET, MAETH
A BWYD

Mae maeth da yn hanfodol ar gyfer iechyd da. Mae angen bwyd arnom am bedwar prif reswm:

⊖ i roi egni a chynhesrwydd

⊖ i ganiatáu i'r meinweoedd dyfu, a chael eu hatgyweirio a'u hamnewid

⊖ i helpu'r corff i ymladd afiechydon

⊖ i sicrhau bod systemau'r corff yn gweithio'n gywir.

Mae'r bwyd a fwytawn bob dydd, sef ein diet, yn cynnwys y maetholion y mae eu hangen arnom. Rhaid i'r corff dreulio'r bwyd cyn y gallwn ddefnyddio'r maetholion hyn. Ystyr treuliad yw'r broses sy'n torri'r bwyd i lawr yn elfennau llai, er mwyn i'r corff eu hamsugno a'u defnyddio.

Diet annigonol yw'r prif reswm o hyd dros ddiffyg ffyniant. Mae arferion bwyta da yn dechrau'n gynnar a rhaid i weithwyr gofal plant sicrhau bod plant yn sefydlu arferion bwyta iach a fydd yn hyrwyddo twf a datblygiad normal.

⊖ treuliad

⊖ maetholion bwyd a diod

⊖ diet cytbwys

⊖ dietau gwahanol grwpiau

⊖ swyddogaeth gymdeithasol ac addysgol bwyd

⊖ problemau gyda bwyd

⊖ bwyd diogel.

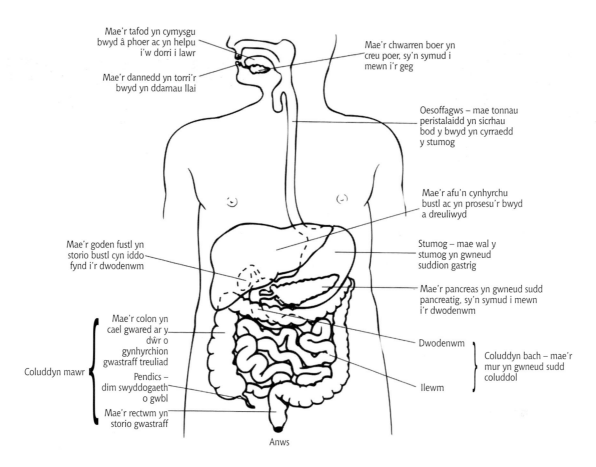

Mae'r tafod yn cymysgu bwyd â phoer ac yn helpu i'w dorri i lawr

Mae'r dannedd yn torri'r bwyd yn ddarnau llai

Mae'r chwarren boer yn creu poer, sy'n symud i mewn i'r geg

Oesoffagws – mae tonnau peristalaidd yn sicrhau bod y bwyd yn cyrraedd y stumog

Mae'r afu'n cynhyrchu bustl ac yn prosesu'r bwyd a dreuliwyd

Mae'r goden fustl yn storio bustl cyn iddo fynd i'r dwodenwm

Stumog – mae wal y stumog yn gwneud suddion gastrig

Mae'r pancreas yn gwneud sudd pancreatig, sy'n symud i mewn i'r dwodenwm

Mae'r colon yn cael gwared ar y dŵr o gynhyrchion gwastraff treuliad

Coluddyn mawr

Pendics – dim swyddogaeth o gwbl

Mae'r rectwm yn storio gwastraff

Dwodenwm

Ilewm

Coluddyn bach – mae'r mur yn gwneud sudd coluddol

Anws

Y llwybr ymborth a'r broses dreulio

Treuliad

Mae **treuliad** bwyd yn digwydd yn y llwybr ymborth, sef tiwb hir, cyhyrog sy'n cynnwys:

- y geg
- yr oesoffagws (llwnc)
- y stumog
- y coluddyn bach
- y coluddyn mawr
- y rectwm
- yr anws.

PROSES DREULIO

Yn y geg
Pan gnoir y bwyd fe'i torrir yn ddarnau bach. Ar yr un pryd, fe'i cymysgir â phoer. Mae'r **ensymau** sydd yn y poer yn dechrau gweithio ar y bwyd. Yna llyncir y bwyd, sydd wedyn yn symud i lawr yr **oesoffagws** i mewn i'r stumog.

Yn y stumog
Corddir y bwyd ac yna fe'i cymysgir â'r suddion gastrig, sy'n parhau â'r broses o newid a threulio'r bwyd.

Yn y coluddyn bach

Cymysgir suddion treulio, sy'n cynnwys ensymau o'r pancreas, y goden fustl a'r coluddyn, â'r bwyd er mwyn peri treuliad pellach. Mae'r corff yn amsugno elfennau'r bwyd treuliedig trwy furiau'r coluddyn bach.

Yn y coluddyn mawr

Dim ond dŵr a ffibr yn bennaf sydd ar ôl yn y coluddyn bach wedi'r amsugno. Mae'r coluddyn mawr yn amsugno'r dŵr, a bydd y ffibr a'r bacteria sy'n aros, ynghyd ag ychydig o ddŵr, yn ffurfio'r cynhyrchion gwastraff sy'n symud i'r rectwm ac allan o'r corff trwy'r anws.

Gwirio'ch cynnydd

Diffiniwch dreuliad.

Beth yw'r gwahanol rannau sy'n ffurfio'r llwybr ymborth?

Beth sydd yn y suddion treulio?

Maetholion bwyd a diod

term allweddol

Maetholyn
sylwedd sy'n rhoi maeth hanfodol i'n cyrff

Er mwyn bod yn iach, rhaid i'r corff dderbyn cyfuniad o wahanol **faetholion**. Dyma nhw:

- protein
- carbohydrad
- braster
- fitaminau
- mwynau
- dŵr
- ffibr.

termau allweddol

Protein cyflawn
protein sy'n cynnwys yr holl asidau amino hanfodol; enw arall arnynt yw proteinau dosbarth cyntaf

Protein anghyflawn
protein sy'n cynnwys rhai asidau amino hanfodol; enw arall arnynt yw proteinau ail ddosbarth

Mae llawer o brotein, braster, carbohydradau a dŵr yn bodoli yn ein bwyd a'n diod. Dim ond ychydig o fitaminau a mwynau sy'n bresennol, ac felly mae'n fwy tebygol y bydd diet plant yn brin ohonynt.

PROTEIN

Mae bwydydd sy'n cynnwys protein yn hanfodol ar gyfer:

- twf y corff
- atgyweirio'r corff.

Mae dau fath o fwyd protein, sef **proteinau cyflawn** (proteinau dosbarth cyntaf) a **phroteinau anghyflawn** (proteinau ail ddosbarth). Mae protein cyflawn yn dod o anifeiliaid. Mae'r rhain yn cynnwys:

- cig
- pysgod

- cyw iâr

- caws

- llaeth a chynhyrchion llaeth.

Mae protein anghyflawn yn dod o lysiau. Mae'r rhain yn cynnwys:

- cnau a hadau

- corbys (er enghraifft ffa du, ffacbys, pys melyn, ffa soia, ffa Ffrengig)

- grawnfwydydd (reis, blawd corn, ceirch) a bwydydd wedi'u seilio ar rawnfwyd (megis bara, pasta, chapattis a nwdls).

Mae bwydydd protein yn cynnwys **asidau amino**. Ceir deg asid amino hanfodol. Mae bwydydd protein cyflawn yn cynnwys pob un ohonynt; mae bwydydd protein anghyflawn yn cynnwys rhai. Os yw'r protein mewn diet yn dod o lysiau yn unig, rhaid sicrhau bod amrywiaeth o broteinau llysiau yn cael eu defnyddio. Bydd hyn yn sicrhau bod y diet yn cynnwys pob un o'r deg asid amino hanfodol.

Rhai ffynonellau protein

CARBOHYDRADAU

Mae bwydydd carbohydrad yn cynnwys startsh a siwgr, sy'n rhoi'r egni i'r corff. Dyma ffynonellau startsh:

- grawnfwydydd

- ffa

- pys melyn

- tatws

- bananas gwyrdd

- pasta

- iamau.

Rhai ffynonellau carbohydrad

Dyma ffynonellau siwgr:

- siwgr o gansen siwgr neu fetys siwgr
- ffrwythau a llysiau
- mêl
- llaeth.

Rhaid torri'r carbohydradau i lawr i ffurfio glwcos cyn y gall y corff eu defnyddio. Mae trawsnewid siwgr yn hawdd, ac mae hyn yn rhoi ffynhonnell sydyn o egni; mae trawsnewid startsh yn glwcos yn cymryd mwy o amser ac felly mae'n rhoi cyflenwad egni mwy cyson, sy'n para'n hirach. Dyna pam fydd rhedwyr marathon yn aml yn bwyta llawer o basta'r noson cyn rasio.

BRASTER

Mae braster yn rhoi egni i'r corff ac yn cynnwys fitaminau hanfodol. Mae'n gwneud bwyd yn fwy dymunol i'w fwyta ac yn helpu i'w symud drwy'r llwybr treulio. Gellir rhannu braster yn **fraster dirlawn** a **braster annirlawn**. Dyma rai ffynonellau braster dirlawn:

- menyn
- caws
- llaeth
- bloneg
- cig
- olew palmwydd.

Dyma rai ffynonellau braster annirlawn:

- olew pysgod
- olew olewydd
- olew blodyn yr haul
- olew corn
- olew cneuen ddaear.

termau allweddol

Braster dirlawn
mae'n solid ar dymheredd ystafell, ac yn deillio o fraster anifeiliaid yn bennaf

Braster annirlawn
mae'n hylifol ar dymheredd ystafell ac yn dod yn bennaf o olew llysiau a physgod

Rhai ffynonellau braster

FITAMINAU A MWYNAU

Nid oes llawer iawn o fitaminau a mwynau yn y bwydydd rydym yn eu bwyta, ond maent yn hanfodol ar gyfer helpu'r corff i dyfu, datblygu a gweithredu'n normal.

Mae'r tablau isod yn dangos y prif fitaminau a mwynau, y bwydydd sy'n eu cynnwys a'u prif swyddogaethau o fewn y corff.

Y prif fitaminau

Fitamin	Ffynhonnell bwyd	Swyddogaeth	Nodiadau
A	Menyn, caws, wyau, moron, tomatos	Yn hyrwyddo croen iach, golwg da	Braster-hydawdd, gellir ei storio yn yr afu; bydd diffyg fitamin A yn achosi heintiau ar y croen a phroblemau gyda'r golwg
Grŵp B	Afu, cig, pysgod, llysiau gwyrdd, ffa, wyau	Yn cadw'r cyhyrau a'r nerfau'n iach; yn ffurfio haemoglobin	Dŵr-hydawdd, nid yw'n cael ei storio yn y corff ac felly mae angen cyflenwad cyson; bydd eu diffyg yn peri bod y cyhyrau'n difa, ac yn achosi anaemia
C	Ffrwythau a sudd ffrwythau, yn enwedig oren, cyrensen ddu, pinafal; llysiau gwyrdd	Ar gyfer meinwe iach, yn hyrwyddo iachâd	Dŵr-hydawdd, mae angen cyflenwad dyddiol; nid yw'r corff mor abl i wrthsefyll heintiau os yw'n brin o fitamin C; mae prinder mawr ohono'n achosi llwg
D	Pysgod olewog, olew iau penfras, melynwy; fe'i ychwanegir at fargarin, llaeth	Twf a chynhaliaeth yr esgyrn a'r dannedd	Braster-hydawdd, gellir ei storio yn y corff; gall y corff ei gynhyrchu pan fydd y croen yn derbyn golau haul; os na cheir digon o fitamin D, ni fydd yr esgyrn yn caledu a bydd y dannedd yn pydru
E	Olew llysiau, grawnfwydydd, melynwy	Yn cadw'r celloedd rhag niwed	Braster-hydawdd, gellir ei storio yn y corff
K	Llysiau gwyrdd, afu	Ar gyfer ceulo'r gwaed	Braster-hydawdd, gellir ei storio yn y corff

Bydd diet cytbwys, sy'n cynnwys amrywiaeth o fwydydd, yn cynnig yr holl fitaminau a'r mwynau sydd eu hangen i ganiatáu i'r corff weithredu'n effeithiol. Dim ond pan fydd y diet wedi'i gyfyngu gan afiechyd neu brinder bwyd neu brinder dewis o fwydydd y ceir prinder fitaminau a mwynau hanfodol.

FFIBR

Ceir hyd i ffibr, ar ffurf cellwlos, yn narnau ffibrog planhigion. Mae'n rhoi swmp a bwyd garw i'r corff. Nid yw ffibr yn werthfawr o ran maeth, ac ni all y corff ei dorri i lawr a'i ddefnyddio. Mae'n rhan bwysig o ddiet iach, fodd bynnag. Mae ffibr yn ychwanegu swmp i'r bwyd ac yn sbarduno cyhyrau'r coluddyn, gan annog y corff i gael gwared ar y cynhyrchion gwastraff a adewir ar ôl pan fydd y corff wedi treulio bwyd.

DŴR

Mae dŵr yn elfen hanfodol o'r diet. Mae'n cynnwys rhai mwynau, ond mae ei swyddogaeth, sef cynnal cydbwysedd hylifol iach yn y celloedd a llif y gwaed yn hanfodol os ydym am oroesi.

Y prif fwynau

Mwynau	Ffynhonnell bwyd	Swyddogaeth	Nodiadau
Calsiwm	Caws, wyau, pysgod, llaeth, iogwrt	Hanfodol ar gyfer twf yr esgyrn a'r dannedd	Yn cydweithio â fitamin D a ffosfforws; mae ei brinder yn peri bod perygl na fydd yr esgyrn yn caledu (y llech) a phydredd dannedd
Fflworid	I'w gael yn naturiol mewn dŵr, neu gellir ei ychwanegu i'r cyflenwad dŵr	Mae'n cyfuno â chalsiwm i ganiatáu i enamel y dannedd wrthsefyll pydredd	Mae safbwyntiau'n amrywio ynghylch ychwanegu fflworid i'r cyflenwad dŵr
Iodin	Dŵr, bwydydd y môr, fe'i ychwanegir at halen, llysiau	Rhaid ei gael er mwyn i'r chwarren thyroid weithio'n llwyddiannus	Mae diffyg ïodin yn achosi chwarren thyroid chwyddedig mewn oedolion, cretinedd mewn plant
Haearn	Cig, llysiau gwyrdd, wyau, afu, cig coch	Angenrheidiol i greu haemoglobin yng nghelloedd coch y gwaed	Mae diffyg haearn yn arwain at anaemia, sy'n achosi diffyg egni a diffyg anadl; mae fitamin C yn helpu'r corff i amsugno haearn
Sodiwm clorid	Halen bwrdd, bara, cig, pysgod	Angenrheidiol ar gyfer ffurfio hylifau'r celloedd, plasma gwaed, chwys, dagrau	Ni ddylid ychwanegu halen at unrhyw fwyd a baratowyd ar gyfer babanod; yn wahanol i arennau oedolion, ni all arennau babanod gael gwared ar halen sydd dros ben; mae gormodedd halen yn niweidiol mewn diet plentyn bach

Mae mwynau hybrin hanfodol eraill yn cynnwys:
Potasiwm, ffosfforws, magnesiwm, sylffwr, manganîs, sinc.

Gwirio'ch cynnydd

Enwch ddwy ffynhonnell protein cyflawn.

Enwch ddwy ffynhonnell protein anghyflawn.

Pam fod startsh yn ffynhonnell well ar gyfer carbohydrad na siwgr?

Beth yw'r gwahaniaethau hanfodol rhwng braster dirlawn a braster annirlawn?

Pam fod y ffaith bod fitamin yn fraster-hydawdd yn fantais?

Beth yw swyddogaeth:

(a) fitamin C?   (b) fitamin D?   (c) fitamin K?   (ch) haearn?   (d) calsiwm?

Pa fitamin sy'n helpu'r corff i amsugno haearn?

Pam fod gormod o halen mewn diet plentyn yn niweidiol?

Beth yw swyddogaeth hanfodol dŵr yn y diet?

Beth yw swyddogaeth hanfodol ffibr yn y diet?

Diet cytbwys

Ystyr diet cytbwys yw bwyta bwyd sy'n cyflenwi meintiau cywir o'r maetholion y mae eu hangen ar y corff. Mae'r corff yn gallu storio llawer o faetholion (er enghraifft **fitaminau braster-hydawdd**), felly mae'n bosibl derbyn maetholion dros gyfnod o sawl diwrnod er mwyn sicrhau'r cydbwysedd cywir.

Mae diet sy'n cynnwys amrywiaeth o fwydydd yn debyg o fod yn faethlon. Mae gwahanol gyfuniadau o fitaminau i'w cael mewn gwahanol fwydydd, ac felly bydd detholiad amrywiol o fwydydd yn sicrhau cyflenwad digonol o'r fitaminau angenrheidiol. Mae cynnig amrywiaeth o fwydydd yn rhoi'r cyfle i blant ddewis y bwydydd maent yn eu hoffi. Yn ogystal, mae'n eu hannog i brofi blasau eraill ac i roi cynnig ar fwydydd a ryseitiau newydd.

CYFRANNAU MAETHOLION

Mae plant yn tyfu trwy'r amser, ac felly mae angen llawer o brotein arnynt i ganiatáu i'r esgyrn a'r cyhyrau ffurfio. Yn ogystal, defnyddiant lawer o egni, ac felly mae angen carbohydrad ar ffurf startsh y gallant ei ddefnyddio yn ystod y dydd i gynnal eu gweithgareddau. Hefyd, bydd angen cyflenwadau digonol o fitaminau a mwynau.

Dyma faint y dylid eu cael bob dydd:

- dwy gyfran o gig neu fwydydd protein eraill, er enghraifft cnau a ffacbys

- dwy gyfran o brotein o gynnyrch llaeth (dylai figaniaid eu cyfnewid am ddau fwyd protein arall o ffynonellau planhigion)

- pedair cyfran o rawnfwydydd

- pum cyfran o ffrwythau a llysiau

- chwe glasiad o hylif, yn enwedig dŵr

Er bod plant yn fach o ran eu maint, rhaid iddynt gael cyflenwad sylweddol o fwyd. Mae'r tabl isod yn dangos cyfanswm y **caloriau** a argymhellir ar gyfer plant ac oedolion. Mesurir gwerth egni bwyd mewn caloriau: mae wy maint canolig, er enghraifft, yn 75 calori. Trwy gymharu anghenion plant ac oedolion ceir syniad o faint y gyfran. O ran caloriau, rhaid i blentyn 2-3 oed fwyta hanner y bwyd a fwyteir gan oedolyn.

Dyma nifer y caloriau sydd eu hangen ar blant ac oedolion:

Ystod oedran	Egni angenrheidiol mewn caloriau
0–1 oed	800
1–2 oed	1,200
2–3 oed	1,400
3–5 oed	1,600
5–7 oed	1,800
7–9 oed	2,100
Merched (oedolion)	2,200–2,500
Dynion	2,600–3,600.

Pan fydd plant wedi cael eu diddyfnu, gallant fwyta'r un bwyd ag oedolion.

Beth yw'r ffordd orau o ddarparu diet cytbwys?

Sawl cyfran o brotein y dylid eu cynnwys bob dydd yng nghyflenwad bwyd plentyn?

Beth yw mantais fitamin braster-hydawdd?

Faint o galorïau sydd eu hangen ar blentyn 2 oed?

Sawl cyfran o ffrwythau a llysiau y dylai plentyn eu bwyta bob dydd?

Dietau gwahanol grwpiau

Mae pob rhanbarth neu wlad wedi creu ei diet lleol ei hun dros gyfnod o flynyddoedd. Mae dietau wedi datblygu ar sail y bwydydd sydd ar gael, sydd yn eu tro'n dibynnu ar batrymau hinsoddol, daearyddol ac amaethyddol, yn ogystal â ffactorau cymdeithasol megis crefydd, diwylliant, dosbarth a dull o fyw. Mae pob diet yn cynnwys cydbwysedd o faetholion hanfodol.

Pan fydd pobl yn mudo, bydd eu diet yn mudo gyda hwy, ac fel rheol ânt ati i'w ailgreu fel ei fod yn rhan gyfarwydd o'u bywydau. Ni ddylid anghofio pwysigrwydd seicolegol bwyd cyfarwydd.

AGWEDDAU CREFYDDOL AR FWYD

I rai pobl, mae gan fwyd arwyddocâd crefyddol. Weithiau, caiff rhai bwydydd eu gwahardd, a bydd y gwaharddiadau hyn yn rhan o fywyd bob dydd pobl gyffredin. Nid yw cadw at waharddiadau crefyddol yn arwydd o fod yn drafferthus ynglŷn â bwyd. Mae parchu unigolyn yn cynnwys dangos parch at ei ddiwylliant a'i ddewisiadau crefyddol. Mae'n bwysig bod gweithwyr gofal plant yn siarad â rhieni a gofalwyr am anghenion bwyd plentyn, yn enwedig pan fydd y plentyn hwnnw neu honno yn dod o gefndir diwylliannol neu grefyddol sy'n wahanol i'ch cefndir chi.

Gall gwaharddiadau crefyddol effeithio ar ddiet Hindŵiaid, Sikhiaid, Mwslimiaid, Iddewon, Rastaffariaid ac Adfentyddion y Seithfed Dydd. O bosibl, bydd gwaharddiadau ar ddiet aelodau o grwpiau eraill.

Mae pobl yn unigolion ac felly bydd eu bwyd a'r gwaharddiadau arno'n amrywio; dylech fod yn ymwybodol o hyn wrth drafod diet gyda rhieni neu ofalwyr. Ni ellir cyffredinoli am ddietau gwahanol grwpiau, ond yn hytrach dylid awgrymu posibiliadau a ffactorau a allai fod yn bwysig ac y dylai gweithwyr gofal plant wybod amdanynt.

- Mae nifer o Hindŵiaid defosiynol yn llysieuwyr. Mae'r Hindŵ'n credu bod y fuwch yn anifail sanctaidd a gwaherddir bwyta cig eidion. Gwaherddir alcohol hefyd.

- Datblygodd Sikhiaeth o Hindŵiaeth. Mae rhai Sikhiaid yn dilyn gwaharddiadau dietegol tebyg i'r Hindŵiaid. Ychydig iawn o Sikhiaid sy'n bwyta cig eidion, ac ni chymeradwyir yfed alcohol.

- Y Qur'an Sanctaidd sy'n pennu'r gwaharddiadau ar ddiet Mwslimiaid a chredir mai dyma orchymyn Duw. Ni chaiff Mwslimiaid fwyta porc na chynnyrch porc, a gwaherddir alcohol yn llwyr. Caiff Mwslimiaid fwyta cigoedd eraill os ydynt yn *halal* (wedi eu caniatáu). Mae oedolion Mwslimaidd iach yn ymprydio yn ystod mis Ramadan.

- Ni chaniateir i Iddewon fwyta porc neu gynnyrch porc, pysgod cregyn, nac unrhyw bysgod heb esgyll neu gennau. Rhaid bod y cig a fwyteir wedi cael ei ladd drwy ddull arbennig er mwyn sicrhau ei fod yn kosher (addas). Ni ellir defnyddio llaeth a chig gyda'i gilydd wrth goginio.

- Mae'r mwyafrif o Rastaffariaid yn llysieuwyr, ond mae rhai yn bwyta cig, ac eithrio porc. Nid ydynt yn bwyta cynnyrch y winwydden, megis gwin, grawnwin, cyrren neu resins. Mae rhai Rastaffariaid yn bwyta bwyd a goginir mewn olew llysiau yn unig. Gwell ganddynt fwyd cyflawn.

- Nid yw Adfentyddion y Seithfed Dydd yn bwyta porc na chynnyrch porc.

GWAHARDDIADAU DIETEGOL ERAILL

- Nid yw llysieuwyr yn bwyta cig ac maent yn amrywio o ran faint o gynnyrch anifail eraill a fwyteir.

- Nid yw figaniaid yn bwyta cynnyrch anifail o gwbl. Rhaid gofalu bod diet fegan plentyn yn gytbwys, er mwyn sicrhau ei fod yn derbyn y maetholion cywir ar gyfer tyfu'n iawn.

Mae'n bwysig iawn i ystyried y pwyntiau hyn wrth baratoi gweithgareddau yn ymwneud â bwyd. Os ydych chi'n trefnu gweithgaredd coginio, er enghraifft, gwell sicrhau eich bod chi'n defnyddio braster llysiau, gan eu bod yn fwy derbyniol ar y cyfan. Erbyn hyn mae llawer mwy o bobl yn ystyried bwyta diet llysieuol neu un sy'n defnyddio llai ar gynnyrch anifail.

Gwirio'ch cynnydd

Pa waharddiadau dietegol a allai effeithio ar y canlynol?

(a) figaniaid?   *(b) Mwslimiaid?*   *(c) Rastaffariaid?*

(ch) Iddewon?   *(d) llysieuwyr?*   *(dd) Sikhiaid?*

Swyddogaeth gymdeithasol ac addysgol bwyd

Mae plant yn hoffi helpu i goginio a pharatoi bwyd yn y cartref a'r feithrinfa. Gall y gweithgareddau hyn greu cyfleoedd dysgu a gwella sgiliau datblygiadol.

DATBLYGIAD CORFFOROL

Datblygir sgiliau motor bras trwy gymysgu a churo. Bydd sgiliau llawdriniol yn gwella trwy dorri a throi. Mae tywallt, trosglwyddo cynhwysion fesul llwyaid a'u pwyso yn gwella cyd-symudiad llaw-llygad.

DATBLYGIAD GWYBYDDOL

Dysgir cysyniadau gwyddonol drwy weld effaith gwres ac oerni ar fwyd. Datblygir sgiliau mathemategol drwy gyfrif, dosbarthu a threfnu offer, gosod y bwrdd ar gyfer y nifer cywir o bobl a phwyso a mesur y cynhwysion. Gellir annog plant i gynllunio a gwneud penderfyniadau ynglŷn â beth maent yn mynd i'w fwyta.

DATBLYGIAD IEITHYDDOL

Gellir annog sgwrs a thrafodaeth yn ystod amser bwyd. Bydd cyfraniadau gan oedolion yn hyrwyddo ac yn ymestyn geirfa'r plant. Gall plant ac oedolion rannu'u syniadau a phrofiadau'r diwrnod.

DATBLYGIAD EMOSIYNOL

Yn aml bydd bwyta bwyd yn gysur, a rhannu a pharatoi bwyd ar gyfer eraill yn bleser. Bydd helpu i baratoi pryd iddynt hwy eu hunain ac i eraill yn rhoi synnwyr o gyflawniad i'r plant.

DATBLYGIAD CYMDEITHASOL

Gall plant ddysgu sgiliau bwydo'u hunain. Gallant rannu gydag eraill a dysgu am ymddygiad priodol yn ystod prydau bwyd. Mae amser bwyta'n gyfle da i deuluoedd a grwpiau eraill gyfnewid eu newyddion a'u syniadau.

Mae gweithgareddau'n gallu creu cyfleoedd dysgu

Problemau yn ymwneud â bwyd

Mae alergedd ac anoddefedd bwyd wedi cael llawer o sylw gan y cyfryngau. Ychydig o adweithiau i fwyd yn unig sy'n dangos alergedd go iawn, sef ymateb yn ymwneud ag adweithiau imiwn y corff.

ANODDEFEDD BWYD

Mae anoddefedd bwyd yn arwain at effeithiau anffafriol penodol yn y corff ar ôl bwyta bwyd penodol; gall hyn ddigwydd o ganlyniad i adwaith alergedd neu ddiffyg

ensymau. Rhaid cael goruchwyliaeth feddygol wrth ddileu'r bwyd o ddiet y plentyn. Os yw'r bwyd amheus yn cynnwys maetholion pwysig, er enghraifft llaeth, yna rhaid cynnwys dewisiadau eraill er mwyn sicrhau na fydd y diet yn brin o'r maetholion hynny. Rhaid creu dietau arbennig ar gyfer cyflyrau megis ffenylcetonwria (PKU) a chlefyd coeliag.

GWRTHOD BWYD

Mae plant bach yn gwrthod bwyd yn aml. Os yw pwysau corff a thaldra'r plentyn yn normal, os yw'n ffynnu ac os nad yw'r meddyg wedi dod o hyd i gyflwr meddygol, yna ni fydd rhaid i'r gofalwyr boeni. Mae'n bwysig na cheir gwrthdaro amser bwyd. Dylid cynnig bwyd i'r plentyn yn ystod amser bwyd a gadael iddo fwyta yn ôl ei archwaeth. Dylid symud unrhyw fwyd sydd ar ôl heb wneud unrhyw sylw. Cynigir y pryd nesaf ar yr amser arferol a ni roddir byrbrydau neu fwyd sothach rhwng prydau. Mae'n bwysig bod y plentyn yn bwyta gyda'r teulu yn hytrach nag ar ei ben ei hun. Gadewch i'r plentyn fwydo'i hun a pheidiwch â thynnu sylw at y llanastr os yw'n dysgu sut i wneud hyn. Dylai fod yn brofiad pleserus a chymdeithasol i'r plentyn, a dylid ei annog i fwynhau prydau bwyd gyda'r teulu neu gyda grwpiau eraill.

Dylai bwyta fod yn brofiad cymdeithasol, gyda'r teulu neu grwpiau eraill

Astudiaeth achos ...

... gwrthod bwyd

Nani yw Nerys. Mae hi'n gofalu am Rhydian, sy'n 2 flwydd 6 mis oed ac Anwen sy'n 6 mis oed, pan fydd eu rhieni'n gweithio. Mae Rhydian yn fachgen bywiog a hapus sy'n gyfarwydd iawn â Nerys, gan mai hi oedd ei nani cyn i Anwen gael ei geni.

Mae Nerys wedi parhau i ofalu am Rhydian a'i chwaer ers i'w mam ddychwelyd i'w gwaith 4 wythnos yn ôl. I bob golwg, mae Rhydian yn iach, ond bu'n gwrthod bwyta yn ystod yr wythnos neu bythefnos ddiwethaf. Dechreuodd gynhyrfu ac ar un achlysur taflodd ei blât ar y llawr pan fynnodd Nerys ei fod yn bwyta'i ginio. Mae Nerys wedi penderfynu ei bod hi'n bryd gwneud rhywbeth.

1. *Beth ddylai Nerys ei wneud yn gyntaf?*

2. *Pa gamau ddylai Nerys eu cymryd i geisio ailsefydlu arferion bwyta da Rhydian?*

ADCHWANEGION BWYD

Ychwanegir adchwanegion at fwyd er mwyn:

- ei gadw am gyfnod hirach
- ei gadw rhag halogiad
- cynorthwyo prosesu
- gwella lliw a blas
- rhoi maetholion a gollwyd wrth brosesu yn eu hôl.

Dylid bod yn ofalus ynglŷn ag adchwanegion yn nietau plant oherwydd:

- yn aml, maent yn bwyta mwy o fwydydd sy'n cynnwys adchwanegion, er enghraifft diodydd a melysion
- maent yn llai ac felly mae'r gyfran a fwyteir yn fwy mewn cyfrannedd â'u maint.

I leihau cyfanswm yr adchwanegion yn y diet:

- defnyddiwch fwydydd ffres mor aml â phosibl
- gwnewch eich pasteiod, cacennau, cawliau ac ati eich hunan
- osgowch fwydydd a broseswyd yn ddwys
- edrychwch ar y labeli; maent yn cynnwys rhestr o'r cynhwysion.

Astudiaeth achos ...

... labeli ar fwyd

Gwarchodwr plant yw Alwena. Mae hi'n gofalu am Eira, sy'n 4 oed, a Mali, sy'n 2 oed, bob dydd. Mae Alwena'n siopa yn yr uwchfarchnad, gan fod angen paratoi cinio Eira a Mali heddiw. Mae teulu Eira'n llysieuwyr, ac mae gan Mali alergedd i liwiau bwyd. Mae Alwena wedi prynu tun o ffa pob, fel rhan o ginio'r merched. Dyma gopi o'r wybodaeth ar y label sy'n nodi faint o faeth sydd yn y bwyd.

Ffa pob
Gwybodaeth am faeth

Gwerthoedd nodweddiadol	fesul 100g	fesul cyfran 150g
Egni	*75 calori*	*113 calori*
Protein	*4.7g*	*7.1g*
Carbohydrad	*13.6g*	*20.4g*
Braster	*0.2g*	*0.3g*
Ffibr	*3.7g*	*5.6g*
Sodiwm	*0.5g*	*0.7g*

Dim lliwiau artiffisial

1. *Beth mae'r label yn ei ddweud wrthych am gynnwys y bwyd?*

2. *A fydd Alwena'n gallu rhoi'r bwyd i Mali?*

3. *A fydd Alwena'n gallu rhoi'r bwyd i Eira?*

Rhifau E

Rhoddir rhif i bob adchwanegyn bwyd a ganiateir. Os yw'r Undeb Ewropeaidd (EU) yn ogystal â'r DU wedi derbyn y rhif, yna rhoddir E o flaen y rhif – **rhif E**. Rhaid rhoi enw dosbarth megis 'cyffeithydd' cyn rhif yr adchwanegyn i nodi pam y mae yno, er enghraifft cyffeithydd E200.

term allweddol

Rhif E

rhif a roddwyd i adchwanegyn ac a gymeradwyid gan yr Undeb Ewropeaidd

Adchwanegion bwyd ac ymddygiad

Efallai y bydd rhai plant yn ymddwyn yn afreolus ar ôl cymryd, er enghraifft, diod ffrwythau oren neu felysion lliwgar, ac yn tawelu eto pan ddilëir y lliwiau hyn o'r diet. Nid yw osgoi adchwanegion yn mynd i effeithio ar werth maeth y diet, o reidrwydd, ond nid ddylid dilyn trefn fwyta lle na cheir digon o faeth yn y diet. Bydd paediatregydd, sef meddyg sy'n arbenigo mewn trin plant, yn gwneud diagnosis o orfywiogrwydd fel cyflwr meddygol. Y paediatregydd sy'n gyfrifol am ragnodi newidiadau yn y diet, er enghraifft dietau dileu, a'r dietegydd sy'n goruchwylio'r newid hwnnw. Anaml iawn, fodd bynnag, y bydd problemau ymddygiad a gorfywiogrwydd yn codi o ganlyniad i adchwanegion bwyd yn unig. Fel rheol, mae ffactorau eraill hefyd yn gyfrifol am hyn.

BWYD A THLODI

Mae ymchwil wedi dangos mai bwyd yw un o'r pethau cyntaf i ddioddef pan fydd arian yn brin. Gall hyn gael effaith mawr ar werth maeth diet teuluoedd ar incwm isel.

O bosibl, bydd ffactorau eraill yn cyfrannu at hyn: efallai bod adnoddau coginio'n brin, neu ddim yn bodoli os yw'r teulu, er enghraifft, yn byw mewn llety gwely a brecwast ac yn gorfod bwyta bwyd a goginiwyd cyn ei brynu. Yn ogystal, mae pris tanwydd ar gyfer coginio yn ffactor bwysig os yw arian yn brin. Ni fydd modd siopa o gwmpas am fwyd i gael hyd i'r fargen neu ddewis orau os oes rhaid talu am y bws, neu gario'r bwyd yn bell.

Dan yr amgylchiadau hyn, mae gwybod am fwyd a'r maetholion sy'n hanfodol ar gyfer diet digonol yn bwysig iawn. Rhaid i bob cymorth ganolbwyntio ar sicrhau diet digonol o fewn cyllideb a gallu'r teulu. Bydd gwybod pa fwydydd, o blith y bwydydd rhatach, sy'n cynnwys y maetholion angenrheidiol, yn sicrhau bod y cyngor a roddir yn synhwyrol.

Gwirio'ch cynnydd

Sut allwch chi wybod bod yr Undeb Ewropeaidd wedi cymeradwyo adchwanegyn bwyd?

Beth yw'r ddau brif reswm dros gynnwys adchwanegion mewn bwyd?

Disgrifiwch ddwy enghraifft o anoddefedd bwyd.

Pa strategau fyddech chi'n eu defnyddio i ddelio â'r sefyllfa pe gwrthodir bwyd?

Diogelwch bwyd

Mae bwyd yn hanfodol ar gyfer iechyd da ac er mwyn goroesi, ond rhaid sicrhau nad yw'n cael ei lygru gan facteria niweidiol a allai achosi gwenwyn bwyd. Ers Ionawr 1991 mae'r deddfau yn ymwneud â storio a thrin bwyd mewn siopau a bwytai yn llymach. O ganlyniad i'r deddfau hyn, mae bwyd yn fwy diogel a glân. Ar ôl prynu bwyd, rhaid ei storio'n ddiogel a'i baratoi'n lanwaith er mwyn atal gwenwyn bwyd.

PRYNU BWYD

- Edrychwch ar y dyddiadau 'defnyddiwch erbyn'.

- Ewch â bwyd oer a rhewedig adref ar unwaith a defnyddiwch fag wedi'i insiwleiddio.

- Gwnewch yn siŵr eich bod chi'n prynu o siop lle mae bwydydd a goginiwyd a bwyd amrwd yn cael eu storio a'u trin ar wahân.

STORIO YN Y CARTREF

- Rhowch fwydydd oer a rhewedig yn yr oergell neu'r rhewgell mor fuan â phosibl.

- Rhaid i adran oeraf yr oergell fod rhwng 0 a 5°C, a thymheredd y rhewgell fod islaw 18°C: defnyddiwch thermomedr oergell i wirio'r tymheredd.

- Cadwch gig a physgod amrwd mewn cynwysyddion ar wahân yn yr oergell a storiwch hwy'n ofalus ar y silff waelod fel nad ydynt yn cyffwrdd â bwydydd eraill nac yn diferu arnynt.

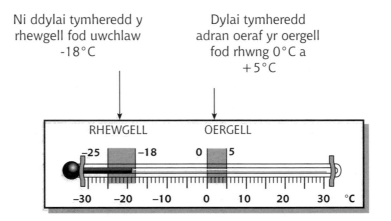

Tymereddau ar gyfer storio gartref, yn yr oergell neu'r rhewgell

YN Y GEGIN

- Golchwch eich dwylo'n dda bob tro cyn trin bwyd.

- Rhowch orchudd dwrglos ar friwiau.

- Gwisgwch ffedog a chlymwch y gwallt yn ôl wrth baratoi bwyd.

- Peidiwch â chyffwrdd â'ch trwyn neu'ch ceg, neu beswch a thisian yn y man paratoi bwyd.

- Dylid diheintio ac adnewyddu clytiau a sbyngau cegin yn aml.

- Diheintiwch bob arwyneb gwaith yn gyson, yn enwedig cyn paratoi bwyd.

Storiwch gig a physgod amrwd ar silff waelod yr oergell

COGINIO

Dylid dilyn y canllawiau canlynol bob amser wrth baratoi a choginio bwyd:

- Sicrhewch fod y bwyd wedi'i ddadrewi'n llwyr cyn ei goginio.

- Sicrhewch fod y bwyd wedi'i goginio'n drwyadl – rhaid cymryd gofal arbennig gyda chyw iâr a chig, a sicrhau bod y canol wedi cael ei goginio.

- Paratowch gig amrwd ar wahân – defnyddiwch fwrdd a chyllell ar wahân.

- Dylid oeri bwyd a goginiwyd yn gyflym ac yna ei roi yn yr oergell neu'r rhewgell.

- Gorchuddiwch unrhyw fwyd sy'n sefyll yn y gegin.

- Dylid coginio wyau yn drwyadl cyn eu bwyta. Ar gyfer babanod a phlant, coginiwch yr wyau nes bydd y gwynnwy a'r melynwy'n solid.

- Dim ond unwaith y dylid aildwymo bwyd a goginiwyd – dylid ei aildwymo nes ei fod yn chwilboeth drwyddo.

- Ail-dwymwch brydau oer a goginiwyd yn iawn.

- Ni ddylai merched beichiog ac unrhyw un sy'n tueddu i gael heintiau fwyta pate, na chawsiau meddal fel Brie a Camembert.

Mae plant yn fwy tueddol o gael heintiau, ac felly mae'n bwysig sicrhau bod eu bwyd yn cael ei baratoi a'i drin yn ddiogel. Mae'n bwysig hefyd bod plant yn dysgu'r rheolau sylfaenol ynglŷn â thrin bwyd. Sicrhewch eu bod yn golchi'u dwylo bob amser cyn bwyta. Os bydd plant yn paratoi bwyd fel rhan o weithgaredd addysgol, rhaid dilyn y rheolau diogelwch bwyd bob amser. Mae'n rhaid i blant ddeall pam fod hyn yn bwysig, fel y gallant ddatblygu sgiliau byw pwysig.

Gwirio'ch cynnydd

Beth yw rheolau sylfaenol trin bwyd?

Os prynwch fwyd oer neu rewedig, beth yw'r ffordd orau o'i gludo?

Beth ddylai tymheredd adran oeraf yr oergell fod?

Ble ddylech chi storio cig a physgod amrwd?

Cysylltwch bob bwyd yn y tabl isod gyda'r fitaminau a'r mwynau sydd ynddo.

Fitamin/mineral	Bwyd
Grŵp B	Wy
A	Olew llysiau
C	Moron
D	Afu
Calsiwm	Bresych
Haearn	Caws
E	Pinafal
K	Llysiau gwyrdd
Fflworid	Llaeth
Sodiwm clorid	Dŵr

Nawr rhowch gynnig ar y cwestiynau hyn

Beth yw'r maetholion hanfodol a geir mewn diet cytbwys? Rhowch esiamplau o fwydydd sy'n cynnwys y maetholion hyn.

Beth fyddech chi'n ei gynnwys fel rhan o fwydlen plentyn 3 oed am un diwrnod? Dangoswch sut y llwyddwyd i sicrhau diet cytbwys.

Sut fyddech chi'n sicrhau bod cyfnodau bwyta'n brofiad pleserus i blentyn 4 oed?

Beth yw'r pwyntiau pwysig y dylid eu cofio er mwyn sicrhau bod bwyd yn ddiogel i'w fwyta?

Sut gall tlodi effeithio ar ddiet plentyn?

Pennod 4: Twf a Datblygiad Plentyn

Mae dealltwriaeth o sut mae plant yn datblygu'n allweddol i bawb sy'n gweithio ym maes blynyddoedd cynnar. Bydd yr hyn a ddysgwch yn y bennod hon yn sail i lawer o'ch gwaith a rhan sylweddol o gynnwys penodau eraill.

Mae'r bennod hon yn ymdrin â datblygiad plant o 0 i 7 mlwydd 11 mis oed. Bydd yn eich helpu i gyflawni gofynion llawer o'r penodau mewn perthynas â Safonau Galwedigaethol Cenedlaethol.

Ar ôl cwblhau'r bennod hon, bydd gennych ddealltwriaeth sylfaenol ac eang o gamau datblygiad corfforol, deallusol, emosiynol a chymdeithasol plant, ac o'u datblygiad gwybyddol ac ieithyddol. Dylech fedru deall beth yw rôl oedolion o ran datblygiad y plentyn a deall beth yw pwrpas ac anfanteision dulliau o fesur datblygiad. Dylech fedru adnabod canlyniadau datblygu y tu allan i'r norm derbyniol a defnyddio technegau sylfaenol i reoli ymddygiad.

1. EGWYDDORION CYFFREDINOL DATBLYGIAD PLANT

2. DATBLYGIAD GWYBYDDOL

3. DATBLYGIAD IAITH

4. DATBLYGIAD CORFFOROL

5. DATBLYGIAD EMOSIYNOL A CHYMDEITHASOL

6. YMLYNIAD, GWAHANIAD A CHOLLED

7. RHEOLI YMDDYGIAD

EGWYDDORION CYFFREDINOL DATBLYGIAD PLANT

Mae oedolion yn chwarae rhan hanfodol o ran hyrwyddo datblygiad plant. Os nad yw plant yn cysylltu ag eraill, ni allant ddatblygu. Rhaid i blant brofi perthnasau cadarnhaol, gofalgar er mwyn datblygu'n iach.

Er mai'r teulu yn anad neb sy'n gyfrifol am ddarparu'r gofal pennaf, yn y man bydd pob plentyn yn treulio amser gyda gofalwyr eraill, boed hynny yn yr ysgol, mewn meithrinfeydd, neu gyda nanis neu warchodwyr plant. Gan fod gweithwyr gofal plant yn darparu gofal dirprwyol, mae'n hanfodol eu bod yn gwybod am, ac yn deall, y gwahanol gamau o ran datblygiad plant. Mae helpu plant i ddatblygu'n iach yn rhan bwysig o gyfrifoldeb gweithwyr gofal plant. Mae'n bwysig bod gweithwyr yn cefnogi ac yn meithrin y plant dan eu gofal.

Bydd y rhan hon yn ymdrin â'r pynciau canlynol:

⌒ persbectifau damcaniaethol yn ymwneud â datblygiad

⌒ mesuriadau a cherrig milltir.

Persbectifau damcaniaethol yn ymwneud â datblygiad

termau allweddol

Damcaniaethau datblygiad

syniadau yn ymwneud â sut a pham mae datblygiad yn digwydd

Damcaniaethau dysgu

mae plant yn datblygu fel y gwnânt am eu bod yn cysylltu â phobl eraill ac yn dysgu oddi wrthynt

Dylai pawb sy'n gweithio ym maes gofal plant ystyried pam fod datblygiad yn digwydd o gwbl. Ceir dwy **ddamcaniaeth datblygiad** sylfaenol. Ystyr damcaniaeth yw syniad yn ymwneud â pham fod rhywbeth yn digwydd.

Dyma'r ddwy ddamcaniaeth datblygiad sylfaenol:

● Mae datblygiad yn digwydd am fod bodau dynol wedi eu rhaglennu'n enetig i ddatblygu mewn ffordd arbennig. Gelwir y rhain yn **ddamcaniaethau biolegol** (syniad yn ymwneud â natur neu etifeddeg).

● Mae pobl yn dysgu eu hymatebion a'u sgiliau. Gelwir y rhain yn **ddamcaniaethau dysgu** (syniad yn ymwneud â magwraeth neu amgylchedd).

Mae pobl yn tueddu i ddefnyddio cyfuniad o'r syniadau, neu'r damcaniaethau, hyn er mwyn deall ac ymwneud â phlant. Drwy fod yn ymwybodol o'r damcaniaethau hyn, gall ofalwyr ddod o hyd i'r dull mwyaf priodol o ymateb i blant a gofalu amdanynt.

Yn gymharol, mae bioleg ac aeddfediad yn effeithio mwy ar ddatblygiad corfforol plant nag ar eu datblygiad emosiynol a chymdeithasol. Mae symbyliad a dysg yn hanfodol ym mhob maes datblygiad, fodd bynnag.

term allweddol

Damcaniaethau biolegol
mae'r hyn a etifeddwn yn enetig gan ein rhieni biolegol yn penderfynu beth fydd ein natur, cymdeithasgarwch, ymatebion emosiynol a'n deallusrwydd

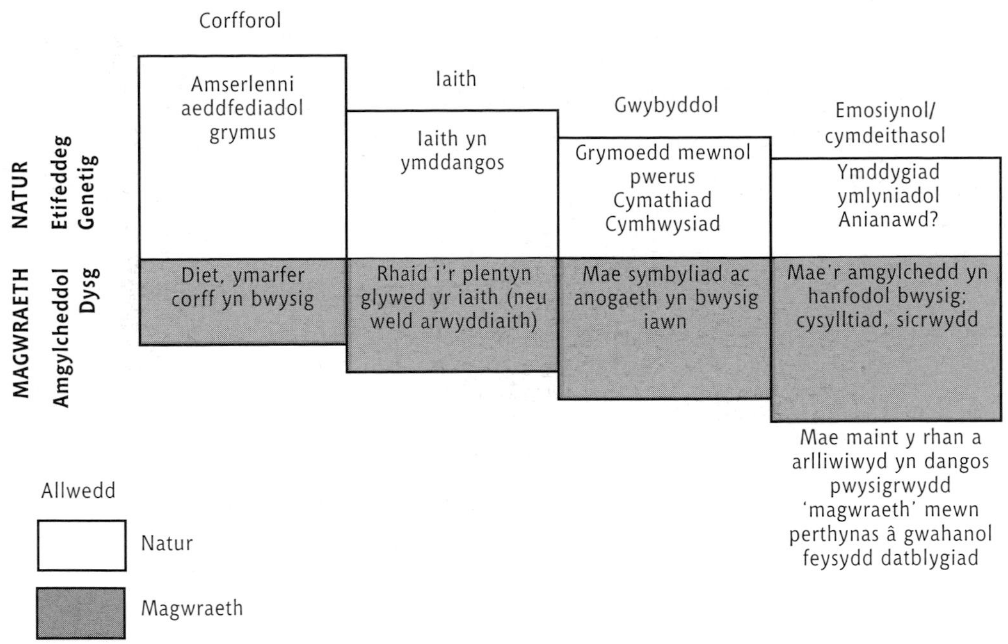
Corfforol
Iaith
Gwybyddol
Emosiynol/ cymdeithasol
NATUR Etifeddeg Genetig
MAGWRAETH Amgylcheddol Dysg
Amserlenni aeddfediadol grymus
Iaith yn ymddangos
Grymoedd mewnol pwerus Cymathiad Cymhwysiad
Ymddygiad ymlyniadol Anianawd?
Diet, ymarfer corff yn bwysig
Rhaid i'r plentyn glywed yr iaith (neu weld arwyddiaith)
Mae symbyliad ac anogaeth yn bwysig iawn
Mae'r amgylchedd yn hanfodol bwysig; cysylltiad, sicrwydd
Mae maint y rhan a arlliwiwyd yn dangos pwysigrwydd 'magwraeth' mewn perthynas â gwahanol feysydd datblygiad
Allwedd
Natur
Magwraeth

Mae hwn yn dangos dylanwad cymharol natur a magwraeth ar y gwahanol feysydd datblygiad

DYLANWAD FFACTORAU ERAILL AR DDATBLYGIAD

Trafodir rôl ffactorau cymdeithasol, diwylliannol, crefyddol, economaidd ac amgylcheddol mewn perthynas â hyrwyddo datblygiad, a darparu ar gyfer plant sy'n datblygu y tu allan i'r normau derbyniol.

Gwirio'ch cynnydd

Beth yw damcaniaeth?

Beth yw'r ddau syniad cyferbyniol ynglŷn â pham mae datblygu'n digwydd fel y mae?

Beth yw dylanwadau cymharol natur a magwraeth ar wahanol feysydd datblygiad?

Mesuriadau a cherrig milltir

termau allweddol

Aeddfedrwydd
bod wedi datblygu'n llawn a medru rheoli'ch hunan

Annibyniaeth
datblygu sgiliau sy'n arwain at lai o ddibyniaeth ar bobl eraill am gymorth neu gefnogaeth

LLWYBR DATBLYGIAD

Mae llwybr datblygiad plant ym mhob maes yn arwain at **aeddfedrwydd** ac **annibyniaeth**. Ystyr aeddfedrwydd yw bod wedi datblygu'n llawn a medru rheoli. Mae bod yn annibynnol yn golygu datblygu sgiliau sy'n arwain yn raddol at lai o ddibyniaeth ar bobl eraill am gymorth neu gefnogaeth.

Y CYSYLLTIADAU RHWNG GWAHANOL FEYSYDD DATBLYGIAD

At bwrpas y bennod hon, rhennir y gwahanol feysydd datblygiad, ond mewn gwirionedd mae cysylltiad rhwng pob maes datblygiad. Maent yn dylanwadu ar, ac yn cael eu dylanwadu gan ei gilydd. Dyma rai enghreifftiau o'r cysylltiadau agos sy'n bodoli rhwng gwahanol feysydd datblygiad:

- *cerdded* – mae hon yn garreg filltir o ran datblygiad corfforol, yn caniatáu i'r

plentyn symud mwy a dod yn fwy annibynnol. Mae hyn yn cynyddu'r cysylltiadau cymdeithasol posibl a thrwy hynny'n hyrwyddo datblygiad cymdeithasol

- *siarad* – mae datblygiad iaith yn caniatáu i blant symud o gyfathrebu di-eiriau gyda gofalwyr agos i gyfathrebu mwy cymhleth gyda phobl eraill. Mae hyn yn hyrwyddo datblygiad cymdeithasol

- *ymgyfarwyddo â bod ar wahân i'r prif ofalwr/wyr* – cam mewn datblygiad emosiynol sy'n cynnig ystod ehangach o brofiadau a pherthnasau. Mae hyn yn rhoi mwy o gyfle i blant chwarae a dysgu ac felly datblygu'n ddeallusol.

Mae cysylltiadau agos rhwng y gwahanol feysydd datblygiad

DEFNYDDIO MESURIADAU A CHERRIG MILLTIR

Mae **oed cronolegol** plant wrth gyrraedd cerrig milltir o ran eu datblygiad yn amrywio'n fawr. Dyma rai o'r pethau pwysicaf i'w cofio wrth ystyried oedrannau a chamau datblygiad:

- Mae camau datblygiad plant yn hawdd eu hadnabod.

- Mae plant yn mynd drwyddynt ar wahanol oedrannau – bydd un plentyn yn medru gwneud pethau'n gynt na phlentyn arall. Nid yw'r ffaith bod un plentyn yn iau nag un arall wrth gyrraedd cam amlwg yn arwyddocaol; nid yw'n golygu bod problemau datblygiadol, o reidrwydd.

- Mae datblygiad unrhyw sgìl yn dibynnu ar aeddfediad y system nerfol a hefyd ar y cyfle a geir i ymarfer y sgìl hwnnw.

Amrywiadau yn yr oedrannau cyflawni

term allweddol

Cyfartaledd

canol, safon neu 'norm'

Mae canlyniadau astudiaethau yn dangos bod plant yn amrywio o safbwynt cyflymder eu datblygiad a'u hoedran wrth gyrraedd gwahanol gamau datblygiad. Er hyn, mae'n ddefnyddiol i ddisgrifio oed **cyfartalog** pan ellir disgwyl y bydd plant wedi cyrraedd cam datblygiad penodol.

Pan fydd plant wedi datblygu i'r graddau y disgwyliwn am eu hoedran, mae'n dderbyniol i ddweud bod hyn yn 'briodol i'r oedran', ac i ddweud bod plant nad ydynt wedi datblygu i'r graddau y disgwyliwn am eu hoedran, neu'n arafach na'r cyfartaledd, 'heb gyrraedd y cam datblygiad a ddisgwylir am eu hoedran'. Nid yw'n werthfawr i ddefnyddio'r gair 'normal' i ddisgrifio datblygiad, er bod y gair yn cael ei gysylltu â'r norm neu'r cyfartaledd, gan y byddai unrhyw beth nad yw'n ffitio'r patrwm hwn yn cael ei alw'n 'annormal' ac nid yw hwn yn derm priodol na derbyniol ar gyfer disgrifio oedi yn y datblygiad.

Astudiaeth achos ...

... chwarae gyda'i gilydd

Mae Medwen a Lisa'n 4 oed. Maent yn byw drws nesaf i'w gilydd ac yn chwarae'n aml yng nghartrefi a gerddi ei gilydd. Un o'u hoff bethau yw gwneud pabell o hen orchuddion gwely a chael picnic. Weithiau byddant yn cweryla, a bydd rhiant yn ymyrryd i'w helpu i ddatrys eu problemau. Yn ddiweddar mae Geraint, brawd bach Medwen, wedi dechrau ymuno yn y chwarae. Byth a hefyd, mae Geraint yn cymryd pethau o'u picnic ac yn eu llenwi â thywod; mae'n sgrechian pan fydd y merched yn ceisio'i rwystro, ac yn taflu ei hun ar y llawr pan ddaw ei fam i weld o ble mae'r sŵn yn dod. Mae Medwen yn fodlon i'w brawd chwarae gyda hwy, ond dim ond os bydd yn gwrando arnynt.

1. *Rhestrwch yr enghreifftiau o ymddygiad plant sy'n briodol ar gyfer yr oed a ddisgrifir yn y stori hon.*

2. *A geir enghreifftiau o oedi mewn datblygu?*

MESURIADAU NORMADOL

Er mwyn sefydlu oedrannau datblygiad cyfartalog, ystyriwyd sylwadau nifer o bobl yn gweithio o fewn gwahanol feysydd proffesiynol. Fe'u defnyddiwyd i ddisgrifio cyfartaledd neu norm y gellir mesur datblygiad unrhyw blentyn unigol yn ei erbyn. Gelwir y mesuriadau hyn yn **fesuriadau normadol**. Er enghraifft, wrth arsylwi gwenau cymdeithasol cyntaf plant yn gyson, deallwyd mai 6 wythnos yw'r oed, ar gyfartaledd, pan wenir yn gymdeithasol am y tro cyntaf. Mae manteision ac anfanteision i ddefnyddio mesuriadau normadol, fel yr amlinellir isod.

term allweddol

Mesuriadau normadol

cyfartaledd neu norm y gellir mesur datblygiad unrhyw blentyn unigol yn ei erbyn

Manteision defnyddio mesuriadau normadol

Mae defnyddio cyfartaleddau neu normau yn ddefnyddiol oherwydd

- mae'n bodloni chwilfrydedd gofalwyr ynglŷn â'r hyn y dylai plentyn fod yn ei gyflawni ar oedran arbennig, ac yn eu helpu i wybod beth i'w ddisgwyl

- mae'n rhoi gwybodaeth gefndirol a fframwaith y gellir ei defnyddio i asesu oedi mewn datblygu

- mae'n helpu pobl i asesu cynnydd plentyn ar ôl anaf neu afiechyd, a gellir ei ddefnyddio i benderfynu a oes angen mwy o gymorth neu symbyliad ar y plentyn.

Anfanteision defnyddio mesuriadau normadol

Dyma anfanteision defnyddio normau datblygiad:

- gall gofalwyr feddwl bod plentyn yn 'dda' pan yw'n cyfateb i'r norm, a 'drwg' os nad yw wedi cyrraedd y norm

- mae'n bosib y bydd gofalwyr a phobl eraill yn cyfeiliorni trwy feddwl bod nam ar y plentyn, er mai dim ond araf i ddatblygu mewn rhyw ffordd y mae mewn gwirionedd.

Gwirio'ch cynnydd

Pam nad yw'n ddefnyddiol i siarad am ddatblygiad 'normal'?

Beth yw mesur normadol datblygiad?

Beth yw manteision ac anfanteision defnyddio mesuriadau datblygiad cyfartalog?

Nawr rhowch gynnig ar y cwestiynau hyn

Pam fod plant yn cyrraedd camau datblygiad arbennig ar wahanol oedrannau cronolegol?

Disgrifiwch arwyddocâd cymharol natur a magwraeth yng ngwahanol feysydd datblygiad.

DATBLYGIAD GWYBYDDOL

Yn y rhan hon byddwch yn dysgu am agweddau ar ddatblygiad gwybyddol: dychymyg, creadigrwydd, datrys problemau, ffurfio cysyniadau, ymresymiad, cof a chanolbwyntio. Amlinellir dilyniant datblygiadol gwybyddiaeth plant. Bydd y rhan yn ystyried damcaniaeth Piaget am ddatblygiad gwybyddol, gan asesu ei ddylanwad ochr yn ochr â beirniadaethau o'i ganfyddiadau a chanlyniadau astudiaethau eraill yn y maes hwn. Ar ddiwedd y rhan, edrychir ar sut y gall gofalwyr gefnogi ac annog datblygiad gwybyddol plant:

⌣ beth yw datblygiad gwybyddol?

⌣ gallu pob plentyn i gael mynediad i brofiadau dysgu

⌣ damcaniaeth Piaget am ddatblygiad gwybyddol

⌣ rôl oedolyn o ran hyrwyddo datblygiad gwybyddol.

Beth yw datblygiad gwybyddol?

DYCHYMYG

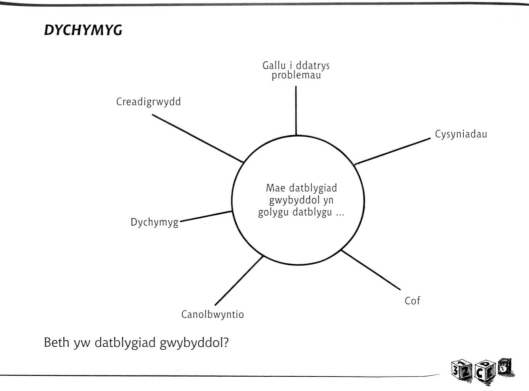

Beth yw datblygiad gwybyddol?

term allweddol

Dychmyg
y gallu i ffurfio delweddau meddyliol, neu gysyniadau o wrthrychau nad ydynt yn bresennol neu'n bodoli

Dychmyg yw'r gallu i ffurfio delweddau meddyliol o wrthrychau nad ydynt yn bresennol neu'n bodoli, neu ffurfio cysyniadau amdanynt. Er enghraifft, mae'n weddol hawdd i greu delweddau o'r traeth, y bydysawd, teidiau a neiniau, ysgol neu siocled.

Mae'r dychymyg yn sail i nifer o weithgareddau sy'n rhoi pleser i ni:

- llyfrau
- ffilmiau a theledu
- dawns
- celfyddyd
- cerddoriaeth
- dylunio.

Mae'r rhain yn rhan o ddiwylliant cymdeithas. Yn aml, maent yn ffurfio sail gweithgareddau y mae pobl yn dewis eu gwneud yn eu hamser eu hunain. Maent yn cynnig ffordd o ymlacio a gwella ansawdd bywyd.

Mae'r dychymyg hefyd yn rhan o'r gweithgareddau canlynol:

- **datrys problemau**
- meddwl arloesol a gwreiddiol.

term allweddol

Datrys problemau
y gallu i gasglu ynghyd ac asesu gwybodaeth am sefyllfa er mwyn darganfod ateb

Mae syniadau newydd ac arloesol, a datrys problemau, yn arwain at newid. Mae'r dychymyg yn agwedd bwysig ar syniadau. Efallai mai dyfais yw'r syniad, er enghraifft y ffôn, teledu, car, awyren. Yn wreiddiol, roedd bob un ohonynt yn syniadau yn rhan o ddychymyg rhywun neu'i gilydd. Ar y llaw arall, gall y syniad fod yn ateb i broblem sydd eisoes yn bodoli, er enghraifft problem bob dydd neu unigol, problem wyddonol neu feddygol, problem gymdeithasol neu fyd-eang. Yr un yw'r broses: rhaid cael dychymyg er mwyn darganfod ffyrdd newydd neu anarferol o ddatrys problemau.

Mae chwarae dychmygus plant ifainc hefyd yn arwain at ddatblygu sgiliau pwysig eraill. Trwy ddefnyddio'u dychymyg i chwarae, mae plant yn datblygu'r gallu i ddefnyddio un gwrthrych i gynrychioli un arall, er enghraifft defnyddio dol i gynrychioli babi, defnyddio padell i gynrychioli het, a defnyddio tywod a cheir tegan i gynrychioli trac rasio. Gelwir hyn yn chwarae symbolig: defnyddir un gwrthrych fel symbol ar gyfer un arall.

Gellir trosglwyddo'r sgìl hwn. Os gall plentyn ddefnyddio symbolau wrth chwarae, gallant drosglwyddo'r sgìl i ddysgu sut i ddarllen ac ysgrifennu, gan fod hyn yn golygu defnyddio symbolau, yn yr achos hwn llythrennau a geiriau i gynrychioli'r gair llafar.

Plant a dychymyg

Nid oes rhaid dysgu plant i ddefnyddio'u dychymyg. Byth a hefyd, mae eu chwarae yn dangos eu dychymyg. Dyma rai enghreifftiau; mae digon o rai eraill:

- yn ystod gweithgareddau creadigol megis peintio neu *collage*
- cymryd arnynt eu bod yn rhywun, neu rywbeth, arall wrth **chwarae rôl**
- creu gwrthrych neu ddyluniad
- meddwl am stori neu gerdd
- creu gwrthrychau allan o flychau mawr gwag
- symud i sŵn cerddoriaeth neu ddawnsio

term allweddol

Chwarae rôl
esgus eich bod yn rhywun, neu rywbeth, arall

- gwneud cerddoriaeth

- gwrando ar straeon.

Mae'n bwysig meithrin y sgiliau dychmygus hyn, sy'n golygu rhoi'r cyfle i blant fynegi a datblygu eu syniadau. Dylech roi'r amser, gofod, defnyddiau ac anogaeth i alluogi'r plant i wneud hyn.

Chwarae rôl

Wrth chwarae rôl mae'r plant yn troi'n rhywun neu rywbeth arall. Mae dychymyg yn rhan bwysig o'r chwarae hwn. Mae'n bosibl bod y plentyn yn dynwared rhywun, neu rywbeth, a welsant, er enghraifft cynorthwyydd mewn siop, meddyg, gweinydd neu gymeriad ar y teledu. Yn ogystal, mae plant yn creu cymeriadau neu sefyllfaoedd newydd, ac weithiau unigryw, wrth chwarae. Mae'r cymeriadau a'r sefyllfaoedd hyn yn dod o'u dychymyg.

Mae chwarae rôl o bob math yn bwysig gan ei fod yn caniatáu i'r plentyn brofi gwahanol rolau, er enghraifft:

- creu cymeriadau dychmygol a rhoi cynnig ar rolau newydd a gwahanol

- dynwared pobl a welsant

- actio sefyllfaoedd sy'n gyfarwydd iddynt

- creu cymeriadau a sefyllfaoedd newydd.

Mae chwarae rôl yn caniatáu i blant ddarganfod, holi, trefnu a deall eu hamgylchedd. Gallant ymarfer a datblygu eu sgiliau cyfathrebu; gallant ddysgu mwy am deimladau. Gellir gwneud hyn o fewn amgylchedd diogel gan fod modd rhoi'r gorau i'r chwarae unrhyw bryd. Mae hyn yn rhan bwysig o'u datblygiad cyffredinol.

Gwirio'ch cynnydd

Beth yw dychymyg?

Enwch rai pethau y mae angen dychymyg ar eu cyfer.

Esboniwch pam fod dychymyg yn bwysig.

Beth yw chwarae symbolig?

Pam fod chwarae symbolig yn bwysig?

Sut mae'r gallu i symboleiddio'n helpu plant i ddarllen ac ysgrifennu?

Beth yw chwarae rôl?

Enwch ddwy ffordd y mae plant yn cymryd rhan mewn chwarae rôl.

Beth yw manteision chwarae rôl?

CREADIGRWYDD

term allweddol

Creadigrwydd

mynegiant o syniadau mewn ffordd bersonol ac unigryw

Ystyr **creadigrwydd** yw mynegi syniadau llawn dychymyg mewn ffordd bersonol ac unigryw. Pan fydd pobl yn ysgrifennu llyfrau, gwneud ffilmiau, chwarae neu ysgrifennu cerddoriaeth, actio, dawnsio, peintio, creu adeiladau neu erddi prydferth neu ddatrys problemau mewn ffordd arloesol, dywedwn eu bod yn greadigol.

Ceir llawer o drafodaeth ynglŷn â beth yw creadigrwydd, ac a yw'n cael ei ddysgu neu'n gynhenid. Mae'n anodd dweud yn benodol beth sydd neu sydd ddim yn greadigol, felly, ond er mwyn ei alw'n greadigol rhaid bod rhywbeth yn dangos nifer o'r nodweddion canlynol:

- y defnydd o ddychymyg

- mae'n dechrau gyda chanlyniad penagored

- mae'n fynegiant personol o syniadau

- mae'n unigryw o ran ei broses a'i gynnyrch

- mae'r broses yr un mor bwysig â'r cynnyrch.

Plant a chreadigrwydd

Mae gweithgareddau creadigol yn rhoi'r cyfle i blant feddwl y tu hwnt i'r pethau amlwg a datblygu eu syniadau eu hunain. Mae hwn yn sgìl pwysig iawn ar gyfer dysgu yn y dyfodol. Nid oes rhaid dysgu plant i fod yn greadigol. Rhaid iddynt gael yr amser, gofod, defnyddiau ac anogaeth i ddatblygu eu syniadau eu hunain. Mae hyn yn bwysig: mae bod yn greadigol yn golygu mynegi syniadau personol, nid copïo neu ddynwared syniadau rhywun arall.

Weithiau mae'n ddigon i roi'r cyfle i blant fod yn greadigol a gadael iddynt chwarae heb unrhyw ymyrraeth, er enghraifft drwy roi blychau o wahanol feintiau a siapiau iddynt a'u gadael i ddatblygu eu themâu a'u syniadau eu hunain wrth chwarae.

Ar adegau eraill, mae'n bosibl y bydd oedolion yn dylanwadu mwy ar y gweithgaredd drwy ddarparu fframwaith ar ei gyfer. Mae'n bwysig bod y fframwaith yn rhoi'r cyfle i'r plentyn ddatblygu ei syniadau ei hunan. Gellir darparu fframweithiau mewn sawl ffordd:

- trwy gyfrwng y mathau o ddeunyddiau a ddarperir

- trwy gyflwyno thema ar gyfer y gweithgaredd

- trwy wneud awgrymiadau tra bod y plentyn yn cymryd rhan mewn gweithgaredd

- trwy leoli'r gweithgaredd mewn man penodol

- trwy waith grŵp – mae'r plentyn yn gweithio o fewn y fframwaith y cytunwyd arni gan y grŵp.

Astudiaeth achos ...

... plant a chreadigrwydd

Roedd coedwigoedd a fforestydd yn swyno Carys, sy'n 4 oed. Gwelodd lu o glychau'r gog mewn coedwig pan aeth am dro gyda'i rhieni. Y diwrnod wedyn, daeth i mewn i'r cylch chwarae yn benderfynol o beintio. Wrth beintio, siaradodd ag aelod o'r staff am y coed, y gwiwerod a'r blodau. Aeth i drafferth fawr wrth ychwanegu'r manylion a dewis ei lliwiau. Pan oedd hi'n fodlon ei bod wedi cynnwys popeth yn ei llun, gorchuddiodd y cyfan â haen o baent du, trwchus. Esboniodd bod y goedwig yn dywyll am nad oedd yr haul yn gallu treiddio trwy'r coed, a oedd yn agos at ei gilydd. Roedd Carys yn fodlon iawn ar ei llun.

1. Pam wnaeth yr aelod o'r staff gadw draw a gwylio Carys pan orchuddiodd ei llun â phaent du?

2. Pam fod Carys yn fodlon ar ei llun, yn eich barn chi?

3. Ym mha ffyrdd y mae hwn yn weithgaredd creadigol?

Gwirio'ch cynnydd

Beth yw creadigrwydd?

Rhestrwch rai gweithgareddau lle mae angen bod yn greadigol.

Beth ddylai nodweddion gweithgaredd creadigol fod?

Oes rhaid dysgu plant i fod yn greadigol?

Sut allwch chi ddarparu fframwaith ar gyfer gweithgaredd creadigol?

Pam nad ydy copïo'n greadigol?

CANOLBWYNTIO

term allweddol

Canolbwyntio

sgìl sy'n caniatáu i chi ffocysu'ch holl sylw ar un dasg

Mae **canolbwyntio**'n golygu ffocysu eich sylw'n gyfan gwbl ar un dasg. Mae'r sgìl hwn yn angenrheidiol ar gyfer dysgu. Mae angen annog plant i ffocysu eu sylw a thrwy hynny i ddatblygu eu sgiliau canolbwyntio a dyfalbarhau. Anogir plant i ganolbwyntio ar weithgareddau pan:

- fydd y gweithgareddau ar lefel priodol
- gyflwynir y gweithgareddau mewn ffordd ddeniadol
- fydd oedolyn yn ymuno â'r gweithgaredd er mwyn cynnig canmoliaeth a gwneud awgrymiadau.

Mae plant yn tueddu i ganolbwyntio am gyfnodau byr yn unig. Rhaid cofio hyn wrth gynllunio gweithgareddau. Fodd bynnag, mae'n bwysig deall bod angen i blant ddatblygu'r sgìl o ganolbwyntio, ac i gynllunio a threfnu gweithgareddau sy'n ymestyn eu gallu. Gellir gwneud hyn mewn sawl ffordd, er enghraifft drwy:

- annog plant i wrando ar stori gyfan, heb dorri ar draws
- annog plant i gwblhau gweithgaredd, er enghraifft jig-so
- chwarae gemau bwrdd hyd y diwedd
- darparu gweithgareddau grŵp lle mae plant yn cydweithredu i gwblhau tasg, er enghraifft adeiladu trac trên
- ymuno â gweithgaredd i annog a datblygu dilyniant y chwarae, er enghraifft, bod yn gwsmer mewn caffi
- darparu ffocws ar gyfer y gweithgaredd, er enghraifft gofyn i blant wrando'n ofalus ar stori fel y gallant ei hailadrodd gan ddefnyddio pypedau.

Gwirio'ch cynnydd

Beth yw'r gallu i ganolbwyntio?

Pam ei fod yn bwysig?

Sut gall oedolyn helpu plentyn i ganolbwyntio?

COF

Mae tri cham sylfaenol wrth ddysgu:

- cymryd gwybodaeth i mewn – rydym yn defnyddio ein synhwyrau i wneud hyn.

- storio'r wybodaeth – mae hyn yn digwydd yn ein cof.

- galw'r wybodaeth i gof – adenillir gwybodaeth o'n cof. Yr enw ar hyn yw cofio.

Rhaid cwblhau'r tri cham er mwyn dysgu. Er mwyn ein galluogi i storio gwybodaeth yn ein cof a'i chofio ar yr adeg briodol, rhaid i weithgareddau a phrofiadau fodloni meini prawf penodol:

- dylai'r cysyniad neu'r sgìl a ddysgir fod ar lefel sy'n briodol i'r dysgwr

- dylid cyflwyno'r wybodaeth mewn ffordd sy'n briodol i'r dysgwr

- dylai'r dysgwr fod wedi dysgu rhywfaint yn barod fel y gellir cysylltu'r wybodaeth newydd â'r hyn a ddysgwyd eisoes

- fel arfer bydd rhaid ailadrodd yr wybodaeth, a/neu ei defnyddio yn ei chyd-destun, er mwyn gallu ei storio a'i chofio'n llwyddiannus.

Mae'r astudiaeth achos ganlynol yn dangos profiad plentyn ifanc o'r broses.

Astudiaeth achos ...

... dysgu a chofio

Cynlluniodd Ann, nyrs feithrin, gyfres o weithgareddau a fyddai'n galluogi'r plant yn y feithrinfa i adnabod rhifau ysgrifenedig hyd at 10.

Gwyddai fod y plant yn gwybod llawer o rigymau a chaneuon yn cynnwys rhifau, a'u bod felly'n gallu adrodd rhifau hyd at 10. Dros gyfnod o rai wythnosau cyflwynwyd gweithgareddau i'r plant a fyddai'n datblygu eu dealltwriaeth o rifau ysgrifenedig:

- Wrth i'r plant ganu rhigymau a chaneuon yn cynnwys rhifau, er enghraifft 'Dau gi bach', byddai'n dal y rhif perthnasol i fyny fel y gallai'r plant ei weld.

- Wrth i'r plant ddechrau adnabod y rhifau, dalient y rhifau perthnasol i fyny wrth ganu'r gân.

- Bob dydd darparwyd gweithgareddau yn cynnwys rhifau, er enghraifft jig-sos rhifol, loto, ysgrifennu rhifau yn y tywod a'u gwneud o does. Tynnodd y staff sylw'r plant at y rhifau yn ystod y gweithgareddau.

- Yn raddol, ehangwyd y gweithgareddau yn ystod cyfnodau grŵp, er enghraifft, ffurfiodd y plant res yn ôl rhif y cerdyn a oedd yn eu dwylo, a gwiriwyd hyn gan y plant eraill. Rhoddodd y plant y rhif cywir yn ymyl casgliad o eitemau.

- Yn ogystal, creodd Ann fwrdd rhifau ac yno byddai plant yn trefnu eitemau i mewn i flychau a rifwyd.

- Aeth y plant am dro yn yr amgylchedd lleol i weld ble y gellid gweld rhifau ysgrifenedig; ar ôl dychwelyd, aethant ati i beintio lluniau o'r hyn a welsant, a chreu arddangosfa.

Mae'r gyfres hon o weithgareddau yn bodloni meini prawf dysgu, hynny yw, storio'r wybodaeth yn y cof a'i hadalw pan fydd hynny'n briodol. Mae eu lefel yn briodol i'r plant ac fe'u cyflwynir mewn ffordd berthnasol. Roedd y plant yn gwybod am rifau eisoes, ac mae'r staff yn rhoi cyfleoedd iddynt ailadrodd a defnyddio'r wybodaeth mewn gwahanol ffyrdd.

1. *Pam fod Anna wedi dewis y gweithgareddau hyn?*

2. *Beth yw swyddogaeth y gweithiwr gofal plant wrth gefnogi sgiliau cof datblygol plant?*

3. *Awgrymwch weithgareddau eraill a fyddai'n atgyfnerthu'r cysyniad adnabod rhifau.*

4. *Rhestrwch rai cysyniadau eraill y gellid eu dysgu mewn ffordd debyg.*

Gwirio'ch cynnydd

Beth yw'r tri cham o ddysgu?

Pam fod y cof yn rhan bwysig o ddysgu?

Beth yw'r meini prawf ar gyfer dysgu llwyddiannus?

Rhowch enghraifft o'r broses hon mewn perthynas â phlant ifainc.

DATRYS PROBLEMAU

Agwedd arall ar ddatblygiad gwybyddol yw'r gallu i ddatrys problemau. Nid yw datrys problemau'n ymwneud â phroblemau cymhleth yn unig; mae hefyd yn golygu problemau bob dydd, er enghraifft dewis ffordd wrth gychwyn ar daith, neu benderfynu sut i ffitio gwrthrychau mewn bag. Mae profiad o'r byd ac o sut mae pethau'n gweithio yn arwain at ddatrys y mwyafrif o broblemau'n gyflym.

Pan fydd plant hŷn neu oedolion yn wynebu problem, defnyddiant eu holl wybodaeth am y sefyllfa er mwyn ei datrys. Defnyddir rhesymeg i asesu atebion posibl: er enghraifft, i ffitio pethau mewn bag mae angen gwybod am feintiau, siapiau, cynhwysedd, brithwaith (y ffordd mae eitemau'n ffitio at ei gilydd) a chylchdro. O fewn dim, byddwch yn gallu asesu'r broblem a dod o hyd i amrywiaeth o syniadau er mwyn ei datrys. Mae angen i blant ddatblygu'r sgiliau hyn. Mae ganddynt lai o wybodaeth a phrofiad o'r byd na phlant hŷn ac oedolion, ac felly mae ganddynt lai o wybodaeth ar gyfer datrys problem.

Mae dilyniant datblygiadol yng ngallu plant i ddatrys problemau. Y math cynharaf o ddysgu yw dysgu **mentro-a-methu**. Mae'r plentyn yn rhoi cynnig ar atebion hap, gan fentro a methu, mentro a methu nes cyrraedd yr ateb cywir. O bosibl, bydd rhaid dychwelyd at y broblem sawl gwaith. Yn ystod y cam hwn, nid yw'r plentyn yn gallu adnabod y broblem y mae'n ceisio'i datrys yn iawn. Gall ddysgu mentro-a-methu fod yn rhwystredig iawn i'r plentyn ac yn yr achos hwn bydd angen i'r oedolyn ymyrryd yn ofalus er mwyn awgrymu dulliau o symud ymlaen.

Y cam nesaf o ran datblygiad plant yw'r gallu cynyddol i adnabod y broblem sy'n eu hwynebu a dod o hyd i ateb posibl cyn rhoi cynnig arno. Mae plant yn dechrau rhagweld beth allai ddigwydd. Seilir y **rhagdybiaeth** hon ar eu gwybodaeth a phrofiad cynyddol o'r byd. Po fwyaf eu gwybodaeth a'u profiad, po gywiraf eu rhagdybiaeth.

termau allweddol

Dysgu mentro-a-methu

cam cynharaf datrys problemau. Mae plant ifainc yn rhoi cynnig ar atebion hap, gan wneud camgymeriadau'n aml, nes dod o hyd i'r ateb neu roi'r gorau iddi

Rhagdybiaeth

esboniad neu ddatrysiad dros dro i broblem, ar ôl asesu'r ffeithiau dan sylw

Gwirio'ch cynnydd

Beth yw datrys problemau?

Beth yw dysgu mentro-a-methu?

Beth yw rhagdybiaeth?

Beth yw dilyniant datblygiadol sgiliau datrys problemau?

Awgrymwch resymau dros y gwahaniaeth rhwng y ffordd mae plant ifainc a phlant hŷn yn datrys problemau.

DILYNIANT DATBLYGIAD GWYBYDDOL: GENEDIGAETH HYD AT 7 MLYNEDD

Genedigaeth

- Yn gallu defnyddio'r synhwyrau i archwilio.
- Yn dechrau datblygu cysyniadau sylfaenol megis eisiau bwyd, oer, gwlyb.

1 mis

- Bydd yn dechrau adnabod y prif ofalwr ac yn ymateb drwy symud a chŵan.
- Bydd yn ailadrodd symudiadau pleserus, megis sugno bawd a gwingo.

3 mis

- Yn dangos mwy o ddiddordeb yn eu hamgylchedd.
- Yn dechrau dangos diddordeb mewn teganau.
- Yn dechrau deall achos ac effaith – os symudwch ratl, bydd yn gwneud sŵn.

6 mis

- Yn disgwyl i bethau ymddwyn mewn ffordd arbennig – bydd y jac yn y bocs yn neidio i fyny ond ni fydd yn canu tiwn.

9 mis

- Yn adnabod lluniau o bethau cyfarwydd.
- Yn gwylio pan guddir tegan, ac yna'n chwilio amdano (yn deall sefydlogrwydd gwrthrych).

12–15 mis

- Yn defnyddio dulliau mentro-a-methu i archwilio gwrthrychau.
- Yn dechrau pwyntio a dilyn pan fydd eraill yn pwyntio.
- Yn dechrau trin gwrthrychau'n briodol – anwesu dol, siarad i mewn i ffôn.
- Yn chwilio am wrthrychau cuddiedig yn y mannau lle maent fwyaf tebygol o fod.

18 mis – 2 oed

- Yn cyfeirio at eu hunain yn ôl enw.

- Yn dechrau deall canlyniadau eu gweithredoedd eu hunain, er enghraifft mae tywallt sudd yn creu man gwlyb.

- O bosibl yn dechrau dangos ychydig o empathi (dealltwriaeth o sut mae eraill yn teimlo), er enghraifft drwy gysuro babi sy'n crïo.

3 oed

- Yn gallu paru lliwiau sylfaenol.

- Yn gallu dosbarthu gwrthrychau, ond fel rheol dim ond yn ôl un maen prawf ar y tro, er enghraifft pob car o blith casgliad o gerbydau, nid y ceir coch.

- Yn gofyn llawer o gwestiynau 'pam'.

- Yn gallu adrodd rhifau hyd at 10 ond ddim eto'n gallu cyfrif ymhellach na 2 neu 3.

- Yn dechrau deall cysyniad amser – yn siarad am beth sydd wedi digwydd ac yn edrych ymlaen at yr hyn sy'n mynd i ddigwydd.

- Yn gallu canolbwyntio ar weithgaredd am gyfnod byr o amser, ei adael ac yna dychwelyd ato.

- Yn dechrau deall cysyniad maint – un, mwy, llawer.

4 oed

- Yn gallu defnyddio mwy o ddosbarthiadau wrth drefnu.

- Yn gallu datrys problemau syml, fel rheol drwy ddull mentro-a-methu, ond yn dechrau deall 'pam'.

- Yn cynyddu eu gwybodaeth drwy ofyn cwestiynau o hyd.

- Mae'r sgiliau cof yn datblygu, yn enwedig mewn perthynas â digwyddiadau arwyddocaol, er enghraifft gwyliau a phenblwyddi, a chaneuon a straeon cyfarwydd.

- Yn cynnwys manylion cynrychioliadol mewn lluniau, yn aml wedi'u seilio ar arsylwadau.

- Yn cymysgu rhwng ffantasi a realiti – 'Daeth teigr i gael te yn fy nhŵ i hefyd'.

- Yn deall bod gan ysgrifen ystyr ac yn defnyddio ysgrifen wrth chwarae.

5 oed

- Yn ymwybodol o'r gorffennol, presennol, dyfodol.

- Yn dod yn fwy llythrennog – bydd y mwyafrif yn adnabod ac yn ysgrifennu eu henw, yn ymateb i lyfrau ac yn ymddiddori mewn darllen.

- Yn dangos sgiliau arsylwi da wrth dynnu llun.

- Yn deall egwyddor un-i-un ac yn gallu cyfri i 10 yn gyson.

- Yn canolbwyntio mwy. Wrth gyflawni tasg briodol, yn gallu canolbwyntio am tua 10 munud heb adael i'r sylw grwydro.

6 oed

- Dechrau deall cysyniad mathemategol mesur – amser, pwysau, hyd, cynhwysedd, cyfaint.

- Yn ymddiddori yn y rhesymau pam fod pethau'n digwydd ac yn gallu ffurfio a phrofi rhagdybiaeth, er enghraifft bod angen dŵr ar hadau i dyfu.

- Yn dechrau defnyddio symbolau wrth dynnu llun a pheintio – dyma pryd mae'r haul gyda'r llinellau rheiddiol a'r awyr stribedog yn dechrau ymddangos.

- Bydd llawer o blant yn dechrau darllen yn annibynnol, ond mae hyn yn amrywio'n fawr yn ôl yr unigolyn.

- Yn gallu canolbwyntio am gyfnodau hirach.

7 oed

- Yn gallu cadw rhifau ac yn deall bod nifer y gwrthrychau'n aros yn gyson, sut bynnag y'i cyflwynir. O bosibl yn gallu cadw màs a chynhwysedd.

- Yn dechrau trin rhifau'n haniaethol, yn gallu cyfrif drwy adio a thynnu i ffwrdd yn y meddwl.

- O bosibl, yn gallu dweud yr amser wrth edrych ar oriawr neu gloc.

- Yn datblygu'r gallu i resymu a dealltwriaeth o achos ac effaith.

Cofiwch, yn enwedig wrth ystyried yr enghreifftiau diweddarach, y bydd y ffordd mae plant yn dangos yr arwyddion hyn o ddatblygiad gwybyddol yn dibynnu ar yr hyn mae cymdeithas yn ei ddisgwyl ganddynt. Er enghraifft, bydd pob plentyn yn datblygu'r sgiliau gwybyddol sydd eu hangen ar gyfer darllen, o ran y gallu i ganfod ac i ddeall y defnydd a wneir o symbolau, ond dim ond mewn cymdeithas sy'n gwerthfawrogi llythrennedd ac yn dysgu'r sgiliau cysylltiol y bydd plant yn dysgu i ddarllen.

Mynediad ar gyfer pob plentyn i brofiadau dysgu

*E*r mwyn i sefydliad dderbyn plant anabl, rhaid ystyried rhai agweddau. Gellir cael gwybodaeth fanwl a hyfforddiant ynglŷn â chynnwys plant anabl gan sefydliadau gwirfoddol sy'n arbenigo yn yr anabledd neu'r cyflwr a hefyd grwpiau hunangymorth. Rhaid i sefydliadau sy'n cynnwys plant anabl ddarparu:

- offer y gall pob plentyn eu defnyddio – gall pawb ddefnyddio llawer o'r offer a gynhyrchir ar gyfer plant anabl: mae rampiau, lifftiau, byrddau newidiadwy, drysau awtomatig, tapiau gyda dolennau hir, rheolyddion sensitif i gyffyrddiad, print bras a rheiliau i'w dal yn ddefnyddiol i bob plentyn

- ystod o opsiynau megis tapiau, Braille, a fersiynau printiedig o ddogfennau

- cadeiriau a byrddau o feintiau a siapiau amrywiol

- lle gwag ar y llawr sydd bob amser yn glir ac yn rhydd o annibendod

- offer hyblyg, newidiadwy, er enghraifft hambwrdd tywod y gellir ei dynnu o'i stand, cadeiriau uchel gyda hambyrddau y gellir eu tynnu i ffwrdd

- fersiynau cryf o deganau a dodrefn 'cyffredin'

- ystod o sisyrnau, cyllyll a theclynnau eraill

- ardal chwarae feddal ar gyfer plant unigol i'w helpu i integreiddio – dylid cynnal trafodaethau â'r plentyn a'r gofalwyr amser llawn am yr hyn y dylid ei brynu cyn gwario llawer o arian ar rywbeth drud

- cyfleusterau toiled eang a gynlluniwyd ar gyfer defnyddwyr cadair olwyn, y gall pob plentyn eu defnyddio

- toiled neu ystafell newid breifat a phriodol i'r oedran

- hyfforddiant yn ymwneud ag ymwybyddiaeth o anabledd a chydraddoldeb i bob aelod o'r staff.

MYNEDIAD I BLANT GYDA NAM AR EU SYNHWYRAU

Plant gyda nam ar y golwg

Rhaid ystyried yr agweddau canlynol er mwyn cynnwys plant dall a phlant sydd â nam gweledol. Rhaid i sefydliadau ddarparu:

- cyfleoedd i archwilio'r amgylchedd a phobl drwy ddefnyddio cyffyrddiad, arogli, clyw a gweddill golwg

- y cyfle i blant **gyfeiriadu** eu hunain yn gorfforol (gall hyn olygu ymweld â'r lleoliad pan fydd dim ond ychydig o bobl yn bresennol)

- sefydlogrwydd a threfn, lle i bopeth a phopeth yn ei le; bydd rhaid hysbysu'r plentyn a dangos unrhyw newidiadau iddo

- digon o olau

- amgylchedd sy'n rhydd o beryglon, neu arwydd o bethau peryglus megis grisiau neu gorneli llym

- gwybodaeth am anghenion plant eraill, er enghraifft plentyn sydd wedi colli ei glyw na fydd, o bosibl, yn ymateb iddynt

- rhai eitemau penodol megis llyfrau mewn Braille, teganau neu gemau bwrdd a gynlluniwyd yn arbennig i gynnwys pawb.

Plant gyda nam ar eu clyw

Rhaid i sefydliad sy'n cynnwys plant byddar a phlant gyda nam ar eu clyw ystyried y pwyntiau canlynol:

- I raddau helaeth, mae nam ar y clyw yn anweledig; mai hyd yn oed nam bach yn beth sylweddol mewn ystafell swnllyd, orlawn.

- Nid yw plentyn gyda nam ar eu clyw yn gallu dweud wrthych beth a gollwyd!

- Nid yw teclynnau clyw yn cymryd lle clywed ac o bosibl, ni fyddant o werth i rai plant.

- Gallu cymryd rhan mewn iaith a chyfathrebu yw angen pennaf plant byddar; ceir mynediad llawn dim ond pan ddefnyddir iaith a chyfathrebu sy'n agored i blant byddar gan bawb. Yn aml bydd hyn yn golygu Arwyddiaith Brydeinig (BSL), a bydd angen i bawb yn y lleoliad ei defnyddio.

- Mae angen i blant byddar gyfathrebu â phlant eraill yn ogystal ag oedolion.

- Mae gan blant byddar ystod o alluoedd deallusol, fel pob plentyn; os na fyddwn yn caniatáu mynediad i iaith, byddwn yn creu anhawster dysgu iddynt.

term allweddol

cyfeiriadu
penderfynu beth yw lleoliad pethau

127

Astudiaeth achos ...

... addysg gynhwysol

'Mae pamffled Ysgol Gynradd Trem-y-Môr yn datgan eu bod yn darparu addysg ar gyfer pob plentyn yn y fro rhwng 3 a 7 oed. Dwi ddim yn credu eu bod nhw wedi sylweddoli faint o sialens y byddai hi pan gynigion nhw le i Elain, fy merch, yn y feithrinfa.

Cyn i Elain ddechrau yn y feithrinfa, aethom yno am sesiwn. Roedd y plant eraill yn chwilfrydig ac eisiau gwybod pam fod gan Elain wyneb doniol a'i bod hi'n methu siarad yn iawn. Ar ôl ein hymweliad, penderfynodd y staff baratoi'r plant cyn i Elain ymuno â'r ysgol. Bu'n rhaid iddyn nhw chwilio'n ddyfal i ddod o hyd i lyfrau addas i'w darllen i'r plant, ond o'r diwedd daethon nhw o hyd i gyfres o lyfrau a oedd yn addas. Roedd y staff yn fodlon dysgu; gofynnon nhw gwestiynau i mi am Elain ac aethon nhw am ychydig o sesiynau gyda hyfforddwr cydraddoldeb i bobl anabl.

Roedd Elain yn glynu ac yn mynnu ei ffordd ei hun ar y dechrau. Doedd y staff ddim yn gallu dygymod â hi gyda 35 o blant eraill, ac felly cyflogodd yr ysgol gynorthwyydd cefnogi anghenion arbennig rhan amser, i helpu Elain i integreiddio â'r plant eraill. Cysyllton nhw â'r coleg lleol, a daeth myfyriwr ag anghenion arbennig i'r ysgol i wneud profiad gwaith. Glynodd Elain wrtho fe, ac roedd hynny fel petai'n rhoi hwb i'w hunanhyder e hefyd.

Pan fydd y plant yn gofyn beth sy'n bod ar Elain, mae'r staff yn esbonio bod ganddi syndrom Down. Byddan nhw'n rhoi ateb gonest i'r plant bob tro, hyd yn oed pan yw'r cwestiynau'n ddoniol, fel 'Allwch chi'i ddal e?'

Mae staff y feithrinfa'n dweud eu bod nhw wedi dysgu llawer o gael Elain yno, ac yn awr yn gwneud pethau mewn ffordd wahanol o safbwynt y plant yn gyffredinol.'

1. Pam fod rhieni Elain yn awyddus iddi fynd i'r ysgol leol?

2. Sut aeth staff y feithrinfa ati i baratoi ar gyfer derbyn Elain i'r ysgol?

3. Pam ddefnyddiodd y staff yr enw cywir i esbonio cyflwr Elain?

4. Pam chwiliodd y staff am fyfyriwr ag anghenion arbennig i helpu yn y feithrinfa?

Gwirio'ch cynnydd

Ar ba fformatau y dylid cynhyrchu dogfennau/gwybodaeth ysgrifenedig i sicrhau eu bod ar gael i rieni/gofalwyr a allai fod ag anabledd eu hunain?

Beth fydd ei angen i helpu plant i integreiddio yn y lleoliad?

Sut ddylai lleoliad benderfynu beth i'w brynu i gefnogi plentyn anabl?

Beth ddylid ei ddarparu ar gyfer yr holl staff?

Beth sy'n creu anhawster dysgu i blant byddar?

Damcaniaeth Piaget am ddatblygiad gwybyddol

Seilir y ffordd y darparwn ofal ac addysg plant ifainc ar waith Piaget ar ddatblygiad meddwl plant. Mae ei ddamcaniaeth yn ymwneud â'r ffordd mae plant yn prosesu eu profiadau bob dydd ac yn ffurfio eu dealltwriaeth o'r byd. Dangosodd fod y plentyn yn mynd trwy gamau penodol ac amlwg wrth ddod i ddealltwriaeth

lawnach a mwy cymhleth o'u hamgylchedd. Gan ddefnyddio gwybodaeth a gasglwyd wrth wylio plant, nododd y math o ddysgu y mae plant yn abl i'w gyflawni ym mhob cam, gan bwysleisio bod y ffordd mae plant yn meddwl yn sylfaenol wahanol i feddwl oedolion

Codwyd amheuon am rai o ganfyddiadau Piaget o ganlyniad i rai astudiaethau seicolegol mwy diweddar, ond er hyn mae llawer o'i waith yn caniatáu i ni ddeall datblygiad dull plant o feddwl. Dylanwadodd ei waith ef yn fawr ar y dull gweithredu plentyn-ganolog, 'dysgu-wrth-wneud' sy'n rhan amlwg o ddarpariaeth blynyddoedd cynnar.

Astudiaeth achos ...

... deall cywir ac anghywir

Adroddwyd yr hanes canlynol wrth Lisa, 4 oed: 'Gofynnodd Mam i Pedr a Catrin ei helpu hi drwy roi platiau yn y cwpwrdd. Dywedodd Catrin ei bod hi'n rhy brysur a'i bod hi ddim eisiau helpu, ond dechreuodd Pedr symud y platiau. Aeth Mam allan o'r ystafell ond daliodd Pedr ati. Gafaelodd mewn gormod ar y tro a'u gollwng ar y llawr, gan dorri'r chwe phlât. Roedd Catrin yn hoffi sŵn y platiau'n torri ac felly gafaelodd hithau mewn un, ei thaflu ar y llawr a'i thorri.'

Gofynnwyd i Lisa a fu'r naill blentyn neu'r llall yn ddrwg, yn ei barn hi. Do, atebodd, roedd Pedr wedi bod yn ddrwg.

1. *Pam fod Lisa wedi penderfynu mai Pedr oedd y plentyn drwg, yn eich barn chi?*

2. *Pa agweddau ar ddamcaniaeth Piaget sy'n cael eu hamlygu yma?*

3. *Beth ellir ei ddysgu o hyn am y ffordd mae plant o'r oed yma'n deall syniadau ynglŷn â chywir ac anghywir?*

CAMAU PIAGET

Nododd Piaget bedwar cam amlwg o ran datblygiad gwybyddol, pob un â'i nodweddion ei hunan. Mae'n bwysig cofio mai brasamcan a roddir o'r oedrannau, ac mai canllaw yn unig ydynt.

1 Synhwyraidd symudol (motor) (genedigaeth – 2 oed)

Yn y cam synhwyraidd symudol (motor) mae'r plentyn:

- yn dysgu'n bennaf drwy ddefnyddio synnwyr y golwg a chyffyrddiad a thrwy symud

- yn **hunanganolog**, hynny yw, yn gallu gweld y byd dim ond o'i safbwynt ei hunan

- yn prosesu gwybodaeth yn weledol, fel delweddau

- yn dod yn ymwybodol bod gwrthrychau'n parhau i fodoli er eu bod o'r golwg (**sefydlogrwydd gwrthrychau**) – mae'r ymwybyddiaeth hon yn digwydd pan fydd y plentyn tua 8 – 12 mis

- yn defnyddio'i alluoedd yn ddeallus ac yn dechrau dysgu trwy ddulliau mentro-a-methu.

2 Cynweithredoedd (2-7 oed)

Mae hwn yn cynnwys y cam cyn-gysyniadol a'r cam sythweledol. Dyma'r cam pan fydd galluoedd ieithyddol plant yn datblygu'n gyflym, gan eu galluogi i gynrychioli a

termau allweddol

Hunanganolog
yn gweld popeth o'ch safbwynt chi'ch hun yn unig

Sefydlogrwydd gwrthrych
dealltwriaeth bod gwrthrychau'n parhau i fodoli hyd yn oed pan na fyddant i'w gweld

phrosesu gwybodaeth a meddwl mewn ffyrdd mwy cymhleth.

Yn y cam cyn-gysyniadol (2-4 oed) mae'r plentyn:

- yn parhau i brosesu gwybodaeth yn weledol, fel delweddau, ond wrth i iaith ddatblygu, mae'n caniatáu iddo gynrychioli gwybodaeth mewn ffyrdd eraill

- yn casglu gwybodaeth drwy gyfrwng synnwyr y golwg a chyffyrddiad, er bod y clyw yn dod yn gynyddol bwysig

- yn defnyddio symbolau wrth chwarae, er enghraifft defnyddio dol ar gyfer babi, neu lwmp o does chwarae am gacen

- yn tueddu i weld popeth o'i safbwynt ei hun

- yn credu bod gan bopeth sy'n bodoli ymwybyddiaeth, hyd yn oed gwrthrychau (**animistiaeth**). Yn y cam hwn, mae'n bosibl y bydd plentyn a fwriodd yn erbyn bwrdd yn beio'r bwrdd.

Erbyn cyrraedd y cam sythweledol (4-7 oed), mae'r plentyn:

- yn cymryd rhan mewn chwarae symbolaidd mwy cymhleth

- yn tueddu o hyd i weld pethau o'i safbwynt ei hun

- yn defnyddio iaith yn gynyddol i brosesu a threfnu gwybodaeth

- yn defnyddio'r clyw i gasglu gwybodaeth

- yn cael anhawster gyda meddwl yn haniaethol ac yn dibynnu ar ganfyddiadau uniongyrchol

- yn deall y gwahaniaeth rhwng cywir ac anghywir mewn ffordd or-syml, yn aml yn nhermau'r ffactorau mwyaf amlwg.

3 Gweithredu diriaethol (7-11 oed)

Erbyn cyrraedd y cam hwn, mae'r plentyn:

- yn gallu gweld pethau o safbwynt rhywun arall, hynny yw, yn gallu **datganoli**

- yn gallu rhesymu mewn ffordd fwy cymhleth ond mae arno angen gwrthrychau diriaethol i helpu'r broses hon, er enghraifft, mae'n defnyddio cyfarpar i ddatrys problemau mathemategol

- yn gwybod nad ydy pethau bob amser fel y maent yn ymddangos, yn deall **cadwraeth**

- yn deall y gwahaniaeth rhwng gwir ac esgus

- yn gallu deall a chymryd rhan mewn chwarae gyda rheolau.

4 Gweithredu ffurfiol (12 oed hyd at oedolyn)

Mae nodweddion y cam hwn yn cynnwys:

- y gallu i feddwl yn rhesymegol

- meddwl yn haniaethol, heb fod angen pethau i gefnogi hynny.

Dyma'r cam sy'n cynrychioli'r lefel meddwl a dealltwriaeth fwyaf cymhleth a nodwyd gan Piaget. Fodd bynnag, mae ymchwil yn dangos nad ydy pawb yn cyrraedd y cam hwn a bod llawer o oedolion yn byw'n rhydd o broblemau, heb gyrraedd y lefel hon o feddwl byth.

CAMAU PIAGET A CHWARAE

Mae adnabod camau Piaget yn caniatáu i ni gynllunio a darparu ar gyfer y mathau o brofiadau chwarae sydd fwyaf priodol ar gyfer pob cam datblygiad.

term allweddol

Animistiaeth
y gred bod gan bopeth sy'n bodoli ymwybyddiaeth

termau allweddol

Datganoli
gallu gweld pethau o safbwynt rhywun arall

Cadwraeth
dealltwriaeth bod ansawdd sylwedd yn aros yr un fath os nad ychwanegir neu tynnir rhywbeth i ffwrdd, er ei fod o bosibl yn ymddangos yn wahanol

CAM SYNHWYRAIDD-SYMUDOL (MOTOR), 0-2 OED

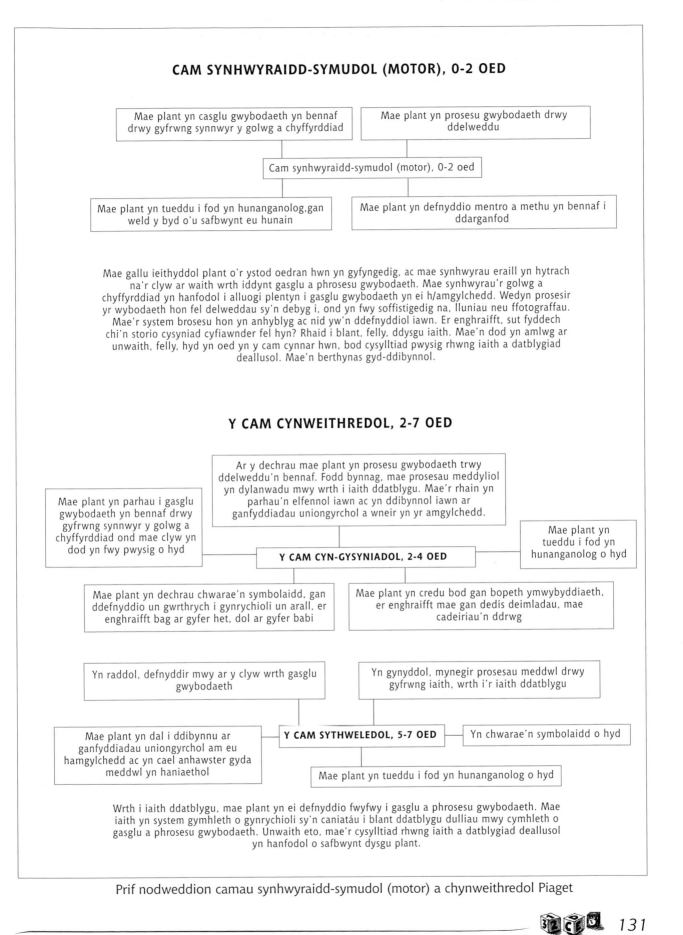

Mae plant yn casglu gwybodaeth yn bennaf drwy gyfrwng synnwyr y golwg a chyffyrddiad

Mae plant yn prosesu gwybodaeth drwy ddelweddu

Cam synhwyraidd-symudol (motor), 0-2 oed

Mae plant yn tueddu i fod yn hunanganolog,gan weld y byd o'u safbwynt eu hunain

Mae plant yn defnyddio mentro a methu yn bennaf i ddarganfod

Mae gallu ieithyddol plant o'r ystod oedran hwn yn gyfyngedig, ac mae synhwyrau eraill yn hytrach na'r clyw ar waith wrth iddynt gasglu a phrosesu gwybodaeth. Mae synhwyrau'r golwg a chyffyrddiad yn hanfodol i alluogi plentyn i gasglu gwybodaeth yn ei h/amgylchedd. Wedyn prosesir yr wybodaeth hon fel delweddau sy'n debyg i, ond yn fwy soffistigedig na, lluniau neu ffotograffau. Mae'r system brosesu hon yn anhyblyg ac nid yw'n ddefnyddiol iawn. Er enghraifft, sut fyddech chi'n storio cysyniad cyfiawnder fel hyn? Rhaid i blant, felly, ddysgu iaith. Mae'n dod yn amlwg ar unwaith, felly, hyd yn oed yn y cam cynnar hwn, bod cysylltiad pwysig rhwng iaith a datblygiad deallusol. Mae'n berthynas gyd-ddibynnol.

Y CAM CYNWEITHREDOL, 2-7 OED

Ar y dechrau mae plant yn prosesu gwybodaeth trwy ddelweddu'n bennaf. Fodd bynnag, mae prosesau meddyliol yn dylanwadu mwy wrth i iaith ddatblygu. Mae'r rhain yn parhau'n elfennol iawn ac yn ddibynnol iawn ar ganfyddiadau uniongyrchol a wneir yn yr amgylchedd.

Mae plant yn parhau i gasglu gwybodaeth yn bennaf drwy gyfrwng synnwyr y golwg a chyffyrddiad ond mae clyw yn dod yn fwy pwysig o hyd

Y CAM CYN-GYSYNIADOL, 2-4 OED

Mae plant yn tueddu i fod yn hunanganolog o hyd

Mae plant yn dechrau chwarae'n symbolaidd, gan ddefnyddio un gwrthrych i gynrychioli un arall, er enghraifft bag ar gyfer het, dol ar gyfer babi

Mae plant yn credu bod gan bopeth ymwybyddiaeth, er enghraifft mae gan dedis deimladau, mae cadeiriau'n ddrwg

Yn raddol, defnyddir mwy ar y clyw wrth gasglu gwybodaeth

Yn gynyddol, mynegir prosesau meddwl drwy gyfrwng iaith, wrth i'r iaith ddatblygu

Mae plant yn dal i ddibynnu ar ganfyddiadau uniongyrchol am eu hamgylchedd ac yn cael anhawster gyda meddwl yn haniaethol

Y CAM SYTHWELEDOL, 5-7 OED

Yn chwarae'n symbolaidd o hyd

Mae plant yn tueddu i fod yn hunanganolog o hyd

Wrth i iaith ddatblygu, mae plant yn ei defnyddio fwyfwy i gasglu a phrosesu gwybodaeth. Mae iaith yn system gymhleth o gynrychioli sy'n caniatáu i blant ddatblygu dulliau mwy cymhleth o gasglu a phrosesu gwybodaeth. Unwaith eto, mae'r cysylltiad rhwng iaith a datblygiad deallusol yn hanfodol o safbwynt dysgu plant.

Prif nodweddion camau synhwyraidd-symudol (motor) a chynweithredol Piaget

Yn y cam synhwyraidd-symudol (motor), mae chwarae'n cynnwys:

- defnyddio'r synhwyrau

- ymgolli ynddoch chi'ch hun

- symudiad

- llawer o ymarfer, yn aml yr un sgîl. Defnyddiodd Piaget y term 'meistrolaeth' i ddisgrifio angen y plentyn i ddyfalbarhau a chyflawni.

Yn y cam cynweithredol, mae chwarae plant yn cynnwys:

- defnyddio symbolau, er enghraifft bocs cardbord ar gyfer tŷ

- defnyddio iaith i gyfathrebu, gyda chi'ch hun, gydag eraill, gyda gwrthrychau

- dychymyg a ffantasi

- dechrau chwarae gemau gyda rheolau syml a chlir

- bod ar eich pen eich hun weithiau, yn amlach gydag eraill.

Yn y cam gweithredu diriaethol, mae chwarae'n cynnwys:

- rheolau mwy cymhleth

- cymryd cyfrifoldeb a rolau

- ymwybyddiaeth o'r gwahaniaeth rhwng ffantasi a realiti

- y gallu i ystyried anghenion a theimladau pobl eraill

- gweithio gydag eraill, rhannu penderfyniadau.

PIAGET A DATBLYGIAD CYSYNIADAU

termau allweddol

Sgema
term Piaget i ddisgrifio'r holl syniadau, atgofion a gwybodaeth sydd gan blentyn, o bosibl, am gysyniad neu brofiad

Defnyddiodd Piaget y term **sgema** i ddisgrifio'r sgiliau a'r cysyniadau mae plant yn eu dysgu drwy'r prosesau canlynol wrth iddynt ryngweithio â'u hamgylchedd:

- *cymhwysiad* – y ffordd mae plant yn derbyn gwybodaeth o'u profiadau

- *cymathiad* – y broses o ffitio'r hyn mae'r plentyn wedi ei ddysgu o brofiadau newydd i mewn i'w cysyniadau neu sgemâu presennol

- *addasiad* – yn digwydd o ganlyniad i'r rhyngweithio rhwng cymhwysiad a chymathiad: bellach mae'r plentyn yn gwybod mwy am agweddau arbennig ar y byd ac yn gallu gweithredu yn ôl yr wybodaeth hon.

Defnyddiodd Piaget y term cydbwysedd i ddisgrifio'r cam pan fydd plentyn wedi llwyddo i gynnwys dealltwriaeth newydd mewn sgema sy'n bodoli eisoes. Yn yr un ffordd, mae diffyg cydbwysedd yn digwydd pan gyflwynir rhywbeth anghyfarwydd, gan olygu bod rhaid addasu'r sgema. Ym marn Piaget roedd y profiad o ddiffyg cydbwysedd yn symbyliad hanfodol i ddysgu, gan olygu bod rhaid i'r plant wneud synnwyr o'u hamgylchedd drwy ychwanegu profiadau newydd at yr wybodaeth oedd ganddynt eisoes. Nid yw'r prosesau hyn wedi'u cyfyngu i ddysgu plentyn. Fel oedolion rydym yn addasu'r cysyniadau sydd gennym eisoes o hyd, wrth i ni gymhwyso a chymhathu gwybodaeth newydd.

Sgema ar gyfer brics

Isod ceir enghraifft syml o'r termau hyn yn eu cyd-destun, yn dangos sut y gallai sgema neu gysyniad plentyn am nodweddion ffisegol brics ddatblygu. Cyflwynir yr un sgema ar ffurf diagram isod.

Mae Ann wedi arfer â chwarae gyda brics. Mae ei sgema presennol ar gyfer brics yn dweud wrthi eu bod weithiau'n wahanol feintiau a lliwiau ond bod gan bob un yr

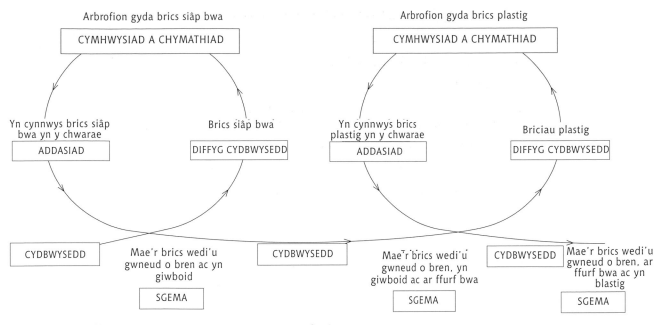

Enghraifft o blentyn yn datblygu sgema ar gyfer brics

un siâp – ciwboid – a bod pob un yn bren (cydbwysedd). Un diwrnod mae brics siâp bwa'n ymddangos yn y bocs briciau (diffyg cydbwysedd). Mae hi'n archwilio'r ychwanegiadau hyn, ac yn chwarae gyda hwy ochr yn ochr â'r brics mwy cyfarwydd (cymhwysiad). Yn fuan, mae hi'n gweld ei bod hi'n gallu defnyddio'r teganau newydd hyn mewn ffordd debyg i'r brics a oedd ganddi eisoes (cymathiad), ond bod y gwahanol siapiau'n cynnig posibiliadau a phroblemau newydd wrth adeiladu (addasiad). Unwaith eto mae cydbwysedd o ran ei sgema ar gyfer brics. Y tro nesaf mae hi'n tynnu'r bocs allan, mae brics plastig wedi cael eu hychwanegu (diffyg cydbwysedd) ac wrth iddi gynnwys y rhain yn ei chwarae, mae hi'n mynd trwy'r broses eto. O ganlyniad i'r ychwanegiadau, mae sgema gwreiddiol y plentyn ar gyfer brics wedi datblygu'n sylweddol.

ARBROFI GYDA MEDDWL
Datblygodd Piaget ei ddamcaniaeth am ddatblygiad gwybyddol ar ôl arsylwi plant a oedd wedi cael problemau penodol i'w datrys. Os rhown broblemau tebyg i'w gilydd i blant, bydd eu hymatebion yn dangos pa gam y maent wedi ei gyrraedd o ran eu datblygiad gwybyddol. Y profion a ddefnyddir amlaf yw'r prawf cadwraeth a phrawf Piaget yn dangos datganoli, sef prawf y mynydd.

Cadwraeth
Dadleuai Piaget nad oedd plentyn a oedd wedi cyrraedd y cam cynweithredol yn gallu deall ei bod hi'n bosibl cyflwyno maint penodol o sylwedd mewn nifer o ffyrdd ac y byddai'r maint yn aros yr un fath os nad ychwanegwyd neu tynnwyd rhywbeth i ffwrdd. Yn y cam hwn mae plant yn tueddu i gael eu twyllo gan olwg y sylwedd, ac yn dweud bod y maint wedi newid. Nid yw cadwraeth yn bosibl. Gellir profi cadwraeth mewn sawl ffordd. Dyma rai enghreifftiau.

Cadwraeth màs
Defnyddir toes chwarae i wneud dwy bêl o'r un maint. Gofynnir i'r plentyn os yw'r ddwy bêl yn cynnwys yr un maint o does. Os yw'r plentyn yn cytuno bod yr un maint

yn y ddwy, bydd yr oedolyn yn rholio un o'r peli ac yn gwneud siâp selsigen, gan wneud yn siŵr bod y plentyn yn gallu gweld beth sy'n digwydd. Wedyn gofynnir unwaith eto i'r plentyn a oes mwy o does yn un o'r peli na'r llall, neu a ydynt yr un fath. Bydd y plentyn nad yw eto wedi dysgu am gadwraeth yn cael ei gamarwain gan ymddangosiad y toes ac yn dweud bod mwy yn un nag sydd yn y llall.

Cadwraeth rhif

Gosodir dwy res gyfartal o gownteri (neu fotymau neu felysion) o flaen y plentyn. Mae'n cytuno bod y naill res a'r llall yn cynnwys yr un nifer o gownteri. Pan fydd yr oedolyn, unwaith eto o fewn golwg y plentyn, yn symud y cownteri fel bod un llinell yn hirach na'r llall, bydd y plentyn nad yw'n deall cadwraeth rhif yn tueddu i ddweud bod y llinell hirach yn cynnwys mwy o gownteri.

Cadwraeth cynhwysedd

Gellir dangos cadwraeth cynhwysedd mewn ffordd debyg, drwy ddefnyddio'r un maint o hylif mewn bicer tal, tenau a bicer byr, lletach.

Astudiaeth achos ...

... pa un sy'n dal mwy?

Gwyliodd Wiliam, sy'n 3 oed, ei dad yn llenwi dwy botel o ddŵr a oedd yn union yr un fath â'i gilydd. Siaradodd y ddau am y poteli a chytunodd Wiliam eu bod yr un maint ac yn cynnwys yr un maint o ddŵr. Gwyliodd Wiliam wrth i'w dad wagio'r ddwy botel, yn eu tro, i mewn i wahanol gynwysyddion. Roedd un cynhwysydd yn dal ac yn denau; roedd y llall yn llydan ac yn fas. Cytunodd Wiliam nad oedd ei dad wedi gollwng unrhyw ddŵr wrth ei dywallt. Yna gofynnodd ei dad a oedd un cynhwysydd yn cynnwys mwy o ddŵr na'r llall neu a oeddent yn cynnwys yr un maint. Ar unwaith, atebodd Wiliam fod y cynhwysydd tal, tenau yn dal mwy. Pan ofynnodd ei dad pam ei fod wedi dod i'r casgliad hwnnw, atebodd fod yr un tal yn fwy.

1. Pam fod tad Wiliam wedi gofyn cwestiynau am feintiau'r poteli a hefyd ynglŷn â gollwng y dŵr?

2. Pam ddewisodd Wiliam y cynhwysydd tal, tenau, yn eich barn chi?

3. Ble, yng nghamau datblygiad gwybyddol Piaget, fyddech chi'n gosod Wiliam?

Datganoli

Y prawf a ddefnyddiodd Piaget i ddangos a allai plentyn weld o safbwynt rhywun arall – y gallu i ddatganoli – oedd ei brawf enwog yn ymwneud â mynyddoedd. Gosodwyd model yn cynnwys tri mynydd gyda gwahanol nodweddion o flaen plentyn 5 oed. Gofynnwyd i'r plentyn ddisgrifio'r model o'i safbwynt ei hun, gan ddweud pa fynydd oedd bellaf i ffwrdd, agosaf ac yn y blaen. Yna gosodwyd dol ochr yn ochr â'r model, gyda gwahanol bersbectif i un y plentyn. Yna gofynnwyd i'r plentyn ddisgrifio'r olygfa o safbwynt y ddol (gweler y llun isod). Credai Piaget bod anallu'r plentyn i ddisgrifio'r olygfa o bersbectif y ddol yn dangos na allai eto ddatganoli.

Mae ymchwil mwy diweddar wedi ailgloriannu darganfyddiadau Piaget mewn perthynas â'r prawf hwn ac wedi beirniadu rhai o'i ddulliau.

GWERTHUSO PIAGET

Mae gwaith Piaget yn bwysig o hyd a'i ddylanwad ar ddarpariaeth blynyddoedd

Prawf mynydd Piaget yn dangos datganoli

cynnar yn sylweddol. Fodd bynnag, mae ymchwil gan grŵp Caeredin yn y 1970au, dan arweiniad Margaret Donaldson, wedi cwestiynu rhai o'i dybiaethau. Yn fwyaf penodol, bu beirniadu ar ei ddulliau cwestiynu a'r ffordd y cynlluniwyd rhai o'i arbrofion. Yn ôl grŵp Donaldson, mae plant dan oed ysgol yn ymateb yn well i gwestiynau sy'n codi'n naturiol o fewn cyd-destun ystyrlon, yn hytrach nag amgylchedd artiffisial y labordy. Aethant ati i ddyfeisio nifer o brofion, gan ddefnyddio fformat mwy cyfeillgar i blant wrth gwestiynu, a chael canlyniadau gwahanol. O blith y rhain, yr un mwyaf arwyddocaol oedd addasiad Martin Hughes o brawf mynydd Piaget yn dangos datganoli.

Roedd model Martin Hughes (gweler y llun isod) yn cynnwys dwy ddol, plismon (mewn safle sefydlog) a bachgen (symudol). Gofynnwyd i'r plentyn symud y ddol wrywaidd i safle lle nad oedd y plismon yn gallu'i weld, a thrwy wneud hynny roeddent yn edrych ar y model o safbwynt y plismon. Roedd plant nad oedd wedi gallu gweld y mynydd o safbwynt y ddol yn fwy llwyddiannus wrth guddio'r ddol wrywaidd rhag y plismon. Ystyrir bod tasg Piaget i bob pwrpas yn amherthnasol i'r plant, ac nad oeddent yn deall yr hyn a ofynnwyd ganddynt. Roedd cuddio'r ddol rhag y plisman yn ymddangos yn symlach ac yn dangos bod plant yn gallu datganoli a gweld y byd o bersbectif rhywun arall, os oedd digon o reswm dros wneud hynny.

Mae damcaniaeth Piaget am ddatblygiad gwybyddol wedi cael ei hail-archwilio a'i haddasu droeon. Pwysleisiodd Piaget bwysigrwydd yr amgylchedd mewn perthynas â phlant yn dysgu, gan eu bod, yn ei farn ef, yn chwilfrydig wrth reddf am yr hyn

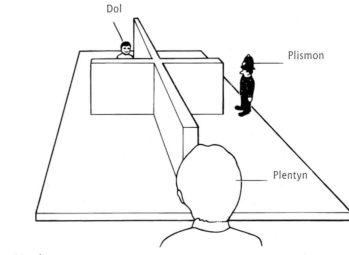

Dol plismon Hughes

sydd o'u hamgylch ac yn mynd ati i'w harchwilio. Credai fod plant yn dysgu orau drwy brofiad uniongyrchol, a dyma sail resymegol y dull dysgu drwy ddarganfod, neu 'dysgu drwy wneud' o addysgu. Gwelir y plentyn fel unigolyn sydd yn symud yn ei flaen yn ôl ei gam datblygiad drwy ryngweithio ag amgylchedd sy'n cynnig y math cywir o brofiadau dysgu.

Roedd astudiaethau Vygotsky ynglŷn â dulliau dysgu plant yn pwysleisio nid yn unig y plentyn unigol ond hefyd cyd-destun cymdeithasol y dysgu. Mae ei waith yn dangos bod gan blant lawer i ddysgu oddi wrth ei gilydd drwy ryngweithio a chyfathrebu. Yn wahanol i Piaget, credai Vygotsky na ddylid asesu lefel gallu plentyn ar yr hyn y gallai ei wneud ar ei ben ei hun yn unig, ond hefyd ar yr hyn y gallai ei wneud gyda chymorth. Defnyddiodd y term **cylchfa datblygiad procsimol (ZPD)** i esbonio'r tasgau na fyddai'r plentyn, o bosibl, yn gallu eu cyflawni ar ei ben ei hun, ond a fyddai'n bosibl gyda chymorth. Byddai hyn yn creu amgylchedd mwy heriol a symbylol i'r plentyn na phe bai'n darganfod a dysgu ar ei ben ei hun.

Mae gwaith Jerome Bruner yn rhoi sylw arbennig i rôl yr oedolyn mewn perthynas â phlant yn dysgu. Yn ei farn ef, dylai'r oedolyn nid yn unig ddarparu amgylchedd cyfoethog i'r plant ei ddarganfod, ond hefyd dylai gymryd rhan yn y dysgu drwy greu sgaffaldiau, sef creu strwythur sy'n cynnal y dysgu hwn. Mae cysylltiadau yma â gwaith Vygotsky, ond mae'r pwyslais yng ngwaith Bruner ar yr oedolyn medrus, sy'n deall galluoedd y plentyn, ac yn gallu cynnig cefnogaeth sy'n galluogi'r plentyn i dorri allan o weithgaredd ailadroddus, cyfnerthu'r hyn a ddysgwyd a symud ymlaen at y cam nesaf.

Mae astudiaethau diweddar wedi dangos bod rhai agweddau ar ddysgu plant na chafodd ystyriaeth lawn gan Piaget yn ei waith cynnar ar ddatblygiad gwybyddol. Dangoswyd bod effeithiau rhyngweithio cymdeithasol a'r rhan a chwaraeir gan oedolion medrus a sensitif yn dylanwadu'n fawr ar y ffordd mae plant yn dysgu.

term allweddol

Cylchfa datblygiad procsimol (ZPD)

term Vygotsky ar gyfer yr ystod o ddysgu na all y plentyn ei gyflawni ar ei ben ei hun, ond sy'n bosibl gyda chymorth

---

Gwirio'ch cynnydd

Nodwch beth yw camau damcaniaeth Piaget am ddatblygiad gwybyddol.

Yn ôl Piaget, sut fath o chwarae sy'n briodol, o safbwynt eu datblygiad, i

(a) blant 2 oed?   (b) plant 5 oed?

Disgrifiwch y broses sy'n caniatáu i blant ddatblygu sgema.

Pam fod plant ifainc yn deall orau drwy gyfrwng y dull 'dysgu trwy brofi'?

Pam fod rhai o ganfyddiadau cynnar Piaget wedi cael eu beirniadu?

Beth yw dylanwad gwaith Piaget ar ddarpariaeth gwasanaethau i blant ifainc?

Rôl yr oedolyn o ran hyrwyddo datblygiad gwybyddol

Mae canlyniadau ymchwil ac ystyriaeth o'r ddadl natur-magwraeth yn dangos bod ansawdd eu hamgylchedd yn dylanwadu'n fawr ar ddysgu plant. Mae oedolion sy'n gofalu am blant yn rhan annatod o'r amgylchedd hwnnw. Wrth ddarparu ar gyfer datblygiad gwybyddol plant, felly, mae'n bwysig ein bod yn gwybod sut i gynllunio, paratoi a monitro gweithgareddau plant, a hefyd sut i ryngweithio â phlant yn ystod y gweithgareddau fel eu bod yn dysgu cymaint â phosibl. Mae ystyried yr amgylchedd a ddarperir i blant yn ofalus yn gallu eu helpu i gyflawni eu potensial.

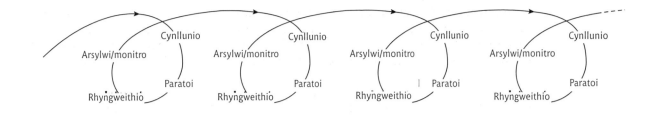

Y cylch cynllunio

- Seilir y cynllunio ar arsylwi a monitro anghenion a datblygiad plant. Fe'i seilir hefyd ar ystyriaethau ymarferol yn ymwneud â'r defnydd o ofod, amser, offer a staff.

- Seilir y paratoi ar gynllunio gofalus fel bod yr amgylchedd a ddarperir yn ateb anghenion y plant ar draws yr ystod datblygiad. Unwaith eto, mae ystyriaethau ymarferol yn bwysig wrth baratoi'r ardal benodol.

- Mae rhyngweithio â'r plant yn cymryd eu hanghenion datblygiadol unigol i ystyriaeth. Cesglir rhywfaint o'r wybodaeth hon drwy arsylwi a rhaid ei chynnwys yn y cynllunio. Mae'n bwysig bod yn ymarferol wrth ystyried amser y staff pan gynllunnir hyn.

- Mae arsylwi a monitro'n rhoi gwybodaeth werthfawr am y plant. Dyma yw sail y cynllunio a pharatoi'r ardal a hefyd rhyngweithio â'r plant.

Mae ymchwil wedi dangos bod ansawdd y rhyngweithio rhwng oedolion a phlant yn ffactor hanfodol o ran hyrwyddo datblygiad gwybyddol plant a bod profiadau dysgu lle ceir llawer o ryngweithio rhwng oedolion a phlant yn optimeiddio'r dysgu. Bydd oedolyn yn annog plant i ddyfalbarhau wrth gyflawni tasg ac yn ehangu dealltwriaeth y plant unigol drwy gyflwyno tasg newydd neu ymchwilio i agwedd arall ar y dasg wreiddiol. Gall oedolyn sy'n holi'n fedrus ac yn gosod problemau alluogi plentyn i symud o un lefel dealltwriaeth i'r nesaf. Nid yw hyn yn golygu nad ydy plant yn elwa o'r cyfle i chwarae ar eu pennau eu hunain heb ymyrraeth, ond heb ymyrraeth weithredol oedolion sensitif sy'n adnabod y plant ac yn ymwybodol o'u hanghenion datblygiadol, gall gweithgareddau chwarae droi'n weithgareddau ailadroddus heb fawr o her ddeallusol.

Gwirio'ch cynnydd

Enwch bedair elfen y cylch cynllunio.

Pam ddylem ystyried bod y cylch cynllunio yn broses barhaol?

Pam fod ansawdd y rhyngweithio rhwng oedolyn a phlentyn yn bwysig o ran hyrwyddo datblygiad gwybyddol plant?

Beth mae'r term 'chwarae cylchol' yn ei olygu, yn eich barn chi?

Pam ei bod hi'n bwysig bod oedolion yn adnabod galluoedd y plant y maent yn gweithio â hwy?

Sut gall oedolion sicrhau bod plant yn cael eu herio'n ddeallusol?

Nawr rhowch gynnig ar y cwestiynau hyn

Disgrifiwch yr hyn a olygir wrth y term datblygiad gwybyddol drwy gyfeirio at ei holl agweddau.

Pam fod creadigrwydd yn agwedd bwysig ar ddatblygiad gwybyddol plant?

Sut mae gwaith Piaget wedi dylanwadu ar ein dealltwriaeth o ddatblygiad gwybyddol plant?

Beth yw nodweddion camau Piaget mewn perthynas â datblygiad gwybyddol?

Sut gall yr oedolyn gyfrannu mewn ffordd gadarnhaol i ddatblygiad gwybyddol plant?

Rhowch enghreifftiau o'r ffyrdd y gellir gwahaniaethu'r ddarpariaeth i ateb anghenion datblygiadol pob plentyn.

DATBLYGIAD IAITH

Yn y rhan hon byddwch yn dysgu sut mae iaith yn datblygu a sut i ryngweithio â phlant er mwyn gwneud yn siŵr eu bod yn cyflawni eu potensial. Yn ogystal, byddwch yn dysgu am wahanol agweddau ar iaith, megis gwrando, meddwl, siarad, darllen ac ysgrifennu. Mae'r rhan yn amlinellu anghenion penodol plant sy'n defnyddio mwy nag un iaith ac yn tynnu sylw at effeithiau oediad iaith.

Bydd y rhan hon yn ymdrin â'r pynciau canlynol:

- beth yw iaith?

- dwyieithrwydd

- seicoleg a datblygiad iaith

- dilyniant datblygiad iaith

- siarad â phlant

- cynllunio ar gyfer, a monitro, datblygiad iaith plant

- ffactorau sy'n effeithio ar ddatblygiad iaith.

Beth yw iaith?

Iaith yw prif ddull bodau dynol o gyfathrebu. O blith yr holl rywogaethau, ni yn unig sydd â'r gallu i ddefnyddio iaith. Mae rhywogaethau eraill yn cyfathrebu â'i gilydd, ond dim ond mewn modd sy'n briodol i'w hanghenion, er enghraifft drwy godi blew er mwyn dangos bod perygl yn agos, drwy wneud dŵr dros dir er mwyn dangos mai eu tir nhw ydyw neu drwy chwyrnu er mwyn cadw ymosodwyr draw.

Mae bodau dynol yn byw mewn byd cymhleth iawn ac mae arnynt angen system gyfathrebu gymhleth. Iaith yw'r system gymhleth honno. Yn ogystal, rhaid i fodau dynol ddefnyddio iaith i fodloni'r angen i gyfathrebu teimladau, anghenion cymhleth, meddyliau a syniadau.

Set strwythuredig o synau yw iaith lafar; set strwythuredig o symbolau yw iaith ysgrifenedig. Mae pawb sy'n siarad yr un iaith yn rhannu ac yn deall y symbolau hyn. Er enghraifft, ystyriwch y gair *pont*. Yn y Gymraeg a'r Ffrangeg, mae'r gair yn golygu strwythur sy'n darparu ffordd dros rywbeth. Yn Ffrangeg, pon yw'r ynganiad cywir. Felly mae'r hyn mae'r symbolau *pont* yn eu golygu i unigolion, a'r ffordd y'u hynganir, yn dibynnu ar ba iaith y siaradodd yr unigolyn yn ystod cyfnod ei fagwraeth.

Rhaid dysgu iaith, ac mae'r gallu i gymryd rhan mewn cymdeithas yn llwyddiannus yn dibynnu i raddau ar y gallu i ddefnyddio iaith yn effeithiol.

Mae gan iaith wahanol ffurfiau (gweler y llun isod), y gellir eu defnyddio ar wahanol adegau ar gyfer gwahanol sefyllfaoedd. Rhaid cael lefel uchel o sgìl i allu mynegi iaith ym mhob un o'r ffyrdd hyn. Rhaid rhoi'r cyfle i blant ifainc ddysgu'r sgiliau hyn.

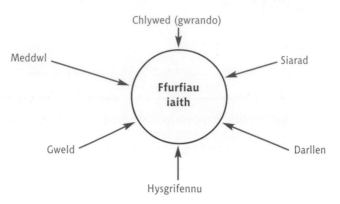

Mae iaith yn gallu cael ei:

IAITH LAFAR

Seiniau yw deunydd crai iaith lafar. Mae'r seiniau hyn yn dod at ei gilydd i ffurfio geiriau. Cyfunir geiriau mewn ffyrdd arbennig a chymhleth i ffurfio brawddegau. Cyfathrebir ystyr brawddeg yn ôl trefn y geiriau. Edrychwch ar y brawddegau hyn:

'Mae'r ci yn brathu'r dyn.'

'Mae'r dyn yn brathu'r ci.'

Defnyddir yr un geiriau bob tro, ond am fod trefn y geiriau'n wahanol yn yr ail frawddeg, mae'r ystyr yn wahanol hefyd.

Er mwyn sicrhau bod pawb yn deall yr hyn sy'n cael ei ddweud, rhaid i bawb ddysgu a defnyddio nifer o reolau. Mae'r rhain yn cynnwys ynganiad a gramadeg.

Ynganiad a gramadeg

- *Ynganiad* – dyma'r ffordd mae geiriau'n cael eu dweud. Gall amrywio yn ôl yr ardal y daw'r siaradwr ohoni. Mae'r acenion hyn yn peri bod iaith yn ddiddorol ac yn amrywiol, ac fel rheol nid yw'r amrywiadau'n rhy fawr i rwystro pobl rhag deall ei gilydd.

- *Gramadeg* – er mwyn gallu cyfathrebu ystyr yn union, fel rheol rhaid i'r siaradwr ddefnyddio'r gramadeg cywir.

Mae'r mwyafrif o blant yn dysgu sut i ynganu geiriau'n gywir a defnyddio gramadeg priodol yn yr un ffordd ag y byddant yn dysgu sgiliau iaith eraill. Rhaid i blant gael rôl fodelau, y cyfle i ddefnyddio sgiliau iaith ac adborth cadarnhaol er mwyn cymhwyso a phuro'r sgiliau hyn. O bryd i'w gilydd, fodd bynnag, bydd rhai plant yn cael trafferth wrth ynganu, ac mae'n bosibl y bydd rhaid cael cymorth therapydd lleferydd. Mae'n bwysig bod yn ymwybodol o anghenion y plant hyn ac i chwilio am gymorth i'r plentyn.

CYFATHREBU DI-EIRIAU

Wrth siarad a gwrando, mae pobl yn derbyn nifer o gliwiau, yn ychwanegol at y geiriau a ynganir, sy'n eu helpu i ddehongli'r rhyngweithiad:

- tôn y llais
- ymddaliad y corff (sut a ble rydym yn sefyll neu'n eistedd)
- ystum, symudiadau'r corff (er enghraifft codi'r ysgwyddau)
- mynegiant yr wyneb
- cyswllt llygaid.

Mae'n bosibl bod gan y cyfathrebu di-eiriau hwn nifer o bwrpasau. Gall:

- gymryd lle iaith, er enghraifft codi bys at y gwefusau
- dangos agwedd, er enghraifft dylyfu gên pan fydd rhywun yn siarad â chi
- cynorthwyo cyfathrebu llafar, er enghraifft pwyntio wrth ddweud 'hwnna'
- mynegi emosiwn, fel arfer drwy fynegi hynny ar yr wyneb.

Fel yn achos agweddau eraill ar iaith, ceir dealltwriaeth gyffredinol o arwyddion di-eiriau. Yn aml, fodd bynnag, cânt eu gyrru allan, eu derbyn a'u deall yn ddiarwybod i ni.

Astudiaeth achos ...

... cyfathrebu di-eiriau

Ar ddechrau diwrnod yn y feithrinfa, rhedodd Rhian i mewn i'r ystafell. 'Dwi'n 4,' gwaeddodd. Aeth y nyrs feithrin draw at Rhian a phenlinio wrth ei hymyl. Am ychydig funudau siaradodd â hi am ei phen-blwydd, ei hanrhegion a'r parti a fyddai'n cael ei gynnal yn ddiweddarach y diwrnod hwnnw.

1. Pam ei bod hi'n bwysig bod y nyrs feithrin yn penlinio i siarad â Rhian?

2. Pa ddull di-eiriau arall y gallai fod wedi ei ddefnyddio i ddangos ei ddiddordeb yng ngeiriau Rhian?

Mae'n bwysig deall bod rhai gwahaniaethau diwylliannol yn bodoli a allai arwain at gamddealltwriaeth pan gyfathrebir heb eiriau. Mewn rhai diwylliannau, er enghraifft, ni ddisgwylir i blant sy'n cael eu cyfarch gan oedolyn edrych yn eu llygaid, ond yn achos diwylliannau eraill gallai hynny gael ei ddehongli fel haerllugrwydd ar ran y plentyn.

GWRANDO

Er bod y mwyafrif o bobl yn cael eu geni gyda'r gallu i wrando ac yn cymryd hynny'n ganiataol, mewn gwirionedd mae'n sgìl gweddol gymhleth. Mae gwrando yn golygu dod o hyd i, a dewis, gwybodaeth berthnasol o'r seiniau sy'n ein hamgylchynu.

Fel pob sgìl arall, rhaid i blant ymarfer gwrando'n ofalus. I wneud hyn, mae angen gallu canolbwyntio'n dda. Yn aml, gelwir y sgìl hwn yn gwrando gweithredol.

Astudiaeth achos ...

... datblygu sgiliau gwrando

Roedd Eirwen wedi penderfynu cynnal sesiwn stori wedi'i seilio ar 'Elen Benfelen a'r Tri Arth'. Bwriadai ddarllen y stori i'r plant ac yna ei hailadrodd drwy ddefnyddio bwrdd stori.

Yn gyntaf, darllenodd y stori o'i dechrau i'w diwedd. Wedyn, dangosodd y lluniau a'r cymeriadau ar y bwrdd stori i'r plant: Elen Benfelen, y tri arth, tair bowlen, tair llwy, tair cadair a thri gwely.

Yna darllenodd y stori eto a gofynnodd i'r plant chwilio am yr eirth, y powlenni, y cadeiriau ayyb. Wrth i'r plant eu nodi, rhoddodd Eirwen y lluniau ar y bwrdd stori, gan greu dilyniant i'r stori.

Yn olaf, gofynnodd Eirwen i'r plant adrodd y stori iddi gan ddefnyddio'r bwrdd stori.

1. *Sut aeth Eirwen ati i annog y plant i wrando'n ofalus?*

2. *Sut aeth hi ati i sicrhau bod y plant yn gwrando'n ofalus ac yn dewis yr wybodaeth berthnasol?*

MEDDWL

Iaith yw'r prif offeryn a ddefnyddir gan bobl i feddwl. Gellir meddwl heb iaith, ond dim ond ar lefel syml iawn: gallwn adalw lluniau, delweddau a theimladau cyffyrddol i gof. Fodd bynnag, nid yw'r dulliau hyn o feddwl a galw gwybodaeth i gof yn ddigon cymhleth at bwrpas pobl. Mae angen dull mwy hyblyg ac effeithiol o ddefnyddio a thrin gwybodaeth mewn sawl gwahanol ffordd: iaith yw'r dull hyblyg ac effeithiol hwn o feddwl. Mae cysylltiad agos iawn, felly, rhwng datblygiad iaith a datblygiad gwybyddol.

IAITH YSGRIFENEDIG

Defnyddir llythrennau, geiriau a brawddegau i gynrychioli'r gair llafar. Pobl sy'n siarad ac yn ysgrifennu'r un iaith fydd yn deall y symbolau hyn. Er enghraifft, yn y Gymraeg, defnyddir y cyfuniad hwn o symbolau:

AFAL

i gynrychioli'r gwrthrych hwn:

Yn Punjabi, defnyddir y cyfuniad hwn o symbolau: ਆਪਲ i gynrychioli'r gwrthrych hwn.

Er mwyn i bawb allu deall sut i ysgrifennu, rhaid i bawb ddysgu rheolau. Yn Gymraeg, dyma'r rheolau:

- Rhaid i chi ysgrifennu ar bob llinell o'r chwith i'r dde.
- Rhaid i chi ddechrau yn y gornel uchaf ar y chwith.
- Safonir y gofod rhwng llythrennau'r geiriau a rhwng geiriau'r brawddegau.
- Sillafir geiriau yn yr un ffordd bob tro y byddant yn cael eu hysgrifennu.
- Fel rheol mae atalnodi a gramadeg priodol yn angenrheidiol.

Mae gan ieithoedd eraill wahanol reolau.

Cyn dysgu sut i ysgrifennu, rhaid i blentyn ddatblygu ystod eang o gysyniadau a sgiliau. Mae'r rhain yn cynnwys:

● *rheolaeth motor manwl* – sgiliau cyd-symudiad llaw-llygad a llawdriniol da

● *gwahaniaethu gweledol* – y gallu i weld tebygrwydd a gwahaniaethau

● *gwahaniaethu sŵn* – y gallu i glywed tebygrwydd a gwahaniaethau, yn enwedig rhwng synau'r wyddor

● *dilyniannu* – bydd dosbarthu, paru, patrymu a dilyniannu eitemau a lluniau yn caniatáu i blentyn wneud yr un peth â llythrennau a geiriau yn y pen draw

● ymwybyddiaeth o'r angen i ysgrifennu a darllen

● *y gallu i symboleiddio* – dyma'r gallu i gynrychioli un peth drwy ddefnyddio peth arall. Mae plant yn datblygu'r sgìl hwn wrth chwarae – efallai drwy ddefnyddio dol i gynrychioli baban, gan ei hanwesu a'i bwydo, neu ddefnyddio blwch i gynrychioli car neu long ofod. Yn y man, gellir trosglwyddo'r sgìl hwn i ysgrifennu, lle defnyddir sgwigls (symbolau) ar dudalen i gynrychioli'r gair ysgrifenedig.

Mae gweithgareddau chwarae yn y feithrinfa yn caniatáu i blant ddatblygu'r sgiliau a'r cysyniadau hyn. Mae angen digon o gyfleoedd, ymarfer ac anogaeth ar blant i wneud hyn, cyn dechrau ysgrifennu.

Wrth i blant ddechrau deall mwy am ysgrifennu, bydd llawer yn dechrau gwneud marciau tebyg i ysgrifen ar dudalen ac yn aml, yn dweud beth yw eu hystyr. Weithiau gelwir hyn yn ysgrifennu allddodol neu gynnar. Mae hwn yn gam datblygiad pwysig ac yn dystiolaeth bod plant wedi ennill nifer o'r sgiliau a'r cysyniadau a amlinellir uchod.

Astudiaeth achos ...

... datblygu sgiliau ysgrifennu

Fel rhan o waith y feithrinfa ar 'Ein Tre Ni', trowyd yr ardal chwarae-rôl yn salon trin gwallt. Yn ogystal â'r offer a ddefnyddir gan drinwyr gwallt, darparodd y staff lyfr a chardiau apwyntiadau.

Cymerodd Nia, myfyrwraig o dan hyfforddiant yn y feithrinfa, ran yn chwarae'r plant drwy fynd i'r salon trin gwallt i drefnu apwyntiad. Gofynnodd am apwyntiad ac anogodd Deiniol, a oedd yn chwarae yn yr ardal, i edrych yn y llyfr apwyntiadau, nodi amser ac ysgrifennu ei henw i lawr. Yna gofynnodd am gerdyn apwyntiad fel na fyddai'n anghofio amser ei hapwyntiad. Unwaith eto, anogodd Deiniol i ysgrifennu hyn i lawr.

1. *Pryd ddefnyddiodd Deiniol ei sgiliau darllen ac ysgrifennu cynnar?*

2. *Sut aeth Nia ati i annog Deiniol i ddefnyddio'r sgiliau hyn?*

3. *Beth oedd Deiniol yn ei ddysgu am anghenion a'r defnydd o ddarllen ac ysgrifennu?*

DARLLEN

Pan gaiff iaith ei hysgrifennu, gellir ei darllen drwy ddeall y symbolau. Fel yn achos ysgrifennu, rhaid i blant dderbyn ystod o sgiliau a chysyniadau cyn dysgu darllen. Mae nifer o'r sgiliau a chysyniadau cynnar yn gyffredin i ddarllen yn ogystal ag ysgrifennu:

- gwahaniaethu gweledol
- gwahaniaethu sŵn
- y gallu i ddilyniannu
- ymwybyddiaeth o anghenion a'r defnydd a wneir o ddarllen ac ysgrifennu
- y gallu i symboleiddio.

Yn ogystal, rhaid i blentyn sy'n dysgu darllen allu gwrando, rhannu a mwynhau straeon a deall sut y trefnir llyfrau. Er enghraifft, mae angen i blant ifainc ddeall:

- bod y darllen yn symud o'r chwith i'r dde
- mai'r gornel uchaf ar y chwith yw'r man cychwyn wrth ddarllen

ac yn ddiweddarach bod:

- patrymau mewn geiriau sy'n adlewyrchu seiniau (ffoneg) a siâp (edrych a dweud)
- atalnodi'n sicrhau bod y testun yn gwneud synnwyr.

Dysgir y rheolau hyn dros gyfnod o amser ac mae angen i blant eu hymarfer yn ddigonol.

Mae'n bwysig nodi nad yw'r rheolau hyn yn berthnasol i bob iaith, ac o bosibl bydd plant dwyieithog ac amlieithog yn dysgu darllen ac ysgrifennu ieithoedd gyda gwahanol gonfensiynau.

Gwirio'ch cynnydd

Nodwch wahanol agweddau datblygiad iaith.

Sut bydd plant yn dysgu gramadeg ac ynganiad priodol yn eu hiaith lafar?

Beth yw cyfathrebu di-eiriau a pham ei fod yn bwysig?

Sut gellir annog plant i wrando'n ofalus?

Pam fod arnom angen iaith i feddwl ac i storio gwybodaeth?

Nodwch y sgiliau a'r cysyniadau sydd eu hangen ar blant cyn dechrau darllen ac ysgrifennu.

Rhestrwch rai gweithgareddau chwarae y gellid eu darparu i ddatblygu a phuro'r sgiliau hyn.

Beth yw'r rheolau safonedig wrth ddarllen ac ysgrifennu Cymraeg?

Pam ei bod hi'n bwysig bod plant yn dysgu ac yn deall y rheolau hyn?

Dwyieithrwydd

term allweddol

Dwyieithog
siarad dwy iaith

Heddiw, mae llawer o blant y DU yn dod o deuluoedd **dwyieithog** neu **amlieithog**, lle nad Cymraeg yw'r iaith gyntaf neu'r unig iaith a ddefnyddir. Gall plentyn dyfu i fyny mewn amgylchfyd lle na chlywir Saesneg o gwbl, lle siaredir Saesneg o bryd i'w gilydd neu lle bydd rhai aelodau o'r teulu yn defnyddio'r Saesneg, tra bydd eraill yn defnyddio un neu fwy o ieithoedd eraill i gyfathrebu.

term allweddol

Arwyddiaith Brydeinig (BSL)

iaith weledol, ystumiol cymuned fyddar Prydain

term allweddol

Makaton

cyfundrefn o arwyddion syml a ddefnyddir gyda phobl â sgiliau iaith cyfyngedig

Er mwyn elwa'n llawn o unrhyw brofiadau a gynigir iddo, rhaid i'r plentyn fod yn hyderus ac yn rhugl yn yr iaith a ddefnyddir yn y sefydliad gofal plant. Gellir gwneud hyn dim ond os bydd gan weithwyr gofal plant ymwybyddiaeth a dealltwriaeth o gefndir ieithyddol (iaith) y plentyn. Gyda'r math hwn o sensitifrwydd, gellir darparu'n briodol ar gyfer datblygu sgiliau iaith Gymraeg/Saesneg, gan gydnabod sgiliau'r plant yn eu hiaith gyntaf neu iaith aelwyd ar yr un pryd.

Mae iaith yn rhan annatod o etifeddiaeth ddiwylliannol bob grŵp. Mewn rhai sefyllfaoedd, efallai y bydd teulu'n defnyddio Saesneg ar gyfer eu holl anghenion bob dydd, gan beidio â defnyddio iaith eu hetifeddiaeth ddiwylliannol yn gyson. Fodd bynnag, er mwyn sicrhau bod y genhedlaeth nesaf yn deall ac yn gwerthfawrogi lled a dyfnder eu diwylliant, bydd rhai grwpiau lleiafrifol yn annog eu pobl ifainc i ddysgu'r iaith.

O bosibl, bydd plant byddar, neu blant sydd â pherthnasau byddar, yn defnyddio **Arwyddiaith Brydeinig (BSL)** fel eu hiaith gyntaf neu ddewisol. Mae hon yn iaith amlwg, weledol, ystumiol gyda strwythur a gramadeg gwbl wahanol i Gymraeg a Saesneg lafar. Gan nad oes gan BSL ffurf ysgrifenedig – er y ceir hyd i linluniadau o arwyddion unigol mewn rhai llyfrau plant – mae siaradwyr BSL yn defnyddio Saesneg ar ei ffurfiau llythrennog, h.y. ar gyfer darllen ac ysgrifennu. Ni ddylid cymysgu rhwng BSL a **Makaton**: ffurf iaith soffistigedig yw BSL sy'n caniatáu trafod materion cymhleth a haniaethol; cyfundrefn o arwyddion syml a ddefnyddir i gyfathrebu â phobl gydag anableddau dysgu wedi'u cysylltu â sgiliau iaith cyfyngedig iawn yw Makaton.

Astudiaeth achos …

… sefyllfaoedd dwyieithog

1. Ymgartrefodd mam-gu a thad-cu Shahnaz, sy'n saith oed, yn y DU ar ôl gadael Pakistan yn y 1960au. Cafodd Shahnaz ei magu o fewn teulu estynedig. Mae ei rhieni'n defnyddio Saesneg i siarad â hi, ac mae hi'n cyfathrebu â'i mam-gu a'i thad-cu mewn Punjabi. Yn yr ysgol, mae hi'n siarad Saesneg â'i hathrawon ac mae'n dysgu Cymraeg. Yn ogystal, mae hi'n dysgu darllen ac ysgrifennu Arabeg, sef iaith y Qur'an, ar ôl ysgol.

2. Mab 4 oed myfyriwr Almaeneg sydd ar raglen astudio am 2 flynedd yw Dieter. Mae'n mynychu cylch chwarae maestrefol ac mae gweithwyr y cylch chwarae yn ei annog i ddefnyddio ei ychydig eiriau Saesneg ac yn dysgu geiriau Cymraeg iddo yn ogystal. Fel rheol bydd ei fam yn siarad ag ef mewn Almaeneg, ond mae hi hefyd yn dechrau defnyddio mwy o Saesneg yn y cartref.

3. Mae Anna, merch 6 oed o Fanceinion, wedi symud i gefn gwlad Canolbarth Cymru, lle mae ei rhieni wedi agor bwyty. Mae pob un o'r plant yn ei dosbarth yn siarad Cymraeg fel iaith gyntaf, gan mai Cymraeg yw prif iaith yr ysgol a'r maes chwarae.

4. Mae Dinh yn 3 oed. Mae ei deulu'n ffoaduriaid o Dde-Ddwyrain Asia, ac yn byw mewn llety gwely a brecwast dros dro. Mae Dinh yn mynychu meithrinfa ddydd yr awdurdod lleol ac yn encilgar iawn. Mae ei rieni'n cyfathrebu â'r staff drwy gyfrwng cyfieithydd, ond nid yw'r gwasanaeth hwn ar gael yn aml.

5. Mae rhieni Manon yn hollol fyddar. Mae hi'n gallu clywed, ond mae hi'n defnyddio BSL gyda'i rhieni gartref a chyda'u ffrindiau yng Nghlwb y Byddar. Mae hi'n siarad Saesneg yn y feithrinfa, gyda'i brawd.

6. Bachgen 5 oed o deulu Bangladeshi yw Raheel. Yn ddiweddar, symudodd i ysgol fach mewn pentref o ysgol fawr mewn dinas lle siaradwyd a gwerthfawrogwyd

nifer o ieithoedd. Roedd Raheel yn gwneud yn dda, yn ôl ei athro diwethaf. Yn ei ysgol newydd, nid ef yw'r unig blentyn sy'n siarad Saesneg fel ail iaith gan fod nifer fawr o'r plant yn dod o gartrefi Cymraeg, ond er hynny mae eu Saesneg nhw yn well na Saesneg Raheel. Nid yw'n derbyn cymorth ESL (Saesneg fel Ail Iaith) ac mae ei waith ysgol yn dirywio.

1. Beth yw'r tebygrwydd rhwng y profiadau a ddisgrifir uchod?

2. Beth yw'r gwahaniaethau?

3. Ystyriwch bob plentyn yn unigol. Beth yw anghenion bob un?

ADNABOD ANGHENION PLANT DWYIEITHOG

Nid yw'n ddefnyddiol nac yn gywir i gategoreiddio plant dwyieithog drwy ddweud bod ganddynt yr un anghenion neu brofiadau. Mae'n wir bod y profiad o ddefnyddio a theimlo'r angen i ddefnyddio mwy nag un iaith yn gyffredin iddynt, ond ceir ffactorau eraill a fydd, o bosibl, yn wahanol iawn.

ATEB ANGHENION PLANT DWYIEITHOG

Mae'n bwysig bod anghenion plant nad ydynt yn defnyddio Cymraeg/Saesneg fel iaith gyntaf yn cael eu deall a'u hateb o fewn y sefydliad gofal plant. Bydd pob plentyn yn poeni rhywfaint yn ystod eu diwrnod cyntaf mewn sefydliad anghyfarwydd, megis ysgol neu gylch chwarae. Bydd y pryderon hyn yn cynyddu os yw amgylchedd ieithyddol y plentyn yn anghyfarwydd hefyd. Er mwyn i blant o'r fath elwa o'u profiadau yn y feithrinfa, ysgol neu ofal dydd, rhaid i'r staff sicrhau eu bod yn deall, cynyddu ac yn gwerthfawrogi galluoedd iaith gyntaf (iaith aelwyd neu famiaith) y plentyn. Er mwyn helpu, rhaid i chi gofio'r pwyntiau canlynol:

- Mae llawer o blant nad ydynt yn siarad Cymraeg/Saesneg yn rhugl yn alluog iawn yn eu hiaith gyntaf.

- Peidiwch â mynnu bod gan blant sy'n siarad ychydig neu ddim Cymraeg/Saesneg broblemau iaith neu oediad iaith. Mae eu diffyg gallu yn ymwneud â Chymraeg/Saesneg, nid iaith.

- Mae'n bosibl y bydd plentyn yn gallu defnyddio iaith i gysyniadu yn eu hiaith gyntaf ond nid eu hail iaith.

- O bosibl, bydd iaith di-eiriau Prydeinig (yr oslef, rhythm, defnydd o ystum a chyswllt llygaid) yn wahanol iawn i rai iaith gyntaf y plentyn.

- Bydd plentyn dwyieithog neu amlieithog yn ffynnu mewn awyrgylch lle gwerthfawrogir amrywiaeth iaith.

- Mae siarad mwy nag un iaith yn briodoledd bositif a dylid bod yn ymwybodol o hynny.

- Nid yw rhuglder iaith yr un peth â bod yn llythrennog yn yr iaith honno. Weithiau bydd pobl yn siarad iaith yn rhugl, heb fedru ei darllen na'i hysgrifennu.

Bydd plentyn na all gyfathrebu yn iaith y sefydliad gofal plant (Cymraeg/Saesneg, yn achos y mwyafrif o'r astudiaethau achos a restrir uchod) dan anfantais. Rhaid sicrhau bod cymorth arbenigol ar gael i sicrhau bod y plentyn yn dysgu ac yn ymarfer Cymraeg/Saesneg. Gyda'r cymorth iawn a dealltwriaeth y staff, buan y bydd y plentyn yn arfer y sgiliau Cymraeg/Saesneg sy'n angenrheidiol ar gyfer manteisio'n llawn ar bopeth sy'n digwydd.

Yn ogystal â bod yn eiddgar i sicrhau bod plant yn gymwys yn eu hail iaith, dylem feithrin datblygiad yr iaith gyntaf hefyd. Mae astudiaethau'n dangos bod plant sy'n derbyn cyfle i ddatblygu eu hiaith gyntaf i lefel uwch yn gallu trosglwyddo sgiliau darllen ac ysgrifennu i'w hail iaith yn rhwydd. Fodd bynnag, yn aml bydd plant sy'n gorfod ymgymryd â sgiliau cymhleth darllen ac ysgrifennu mewn iaith nad ydynt yn ei deall yn gorfod ymdrechu'n galed i wneud cynnydd tebyg.

CEFNOGAETH I BLANT DWYIEITHOG

Mae'r math o gefnogaeth sydd ar gael i blant dwyieithog yn amrywio'n fawr o ardal i ardal. Dyma rai enghreifftiau o'r mathau o gefnogaeth a allai fod ar gael:

- *Staff Saesneg fel Ail Iaith (ESL)* – sef athrawon a chynorthwywyr dosbarth, yn aml nyrsys meithrin, sy'n gweithio ochr yn ochr ag aelodau o'r staff mewn ysgolion neu feithrinfeydd lle mae plant a fyddai'n elwa o berthynas un-i-un a gwaith mewn grwpiau bach i ddatblygu sgiliau Saesneg. Lle ceir nifer sylweddol o blant nad ydynt yn siarad Saesneg fel iaith gyntaf, mae'n bosibl y bydd aelod o dîm ESL yn cael ei neilltuo i sefydliad penodol. Mewn achosion eraill, os bydd llai o'r plant hyn, o bosibl neilltuir nifer o sesiynau bob wythnos.

- *Athrawon/cynorthwywyr/hyfforddwyr iaith Mamiaith (neu iaith aelwyd)* – mae rhai awdurdodau lleol yn cyflogi staff sy'n mynd ati i gefnogi ac annog y plentyn i gaffael ei iaith gyntaf (neu aelwyd). Mae hyn yn hybu'r broses a ddechreuodd eisoes yn y cartref ac yn caniatáu i hyder a sgiliau iaith a meddwl y plentyn gynyddu.

- *Cynorthwyydd dwyieithog (yn aml, nyrs feithrin)* – fel rheol, cyflogir y cynorthwywyr hyn mewn sefydliad lle mae gan lawer o'r plant iaith gyntaf gyffredin. Mae'r cynorthwyydd yn gweithio ochr yn ochr â'r staff eraill, yn cyfieithu cyfarwyddiadau a gwybodaeth ar gyfer y plant, a hefyd yn rhannu straeon, hwiangerddi a gemau, gan alluogi'r plentyn i gyrchu'r cwricwlwm cyfan. Gall y cynorthwyydd dwyieithog dawelu meddwl y plentyn a rhoi cymorth drwy gynnal y llif o wybodaeth a roddir i, ac a dderbynnir gan, y rhieni, yn enwedig pan fydd plentyn yn ymgartrefu mewn sefyllfaoedd newydd.

Astudiaeth achos ...

... gwerthfawrogi amrywiaeth iaith

O ran y plant a dderbyniwyd iddo, roedd y grŵp chwarae yn adlewyrchu amrywiaeth ddiwylliannol y gymuned leol, ac o fewn y grŵp roedd nifer o blant a siaradai Gujerati fel iaith gyntaf, ochr yn ochr â mwyafrif a siaradai Cymraeg/Saesneg. Cysylltodd y grŵp chwarae â Phroject Gwragedd Asiaidd lleol, a daeth Nialah, gweithwraig hyfforddedig a siaradai Gujerati, i weithio yn yr ysgol am rai wythnosau.

Ar y dechrau, canolbwyntiodd Nialah ar y plant hynny a siaradai Gujerati, gan gyflwyno gweithgareddau a rhannu straeon gyda hwy yn eu hiaith eu hunain. Wrth i'w hyder gynyddu, gweithiodd gyda hwy ar weithgareddau a gyflwynwyd yn Saesneg, gan ddatblygu a chefnogi eu dealltwriaeth yn eu hail iaith. Pan fyddai'n bryd ymgasglu ar y carped, byddai Nialah yn adrodd stori neu ddysgu rhigwm Gujerati i'r plant. Roedd presenoldeb Nialah o gymorth mawr i'r rhieni a siaradai Gujerati, yn enwedig pan ddaeth eu plant i'r grŵp yn gyntaf, ac roeddent yn awyddus i ofyn cwestiynau neu rannu gwybodaeth. Ar ôl dim ond ychydig wythnosau, sylwodd staff y grŵp chwarae ar y gwahaniaeth yn y plant o ran eu hyder a'u dysgu a hefyd y rhan a chwaraeai'r rhieni a siaradai Gujerati yn y grŵp chwarae.

1. Sut wnaeth cyfraniad Nialah helpu'r plant yn y grŵp chwarae a siaradai Gujerati?

2. Sut roedd gwaith Nialah yn y grŵp chwarae o fantais i rieni'r plant?

3. Sut roedd y plant yn elwa o gael eu cyflwyno i straeon a rhigymau yn Gujerati?

AMRYWIAETH IAITH

Rydym yn rhan o fyd sy'n cynnwys nifer mawr o wahanol ieithoedd, acenion, tafodieithoedd a ffurfiau eraill ar gyfathrebu, yn ysgrifenedig ac ar lafar. Byddai bod yn ymwybodol dim ond o'u hiaith eu hunain, heb wybod am fodolaeth rai eraill, yn cyfyngu'r plant. Drwy hyrwyddo awyrgylch bositif sy'n dathlu amrywiaeth iaith, gallwn wella profiad iaith y plant, gan werthfawrogi profiad y plentyn dwyieithog ar yr un pryd. Mae hwn yn brofiad sy'n cyfoethogi bywydau'r plant i gyd, un sydd yr un mor fanteisiol i blentyn o fewn amgylchedd uniaith ac yw i blentyn sydd eisoes yn byw yng nghanol sawl iaith.

Awgrymir y syniadau canlynol ar gyfer hyrwyddo amrywiaeth iaith mewn sefydliad gofal plant. Mae'n bwysig gwerthfawrogi amrywiaeth iaith ym mhob man, ac nid yn unig mewn sefydliadau lle siaredir amryw ieithoedd.

term allweddol

Dyfais Caffael Iaith (LAD)

yr enw a roddir gan Chomsky i'n galluoedd corfforol a deallusol cynhenid sy'n ein galluogi i gaffael a defnyddio iaith

- Cyflwynwch arwyddion croeso a chyfarchion mewn sawl iaith.
- Dewiswch lyfrau dwyieithog ar gyfer eich cornel llyfrau (gan gynnwys iaith arwyddion). Tynnwch sylw'r plant at y gwahaniaethau yn y testun a'r sgript.
- Dysgwch ganeuon a hwiangerddi mewn sawl iaith. Gofynnwch am gymorth rhieni a ffrindiau os bydd angen.
- Gwnewch lyfrau i blant yn eu hiaith eu hunain.
- Gwrandewch ar dapiau o ganeuon a cherddi a straeon mewn sawl iaith.
- Gwnewch arddangosfa o ddeunyddiau printiedig yn cynnwys cynifer o wahanol ieithoedd a sgriptiau â phosibl. Gofynnwch i'r plant eich helpu drwy ddod ag eitemau o'u cartrefi.
- Dewiswch straeon o bob rhan o'r byd. Chwiliwch am rywun sy'n gallu adrodd y stori mewn iaith arall; adroddwch y fersiwn /GymraegSaesneg ar y cyd.
- Anogwch y plant i ddysgu cyfarchion syml mewn ieithoedd sy'n wahanol i'w hiaith hwy.

Ceisiwch feddwl am syniadau eraill i'w hychwanegu at y rhestr hon.

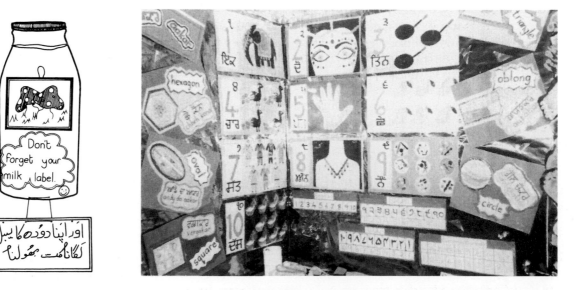

Hyrwyddo amrywiaeth iaith yn y lleoliad gofal plant

Gwirio'ch cynnydd

1. Beth mae'r termau dwyieithog, amlieithog ac uniaith yn eu golygu i chi?

2. Beth yw rôl iaith mewn perthynas â chynnal hunaniaeth ddiwylliannol cymuned?

3. Sut gall y gweithiwr gofal plant helpu i gwrdd ag anghenion plant nad ydynt yn siarad iaith y lleoliad fel iaith gyntaf?

4. Sut fath o gefnogaeth sydd ar gael i blant ifainc sy'n siarad Saesneg fel ail iaith?

5. Pam ei bod hi'n bwysig i weithwyr gofal plant werthfawrogi a hybu amrywiaeth iaith fel rhan o'u gwaith gyda phlant?

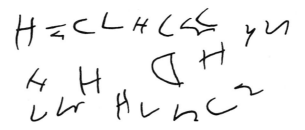

Sylwodd Vygotsky bod plant yn tynnu llun pethau'n gyntaf, ac yna'n tynnu llun iaith lafar

Seicoleg a datblygiad iaith

Mae llawer o seicolegwyr wedi astudio ac ymchwilio i'r modd mae pobl yn caffael iaith. Mae rhai o'r farn mae sgìl genetig a etifeddwyd yw iaith. Yn ôl eraill, mae plentyn yn dysgu iaith ar ôl cael ei eni. Mae hwn yn rhan o'r ddadl natur-magwraeth.

Nid yw'r ddadl natur-magwraeth wedi dod i gasgliad pendant. I bob golwg mae dysgu iaith yn cynnwys elfennau o natur a magwraeth hefyd: mae gan blant rywfaint o sensitifrwydd genetig i iaith, ond mae eu profiadau ar ôl cael eu geni yn bwysig iawn hefyd o safbwynt datblygiad iaith.

NATUR	MAGWRAETH
Mae geneteg yn gyfrifol am ein gallu i ddysgu iaith.	Dysgir iaith ar ôl i ni gael ein geni drwy broses atgyfnerthiad.
Noam Chomsky	**B.F. Skinner**
Mae Chomsky'n credu bod pawb ohonom yn cael ein geni gyda'r galluoedd corfforol a deallusol priodol i ddysgu iaith:	Pan fydd plant yn ynganu seiniau a geiriau sy'n rhan o'r iaith y byddant yn ei siarad yn y man, derbyniant ymateb positif. Yr ymateb

Y ddadl natur-magwraeth - parhad

NATUR	MAGWRAETH
• mecanweithiau cynhyrchu iaith, e.e. tafod, gwefusau, palet, rheoli anadlu • y gallu deallusol i ddeall gramadeg cymhleth • rhannau'r ymennydd sy'n caniatáu'r ddealltwriaeth o iaith. Mae'n galw hwn yn **Ddyfais Caffael Iaith (LAD)**	positif hwn yw'r atgyfnerthiad. Mae'n annog y plentyn i ailadrodd y sŵn neu'r gair. Ni atgyfnerthir y seiniau a'r geiriau hynny nad ydynt yn rhan o'r iaith y bydd y plentyn yn ei siarad yn y man, ac felly byddant yn diflannu. Gelwir hyn yn gyflyru gweithredol. Mae rhyngweithiad cymdeithasol yn bwysig wrth gaffael sgiliau iaith. **L.S. Vygotsky** Pwysleisiodd Vygotsky bwysigrwydd y berthynas rhwng iaith lafar ac ysgrifennu. Yn ei farn ef, roedd ymdrechion cynnar plant i ysgrifennu yn arwyddocaol. Mae plant yn tynnu llun pethau, ac yna'n symud ymlaen i dynnu llun iaith. Ni fydd yn amlwg mai ysgrifen ydyw ar y dechrau, ond bydd plant wedi deall cysyniad ysgrifennu: gosod iaith i lawr, neu dynnu ei llun. Mae'r datblygiad hwn yn digwydd wrth i'r plant ryngweithio a chyfathrebu â phobl.

Gwirio'ch cynnydd

Beth yw'r ddadl dros natur, o safbwynt caffael iaith?

Beth yw'r ddadl dros fagwraeth, o safbwynt caffael iaith?

Sut mae cyflyru gweithredol yn ymwneud â chaffael iaith?

Pam fod plant yn tynnu llun yn bwysig o ran datblygiad iaith?

Darllenwch y ddadl natur- magwraeth am ddatblygiad iaith eto. Beth yw'r problemau sy'n gysylltiedig â'r naill ddadl a'r llall?

Penderfynwch beth yw cyfuniad natur-magwraeth o safbwynt plant yn caffael iaith, yn eich barn chi. Rhowch resymau dros eich ateb.

Dilyniant datblygiad iaith

Mae iaith plant yn datblygu trwy nifer o gamau amlwg. Fel y gwelir o'r tabl isod, mae'r camau hyn yn dilyn mewn trefn. Mae lefel datblygiad plant yn dibynnu'n rhannol ar eu hoed cronolegol, ond mae eu profiad o iaith yn gynnar yn eu bywydau yn ffactor sydd yr un mor bwysig. Os bydd plant yn tyfu mewn amgylchedd sy'n gyfoethog o ran ei iaith, bydd hyn yn cael ei adlewyrchu yn eu datblygiad iaith. Bydd plant sydd heb gael y cyfle hwn, heb gael yr un cyfleoedd i ddatblygu. Mae'n bwysig ystyried hwn wrth asesu oedran datblygiad iaith plentyn.

O bosibl, bydd plant dwyieithog yn arafach yn datblygu eu hieithoedd na phlant

uniaith. Mae hyn i'w ddisgwyl, gan fod mwy o lawer i'w ddysgu. Mewn amgylchedd sy'n hyrwyddo datblygiad iaith, bydd plant dwyieithog yn hyfedr yn y ddwy iaith yn y man.

Dilyniant datblygiad iaith: genedigaeth hyd at 5 oed

Oed yn fras	Lefel datblygiad
Geni	Sgrech anwirfoddol
2–3 wythnos	Arwyddion o gyfathrebu bwriadol: cyswllt llygad
4 wythnos ac ymlaen	Sgrechfeydd erbyn hyn yn wirfoddol, yn mynegi, er enghraifft, anhapusrwydd, blinder, unigrwydd Weithiau bydd plant yn ymateb drwy symud eu llygaid neu eu pennau tuag at y siaradwr, cicio neu roi'r gorau i sgrechian
6 wythnos ac ymlaen	O bosibl, bydd plant yn gwenu pan fydd rhywun yn eu cyfarch Bydd plant yn dechrau cŵan a byrlymu mewn ymateb i bresenoldeb a llais rhiant neu ofalwr, a hefyd i ddangos bodlonrwydd
1–2 mis	O bosibl, bydd plant yn dechrau symud eu llygaid neu eu pennau i gyfeiriad sŵn
3 mis	Bydd plant yn codi eu pennau pan fydd sŵn yn tynnu eu sylw
4–5 mis	Byddant yn gwneud seiniau chwareus: cŵan, byrlymu, chwerthin, glaschwerthin, gwichian; gwnânt hyn mewn ymateb i lais dynol ac er mwyn dangos bodlonrwydd Mae plant yn ymateb i seiniau cyfarwydd drwy droi eu pennau, cicio neu roi'r gorau i grïo Yn gweiddi i dynnu sylw
6 mis	Clebran baban yn dechrau: seiniau cyson, mynych, e.e. gegegegeg, mamamam, dadada; mae plant yn chwarae gyda'r synau hyn. Mae hyn yn bwysig ar gyfer ymarfer y mecanweithiau cynhyrchu sŵn sy'n angenrheidiol ar gyfer iaith lafar yn nes ymlaen Mae'r cŵan, chwerthin a'r byrlymu'n cryfhau Mae plant yn dechrau deall emosiwn yn llais y rhiant neu'r gofalwr Mae plant yn dechrau mwynhau cerddoriaeth a rhigymau, yn enwedig os byddant yn cynnwys gweithredoedd
9 mis	Mae'r clebran baban yn parhau a'r amrywiaeth yn cynyddu Mae plant yn dechrau adnabod eu henwau Weithiau'n deall geiriau syml, unigol, e.e. Na, Ta-ta Mae plant yn parhau i fwynhau cerddoriaeth a rhigymau ac yn awr byddant yn ceisio ymuno i mewn â'r gweithredoedd, e.e. chwarae un bys, dau fys, tri bys yn dawnsio
9–12 mis	Mae'r clebran baban yn dechrau adlewyrchu goslef iaith O bosibl, bydd plant yn dechrau dynwared geiriau syml. Fel rheol, mae hyn yn datblygu o'r clebran baban, e.e. dada Maent yn dechrau pwyntio. Yn aml bydd hwn yn mynd gyda sŵn neu ddechrau gair. Mae hyn yn dangos ymwybyddiaeth gynyddol o'r ffaith bod cysylltiad rhwng geiriau a phobl a gwrthrychau

Dilyniant datblygiad iaith: genedigaeth hyd at 5 oed

Oed yn fras	Lefel datblygiad
12 mis	Mae geirfa plant yn dechrau datblygu. Bydd y gair/geiriau cyntaf yn ymddangos, fel rheol enwau pobl a gwrthrychau sy'n gyfarwydd i'r plentyn. Maent wedi'u seilio ar ystod eu clebran baban. Mae plant yn deall llawer mwy nag y gallant ei fynegi. Gelwir hwn yn eirfa *oddefol*. Gelwir geiriau a ynganir yn eirfa *weithredol* Maent yn dechrau ymateb i gyfarwyddiadau syml, e.e. 'Rho'r bêl i mi', 'Dere 'ma', 'Clapia dy ddwylo'
15 mis	Mae datblygiad iaith weithredol yn parhau'n gyfyngedig wrth i blant ganolbwyntio ar symud Mae'r eirfa oddefol yn cynyddu'n gyflym Cyfathrebir drwy bwyntio a dweud un gair
18 mis	Mae geirfa weithredol plant yn cynyddu; fel rheol mae'n cynnwys enwau pethau a phobl cyfarwydd Mae plant yn defnyddio'u hiaith i enwi eiddo a thynnu sylw at wrthrychau penodol Nid yw'n hawdd cyffredinoli geiriau, e.e. mae cath yn golygu eu cath nhw'n unig, ac nid yr un drws nesaf Defnyddir un gair a goslef i fynegi ystyr, e.e. gall cwpan olygu 'Dwi eisiau diod', 'Dwi wedi colli 'nghwpan i', 'Ble mae 'nghwpan i?' Bydd y goslef (ac o bosibl, y sefyllfa) yn mynegi'r ystyr i bobl sy'n gyfarwydd â'r plentyn Bydd plant yn ailadrodd geiriau a brawddegau
21 mis	Mae'r eirfa oddefol a'r eirfa weithredol ill dau yn cynyddu; mae'r eirfa oddefol yn fwy na'r eirfa weithredol o hyd Mae plant yn dechrau enwi gwrthrychau a phobl sydd ddim yno: mae hyn yn dangos eu bod yn ymwybodol o swyddogaeth iaith Mae brawddegau'n dechrau. Ar y dechrau, ceir ymadroddion yn cynnwys dau air, e.e. 'Mam mynd', 'Rhoi cot' Mae ystum yn parhau'n rhan sylfaenol o gyfathrebu Mae plant yn dechrau holi cwestiynau, fel rheol 'Beth?', 'Pwy?' a 'Ble?'
2 oed	Mae'r eirfa oddefol a'r eirfa weithredol yn parhau i gynyddu Mae plant yn gallu cyffredinoli geiriau ond mae hyn yn arwain at or-gyffredinoli o bryd i'w gilydd, e.e. mae pob dyn yn dad, pob anifail â phedwar coes yn gi Defnyddir rhagenwau personol (geiriau a ddefnyddir yn lle enwau go iawn) e.e. Fi, hi, fe, ti, nhw. Nid ydynt yn cael eu defnyddio'n gywir bob tro Mae brawddegau'n ymestyn, er eu bod yn tueddu i ddefnyddio iaith delegraffig, e.e. defnyddir dim ond y prif eiriau sy'n cyfleu ystyr, e.e. 'Mam mynd gwaith', 'Fi mynd beic' Gofynnir cwestiynau'n aml, 'Beth?' a 'Pam?'
2 flwydd 6 mis	Mae'r eirfa'n cynyddu'n gyflym; mae llai o anghydbwysedd rhwng geirfâu goddefol a gweithredol Mae'r defnydd o eiriau'n fwy penodol ac felly mae llai o dan- a gor-gyffredinoli Mae brawddegau'n ymestyn ac yn fwy manwl gywir, er eu bod, fel rheol, yn fersiynau talfyredig o frawddegau oedolion

Dilyniant datblygiad iaith: genedigaeth hyd at 5 oed

Oed yn fras	Lefel datblygiad
2 flwydd 6 mis	Weithiau bydd trefn geiriau mewn brawddeg yn anghywir Gall plant ddefnyddio iaith i amddiffyn eu hawliau a'u buddiannau ac i gynnal eu cysur a'u pleser eu hunain, e.e. 'Un fi yw e', 'Cer i ffwrdd', 'Dwi'n chwarae gyda hwnna' Mae plant yn gallu gwrando ar straeon ac yn cymryd diddordeb ynddynt
3 oed	Mae geirfa'n datblygu'n gyflym; dysgir geiriau newydd yn gyflym Mae brawddegau'n parhau i ymestyn ac yn dod yn debycach i iaith oedolion Mae plant yn siarad â'u hunain wrth chwarae; mae hyn er mwyn cynllunio a threfnu eu chwarae, sy'n dystiolaeth bod plant yn defnyddio iaith i feddwl Bellach gellir defnyddio iaith i adrodd yn ôl am yr hyn sy'n digwydd, i gyfeirio eu gweithredoedd eu hunain ac eraill, i fynegi syniadau ac i gychwyn a chynnal cyfeillgarwch Fel rheol defnyddir rhagenwau'n gywir Defnyddir cwestiynau megis 'Pam?', 'Pwy?' ac 'I beth?' yn gyson Mae rhigymau ac alaw yn rhoi pleser
3 blwydd 6 mis	Mae gan blant eirfa eang ac fel rheol byddant yn defnyddio geiriau'n gywir; mae hyn yn parhau i gynyddu Bellach gallant ddefnyddio brawddegau cyfan, er nad yw trefn y geiriau'n gywir bob tro Bellach gellir defnyddio iaith i adrodd yn ôl am brofiadau o'r gorffennol Weithiau defnyddir terfynau anghywir ar gyfer geiriau, yn enwedig yn Saesneg e.e. swimmed, runned, seed
4 oed	Erbyn hyn, mae geirfa plant yn eang; ychwanegir geiriau newydd yn gyson Defnyddir brawddegau hirach a mwy cymhleth; o bosibl cysylltir brawddegau ag achos, sy'n dangos ymwybyddiaeth o achosion a pherthnasau Mae plant yn gallu adrodd straeon hir, gan gynnwys dilyniant y digwyddiadau Mae chwarae'n cynnwys sylwebaeth ar y pryd Nid yw'r ffin yn glir rhwng ffaith a ffuglen, ac adlewyrchir hyn yn iaith y plant Mae'r iaith yn gwbl ddealladwy, gyda chamgymeriadau prin, bach Dyma pryd yr holir y nifer mwyaf o gwestiynau. Defnyddir 'Pryd?' ar y cyd â chwestiynau eraill Fel rheol, erbyn hyn bydd plant yn gallu defnyddio iaith i rannu, cymryd eu tro, cydweithio, dadlau, rhagweld beth sy'n mynd i ddigwydd, cymharu dewisiadau eraill posibl, rhagweld, esbonio, cyfiawnhau ymddygiad, creu sefyllfaoedd o fewn chwarae llawn dychymyg, feddwl am eu teimladau eu hunain a dechrau disgrifio sut mae eraill yn teimlo
5 oed	Mae gan blant eirfa eang a gallant ei defnyddio'n briodol Mae'r eirfa'n gallu cynnwys lliw, siapiau, rhifau a chyferbyniadau cyffredin e.e. mawr/bach, caled/meddal Fel rheol bydd strwythur brawddegau'n gywir, er y defnyddir gramadeg anghywir o hyd, o bosibl Mae'n bosibl y bydd yr ynganiad yn blentynnaidd o hyd Parheir i ddefnyddio a datblygu iaith yn y modd a ddisgrifir ar gyfer plant 4 oed; 5 bellach, gallai gynnwys ymadroddion a glywid ar y teledu ac a gysylltir â theganau plant Defnyddir cwestiynau a thrafodaethau i holi a chael gwybodaeth; mae'r cwestiynau'n troi'n fwy manwl gywir wrth i sgiliau gwybyddol plant ddatblygu Bydd plant yn cynnig barn mewn trafodaeth

DATBLYGIAD IAITH: 5-8 OED

Rhwng 5 ac 8 oed mae plant yn defnyddio, ymarfer, addasu a phuro'u sgiliau iaith. Defnyddir iaith ar gyfer amrywiaeth o bwrpasau. Yn ei llyfr, *Listening to Children Talking* (Ward Lock Educational, 1976), mae Joan Tough yn nodi saith o brif bwrpasau iaith. Mae'r rhain yn cynnig ffordd ddefnyddiol o arsylwi a dadansoddi datblygiad plant. Mae'r defnydd a wneir o iaith yn hierarchaidd, hynny yw, mae'r plant yn mynd trwy'r saith cam yn y drefn hon. Bydd y mwyafrif o blant wedi pasio trwy'r camau cynnar cyn cyrraedd 5 oed.

Saith defnydd iaith yn ôl Joan Tough	
Defnydd	**Defnyddio iaith i**
1 Hunan-gynaliadwy	1.1 Amddiffyn eich hun: *Stopia.* *Cer i ffwrdd.* *Ti'n brifo fi.* 1.2 Cwrdd ag anghenion corfforol a seicolegol: *Mae syched arna'i.* *Ti'n brifo fi.*
2 Cyfarwyddo	Cyfarwyddo gweithredoedd eich hun ac eraill: *Gwthia'r lori o gwmpas y trac.* *Dwi 'mond angen rhoi'r fricsen 'ma yma, wedyn bydda' i wedi gorffen.*
3 Adrodd yn ôl	3.1 Labelu rhannau cydrannol golygfa: *Dyna gar, lori a bws.* 3.2 Cyfeirio at fanylion, lliw, siâp, maint a lleoliad gwrthrych 3.3 Siarad am ddigwyddiad: *Syrthies i allan o'r gwely neithiwr.* 3.4 Cyfeirio at ddilyniant o ddigwyddiadau: *Wnaethon ni gerdded i'r arosfan bysus ac wedyn wnaethon ni ddal y bws i'r ysgol.* 3.5 Ystyried ystyron profiadau, gan gynnwys teimladau: *Dwi'n hoffi siarad yn y siop, yn arbennig gyda Sara.*
4 Tuag at ymresymu rhesymegol	4.1 Esbonio proses: *Mi wnes i de. Yn gyntaf, mi wnes i roi bag te yn y pot, ac wedyn mi wnes i roi dŵr ar ben y bag.* 4.2 Adnabod perthnasau achosol a dibynnol: *Rwyt ti wedi rhoi siwgr yn y te 'ma, felly dydy e ddim yn blasu'n dda iawn.* 4.3 Adnabod problemau a'u hachosion: *Dydy'r bocs 'ma ddim yn ddigon mawr i gynnwys y ceir i gyd. Rhaid i ni gael bocs mwy.* 4.4 Cyfiawnhau barn a gweithredoedd: *Doeddwn i ddim eisiau mynd allan achos doeddwn i ddim wedi gorffen fy llun.*
5 Rhagfynegi	5.1 Rhagweld neu ragddweud: *Rydyn ni'n mynd i gael bochdew a bydd rhaid iddo fe gael cawell gydag olwyn.* 5.2 Rhagfynegi canlyniadau gweithredoedd neu ddigwyddiadau: *Bydd y llafn gwthio 'na'n syrthio i ffwrdd os dwyt ti ddim yn glynu fe 'mlaen yn iawn.*
6 Rhagamcanu	6.1 Rhagamcanu i mewn i brofiadau, teimladau ac ymatebion eraill: *Roedd e wedi mynd yn sownd yn fan'na a doedd e ddim yn gwybod sut i ddod allan ac roedd ofn arno fe.* 6.2 Rhagamcanu i mewn i sefyllfa na phrofwyd o'r blaen: *Byddwn i ddim yn hoffi bod yn gwningen a byw mewn cawell, fyddet ti?*
7 Dychmygu	Mewn cyd-destun a ddychmygwyd: *Helo, y siop trin gwallt sydd yma. Fyddech chi'n hoffi gwneud apwyntiad?*

Gwirio'ch cynnydd

Beth yw'r ffactorau pwysig o ran datblygiad iaith plant?

Beth yw amgylchedd iaith cyfoethog?

Pam ei bod hi'n amhosibl rhoi oedran penodol ar gyfer pob un o'r camau datblygiad?

Siarad â phlant

Rhyngweithio gyda phobl eraill yw'r ffactor pwysicaf o safbwynt datblygiad iaith plant. Mae'n bwysig bod pobl sy'n gweithio gyda phlant ifainc yn dilyn arferion sy'n gwneud cyfraniad cadarnhaol i ddatblygiad iaith plant. Mae cysylltiad cydnabyddedig rhwng ansawdd mewnbwn oedolyn ac ansawdd iaith plant. Isod rhestrir rhai pwyntiau pwysig y dylid eu cofio wrth siarad â phlant. Fodd bynnag, pwyntiau ymarferol yn unig yw'r rhain. Sensitifrwydd i anghenion plant a gwybodaeth ohonynt fel unigolion yw seiliau rhyngweithio cadarnhaol.

Wrth siarad â phlant, cofiwch . . .	
Tôn eich llais	A yw'n cyfleu cynhesrwydd a diddordeb yn y plentyn?
Cyflymder eich siarad	A ydych chi'n siarad ar gyflymdra sy'n briodol ar gyfer y plentyn neu'r plant?
Gwrando	Sut ydych chi'n dangos i'r plentyn eich bod chi'n gwrando? Mae cyswllt llygad a symud i lawr i lefel y plentyn yn dangos eich bod chi'n gwrando. Mae cymryd rhan yn y sgwrs hefyd yn dangos eich bod chi'n gwrando a bod gennych ddiddordeb.
Aros	A ydych chi'n gadael digon o amser i'r plentyn ymateb? Rhaid i blant ifainc gael amser i drefnu'u hymateb. Mae'n bwysig cofio bod seibiau a distawrwydd yn rhan o sgwrs.
Cwestiynau	Ydych chi'n gofyn gormod o gwestiynau? Gall hyn olygu bod y sgwrs yn teimlo fel sesiwn holi-ac-ateb, yn enwedig os ydych chi'n ymateb drwy ddweud 'Rwyt ti'n iawn'. Sut fath o gwestiynau ydych chi'n eu gofyn? Un gair yn unig sydd ei angen yn ateb i gwestiwn caeedig, ac nid ydynt yn rhoi'r cyfle i blentyn ymarfer a datblygu ei sgiliau iaith. Mae gan gwestiynau agored ystod o atebion posibl ac maent yn rhoi'r cyfle i'r plentyn ymarfer a datblygu eu sgiliau iaith.
Eich cyfraniad personol	Ydych chi'n cyfrannu'ch profiad eich hun a/neu eich barn i'r sgwrs? Mae sgwrs yn broses ddwyffordd, lle mae dau berson yn rhannu gwybodaeth. Dylai hyn fod yn wir yn achos plant hefyd. Mae'n bwysig dewis testun y sgwrs ar y cyd.

Wrth siarad â phlant, cofiwch . . .	
Am beth ydych chi'n siarad?	Faint o siarad rheoli ydych chi'n ei wneud? Faint ohono sy'n sgwrsio a chlebran? Faint o esbonio ydych chi'n ei wneud? Faint o'ch sgwrs sy'n siarad chwareus? Rhaid i blant gymryd rhan mewn ystod eang o brofiadau iaith i'w galluogi i ymarfer a datblygu eu hiaith eu hunain.
Datblygu meddwl	A ydych chi'n gofyn am ac yn rhoi rhesymau ac esboniadau wrth siarad â phlant? Ydych chi'n annog y plant i ragfynegi mewn sefyllfaoedd go iawn a dychmygol? A ydych chi'n annog y plant i adrodd hanes yr hyn maent yn ei wneud neu wedi'i wneud? Gellir datblygu sgiliau iaith a gwybyddol plant yn y ffordd yma.
Â phwy ydych chi'n siarad?	Rhaid i chi siarad â phob plentyn o fewn y grŵp. Rhaid i bob plentyn gael y cyfle i ymarfer eu hiaith. Bydd ystod o lefelau datblygiad o fewn pob grŵp o blant ac mae'n bwysig cwrdd ag anghenion pob plentyn.

Gwirio'ch cynnydd

Pam ei bod hi'n bwysig bod pobl sy'n gweithio gyda phlant ifainc yn gwybod sut i ryngweithio'n effeithiol â phlant?

Beth yw sail rhyngweithio positif â phlant?

Nodwch rai o'r ffyrdd y gall oedolion ryngweithio â phlant yn effeithiol.

Cynllunio ar gyfer, a monitro, datblygiad iaith plant

Mae plant yn dysgu ac yn datblygu eu sgiliau iaith drwy ryngweithio â phobl eraill. Oherwydd hyn, mae oedolion yn chwarae rôl hanfodol yn natblygiad iaith plant drwy siarad â hwy a gwrando arnynt. Rhaid ystyried yn ofalus wrth ddarparu gweithgareddau a phrofiadau ar gyfer plant. Bydd gweithgareddau neu brofiadau a gynlluniwyd yn briodol yn rhoi'r cyfle i blant ddefnyddio'r sgiliau sydd ganddynt yn barod ac i ddatblygu rhai eraill.

Cyn cynllunio, rhaid asesu lefel datblygiad pob plentyn. Gellir gwneud hyn drwy arsylwi'r plentyn yn ofalus. Ar ôl penderfynu beth yw'r lefel, gellir cynllunio profiadau a gweithgareddau perthnasol i gwrdd ag anghenion y plentyn. Yn ystod y profiad neu'r gweithgaredd, bydd angen i'r oedolyn fabwysiadu amrywiaeth o strategau i hyrwyddo datblygiad iaith pob plentyn yn unigol.

Mae'r monitro, cynllunio, paratoi a rhyngweithio â phlant yn broses barhaus. Wrth i blant ddatblygu eu sgiliau iaith, rhaid i'r oedolyn ymateb i'w hanghenion cyfnewidiol.

Y plentyn/plant:

- Pa iaith a ddefnyddir?
- A yw anghenion y plant yn cael eu cyflawni?
- A yw pob plentyn yn gallu cymryd rhan mewn sefyllfa grŵp?
- Wrth arsylwi, a ddaeth unrhyw beth arwyddocaol i'r amlwg?
- A oes angen cofnodi unrhyw beth?

Y gweithgaredd neu'r profiad:

- A yw'r gweithgareddau neu'r profiadau a ddarparwyd yn briodol i'r plentyn/plant?
- A oedd yr oedolion a gymerodd ran yn deall beth oedd y ffocws?
- A oedd yr amseru'n briodol?
- A oedd unrhyw beth arwyddocaol am yr hyn a arsylwyd?
- Oes angen cofnodi unrhyw wybodaeth?

Beth yw anghenion iaith y plentyn/plant?
Beth yw lefelau datblygiad y plentyn/plant?
Beth yw'r ystod o lefelau datblygiad?
Faint o amser sydd ar gael?
Faint o staff sydd ar gael a beth yw eu cyfrifoldebau?

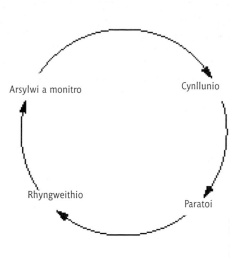

A yw'r staff yn ymwybodol beth yw ffocws y gweithgaredd neu'r profiad?
A yw'r holl offer a deunyddiau angenrheidiol ar gael?

Mae strategau ar gyfer rhyngweithio â'r plentyn/plant yn cynnwys:

- trafod digwyddiadau gyda'r plentyn/plant
- esbonio beth sy'n digwydd
- disgrifio digwyddiadau
- gofyn cwestiynau penagored
- cyflwyno geirfa newydd
- awgrymu syniadau ar gyfer ymestyn y profiad neu'r gweithgaredd.

Cynllunio a monitro datblygiad iaith plant

MONITRO DATBLYGIAD IAITH PLANT

Mae monitro eu lefel datblygiad yn rhan allweddol o gynllunio a rhyngweithio â phlant yn effeithiol. Trwy hyn gellir sicrhau bod y gweithgareddau a'r profiadau'n berthnasol i anghenion y plant. Mae monitro datblygiad ym mhob maes yn broses barhaus. Gellir ei gyflawni mewn sawl ffordd. Sut bynnag y gwneir hynny, rhaid chwilio am ffyrdd o gynnwys yr wybodaeth hon o fewn y broses gynllunio, fel bod y ddarpariaeth yn berthnasol i'r plant yn y grŵp.

Fel rheol, bydd gweithwyr gofal plant effeithiol yn monitro datblygiad plant yn anffurfiol drwy ryngweithio â hwy o ddydd i ddydd. Mae eu gwybodaeth fanwl am blant unigol yn eu galluogi i weld pan fydd cynnydd wedi digwydd, a phan fydd angen cymorth ar blentyn. Gall hyn fod yn arbennig o effeithiol pan fydd system gweithiwr allweddol yn cael ei gweithredu. Dylai'r wybodaeth hon fwydo i mewn i'r broses gynllunio, a dylid addasu'r rhyngweithio yn unol â hyn.

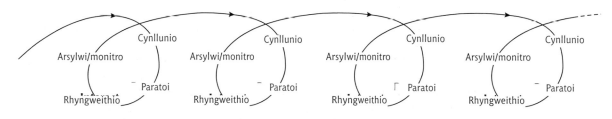

Y broses barhaus

Mae rhai sefydliadau hefyd yn monitro datblygiad iaith plant yn ffurfiol. O bosibl byddant yn defnyddio rhestr wirio, siart datblygiad neu ddyddiadur. O ganlyniad, ceir cofnod ysgrifenedig o ddatblygiad pob plentyn a fydd yn rhoi gwybodaeth ar gyfer cynllunio a rhyngweithio.

Mae'n bwysig i fod yn ymwybodol, wrth asesu lefel datblygiad iaith plant, bod gwahaniaeth yn bodoli weithiau rhwng gallu ieithyddol go iawn y plentyn a'u gallu i ddefnyddio iaith fynegiannol (lafar). Er enghraifft, bydd rhai plant sydd â dealltwriaeth arbennig o iaith yn dawel iawn pan fyddant yng nghanol grŵp o blant. Nid yw hyn yn adlewyrchu eu galluoedd ieithyddol, ond yn hytrach eu dull o gymdeithasu. Yn yr un ffordd, mae'n bosibl y bydd plant dwyieithog yn gymwys iawn yn eu mamiaith ac yn deall y mwyafrif o bethau yn oddefol yn eu hail iaith. Nid yw'r hyn sy'n ymddangos fel diffyg sgiliau mynegiannol o reidrwydd yn adlewyrchu eu lefel datblygiad iaith.

Gwirio'ch cynnydd

Pam ei bod hi'n bwysig bod oedolyn yn ymwybodol o lefel datblygiad iaith pob plentyn?

Beth sydd ynghlwm wrth fonitro defnydd plant o iaith a'u lefel datblygiad iaith?

Beth sydd ynghlwm wrth gynllunio profiadau neu weithgareddau i hyrwyddo datblygiad iaith?

Pam ei bod hi'n bwysig bod yr holl oedolion sy'n ymwneud â'r plentyn yn ymwybodol o ffocws y gwaith ieithyddol?

Rhestrwch y ffyrdd y gall oedolyn ryngweithio â phlentyn i hyrwyddo ei ddatblygiad iaith.

Ffactorau sy'n effeithio ar ddatblygiad iaith

Er mwyn datblygu iaith yn llwyddiannus rhaid i blant gael amgylchedd cyfoethog, symbylol lle gallant gael profiadau sy'n briodol ar gyfer eu lefel datblygiad. Mae nifer o ffactorau yn dylanwadu ar ansawdd yr amgylchedd iaith:

- presenoldeb rôl fodelau positif
- y cyfle i blant ymarfer eu sgiliau iaith
- adborth positif yn galluogi'r plant i ddysgu iaith ac i addasu a phuro'u sgiliau iaith.

EFFAITH Y TELEDU

Mae llawer o blant ifainc yn mwynhau gemau teledu, fideo a chyfrifiadur. Maent yn ddefnyddiol iawn ar gyfer ehangu profiad plant, gan ddod â'r byd yn agosach, ac yn adloniant da. Fodd bynnag, mae pryderon ynglŷn ag effaith treulio cyfnodau hir o flaen y teledu, fideo neu gyfrifiadur ar ddatblygiad iaith plant. Er mwyn i iaith plant ddatblygu'n llwyddiannus, rhaid iddynt ymarfer eu sgiliau gyda rhywun sy'n eu hadnabod ac yn ymwybodol o'u galluoedd a'u hanghenion. Maent yn dibynnu ar adborth penodol a di-oed er mwyn cael eu hannog i ymateb a datblygu eu sgiliau. Nid yw'r teledu'n niweidio datblygiad iaith y plentyn fel y cyfryw, ond nid yw ychwaith yn gallu cymryd lle'r gofalwr sy'n adnabod y plentyn ac yn gallu cynllunio ar gyfer a chwrdd ag anghenion iaith y plant. Ceir rhai pryderon hefyd ynghylch treulio gormod o oriau o flaen sgrin cyfrifiadur, gan fod hyn yn gallu effeithio ar allu plant i ddefnyddio iaith yn gymdeithasol, wyneb yn wyneb ag eraill.

CEFNOGI PLANT AG OEDIAD IAITH

Mae pob plentyn yn dod i leoliad gofal plant gyda gwahanol brofiadau. Mae hyn yn cynnwys eu profiad o iaith. Am fod profiadau plant yn dylanwadu ar eu datblygiad, mae cyflymdra eu datblygiad iaith yn amrywio. O fewn pob grŵp o blant bydd ystod eang o allu ieithyddol. Gallai hyn gynnwys plant sy'n dangos oediad yn eu datblygiad iaith mewn perthynas â'r ystod o normau disgwyliedig; gallai hefyd gynnwys plant sydd wedi symud y tu hwnt i'r normau hynny. Mae'n bwysig bod pob plentyn yn cael ei drin fel unigolyn, a bod ei anghenion yn cael eu hasesu a'u cyflawni.

Pan fydd oediad yn natblygiad iaith y plentyn, gall nifer o asiantaethau gyflawni anghenion y plentyn. Bydd maint y ddarpariaeth ar gyfer plant sy'n profi oediad iaith yn amrywio o le i le. Dyma rai o'r asiantaethau posibl:

- ymwelydd iechyd
- therapydd lleferydd
- gweithiwr Portage
- uned iaith
- staff y feithrinfa
- cefnogaeth un ac un yn y dosbarth
- cefnogaeth sefydliadau elusennol, er enghraifft Barnardos, 'NCH Action for Children'
- mentrau lleol, gan gynnwys grwpiau hunangymorth.

Gwirio'ch cynnydd

Rhestrwch y ffactorau sy'n gwneud cyfraniad positif i ddatblygiad iaith plant.

Pam y gallai teledu a fideos gael effaith niweidiol ar ddatblygiad iaith plant?

Beth yw ystyr y term 'oediad iaith' yn eich barn chi?

Enwch bedair asiantaeth a allai gynnig cefnogaeth i blant sy'n profi oediad iaith.

Nawr rhowch gynnig ar y cwestiynau hyn

Beth yw ystyr y term datblygiad iaith?

Sut gall y gofalwr gefnogi datblygiad iaith:

(a) plentyn 1 oed?   (b) plentyn 4 oed?

Sut gall y sefydliad gofal plant gwrdd ag anghenion plant dwyieithog?

Disgrifiwch rôl yr oedolyn o ran cynllunio a monitro datblygiad iaith plant.

Sut gall y gweithiwr gofal plant wneud cyfraniad positif i ddatblygiad iaith plant?

DATBLYGIAD CORFFOROL

Yn ystod blwyddyn gyntaf oes plentyn mae cysylltiad agos rhwng ei ddatblygiad corfforol a gwybyddol, a chredir bod y gallu i gyflawni rhai o'r sgiliau pwysicaf yn arwydd o aeddfedrwydd deallusol y plentyn. Gall unrhyw oedi yn natblygiad sgiliau corfforol yn yr oedran hwn fod yn arwydd o anawsterau dysgu. Wrth i'r plentyn dyfu, mae'r datblygiad corfforol yn arafu, ond mae'r gallu i ennill sgiliau yn parhau i ddibynnu ar gadw'n iach ac osgoi salwch. Yn y rhan hon ceir cyflwyniad byr i ddatblygiad corfforol, ac yna disgrifiadau manwl o'r cyflawniadau corfforol y gellir eu disgwyl, fel rheol, ar wahanol oedrannau.

Bydd y rhan hon yn ymdrin â'r pynciau canlynol:

- ⌣ cyflwyniad i ddatblygiad corfforol
- ⌣ galluoedd y plentyn newydd-anedig
- ⌣ datblygiad corfforol yn fis oed
- ⌣ datblygiad corfforol yn 3 mis oed
- ⌣ datblygiad corfforol yn 6 mis oed
- ⌣ datblygiad corfforol yn 9 mis oed
- ⌣ datblygiad corfforol yn 12 mis oed
- ⌣ datblygiad corfforol yn 15 mis oed
- ⌣ datblygiad corfforol yn 18 mis oed
- ⌣ datblygiad corfforol yn 2 oed
- ⌣ datblygiad corfforol yn 3 oed
- ⌣ datblygiad corfforol yn 4 oed
- ⌣ datblygiad corfforol yn 5 oed
- ⌣ datblygiad corfforol yn 6 oed
- ⌣ datblygiad corfforol yn 7 oed
- ⌣ amrywiadau mewn cynnydd datblygiadol
- ⌣ rôl yr oedolyn.

Cyflwyniad i ddatblygiad corfforol

termau allweddol

Sgil
gallu sydd wedi ei ymarfer

Datblygiad motor
y broses lle mae symudiadau cyhyrol yn mynd yn fwy cymhleth

Ystyr *corfforol* yw unrhyw beth sy'n ymwneud â'r corff a gellir defnyddio'r gair mewn llawer o gyd-destunau, yn amrywio o ymddangosiad corfforol i ddulliau pobl o symud yn gorfforol.

Ystyr *datblygiad* yw newid mewn perfformiad, ac fel rheol cysylltir y gair â chynnydd, cymlethu neu ddod yn fwy galluog. Gellir ei ddiffinio hefyd fel cynnydd mewn cymlethdod.

Mae'r ddau ddiffiniad yn dangos mai ystyr yr ymadrodd *datblygiad corfforol* yw'r modd y mae'r corff yn cynyddu mewn **sgìl** ac yn perfformio mewn ffordd fwy cymhleth. Bydd symudiad yn rhan o hyn. Gelwir y cynnydd mewn symudiadau cyhyrol yn **ddatblygiad motor**.

NORMAU DATBLYGIAD

termau allweddol

Norm
sgil datblygiadol a enillir o fewn graddfa amser ganolig

Sgiliau motor manwl
cyd-drefniant llaw-llygad

Sgiliau motor bras
symudiadau corff cyfan

Disgwylir i blant ddilyn patrwm datblygiad corfforol cydnabyddedig. Gelwir y rhain yn **normau** datblygiad. Ni ddylid cymysgu rhwng norm a normal, gair y tueddir ei osgoi wrth ddisgrifio datblygiad corfforol gan fod ystod datblygiad corfforol normal (h.y. derbyniol neu foddhaol) mor eang. Mae'n beryglus i dybio bod plant yn annormal am nad ydynt yn datblygu ar yr un cyflymdra. Ceir amrywiadau bob amser, gan fod pob plentyn yn unigolyn sy'n datblygu yn ei ffordd unigryw ei hun.

Fel rheol, disgwylir y bydd babanod yn gallu symud (rholio, cropian, ymlusgo, ymlusgo ar y pen-ôl neu gerdded) erbyn eu pen-blwydd cyntaf. Fodd bynnag, mae'n bosibl y bydd baban wedi bod yn canolbwyntio ar ennill **sgiliau motor manwl**, sgiliau cymdeithasol neu sgiliau iaith ac wedi cynyddu y tu hwnt i'r cyffredin o ran un neu fwy o'r meysydd datblygiad hyn. O ran eu **sgiliau motor bras**, mae'n bosibl na fyddant eto'n gallu gwneud dim mwy nag eistedd, ond byddant wedi dysgu llawer am y byd mawr o'u cwmpas. Pe bai archwiliwr yn sylwi ar eu diffyg symudedd yn unig, byddai'n tybio bod eu datblygiad yn araf, ond wrth gymryd golwg ehangach fe welir nad yw'r plentyn eto wedi gweld yr angen i symud llawer, ond wedi dysgu sut i wneud llawer o bethau eraill yn gynt na'r disgwyl.

Er hynny, mae gwybod am y patrymau datblygiad disgwyliedig hyn yn ein helpu i ystyried y plentyn cyfan, ac i fesur ei ddatblygiad fel unigolyn.

PRIODOLEDDAU DYNOL

Mae'r gan yr anifail dynol (mae pawb ohonom yn anifeiliaid) nifer o briodoleddau biolegol sy'n wahanol i'r mwyafrif o anifeiliaid eraill, gan olygu ei bod hi'n haws gwahaniaethu rhwng y gwahanol feysydd datblygiad:

- y gallu i sefyll ar ddwy goes a cherdded, gan adael y dwylo'n rhydd i gyflawni tasgau mwy cymhleth – sgìl motor bras

- defnyddio'r dwylo a bysedd ystwyth gyda'r llygaid – sgiliau motor manwl

- gwybod peth o iaith lafar, a'r gallu i gyfieithu negeseuon di-eiriau, gan ganiatáu cyfathrebu rhwng pobl

- esblygiad strwythurau cymdeithasol cymhleth er budd a diogelwch pob unigolyn.

Mae'r ddwy nodwedd ddynol gyntaf yn berthnasol i astudiaeth o ddatblygiad corfforol gan eu bod yn ymwneud â symudiad, felly mae'n bwysig eu hystyried ar wahân ac yn fanylach

Sgiliau motor bras

Mae gallu'r anifail dynol i ddefnyddio'r ddwy goes i gerdded yn ymwneud â'r corff cyfan. Gelwir y symudiadau corff-cyfan hyn yn sgiliau motor bras. Weithiau cyfeirir atynt fel **ymddaliad** a symudiadau mawr. Mae gan y termau hyn yr un ystyr ac maent yn ymwneud â'r camau y bydd plentyn yn eu cymryd wrth ddatblygu rheolaeth ar ei gorff:

term allweddol

Ymddaliad
safle rhannau'r corff

- dysgu sut i ddal y pen
- rholio drosodd
- eistedd
- cropian
- tynnu er mwyn sefyll
- cerdded
- rhedeg
- dringo'r grisiau
- hercian
- chwarae pêl-droed
- sgipio
- reidio treisicl a beic
- sefyll ar un goes
- nofio
- dringo

Mae pob un o'r uchod yn enghreifftiau o sgiliau motor bras. Er mwyn eu cyflawni, rhaid cael cryfder, stamina ac ystwythder er mwyn gwella'r cyd-symud, y cydbwysedd a'r gallu i benderfynu.

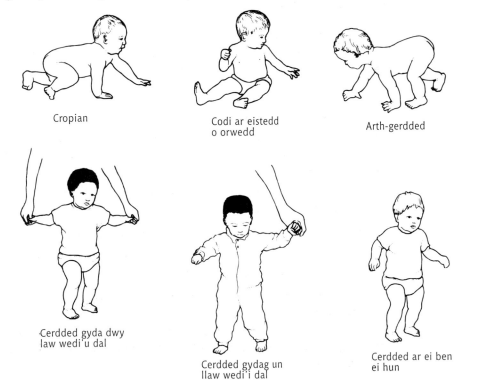

Cropian

Codi ar eistedd o orwedd

Arth-gerdded

Cerdded gyda dwy law wedi'u dal

Cerdded gydag un llaw wedi'i dal

Cerdded ar ei ben ei hun

Enghreifftiau o'r sgiliau motor manwl a ddefnyddir wrth i'r cerdded ddatblygu

Sgiliau motor manwl

Defnyddio'r dwylo ar y cyd â'r llygaid yw'r ail nodwedd ddynol. Mae hyn yn caniatáu i bobl ddefnyddio'u llygaid i gyflawni gweithredoedd manwl iawn, wrth i'r llygaid arwain symudiadau manwl y bysedd. Gelwir yr agweddau ar ddatblygiad corfforol sy'n ymwneud â thrafod a thrin yn sgiliau motor manwl, ac mae'r rhain yn cynnwys golwg a symudiadau manwl a chywrain.

Gwaith y sawl sy'n monitro datblygiad corfforol plant yw gwybod a yw plentyn yn gallu perfformio sgìl penodol yn hawdd neu a yw'n sgìl newydd sy'n gofyn mwy o ymarfer.

Chwarae gyda'r bysedd

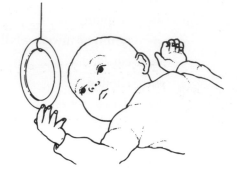

Ceisio gafael mewn gwrthrychau

Dal ac archwilio gwrthrychau

Gafael cledrol yn defnyddio'r llaw gyfan

Gafael cledrol mwy manwl yn defnyddio'r bawd

Gafael pinsiwrn cyntefig

Archwilio gan ddefnyddio'r mynegfys

[Gafael pinsiwrn ᵣmanwl/aeddfed

Datblygiad sgìl trafod a thrin (sgiliau motor manwl)

Gwirio'ch cynnydd

Beth yw ystyr datblygiad motor?

Pam ddylech chi fod yn ofalus wrth ddefnyddio'r gair 'normal' wrth ddisgrifio datblygiad?

Beth yw'r pedair nodwedd sy'n pennu bod pobl yn wahanol i'r mwyafrif o anifeiliaid eraill?

Y plentyn newydd-anedig

Yn aml, gelwir y baban sydd newydd ei eni'n **newydd-anedig** yn ystod mis cyntaf ei fywyd.

Mae gan fabanod newydd blygiad, sy'n golygu eu bod yn gorwedd yn belen, gyda'r breichiau a'r coesau wedi'u plygu tuag i mewn at y corff. Maent yn cadw'r safle ffetysol (eu safle o fewn y groth) hwn, ond yn raddol yn ymestyn (sythu) y breichiau a'r coesau. Mae'n bosibl y bydd baban a fu yn y safle ffolennol yn gorwedd gyda'r coesau'n syth i fyny, un bob ochr i'r wyneb, os dyma fu ei safle yn y groth.

Ceir disgrifiadau o ymddaliadau nodweddiadol babanod newydd-anedig isod.

term allweddol

plentyn newydd-anedig
baban sydd newydd gael ei eni

DATBLYGIAD MOTOR BRAS
Tororweddol

term allweddol

tor-orweddol
gorwedd wyneb i lawr

- Mae'r baban yn gorwedd gyda'i ben i un ochr, yn pwyso ar y boch.

- Mae ymddaliad y corff yn debyg i lyffant, gyda'r pen-ôl i fyny a'r pen-gliniau wedi'u plygu dan y stumog.

- Mae'r breichiau wedi'u plygu wrth y penelinoedd a'u gosod o dan y frest gyda'r dyrnau wedi'u cau.

Gorweddol

term allweddol

gorweddol
gorwedd ar y cefn

- Mae'r baban yn gorwedd gyda'i ben i un ochr.

- Plygir y pengliniau tuag at y corff, gyda sodlau'r traed yn cyffwrdd.

- Plygir y breichiau i mewn tuag at y corff.

- Gwelir cicio herciog, hap, anghymesurol.

Crogiant fentrol

term allweddol

crogiant fentrol
pan ddelir y baban yn yr awyr, wyneb i lawr

- Mae'r pen a'r coesau'n disgyn yn is na lefel y cefn, felly mae'r baban yn ffurfio cromlin gyfan tuag i lawr

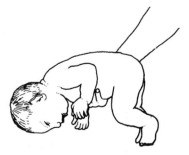

Plentyn newydd-anedig (parhad)

Eistedd

term allweddol

pen yn llusgo
Mae pen y baban yn syrthio'n ôl pan dynnir ef ar ei eistedd

- Pan dynnir y baban i fyny ar ei eistedd, mae'r pen yn llusgo'n llwyr. Mae'r pen yn syrthio'n ôl wrth i'r corff godi ac yna'n ymollwng ymlaen ar y frest.

- Os delir y baban ar ei eistedd, bydd y cefn wedi'i grymu'n llwyr a'r pen ar y frest.

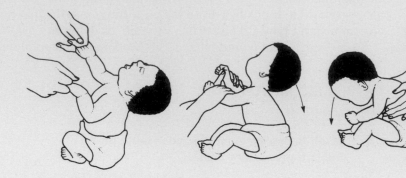

DATBLYGIAD MOTOR MANWL

- Mae'r baban yn cau ei ddyrnau.

- Mae'n gallu ffocysu 15-25cm ac yn syllu ar symudion lliwgar o fewn cyrraedd y golwg.

- Mae'n canolbwyntio ar wyneb y gofalwr wrth fwydo.

GOLWG

Mae plant newydd-anedig yn gallu ffocysu ar wynebau sy'n agos at eu hwynebau hwy, ac mae ymchwil yn dangos ei bod yn well ganddynt edrych ar yr wyneb dynol. Mae ganddynt sgiliau dynwared, ac mae'n bosibl y byddant yn ceisio copïo mynegiant a symudiadau'r wyneb, er enghraifft tynnu tafod. Nid ydynt yn weithredoedd bwriadol. Mae creu cyswllt llygad â rhieni yn helpu i greu rhyngweithiad. Mae babanod hefyd yn hoffi edrych ar wrthrychau lliwgar iawn - coch, gwyrdd, glas, melyn - yn hytrach na'r lliwiau pastel a ddefnyddir yn aml ar gyfer offer y feithrinfa. Ni fydd lluniau gwastad mor ddiddorol â gwrthrychau tri dimensiwn 'go iawn' megis teganau a rhuglenni gydag wynebau, symudion a champfeydd babanod.

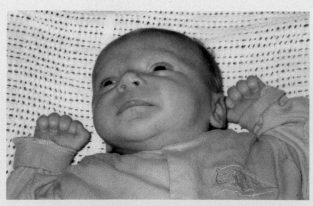

Datblygiad symudol manwl. Mae'r dyrnau wedi'u cau

Y plentyn newydd-anedig

atgyrch

ymateb anwirfoddol i ysgogiad

ysgogiad

rhywbeth sy'n creu ymateb

prif system nerfol

yr ymennydd, madruddyn y cefn a'r nerfau

atgyrch cysefin

ymateb awtomatig baban newydd-anedig i ysgogiad penodol

gweithred wirfoddol

gweithred fwriadol y mae plentyn yn dewis ei chyflawni

ATGYRCHAU CYSEFIN

Symudiad awtomatig, anwirfoddol sy'n dangos ymateb i **ysgogiad** penodol yw gweithred **atgyrch**. Mae profi bodolaeth atgyrchau babanod, plant ac oedolion yn helpu meddygon i asesu iechyd y **brif system nerfol** (CNS). Dylai fod gan bawb ystod o atgyrchau amddiffynnol, megis amrantu, peswch a thisian. Mae gan blant newydd-anedig ystod o atgyrchau goroesol eraill, sef yr **atgyrchau cysefin**, sy'n digwydd dim ond yn ystod misoedd cyntaf eu bywydau. Wedi hynny fe'u disodlir gan weithredoedd y mae'r baban yn dewis eu cyflawni – **gweithrediadau gwirfoddol**. Mae'r atgyrchau cysefin yn ein hatgoffa o'r ffordd y datblygodd yr hil ddynol dros filiynau o flynyddoedd. Maent yn cynnwys:

- atgyrch gwreiddio
- atgyrch sugno
- atgyrch gafael
- atgyrch gosod
- atgyrch cerdded
- atgyrch Moro (dychryn).

Atgyrch gwreiddio

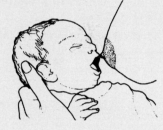

- Ysgogiad: defnyddio'r bys neu'r deth i gyffwrdd â'r bach.
- Ymateb: mae'r baban yn troi i gyfeiriad yr ysgogiad.

Atgyrch sugno

- Ysgogiad: gosod y deth yn y geg.
- Ymateb: mae'r baban yn sugno.

Atgyrch gafael

- Ysgogiad: gosod gwrthrych yng nghledr y baban.
- Ymateb: mae'r bysedd yn cau'n dynn o amgylch y gwrthrych.

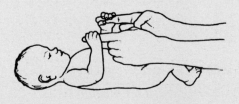

Plentyn newydd-anedig (parhad)

PWYSIGRWYDD ATGYRCHAU CYSEFIN

Mae presenoldeb neu absenoldeb yr atgyrchau hyn mewn plentyn newydd-anedig yn gallu dangos aeddfedrwydd y baban ac iechyd y brif system nerfol. Er enghraifft, mae'n bosibl na fydd baban cynamserol wedi datblygu gweithred atgyrch lawn. Os bydd yr atgyrchau yn parhau y tu hwnt i fisoedd cyntaf bywyd y baban, gall olygu bod oediad o ryw fath yn natblygiad y plentyn a dylid trefnu i fynd ag ef neu hi at baediatregydd.

Atgyrch gosod

- Ysgogiad: cyffwrdd top bwrdd â thop y droed.

- Ymateb: mae'r baban yn codi ei droed ac yn ei gosod ar arwyneb caled.

Atgyrch cerdded

- Ysgogiad: wrth i'r baban gael ei ddal ar ei sefyll, mae'r traed yn cyffwrdd ag arwyneb caled.

- Ymateb: mae'r baban yn symud y coesau ymlaen bob yn ail ac yn cerdded.

Atgyrch Moro (dychryn)

- Ysgogiad: dal y baban mewn ffordd anniogel neu sŵn uchel, annisgwyl.

- Ymateb: mae'r baban yn troi ei ben ac yn ymestyn ei fysedd ar ffurf bwa; yna mae'r breichiau'n symud yn ôl gan ymddangos fel petaent yn cofleidio ac mae'r baban yn crïo.

PROFI'R ATGYRCHAU CYSEFIN

Meddyg, bydwraig neu ymwelydd iechyd hyfforddedig yn unig a ddylai archwilio'r baban. Yr adeg orau i archwilio a phrofi'r atgyrchau hyn yw pan fydd y baban yn effro ond heb awydd bwyta, yn gorwedd yn dawel gyda'i lygaid ar agor a'i freichiau a'i goesau'n symud neu'n llonydd. Ni fydd baban sy'n crïo, sy'n awyddus am fwyd, yn anghyffyrddus neu'n anhapus, neu faban sy'n flinedig neu'n swrth, yn ymateb yn dda. Efallai y bydd modd mynd gyda rhiant pan eir â'r baban am ei brawf 6-wythnos cyntaf a gwylio'r meddyg yn profi'r atgyrchau.

Gwirio'ch cynnydd

Beth yw ymddaliad plentyn newydd-anedig pan fydd yn dor-orweddol neu'n orweddol?

Beth yw ystyr crogiant fentrol?

Beth yw atgyrch?

Disgrifiwch atgyrch, ysgogiad ac ymateb chwe atgyrch cysefin.

Pam fod yr atgyrchau hyn yn bwysig wrth asesu datblygiad?

1 mis

Mae'r baban yn parhau i gysgu am gyfnodau hir rhwng cyfnodau bwydo, ond yn effro am gyfnodau amrywiol. Mae hi'n mwynhau pan fydd rhywun yn chwarae â hi, yn ei chyffwrdd ac yn ei hanwesu. Crïo yw ei phrif ddull o ddangos i'r gofalwr bod ganddi anghenion, er enghraifft chwant bwyd, syched, anghysur oherwydd ei safle, tymheredd neu awydd am gael ei chyffwrdd. Bydd y baban yn dechrau cŵan ar ôl cyrraedd 5 i 6 wythnos oed, gan wneud seiniau gyddfol sy'n dangos ei phleser pan fydd rhywun yn siarad â hi, a'i mwynhad o arferion gofal a sylw. Mae ei chorff wedi'i blygu o hyd, ond mae'r aelodau'n dechrau ymestyn, gyda symudiadau bras, herciog. Mae'n bwysig iawn cynnal pen y baban wrth ei chario, ei golchi a'i gwisgo.

DATBLYGIAD MOTOR BRAS

Tor-orweddol

- Mae'r baban yn gorwedd gyda'i phen i un ochr ond bellach gall godi ei phen i newid ei safle.
- Mae'r coesau wedi'u plygu, ac nid ydynt bellach o dan y corff.
- Mae'r breichiau wedi'u plygu i ffwrdd o'r corff, fel rheol mae'r dwylo yn gaeedig.

Gorweddol

- Mae'r pen ar un ochr.
- Bydd y fraich a'r goes sydd ar yr ochr â chyfeiriad y pen yn ymestyn.
- Mae'n bosibl y bydd y ddwy fraich wedi'u plygu, gyda'r coesau wedi'u plygu wrth y pengliniau, a sodlau'r traed yn wynebu ei gilydd.

Crogiant fentrol

- Mae'r pen ar yr un lefel â'r cefn a'r coesau'n dod i fyny tua lefel y cefn.

Eistedd

- Os tynnir y baban ar ei heistedd, bydd y pen yn llusgo, gan syrthio'n ôl, ond bydd yn aros yn gadarn am ennyd wrth gyrraedd y safle eistedd, cyn symud ymlaen eto.
- Mae'r cefn yn ffurfio cromlin gyfan pan ddelir y baban ar ei heistedd.

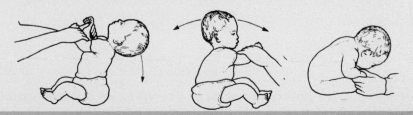

Noder:
Dylid cynnal y pen bob amser.

1 mis

DATBLYGIAD MOTOR MANWL

- Mae'r baban yn troi ei phen tuag at y golau ac yn syllu ar wrthrychau llachar, sgleiniog.

- Mae'r baban yn cael ei swyno gan wrthrychau llachar, sgleiniog ac yn dilyn gwrthrychau symudol o fewn 5-10cm o'r wyneb.

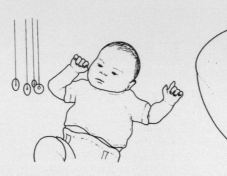

- Mae'r baban yn syllu'n astud ar wyneb y gofalwr pan fydd yn ei bwydo, yn siarad â hi, neu'n gofalu amdani mewn unrhyw fodd arall.

- Mae'r baban yn gafael mewn bys neu wrthrych arall a osodir yn ei llaw.

- Fel rheol mae'r dwylo'n gaeedig.

- Mae pob un o'r atgyrchau cysefin yn bresennol o hyd.

Gwirio'ch cynnydd

Disgrifiwch safle nodweddiadol tor-orweddol baban 1 mis oed.

Disgrifiwch safle nodweddiadol gorweddol baban 1 mis oed.

Beth yw ystyr llusgo pen?

Yn yr oed hwn, sut mae baban yn rheoli ei phen pan dynnir hi ar ei heistedd?

Beth yw safle'r pen mewn perthynas â'r corff mewn crogiant fentrol yn 1 mis oed?

3 mis

*E*rbyn hyn, mae'r mwyafrif o fabanod yn datblygu symudiadau gwirfoddol sy'n cymryd lle'r atgyrchau cysefin. Maent yn effro am gyfnodau hirach ac yn dangos eu hymwybyddiaeth o sefyllfaoedd cyfarwydd drwy wenu, cŵan a symud eu breichiau a'u coesau'n sydyn, er enghraifft pan glywant sŵn dŵr yn llenwi'r baddon neu'n gweld bron neu botel. Mae babanod yn mwynhau'r cyffyrddiad a'r ysgogiad a ddaw o arferion gofal ymdrochi, bwydo a newid. Rhaid cynnal eu hysgwyddau wrth eu hymdrochi a'u gwisgo, er y dylai'r pen allu cynnal ei hun. O bosibl, byddant yn gallu dal gwrthrychau am gyfnod byr, ond ni fyddant eto'n gallu cyd-drefnu'r dwylo a'r llygaid.

DATBLYGIAD MOTOR BRAS
Tor-orweddol

- Erbyn hyn gall y baban godi ei phen a'i brest gan ddefnyddio'i phenelinoedd, ei helinoedd a'i dwylo i gynnal ei hun.

- Mae'n bosibl y bydd y baban yn crafu'r llawr ac yn bobian y pen yn ôl ac ymlaen.

- Bellach mae'r pen-ôl yn wastad, gyda'r coesau rywfaint yn sythach ac yn cicio bob yn ail

Gorweddol

- Fel rheol bydd y baban yn gorwedd gyda'r pen mewn safle canolog.

- Mae symudiadau'r coesau a'r breichiau'n llyfn ac yn barhaus.

- Mae'r coesau'n gallu cicio'n gryf, weithiau bob yn ail ac weithiau gyda'i gilydd.

- Mae'r baban yn chwifio'i breichiau'n gymesur ac yn dod â'r dwylo at ei gilydd dros y corff.

Crogiant fentrol
Bellach delir y pen uwchlaw lefel y cefn, ac mae'r coesau hefyd ar yr un lefel.

3 mis (parhad)

Eistedd

- Pan dynnir y baban ar ei heistedd, dylai'r pen symud ymlaen yn gyson gyda'r cefn.

- Mae'n bosibl y bydd y pen yn syrthio ymlaen ar ôl cyfnod byr o eistedd.

- Dylai'r pen lusgo ychydig yn unig neu ddim o gwbl.

- Pan ddelir y baban ar ei heistedd, dylai'r cefn fod yn syth, heblaw am fwa yng ngwaelod yr asgwrn cefn – adran y meingefn.

Sefyll

- Bydd y baban yn ysigo wrth y pengliniau pan ddelir hi ar ei sefyll.

- Ni ddylai'r atgyrchau gosod a cherdded fodoli erbyn hyn.

GWEITHGAREDDAU YSGOGOL YN 3 MIS OED

- Cynigiwch deganau y gall baban eu dal yn ogystal ag edrych arnynt, er enghraifft rhuglenni llachar wedi'u gwneud o ddeunyddiau ysgafn, diogel sy'n gwneud seiniau diddorol, neu bêl sy'n cynnwys cloch.

- Mae chwythu swigod a'u gwylio'n hedfan drwy'r awyr ac yn ffrwydro yn swyno babanod o'r oed hwn.

- Canwch ganeuon gyda gweithredoedd wrth gynnal y baban ar eich pen-glin, gan roi'r cyfle iddi sboncio a chynnal ei hun ar ei thraed.

- Bydd teganau sydd ynghlwm wrth y gampfa fabanod neu'n crogi uwchben y crud yn ysgogi'r baban i ymestyn ei breichiau ac i afael mewn gwrthrychau diddorol.

- Cynigiwch y cyfle i ymarfer – gadewch i'r baban orwedd yn ddiogel ar fat llawr heb glwtyn na dillad fel y gallant archwilio'u symudiadau a datblygu eu sgiliau cyd-drefniannol ymhellach. Gosodwch y baban wyneb i lawr i'w helpu i ddatblygu'r cryfder i gynnal rhan uchaf ei chorff ar ei helinoedd ac i baratoi ar gyfer rholio'i chorff drosodd.

3 mis

DATBLYGIAD MOTOR MANWL

- Chwarae â'r bysedd – mae'r baban wedi darganfod ei dwylo ac yn eu symud o flaen ei hwyneb, gan wylio'r symudiadau a'r patrymau a wneir yn y golau.

- Mae'r baban yn dal rhuglen neu wrthrych tebyg am gyfnod byr os gosodir hi yn y llaw. Bydd yn bwrw ei hunan yn yr wyneb yn aml cyn ei gollwng!

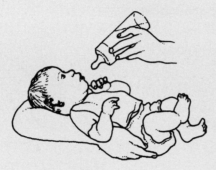

- Mae'r baban yn adnabod y botel neu'r fron ac yn chwifio'i breichiau mewn cyffro.

- Bellach mae'r baban yn effro iawn ac yn ymwybodol o'r hyn sy'n digwydd o'i chwmpas.

- Mae'r baban yn symud ei phen i edrych o'i chwmpas, ac yn dilyn symudiadau'r oedolyn.

Gwirio'ch cynnydd

Beth yw safle'r baban mewn crogiant fentrol:

(a) ar ei genedigaeth?   (b) yn fis oed?   (c) yn 3 mis oed?

Beth yw tair prif elfen datblygiad motor bras yn 3 mis oed?

Disgrifiwch tri chyflawniad motor manwl sy'n digwydd erbyn cyrraedd tua 3 mis oed.

Sut gellir ysgogi datblygiad corfforol rhwng geni a 3 mis oed?

Pa atgyrchau na ddylai fodoli erbyn cyrraedd 3 mis oed?

6 mis oed

*F*el rheol, bydd baban 6 mis oed yn fywiog ac yn gymdeithasol, heb ddechrau ofni dieithriaid ond yn hytrach yn croesawu pawb sy'n gyfeillgar, gan ymateb fel rheol â chwerthiniad a synau uchel, soniarus. Er enghraifft, byddant yn dechrau clebran baban gan ddefnyddio sillafau dwbl, er enghraifft dada neu nana, ac ymadroddion, er enghraifft 'Na'. Cynhelir y prawf sgrinio clyw arferol wedi i'r plentyn gyrraedd 6 mis oed. Bellach mae ganddynt lawer o sgiliau corfforol sydd o bosibl yn cynnwys rholio a gafael.

DATBLYGIAD MOTOR BRAS
Tororweddol

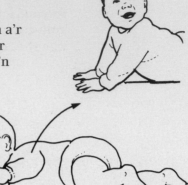

- Erbyn hyn mae'r baban yn gallu codi'r pen a'r frest yn glir o'r llawr drwy gynnal ei hun ar freichiau sy'n ymestyn allan. Mae'r dwylo'n wastad ar y llawr.

- Mae'n gallu rholio drosodd o'i thu blaen i'w chefn.

- Efallai bydd y baban yn tynnu'r pengliniau i fyny er mwyn ceisio cropian, ond yna'n llithro'n ôl.

Gorweddol

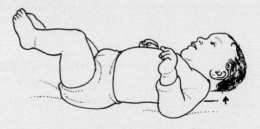

- Bydd y baban yn codi ei phen i edrych ar ei thraed.

- O bosibl bydd yn codi ei breichiau, er mwyn cael ei chodi.

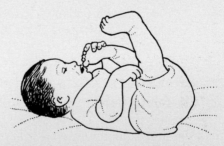

- Efallai y bydd yn codi ei choesau, gan afael mewn un neu'r ddwy ohonynt a cheisio'u rhoi yn ei cheg, gan lwyddo i wneud hynny, yn aml.

- O bosibl, bydd yn rholio drosodd o'i chefn i'w thu blaen.

- Bydd yn cicio'n gryf, gan fwynhau'r ymarfer.

6 mis (parhad)

Eistedd

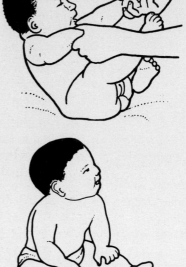

- Os tynnir hi ar ei heistedd, erbyn hyn bydd y baban yn gallu gafael yn nwylo'r oedolyn a thynnu ei hun i fyny ar ei heistedd; mae cyhyrau'r gwddf yn gryf ac mae hi'n gallu rheoli ei phen.

- Mae'n gallu eistedd am gyfnodau hir heb gymorth, gyda chefn syth.

- O bosibl bydd yn eistedd am gyfnodau byr heb gymorth, ond yn syrthio drosodd yn hawdd. Nid yw eto'n gallu ymestyn ei braich er mwyn atal ei hun rhag syrthio.

Sefyll

- Os codir y baban ar ei sefyll bydd yn mwynhau cael ei chynnal a sboncio i fyny ac i lawr.

- O bosibl bydd y baban yn defnyddio'r atgyrch parasiwt tuag i lawr; pan ddelir hi yn yr awyr a'i gollwng yn gyflym, traed yn gyntaf, bydd y coesau'n sythu ac yn gwahanu a'r bysedd traed yn ymestyn allan ar ffurf bwa.

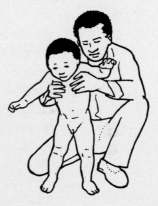

Astudiaeth achos ...

... datblygiad corfforol yn 6 mis oed

Ganed Huw yn ei dymor, yn pwyso 3.4kg. Erbyn hyn mac'n 6 mis oed, ac mae'r ymwelydd iechyd yn fodlon iawn ar ei gynnydd. Daeth ei gwrs cyntaf o imiwneiddiadau i ben ar ôl 4 mis. Dechreuwyd diddyfnu, ac er ei fod yn bwyta amrywiaeth gynyddol o fwydydd o lwy ac wedi dechrau bys-fwydo, mae'n parhau i fwynhau ychydig o laeth o'r fron sawl gwaith y dydd. Pan gafodd brawf clyw yn ddiweddar, gwnaeth yr ymwelydd iechyd yr asesiad datblygiad arferol a chadarnhau ei fod yn cyrraedd y nodau o safbwynt ei ddatblygiad corfforol.

1. Yn eich barn chi, pa sgiliau motor bras a manwl y mae Huw yn eu hamlygu?

2. Pa fath o weithgareddau fydd yn hyrwyddo ac yn ymestyn y meysydd datblygiad hyn?

6 mis

DATBLYGIAD MOTOR BRAS

- Mae'r baban yn fywiog ac yn effro, yn edrych o'i chwmpas o hyd er mwyn cymryd yr holl wybodaeth weledol sydd ar gael i mewn.

- Mae hi wedi'i swyno gan deganau bach o fewn ei chyrraedd, ac yn gafael ynddynt â'i llaw gyfan, gan ddefnyddio **gafael cledrol**.

term allweddol

Gafael cledrol
gafael gan ddefnyddio'r llaw gyfan

- Mae'n trosglwyddo teganau o un llaw i'r llall.

- Mae'n eu rhoi yn ei cheg er mwyn eu harchwilio.

- Os gollyngir tegan, bydd y baban yn edrych i weld ble mae'n syrthio, os yw o fewn cyrraedd ei golwg.

- Os bydd tegan yn syrthio o olwg y baban, ni fydd yn chwilio amdano. Yn yr oedran hwn, nid yw'r byd yn bodoli y tu hwnt i olwg y baban!

Gwirio'ch cynnydd

Disgrifiwch broses rheoli'r pen yn ystod 6 mis cyntaf bywyd.

Pryd ddylai'r baban fod wedi datblygu gafael cledrol?

Disgrifiwch ymddaliad nodweddiadol baban 6 mis oed yn orweddol a tho-orweddol.

Beth yw'r atgyrch parasiwt tuag i lawr?

9 mis

Mae llawer o fabanod yn symudol erbyn cyrraedd 9 mis oed, ac yn awyddus i archwilio'r byd o'u cwmpas gyda diddordeb cynyddol. Nid yw symud cyfystyr â synnwyr cyffredin, ac yn yr oed hwn nid yw babanod yn debygol o adnabod perygl. Mae hyn yn golygu bod yn wyliadwrus o hyd er mwyn gwneud yn siŵr eu bod yn ddiogel. Erbyn hyn gallant eistedd yn sefydlog, ac maent yn dechrau cadw cydbwysedd a datblygu sgiliau motor manwl mwy cymhleth wrth archwilio gwrthrychau a dysgu am eu nodweddion. Bellach mae dealltwriaeth y baban wedi cynyddu, ac mae'n dechrau adnabod mwy o eiriau, gan gynnwys ei henw ei hun.

DATBLYGIAD MOTOR BRAS

Tor-orweddol

- O bosibl, bydd y baban yn gallu cynnal ei chorff ar ei phengliniau a breichiau estynedig.

- Mae'n bosibl y bydd yn siglo'n ôl ac ymlaen ac yn ceisio cropian.

- Mae symud yn ôl wrth gropian yn hyrwyddo symud ymlaen.

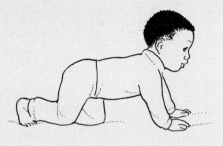

Gorweddol

- Mae'r baban yn rholio o'i chefn i'w blaen ac o bosibl, bydd yn cropian i ffwrdd, yn rholio o amgylch y llawr neu'n gwingo ar ei chefn.

Sefyll

- Mae'r baban yn gallu tynnu ei hun i fyny ar ei sefyll, gan ddefnyddio'i phengliniau i gynnal ei hun yn gyntaf.

- Os bydd oedolyn yn ei chynnal, mae'n gallu camu ymlaen gan ddefnyddio'r traed bob yn ail.

- Mae'n cynnal ei chorff wrth sefyll, drwy afael mewn gwrthrych sefydlog.

- Mae'n dechrau ochr gamu o gwmpas dodrefn.

- Nid yw eto'n gallu gostwng ei hun i'r llawr ac mae'n disgyn yn ôl ar ei phen ôl.

- O bosibl, bydd yn dechrau cropian i fyny'r grisiau ond ni all ddod i lawr yn ddiogel.

- Yr atgyrch parasiwt tuag ymlaen: pan ddelir y baban yn gadarn wrth ei gollwng tuag ymlaen yn fwriadol (pen yn gyntaf), bydd y breichiau yn saethu allan ac yn sythu, a bydd y bysedd yn ymestyn fel bwa.

- Yr atgyrch parasiwt tuag ymlaen: pan ddelir y baban yn gadarn wrth ei gollwng tuag ymlaen yn fwriadol (pen yn gyntaf), bydd y breichiau yn saethu allan ac yn sythu, a bydd y bysedd yn ymestyn fel bwa.

Eistedd

- Bellach mae'r baban yn gallu eistedd yn gadarn ac yn sefydlog – gall eistedd am 15 munud neu fwy heb gymorth.

- Gall gadw ei chydbwysedd wrth droi er mwyn ymestyn am deganau sydd wrth ei hochr.

- Mae'n pwyso ymlaen i nôl teganau, gan ddychwelyd at safle eistedd unionsyth.

- Mae'n ymestyn ei braich/breichiau er mwyn osgoi syrthio.

- Bydd rhai babanod yn dechrau shifflo ar eu penolau, gan symud o gwmpas y llawr mewn safle eistedd unionsyth a defnyddio'r coesau i'w gwthio ymlaen.

DIOGELWCH

Wrth i fabanod symud, mae eu diogelwch yn arbennig o bwysig. Erbyn hyn ni fyddant yn aros yn ddiogel yn y man lle cawsant eu gosod. Bydd gofyn bod oedolyn cyfrifol sy'n ymwybodol o'r camau datblygiad yn eu gwylio trwy'r amser.

Cofiwch:

- Bydd baban yn rhoi eitemau bach yn ei cheg, ac mae yna berygl y gall hyn arwain at dagu.

- Peidiwch byth â gadael baban ar ei phen ei hun wrth fwyta bwydydd bys.

- Peidiwch byth â defnyddio cerddwr baban. Maent yn beryglus ac yn ddianghenraid – mae babanod yn gallu dysgu sut i gerdded hebddynt.

- Pan fydd babanod yn dechrau cropian i fyny'r grisiau, dysgwch hwy sut i ddod i lawr tuag yn ôl yn ddiogel.

- Symudwch unrhyw beryglon a allai ddenu eu sylw, er enghraifft, gwifrau rhydd y gellir eu tynnu a dolennau sosbenni sy'n ymestyn allan o ben y ffwrn.

- Sicrhewch fod gardiau tân a gatiau grisiau yn eu lle ac yn sefydlog.

- Wrth ddefnyddio cadair uchel, pram neu gadair wthio, sicrhewch fod y baban wedi'i chlymu i mewn yn ddiogel.

- Gellir defnyddio sedd baban mewn car sy'n wynebu tuag ymlaen os yw wedi'i angori'n ddiogel yn y car.

9 mis

DATBLYGIAD MOTOR MANWL

- Mae'r baban yn defnyddio'r **gafael pinsiwrn** isradd gyda'i mynegfys a'i bawd.

- Mae'n gollwng gwrthrychau neu'n eu taro ar arwyneb caled er mwyn eu rhyddhau – nid yw eto'n gallu rhyddhau gwrthrych yn wirfoddol.

Gafael pinsiwrn
gafael drwy ddefnyddio'r mynegfys a'r bawd

- Mae'n chwilio am wrthrychau sydd wedi syrthio o'i golwg – bellach, mae'n dechrau deall nad ydynt wedi diflannu am byth.

- Mae'n effro ac yn chwilfrydig, ac yn defnyddio'i llygaid i archwilio gwrthrychau cyn gafael ynddynt.

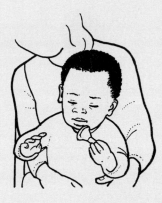

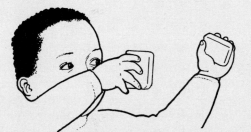

- Mae'n gafael mewn gwrthrychau, fel rheol gydag un llaw, yn eu harchwilio gyda'i llygaid ac yn eu trosglwyddo i'r llaw arall.

- O bosibl, bydd yn dal un gwrthrych yn y naill law a'r llall ac yn eu taro yn erbyn ei gilydd.

- Mae'n defnyddio'r mynegfys i brocian a phwyntio; mae'r bys hwn yn dechrau sythu ac yn cael ei ddefnyddio'n amlach.

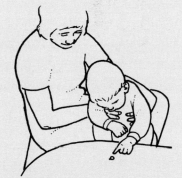

Gwirio'ch cynnydd

Sut allwch chi ysgogi baban i ddefnyddio gafael pinsiwrn?

Enwch dair ffordd y gall baban symud, o bosibl, pan fydd tua 9 mis oed.

Beth yw'r atgyrch parasiwt tuag ymlaen?

Sut fyddech chi'n gallu sicrhau bod baban o'r oed hwn yn ddiogel?

12 mis

*E*rbyn cyrraedd 12 mis oed, mae babanod yn wahanol iawn i'r creaduriaid diymadferth a aned flwyddyn yn ôl. Fel rheol maent yn symudol ac yn defnyddio gafael pinsiwrn i godi gwrthrychau pitw o'r llawr wrth deithio. O bosibl, bydd y baban erbyn hyn yn defnyddio un llaw yn fwy na'r llall, ac yn gallu defnyddio'r ddwy law gyda'i gilydd, gan ddechrau gosod gwrthrychau i lawr gyda mwy o reolaeth. Mae eu dealltwriaeth o iaith yn cynyddu, ac yn aml byddant yn gallu dweud dau neu dri gair adnabyddadwy a mynegi eu hanghenion drwy wneud synau ac ystumio.

DATBLYGIAD MOTOR BRAS

Eistedd

- Mae'r baban yn gallu eistedd ar ei phen ei hun am gyfnod amhenodol.

- Gall godi ar ei heistedd ar ôl bod yn gorwedd.

Sefyll

- Mae'r baban yn tynnu ei hun ar ei sefyll ac yn cerdded a amgylch.
- Mae'n gallu ail-eistedd heb syrthio.
- O bosibl, bydd yn sefyll ar ei phen ei hun am gyfnod byr.

Symudedd

- Bellach mae'r baban yn symud drwy gropian, shifflo ar ei phen-ôl, cerdded fel arth, cerdded ar ei phen ei hun neu gyda chymorth oedolyn sy'n dal un neu'r ddwy law.

- O bosibl, bydd yn cropian tuag ymlaen i fyny'r grisiau a thuag yn ôl i lawr y grisiau.

12 mis

DATBLYGIAD MOTOR MANWL

- Mae'r baban yn chwilio am wrthrychau sydd wedi'u cuddio a thu hwnt i'w golwg.

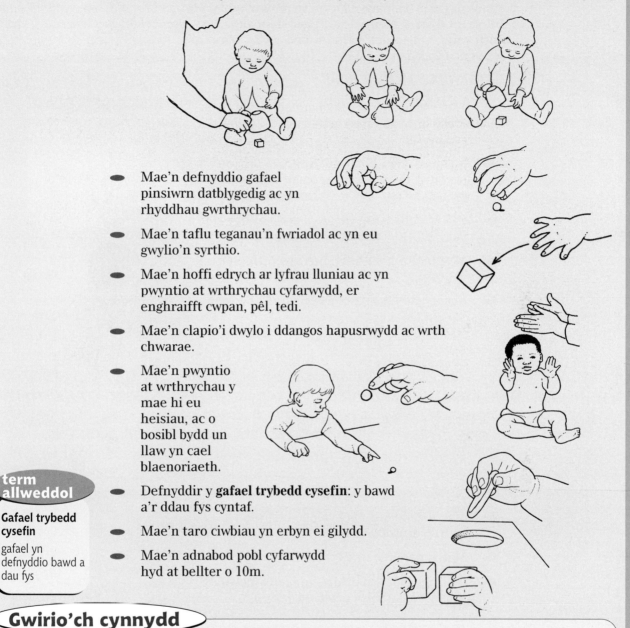

- Mae'n defnyddio gafael pinsiwrn datblygedig ac yn rhyddhau gwrthrychau.

- Mae'n taflu teganau'n fwriadol ac yn eu gwylio'n syrthio.

- Mae'n hoffi edrych ar lyfrau lluniau ac yn pwyntio at wrthrychau cyfarwydd, er enghraifft cwpan, pêl, tedi.

- Mae'n clapio'i dwylo i ddangos hapusrwydd ac wrth chwarae.

- Mae'n pwyntio at wrthrychau y mae hi eu heisiau, ac o bosibl bydd un llaw yn cael blaenoriaeth.

- Defnyddir y **gafael trybedd cysefin**: y bawd a'r ddau fys cyntaf.

- Mae'n taro ciwbiau yn erbyn ei gilydd.

- Mae'n adnabod pobl cyfarwydd hyd at bellter o 10m.

term allweddol

Gafael trybedd cysefin

gafael yn defnyddio bawd a dau fys

Gwirio'ch cynnydd

Pryd ddylai'r gafael pinsiwrn ymddangos a phryd ellid dweud ei fod yn ddatblygedig?

Pa agweddau ar ddatblygiad motor bras a manwl a welir pan fydd y baban yn 12 mis oed?

Pryd ddylai baban allu symud o un man i'r llall?

Nodwch bum elfen sgiliau corfforol yn 12 mis oed.

Erbyn pa oedran ddylai'r atgyrchau cysefin fod wedi diflannu?

15 mis

Fel rheol, bydd y baban yn cerdded heb gymorth yn 15 mis oed, ond ni fydd yn gallu aros yn ei unfan neu symud yn ddidrafferth, a bydd yn disgyn yn aml. Mae'n hanfodol bod rhywun yn goruchwylio wrth i'r baban ddringo grisiau er mwyn osgoi damweiniau. Mae'r awydd i fod yn annibynnol yn cynyddu a sgiliau bwydo'n gwella. Fel rheol bydd y plentyn yn ceisio defnyddio llwy, yn weddol lwyddiannus. Mae'n hoffi taflu, ceisio dal a thaflu peli yn ôl, a gwthio teganau a throlïau.

DATBLYGIAD MOTOR BRAS

- Mae'r baban yn cerdded ar ei ben ei hun, ei draed ar led a'i freichiau'n uchel i gadw cydbwysedd.

- Mae'n syrthio'n hawdd, weithiau dim ond ar ôl ychydig gamau, ac fel rheol wrth aros; nid yw'n gallu osgoi gwrthrychau ar y llawr.

- Gall eistedd o fod yn sefyll drwy ddisgyn yn ôl ar ei ben-ôl neu ar ei freichiau.

- Mae'n codi ar ei sefyll heb gymorth pobl na dodrefn.

- Mae'n gallu dringo'r grisiau ar ei phedwar.

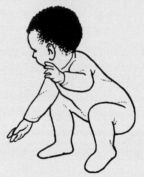

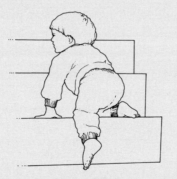

- Mae'n gallu taflu pêl yn ôl, ond bydd yn syrthio drosodd yn aml.

- Mae'n penlinio heb gymorth.

- O bosibl, bydd yn dringo ymlaen i mewn i gadair fach a throi i eistedd.

15 mis

DATBLYGIAD MOTOR MANWL

- Mae'r baban yn mwynhau chwarae gyda brics bach.

- Mae'n adeiladu tŵr gan ddefnyddio dwy fricsen.

- Mae'n gallu rhoi botwm i mewn i wddf potel.

- Mae'n gallu dal llwy, ond yn ei rhoi yn ei geg wyneb i waered.

- Mae'n mwynhau llyfrau lluniau lliwgar ac yn troi sawl tudalen ar unwaith.

- Mae'n pwyntio at wrthrychau cyfarwydd yn y llyfr ac yn taro'r tudalen yn ysgafn.

- Mae'n defnyddio'r mynegfys o hyd i fynnu diodydd, bwyd a thcganau sydd y tu hwnt i'w gyrraedd.

- Yn aml bydd yn syllu allan o'r ffenestr am gyfnodau hir, yn gwylio ac yn pwyntio at weithgareddau y tu allan gyda diddordeb.

- Mae'n defnyddio gafael cledrol i ddal creon, yn sgriblo yn ôl ac ymlaen dros y papur.

- Mae'n defnyddio'r ddwy law, ond yn rhoi blaenoriaeth i un.

18 mis

Mae'r plentyn 18 mis oed yn fywiog iawn, yn rhedeg o gwmpas yn gyflym wrth archwilio'r amgylchedd. Mae'r plentyn yn rhedeg, gyda'i breichiau a'i choesau ar led, yn archwilio corneli ac yn brysio i fyny'r grisiau. Mae'n aros ac yn dechrau'n dda, ond yn cael anhawster wrth fynd rownd corneli, ac mae'n tynnu teganau mawr o amgylch y lle ac yn chwarae pêl gan ddefnyddio'i braich gyfan. Y presennol yw ei byd. Mae gan y plentyn ewyllys ei hun ac nid yw eto ddysgu sut i weld bod eraill yn bobl fel hi ei hun.

DATBLYGIAD MOTOR BRAS

- Bellach, mae'r plentyn yn cerdded yn hyderus, heb ddefnyddio'r breichiau i gydbwyso ac yn gallu aros heb ddisgyn.

- Mae'n sgwatio ar y llawr i godi teganau.

- O bosibl bydd yn cario teganau mawr.

- Mae'n dringo gan wynebu ymlaen i mewn i gadair oedolyn ac yna'n troi i eistedd i lawr.

- Mae'n gwneud ymgais i gicio pêl, ac yn llwyddo'n aml.

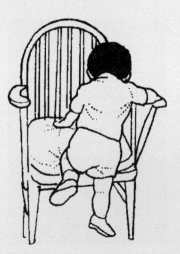

18 mis (parhad)

- Mae'n rhedeg ond yn disgyn yn aml am nad yw'n gallu cyd-symud ei symudiadau er mwyn gallu mynd o amgylch gwrthrychau sy'n sefyll yn y ffordd.

- Mae'n hoffi gwthio troli brics neu degan tebyg gydag olwynion.

- Mae'n cerdded i fyny'r grisiau pan fydd rhywun yn dal ei dwylo.

- Mae'n dod i lawr y grisiau'n ddiogel, naill ai ar ei phen-ôl gan wynebu tuag ymlaen (un gris ar y tro) neu tuag yn ôl, gan gropian neu ymlusgo ar y stumog.

- O bosibl, bydd yn cerdded i lawr y grisiau, gyda rhywun yn dal ei llaw, neu drwy afael yn y rheilen.

Gwirio'ch cynnydd

Rhestrwch bedwar sgìl motor bras sy'n nodweddiadol o blentyn 18 mis oed.

Esboniwch pam fod brics bach yn offeryn defnyddiol ar gyfer galluogi plant i ddefnyddio sgiliau motor manwl.

Sut gall oedolyn sicrhau bod plant sydd angen cymorth i fynd i fyny'r grisiau yn ddiogel?

Sut mae plentyn 18 mis oed yn dringo i mewn i gadair fawr fel rheol?

18 mis

DATBLYGIAD MOTOR MANWL

- Bellach mae'r plentyn yn gallu defnyddio gafael pinsiwrn manwl i roi gwrthrychau bach i mewn i ofodau bach.

- Mae'n datblygu gafael trybedd (gan ddefnyddio'r bawd a dau fys fel oedolyn) i afael mewn creon a phensil.

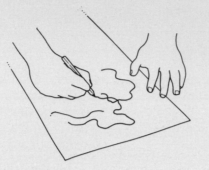

- Mae'n sgriblo ar bapur, yn ôl ac ymlaen a chan ddefnyddio dotiau hap.

- Mae'n adeiladu tŵr o dri chiwb, ac weithiau mwy.

- Mae'n gwneud ymgais i edafu gleiniau mawr, ac weithiau mae'n llwyddo.

- Mae'n parhau i fwynhau llyfrau lluniau ac yn pwyntio at wrthrychau cyfarwydd.

2 oed

DATBLYGIAD MOTOR BRAS

Yn 2 oed mae plant yn gallu symud llawer ac wrth eu bodd yn archwilio eu hamgylchedd. Maent yn dysgu sgìl **ymsymudiad** a chydbwysedd, ac mae hyn yn eu galluogi i archwilio'u hamgylchedd drwy gerdded, rhedeg a dringo.

- Mae'r plentyn yn mynd ar gefn treisicl bach drwy ei wthio gyda'i draed; nid yw'n defnyddio'r pedalau.
- Mae'n ceisio cicio pêl ond fel rheol yn cerdded i mewn iddi.
- Mae'n gallu dringo ar y dodrefn, fel rheol er mwyn cyrraedd rhywbeth neu weld allan o'r ffenestr.
- Mae'n dechrau dangos ymwybyddiaeth o'r berthynas rhyngddi hi a gwrthrychau eraill (**ymwybyddiaeth o ofod**).
- Mae'n rhedeg yn ddiogel.
- rheilen; mae hi'n gosod dwy droed ar bob gris.
- Mae'n aros ac yn dechrau heb anhawster.
- Mae'n gwthio ac yn tynnu teganau mawr ar olwynion; mae'n gallu tynnu tegan bach ar olwynion drwy ddefnyddio llinyn ac yn mynd i'r cyfeiriad iawn.
- Mae'n swatio i lawr gan bwyll i chwarae gyda, neu godi, tegan, ac yn codi eto heb ddefnyddio'i ddwylo.

Astudiaeth achos ...

... cefnogi datblygiad sgiliau corfforol

Mae Gwion yn 2 flwydd 3 mis oed ac yn dod i'r feithrinfa bob dydd. Mae wedi ymgartrefu'n dda ac yn mwynhau chwarae yn yr awyr agored. Er ei fod yn hyderus wrth fynd ar gefn teganau gydag olwynion, nid yw eto wedi gwneud ymgais i ddringo'r ysgol neu fynd i lawr y llithren. Bu'n gwylio'r plant eraill gyda diddordeb ac ar un adeg dechreuodd ddringo'r ysgol.

Heddiw, mae Gwion yn mynd at y llithren fel arfer. Mae Llinos, y nyrs feithrin, yn ymyl ac yn ei annog, gan sefyll yn ymyl yr ysgol a'i helpu i osod ei draed a'i ddwylo wrth ddringo. Pan lwydda i gyrraedd y pen uchaf, mae hi'n ei ganmol, gan ei helpu i eistedd ar y llithren ac yn dal ei ddwylo wrth iddo lithro i lawr. Pan yw'n cyrraedd y gwaelod, mae Gwion a Llinos yn clapio'u dwylo. Ar unwaith, mae Gwion yn rhedeg o gwmpas i roi cynnig arall arni ac mae Llinos yn sefyll yn ymyl, yn barod i'w gynnal.

1. Pam fod Gwion yn treulio amser yn gwylio'r plant eraill?
2. Sut aeth Llinos ati i helpu Gwion gyflawni ei nod?
3. Beth wnaeth Gwion ar ôl dod i lawr y llithren yn llwyddiannus?
4. Pam fod hyn yn bwysig?

2 oed

DATBLYGIAD MOTOR MANWL

Yn 2 oed mae plant yn mwynhau tynnu pethau'n ddarnau, rhoi pethau gyda'i gilydd, gwthio i mewn, tynnu allan, llenwi a gwagio. Yn aml, byddant yn profi pethau drwy eu cyffwrdd a'u blasu. Maent wedi hen arfer â defnyddio'r gafael pinsiwrn manwl. Erbyn hyn, bydd plentyn 2 oed yn rhoi blaenoriaeth i un llaw wrth ddal pensil, ond yn defnyddio'r ddwy law i berfformio tasgau cymhleth.

- Fel rheol mae'r plentyn yn rhoi blaenoriaeth i un llaw wrth ddal pensil; mae'n tynnu llun cylchoedd, llinellau a dotiau.

- Mae'n gallu defnyddio gafael pinsiwrn manwl i godi pethau pitw a'u rhoi i lawr.

- Mae'n gallu trin a thrafod teganau.

- Mae'n gallu defnyddio gafael pinsiwrn manwl gyda'r ddwy law i gyflawni tasgau cymhleth, megis pilio satswma.

- Mae'n gallu paru teganau bychain pan ofynnir iddo wneud hynny.

- Mae'n adeiladu tŵr o chwech neu saith bricsen yn ofalus.

- Mae'n hoffi llyfrau lluniau, yn mwynhau adnabod pethau yn ei hoff luniau. Bellach, mae'n troi'r tudalennau fesul un.

3 oed

DATBLYGIAD MOTOR BRAS

Yn 3 oed mae sgiliau motor bras plant yn datblygu'n dda. Gallant gerdded a rhedeg yn hyderus, symud ymlaen, i'r ochr ac yn ôl, gan ddefnyddio'r grisiau heb anhawster. Maent yn defnyddio teganau gydag olwynion yn fedrus a chydag ymwybyddiaeth o rwystrau o'u cwmpas.

- Mae'r plentyn yn gallu sefyll a cherdded ar flaenau'i draed.

- Mae'n cerdded ymlaen, i'r ochr ac yn ôl.

- Mae'n gallu cicio pêl yn galed.

- Mae'n cerdded i fyny'r grisiau gydag un troed ar bob gris.

- Mae'n cerdded i lawr y grisiau gyda dwy droed ar bob gris.

- Bellach mae'n ymwybodol iawn o'i maint mewn perthynas â phethau o'i chwmpas.

- Mae'n mynd ar gefn treisicl gan ddefnyddio'r pedalau.

3 oed

DATBLYGIAD MOTOR MANWL

Yn 3 oed mae cyd-symudiad llaw-llygad plant yn dda. Gallant godi gwrthrychau bach, megis darnau o ddeunydd gludwaith a'u gosod yn eu lle yn gymharol gywir. Mae plant tair oed yn mwynhau defnyddio brwsh mawr i beintio lluniau ac fel rheol yn rhoi enw i'r lluniau ar ôl eu cwblhau. Mae eu lluniau o bobl yn dangos y pen ac un neu ddau ran arall o'r corff. Maent yn mwynhau cael sgyrsiau syml am y gweithgaredd sy'n dig-wydd ar y pryd, ac yn gofyn llawer o gwestiynau. Maent yn gwrando'n eiddgar ar storïau ac yn mwynhau cymryd rhan mewn rhigymau bys a chaneuon actol.

- Erbyn hyn mae'r plentyn yn gallu adeiladu tŵr sy'n cynnwys naw neu ddeg o frics.

- Mae'n gallu defnyddio'r bawd a'r bys cyntaf i godi darnau bach o ddeunydd gludwaith.

- Mae'n gallu cymryd rhan mewn profion golwg syml drwy adnabod teganau.

- Mae'n gallu edafu gleiniau mawr pren ar garrai.

- Mae'n gallu defnyddio siswrn i dorri.

- O bosibl, gall adnabod lliwiau.

- Mae'n matsio dau neu dri lliw sylfaenol.

- Mae'n rheoli pensil yn y llaw mae'n ei ffafrio, rhwng y bawd a'r ddau fys cyntaf.

- Mae'n mwynhau defnyddio brwsh mawr i beintio.

Astudiaeth achos ...

... darparu cyfarpar addas

Mae Meinir, sy'n dair oed, newydd ddechrau dod i'r feithrinfa. Mae'n cymryd rhan yn llawer o'r gweithgareddau, ac i bob golwg mae'n well ganddi weithgareddau megis gludwaith a modelu gyda blychau. Mae Glyn, gweithiwr gofal plant a gweithiwr allweddol Meinir, wedi sylwi ei bod hi'n cael anhawster wrth ddefnyddio siswrn ac yn aml yn rhwygo'r deunydd gludwaith i gael y maint a'r siâp iawn.

Pan eisteddodd Glyn gyda Meinir er mwyn dangos iddi sut i ddefnyddio'r siswrn, gwelwyd cynnydd. Yn ddiweddarach, pan oedd Meinir yn defnyddio pensil, sylwodd Glyn ei bod hi'n defnyddio'i llaw chwith. Pan oedd Meinir yn awyddus i wneud gweithgaredd gludwaith, sicrhaodd Glyn bod siswrn llawchwith ar gael, ac eisteddodd gyda Meinir wrth iddi hi ei ddefnyddio. Gyda chymorth ac anogaeth Glyn, datblygodd Meinir ei sgiliau torri.

1. Pam fod y gweithiwr gofal plant wedi ymyrryd yn yr achos hwn?

2. Pa ymarfer da a alluogodd Glyn i helpu Meinir mewn ffordd effeithiol?

4 oed

DATBLYGIAD MOTOR BRAS

Yn 4 oed mae plant yn gallu rheoli eu cyhyrau'n dda. Mae hyn o gymorth pan fydd angen egni i ddringo, neidio, hercian a mynd ar gefn treisicl. Gallant redeg a dringo'n dda, ac maent yn mwynhau gemau sy'n cynnwys rhedeg a neidio. Mae plant pedair oed yn gallu rhedeg ar flaenau'u traed. Maent yn hyderus wrth ddringo dros gyfarpar, a hefyd i fyny coed pan ddaw'r cyfle.

- Mae'r plentyn yn gallu sefyll, cerdded a rhedeg ar flaenau ei draed.

- Gan gadw'r coesau'n syth, mae'n gallu plygu o'r wasg a chodi pethau o'r llawr.

- Mae'n dringo coed, ysgolion ac offer chwarae.

- Mae'n rhedeg i fyny ac i lawr grisiau, gan roi un troed ar bob gris.

- Mae'n gallu dal, cicio, taflu a sboncio pêl a'i tharo â bat.

- Mae'n reidio treisicl yn dda, ac yn gallu troi mewn man cyfyng.

- Mae'n hyderus wrth ddringo dros a thrwy gyfarpar.

Cyfarpar y gallwch gydbwyso arno

Cyfarpar y gallwch ddringo drosto

4 oed

DATBLYGIAD MOTOR MANWL

Yn 4 oed mae plant yn dechrau meistroli tasgau sydd angen cyd-symudiad llaw-llygad da. Maent yn fwy hyderus a chywir wrth chwarae gemau sy'n cynnwys rhedeg a neidio, nag wrth ymarfer sgiliau dal a tharo. Maent yn mwynhau defnyddio deunyddiau adeiladu bach a mawr ac yn gwella eu sgiliau torri gyda siswrn. Maent yn dysgu'r cyfuniad o sgiliau gweledol a llawdriniol sy'n eu galluogi i gwblhau jig-so.

- Mae'r plentyn yn gallu defnyddio chwe bricsen i adeiladu tri gris, ar ôl gwylio rhywun arall yn gwneud hynny.

- Mae'n gallu adeiladu tŵr yn cynnwys deg neu fwy o frics.

- Mae'n gallu edafu gleiniau llai o faint na phan oedd yn 3 oed.

- Mae'n mwynhau tywallt, llenwi a gwagio cynwysyddion.

4 oed

DATBLYGIAD MOTOR MANWL

- Mae'r plentyn yn gafael mewn pensil mewn ffordd aeddfed ac yn gallu ei reoli'n dda.

- Mae'n tynnu llun person pan ofynnir iddo, gan ddangos y pen, coesau a'r bongorff.

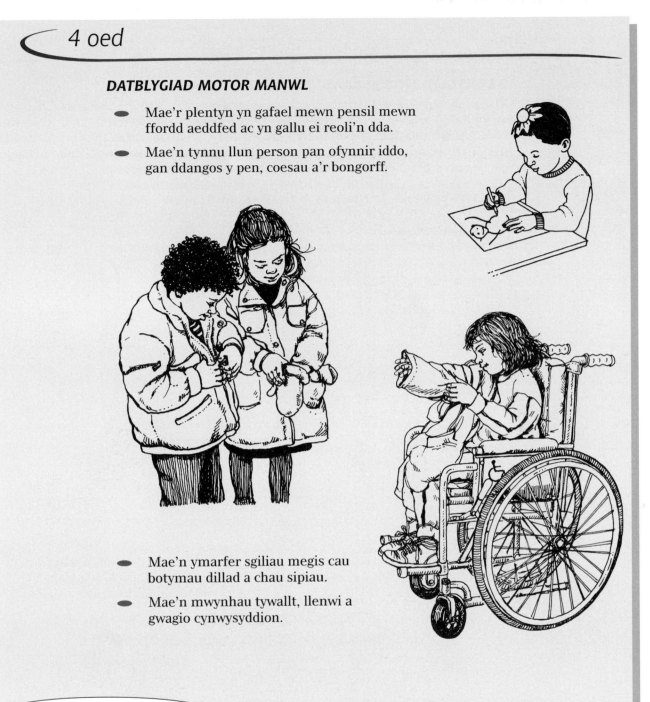

- Mae'n ymarfer sgiliau megis cau botymau dillad a chau sipiau.

- Mae'n mwynhau tywallt, llenwi a gwagio cynwysyddion.

Gwirio'ch cynnydd

Ym mha oedran fyddech chi'n disgwyl gweld y plentyn yn cyflawni'r canlynol:

a) Cerdded i fyny'r grisiau gan roi un troed ar bob gris, ac i lawr y grisiau gan roi'r ddwy droed ar bob gris?

b) Cerdded i fyny ac i lawr y grisiau gan roi un troed ar bob gris?

c) Mynd ar gefn treisicl bach, gan ddefnyddio'i draed i'w wthio?

ch) Bod yn ymwybodol o'u maint mewn perthynas â'r pethau o'u hamgylch?

d) Plygu o'r wasg i godi pethau o'r llawr?

5 oed

DATBLYGIAD MOTOR BRAS

Mae plant 5 oed yn gallu dygymod â'r mwyafrif o ddyletswyddau personol, bob dydd, ac yn barod ar gyfer ysgol. Maent yn rhedeg, dringo, dawnsio a neidio. Bydd rhai plant yn cyfuno'r holl elfennau hyn drwy wneud 'styntiau' llawn dychymyg. Bydd y mwyafrif o blant yn defnyddio'r sgiliau hyn wrth chwarae gemau cuddio a chael a rhedeg ar ôl plant eraill – ac yn aml gydag oedolion sy'n fodlon!

- Mae'r plentyn yn chwarae amrywiaeth o gemau pêl yn weddol dda.

- Mae'n symud yn rhythmig i gyfeiliant cerddoriaeth.

- Mae'n gallu hercian a rhedeg yn ysgafn ar fysedd ei draed.

- Mae'n gallu cerdded ar hyd llinell denau, dringo, cloddio/palu a defnyddio llithrennau a siglenni.

5 oed

DATBLYGIAD MOTOR MANWL

Yn 5 oed mae'r sgiliau manwl wedi eu cyd-symud yn dda a gall plant chwarae gemau lle mae'n rhaid gosod gwrthrychau mewn mannau priodol. Bydd plant 5 oed yn gallu dygymod â mwyafrif y ffasneri ar eu dillad, er y byddant yn cael anhawster wrth glymu careiau.

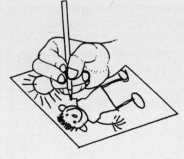

- Mae'r plentyn yn gallu tynnu llun person gyda phen, bongorff, coesau a llygaid, trwyn a cheg

- Mae'n gallu cyfateb 10 i 12 o liwiau.

- Mae'n gallu gwnïo pwythau mawr.

- O bosibl, bydd yn gallu edafu nodwydd.

- Mae'n adeiladu tri i bedwar gris gan ddefnyddio brics ar ôl edrych ar fodel.

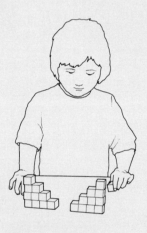

- Mae'n rheoli pensiliau a brwshys peintio yn dda.

Gwirio'ch cynnydd

Pa gyfuniad o offer sydd orau ar gyfer ysgogi sgiliau llawdriniol manwl plentyn 5 oed?

(a) dŵr, tywod sych, toes

(b) jig-sos, gludwaith, gwnïo

(c) hetiau, doliau, cadeiriau gwthio

(ch) beiciau, tryciau, teiars.

6 oed

DATBLYGIAD MOTOR BRAS

Yn 6 oed mae plant wedi datblygu ystwythder a chryfder. Mae plant 6 oed yn gwella o hyd o ran dringo a neidio. Maent yn mwynhau arbrofi gyda'u symudiadau ar gyfarpar mawr, gan ddechrau dysgu sut i hongian oddi arno drwy ddefnyddio'u breichiau a'u pengliniau.

- Mae'r plentyn yn cicio pêl-droed 3-6m.

- Mae'n reidio beic dwy olwyn.

- Mae'n rhedeg ac yna'n neidio tua 100cm.

- Mae'n gallu neidio hyd at uchder o 10cm.

Mae plant yn mwynhau arbrofi gyda'u symudiadau ar gyfarpar mawr

6 oed

DATBLYGIAD MOTOR MANWL

Yn 6 oed mae plant yn gallu defnyddio pensil, creon neu frwsh i dynnu lluniau o bobl ac adeiladau sy'n cynnwys llawer mwy o fanylion. Er mwyn ysgrifennu, rhaid i blant roi'r gorau i afael drwy ddefnyddio'r llaw gyfan, gan ddechrau defnyddio'r bawd a'r bysedd yn unig, a gafael yn y pensil yn agosach at ei flaen. Mae plant 6 oed yn cymhwyso eu gafael ar y pensil, gan ffurfio llythrennau a gadael i'w hysgrifen lifo.

- Mae'r plentyn yn gallu trefnu ciwbiau'n ofalus mewn rhes er mwyn adeiladu twˆr sydd bron yn hollol syth.

- Mae'n gafael mewn pensil ac yn ei drin yn union fel y gwnaeth yn 5 oed.

- Mae ei gafael mewn pensil yn debyg i afael oedolyn.

- Mae'n ysgrifennu ar ran fach o'r papur.

- Mae'n tynnu lluniau eglur.

- Mae'n gallu dal pêl a daflwyd o 1m i ffwrdd gan ddefnyddio un llaw yn unig.

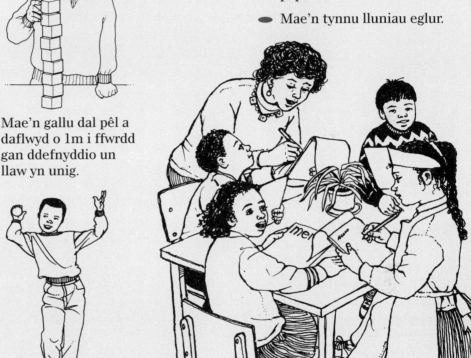

Gwirio'ch cynnydd

Pa gyfuniad o sgiliau sy'n disgrifio sgiliau motor manwl plentyn 6 oed orau?

(a)   adeiladu tri gris gan ddefnyddio chwe bricsen; edafu gleiniau bach; copïo sgwâr

(b)   adeiladu twˆr yn cynnwys naw neu ddeg o friciau; defnyddio siswrn i dorri; copïo cylch

(c)   dal pêl; tynnu lluniau eglur; gafael tebyg i oedolyn

(ch)   tynnu llun diemwnt; gwnïo'n daclus gan ddefnyddio nodwydd ac edau; clymu careiau.

7 oed

DATBLYGIAD MOTOR BRAS

Yn 7 oed, mae plant yn cynyddu o hyd o ran eu sgiliau corfforol; gallant gadw eu cydbwysedd a dringo offer yn ddidrafferth. Mae plant 7 oed yn fwy abl o hyd i arbrofi gyda'u symudiadau ac yn gallu amrywio'u cyflymder yn ôl eu hewyllys. Gellir defnyddio'r sgiliau er mwyn gwneud symudiadau mynegiannol, ac mae plant yn yr oed hwn yn mwynhau dawnsio i gerddoriaeth mewn amryw ffyrdd.

- Bellach mae'r plentyn wedi meistroli beic dwy olwyn.

- Mae'n gallu neidio oddi ar y cyfarpar o uchder o tua phedwar gris.

- Mae'n gallu dringo, cydbwyso a chymhwyso sgiliau corfforol wrth ddefnyddio'r cyfarpar.

- Mae'n hercian yn ddidrafferth, gan gadw'i gydbwysedd yn dda.

- Mae'n mwynhau gemau a chwaraeon ac yn rhedeg gydag egni.

Gwirio'ch cynnydd

Ym mha oedran fyddech chi'n disgwyl i blentyn allu cyflawni'r canlynol:

(a)   mynd ar gefn treisicl a defnyddio'r pedalau?

(b)   cerdded i fyny ac i lawr y grisiau gan ddal gafael yn y rheilen a rhoi dwy droed ar bob gris?

(c)   cydbwyso ar y trawst sy'n rhan o'r cyfarpar?

(ch) cerdded i fyny'r grisiau gan roi un troed ar bob gris, ond mynd i lawr y grisiau gan roi dwy droed ar bob gris?

(d)   tynnu llun eglur o berson gan gynnwys pen, bongorff, breichiau, coesau ac o bosibl, llygaid, trwyn a cheg?

(dd) adeiladu twˆr yn cynnwys deg bricsen?

(e)   adeiladu twˆr yn cynnwys chwech neu saith bricsen?

(f)   dal pensil yn y llaw o'u dewis?

(ff) sefyll, cerdded a rhedeg ar flaenau'u traed?   (g) Cyfateb ac enwi pedwar lliw sylfaenol?

7 oed

DATBLYGIAD MOTOR MANWL

Fel rheol, bydd plant 7 oed yn dysgu sut i ysgrifennu. Bydd sgiliau ysgrifennu, ffurfio ac uno llythrennau yn gwella dim ond gyda llawer o ymarfer. Mae ysgrifen plant yn dechrau llifo. Bydd rhai plant yn ymwybodol bod gwahanol sgriptiau yn bodoli a bod ysgrifen yn mynd i wahanol gyfeiriadau. Fel yn achos datblygiad motor bras, bydd sgiliau a hyder plant unigol yn amrywio.

- Mae'r plentyn yn defnyddio brics i adeiladu tŵr uchel, syth.

- Mae'n gallu tynnu llun diemwnt yn daclus.

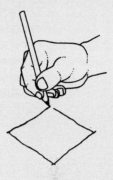

- Mae'n gallu ysgrifennu'r mwyafrif o lythrennau'r wyddor.

- Mae'n gallu gwnïo'n daclus gan ddefnyddio nodwydd fawr.

- Mae'n dangos gwreiddioldeb wrth dynnu llun person, er enghraifft yn gwisgo dillad neu ar ei eistedd.

Gwirio'ch cynnydd

Ym mha oedran fyddech chi'n disgwyl bod plentyn yn gallu gwneud y canlynol:

(a)   edafu gleiniau mawr?

(b)   cyfateb dau neu dri lliw sylfaenol?

(c)   tynnu llun person gan gynnwys pen, coesau a bongorff?

(ch) adeiladu tri neu bedwar gris ar ôl gwylio rhywun arall yn gwneud hynny?

(d)   tynnu llun diemwnt?

Amrywiadau mewn cynnydd datblygiadol

Mae plentyn yn datblygu drwy gynyddu mewn camau. Yn aml iawn, mae cam datblygiad yn gysylltiedig ag oed penodol, megis plant yn cerdded yn 15 mis oed. Mewn gwirionedd mae rhai plant yn cerdded mor gynnar â 9 mis oed ac eraill mor hwyr â 18 mis oed. Mae hyn yn gwbl normal. Nid llinell yw datblygiad, ond yn hytrach maes neu ystod. Er bod rhaid gwybod beth yw oed cyfartalog plant wrth gyrraedd y cerrig milltir datblygiadol hyn, rhaid cofio bob amser ystod y cyflawniad.

Mae plant yn cyflawni'r camau datblygiad yn eu hamser eu hunain. Gall fod nifer o resymau dros y gwahaniaeth mewn cyflymdra. Mae'r ffactorau hyn yn gallu cynnwys hil: yn aml, bydd plant Affricanaidd neu Garibïaidd yn cyflawni camau motor bras yn gynt na'r arfer, gan eistedd, sefyll a cherdded yn gynnar. Mae'n bosibl y bydd plant sy'n dioddef o gyflwr megis parlys yr ymennydd yn cyflawni'r camau'n arafach. Mae cynnydd yn dibynnu ar yr unigolyn, ond bydd plant yn cyflawni'r camau yn yr un drefn, er enghraifft dechrau rheoli'r pen, eistedd gyda chymorth, eistedd heb gymorth, tynnu ar eistedd, tynnu i sefyll, cerdded gyda chymorth, cerdded ar eu pen eu hunain. Yr hyn sy'n bwysig yw bod plentyn yn cyflawni'r camau.

Mae egwyddorion eang eraill yn ymwneud â datblygiad corfforol a thrafodir y rhain yn fanylach ym Mhennod 8.

Rôl yr oedolyn

Rhaid i'r oedolyn sicrhau bod gan fabanod a phlant amgylchedd diogel sy'n caniatáu iddynt ymestyn eu sgiliau corfforol. Rhaid i blant gael lle i symud yn ddirwystr a'r cyfle i ehangu ystod eu symudiadau o ran sgiliau motor bras a manwl.

Mae llawer o deganau ar gael a all helpu'r plentyn i gyflawni hyn, ac mae'n bwysig dewis yn ofalus, gan gadw diogelwch a cham datblygiad y plentyn mewn cof. Labelir llawer o deganau yn ôl grŵp oedran, ond ystyriwch gam datblygiad y plentyn cyn darparu.

Rhaid bod yn ofalus wrth ddarparu teganau a gweithgareddau sy'n ysgogi datblygiad. Fel rheol rhaid i blant gael gweithgareddau a fydd yn ymestyn eu galluoedd, heb fod yn rhy anodd na hawdd fel eu bod yn colli diddordeb. Er bod plant yn mwynhau her, ni fyddant yn blino ar eu hoff deganau. Bydd plant yn

Fforio yn yr ardd

ymdrechu i ennill sgìl, ei ymarfer ac yna cael pleser o ddefnyddio eu gallu newydd.

Er bod teganau a brynwyd yn dda, fel rheol, gall oedolyn ddod o hyd i ddigon o bethau yn y cartref, gardd a pharc i ysgogi datblygiad corfforol plentyn: blychau i ddringo i mewn iddynt ac allan ohonynt, sosbenni a chypyrddau i'w harchwilio, llwyau pren, botymau, bobiniau cotwm i'w dosbarthu, mannau cuddio o dan y bwrdd drwy ddefnyddio lliain hir. Allan yn yr awyr agored, yn yr ardd neu'r parc mae lle i symud o gwmpas; mae planhigion, pryfed, anifeiliaid, llaid a dŵr i'w harchwilio. Mae modd arsylwi, profi ac archwilio pob un o'r pethau hyn gydag anogaeth a goruchwyliaeth llawn dychymyg a sensitif gan yr oedolyn. Dyletswydd yr oedolyn yw adnabod cam datblygiad y plentyn a rhoi'r anogaeth sydd ei angen i helpu'r plentyn gynyddu ar y cyflymdra sy'n addas i'r plentyn unigol. Gall y cyflymdra hwn amrywio yn ôl y plentyn a dylai adlewyrchu anghenion yr unigolyn.

Nawr rhowch gynnig ar y cwestiynau hyn

Beth yw camau datblygiad ymsymudiad?

Disgrifiwch gamau datblygiad sgiliau motor manwl.

Pa bwyntiau pwysig y dylai oedolyn fod yn ymwybodol ohonynt wrth gefnogi datblygiad corfforol plant?

Trafodwch 'normal' a 'normau' yng nghyd-destun datblygiad.

Disgrifiwch yr atgyrchau cysefin sy'n bresennol yn y baban newydd-anedig 'normal'.

Mireinio a chyd-symud sgiliau corfforol

DATBLYGIAD EMOSIYNOL A CHYMDEITHASOL

Ystyr datblygiad emosiynol yw'r cynnydd yng ngallu plentyn i deimlo a mynegi ystod gynyddol o emosiynau'n briodol. Mae'n cynnwys datblygiad teimladau am, a thuag at, bobl eraill, a'r gallu i'w mynegi'n briodol a chyda hunanreolaeth.

Ystyr datblygiad cymdeithasol yw'r cynnydd yng ngallu plentyn i gysylltu ag eraill mewn ffordd briodol, ac i ddod yn annibynnol, o fewn fframwaith cymdeithasol. Mae'n cynnwys datblygu sgiliau cymdeithasol ac annibyniaeth.

Mae datblygu hunansyniad a hunanddelwedd yn elfen bwysig o ddatblygiad emosiynol a chymdeithasol. Mae hyn yn golygu'r ddelwedd sydd gennym ohonom ni'n hunain a'r hyn rydym yn meddwl bod eraill yn ei weld. Mae hunaniaeth yn cynnwys y nodweddion sy'n ein gosod ar wahân i eraill ac yn peri ein bod yn wahanol iddynt. Enw arall arno yw personoliaeth.

Bydd y rhan hon yn ymdrin â'r pynciau canlynol:

- egwyddorion cyfffredinol datblygiad emosiynol a chymdeithasol

- camau a dilyniant datblygiad emosiynol a chymdeithasol, 0–1 oed

- camau a dilyniant datblygiad emosiynol a chymdeithasol, 1–3 blwydd 11 mis oed

- camau a dilyniant datblygiad emosiynol a chymdeithasol, 4 oed i 7 mlwydd 11 mis

- ffactorau sy'n dylanwadu ar ddatblygiad chymdeithasol ac emosiynol.

Egwyddorion cyffredinol datblygiad cymdeithasol ac emosiynol

Mae'n bwysig cofio rhai pethau wrth astudio datblygiad cymdeithasol ac emosiynol:

- Proses cyfan yw datblygiad; mae pob maes datblygiad wedi'u hintegreiddio ac yn rhyngweithio â'i gilydd; maent yn cymysgu gyda'i gilydd ac yn effeithio ar ei gilydd.

- Mae rhyngweithio gwahanol feysydd yn arwain at batrwm datblygiad unigol sy'n amrywio o blentyn i blentyn.

- Fel rheol mae datblygiad yn golygu cyfnod o dyfiant cyflym ac yna cyfnod sy'n gymharol dawel. Yn ystod y cyfnod hwn o dawelwch, atgyfnerthir y tyfiant

blaenorol. Oherwydd hyn mae'n datblygu i fod yn rhan bendant a chyson o fodolaeth y plentyn. Mae'n bosibl y bydd un maes datblygiad yn gymharol dawel tra bydd un arall yn dangos cynnydd cyflym.

- Mae'r llwybr datblygiad yn arwain o anaeddfedrwydd a dibyniaeth lwyr at aeddfedrwydd cymdeithasol ac emosiynol.

- Nid yw plant yn datblygu ar wahân i bobl eraill; maent yn datblygu o fewn cyfundrefnau teuluol. Mae gan deuluoedd nodweddion unigol sy'n dylanwadu ar bob plentyn mewn ffordd wahanol.

- Mae teulu plentyn yn bodoli o fewn cyfundrefn ddiwylliannol ehangach. Mae eu profiad o'r amgylchedd diwylliannol hwn yn dylanwadu'n fawr ar ymddygiad y teulu a'r plentyn.

- Mae amgylchedd teuluol a diwylliannol yn rhyngweithio â, ac yn effeithio ar, sgiliau datblygol plentyn, eu hunanymwybyddiaeth a'u perthynas ag eraill.

Yn y bennod hon amlinellir camau datblygiad cymdeithasol ac emosiynol ar wahân i ddatblygiad corfforol, iaith a gwybyddol. Gwneir hyn am ei fod yn symlach ac yn haws deall cynnydd datblygol plant drwy archwilio un maes datblygiad ar y tro.

Mae adrannau canlynol y bennod hon yn disgrifio llwybr datblygiad emosiynol a chymdeithasol baban newydd ei eni hyd at 8 oed. Mae'r llwybr yn arwain o anaeddfedrwydd a dibyniaeth lwyr at aeddfedrwydd cymdeithasol ac emosiynol, ac mae'n cynnwys datblygiad sgiliau cymdeithasol ac annibyniaeth. Dyma'r prif agweddau datblygiad a drafodir:

- *emosiynol* – gallu plant i deimlo a mynegi emosiynau

- *cymdeithasol* – perthynas plant â phobl eraill

- *sgiliau cymdeithasol* – datblygiad sgiliau sy'n arwain at fod yn annibynnol

- *hunanddelwedd a hunaniaeth* – hunanymwybyddiaeth plant a'u barn amdanynt hwy eu hunain.

Mae hunansyniad a hunanddelwedd plentyn yn datblygu'n raddol yn ystod eu blynyddoedd cyntaf. Drwy adnabod a deall camau'r datblygiad hwn, gall gweithwyr gofal plant gefnogi'r broses a hefyd galluogi'r plant i deimlo'n werthfawr. Mae hyn yn hanfodol ar gyfer eu lles emosiynol. Bydd hunanddelwedd a hunansyniad plant yn dylanwadu ar eu perthnasau ag eraill hyd oedolaeth.

Camau a dilyniant datblygiad emosiynol a chymdeithasol, 0-1 oed

GENEDIGAETH

Ar ei enedigaeth, ac yn ystod mis cyntaf ei fywyd, bydd atgyrchion wrin ac adweithiau mewnol yn rheoli ymddygiad y baban i raddau helaeth. Mae'r atgyrchion hyn yn rheoli'r ffordd mae'r baban yn gwrando, yn edrych o'i amgylch, yn archwilio ac yn cysylltu ag eraill. Fodd bynnag, hyd yn oed yn y cam cynnar hwn bydd gofalwyr yn dod yn ymwybodol o nodweddion sy'n unigryw i'r plentyn, a achoswyd i bob golwg gan natur.

Mae babanod newydd eu geni'n dechrau dysgu ar unwaith, ond yn y cam hwn mae eu hymddygiad a'u gallu i gyfathrebu ag oedolion yn gyfyngedig. Yn gyffredinol, byddant yn gweiddi er mwyn dangos bod angen rhywbeth arnynt ac yn dawel pan gyflenwir yr anghenion hynny.

Hunanddelwedd

Nid yw babanod newydd eu geni'n sylweddoli bod pobl a phethau'n bodoli ar wahân iddynt hwy. Credir bod gofalwyr yn ddim mwy nag 'esmwythwyr eu gofid' iddynt hwy, boed y gofid hwnnw'n cael ei achosi gan awydd am fwyd, poen neu unigrwydd.

Datblygiad

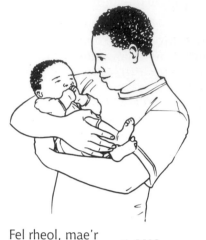

Yn y cam hwn, mae babanod:

- yn dibynnu'n llwyr ar eraill
- yn dangos atgyrchau gwreiddio, sugno a llyncu
- yn cysgu yn amlach na pheidio
- yn hoffi cael eu gadael yn llonydd
- yn cael eu dychryn gan sŵn, ac yn troi at y golau, os nad yw'n rhy lachar
- yn crïo pan fydd arnynt awydd bwyd, neu pan fyddant mewn poen neu heb dderbyn sylw
- yn fodlon, fel rheol, pan fyddant mewn cysylltiad agos â'r prif ofalwr
- yn anymwybodol eu bod yn fodau ar wahân.

Fel rheol, mae'r baban newydd ei eni'n fodlon pan fydd mewn cysylltiad agos â'r gofalwr

1 MIS

Sylwyd bod babanod yn gwenu'n ddigymell ar ôl y geni; ond erbyn cyrraedd 4-8 wythnos oed maent yn dechrau gwenu mewn ymateb i ddigwyddiadau allanol. Mae'r baban yn dysgu gwenu mewn ymateb i lais neu wyneb; cânt eu denu, hefyd, gan symudiadau wynebau.

Hunanddelwedd

Mae plant yn dysgu **gwahaniaethu** rhyngddyn nhw'u hunain a phobl eraill neu i ddysgu drwy ryngweithio â'u gofalwyr a thrwy ddefnyddio'u pum synnwyr i archwilio. Yn araf, dechreuant ddeall pwy ydynt – eu **hunaniaeth bersonol** – a'r hyn maent yn ei deimlo a meddwl amdanyn nhw'u hunain – eu hunanddelwedd a'u hunansyniad.

Datblygiad

Erbyn tua'r oed hwn, mae babanod:

- yn cysgu yn amlach na pheidio, os na fydd rhywun yn gafael ynddynt neu'n eu bwydo
- yn crïo er mwyn tynnu sylw at eu hanghenion (bydd synau gwahanol ar gyfer mynegi awydd am fwyd, poen, panig ac anghysur)
- yn troi at y fron
- yn edrych ar wyneb dynol am gyfnod byr
- yn tawelu mewn ymateb i lais dynol ac yn gwenu mewn ymateb i lais y prif ofalwr
- yn datblygu gwên gymdeithasol ac yn defnyddio'r llais i ymateb i olwg a sŵn person (erbyn tua 6 wythnos oed); ymateb y baban i berson sydd ar wahân iddyn nhw eu hunain
- yn gafael mewn bys os agorir llaw'r baban a chyffwrdd â'r gledr
- yn dysgu'n raddol i adnabod eu hunain fel unigolion ar wahân.

2 FIS

O 2 fis oed ymlaen mae gan fabanod lai o atgyrchau cysefin ac yn raddol dechreuant ddysgu ystod o ymatebion ac ymddygiad. Mae'r rhain yn digwydd o ganlyniad i aeddfedu corfforol a hefyd am fod y baban yn dechrau archwilio'r amgylchedd.

Yn 2 fis oed mae'r baban yn gallu cynnal 'sgyrsiau' â'r gofalwr. Mae'r rhain yn gymysgfa o ystumiau a synau, ond maent yn dilyn patrwm sgwrs yn yr ystyr bod un person yn dawel tra bydd y llall yn siarad. Mae plant yn dechrau adnabod wyneb, dwylo a llais eu gofalwr. O bosibl, byddant yn rhoi'r gorau i grïo wrth synhwyro (h.y. clywed, gweld neu deimlo) bod eu gofalwr yn agos. Mae hyn yn awgrymu eu bod yn dechrau dod yn ymwybodol o'u harwahanrwydd, o'r ffaith bod y gofalwr yn bodoli ar wahân iddyn nhw eu hunain.

Yn ystod y cam hwn, os sylweddolir yn gynnar bod gan blentyn **nam ar y synhwyrau**, gall gofalwyr addasu eu dull o weithredu i ateb anghenion plentyn, er enghraifft drwy ddefnyddio arwyddiaith gyda phlentyn byddar. Yn aml, mae gofalwyr gyda nam ar y synhwyrau yn arbennig o dda am addasu er mwyn cyflenwi anghenion eu plant.

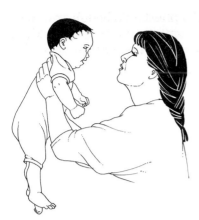

Mae'r baban yn ymateb drwy wenu

Hunanddelwedd

Mae babanod yn dysgu bod cyffwrdd â thegan yn gwbl wahanol i gyffwrdd â'u llaw eu hunain. Wrth deimlo'r gwahaniaeth, maent yn dysgu mai eu llaw hwy yw'r peth sy'n symud o flaen eu llygaid, sef rhan ohonyn nhw.

Mae babanod sy'n cael eu dal wrth gael eu bwydo, eu newid a'u hanwesu yn dysgu bod dau fath o deimlad yn bodoli: un sy'n dod o rywle y tu allan iddyn nhw eu hunain; ac un nad yw'n allanol, er enghraifft wrth gyffwrdd â'u llaw eu hunain neu gnoi eu bysedd traed. Mae'r profiadau archwiliol hyn yn rhoi cychwyn ar y broses o wahaniaethu rhyngddyn nhw eu hunain a phobl neu bethau eraill.

Ydy hwn yn perthyn i fi?

Datblygiad

Yn yr oed hwn, fel rheol, bydd babanod:

- yn rhoi'r gorau i grïo wrth gael eu codi
- yn cysgu llai yn ystod y dydd a mwy yn ystod y nos
- yn archwilio drwy ddefnyddio eu pum synnwyr
- yn gwahaniaethu rhwng gwrthrychau, ac yn dechrau gweld y gwahaniaeth rhwng un wyneb ac wyneb arall
- yn dilyn wyneb dynol sy'n symud
- yn gwenu ac yn ymateb mwy i eraill.

3 MIS

Mae babanod yn ymddiddori'n fawr yn eu hamgylchedd yn y cam hwn. Maent yn dal i aeddfedu'n gyflym yn gorfforol. Mae babanod yn troi eu pennau mewn ymateb i wahanol synau ac i weld beth mae pobl yn ei wneud. Maent yn dechrau dysgu ystod o sgiliau cymdeithasol gan y bobl o'u hamgylch, a hynny'n gyflym. Hyd yn oed yn ystod y cyfnod cynnar hwn, mae'n hanfodol i'r baban bod rhywun yn mynd i'r drafferth o gyfathrebu a threulio amser gyda nhw. I bob golwg, mae gan fabanod allu naturiol i gyfathrebu, ond nid yw hyn yn datblygu heb iddynt gysylltu a rhyngweithio â phobl eraill. Mae angen gafael ynddyn nhw a siarad â nhw. Erbyn 3 mis oed mae babanod wedi dysgu dangos eu pleser mewn ymateb i driniaeth gyfeillgar. Yn raddol, bydd baban a gofalwr yn adeiladu patrwm cymhleth o ymatebion.

Hunanddelwedd

Unwaith y bydd plant wedi sylweddoli eu bod ar wahân i eraill, byddant yn dechrau creu darlun neu ddelwedd ohonyn nhw'u hunain. Yn raddol maent yn dysgu sut fath o berson ydynt a'r hyn y gallant ei gyflawni. Mae'r darlun hwn naill ai'n:

- **hunanddelwedd bositif** – mae'r plentyn yn teimlo ei fod yn werthfawr

- **hunanddelwedd negatif** – mae'r plentyn yn teimlo'n ddiwerth.

Mae plant yn mesur eu gwerth yn ôl ymateb oedolion a phlant sy'n bwysig iddynt. Mae angen iddynt deimlo bod y bobl hyn yn eu cymeradwyo ac yn eu derbyn er mwyn iddynt allu datblygu teimladau o **hunan gymeradwyaeth a hunan dderbyniad.**

Yn y cam hwn, mae babanod yn dal i ymateb i'r byd fel pe bai'r gallu i wneud i bethau fodoli neu ddiflannu yn eu dwylo hwy yn unig. Os edrychant ar rywbeth, yna mae'n bodoli; os nad ydynt yn gweld y peth hwnnw, yna nid yw'n bodoli. Os bydd rhywbeth neu rywun yn diflannu o'u golwg, bydd babanod yn dal i edrych ar y man lle'r oeddent cyn diflannu, fel pe baent yn aros iddynt ddod yn ôl. Os nad ydynt yn dychwelyd, mae'r baban yn debygol o anghofio amdanynt. Os yw'n berson sy'n bwysig iddynt, yna maent yn debygol o grïo.

Datblygiad

Tua'r oed hwn, fel rheol bydd babanod:

- yn ymateb i driniaeth gyfeillgar ac yn gwenu ar y mwyafrif o bobl

- yn defnyddio synau i ryngweithio'n gymdeithasol ac i ymestyn allan at yr wyneb dynol

- yn cyfeirio'u hunain fwyfwy tuag at eu mam a phrif ofalwyr eraill, ac yn edrych ar wyneb eu gofalwr wrth fwydo

- yn dechrau cysylltu'r hyn a glywant â'r hyn a welant

- pleser, ofn, cyffro, bodlonrwydd, anhapusrwydd

- yn ymwybodol i raddau o deimladau ac emosiynau pobl eraill

- yn dal i ymateb i'r byd fel petai nhw yn unig yn gyfrifol am wneud i bethau fodoli neu ddiflannu.

termau allweddol

Hunanddelwedd bositif
gweld eich hunan fel rhywun gwerthfawr

Hunanddelwedd negyddol
mae'r plentyn yn teimlo'n ddiwerth

Hunan gymeradwyaeth
bod yn fodlon arnoch chi'ch hun

Hunan dderbyniad
cymeradwyo chi'ch hun, heb geisio newid eich hun o hyd

Yn 3 mis oed mae babanod yn ymateb i driniaeth gyfeillgar ac yn gwenu ar y mwyafrif o bobl

6 MIS

Mae datblygiad babanod yn gyflym iawn yn y 6 mis cyntaf. Mae babanod yn effro am gyfnodau hirach o lawer erbyn cyrraedd 6 mis oed. Os cawsant eu hysgogi gan bresenoldeb pobl eraill yn ystod y cyfnod hwn, dechreuant ddangos diddordeb mawr yn eu hamgylchedd gan ymateb yn hapus i sylw positif. Mae babanod 6 mis oed yn chwerthin, yn dangos cyffro a phleser, ac yn dangos hoffter neu gasineb yn glir.

Hunanddelwedd

O bosibl yn y cyfnod hwn dechreuir dangos **pryder oherwydd dieithriaid** a **gofid gwahanu**. Mae hyn yn awgrymu bod babanod yn ymwybodol o'u harwahanrwydd ac yn teimlo'n agored i niwed heb gymorth eu perthynas ymlynol. Os gall gofalwyr gyflenwi anghenion babanod yn y cam hwn, yna byddant yn atgyfnerthu gallu babanod i weld eu hunain fel bodau ar wahân ond gwerthfawr.

Sefydlogrwydd gwrthrych

Yn ystod y cam hwn, mae plant yn dysgu bod pobl a phethau'n barhaol. Hyd yn oed os na allant eu gweld, mae pobl a phethau'n dal i fodoli. Atgyfnerthir yr ymwybyddiaeth hon drwy gemau megis chwarae mig: mae'r babanod yn dysgu bod pobl a phethau sy'n diflannu dros dro yno o hyd, ond bod rhaid chwilio amdanynt.

Pwysigrwydd chwarae o ran datblygiad cymdeithasol ac emosiynol

O tua 6 mis oed ymlaen, mae plant yn fwy abl i gymryd rhan mewn gweithgareddau chwarae am fod eu sgiliau corfforol yn datblygu. O bosibl, byddant yn chwarae ochr yn ochr â babanod eraill. Bydd babanod yn datblygu hunanddelwedd bositif os rhoddir anogaeth a'r cyfle i ddysgu drwy brofiad, yn enwedig drwy chwarae. Yn y cam hwn, gall oedolyn sydd â diddordeb wella'r chwarae. Bydd eu hymatebion positif a negatif i'r plentyn yn dylanwadu ar hunanddelwedd y plentyn. Mae babanod yn ymwybodol o deimladau ac emosiynau pobl eraill. Maent yn profi'r holl emosiynau hyn ar ffurf ymatebion iddyn nhw'u hunain. Nid oes ganddynt yr wybodaeth sy'n eu galluogi i weld nad hwy sy'n gyfrifol bob amser am ddicter a siom. Mae babanod yn dechrau teimlo tuag at eu hunain, yr hyn y maent yn synhwyro am bobl eraill o'u hamgylch.

Datblygiad

Yn yr oed hwn bydd babanod:

Yn 6 mis oed gall babanod ddangos bod yn well ganddynt eu prif ofalwr a dechrau dangos swildod yng nghwmni dieithriaid

- yn dod yn fwy ymwybodol ohonyn nhw'u hunain mewn perthynas â phobl a phethau eraill
- yn dangos bod yn well ganddynt eu prif ofalwr/wyr
- yn ymestyn allan tuag at bobl gyfarwydd ac yn dangos awydd am gael eu codi a'u dal
- yn dechrau dangos swildod neu ofn yng nghwmni dieithriaid
- yn gwenu ar eu delwedd mewn drych
- o bosibl yn hoffi chwarae mig
- yn dangos awydd, dicter a phleser drwy gyfrwng symudiadau'r corff, ystumiau'r wyneb a'r llais
- yn chwarae ar ben eu hunain yn fodlon
- yn rhoi'r gorau i grïo pan fydd rhywun yn cyfathrebu â nhw.

O bosibl, bydd ganddynt y sgiliau canlynol:

- edrych gyda diddordeb ar eu dwylo a'u traed
- defnyddio eu dwylo i ddal pethau
- yfed o gwpan sy'n cael ei ddal ar eu cyfer gan rywun arall.

9 MIS

Os cânt y cyfleoedd priodol, bydd babanod 9 mis oed wedi ffurfio cysylltiadau cryf â'u prif ofalwr(wyr). Byddant hefyd wedi dechrau symud o gwmpas yn annibynnol. Mae'r datblygiadau hyn yn golygu bod rhaid i'r babanod a'r gofalwyr ddechrau addasu. Mae babanod wrth eu boddau'n chwarae gyda'u gofalwyr ac yn gallu dysgu llawer wrth wneud hyn. Gallant fod yn gwmni hyfryd. Os nad yw babanod yn profi'r rhyngweithio positif hwn, gallant ddioddef.

Hunanddelwedd

Erbyn cyrraedd yr oed hwn mae babanod wedi dod yn ymwybodol eu bod ar wahân i bobl eraill, ac maent wedi ffurfio delwedd bendant o bobl eraill sy'n bwysig iddynt.

Datblygiad

Tua'r oed hwn, fel rheol bydd babanod:

- yn gallu adnabod pobl gyfarwydd a dangos eu ffafriaeth
- yn dangos eu bod yn ofni dieithriaid ac angen sicrwydd yn eu cwmni, yn aml gan afael yn dynn yn yr oedolyn cyfarwydd a chuddio'u hwyneb
- yn chwarae mig, efelychu clapio dwylo a tharo adlewyrchiad mewn drych yn ysgafn
- yn dal i grïo er mwyn dangos eu bod mewn angen, ond hefyd yn defnyddio eu llais i dynnu sylw atyn nhw'u hunain
- yn dechrau dangos parodrwydd i ddisgwyl am sylw
- yn dangos pleser a diddordeb wrth glywed geiriau cyfarwydd
- deall 'Na'
- yn gwneud ymgais i efelychu synau
- yn cynnig gwrthrychau i eraill, ond heb eu rhoi.

Yn 9 mis oed mae babanod yn dangos eu bod yn ofni dieithriaid, angen sicrwydd, ac yn gafael yn dynn mewn oedolion cyfarwydd gan guddio'u hwynebau

O bosibl, bydd ganddynt y sgiliau canlynol:

- rhoi eu dwylo o amgylch cwpan neu botel wrth fwydo
- ymwybyddiaeth o'r hunan.

12 MIS

Erbyn hyn bydd llawer o fabanod wedi dechrau sefyll yn annibynnol ac o bosibl yn cerdded. Oherwydd hynny bydd ganddynt olwg wahanol iawn ar y byd o'u hamgylch. Mae eu sgiliau corfforol yn eu galluogi i godi gwrthrychau bach, ac i archwilio'r amgylchedd. O fewn amgylchedd diogel, gall plant ryngweithio ag oedolion mewn amryw o ffyrdd a thrwy hynny ehangu eu profiad. Bydd peidio â siarad neu chwarae â phlant yn yr oedran hwn yn amharu ar eu datblygiad.

Hunanddelwed

Erbyn y cam hwn, mae babanod yn ymwybodol ohonyn nhw eu hunain fel personau, mewn perthynas â phobl eraill.

Datblygiad

Tua'r oedran hwn, fel rheol bydd babanod:

Yn 12 mis oed mae babanod yn hoffi bod o fewn golwg a chlyw oedolyn cyfarwydd ac yn codi llaw i ffarwelio

- yn mwynhau edrych arnyn nhw eu hunain a phethau o'u hamgylch mewn drych
- yn adnabod eu henw ac yn ymateb iddo
- yn hoffi bod o fewn golwg a chlyw oedolyn cyfarwydd
- yn gallu gwahaniaethu rhwng gwahanol aelodau o'r teulu a chymdeithasu â nhw

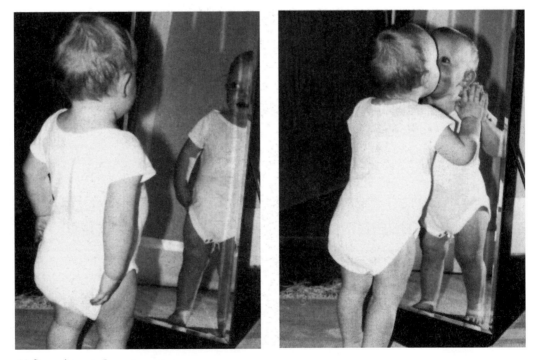

Ai fi yw hwnna?

- yn codi llaw i ffarwelio
- yn gwerthfawrogi cynulleidfa, gan ailadrodd rhywbeth a wnaeth i bobl chwerthin
- yn dechrau dynwared gweithredoedd pobl eraill
- yn ymateb yn serchog i rai pobl

- o bosibl yn swil yng nghwmni dieithriaid
- yn gallu ymateb yn emosiynol mewn sawl ffordd, gan ddangos ofn, dicter, hapusrwydd a hiwmor
- yn cynddeiriogi os na chânt eu dymuniad
- yn chwilio am sylw drwy ddefnyddio'u llais yn hytrach na chrïo
- yn fodlon ufuddhau i gyfarwyddiadau syml
- yn adnabod emosiynau a hwyliau pobl eraill ac yn mynegi rhai eu hunain
- yn dysgu dangos cariad tuag at eraill, os ydy eraill wedi dangos cariad tuag atyn nhw.

O bosibl, bydd ganddynt y sgiliau canlynol:

- y gallu i fwydo'u hunain drwy ddal llwy ac o bosibl yn yfed o gwpan heb gymorth
- y gallu i helpu eraill i'w gwisgo drwy ddal eu breichiau neu eu coesau o'u blaen.

Gwirio'ch cynnydd

(hyd at 1 oed)

Beth sy'n penderfynu sut mae baban newydd ei eni yn ymddwyn, i raddau?

Ym mha oedran fel rheol y bydd babanod yn datblygu gwên gymdeithasol?

Er mwyn datblygu sgiliau cymdeithasol beth mae'n rhaid i fabanod ei brofi yn gynnar yn eu bywydau?

Erbyn pa oedran bydd babanod yn dangos bod yn well ganddynt fod gyda'u prif ofalwyr?

Sut bydd babanod 9 mis oed yn ymateb i ddieithriaid, yn aml?

Beth yw'r ystod o ymatebion emosiynol y gall babanod eu dangos yn 1 oed?

Camau a dilyniant datblygiad emosiynol a chymdeithasol, 1 i 3 blwydd 11 mis oed

1-2 OED

Rhwng 1 a 2 oed mae plant yn dechrau deall eu bod yn bobl yn eu rhinwedd eu hunain ac yn dechrau dangos eu hewyllys, weithiau mewn modd herfeiddiol a negyddol. Yn y cam hwn mae plant yn **hunanganolog** iawn. Gellir dehongli eu hymddygiad herfeiddiol a gwrthwynebol fel ymgais i amddiffyn eu hunain a'u hunigolrwydd.

Ffactorau sy'n effeithio ar ddatblygiad emosiynol a chymdeithasol
Dylanwad datblygiad gwybyddol

Mae gallu plant i gofio gwrthrychau a phobl yn gwella. Erbyn diwedd eu hail flwyddyn, gallant gofio sefyllfaoedd cyfan a syniadau, yn ogystal â phethau diriaethol. Er enghraifft, gallent ddangos eu bod yn cofio taith i'w parc gyda mam-gu. Gallent ddangos eu bod yn cofio'r pethau yn y parc (y llithren, siglenni ayyb.), y ffaith eu bod wedi mynd gyda mam-gu a'u bod wedi mwynhau dod i lawr y llithren.

term allweddol

Hunanganolog
yn dod o'r gair ego, yn golygu 'hunan' a chanolog, yn golygu wedi'u canoli ar; gweld pethau dim ond o'ch safbwynt eich hun

Mae'r gallu deallusol cynyddol hwn yn eu galluogi i adnabod pobl yn ôl yr hyn a wnânt, er enghraifft y person sy'n eu gwisgo, yr un sy'n ysmygu pib ac yn y blaen, a hefyd mae'n caniatáu iddynt ddiffinio pobl y tu allan iddyn nhw eu hunain a'u cofio.

Sgiliau iaith datblygol plant

Mae sgiliau iaith datblygol plant yn eu galluogi i fynegi eu hanghenion yn fwy penodol ac i fynegi eu hewyllys. Mae eu dealltwriaeth gynyddol o iaith yn gallu cael effaith bositif neu negyddol ar yr hunanddelwedd a'r hunangysyniad sy'n dechrau ymddangos. Mae'r hyn a fynegir i blentyn a'r ffordd y mynegir hynny yn arwyddocaol. Rhwng 18 mis a 2 oed mae plant yn dechrau galw eu hunain yn ôl eu henw a chyfeirio at bethau drwy roi 'fi' neu 'fi piau' iddynt. Maen nhw'n deall bod rhai pethau yn eiddo iddyn nhw ac yn gallu gwahaniaethu rhwng 'fi piau' a 'dy'. Maen nhw'n gweld eu hunain fel unigolion ar wahân ac yn dechrau deall eu hunain mewn perthynas ag eraill.

Rôl oedolyn o ran hyrwyddo datblygiad cymdeithasol ac emosiynol

Derbyniad a chymeradwyaeth gan oedolyn

Mae babanod yn dysgu sut i deimlo amdanyn nhw eu hunain yn ôl yr hyn a synhwyrant yn ymatebion eraill. Mae hyn yn wir amdanyn nhw a hefyd eu gweithgareddau a'u hymdrechion. Mae plant yn dechrau teimlo'n annheilwng, yn analluog, yn ofnus ac yn ddiwerth os:

- nad yw oedolion yn amyneddgar wrth iddynt geisio gwneud pethau drostyn nhw eu hunain

- na adewir iddynt archwilio a darganfod pethau drostyn nhw eu hunain

- synhwyrant ofn bob amser wrth geisio ennill sgiliau corfforol newydd.

Mae hunanddelwedd babanod yn fregus iawn yn y cam hwn. Hyd yn oed os bydd oedolion yn eu hannog a'u cymeradwyo, mae eu teimladau amdanyn nhw'u hunain yn gallu siglo o un eithaf i'r llall. Un funud mae'n bosibl y bydd plentyn yn teimlo'n gryf ac yn llwyddiannus iawn, ar ôl dysgu sgìl newydd. Y funud nesaf gall deimlo'n fach ac yn wan o weld nad yw'n gallu gwneud rhywbeth ar ôl rhoi cynnig arni neu ar ôl gweld rhywun arall yn ei wneud.

Pwysigrwydd canmoliaeth ac anogaeth

Mae anogaeth a chanmoliaeth briodol gan oedolion pan fydd plant yn gwneud ymdrech yn hanfodol yn y cam hwn. Mae anogaeth a chanmoliaeth sy'n dilyn ymdrech yn fwy tebygol o roi hunanddelwedd bositif na chanmoliaeth am gyflawni. Mae hyn yn arbennig o wir yn achos plant gydag anawsterau dysgu, a fydd o bosibl yn methu cyflawni mewn rhai meysydd.

Mae angen annog plant i deimlo'n falch dros unrhyw gyflawniadau neu sgiliau annibynnol newydd, hynny yw, i ymfalchïo ynddyn nhw eu hunain. Bydd eu teimladau amdanyn nhw eu hunain yn cael effaith sylweddol ar eu perthynas â phobl eraill.

Pwysigrwydd chwarae – chwarae ochr yn ochr

Tua diwedd y cyfnod hwn mae'n bosibl y bydd y plentyn yn chwarae ochr yn ochr â phlant eraill. Efallai y byddant yn ffurfio cysylltiadau cryf â phlant eraill o'r un oedran neu blant hynach, er na fydd cyfoedion eto'n dylanwadu'n fawr ar ddatblygiad eu hunanddelwedd.

15 MIS

Erbyn yr oed hwn mae babanod yn defnyddio eu prif ofalwr fel man diogel i archwilio'r byd ohono. Maent yn bryderus ac yn ofnus ynghylch cael eu gwahanu'n gorfforol oddi wrthynt, ac yn tueddu i fynd 'dan draed' eu gofalwyr. Maent yn chwilfrydig iawn am eu hamgylchedd ac wrth ei archwilio gallent wrthdaro â'u gofalwyr.

Datblygiad

Tua'r oedran hwn bydd plant:

● yn ymwybodol o 'fi' a 'fy' ac yn dechrau mynegi eu hunain yn herfeiddiol

● yn dechrau gwahaniaethu rhwng 'ti' a 'fi', ond heb ddeall bod eraill yn unigolion fel nhw

● yn gallu pwyntio at aelodau'r teulu mewn ymateb i gwestiynau fel 'Ble mae mam-gu?'

● yn tueddu i dynnu sylw at eu hunain

    ● yn dal i ymddwyn yn annerbyniol mewn ymateb i siarad rhesymegol, yn ymateb yn wael i ddisgyblu llym (y dechneg fwyaf effeithiol o safbwynt disgyblu yn y cyfnod hwn yw tynnu sylw'r plentyn a newid yr amgylchedd)

    ● yn dangos diddordeb mewn dieithriaid, ond weithiau'n ofnus neu'n wyliadwrus ohonynt

    ● yn dangos diddordeb mewn plant eraill

    ● yn eiddigeddus o'r sylw a roddir i blant eraill gan oedolion

    ● yn taflu teganau pan fyddant yn ddig

    ● yn gyfnewidiol ac yn ansefydlog o safbwynt emosiynau

    ● yn gwrthwynebu newidiadau i'r drefn arferol neu drawsnewidiadau sydyn

    ● yn newid yn sydyn o fod yn ddibynnol i'r awydd i fod yn annibynnol

Yn 15 mis oed bydd plant bach yn dal llwy ac yn ei chodi at eu ceg, gan golli peth bwyd wrth wneud hynny

O bosibl, bydd ganddynt y sgiliau canlynol:

    ● yn gallu dal cwpan a diod heb gymorth

    ● yn gallu dal llwy ac yn ei chodi at y geg, gan golli peth bwyd wrth wneud hynny

● yn gallu helpu eraill i'w gwisgo a'u dadwisgo

18 MIS

Datblygiad

Yn yr oed hwn, fel rheol bydd plant:

● yn ceisio sefydlu eu hunain fel aelodau o'r grŵp cymdeithasol

● yn dechrau **mewnoli** gwerthoedd y bobl o'u hamgylch

● yn ymateb drwy roi'r gorau i rywbeth pan ddefnyddir y gair 'Na', ond fel rheol bydd angen **atgyfnerthu** hyn

● yn dal i fod yn ddibynnol iawn ar ofalwr o fewn y teulu ac yn aml yn mynd yn ôl at ofni dieithriaid

● yn tueddu i ddilyn eu gofalwr, gan fod yn gymdeithasol a'i dynwared drwy helpu gyda thasgau bach yn y tŷ

● yn ymwybodol o'u grŵp teulu

● yn dynwared eraill wrth chwarae; yn cymryd rhan mewn chwarae unigol neu ochr yn ochr ond yn hoffi gwneud hyn gerllaw oedolyn cyfarwydd neu frawd neu chwaer

termau allweddol

Mewnoli
i ddeall y pethau sy'n bwysig i oedolion a dechrau credu ac ymddwyn yn debyg

Atgyfnerthu
ymateb i weithred neu ymddygiad fel bod canlyniad penodol – gwobr neu gosb – yn cael ei gysylltu â'r weithred gan olygu bod y weithred yn cael ei hailadrodd (atgyfnerthu cadarnhaol) neu beidio (atgyfnerthu negyddol)

- yn dangos chwilfrydedd mawr

- yn dangos rhai emosiynau cymdeithasol, er enghraifft cydymdeimlad â rhywun sydd wedi cael ei f/brifo

- yn methu goddef rhwystredigaeth

- yn profi hwyliau eithafol, gan fynd yn gyflym o ddibyniaeth i annibyniaeth, o awydd i deimlo'n flin, o gydweithrediad i wrthwynebiad.

O bosibl bydd ganddynt y sgiliau canlynol:

- yn gallu defnyddio cwpan a llwy yn dda, ac yn llwyddo i roi bwyd yn eu cegau

- yn gallu tynnu darn o ddillad ac yn helpu eraill i'w gwisgo

- er eu bod dal mewn clytiau, gallant dynnu sylw eu gofalwyr at eu hanghenion tŷ bach drwy ddefnyddio geiriau neu aflonyddu.

Hunanddelwedd

Erbyn 2 oed, mae rhai plant yn sensitif i deimladau eraill ac yn dangos **emosiynau cymdeithasol** megis cydymdeimlad pan fydd rhywun wedi cael ei frifo. Mae hyn yn awgrymu bod plant yn deall sut mae profiadau o'r fath yn peri iddynt deimlo (**empathi**), ac yn arwydd o'u **hunanymwybyddiaeth** gynyddol.

---

termau allweddol

Emosiynau cymdeithasol

empathi â theimladau eraill; y gallu i ddeall sut mae eraill yn teimlo

Empathi

dealltwriaeth o sut mae eraill yn teimlo

Hunanymwybyddiaeth

gwybodaeth am, a dealltwriaeth o'r hunan

Gwirio'ch cynnydd

Sut mae babanod yn dysgu sut i adnabod eu hunain fel unigolion ar wahân a gwahaniaethu rhyngddyn nhw eu hunain a phobl eraill?

Ym mha gam fydd babanod yn dechrau:

(a) dangos pryder oherwydd dieithriaid a gofid gwahanu?

(b) deall sefydlogrwydd gwrthrychau?

(c) adnabod eu henw, fel rheol, ac ymateb iddo

(ch) dynwared rhywbeth y maent wedi gweld eraill yn ei wneud?

(d) galw eu hunain yn ôl eu henw?

(dd) chwarae ochr yn ochr?

(e) dangos emosiynau cymdeithasol?

2 OED I 2 FLWYDD 11 MIS

Yn yr oed hwn mae plant yn gallu bod yn hunangynhaliol iawn; ar adegau eraill maent yn ddibynnol iawn. Mae plant yn gallu profi ystod eang o deimladau ac i ddangos empathi â theimladau'r bobl sy'n agos atynt. Er enghraifft, os yw'r gofalwr yn drist, o bosibl byddant yn ceisio cysuro.

Mae plant yn dal i ddibynnu ar oedolion cyfarwydd sy'n gofalu amdanynt, yn emosiynol ac yn gymdeithasol, er eu bod yn gallu ymddwyn mewn ffordd hunangyfeiriedig. Yn ystod y cyfnod hwn, mae hwyliau eithafol yn gyffredin. Mae plant yn gallu newid o fod yn ymosodol i fod yn encilgar, ac o letchwithdod i gymwynasgarwch yn gyflym iawn. Maent hefyd yn dechrau datblygu dealltwriaeth o'r bobl o'u hamgylch, gan eu galluogi i greu cyfeillgarwch â phlant eraill a chwarae gemau wedi'u seilio ar gyd-ddiddordebau.

Ffactorau sy'n effeithio ar ddatblygiad emosiynol a chymdeithasol
Sgiliau iaith ddatblygol plant

Erbyn y cam hwn, mae plant yn gallu defnyddio symbolau mewn iaith ac mae'r sgiliau iaith newydd hyn yn hyrwyddo eu datblygiad cymdeithasol. Mae hunanymwybyddiaeth gynyddol yn dibynnu ar ddatblygiad cof plentyn, eu profiadau a hefyd ar ddatblygiad iaith. Bydd plant a anogir i ddefnyddio iaith yn datblygu mwy o hyder yn eu gallu. Mae hyn yn digwydd am fod iaith yn galluogi plant i fynegi eu teimladau, mynegi emosiynau mwy cymhleth nag y byddai'n bosibl drwy gyfathrebu heb eiriau, derbyn cysur ac esboniadau, a thrin sefyllfaoedd problemus.

Rôl yr oedolyn o ran hyrwyddo datblygiad cymdeithasol ac emosiynol
Rôl fodelau

Mae oedolion sy'n rôl fodelau ac y gall plant uniaethu â nhw yn bwysig. Mae angen i blant anabl a rhai o grwpiau lleiafrifol allu modelu eu hunain ar oedolion sy'n debyg iddynt, yn lle meddwl eu bod yn wahanol i'r oedolion sy'n bwysig iddynt o hyd.

Hunanddelwed

Yn y cam hwn mae plant yn datblygu annibyniaeth bersonol ac yn cymryd camau pwysig tuag at **hunanddibyniaeth**; wrth i'w datblygiad symudol gynyddu, mae plant yn dysgu sgiliau hunangymorth. Byddant yn ymateb yn dda pan fydd oedolion yn annog hyn. Mae eu cymhwysedd datblygol yn cadarnhau eu **hunan-barch**. Er enghraifft, gall oedolion gadarnhau arwahanrwydd ac unigolrwydd plant drwy drefnu bod rhai pethau penodol ar wahân am eu bod yn eiddo i'r plentyn – bachyn ar gyfer eu cot gyda'u henw a'u llun arno.

Bydd tasgau sy'n cynnig her sylweddol i'r plentyn yn cynnig cyfle i lwyddo a thrwy hynny gynyddu eu hunan-barch. Gall gormod o rwystredigaeth a'r methiannau sy'n dilyn hynny greu hunanddelwedd negyddol a lleihau ei hunan-barch. Dyma un rheswm pam fod plant anabl, neu rai ag anawsterau dysgu, yn fwy tebygol o brofi hunan-barch isel a hunanddelwedd negyddol.

Rheoli ymddygiad negyddol

Yng nghanol y cam hwn, gall ymddygiad plant ymddangos yn anhyblyg. Nid ydynt yn hoffi newid, ni allant ddisgwyl ac nid ydynt yn ildio, gan wneud y gwrthwyneb i'r hyn a ddywedwyd, yn aml. Mewn gwirionedd, gall fod rheswm da dros yr ymddygiad hwn. Dim ond megis dechrau deall eu hunain a'r byd o'u hamgylch y mae plant. Maent yn dechrau dysgu bod ganddynt ewyllys, ac o bosibl yn dechrau ei dangos!

Mae ymatebion oedolion yn y cyfnod hwn yn hanfodol o ran hunangysyniad datblygol y plentyn. Rhaid rhoi canllawiau clir i blant o ran ymddygiad derbyniol, ond ni ddylid eu 'bychanu' mewn ffordd sy'n cael effaith negyddol ar eu hunanddelwedd. Rhaid i ofalwyr osod ffiniau o ran ymddygiad a chymhellion eu plant yn y cam hwn, fodd bynnag, er mwyn eu datblygiad cymdeithasol yn y dyfodol a goroesiad y plentyn ei hunan.

Pwysigrwydd chwarae – chwarae rôl

Rhwng 2 a 3 oed, mae plant yn dal i ddatblygu eu dealltwriaeth o bwy a beth ydynt. I raddau helaeth gwnânt hyn drwy wylio a dynwared ymddygiad y bobl o'u hamgylch, yn enwedig y rhai sy'n bwysig iddynt.

Mae hyn yn dod i'r amlwg wrth chwarae rôl ac wrth ddynwared gweithredoedd ac ymddygiad eraill, megis bwydo dol neu siarad ar y ffôn. Mae cymryd arnynt eu bod yn rhywun arall yn helpu plant i gymryd safbwynt pobl eraill, i wylio pobl eraill ac i gyffredinoli am agweddau pwysig ymddygiad pobl eraill.

Mae ymddygiad o'r fath yn awgrymu bod plant wedi datblygu hunanddelwedd a golwg ar bobl eraill sydd ar wahân iddynt. I raddau gall ddangos syniadau a theimladau plant amdanyn nhw eu hunain mewn perthynas â phobl eraill.

---

termau allweddol

Hunan-ddibyniaeth
y gallu i ddibynnu arnoch chi'ch hun i ymdopi

Hunan-barch
ystyried eich bod yn werthfawr

2 OED

Datblygiad

Tua'r oed hwn bydd plant:

- yn mynnu sylw eu gofalwr ac eisiau i'w hanghenion gael eu cyflenwi ar unwaith
- yn gallu, er hynny, ymateb pan ofynnir yn rhesymol iddynt, aros am sylw neu am gael bodloni eu hanghenion
- yn gofyn am fwyd
- yn strancio weithiau os bydd rhywun yn tynnu'n groes iddynt neu os profant rwystredigaeth, neu os bydd rhaid rhannu sylw'r gofalwr â pherson arall
- yn gallu dangos cariad a bod yn ymatebol
- yn ceisio bod yn annibynnol
- yn feddiannol iawn gyda'u teganau a'u gwrthrychau eu hunain, heb ystyried rhannu
- yn tueddu i chwarae ochr yn ochr â phlant eraill, a chymryd rhan mewn chwarae rôl, ond yn dechrau chwarae gemau rhyngweithiol
- yn tueddu i adael i oedolyn dynnu eu sylw yn ddidrafferth os byddant yn teimlo'n rhwystredig neu'n ddig
- yn ymuno i mewn pan fydd oedolyn yn canu neu'n adrodd stori syml
- yn gallu pwyntio at rannau'r corff a nodweddion eraill pan ofynnir iddynt wneud hynny.

Yn 2 oed gall plant godi mwg a'i roi i lawr eto

O bosibl, bydd ganddynt y sgiliau canlynol:

- yn bwydo eu hunain yn daclus
- yn codi cwpan a'i osod i lawr
- yn gwisgo dan oruchwyliaeth
- yn dweud pan fyddant angen mynd i'r toiled; yn aros yn sych yn ystod y dydd.

2 FLWYDD 6 MIS

Datblygiad

Tua'r oed hwn bydd plant

term allweddol

Rhyw
bod yn wrywaidd neu'n fenywaidd

- yn datblygu eu synnwyr o hunaniaeth – byddant yn gwybod eu henw, eu safle yn y teulu, a'u **rhyw**
- yn chwarae gyda phlant eraill – un o'r pethau mae hyn yn ei wneud yw cadarnhau eu cysyniad datblygol o rolau rhyw. Yn ogystal, maent yn dysgu'r gwahaniaeth rhwng teganau merched a theganau bechgyn
- yn cymryd rhan, o bosibl, mewn chwarae dychmygol sy'n cynnwys chwarae rôl neu chwarae ffantasi
- yn ymddwyn yn fyrbwyll, gan fynegi eu hawydd am unrhyw beth a welant, a gwneud unrhyw beth sy'n dod i'w meddwl

- yn strancio pan na chânt eu dymuniad ac ni ellir tynnu eu sylw yn hawdd

- yn gwrthdaro â'u gofalwyr yn aml.

Mae'n bosibl y bydd ganddynt y sgiliau canlynol:

- ymwybyddiaeth o, a'r gallu i osgoi rhai peryglon penodol (fel grisiau a stofiau poeth)

- y gallu i ddefnyddio llwy yn dda, ac o bosibl fforc neu weill bwyta

- y gallu i dywallt o un cynhwysydd i un arall a thrwy hynny wneud diod

- gwisgo dan oruchwyliaeth, agor sipiau, dadfwclo a bwclo, dadfotymu a botymu dillad

- wedi dysgu mynd i'r toiled yn ystod y dydd, ac yn gallu aros yn sych yn y nos, yn enwedig os cânt eu 'codi' (eu cymryd i'r toiled yn y nos).

Yn 2 flwydd 6 mis oed gall plant wisgo dan oruchwyliaeth

3 OED I 3 BLWYDD 11 MIS

Erbyn yr oed hwn bydd plant yn hapusach ac yn fwy bodlon fel rheol nag yr oeddent yn ystod y flwyddyn flaenorol. Erbyn hyn mae ganddynt rywfaint o reolaeth gorfforol ac emosiynol. Mae hyn yn gallu arwain at deimladau mwy sefydlog a dull mwy cytbwys o'u mynegi. Yn gyffredinol maent yn gyfeillgar ac yn barod i helpu. Maent yn dechrau deall bod gan bobl eraill deimladau fel nhw. Maent yn dysgu cydymdeimlo â phlant eraill, a gellir eu hannog i feddwl am eu teimladau eu hunain a theimladau pobl eraill.

Ffactorau sy'n effeithio ar ddatblygiad emosiynol a chymdeithasol
Hunanddelwedd

Rhwng 3 a 5 oed, mae seiliau hunansyniad plentyn wedi'u sefydlu. Erbyn 3 oed, mae plant yn galw eu hunain yn 'fi' a bydd ganddynt set o deimladau yn ymwneud â nhw eu hunain. Bydd eu hunansyniad yn ystod y cam hwn yn dylanwadu ar eu hymateb i berthnasau a phrofiadau yn awr ac yn y dyfodol. Mae agweddau ac ymddygiad y sawl sydd o'u hamgylch yn dal i ddylanwadu ar hyn. Maent yn gweld eu hunain yn ôl yr hyn y mae eraill, yn eu barn hwy, yn ei weld.

Dylanwad grŵp cyfoedion

Yn 3 i 4 oed, mae plant yn fwy ymwybodol o bobl eraill ac yn poeni mwy amdanynt. Fel rheol maent yn mwynhau bod gyda phlant eraill, ac yn dechrau gwneud cysylltiadau agos â phlant unigol.

Yn ystod y cyfnod hwn, mae plant yn rhoi cynnig ar wahanol rolau, er enghraifft fel arweinydd neu ddilynwr. Drwy wneud hyn maent yn dysgu mwy am bwy a beth ydynt.

Yn ystod y cam hwn mae ymateb cyfoedion yn bwysig ac yn effeithio ar hunansyniad plentyn. Bydd sylwadau fel 'Mae'r twpsyn 'na'n dod yn ôl' ac 'O na, dyma'r bachgen twp 'na eto' yn cael effaith negyddol ar hunan-barch a hyder plentyn. Gall oedolion weld beth yw barn plant amdanyn nhw eu hunain drwy eu gwylio i weld a ydynt yn cymryd rhan mewn gweithgareddau grŵp, ac os ydynt, sut y gwnânt hynny.

Mae oedolion yn debyg o weld bod plentyn gyda hunanddelwedd bositif yn rhwyddach ei reoli mewn grŵp.

Cefndir diwylliannol

Yn y cyfnod hwn, mae plant yn dechrau dysgu ffordd o fyw eu grŵp diwylliannol. Mae dysgu i werthfawrogi ac ymfalchïo yn eu cefndir diwylliannol yn datblygu hunan-barch a hunanhyder. Ni ddylid gwneud i blant deimlo bod yr hyn maent yn ei ddysgu o fewn eu diwylliant hwy yn llai gwerthfawr na'r hyn maent yn ei ddysgu gan ddiwylliannau eraill.

Rôl yr oedolyn o safbwynt hyrwyddo datblygiad cymdeithasol ac emosiynol

Rôl fodelau

Bydd pob plentyn yn modelu ei hun ar yr oedolion o'i gwmpas. Mae angen i blant anabl uniaethu â rôl fodelau anabl er mwyn creu eu hunansyniad. Mae ambell blentyn anabl yn credu y bydd yn tyfu allan o'i anabledd!

Osgoi stereoteipiau rhyw

O 3 oed ymlaen mae'r mwyafrif o blant yn gwybod pa ryw ydynt (sef eu bod yn wrywaidd neu'n fenywaidd) ac yn dechrau dysgu syniadau cymdeithas am agweddau a gweithgareddau priodol ar gyfer y naill ryw a'r llall. Er mwyn creu ei hunansyniad, mae angen i blentyn uniaethu â rôl fodel mewn oed sydd o'r un rhyw, ond dylai rôl fodelau o'r ddwy ryw gynnig dewis i blant o ran eu hymddygiad, gweithgareddau a nodau, ac nid **rolau stereoteipiedig**, megis dynion yn mynd allan i weithio a gwragedd yn gofalu am y cartref. Mae gweld dynion a merched yn mabwysiadu rolau sy'n mynd yn groes i'r stereoteip yn caniatáu i blant o'r ddwy ryw weld y gallant wneud a bod yr hyn a fynnant. Nid oes rhaid i'w rhyw gyfyngu arnynt.

term allweddol

Rolau stereoteipiedig

syniadau sefydlog gosodedig y disgwylir i unigolion gydymffurfio â nhw

Rhoi caniatâd i fethu

Bydd teimladau plant o hyder a hunanwerth yn cael eu cryfhau os bydd oedolion yn eu hannog i ddatblygu sgiliau annibyniaeth a gadael iddynt wneud pethau drostynt hwy eu hunain ac er eu mwyn eu hunain. Mae angen cefnogaeth ar blant fel y gallant dderbyn eu camgymeriadau a pheidio â gadael iddynt amharu ar eu teimladau o hunanwerth. Mae angen rhoi caniatâd i fethu, gyda'r neges ei bod hi'n gwbl dderbyniol i wneud camgymeriadau.

Rheoli ymddygiad negyddol

Erbyn y cam hwn, dylai ofni cael eu cosbi fod yn llai pwysig i blant na'u set o safonau mewnol eu hunain – y safonau y maent yn eu defnyddio i fesur eu hunain ac sy'n arwain eu hymddygiad. Dylai oedolion esbonio rheolau fel y gall plant eu deall. Mae canmol plant am geisio gwneud yr

Galla'i wneud hwn fy hun

hyn sy'n gywir yn eu barn nhw yn fwy effeithiol na'u cosbi am fod yn anghywir. Os ydy plant yn camymddwyn, dylent gael y cyfle i esbonio pam. Mae hyn yn dangos parch tuag at ddatblygiad eu **cydwybod** fewnol. Mae angen iddynt deimlo nad ydy cymryd rhan mewn rhai gweithgareddau, er bod y gweithgareddau hynny'n annerbyniol, yn golygu eu bod yn bobl ddrwg.

term allweddol

Cydwybod
y gynneddf sy'n dweud wrthym beth yw'r gwahaniaeth rhwng cywir ac anghywir

Pwysigrwydd chwarae – chwarae rôl

Mae plant yn dal i brofi eu hunanddelwedd ac yn archwilio rhai pobl eraill drwy chwarae rôl. Yn ogystal, maent yn defnyddio chwarae rôl i fynegi eu dealltwriaeth ohonyn nhw eu hunain a rolau, ymddygiad ac agweddau eraill. Mae plant yn gallu cymryd rhan mewn drama syml a mabwysiadu cymeriadau a theimladau. Gellir defnyddio chwarae rôl i helpu plant i ddeall meddyliau a theimladau pobl eraill.

3 OED

Datblygiad

Tua'r oed hwn bydd plant:

Oes rhywun yna?

- yn gallu teimlo'n ddiogel mewn lle dieithr i ffwrdd o'u prif ofalwyr, cyn belled â'u bod yng nghwmni pobl a ddaeth yn gyfarwydd iddynt pan oeddent gyda'u gofalwr
- yn gallu disgwyl nes cyflenwir eu hanghenion
- yn llai gwrthryfelgar ac yn defnyddio iaith yn hytrach na strancio corfforol i fynegi eu hunain
- yn dal i ymateb pan geisir rheoli eu hymddygiad drwy dynnu eu sylw – ond maent yn barod hefyd i ymateb i resymu a bargeinio
- yn dechrau dysgu'r ymddygiad priodol ar gyfer ystod o wahanol sefyllfaoedd cymdeithasol – er enghraifft gallant ddeall pryd y dylid aros yn dawel a phryd ellir gwneud sŵn
- yn mabwysiadu agweddau a hwyliau oedolion
- yn chwilio am gymeradwyaeth oedolion
- yn gallu dangos cariad tuag at frodyr neu chwiorydd iau
- yn gallu rhannu pethau a chymryd eu tro
- yn mwynhau chwarae dychmygol, ar eu pennau eu hunain ac yng nghwmni eraill
- yn defnyddio doliau a theganau er mwyn allanoli eu profiadau
- o bosibl yn profi ofnau a phryderon dychmygol
- tua diwedd y cyfnod hwn yn dangos rhywfaint o ansicrwydd, drwy fod yn swil, yn groendenau ac yn hunanymwybodol.

Mae'n bosibl y bydd ganddynt y sgiliau canlynol:

Yn 3 oed gall plant fynd i'r toiled heb gymorth a golchi eu dwylo

- y gallu i ddefnyddio fforc a llwy i fwyta (mewn rhai diwylliannau bydd yn fwy priodol i ddefnyddio dwylo i fwyta rhai bwydydd) ac o bosibl, i ddefnyddio gweill bwyta
- yn gallu mynd i'r toiled heb gymorth yn ystod y dydd, ac o bosibl yn aros yn sych drwy'r nos – byddant yn golchi eu dwylo ond o bosibl yn cael anhawster eu sychu
- yn dysgu sut i wisgo heb oruchwyliaeth

Astudiaeth achos ...
... gwahaniad

Mae Tomos yn 3 blwydd oed. Yn ddiweddar symudodd ei rieni i ran arall o'r DU, ond bu'n rhaid iddynt aros mewn llety dros dro am rai wythnosau gan nad oedd eu tŷ newydd yn barod. Mae brawd Tomos 16 mis yn iau nag ef. Roedd Tomos wrth ei fodd yn mynd i gylch chwarae am rai misoedd cyn i'r teulu symud, ac weithiau âi i chwarae drws nesaf.

Yn fuan wedi i'r teulu symud i mewn i'w cartref newydd, cafodd Tomos wahoddiad i fynd i barti pen-blwydd plentyn 4 oed yn nhŷ ei gymydog. Gadawodd ei fam ef yno, gan fod rhaid iddi fynd â'i frawd at y meddyg. Pan ddychwelodd, gofidiai am fod Tomos yn cysgu. Roedd wedi crïo gymaint wedi iddi adael nes blino'n lân. Ar ôl hyn, nid fynnai Tomos gael ei adael yn unrhyw le am fisoedd, oni bai bod ei frawd iau gydag ef.

1. Fyddech chi wedi disgwyl bod Tomos yn fodlon iawn i aros yn y cylch chwarae yn yr oed yma, a pham?

2. Pam oedd Tomos wedi'i gynhyrfu gymaint pan adawodd ei fam ef yn y parti, yn eich barn chi?

3. Pam nad oedd Tomos yn fodlon cael ei adael am rai misoedd wedi hyn, a pham fod cael cwmni ei frawd yn gwneud gwahaniaeth?

4. Sut fyddech chi'n asesu ymddygiad Tomos?

3 BLWYDD 11 MIS

Erbyn yr oed hwn mae plant wrthi o hyd yn ceisio deall a gwneud synnwyr o'u profiadau a'r byd o'u hamgylch. Er y gallant fod yn gymdeithasol iawn yn yr oed hwn, yn aml byddant yn mynd yn ôl at fod yn ystyfnig. O bosibl, byddant yn ymddwyn yn ymosodol, yn gorfforol ac ar lafar, o bryd i'w gilydd.

Datblygiad

Erbyn yr oed hwn mae plant:

- yn gallu bod yn gymdeithasol ac yn siaradus iawn yng nghwmni oedolion a phlant, ac yn mwynhau siarad 'dwli'

- o bosibl yn ffrindiau gydag un person arbennig

- yn gallu bod yn hyderus

- o bosibl yn ofni'r tywyllwch a phethau eraill

- wedi mabwysiadu safonau ymddygiad yr oedolion sy'n bwysig iddynt

- yn troi at oedolion am gysur pan fyddant wedi gorflino, yn sâl neu wedi cael dolur

- yn chwarae gyda grwpiau o blant – mae grwpiau yn tueddu i gasglu o amgylch gweithgaredd, yna'n gwasgaru ac yn ailffurfio

- yn gallu cymryd eu tro, er nad ydynt yn gwneud hynny'n ddi-ffael

- yn aml yn ddramatig iawn wrth chwarae – yn cymryd rhan mewn chwarae llawn dychymyg manwl a maith

- yn datblygu synnwyr cryf o'r gorffennol a'r dyfodol

- yn gallu dygymod â disgwyl os na chyflenwir eu hanghenion ar unwaith

- yn dangos bwriad a dyfalwch a rhywfaint o reolaeth dros eu hemosiynau

- yn gallu bod yn ddogmatig ac yn ddadleugar – efallai y byddant yn beio eraill pan fyddant yn camymddwyn, ac o bosibl yn camymddwyn er mwyn cael ymateb

- o bosibl yn rhegi.

Mae'n bosibl y bydd ganddynt y sgiliau canlynol:

- yn bwydo'u hunain yn fedrus

- yn gwisgo ac yn dadwisgo, ond efallai yn cael anhawster gyda botymau ar gefn dillad, gwneud clymau a chareiau

- yn golchi ac yn sychu eu dwylo a'u hwynebau ac yn glanhau eu dannedd.

Rhwng 3 a 4 oed mae plant yn teimlo'n ddiogel i ffwrdd o'u prif ofalwyr, yn dysgu ymddwyn yn briodol, ac yn gallu cymryd eu tro a chwarae mewn grŵp o blant

Gwirio'ch cynnydd

Enwch rai o'r emosiynau y gall plant 1 oed eu mynegi.

Ym mha oedran y mae plentyn yn fwyaf tebygol o ddechrau dweud 'Un fi yw e'?

Erbyn cyrraedd tua 18 mis oed, bydd plant yn dechrau 'mewnoli' gwerthoedd y bobl o'u hamgylch. Beth yw ystyr hyn?

Ym mha oed bydd plant yn dechrau strancio?

Pryd fydd plant yn teimlo'n ddiogel, hyd yn oed os gadewir hwy mewn lle dieithr? Ar beth mae hyn yn dibynnu?

Defnyddiwch chwe gair i ddisgrifio plentyn 4 oed nodweddiadol.

Astudiaeth achos ...

... hunansyniad ac ymddygiad

Mae Enid yn 3 blwydd 11 mis oed ac mae ganddi rieni cymysg. Mae ei rhieni mabwysiadol yn groenwyn, ac nid yw Enid yn gweld ei rhieni biolegol. Mae'r teulu'n byw mewn ardal faestrefol lle mae'r mwyafrif o drigolion yn wyn. 6 mis yn ôl cyfeiriwyd Enid i ganolfan teulu a reolir gan yr adran gwasanaethau cymdeithasol. Roedd ei hymddygiad anhyblyg yn dechrau mynd yn drech na'i rhieni mabwysiadol. Mae Enid yn gwrthod cymryd rhan mewn tasgau dyddiol fel golchi, gwisgo, mynd i'r toiled ar ei phen ei hun ayyb. Mae hi'n strancio'n ddifrifol ac i bob golwg nid yw ei rhieni'n gallu ei rheoli. Esboniodd ei mam fabwysiadol ei bod wedi gwneud popeth ar ran Enid, ei 'chariad bach', ond bellach mae'r fam yn feichiog, a nawr mae angen i Enid 'dyfu i fyny'.

Mae'r ganolfan deulu yng nghanol y ddinas ac yn cynnwys plant o amrywiaeth o gefndiroedd diwylliannol.

1. Beth sy'n esbonio datblygiad patrwm ymddygiad Enid, o bosibl?

2. Sut gallai staff y ganolfan deulu reoli ymddygiad problemus Enid?

3. Dyfeisiwch gynllun sy'n cynnwys ystod o weithgareddau a fydd yn datblygu hunan-barch Enid.

4. Sut gall staff y ganolfan deulu weithio gyda rhieni mabwysiadol Enid i baratoi ar gyfer y baban newydd a'u cefnogi dros gyfnod yr enedigaeth?

Camau a dilyniant datblygiad emosiynol a chymdeithasol, 4 oed i 7 mlwydd 11 mis

4–5 OED

Rhwng 4 a 5 oed mae plant yn ennill rhywfaint o gydbwysedd, tawedogrwydd ac annibyniaeth. Fel rheol maent yn gyfeillgar, yn fodlon siarad â phawb ac yn gallu bod yn foneddigaidd. Bydd y mwyafrif o blant wedi datblygu hunansyniad sefydlog (h.y. ffordd gyson a sefydlog o weld eu hunain). Fwy na thebyg bydd hwn wedi'i seilio ar eu dealltwriaeth fewnol a'u gwybodaeth am bwy ydynt. Os seilir eu hunansyniad ar safbwyntiau pobl eraill, ni fydd yn sefydlog, ond yn hytrach bydd yn newid yn ôl barn pobl eraill ohonynt. Yn y cam hwn ni fydd plant sy'n credu eu bod yn hoffus yn newid eu barn pan fydd plant eraill, o bryd i'w gilydd, yn dweud nad ydynt yn eu hoffi.

Ffactorau sy'n effeithio ar ddatblygiad cymdeithasol ac emosiynol

Mewnoli rheolau cymdeithasol

Yn y cam hwn, mae plant eisoes wedi mewnoli rheolau cymdeithasol (er enghraifft peidio â chymryd pethau pobl eraill heb ofyn). Nid oes rhaid dweud wrthynt beth sy'n gywir neu'n anghywir o hyd. Nid yw hyn yn golygu y byddant yn dilyn y rheolau hyn bob tro, fodd bynnag.

Mae plant yn dechrau dibynnu ar eu barn eu hunain am eu hymddygiad. Maent yn dechrau deall ystyr y geiriau 'da' a 'drwg' o safbwynt canlyniadau. Byddant yn dysgu orau os rhoddir esboniad sy'n berthnasol iddyn nhw yn ogystal ag eraill, er enghraifft 'Os wyt ti'n rhannu dy deganau gyda Sara, mi fydd hi'n rhannu ei theganau hi gyda ti'. Er na fydd plant yn gallu gosod eu hunain yn safle rhywun arall yn llwyr, o bosibl, gallant ddeall os rhoddir esboniad sy'n ymwneud â hwy eu hunain.

Datblygiad

Erbyn yr oed hwn bydd plant fel rheol:

- yn mwynhau bod i ffwrdd o'u cartrefi a'u gofalwyr am gyfnodau byr
- yn dangos rheolaeth dda dros eu hemosiynau yn gyffredinol
- yn arddel hunansyniad sefydlog, ac yn dod yn fwy ymwybodol o ystod o wahaniaethau rhyngddynt â phobl eraill, gan gynnwys rhyw a gwahaniaeth mewn statws
- yn chwilio am gymeradwyaeth oedolion, yn dangos sensitifrwydd tuag at anghenion pobl eraill ac angen am gael eu derbyn gan blant eraill
- yn datblygu rheolau cymdeithasol sydd wedi'u mewnoli, cydwybod fewnol a synnwyr o gywilydd (datblygiad pwysig sy'n effeithio ar allu'r oedolyn i ddisgyblu a rheoli'r plentyn)
- yn dadlau gyda'r rhieni pan ofynnant am rywbeth
- yn dal i ymateb i ddisgyblu a seiliwyd ar fargeinio
- yn llai parod nag yr oeddent i adael i rywun dynnu eu sylw ar ganol eu dicter
- yn aml yn dangos ôl straen gwrthdaro drwy ymddwyn yn orfywiog – yn gallu sefydlogi eu hunain eto, o bosibl, drwy gymryd seibiant
- yn mwynhau gemau cystadleuol yn fwy na gemau tîm
- yn mwynhau chwarae grŵp cydweithredol, ond yn aml bydd arnynt angen oedolyn i ddyfarnu
- yn ymffrostio, dangos eu hunain a bygwth
- yn gallu gorffen tasg er mwyn bodloni eu hunain, yn dangos awydd i ragori, ac yn gallu bod yn llawn bwriad ac yn ddyfalbarhaus, sy'n cynyddu eu teimladau o feistrolaeth a hunanwerth.

Mae'n bosibl y bydd ganddynt y sgiliau canlynol:

- y gallu i ddefnyddio cyllell a fforc yn fedrus
- y gallu i wisgo a dadwisgo
- o bosibl y gallu i glymu careiau
- y gallu i olchi a sychu eu hwynebau, ond bydd angen goruchwyliaeth er mwyn cwblhau eu hymolchi.

Yn 5 oed gall plant wisgo a dadwisgo

Astudiaeth achos ...

... plentyn 5 oed nodweddiadol

Mae Cai yn 5 oed. Mae'n ymateb yn dda i'w rieni, ac yn gwenu ac yn mwynhau cael ei ganmol ar ôl gwneud ymdrech. Mae'n mwynhau mynd i'r ysgol. Mae'n arbennig o hoff o chwarae yn y maes chwarae gyda'i ddau ffrind, Ioan a Iestyn. Er ei fod yn fachgen hapus, mae ei rieni'n teimlo'n rhwystredig weithiau pan fydd yn dadlau yn erbyn mynd i'r gwely, neu ynglŷn ag unrhyw drefnau eraill yn y cartref. Er hyn, mae'n tueddu i ymateb yn dda pan fydd ei rieni'n dweud wrtho y byddant yn gwneud rhywbeth pleserus yfory neu dros y penwythnos, os bydd Cai'n cael digon o gwsg. Weithiau mae'n chwarae y tu allan i'w dŷ, gan ei fod yn byw ar ffordd bengaead ddiogel. Mae'n hoffi rasio'i ffrindiau ar eu beiciau. Weithiau maent yn chwarae gemau llawn dychymyg yn ymwneud â theithio trwy'r gofod ac anghenfilod, ond maent hefyd yn dadlau ac weithiau bydd rhaid i riant ddod allan i ddatrys y broblem cyn y gallant ddechrau chwarae eto. Ar brydiau, mae Cai yn gorfod dod i mewn i'r tŷ i ymdawelu ychydig.

1. Sut berthynas sydd gan Cai â'i gyfoedion?

2. Sut mae'n ymateb i'w rieni?

3. Sut mae'n hoffi chwarae?

4. Ym mha ffyrdd mae ymddygiad Cai yn nodweddiadol o blentyn 5 oed?

5. A yw wedi cyrraedd cam datblygiad priodol yn emosiynol ac yn gymdeithasol, yn eich barn chi?

6–7 OED

Yn ystod y blynyddoedd hyn mae plant yn datblygu'n gyson i fod yn annibynnol ac yn gymdeithasol iawn. Ar y cyfan maent yn hunanhyderus ac yn gyfeillgar; gallant gydweithio mewn modd soffistigedig ag oedolion a phlant. Mae eu grŵp cyfoedion yn dod yn bwysicach iddynt. Mae datblygiad cyffredinol plant yn fwy soffistigedig o hyd. Mae'r soffistigeiddrwydd hyn, ynghyd â sgiliau dyfalbarhau, yn rhoi cyfle i lwyddo mewn gweithgareddau amrywiol o gymhlethdod cynyddol, er enghraifft gwnïo, peintio, canu offeryn cerdd ac yn y blaen.

Datblygiad

Erbyn 6 oed bydd plant:

- wedi teithio'n bell ar hyd llwybr annibyniaeth ac aeddfedrwydd
- wedi datblygu ystod eang o ymatebion emosiynol
- yn gallu ymddwyn yn briodol mewn amrywiaeth o sefyllfaoedd cymdeithasol
- wedi dysgu'r holl sgiliau sylfaenol sydd eu hangen i fwyta'n annibynnol a dilyn trefnau hylendid a thoiled
- yn aml yn groendenau ac yn feddiangar o'u heiddo
- o bosibl yn cael cyfnodau gwrthryfelgar ac ymosodol.

Yn 7 oed bydd plant:

- yn dechrau beirniadu eu gwaith eu hunain
- o bosibl yn ddiflas ac yn bwdlyd, ac yn rhoi'r gorau i ymdrechu am gyfnodau byr
- o bosibl mor frwdfrydig am fywyd fel bod rhaid i'w gofalwyr eu cadw rhag gorflino

- yn fwy ymwybodol o nodweddion rhyw – yn aml bydd grwpiau o gyfeillion wedi'u rhannu yn ôl rhyw
- dan ddylanwad y grŵp cyfoedion, sy'n dod yn bwysicach o hyd i blant yn ystod y blynyddoedd hyn – bydd safbwyntiau grŵp cyfoedion yn cynyddu mewn dylanwad, ac yn cael eu defnyddio a'u dyfynnu gan blant i'w gofalwyr naill ai fel petaent yn syniadau gwreiddiol y plentyn ei hun neu er mwyn cyfiawnhau ei ewyllys ei hun. Bydd 'arwyr' yn ddylanwadol ac yn cael eu defnyddio fel rôl fodelau gan blant sydd wedi cyrraedd y cam hwn.

7 OED I 7 MLWYDD 11 MIS

Mae'r dywediad 'Rhowch i mi'r plentyn cyn cyrraedd 7 oed ac mi rodda' i i chi'r dyn' yn dangos bod personoliaeth y plentyn wedi'i ffurfio i raddau helaeth erbyn diwedd y cyfnod hwn. Erbyn iddynt gyrraedd 8 oed, bydd profiadau plant o fewn eu teuluoedd ac yn eu hamgylchedd cymdeithasol a diwylliannol wedi sefydlogi eu:

- hunaniaeth bersonol
- hunaniaeth gymdeithasol a diwylliannol
- rôl rhyw
- agweddau at fywyd.

Plant anabl

Yn y cam hwn yn aml y bydd gwahaniaethau plant anabl yn dod yn fwy amlwg. Datblygu sgiliau soffistigedig yw'r norm i blant o'r oedran hwn; oherwydd hyn, mae'n bosibl y bydd gofalwyr plant anabl yn gorfod wynebu'r gwahaniaeth yn eu plentyn hwy. O bosibl, byddant yn brwydro rhwng:

- gofalu bod eu plant yn cael eu trin fel plant 'normal'
- derbyn anabledd eu plentyn a chydnabod yr angen am gefnogaeth.

Rôl yr oedolyn o ran hyrwyddo datblygiad cymdeithasol ac emosiynol

Yn y maes datblygiad hwn, mae'n amlwg bod meddyliau a gweithredoedd pobl eraill yn cael effaith sylfaenol ar blant. Mae'r canllawiau canlynol yn crynhoi, mewn ffordd ymarferol, rhai o'r egwyddorion sydd ynghlwm wrth hyrwyddo hunan-ddelwedd a hunansyniad positif, a datblygiad cymdeithasol ac emosiynol iach.

Ugain rheol euraidd:

- O'r cychwyn cyntaf, dangoswch gariad ac anwyldeb at blant, yn ogystal â chyflenwi eu hanghenion datblygiadol yn gyffredinol.
- Rhowch gyfleoedd i fabanod archwilio drwy ddefnyddio eu pum synnwyr.
- Anogwch blant i fod yn hunan ddibynnol ac yn gyfrifol.
- Esboniwch pam fod rheolau'n bodoli a pham y dylai plant wneud yr hyn a ofynnwch. Defnyddiwch 'gwna' yn hytrach na 'paid' a phwysleisiwch yr hyn yr ydych yn awyddus i'r plentyn ei wneud yn hytrach na'r hyn sy'n annerbyniol. Pan fydd plant yn camymddwyn, esboniwch wrthynt pam fod hyn yn anghywir.
- Anogwch blant i werthfawrogi eu cefndir diwylliannol eu hunain.
- Anogwch blant i wneud cymaint ag y gallant drostynt hwy eu hunain, i fod yn gyfrifol ac i gwblhau gweithgareddau.
- Peidiwch â bychanu na gwawdio.

- Rhowch weithgareddau i blant sy'n heriol ond o fewn eu gallu. Os bydd plentyn yn segur, gofynnwch gwestiynau i ddarganfod pam. Cofiwch eu bod angen amser ar eu pennau eu hunain, o bosibl, i ddod i ddeall pethau.

- Rhowch ganmoliaeth briodol am ymdrech, yn hytrach na chyflawni.

- Dangoswch eich bod chi'n gwerthfawrogi gwaith y plant.

- Rhowch gyfleoedd i blant ddatblygu eu sgiliau cofio.

- Anogwch blant i ddefnyddio iaith i fynegi eu teimladau a'u meddyliau eu hunain a'r ffordd mae eraill yn teimlo, yn eu barn hwy.

- Rhowch eu heiddo eu hunain i blant, gyda labeli yn dangos eu henw.

- Rhowch gyfleoedd i chwarae rôl.

- Rhowch gyfle i blant arbrofi gyda gwahanol rolau, er enghraifft arweinydd a dilynwr.

- Cynigiwch ddelfrydau ymddwyn da a hyblyg mewn perthynas â rhyw, ethnigrwydd ac anabledd.

- Cefnogwch y plentyn! Cymerwch yn ganiataol eu bod yn bwriadu gwneud rhywbeth da yn hytrach na rhywbeth drwg. Peidiwch â mynnu defnyddio'ch awdurdod gan roi cyfarwyddiadau megis 'Rhaid i chi wneud hyn am mai fi yw'r athrawes a fi sy'n dweud', oni bai bod y plentyn mewn perygl.

- Dangoswch ddiddordeb yn yr hyn mae plant yn ei ddweud; byddwch yn wrandäwr gweithredol. Talwch sylw llawn lle bo hynny'n bosibl a pheidiwch â chwerthin ar ymateb plentyn, oni bai ei bod yn wirioneddol ddoniol.

- Peidiwch â dewis ffefrynnau a dioddefwyr.

- Gofynnwch gwestiynau diddorol sy'n eu hysgogi drwy wneud iddynt feddwl.

Gwirio'ch cynnydd

Pa agwedd ar ddatblygiad a allai helpu oedolyn i reoli plentyn 5 oed?

Beth yw rhai o'r agweddau mwyaf positif sy'n nodweddiadol o blentyn 5 oed?

Pa anawsterau allai plant 5 oed eu profi?

Disgrifiwch y sgiliau personol sylfaenol y mae'r mwyafrif o blant 6 oed wedi eu datblygu.

Beth yw arwyddocâd y grŵp cyfoedion i blant 7 oed?

Beth sydd wedi ei sefydlu erbyn i blentyn gyrraedd 8 oed?

Ffactorau sy'n effeithio ar ddatblygiad cymdeithasol ac emosiynol

Mae **datblygiad cymdeithasol** yn cynnwys datblygiad perthnasau'r plentyn ag eraill, **cymdeithasoli** a datblygiad sgiliau cymdeithasol. Mae **datblygiad emosiynol** yn cynnwys datblygiad teimladau plant a'u hymwybyddiaeth ohonyn nhw eu hunain, datblygiad eu teimladau tuag at eraill, datblygiad hunanddelwedd a hunaniaeth, ac felly eu datblygiad deallusol.

Mae cysylltiad agos rhwng y ddau faes datblygiad hyn, sy'n dylanwadu'n fawr ar ei gilydd. Mae llawer o ddamcaniaethau'n bodoli ynglŷn â pham fod datblygiad emosiynol a chymdeithasol yn digwydd.

AMLINELLIAD O RAI DAMCANIAETHAU YN YMWNEUD Â DATBLYGIAD CYMDEITHASOL AC EMOSIYNOL

Damcaniaethau biolegol

Mae'r esboniad biolegol neu enetig dros sut mae ymddygiad cymdeithasol a phersonoliaeth yn datblygu yn cynnwys y syniadau canlynol:

- bod gennym bersonoliaeth bendant o'n genedigaeth a bod hyn yn pennu ein hymateb a'n hymddygiad

- bod yr hyn a etifeddwn gan ein rhieni biolegol yn pennu ein natur, ein cymdeithasgarwch, ein hymateb emosiynol a'n deallusrwydd

- bod ein hymddygiad a phatrwm ein datblygiad wedi'u rhaglenni'n barod yn ein genynnau, ac o bryd i'w gilydd yn cael eu heffeithio gan newidiadau cemegol yn ein cyrff

- bod y ffordd yr ydym yn aeddfedu a newid yn dilyn patrwm sydd wedi'i raglennu a'i ragosod.

Mae sylwadau rhieni gyda mwy nag un plentyn yn cefnogi'r ddamcaniaeth fiolegol. Yn ôl eu tystiolaeth hwy, mae gan eu plant bersonoliaethau a sgiliau cymdeithasol gwahanol iawn i'w gilydd, er eu bod wedi tyfu i fyny yn yr un lle.

Damcaniaethau dysgu

Yn ôl damcaniaethau dysgu, mae plant yn datblygu fel y gwnânt am eu bod mewn cysylltiad â phobl eraill ac yn dysgu ganddynt. Mewn perthynas â datblygiad cymdeithasol ac emosiynol, mae damcaniaethau dysgu yn honni bod:

- plant yn datblygu drwy ddysgu o'u profiadau

- babanod yn cael eu geni gydag atgyrchau cysefin yn unig – nid yw eu hymddygiad cymdeithasol yn reddfol, nac yn digwydd yn awtomatig

- yr amgylchedd yn hytrach na nodweddion etifeddol, yn fwy na dim byd arall, yn pennu sut mae plant yn datblygu'n emosiynol.

Mae llawer o dystiolaeth yn awgrymu bod magwraeth, neu ddysgu, yn ffactor bwysig iawn o ran pennu sut mae plant yn datblygu'n gymdeithasol ac emosiynol.

Damcaniaethau seicdreiddiadol

Sigmund Freud, ar ddechrau'r ugeinfed ganrif, oedd sylfaenydd **damcaniaeth seicdreiddiadol** fodern. Mae llawer wedi defnyddio ei syniadau ers hynny.

Mewn rhai agweddau, mae damcaniaethau seicdreiddiadol yn gyfuniad o ddamcaniaethau biolegol a damcaniaethau dysgu. Maent yn honni bod:

- plant yn cael eu geni gyda set o anghenion (disgrifiodd Mia Kellmer Pringle yr anghenion cymdeithasol ac emosiynol hyn drwy eu galw'n angen am gariad a hoffter, sicrwydd, gofal cyson a chanllawiau rhesymol, canmoliaeth, anogaeth a chymeradwyaeth a derbyn cyfrifoldeb priodol)

- anghenion penodol yn ymddangos ar wahanol oedrannau a chamau drwy gydol plentyndod

- plant yn datblygu'n iach dim ond os cyflenwir yr anghenion hyn

- datblygiad plentyn yn cael ei amharu yn y dyfodol, o bosibl, os na chyflenwir ei anghenion yn briodol yn ystod rhyw gam.

PERSBECTIFAU DAMCANIAETHOL YN YMWNEUD Â DATBLYGIAD CYMDEITHASOL AC EMOSIYNOL – PROSES CYMDEITHASOLI

Defnyddiai'r cymdeithasegydd Talcott Parsons y term cymdeithasoli i ddisgrifio'r **broses** sy'n galluogi plant i ddysgu'r dull o fyw, yr iaith a'r ymddygiad sy'n

termau allweddol

Datblygiad cymdeithasol

datblygiad y gallu i ymwneud ag eraill yn briodol a dod yn annibynnol, o fewn fframwaith cymdeithasol

Cymdeithasoli

y broses sy'n galluogi plant i ddysgu diwylliant (neu ffordd o fyw) cymdeithas eu genedigaeth

Datblygiad emosiynol

datblygiad y gallu i deimlo a mynegi ystod gynyddol o emosiynau'n briodol, gan gynnwys rhai yn ymwneud â'r hunan

term allweddol

Damcaniaeth seicreddiadol

cyfuniad o ddamcaniaethau biolegol a dysgu, yn ymwneud â'r syniad y bydd datblygiad plentyn yn cael ei amharu, o bosibl, os na chyflenwir ei anghenion yn briodol yn ystod rhyw gam.

term allweddol

Proses

cyfres barhaol o ddigwyddiadau, yn arwain at ganlyniad

term allweddol

Diwylliant

dull o fyw, iaith ac ymddygiad sy'n dderbyniol ac yn briodol i'r gymdeithas y mae rhywun yn byw ynddi

dderbyniol ac yn briodol i'r gymdeithas y maent yn byw ynddi – mewn geiriau eraill, eu **diwylliant**. Mae'r broses gymdeithasoli yn cynnwys y cyfuniad o ddylanwadau amgylcheddol sy'n cyfrannu at ddatblygiad cymdeithasol ac emosiynol plant. Mae'n cynnwys plant yn dysgu, ac yn cael eu ffurfio, gan y profiadau a'r perthnasau a gânt yn ystod eu plentyndod. Mae hyn yn digwydd yn bennaf o fewn y teulu yn ystod eu bywyd cynnar ac yna, wrth iddynt dyfu, drwy ddylanwadau eraill megis eu grŵp cyfoedion ac yn yr ysgol.

Mae'r broses yn galluogi plant i ddysgu'r ymddygiad a ddisgwylir gan eu cymdeithas ac sy'n briodol iddi. Yn ystod y broses, mae plant yn dysgu sut i ymddwyn yn briodol mewn nifer fawr o **rolau cymdeithasol** – sef safleoedd mewn cymdeithas a gysylltir â set benodol o ymddygiadau disgwyliedig.

term allweddol

Rôl gymdeithasol

safle mewn cymdeithas a gysylltir â grŵp penodol o ymddygiadau disgwyliedig

DYLANWADAU AR DDATBLYGIAD CYMDEITHASOL AC EMOSIYNOL – SUT Y DYSGIR YMDDYGIAD

Mae sawl ffordd o annog plant i ddysgu'r ymddygiad a ddisgwylir ganddynt.

Gwobrwyo a chosbi

Mae oedolion yn annog plant i ymddwyn yn dderbyniol drwy eu gwobrwyo. Weithiau bydd y wobr yn rhywbeth syml, fel gwên, dweud diolch, canmol neu gofleidio; bydd hefyd yn cynnwys rhoi pethau fel teganau, bwyd neu foethau i blant. Mae'n bosibl y bydd plant yn credu bod y teimlad da a gânt wrth blesio oedolyn yn wobr. Mae plant yn awyddus i gael eu gwobrwyo o hyd, ac mae hyn yn eu hannog i ailadrodd yr ymddygiad a haeddodd y wobr.

Mae oedolion yn ceisio perswadio plant i beidio ag ymddwyn mewn ffordd arbennig drwy gosbi neu anwybyddu'r ymddygiad. Fel yn achos gwobrwyo, gellir cosbi mewn sawl ffordd: mae hyn yn cynnwys dweud wrth blant eu bod yn anghywir, eu brifo'n gorfforol neu'n emosiynol, gwrthod caniatáu rhywbeth y mae arnynt ei eisiau, eu hanwybyddu neu eu hynysu. Fel rheol, mae plant yn mwynhau cael sylw oedolion ac nid ydynt yn hoffi cael eu hanwybyddu.

Mae sawl gwahanol farn am effeithiolrwydd cymharol gwobrwyon a chosbau o ran newid ymddygiad.

Efelychu a dynwared oedolion

Mae plant yn dysgu sut i ymddwyn drwy efelychu pobl yn eu gwahanol rolau. Maent yn defnyddio pobl fel **rôl fodelau**. Er enghraifft, mae plant yn efelychu'r hyn mae eu mamau neu eu tadau yn ei wneud ac yn dysgu llawer am rolau dynion a merched. Mae gan y syniad bod plant yn datblygu i raddau drwy efelychu ymddygiad, oblygiadau i weithwyr gofal plant, gan fod plant yn eu defnyddio hwy hefyd fel rôl fodelau.

term allweddol

Rôl fodel

rhywun y mae eu hymddygiad yn cael ei ddefnyddio gan rywun arall fel esiampl o'r ffordd iawn o ymddwyn

Chwarae rôl

Mae plant yn hoffi esgus eu bod yn rhywun arall. Wrth chwarae, weithiau byddant yn ymddwyn fel petaent yn berson arall; gelwir hyn yn **chwarae rôl**. Yn aml, efelychant yr oedolion sy'n bwysig iddynt, neu'r rhai a welant ar y teledu. Wrth wneud hyn, mae'n bosibl na fyddant yn gwybod a yw ymddygiad yr oedolyn yn dderbyniol yn gymdeithasol ai peidio. Gall hyn ddigwydd, er enghraifft, pan fydd plant yn efelychu rhieni treisgar wrth chwarae neu yn eu hymddygiad yn gyffredinol

term allweddol

Chwarae rôl

actio rôl gan esgus bod yn rhywun arall

Pwysau gan grŵp cyfoedion

Gall cyfoedion (plant eraill) roi pwysau mawr ar blant i ymddwyn mewn modd arbennig. Mae plant yn newid eu hymddygiad yng nghwmni eu grŵp cyfoedion, ac weithiau'n ymddwyn yn fwriadol mewn ffordd sy'n annerbyniol i oedolion. Gall grŵp cyfoedion gosbi plentyn nad yw'n cydymffurfio â'i ddisgwyliadau drwy gau'r plentyn allan o'r grŵp neu drwy wneud iddo deimlo'n wahanol. Mae'n bosibl y bydd gan rai plant fwy o ofn cael eu cau allan o'r grŵp cyfoedion nag o gael eu cosbi gan oedolyn. Gall y pwysau hwn gan grŵp cyfoedion droi'n fath o ormes. Mae ysgolion yn fwy ymwybodol o hyd o'r amryw fathau o ormes sy'n bodoli, ac mae llawer ohonynt wedi ymrwymo eu hunain i gyflwyno polisïau sy'n ceisio ei hatal.

Astudiaeth achos ...

... hyrwyddo datblygiad iach – defnyddio canmoliaeth

Mae Gwen yn mynd i ysgol feithrin. Mae hi'n blentyn 4 oed bywiog sy'n barod i ymateb i bopeth, ac i ddefnyddio adnoddau'r feithrinfa. Un bore mae Gwen yn edrych ar wahanol lyfrau yn y gornel lyfrau, ac mae'n gofyn am ganiatâd gweithiwr gofal ac addysg plant sy'n sefyll yn ei hymyl am gael darllen y llyfr iddi. Mae'r gweithiwr yn gwybod mai dim ond ychydig o eiriau y gall Gwen eu darllen, ond mae'n barod iawn i gytuno, gan wybod bod gan yr ysgol bolisi o annog darllen rhydd o'r fath. Mae Gwen yn troi tudalennau'r llyfr ac yn defnyddio'r lluniau yn bennaf i adrodd y stori; mae hi hefyd yn darllen ychydig o eiriau'n gywir ac mae'r gweithiwr yn ei helpu i ddarllen rhai eraill. Mae'r gweithiwr yn dweud, 'Dwi'n meddwl dy fod ti'n glyfar iawn, da iawn! Fyddet ti'n hoffi darllen llyfr arall i fi?''

1. *Pam fyddai'r ymateb hwn yn annog Gwen i ddarllen mwy o lyfrau?*

2. *Pe bai'r gweithiwr wedi dweud wrth Gwen, 'Doedd hwnna ddim yn dda iawn, doeddet ti ddim yn gwybod llawer o eiriau', beth fyddai effaith hyn wedi bod ar ymddygiad y plentyn yn y dyfodol?*

3. *Ar ba wybodaeth am ddatblygiad cymdeithasol ac emosiynol plant a'u hymddygiad y mae'r gweithiwr yn seilio'i hymatebion?*

4. *Rhestrwch wobrwyon eraill y gellid eu defnyddio mewn ysgol i feithrin datblygiad cymdeithasol ac emosiynol iach ac annog ymddygiad derbyniol.*

STRATEGAETHAU I HELPU PLANT YMWNEUD AG ERAILL

Pwysigrwydd chwarae

Cydnabyddir bod chwarae yn ysgogi ac yn annog twf ym mhob maes. Mae'n bwysig bod gweithwyr gofal plant yn defnyddio chwarae i hyrwyddo datblygiad cymdeithasol ac emosiynol, ac yn benodol i helpu plant ymwneud â phlant ac oedolion eraill.

Erbyn cyrraedd 3 oed mae llawer o blant yn gallu ystyried gweithredoedd ac anghenion eraill, ac yn cydweithio â hwy drwy gymryd rôl mewn grŵp. Oherwydd hyn, dylai gweithwyr fod yn ymwybodol o'r ystod o weithgareddau a allai annog plant mewn ffordd bositif i chwarae a chydweithredu, o dan do ac yn yr awyr agored. Bydd hyn yn cynnwys profiadau chwarae llawn dychymyg, gemau sy'n cynnwys rhannu a gwneud pethau bob yn ail, a gweithgareddau sy'n cynnwys cydweithredu wrth ddefnyddio adnoddau. Yn ogystal, dylai oedolion ddarparu cyfleoedd sy'n galluogi plant i siarad a gwrando ar ei gilydd, i rannu eu profiadau, ac i archwilio ac ymchwilio i wrthrychau a digwyddiadau ar y cyd. Drwy wneud hyn mae oedolion yn helpu plant i ddatblygu a dysgu ymddygiad sy'n dderbyniol o fewn y gymdeithas.

Weithiau mae plant angen cymorth i fynegi eu hunain a'u teimladau. Gall chwarae fod yn rhan bwysig o hyn. Gellir annog chwarae llawn mynegiant drwy ddarparu deunyddiau hydrin a phrofiadau synhwyraidd gyda dŵr a thywod. Bydd ardaloedd ar gyfer chwarae byd bach a chwarae llawn dychymyg hefyd yn helpu plentyn i actio ei deimladau o fewn amgylchedd diogel.

Mae chwarae yn helpu plant i ymwneud â'i gilydd

Delio â gwrthdaro

Mae rhai plant yn ymddwyn mewn ffyrdd sy'n creu gwrthdaro rhyngddynt a phlant eraill. Dylid annog plant i ddatrys unrhyw wrthdaro dibwys drwy ddatblygu sgiliau trafod a chyfaddawdu. Fodd bynnag, o bryd i'w gilydd bydd rhaid i oedolyn ymyrryd, yn enwedig os bydd y plant yn ymosodol yn gorfforol neu ar lafar. Yn yr achos hwn, dylai'r oedolyn rwystro'r plentyn ymosodol, dweud wrthynt fod eu hymddygiad yn anghywir, cysuro'r plentyn a frifwyd, a thrafod pam fod yr ymddygiad yn annerbyniol gyda'r plentyn a fu'n camymddwyn. Gall gweithwyr ddefnyddio'r drafodaeth i ehangu dealltwriaeth y plentyn a chadarnhau'r gwahaniaeth rhwng cywir ac anghywir.

Mae hyn yn arbennig o wir os bydd plant yn ymosodol tuag at blentyn am eu bod yn perthyn i hil wahanol neu'n anabl. Strategaethau eraill y gellid eu defnyddio o fewn meithrinfa neu ysgol i hyrwyddo goddefgarwch yw dathlu gwahaniaethau, cynnig delweddau positif o wahanol grwpiau o bobl o fewn cymdeithas, a darparu gweithgareddau ac adnoddau i annog plant i ymgyfarwyddo â gwahaniaeth, ac i'w dderbyn. Gellir gwneud defnydd effeithiol o chwarae a phrofiadau dysgu i ddatblygu cyd-ddealltwriaeth a pharch rhwng y rhai sy'n dod o gefndiroedd cymdeithasol a diwylliannol gwahanol.

Gwirio'ch cynnydd

Beth yw'r prif bethau mae plant yn eu dysgu yn ystod y broses gymdeithasoli?

Beth yw'r prif bethau sy'n dylanwadu ar ymddygiad plant?

Pa wobrwyon allai annog ymddygiad positif?

Beth yw chwarae rôl?

Beth mae plant yn ofni y gallai eu grŵp cyfoedion ei wneud?

Beth yw rôl fodel?

DYLANWAD Y TEULU AC ERAILL AR DDATBLYGIAD CYMDEITHASOL AC EMOSIYNOL

Mae dau gyfnod amlwg yn y broses sy'n galluogi plentyn i ddod yn berson cymdeithasol:

- y datblygiad cymdeithasol sy'n digwydd yn ystod blynyddoedd cynnar bywyd – *sef cymdeithasoli cynradd*

- y datblygu cymdeithasol sy'n digwydd wrth i blant dyfu – *sef cymdeithasoli eilaidd.*

Mae'r ddau gyfnod hyn yn gorgyffwrdd mewn bywyd plentyn. Nid yw plentyn yn gadael un ac yn dechrau ar y nesaf; mae'r cyntaf yn ymdoddi i'r llall. Mae'n bosibl y bydd oedolyn sy'n gweithio gyda phlant yn rhan o'r naill broses neu'r llall, neu'r ddau.

Cymdeithasoli cynradd

Dyma'r enw a roddir i'r datblygiad cymdeithasol cynnar sy'n digwydd o fewn cylch teulu agos y plentyn ac mewn sefydliad gofal dydd. Mae'n gyfnod pwysig iawn, gan fod y plentyn yn dysgu'r patrymau ymddygiad, y sgiliau a'r ymatebion sylfaenol sy'n briodol ac yn dderbyniol nid yn unig o fewn y teulu ond hefyd mewn cymdeithas. Mae hyn yn gosod y sail ar gyfer datblygiad cymdeithasol y plentyn yn ddiweddarach.

Y prif ddylanwadau yn ystod y cyfnod cynnar hwn yw'r bobl sydd bwysicaf i'r plentyn. Fel rheol, mae hyn yn golygu rhiant neu rieni'r plentyn, ac aelodau eraill o'r teulu agos, ynghyd ag unrhyw ofalwyr dirprwyol, er enghraifft gwarchodwr plant, nani neu swyddog meithrinfa ddydd neu ofalwr maeth.

Mae ymchwil yn dangos bod plant yn elwa o fod mewn cysylltiad agos a nifer fach o brif ofalwyr yn ystod y cyfnod cynnar hwn. Mae hyn yn caniatáu iddynt brofi dilyniant a chysondeb yn y ffordd y cânt eu trin. Yn ogystal, mae'n eu helpu i ffurfio patrwm o ymddygiad derbyniol: maent yn dysgu beth sy'n gywir ac yn anghywir o'r oedolion o'u hamgylch. Os bydd plant yn derbyn negeseuon sy'n gwrthdaro o ran ymddygiad derbyniol yn ystod y cyfnod hwn, mae'n bosibl na fyddant yn sefydlu patrwm ymddygiad cyson. Y ffordd orau o hyrwyddo datblygiad emosiynol iach yw drwy gynnig y gofal sefydlog a chyson sy'n dod o gael nifer cyfyngedig o ofalwyr.

Mae cymdeithasoli cynradd yn digwydd yn ystod blynyddoedd cynnar bywyd, yn bennaf o fewn teulu agos y plentyn

Adlewyrchwyd hyn mewn deddfwriaeth ac arfer gofal plant diweddar. Mae Deddf Plant 1989 yn cynnwys canllawiau clir ynglŷn â'r gymhareb staff a phlant sydd yn ofynnol mewn sefydliadau gofal dydd; po ieuenga'r plant, po fwya'r gymhareb staff. Yn ogystal, mae'r Ddeddf Plant yn gosod canllawiau yn ymwneud ag amgylchedd a lleoliad priodol i blant. Dyma'r rheswm, yn rhannol, pam fod llawer o sefydliadau gofal plant wedi cyflwyno system gweithiwr allweddol i ganiatáu i weithiwr ffurfio perthynas arbennig â phlentyn, a thrwy hynny dod i'w hadnabod a'u deall yn iawn. Mae hyn yn eu galluogi i gwrdd ag anghenion unigol y plentyn a hefyd i weithio'n fwy effeithiol mewn partneriaeth â rhieni.

Cymdeithasoli eilaidd

Wrth i blant fynd yn hŷn, maent hefyd yn profi dylanwadau y tu allan i'r teulu a'u hamgylchedd agos. Maent yn datblygu cyfeillgarwch, yn cymysgu â'u cyfoedion, yn mynd i'r ysgol, yn gwylio'r teledu, yn darllen llyfrau a chylchgronau, yn ymuno â chlybiau ac yn dechrau dysgu'r rheolau ar gyfer ymddwyn yn y gymdeithas ehangach. Mae'r gweithgareddau hyn yn gosod y seiliau sy'n galluogi plant i ddod yn aelodau aeddfed o'r gymdeithas honno. Mae angen annog a galluogi plant sy'n tyfu i ddatblygu ystod o berthnasau a diddordebau. Gall gweithwyr sy'n helpu i ehangu profiadau'r plentyn y tu hwnt i'r teulu a'r grŵp cymdeithasol agos wneud hyn. Dyma sut mae plant yn datblygu'r gallu i addasu i amrywiaeth o sefyllfaoedd. O ganlyniad, maent yn datblygu i fod yn fwyfwy annibynnol ac yn aelodau aeddfed o'r gymdeithas. Mae plant yn datblygu gwerthoedd a dulliau ymddygiad gwahanol i'w gilydd sydd i raddau'n adlewyrchu'r gwahaniaethau yn eu hamgylchedd. Mae angen i oedolion annog plant i ddangos sensitifrwydd tuag at bobl eraill a fydd, o bosibl, yn dilyn **arferion** gwahanol.

term allweddol

Arferion
canllawiau arbennig ar gyfer ymddygiad, a ddilynir gan grwpiau penodol o bobl

---

Gwirio'ch cynnydd

Beth yw cymdeithasoli cynradd ac ymhle mae'n digwydd yn bennaf?

Beth yw cymdeithasoli eilaidd a beth yw'r prif ddylanwadau yn ystod y cyfnod hwn?

Rhestrwch rai manteision system gweithiwr allweddol mewn sefydliad gofal dydd.

DYLANWADAU DIWYLLIANNOL AR DDATBLYGIAD CYMDEITHASOL AC EMOSIYNOL

termau allweddol

Gwerthoedd
credoau bod rhai pethau penodol yn bwysig ac yn haeddu cael eu gwerthfawrogi, er enghraifft hawl person i'w eiddo ei hun

Normau
y rheolau a'r canllawiau sy'n troi gwerthoedd yn weithredoedd

Beth yw diwylliant?

Un agwedd bwysig ar ddatblygiad cymdeithasol yw bod plant yn dysgu diwylliant eu cymdeithas. Ystyr diwylliant yw'r ymddygiad a ddysgwyd ac a rannwyd gan bobl mewn cymdeithas. Mae'n cynnwys rhannu iaith, **gwerthoedd**, **normau** ac arferion. Ystyr gwerthoedd yw credoau bod rhai pethau penodol yn bwysig ac y dylid eu gwerthfawrogi, er enghraifft hawl person i ryddid personol neu i fod yn berchen ar ei eiddo ei hun. Normau yw'r rheolau a'r canllawiau sy'n troi gwerthoedd yn weithredoedd. Gair arall a ddefnyddir i ddisgrifio normau penodol yw arferion. Ystyr arferion yw canllawiau arbennig ar gyfer ymddygiad defodol a ddilynir gan grwpiau penodol o bobl.

Mae gwerthoedd a normau'n rhoi arweiniad i bobl ac yn dangos iddynt sut i ymddwyn neu wneud rhywbeth. Mae'r gwerth sy'n pennu bod plant yn werthfawr ac y dylid eu hamddiffyn rhag niwed yn arwain at y norm sy'n pennu y dylai plant ddysgu sut i groesi'r ffordd. Mae tarddiadau arferion yn hen iawn, yn aml. Mae dathlu penblwyddi yn un enghraifft o arfer.

Rôl yr oedolyn o ran hyrwyddo datblygiad diwylliannol a moesol plant

Yn ystod camau cynnar eu datblygiad cymdeithasol mae plant yn dysgu iaith, gwerthoedd, normau, arferion ac ymddygiad derbyniol gan y bobl sy'n bwysig iddynt. Fel rheol, mae hyn yn golygu eu teulu agos ond gall hefyd gynnwys gofalwyr dirprwyol.

Rhan o waith y gofalwr yw dysgu ymddygiad priodol a chod moesol i blant. Rhaid ailadrodd dysgu o'r fath nes bydd plant yn ymddwyn yn awtomatig mewn rhai sefyllfaoedd, er enghraifft ystyried anghenion eraill, siarad bob yn ail, aros ar y palmant a pheidio â rhedeg i ganol y ffordd, neu sut i gyfarch pobl gyfarwydd. Weithiau mae'n ddigonol i atgyfnerthu rheolau ac arferion drwy wobrwyo plant. Gall esbonio pam fod arferion penodol yn bodoli neu y disgwylir ymddygiad penodol fod yn werthfawr hefyd. Drwy wneud hyn mae gofalwyr yn helpu plant i ddeall y gwerthoedd sylfaenol.

Mae gan ysgolion, cylchoedd chwarae a meithrinfeydd werthoedd, normau ac arferion penodol hefyd. Mewn unrhyw grŵp, mae'n bwysig bod pawb yn cadw'r rheolau a bod pawb yn rhannu'r normau ymddygiad. Ni fyddai unrhyw reolaeth ar gyfathrebu cymdeithasol, ac ni fyddai modd ei ragweld, oni bai am hyn, gan na fyddem yn gwybod sut y byddai pobl yn debygol o ymddwyn.

DATBLYGIAD CYMDEITHASOL AC EMOSIYNOL MEWN CYMDEITHAS AMLDDIWYLLIANNOL

Mae **cymdeithas amlddiwylliannol** yn golygu cymdeithas sy'n cynnwys aelodau o amrywiaeth o gefndiroedd diwylliannol. Gellir disgrifio Prydain fel cymdeithas amlddiwylliannol sydd wedi'i hymrwymo i ddarparu cyfle cyfartal ar gyfer pob un o'i haelodau. Mae'n hanfodol bod pawb sy'n gofalu am blant yn edrych yn fanwl ar arferion a rheolau penodol y sefydliad y maent yn gweithio ynddo. Bydd angen iddynt wahaniaethu rhwng rheolau y mae'n hanfodol bod pawb yn eu dilyn (er enghraifft, rheolau yn ymwneud â diogelwch a pharchu eraill) a rheolau y gellir eu hamrywio (er enghraifft, rheolau yn ymwneud â gwisg, bwyd ac arferion crefyddol). Weithiau mae gan sefydliadau reolau sy'n ddianghenraid a hefyd yn rhagfarnllyd o safbwynt diwylliant.

Mae Deddf Plant 1989 yn gofyn bod gan sefydliadau ddull amlddiwylliannol o weithredu o safbwynt y gofal a ddarparant, ac mae'r mwyafrif o sefydliadau'n annog dealltwriaeth a pharch tuag at arferion pob un o'r plant a'u teuluoedd. Mae llawer wedi edrych yn fanwl ar eu rheolau i sicrhau eu bod yn hyrwyddo cyfle cyfartal ac yn osgoi arferion gwahaniaethol.

Bellach mae llawer o sefydliadau'n annog dealltwriaeth a pharch tuag at arferion plant a'u teuluoedd

Rôl yr oedolyn o ran hyrwyddo hunanddelwedd bositif plant mewn cymdeithas amlddiwylliannol

Mae plant yn creu darluniau ohonyn nhw eu hunain a delweddau o'r ffordd mae eraill yn eu gweld drwy broses cymdeithasoli. Mae angen i bob plentyn ddatblygu hunaniaeth bositif. Un o'r pethau sy'n eu helpu i wneud hyn yw gweld **delweddau positif** ohonyn nhw eu hunain mewn bywyd bob dydd ac wrth ymgymryd â rolau positif o fewn eu hamgylchedd. Ystyr delwedd bositif yn y cyd-destun hwn yw cynrychiolaeth gytbwys o drawstoriad o bobl yn y gwrthrychau, lluniau a llyfrau sy'n amgylchynu plant, yn eu dangos mewn gwahanol rolau a sefyllfaoedd bob dydd.

Mae'n bwysig, er enghraifft, bod arddangosfeydd yn yr ystafell ddosbarth yn dangos ystod gynrychiadol o bobl o wahanol hiliau fel nad yw pobl ddu o'r golwg ac oherwydd hynny yn ymddangos yn ddibwys. Er enghraifft, mae cymdeithas yn gwerthfawrogi meddygon, ac felly bydd dangos meddyg croenddu mewn llyfr neu ar y teledu yn hyrwyddo hunaniaeth bositif plentyn croenddu, am fod y plentyn yn gallu uniaethu â pherson croenddu sy'n ymgymryd â swyddogaeth werthfawr. Mae portreadau gweledol positif o bobl o wahanol hiliau hefyd yn caniatáu i blant ac oedolion gwyn greu delweddau positif o holl aelodau cymdeithas.

Os nad yw plant yn perthyn i'r grŵp ethnig mwyaf yn eu cymdeithas, mae'n bosibl na fyddant yn gweld cymaint o ddelweddau gweledol positif ohonyn nhw eu hunain. Mae'n fwy tebygol y bydd eu rhieni, pobl ar y teledu, plant ac oedolion mewn llyfrau yn perthyn i'r grŵp ethnig mwyafrifol, sef pobl wyn yn achos y DU. Cydnabuwyd yr angen am hunaniaeth bositif gan Ddeddf Plant 1989. Am y tro cyntaf, mae'r ddeddfwriaeth hon yn cydnabod hawl pob plentyn i fod yn aelod o gymdeithas sy'n rhydd o wahaniaethu hiliol a chymdeithas sy'n gwerthfawrogi gwahanol gefndiroedd ac yn hyrwyddo synnwyr o hunaniaeth. Pwysleisir pwysigrwydd yr egwyddor hon, a'i pherthnasedd i bob agwedd ar ofal plant, ym mhob rhan o gyfarwyddyd Deddf Plant 1989. O ganlyniad, pan fydd pobl yn darparu gofal dydd i blant, mae gofyn iddynt:

- ystyried eu credoau crefyddol, tarddiad hiliol a chefndir diwylliannol
- ymrwymo i drin pob plentyn fel unigolyn a chyda'r un gofal
- galluogi plant i ddatblygu agweddau positif tuag at wahaniaethau hiliol, diwylliannol ac ieithyddol.

Rôl yr oedolyn o ran hyrwyddo hunanddelweddau positif i blant gydag anableddau

Yn ogystal â mabwysiadu dull gweithredu amlddiwylliannol mewn lleoliad blynyddoedd cynnar, mae'n bwysig bod gweithwyr yn darparu delweddau o bobl anabl sy'n cymryd rhan lawn ym mhob agwedd ar fywyd. Mae angen i blant ag anableddau uniaethu â rôl fodelau anabl yn eu hamgylchedd hwy er mwyn datblygu hunanddelwedd bositif.

---

term allweddol

Delweddau positif

cynrychiolaeth trawstoriad o amrywiaeth o rolau a sefyllfaoedd bob dydd, i herio stereoteipiau ac i ehangu a chynyddu disgwyliadau

---

Gwirio'ch cynnydd

Beth yw diwylliant?

Beth yw cymdeithas amlddiwylliannol?

Beth yw gwerth?

Beth yw norm?

Beth mae Deddf Plant 1989 yn cydnabod, o ran diwylliant?

DYLANWADAU DIWYLLIANNOL AR DDATBLYGIAD CYMDEITHASOL PLANT – DYSGU ROLAU CYMDEITHASOL

Mae'n bwysig bod plant yn dysgu nifer cynyddol o rolau cymdeithasol fel rhan o'u datblygiad cymdeithasol. Mae hyn yn golygu eu bod yn dysgu'r ymddygiad priodol ar gyfer gwahanol sefyllfaoedd cymdeithasol. Gall hyn olygu deall beth yw'r ymddygiad priodol a ddisgwylir gan ferch neu fab, brawd neu chwaer, ŵyr neu wyres, disgybl ysgol, ffrind neu aelod o glwb.

Mae dysgu rolau cymdeithasol yn helpu plant i:

- wybod sut i ymddwyn o fewn ystod eang o sefyllfaoedd cymdeithasol
- wybod pa fath o ymddygiad i'w ddisgwyl gan bobl eraill
- ddeall bod y ffordd mae pobl yn ymddwyn tuag atynt yn gallu dibynnu ar rôl y person hwnnw, er enghraifft, bydd athro neu athrawes yn eu trin yn wahanol i fam-gu neu dad-cu. Mae plant hefyd yn dysgu sut i ddygymod â'r gwahaniaeth hwn
- weld bod gan eu byd cymdeithasol strwythur a bod modd rhagweld pethau, sy'n peri iddynt deimlo'n ddiogel
- ddod yn ymwybodol o'r ffaith eu bod yn perthyn i system gymdeithasol.

Rôl yr oedolyn o ran helpu plant i ddysgu rolau cymdeithasol

Gall oedolion sy'n gofalu am blant eu helpu i ddysgu amryw o rolau cymdeithasol drwy:

- roi cyfleoedd iddynt gymryd rhan mewn chwarae llawn dychymyg, lle gallant archwilio eu byd cymdeithasol yn ddiogel
- fod yn rôl fodel dda
- ddangos yn glir i'r plentyn y math o ymddygiad sy'n briodol ac yn ddisgwyliadwy
- eu cefnogi ar gyfnodau pan ddisgwylir y bydd pwysau ar y plentyn, wrth iddynt ddysgu rolau cymdeithasol
- ddarparu gweithgareddau sy'n eu helpu i ymwneud ag eraill a chydweithio â hwy.

Mae'r tabl isod yn dangos y pwysau a all ddigwydd wrth ddysgu rolau cymdeithasol.

Y pwysau a all ddigwydd wrth ddysgu rolau cymdeithasol a rôl yr oedolyn o ran cefnogi'r plentyn			
Achos y pwysau	**Diffiniad**	**Enghraifft**	**Rôl yr oedolyn**
Trawsnewidiad rôl	Mae plant yn symud o un rôl i un arall	Newid o fod yn blentyn dan oed ysgol i fod yn blentyn ysgol	Darparu paratoad a chefnogaeth
Colli rôl	Colli un rôl yn llwyr	Newid o fod yn unig blentyn i fod yn frawd neu chwaer	Rhoi sylw arbennig, dangos dealltwriaeth cymryd pethau i ystyriaeth
Gwrthdrawiad rolau	Mae cyflawni un rôl yn gwrthdaro â chyflawni un arall	Mae'r grŵp cyfoedion yn annog ymddygiad nad yw'n dderbyniol gan y gofalwr	Dangos dealltwriaeth, darparu ffiniau sefydlog

DYLANWAD RHYW AR HUNANDDELWEDD A DATBLYGIAD CYMDEITHASOL AC EMOSIYNOL PLANT

Mae **stereoteipio** rôl rhyw yn digwydd o hyd mewn cymdeithas. Mae stereoteipio'n digwydd pan ystyrir bod pob aelod o grŵp yn rhannu'r un nodweddion, er enghraifft mae bechgyn yn tueddu i fod yn galed ac yn fywiog, tra bod merched yn tueddu i fod yn deimladwy ac yn dawel.

Mae stereoteipiau rhyw yn datblygu ym meddyliau plant pan ddysgant pa ymddygiad a ddisgwylir ganddynt fel bachgen neu ferch. Er bod y broses yn llai pendant erbyn hyn o'i chymharu â'r gorffennol, erbyn bod plant yn cyrraedd 5 neu 6 oed, i bob golwg maent yn ymwybodol iawn o wahaniaethau sy'n seiliedig ar ryw, ac o'r ymddygiad sy'n gysylltiedig â hynny. Mae'r syniadau hyn yn gadarn erbyn iddynt gyrraedd 7 neu 8 oed.

Mae plant yn dysgu rheolau am sut mae bechgyn a merched yn ymddwyn o ystod o ffynonellau. Dysgant oddi wrth yr oedolion sy'n gofalu amdanynt, gan blant eraill, ac o'r teledu a'r cyfryngau torfol yn gyffredinol.

Mae stereoteipio rôl rhyw yn anfanteisiol i blant os yw'n cyfyngu ar y cyfleoedd sydd ar gael iddynt. Mae hyn yn digwydd pan fydd plant yn credu na allant wneud rhywbeth oherwydd eu rhyw, neu pan fydd y sawl sydd o'u hamgylch yn credu hyn. Mae'n hanfodol bod y sawl sy'n gwarchod plant yn ymwybodol o stereoteipio ac o sut i'w osgoi.

Term allweddol

Stereoteipio
y gred bod holl aelodau grŵp yn rhannu'r un nodweddion, yn aml ar sail hil, rhyw neu anabledd

Mae'n well canolbwyntio ar y nifer mawr o nodweddion tebyg sy'n bodoli rhwng merched a bechgyn

Rôl yr oedolyn o ran gwrthweithio stereoteipio rôl rhyw

Nid oes amheuaeth bod gwahaniaethau corfforol rhwng merched a bechgyn. Fodd bynnag, rhaid i weithwyr anelu at ddarparu amgylchedd ar gyfer plant lle ni cheir gogwydd o ran rhyw. I wneud hyn mae'n well canolbwyntio ar y tebygrwydd mawr rhwng merched a bechgyn. Mae'n well hefyd i beidio â rhannu plant yn grwpiau yn ôl eu rhyw gan fod hyn yn tynnu sylw at ryw yn ddianghenraid.

Mae rhannu plant yn grwpiau ar sail rhyw yn peri bod gwahaniaethau'n fwy tebygol o gael eu pwysleisio. Pan fydd hyn yn digwydd, mae plant yn cael eu gweld yn nhermau eu rhyw yn gyntaf ac yn unigolion wedyn. Un o'r problemau a achosir gan stereoteipio yw bod plant (ac oedolion) yn dechrau credu'r darlun y mae eraill

wedi ei greu ohonynt, ac yn dechrau ymddwyn yn ôl yr hyn a ddisgwylir ganddynt. Os bydd merch yn clywed athro neu athrawes yn gofyn am gymorth 'bachgen cryf da' i gario rhywbeth a 'merch daclus dda' i dacluso'r ystafell, mae'n bosibl y bydd hi'n dechrau credu ei bod hi'n wan ac mae ei lle hi yw tacluso'r ystafell ar ôl pawb arall.

Weithiau bydd plant yn gweld gwahaniaethau rhyw yn cael eu pwysleisio mewn llyfrau a delweddau gweledol eraill. Yn draddodiadol, portreadwyd merched fel pobl lonydd sy'n hoffi bod gartref, a bechgyn fel pobl fywiog a dominyddol. Mae ysgolion a meithrinfeydd yn dod yn fwyfwy ymwybodol o'r rhagfarn hon, ac yn osgoi defnyddio'r fath lyfrau. Mae'n ymarfer da i gyflwyno delweddau positif o'r ddau ryw drwy gyfrwng y staff, yr ystod o weithgareddau, llyfrau, arddangosfeydd, ymwelwyr ac unrhyw ddulliau eraill y gellir eu defnyddio.

Mae gweithwyr sy'n osgoi rhannu plant ar sail rhyw yn fwy tebygol o ddarparu amgylchedd lle mae pob plentyn yn cyrraedd ei lawn botensial.

Gwirio'ch cynnydd

Beth yw rôl gymdeithasol?

Beth yw ystyr stereoteipio?

Pa ymarfer sy'n cadarnhau stereoteipio?

Pa ymarferion da fyddai'n gallu atal stereoteipio?

DYLANWAD YR AMGYLCHIADAU ECONOMAIDD A CHYMDEITHASOL AR DDATBLYGIAD CYMDEITHASOL AC EMOSIYNOL

Y cyswllt rhwng statws cymdeithasol, didwylledd cymdeithas a llwyddiant

term allweddol

Statws cymdeithasol

y gwerth mae cymdeithas yn ei roi ar bobl sy'n cyflawni swyddogaethau penodol

Rhaid i weithwyr gofal plant a gweithwyr addysg fod yn ymwybodol i ryw raddau ar botensial amgylchiadau economaidd a chymdeithasol (neu **statws cymdeithasol**) teulu i ddylanwadu ar hunanddelwedd a datblygiad cymdeithasol ac emosiynol plentyn. Dylent ddeall y gallai'r amgylchiadau hyn ddylanwadu ar botensial y plentyn i lwyddo. Ystyr statws cymdeithasol yw'r gwerth a roddir gan gymdeithas ar bobl gyda swyddogaethau penodol yn y gymdeithas.

Ym mhob cymdeithas bydd rhai pobl yn fwy llwyddiannus nag eraill. Fel rheol mesurir llwyddiant yn nhermau 'grym' person. Yn y mwyafrif o gymdeithasau, mae gan y bobl rymus a dylanwadol statws cymdeithasol uwch hefyd. Mae'r hyn sy'n creu statws cymdeithasol uchel yn amrywio o un gymdeithas i'r llall: mewn rhai cymdeithasau, mae gan arweinwyr crefyddol y grym mwyaf a'r statws uchaf; mewn cymdeithasau eraill, mae'n bosibl mai arweinwyr milwrol, pobl fusnes, gwleidyddion, pobl sydd wedi etifeddu arian a statws, neu rai a lwyddodd i ennill arian ac enwogrwydd, fydd yn y safle uchaf.

Mae grym yn cynnwys:

- bod pethau a werthfawrogir yn hawdd eu cyrraedd (er enghraifft cyfoeth, addysg ac iechyd)

- y potensial i ddylanwadu'n uniongyrchol ar yr hyn sy'n digwydd i bobl eraill (er enghraifft grym crefyddol, milwrol neu wleidyddol).

Ystyrir bod rhai cymdeithasau, er enghraifft y DU, yn 'gymdeithasau agored'. Mae strwythur cymdeithasau o'r fath (er enghraifft y gyfundrefn addysg, cyfleoedd am waith) yn caniatáu i blentyn newid ei safle yn ystod ei oes. Yn ystod y blynyddoedd diwethaf gwelsom ferch i siopwr a mab i berfformiwr syrcas yn dod yn Brif Weinidogion yn y DU.

Mewn cymdeithas gaeedig, nid yw'n bosibl i blentyn gamu y tu hwnt i statws cymdeithasol ei deulu genedigol, er enghraifft cyfundrefn gast yr Hindŵ yn rhannau o India.

Mae addysg yn galluogi pobl y DU a gwledydd Ewropeaidd eraill i ennill statws cymdeithasol ac economaidd uchel. Crëwyd ysgolion cyfun yn y 1950au er mwyn sicrhau bod pob plentyn yn cael cyfle i lwyddo yn eu haddysg. Cyn hyn caed cyfundrefn yng Nghymru a Lloegr a bennai bod rhai plant yn mynd i ysgolion gramadeg a'r lleill yn mynd i ysgolion uwchradd modern.

Er hyn, mae ymchwil helaeth wedi dangos bod ffactorau eraill yn dylanwadu ar lwyddiant mewn addysg a chymdeithas yn y DU, ac nad ydynt yn ganlyniad i allu'r plentyn yn unig. Mae tablau cynghrair ac ymchwil yn dangos bod plant o ysgolion sy'n dlotach ac o statws cymdeithasol is yn llai tebygol o lwyddo yn y gyfundrefn addysg. Beth bynnag fo'r bwriadau, i bob golwg nid yw plant o wahanol gefndiroedd cymdeithasol yn cael cyfle cyfartal.

DYLANWAD Y TEULU AR DDATBLYGIAD A LLWYDDIANT ADDYSGOL

Mae plant o deuluoedd gyda llai o adnoddau economaidd yn llai tebygol yn ystadegol o lwyddo yn yr ysgol. Mae'n bwysig ein bod ni'n cydnabod ac yn deall y ffaith hon wrth geisio hyrwyddo cyfle cyfartal i bob plentyn. Rhaid osgoi cyffredinoli a stereoteipio grŵp o bobl, ond ni allwn ddechrau cefnogi a digolledu plant llai llwyddiannus heb yn gyntaf ddod o hyd i'r rhesymau dros yr anghydraddoldeb hwn o ran llwyddiant.

Mae plant sy'n llwyddo yn yr ysgol yn fwy tebygol o:

- fod wedi cael eu magu mewn amgylchedd diogel a chariadus

- fod dan ofal rhieni neu ofalwyr sy'n deall gwerth llwyddiant addysgol

- brofi amgylchedd lle clywir digon o iaith a lle mae cyfleoedd i chwarae.

Mae teuluoedd yn amrywio o ran eu gallu i ddarparu'r uchod.

Teuluoedd sy'n darparu amgylchedd diogel a chariadus

Gall teuluoedd o bob cefndir cymdeithasol roi diogelwch a chariad i'w plant. Mae plant sy'n cael eu magu o fewn amgylchedd diogel a chariadus yn fwy tebygol o ymateb, teimlo'n hyderus, ymddwyn mewn ffordd sy'n dderbyniol i gymdeithas, teimlo hunan-barch, bod yn barod i ddysgu ac felly i lwyddo.

Mae profiadau rhai teuluoedd, fodd bynnag, yn eu rhwystro rhag gwneud lles eu plant yn flaenoriaeth a sicrhau eu bod yn teimlo'n ddiogel yn ystod cyfnod hanfodol cymdeithasoli cysefin. Gall hyn ddigwydd o ganlyniad i berthnasau anfoddhaol o fewn y teulu, ac mae hyn yn wir yn achos pob grŵp cymdeithasol. Fodd bynnag, gall perthnasau problemus fod yn ganlyniad pwysau a achoswyd gan dlodi tymor-hir, cartrefi o ansawdd gwael neu amgylchedd tlawd, ac mae pobl o fewn grwpiau cymdeithasol is yn fwy tebygol o brofi'r amgylchiadau hyn. Er hynny, mae llawer o bobl yn llwyddo i greu cartref hapus a diogel i'w plant dan yr amgylchiadau anodd hyn.

Rhieni a gofalwyr sy'n cefnogi cyflawniad addysgol

Mae rhieni a gofalwyr sy'n cydnabod gwerth cyflawniad addysgol yn fwy tebygol o hyrwyddo datblygiad deallusol a chymdeithasol eu plant. Maent yn cydnabod gwerth ymddygiad sy'n dderbyniol i gymdeithas, ac yn sylweddoli bod hyn yn fwy tebygol o arwain at lwyddiant yn yr ysgol. Mae rhieni o'r fath yn ymweld â'r ysgol ac yn dangos diddordeb yng nghynnydd eu plant. Gall unrhyw deulu wneud hyn, beth

Mae gan ofalwyr sy'n mwynhau perthynas agos a chariadus â'u plant yn fwy tebygol o dreulio amser yn eu cwmni a sefydlu patrymau cyfathrebu llawn iaith

bynnag fo'u statws cymdeithasol.

Fodd bynnag, mae'n anorfod bod gan ofalwyr a fu'n llwyddiannus oherwydd y gyfundrefn addysg well ddealltwriaeth a mwy o wybodaeth am sut i lwyddo na'r rhai na chafodd y profiad hwnnw. Maent yn fwy tebygol o ymlacio yng nghwmni athrawon am eu bod yn debyg iddynt. Mae llai yn eu rhwystro, yn ymarferol ac yn seicolegol (yn eu barn hwy), rhag mynd i'r ysgol i weld sut mae eu plentyn yn datblygu neu i helpu yn y dosbarth.

Rhieni a gofalwyr sy'n darparu amgylchedd llawn iaith

Mae plant sy'n profi amgylchedd llawn iaith, gyda chyfleoedd da i chwarae, yn sefydlu patrymau lleferydd a meddwl cynnar sy'n hanfodol ar gyfer datblygu sgiliau llythrennedd (darllen ac ysgrifennu) pan fyddant yn mynd i'r ysgol. Mae cael profiad da o chwarae yn hanfodol ar gyfer eu datblygiad deallusol yn y dyfodol.

Mae gofalwyr sy'n mwynhau perthynas agos a chariadus â'u plant yn fwy tebygol o dreulio amser yn eu cwmni, sefydlu patrymau cyfathrebu llawn iaith ac annog chwarae. Gall plant o unrhyw gefndir gael eu hamddifadu o hyn os bydd eu rhieni yn canolbwyntio ar rywbeth arall. Mae'n bosibl y bydd rhieni yn esgeuluso creu cysylltiad agos â'u plant oherwydd gofynion eu swyddi a'u gyrfaoedd, eu hiechyd corfforol neu feddyliol eu hunain, neu eu hamgylchiadau personol, cymdeithasol neu economaidd.

Mae rhieni gydag arian, grym a statws cymdeithasol uwch yn fwy tebygol o allu talu am ofal ac addysg i'w plant i ategu'r amser a dreuliant gyda'u plant. Gall nani neu feithrinfa ddarparu'r gofal hwn. Ers tro byd mae rhai awdurdodau lleol wedi cydnabod yr anfanteision sy'n bodoli yn achos plant o deuluoedd o statws cymdeithasol isel, lle nad yw'r gofalwyr yn gallu talu am ofal dirprwyol, a darparwyd addysg feithrin mewn ardaloedd a brofai difreintedd cymdeithasol difrifol. Yn niwedd y 1990au daeth darparu gofal plant ac addysg gymorthdaledig yn y cam sylfaenol er mwyn darparu profiadau chwarae cynnar a symbylu iaith yn rhan gynyddol ganolog o bolisi'r llywodraeth. Bwriad hyn yw galluogi pob plentyn i gyflawni nodau dysgu cynnar a bod yn fwy parod ar gyfer addysg statudol.

Mae profiadau plant yn amrywio'n fawr yn ystod eu blynyddoedd cynnar. Mae rhai o'r profiadau hyn yn effeithio'n uniongyrchol ar eu datblygiad cymdeithasol a'u potensial i lwyddo'n gymdeithasol. Mae rhai o'r gwahaniaethau hyn yn gyffredin i

bob grŵp cymdeithasol; mae eraill, yn arbennig yn achos y rhai sy'n profi effaith statws economaidd, yn fwy tebygol o ddigwydd o fewn grŵp cymdeithasol ac economaidd uwch neu is.

Astudiaeth achos ...

... llwyddiant yn yr ysgol

Mae Guto yn unig blentyn ac yn byw gyda'i fam mewn tŷ bach ar stad tai preifat. Mae ei rieni wedi gwahanu. Mae'n gweld ei dad o bryd i'w gilydd a'i deulu estynedig yn gyson. Mae ganddo berthynas gynnes ac agos â'i fam. Mae ei fam yn ymweld â'r ysgol yn gyson ar gyfer nosweithiau rhieni ac yn gwybod ei fod yn blentyn galluog. Os ydy hi'n amau bod Guto yn cael unrhyw drafferthion arbennig, mae'n gallu trefnu i weld ei athro. Mae ef a'i fam yn bwyta gyda'i gilydd bob nos, yn trafod digwyddiadau'r diwrnod ac yn aml yn chwerthin ac yn gwneud hwyl am ben pethau sydd wedi digwydd. Bob dydd bydd ei fam yn gwrando arno'n darllen ac edrychant ar lyfrau gyda'i gilydd.

1. Sut fyddech chi'n disgrifio perthynas Guto a'i fam?

2. Pam fod Guto yn debygol o lwyddo yn yr ysgol, yn eich barn chi?

3. Ysgrifennwch ddisgrifiad o blentyn, a'u teulu, sydd o bosibl yn llai tebygol o lwyddo yn yr ysgol.

GOROLWG AR DDYLANWADAU ALLANOL AR DDATBLYGIAD HUNANDDELWEDD PLENTYN A'U DATBLYGIAD CYMDEITHASOL AC EMOSIYNOL

- Mae babanod a phlant ifainc yn datblygu'n bobl go iawn drwy gysylltu â phobl eraill. Dyma un o'r rhesymau pam fod gweithio gyda a gofalu am blant ifainc yn waith pwysig a chyfrifol.

- Mae plant angen cysylltiad agos â'u gofalwyr yn ystod eu blynyddoedd cynnar.

- Mae'r broses ddysgu yn un parhaol.

- Mae oedolion gofalgar yn helpu plant i ddatblygu eu sgiliau cymdeithasol, perthnasau, rheolau ar gyfer ymddygiad, aeddfedrwydd cymdeithasol ac annibyniaeth.

- Mae'n hanfodol bod gweithwyr yn seilio'u hymarfer da proffesiynol ar wybodaeth am gefndiroedd cymdeithasol ac emosiynol y plant dan eu gofal.

- Mae teuluoedd yn darparu amgylcheddau cymdeithasol amrywiol i'w plant ac mae'r rhain yn effeithio ar ddatblygiad cymdeithasol ac emosiynol plant ynghyd â'u hunanddelwedd ac yn gallu dylanwadu'n gryf ar safle plentyn mewn cymdeithas yn y pen draw.

Gwirio'ch cynnydd

At beth mae'r term statws cymdeithasol yn cyfeirio?

Beth yw manteision cael statws cymdeithasol uchel?

Beth ddylai cyflwyno ysgolion cyfun fod wedi ei sicrhau?

Ym mha ffyrdd y gall y teulu ddylanwadu ar lwyddiant addysgol plant?

Nawr rhowch gynnig ar y cwestiynau hyn

Beth yw prif agweddau datblygiad emosiynol a chymdeithasol?

Beth yw'r berthynas rhwng yr holl wahanol feysydd datblygiad?

Pam ei bod hi'n bwysig bod plentyn yn gwerthfawrogi ei gefndir diwylliannol?

Sut gall gweithwyr gofal plant annog plant i fod yn annibynnol ac yn hunanddibynnol wrth ddatblygu sgiliau hunangymorth?

Sut mae datblygiad gwybyddol ac iaith yn effeithio ar ddatblygiad hunansyniad a hunanddelwedd?

YMLYNIAD, GWAHANIAD A CHOLLED

*E*rbyn hyn credir bod ansawdd a natur perthnasau agos cynnar plant yn allweddol bwysig o ran eu datblygiad cymdeithasol ac emosiynol. Yn y 1940au a'r 1950au cynhaliwyd ymchwil arloesol i natur ac effaith perthnasau cynnar, yn benodol yn ymwneud â datblygiad ymlyniadau rhwng babanod a'u prif ofalwyr. Yn ystod y cyfnod hwn astudiodd John Bowlby, seiciatrydd plant dylanwadol iawn, yr effeithiau datblygiadol tymor hir ar blant a wahanwyd o'u rhieni pan fu farw'r rhieni neu pan fu'n rhaid iddynt ymgilio yn ystod yr Ail Ryfel Byd. Sylwodd fod nifer o'r plant hyn yn dioddef ystod o broblemau ymddygiadol, emosiynol ac iechyd meddwl.

Mae profi ymlyniadau cadarn yn bwysig iawn o ran datblygiad cyffredinol plant. Fel rheol mae gweithwyr gofal plant yn gofalu am blant sydd wedi cael eu gwahanu o'u prif ofalwyr ac mae angen iddynt ddeall

- y canlyniadau tymor hir posibl i blant sy'n profi ymlyniadau ansicr

- effeithiau posibl 'toriad' mewn ymlyniad, sy'n digwydd pan fydd plentyn yn cael ei wahanu oddi wrth, neu'n colli, ei brif ofalwr/wyr, dros dro neu'n barhaol.

*M*ae'r paratoad ar gyfer gwahaniad a cholled ac ansawdd y gofal dirprwyol a ddarperir yn arwyddocaol iawn o safbwynt datblygiad emosiynol a chymdeithasol tymor byr a thymor hir y plentyn. Mae rôl gofalwyr gofal plant yn bwysig iawn o safbwynt lleihau effeithiau negyddol gwahaniad a cholled, a hefyd o ran gofalu am blant sy'n galaru.

Beth y rhan hon yn ymdrin â'r pynciau canlynol:

- beth yw ymlyniadau?

- sut mae ymlyniadau yn cael eu sefydlu

- goblygiadau anabledd

- patrymau ymddygiad ymlyniad

- pwysigrwydd profi ymlyniad o safbwynt datblygiad plant

- effeithiau gwahaniad a cholled ar blant a'u teuluoedd

- strategaethau i leihau effeithiau niweidiol gwahaniad

- trawsnewidiadau

- colled a galar.

Beth yw ymlyniadau?

term allweddol

Ymlyniad

perthynas ddwyffordd serchog sy'n datblygu rhwng baban ac oedolyn

term allweddol

Greddfau

patrymau ymddygiad na chafodd eu dysgu

Ymlyniadau yw'r perthnasau dwyffordd serchog sy'n datblygu rhwng babanod a'u gofalwyr agos. Pan sefydlir ymlyniad cadarn bydd y baban yn ceisio cadw'n agos at yr oedolyn hwnnw ac i bob golwg yn awyddus am eu gofal. Erbyn diwedd eu blwyddyn gyntaf bydd y baban yn dangos eu bod yn ffafrio'r person hwnnw ac o bosibl yn dangos ofn dieithriad. Gallant brofi trallod os cânt eu gwahanu oddi wrth yr oedolion y maent wedi ffurfio ymlyniad â hwy ac yn ymdrechu i ailgysylltu â hwy. Roedd Bowlby yn galw hyn yn 'ymddygiad ymlyniad'.

Yn ôl Bowlby mae gan fabanod angen biolegol, neu **reddf**, i ymlynu â'r person sy'n eu bwydo ac yn gofalu amdanynt. Dadleuai mai greddf oroesiad yw hon sy'n galluogi'r plentyn i osgoi perygl a marwolaeth.

Yn ogystal â Bowlby, bu James a Joyce Robertson, Mary Ainsworth ac ymchwilwyr eraill yn astudio natur ac effaith perthnasau rhiant-plentyn cynnar. Bowlby oedd y person cyntaf i gysylltu'r dylanwadau biolegol, seicolegol, cymdeithasol a diwylliannol ar ddatblygiad plant ac o hyn datblygodd y 'ddamcaniaeth ymlyniad'. Darganfu Bowlby ac eraill fod profi ymlyniad (cwlwm cariad) yn hanfodol ar gyfer datblygiad cymdeithasol ac emosiynol iach plentyn. Erbyn hyn derbynnir bod y ddamcaniaeth 'seiliedig ar berthynas' o ddatblygiad personoliaeth yn sylfaenol bwysig ar gyfer deall llwybr datblygiad cymdeithasol ac emosiynol plant.

Y mae angen i weithwyr gofal plant ddeall pam a sut mae'r ymlyniadau hyn yn datblygu, pam eu bod mor bwysig a beth sy'n digwydd os cânt eu torri gan wahaniad.

DAMCANIAETH YNGLŶN Â'R RHESWM DROS YMLYNIADAU

Greddfau mamol

Yn gyffredinol, mae ymchwil yn cadarnhau'r syniad bod gan famau 'reddfau mamol' sy'n eu symbylu i garu a gofalu am eu plant. Fodd bynnag, nid yw *pob mam* yn teimlo'r greddfau hyn ar unwaith, neu fyth, mewn rhai achosion prin. Er hyn, mae ymchwil yn dangos bod y mwyafrif o famau i bob golwg yn effro ac yn sensitif iawn i gyflwr corfforol ac emosiynol eu babanod yn union wedi'r geni. Mae babanod yn eu tro yn ymddangos yn barod i ryngweithio a chreu perthynas â'u gofalwyr ar unwaith wedi'r geni.

Serch neu gysur cyffwrdd

Darganfu John Bowlby fod 'cysur cyffwrdd', neu serch, yn bwysig iawn o ran ffurfio perthynas a chysylltiad a bod dangosiad o agosrwydd corfforol gan yr oedolyn yn rhan hanfodol o hyn. Mae'r arbrofion a gynhaliwyd ar fwncïod rhesws gan Margaret a Harry Harlow yn y 1960au a'r 1970au hefyd yn dangos dilysrwydd y ddamcaniaeth bod cysur cyffwrdd yn bwysicach na bwydo o ran meithrin datblygiad emosiynol.

Damcaniaeth ymatebolrwydd sensitif

Erbyn hyn mae llawer o seicolegwyr yn credu bod babanod yn cael eu geni gyda sgiliau sy'n caniatáu iddynt ddenu a chadw sylw'r oedolyn. I bob golwg, maent wedi'u rhaglennu i ddod yn ymwybodol o'r bobl o'u hamgylch ac ymateb iddynt. Mae'n ymddangos bod yn well ganddynt bethau dynol, fel lleisiau ac wynebau. O ddechrau eu hoes mae plant yn rhoi arwyddion cryf sy'n denu oedolion atynt ac yn gwneud iddynt ymateb, er enghraifft crïo, gwenu, syllu, gafael.

Rôl y gofalwr o ran ffurfio ymlyniadau

Dylai oedolyn fod yn awyddus i gysylltu'n emosiynol a threulio amser gyda'r plentyn. Ni ellir creu ymlyniadau ar unwaith. Mae gofalwyr sy'n sensitif i'r

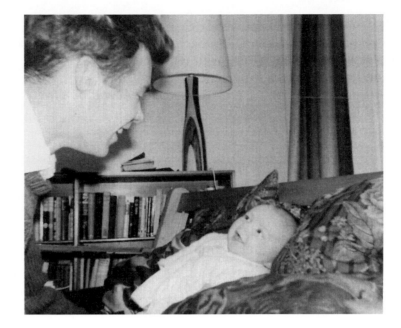

I bob golwg, mae'n well gan fabanod bethau dynol

arwyddion a roddir gan y baban ac yn ymateb iddynt yn helpu'r cysylltiad i
ddatblygu dros gyfnod.

Ffurfio ymlyniadau lluosog

Honnai John Bowlby fod angen i fabanod lynu wrth eu mamau ac mai'r fam sydd
orau. Fodd bynnag, erbyn hyn derbynnir bod plentyn yn gallu ffurfio ymlyniadau
lluosog, er enghraifft â thad, mam-gu a thad-cu, aelodau eraill o'r teulu a gofalwyr
dirprwyol. Mae babanod sy'n ffurfio ymlyniadau â sawl oedolyn yn gallu teimlo'n
agos iawn at bob un.

Yn 1964, astudiodd Rudi Schaffer a Peggy Emerson 60 plentyn rhwng
genedigaeth a 18 mis oed yn Glasgow. Daethant i'r casgliad bod plentyn a gâi sylw
gan nifer o oedolion yn gallu creu ymlyniad â phob un. Yn ôl Schaffer ac Emerson,
roedd yr ymlyniadau hyn yn debyg iawn i'w gilydd o ran eu hansawdd. Ymatebai'r
babanod yn yr un ffordd i bob oedolyn cysylltiedig. I bob golwg roeddent yn
defnyddio gwahanol oedolion ar gyfer gwahanol bethau; os oedd arnynt ofn, fel
rheol roeddent yn awyddus i fod gyda'u mam; os oeddent yn awyddus i chwarae, fel
rheol roedd yn well ganddynt eu tad.

Daeth Schaffer ac Emerson i'r casgliad bod ymlyniadau yn fwy tebygol o gael eu
creu â'r bobl hynny oedd fwyaf sensitif i anghenion y baban. Nid ydynt o reidrwydd
yn ymlynu â'r bobl hynny sy'n treulio'r cyfnod hiraf yn eu cwmni.

Gwirio'ch cynnydd

Esboniwch beth sy'n peri bod ymlyniadau yn datblygu.

Beth mae babanod yn ei wneud i ddenu a chadw sylw oedolion?

Sut ddylai oedolyn ymateb er mwyn caniatáu i ymlyniadau iach ddatblygu?

Sut mae ymlyniadau yn cael eu sefydlu

*E*r mwyn datblygu ymlyniad, rhaid i fabanod brofi perthynas gynnes, gyson, gariadus gyda grŵp bach o ofalwyr cymharol barhaol sy'n ymateb yn sensitif iddynt.

Ystyrir bod rhaid cael amgylchiadau penodol er mwyn creu ymlyniadau:

- rhaid bod rhyngweithio yn digwydd rhwng y baban a'r gofalwr(wyr) sy'n awyddus i dreulio amser ac ymwneud â hwy

- rhaid i berthnasau ddatblygu gydag ychydig o bobl a fydd yn aros gyda'r baban y rhan fwyaf o'r amser (gofal parhaus), heb eu gadael

- rhaid i gyfathrebu ddatblygu rhwng y baban a gofalwyr sy'n ymateb yn sensitif iddynt

- rhaid i'r gofalwyr ddangos agosatrwydd corfforol cariadus.

CAMAU DATBLYGIAD YMLYNIADAU

Sefydlir ymlyniadau dros gyfnod o amser. Mae'r ffactorau sy'n effeithio ar eu datblygiad yn cynnwys ymatebion babanod a gofalwyr, ac effeithiau allanol neu amgylcheddol megis profiadau geni a sicrwydd ariannol. Mae ymlyniadau cadarn yn fwy tebygol o ddigwydd os bydd llawer o'r ffactorau isod yn cymryd lle. Bydd yr ymlyniadau yn sigledig os ceir profiad negyddol o rai o'r ffactorau isod gan arwain at fam sy'n ansensitif tuag at anghenion ei phlentyn. Dyma bedwar cam arwyddocaol:

1. *Yn ystod y beichiogrwydd* Mae perthynas/cwlwm bositif yn fwy tebygol o ffurfio pan fydd y beichiogrwydd yn un a gafodd ei gynllunio a'i gadarnhau, ac a ddymunwyd ac a groesawyd gan y partneriaid a'r teulu ehangach; pan fydd y partneriaid yn aeddfed yn emosiynol ac yn cynnal perthynas sefydlog ac yn gefnogol i'w gilydd; gan feichiogrwydd normal ac iach; yn teimlo symudiadau'r ffetws; yn gwneud defnydd llawn o ofal iechyd cyn-geni, sy'n cynnwys dealltwriaeth o broses beichiogrwydd a pharatoi ar gyfer esgor; gan sicrwydd materol, er enghraifft arian a chartref; drwy wneud paratoadau materol ar gyfer dyfodiad y baban.

2. *Yn ystod yr esgor* Mae cysylltiad diogel yn fwy tebygol o ffurfio o ganlyniad i esgoriad a gynlluniwyd ac a ddisgwyliwyd; esgoriad gyda'r lleiafswm o ymyrraeth feddygol sy'n bodloni disgwyliadau'r rhieni, gyda'r fam yn gymharol effro ac yn rheoli'r sefyllfa; presenoldeb staff gofal iechyd sy'n gyfarwydd ac yn ofalgar; sefydliad cyfeillgar, nad yw'n feddygol; cefnogaeth partner neu berthynas neu ffrind; geni baban 'normal' iach o'r rhyw a ddymunir, sy'n bodloni disgwyliadau'r rhieni o ran ei ymddangosiad; os rhoddir y baban i'r rhieni ar unwaith, gan ei osod ar eu croen neu ar y fron; cyfnod o gysylltu diymyrraeth rhwng y baban a'r rhieni yn ystod oriau cyntaf bywyd y baban.

3. *Y cyfnod ychydig wedi'r geni* Gall hwn fod yn gyfnod **sensitif** iawn. Ystyrir bod mamau sy'n sylwi ar anghenion eu baban ac yn ymateb yn briodol i'r arwyddion a roddant yn 'sensitif'. Mae mamau 'ansensitif' yn methu darllen yr arwyddion a roddir gan eu baban ac yn rhyngweithio â hwy yn ôl eu hanghenion eu hunain. Mae ymchwil wedi dangos bod cadw'r baban yn agos i'r rhieni, yn hytrach na'u gwahanu am gyfnodau hir o amser, yn helpu i greu

term allweddol

Cyfnod sensitif (neu dyngedfennol)

cyfnod hanfodol o amser ar gyfer cyflawni sgìl penodol

ymlyniad; staff gofal iechyd sy'n gefnogol ond nid yn ymwthiol; mam sy'n teimlo'n iach; bod yn sefydlog ac aeddfed yn emosiynol, ar ôl profi perthynas agos â'u rhieni neu ofalwr eu hunain; mam sy'n rhannu'r swyddogaeth o fod yn rhiant gydag oedolyn o'i dewis; baban iach sy'n ffynnu, ac sy'n bwyta ac yn cysgu'n dda; brodyr a chwiorydd a theulu ehangach sy'n croesawu'r baban.

4. *6 mis cyntaf bywyd* bywyd Erbyn diwedd y cam hwn, fel rheol bydd babanod a'u prif ofalwyr wedi ffurfio ymlyniad cryf. Mae'r profiadau a geir yn ystod y cyfnod hwn yn hanfodol bwysig. Bydd llawer o'r ffactorau a ddisgrifiwyd yn parhau i ddylanwadu ar ddatblygiad ymlyniadau, ac mae'r rhyngweithio rhwng y gofalwyr a'r baban yn arwyddocaol iawn yn ystod y misoedd hyn. Yn aml bydd y rhyngweithio hyn yn canolbwyntio ar gyflenwi anghenion y baban, ond mae adborth cadarnhaol gan y baban i'r gofalwr hefyd yn cryfhau'r cysylltiad. Er enghraifft, mae'r baban yn mynegi ei hanghenion drwy grïo, gwenu, parablu, gafael yn dynn neu godi ei breichiau ac mae'r gofalwr yn cyflawni anghenion y baban drwy fwydo, siarad ac anwesu'r baban. Yn raddol, mae'r baban yn dysgu ymddiried yn y gofalwr i gyflenwi ei hanghenion a thrwy hynny sefydlir yr ymlyniad. Gall y gofalwr gychwyn y rhyngweithio cadarnhaol, er enghraifft drwy siarad â'r baban. Bydd y baban yn ymateb yn gadarnhaol, efallai drwy ŵan neu wenu. Bydd hyn yn symbylu'r gofalwr i gychwyn mwy o ryngweithio cadarnhaol a bydd y cylch yn ail-gychwyn. Mae hyn yn peri i'r gofalwr deimlo hunan-barch a hunanwerth ac oherwydd hynny'n cryfhau'r ymlyniad.

Ansawdd gofal

Mae cyflenwi anghenion plant yn helpu i ddatblygu ymlyniadau. Nid yw llwyddiant a dwyster yr ymlyniadau yn dibynnu ar *hyd yr amser* y mae'r gofalwr yn ei dreulio gyda'r baban, fodd bynnag, ond ar *ansawdd* y cysylltiad hwnnw. Gall babanod ddatblygu ymlyniadau â phobl sy'n treulio cyfnodau cymharol fyr o amser yn eu cwmni, os treulir yr amser hwnnw mewn ffyrdd penodol o ansawdd da; mae'r rhain yn cynnwys y gofalwr yn chwarae gyda'r baban, yn eu hanwesu, yn rhoi sylw unigol iddynt, yn cynnal 'sgyrsiau' â hwy, ac yn gyffredinol yn creu sefyllfa lle mae'r naill a'r llall yn mwynhau cwmni ei gilydd. Mae'r baban yn ffurfio ymlyniad cryfach gyda'r person hwn na rhywun sy'n gofalu amdanynt yn gorfforol am gyfnod hirach o amser, ond heb chwarae neu ryngweithio â hwy.

Mae gan yr agwedd hon ar ymlyniad oblygiadau ar gyfer y sawl sy'n darparu gofal dirprwyol i blentyn. Yn absenoldeb eu prif ofalwyr, er enghraifft mewn sefydliadau gofal dydd, mae'n hanfodol bod pob gofalwr yn rhyngweithio'n agos ac yn ystyrlon gyda baban. Mae system gweithiwr allweddol yn un ffordd o sicrhau bod un aelod o'r staff yn ffurfio perthynas arbennig â phlant penodol.

Goblygiadau anabledd

Yn aml, bydd y cyfryngau'n portreadu anabledd mewn ffordd negyddol. Mae cymdeithas yn tueddu i weld anabledd fel rhywbeth i dosturio wrtho yn hytrach na gwahaniaeth y dylid ei ddathlu. Oherwydd hyn, gall rhieni plant anabl brofi teimladau o siom a methiant wrth ddarganfod bod gan eu plentyn anabledd. Gall hyn arwain at anhawster neu oediad yn y broses o ffurfio perthynas o ymlyniad.

ADNABOD Y GWAHANIAETHAU

Gall gofalwyr a/neu blant anabl annog ffurfiant perthynas o ymlyniad mewn gwahanol ffyrdd. Rhaid cydnabod bod pobl anabl yn unigolion, ond mae'n bwysig cofio hefyd am oblygiadau posibl anableddau penodol ar y broses o ffurfio'r berthynas yma.

Mae gan blant a gofalwyr anabl yr un anghenion â phobl eraill, ond gall y dulliau o gyflenwi'r anghenion hyn amrywio yn ôl natur yr anabledd. Rhaid i blant a gofalwyr gyda nam ar y synhwyrau, yn enwedig colli golwg neu glyw, ddefnyddio dulliau gwahanol neu ychwanegol o ymateb i'w gilydd.

YMATEB YN BRIODOL

Mae'n bosibl na fydd babanod neu ofalwyr dall yn gallu cymryd rhan yn y gemau cyfathrebu sy'n dibynnu ar gliwiau gweledol megis ystumiau'r wyneb neu'r corff. Ni fyddant yn adnabod wyneb y gofalwr/baban wrth olwg ac yn ymateb iddo. Os na wnaed diagnosis yn dangos bod nam ar olwg y baban, mae'n bosibl y bydd rhai gofalwyr yn meddwl bod y baban yn araf i ymateb. Er enghraifft, pan fydd gofalwr baban dall yn dod i mewn i'r ystafell, bydd y baban yn 'rhewi' er mwyn gwrando'n astud. Mae'n bosibl y bydd rhai gofalwyr yn meddwl bod hyn yn dangos nad yw'r baban yn eu croesawu. Rhaid llunio strategaethau i annog patrymau rhyngweithio eraill.

Bydd angen i ofalwyr a/neu blant gyda nam ar eu clyw ddefnyddio dulliau eraill o ymateb i'w gilydd hefyd. Mae hyn yn hanfodol ar gyfer datblygu'r berthynas, sydd yn effeithio ar ddatblygiad cyffredinol y plentyn.

PWYSIGRWYDD IAITH

Mae llawer o'r anawsterau a wynebir gan blant ac oedolion anabl yn ymwneud ag ymateb pobl eraill iddynt, yn hytrach na'r anabledd ei hunan.

Er enghraifft, bydd plant â nam ar eu clyw yn aml yn cael anhawster wrth ddatblygu dealltwriaeth o iaith. Mae datblygiad iaith yn dibynnu ar gyfathrebu rhwng plant a phobl eraill. Rhaid i'r cyfathrebu hwn fod yn ddealladwy ac yn ystyrlon i blant. Mae ymchwil diweddar yn awgrymu bod defnydd cynnar o arwyddiaith yn datblygu dealltwriaeth plant byddar ac nad yw'n arafu caffaeliad iaith lafar.

Mae nifer y plant byddar sy'n dysgu arwyddiaith yn ddigon cynnar yn gymharol fach. Yr eithriad i hyn yw plant byddar gyda gofalwyr byddar. O ganlyniad i ymchwil Susan Gregory a Susan Barlow (1989) tynnwyd sylw at y sgiliau a ddangosir gan rieni byddar wrth ryngweithio â'u plant byddar. Roedd hyn yn ddigon i gadarnhau arsylwadau goddrychol a nodai fod plant byddar dan ofal gofalwyr byddar yn tueddu i ddangos datblygiad cyffredinol cyflymach na phlant byddar eraill.

Mae defnydd cynnar o arwyddiaith yn datblygu dealltwriaeth plant byddar ac nid yw'n arafu caffaeliad iaith lafar

Patrymau ymddygiad ymlyniad

A rsylwyd yr ymddygiad ymlyniad canlynol yn yr oedrannau hyn:

- *0–2 fis* Yn yr oed hwn, nid yw babanod yn ddetholus fel rheol, nac yn dangos bod yn well ganddynt eu prif ofalwyr. Fodd bynnag, maent yn dangos ymddygiad cymdeithasol drwy ddangos eu hoffter o'u genedigaeth, o'r wyneb a'r llais dynol a thrwy fwynhau rhyngweithio cymdeithasol.

- *3–6 mis* Mae babanod yn dechrau adnabod pobl benodol a'u hwynebau. Yn gyffredinol, nid yw babanod yn poeni am bwy sydd yn gofalu amdanynt; byddant yn aml yn gwenu ar ddieithriaid, ond yn ymateb gyda mwy o wenu a synau wrth weld wynebau cyfarwydd. Maent yn datblygu diddordeb cynyddol yn eu prif ofalwr ac yn dangos ffafriaeth tuag atynt, ac mae eu rhyngweithio'n fwyfwy mewn cytgord. Mae babanod yn dechrau penderfynu pwy sy'n gwneud iddynt deimlo'n ddiogel. Mae'n bosibl y byddant yn 'rhewi' os daw dieithryn yn agos.

- *6–8 mis* Os bu digon o gysylltu, bydd y mwyafrif o fabanod wedi creu ymlyniad cadarn â'u prif ofalwyr. Gellir chwilio am ddau fath o dystiolaeth i ddangos hyn. Yn gyntaf, bydd baban sydd wedi ffurfio ymlyniad cryf yn dangos ofn dieithriaid yn y cam hwn; yn ail, dangosant ofid gwahanu, hynny yw byddant yn pryderu os gwahanir hwy oddi wrth y person y maent wedi creu perthynas â hwy. Mae babanod yn dangos eu ffafriaeth yn glir ac yn ymddwyn mewn ffyrdd bwriadol er mwyn ennyn ymateb gan y gofalwr, megis dilyn, gafael yn dynn, crïo. Maent yn fwy tebygol o bryderu am ddieithriaid os nad yw'r person y maent wedi ffurfio ymlyniad â hwy yn gafael ynddynt, ac os ydynt mewn lle dieithr. Mae'r ffordd mae'r dieithryn yn nesáu at y baban yn arwyddocaol hefyd. Os bydd y dieithryn yn nesáu'n araf, heb ddod yn rhy agos, na cheisio codi'r baban, a ddim yn siarad yn rhy uchel, bydd y baban yn dangos llai o ofn.

- *8–18 mis* Bydd babanod yn dechrau creu mwy o ymlyniadau os bydd oedolion eraill yn fodlon ac yn ymateb i anghenion y plentyn. Wrth allu symud mwy ac yn ddiweddarach wrth ddatblygu iaith, bydd y plentyn yn fwy gweithredol o ran chwilio am, a chadw, cysylltiad â'r person y maent wedi ffurfio ymlyniad â hwy.

- *2 oed ac ymlaen* Yn raddol bydd ofn dieithriaid a gofid gwahaniad yn diflannu yn achos plant a ffurfiodd ymlyniadau agos, os na chânt eu gwahanu am gyfnod rhy hir. Bydd plant sydd wedi creu ymlyniad yn dod yn fwyfwy annibynnol ac yn fodlon archwilio sefyllfaoedd newydd. Bydd plant nad ydynt wedi llwyddo cystal i greu ymlyniadau yn llai mentrus ac annibynnol.

- *3–5 oed* Erbyn cyrraedd yr oed hwn nid yw mor bwysig i fod o fewn golwg prif ofalwyr a hefyd mae plant yn dechrau ymbellhau. Rhaid i'r plentyn ddatblygu teimlad o annibyniaeth a bydd yn dechrau crwydro i ffwrdd a bod yn fodlon i weithredu ar ei ben ei hun. Mae gwybod trwy brofiad bod yr oedolyn ar gael yn eu helpu i deimlo'n ddiogel. Mae creu perthynas o fewn grŵp cyfoedion yn dechrau dod yn bwysig.

Gwirio'ch cynnydd

Pa amodau sy'n angenrheidiol ar gyfer ffurfio perthynas o ymlyniad?

Pa gyfnodau sy'n bwysig ar gyfer datblygu perthynas o ymlyniad?

Esboniwch sut mae cwrdd â gofynion baban yn helpu'r baban i ffurfio ymlyniadau.

Pam y gallai gofalwyr babanod dall, gredu nad ydynt yn ymateb yn ddigonol?

Ym mha oedran y bydd plentyn yn profi ofn dieithriaid?

Pwysigrwydd profi ymlyniad o safbwynt datblygiad plant

Mae ymlyniadau'n bwysig gan eu bod yn effeithio ar bob agwedd ar ddatblygiad plant; mae gan ymlyniadau ansicr oblygiadau pellgyrhaeddol i blentyn ac mae'n bosibl y bydd hyn yn effeithio ar y genhedlaeth nesaf. Mae'r adran hon yn ystyried pwysigrwydd ymlyniadau cadarn o ran pob agwedd ar ddatblygiad plant.

DATBLYGIAD CORFFOROL

Mae ymlyniadau cadarn yn symbylu gofalwyr i gwrdd â gofynion corfforol plant. Yn achos baban ifanc gall hyn fod yn dasg sy'n gofyn llawer o ymdrech. Os bydd y baban yn ymateb yn dda, bydd hunan-barch y gofalwyr yn cynyddu, a bydd yr ymlyniad yn eu symbylu i ystyried anghenion y baban cyn eu hanghenion hwy, er enghraifft drwy godi yn y nos ac aberthu eu cwsg er mwyn cyflenwi angen y baban am fwyd.

Gall methu â chyflenwi anghenion corfforol plant arwain at esgeulustod a **diffyg cynnydd**.

DATBLYGIAD GWYBYDDOL

Bydd gan blant sydd wedi ffurfio ymlyniadau cadarn yr hyder i archwilio a darganfod. Nid yw ymlyniad a dibyniaeth yn golygu'r un peth. Daeth yr ymchwiliwr Mary Ainsworth i'r casgliad bod 'y plentyn pryderus, ansicr i bob golwg yn ymddangos yn agosach at ei fam na'r plentyn sicr sy'n gallu archwilio'n gymharol rydd mewn sefyllfa anghyfarwydd, gan ddefnyddio'i fam fel man diogel', ond y plentyn gydag ymlyniadau cadarn yw'r un sy'n fwy hyderus a pharod i adael ei ofalwr. Mae'r plentyn hwn yn fwy tebygol o archwilio'r amgylchedd a dysgu o'i brofiadau newydd.

Yn ystod blwyddyn gyntaf eu bywydau, mae plant yn dysgu am ganlyniadau, ac am achos ac effaith. Er enghraifft, dysgant fod cael eu bwydo yn cael gwared ar chwant am fwyd, a bod crïo yn tynnu sylw oedolion. Adeiladir datblygiad gwybyddol ar y sail hon. Mae astudiaethau a gynhaliwyd yn UDA yn dangos bod plant o fewn y gyfundrefn ofal (sydd felly'n fwy tebygol o fod wedi profi ansicrwydd o ran eu rhieni a'u hymlyniadau) bedair neu bum gwaith fwy tebygol o brofi anawsterau dysgu.

DATBLYGIAD IAITH

Mae ymlyniadau'n datblygu o ganlyniad i ryngweithio rhwng gofalwyr a babanod. Ymhell cyn i fabanod allu siarad neu ddeall geiriau, bydd gofalwyr a babanod yn cynnal 'sgyrsiau'. Mae'r sgyrsiau hyn yn gymysgedd o eiriau ac ystumiau gan y gofalwr a synau a symudiadau gan y baban, wedi'u patrymu fel sgyrsiau rhwng oedolion. Mae arwyddion cynnar o gyn-iaith yn amlwg, hyd yn oed mewn babanod newydd eu geni; mae'n ymddangos bod babanod yn cael eu geni gyda thueddiad naturiol i gyfathrebu. Mae ymlyniadau cryf yn symbylu'r gofalwr a'r baban i gynnal sgyrsiau cynnar sy'n annog datblygiad iaith.

DATBLYGIAD EMOSIYNOL

Mae profiadau ymlyniad yn effeithio ar sawl agwedd ar ddatblygiad emosiynol, fel y gwelir isod:

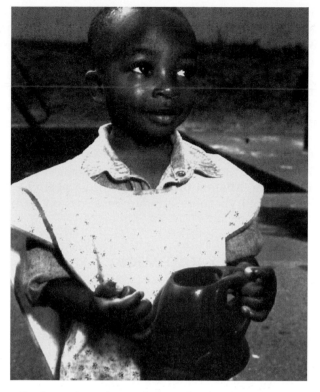

Mae plentyn sy'n ffurfio ymlyniadau cadarn yn fwy hyderus ac yn fwy abl i adael ei ofalwr

Ymdopi â rhwystredigaeth

Os bydd anghenion emosiynol babanod yn cael eu cyflenwi drwy berthnasau lle mae'r ymlyniad yn gadarn, byddant yn fwy abl i ymdopi â phwysau a rhwystredigaeth. Mae hyn yn wir yn ystod plentyndod a hefyd yn ddiweddarach mewn bywyd. O ganlyniad i'w hymchwil, daeth Mary Ainsworth i'r casgliad bod 'baban y mae ei fam wedi ymateb ar unwaith i'w alwad yn y gorffennol yn dysgu ymddiried yn ei pharodrwydd i ymateb ac yn datblygu hyder yn ei allu cynyddol i reoli'r hyn sy'n digwydd iddo'. Defnyddiodd Ainsworth y term 'mam sensitif' i gyfeirio at un sy'n ymateb i anghenion ei baban yn gyflym. Yn ôl Mary Ainsworth, mae'r babanod hyn yn teimlo eu bod yn cael eu caru ac yn ddiogel, rhywbeth sy'n eu helpu i ddod yn fwy annibynnol yn nes ymlaen. Mae babanod gydag anghenion na chafodd eu cyflenwi'n sensitif ac yn gyson yn tueddu i ddangos ymddygiad ymlyniad drwy hawlio mwy, a bod yn fwy dibynnol.

Datblygu hunanddelwedd bositif

Mae plant sydd wedi ffurfio ymlyniadau cadarn yn datblygu hunanddelwedd bositif. Maent yn deall eu hunain drwy ymatebion y sawl sy'n agos atynt. Credant y negeseuon a roddir iddynt yn barhaus. Pan fydd y negeseuon hyn yn bositif, maent yn helpu i greu hunan-barch a hunanddelwedd bositif.

Ymateb i reolaeth a disgyblaeth

Bydd plant gyda hunanddelwedd bositif, sy'n credu eu bod yn bobl werthfawr, yn gallu dygymod â rhwystredigaeth yn haws; bydd hefyd yn haws i oedolion eu rheoli neu eu disgyblu. Mae dulliau effeithiol o reoli a disgyblu yn dibynnu ar awydd plant i gadw'r ymlyniad â'u gofalwr. Gall y gofalwr ddisgyblu'r plentyn drwy ymbellhau'n gorfforol ac yn emosiynol, er enghraifft drwy edrych yn anghymeradwyol neu

efallai yrru'r plentyn i'w ystafell. *Maent yn dibynnu ar ddymuniad y plentyn i ailsefydlu'r agosatrwydd.* Bydd y broses hon yn llwyddo dim ond yn achos plant sydd wedi ffurfio ymlyniadau cadarn ac sy'n addasu eu hymddygiad i ailsefydlu agosatrwydd.

Mae plant sy'n teimlo eu bod yn cael eu gwerthfawrogi'n disgwyl y bydd pethau da yn digwydd iddynt. Maent yn credu eu bod yn haeddu cael eu gwobrwyo ac yn hyderu y bydd eu gofalwyr yn rhoi gwobr iddynt os byddant yn ymddwyn yn briodol. Byddant yn addasu eu hymddygiad yn briodol er mwyn derbyn eu gwobr.

Ymdopi ag ofnau a phryderon

Mae plant sydd wedi ffurfio ymlyniadau cadarn yn fwy abl i ymdopi ag ofnau a phryderon. Mae eu profiad o fywyd yn peri iddynt deimlo'n ddiogel ac ymddiried y bydd pobl yn gofalu amdanynt ac yn eu hamddiffyn rhag ofnau a phryderon llethol.

DATBLYGIAD CYMDEITHASOL

Ffurfio perthnasau

Mae ymddiriedaeth plant yn eu gofalwr a'u synnwyr o ddiogelwch yn datblygu drwy brofi ymlyniadau cadarn. Mae'r profiad hwn yn gwneud i blant deimlo'n ddiogel a hyderu ym mhobl eraill, ac mae hyn yn creu'r sail ar gyfer creu perthnasau yn y dyfodol, gan ddylanwadu ar eu hawydd a'u gallu i ymwneud ag eraill yn ystod eu hoes. Drwy gyfrwng eu profiad o berthnasau lle mae ymlyniad cadarn, mae plant yn dysgu sut i gymryd rhan mewn perthnasau dwyochrog (rhoi a derbyn) eraill.

Datblygiad emosiynau cymdeithasol

Erbyn cyrraedd tua 18 mis oed, mae plant sydd wedi ffurfio ymlyniadau cadarn yn dangos emosiynau cymdeithasol. Mae babanod yn gallu dangos rhywfaint o empathi neu ddealltwriaeth o sut mae pobl eraill yn teimlo mewn sefyllfaoedd arbennig. Gallant ddangos gofal dros eraill, cydymdeimlad (teimlad dros bobl eraill), balchder a chywilydd. Mae plant y mae eu hanghenion wedi cael eu bodloni gan berthnasau ymlyniad yn fwy rhydd i deimlo dros eraill.

Datblygiad cydwybod

Drwy brofi cywilydd gall plant gael eu gorfodi i deimlo cywilydd ac euogrwydd. Os yw'r cydbwysedd rhyngddynt yn iawn, mae'r teimladau hyn yn iach. Maent yn arwain at ddatblygiad cydwybod. Mae cydwybod yn ddibynnol ar y gallu i wybod beth yw'r gwahaniaeth rhwng cywir ac anghywir, ac mae hyn yn bwysig wrth ddatblygu perthnasau. Heb gydwybod, mae ymddygiad plant yn hunanganolog. Mae plant hunanganolog yn cael anhawster ffurfio a chynnal perthnasau.

Astudiaeth achos ...
... diffyg cynnydd

Roedd Carys wedi cymryd yn ganiataol y byddai'n cael ail blentyn ond nid oedd wedi cynllunio beichiogi. Roedd hi a'i phartner, Siôn, wedi hen arfer â'u dull o fyw yn y Lluoedd Arfog, ac nid oeddent yn synnu pan anfonwyd Siôn dramor am 6 mis yn ystod y beichiogrwydd.

Teimlai Carys fod Siôn wedi dangos diffyg cefnogaeth pan fethodd â dychwelyd ar gyfer y geni. Wedi esgor hir ac anodd, ganed Iago drwy doriad Cesaraidd. Roedd yn araf i anadlu, ac fe'i rhoddwyd yn yr Uned Gofal Arbennig i Fabanod am wythnosau cyntaf ei fywyd. Ychydig ddyddiau wedi'r esgor, roedd Carys, a deimlai'n flinedig o hyd, yn falch o adael yr ysbyty heb Iago. Roedd hi'n awyddus iawn i ddychwelyd adref er mwyn gofalu am Tomos, ei phlentyn hynaf, a oedd yn 2 oed. O'r diwedd, gadawyd i

Iago fynd adref.

Aeth yr ymwelydd iechyd i weld Carys pan oedd Iago'n 3 mis oed am nad oedd hi wedi mynychu'r clinigau baban o gwbl. Daeth yr ymwelydd iechyd o hyd i Carys a Tomos yn chwarae gyda'i gilydd yn y lolfa. Roedd Iago yn ei grud yn yr ystafell wely. Nid oedd unrhyw eitemau babanod yn y golwg ac roedd Carys fel petai'n synnu at ddiddordeb yr ymwelydd iechyd yn Iago.

Wedi cyfnod o fonitro gofalus gan yr ymwelydd iechyd, barnwyd bod Iago yn dangos diffyg cynnydd ac fe'i cymerwyd yn ôl i'r ysbyty. Yn yr ysbyty, dechreuodd ennill pwysau. Yn ddiweddarach, lletywyd Iago oddi cartref gan adran gwasanaethau cyhoeddus yr awdurdod lleol.

1. Pa ffactorau oedd yn gyfrifol, o bosibl, am y berthynas o ymlyniad gwan rhwng Carys ac Iago?

2. Pam fod Iago wedi ennill pwysau yn yr ysbyty?

3. Pam fod yr adran gwasanaethau cymdeithasol wedi lletya Iago oddi cartref?

4. Pam na wnaeth yr adran gwasanaethau cymdeithasol letya'i frawd, Tomos, oddi cartref?

5. Sut y gellid atgyfannu Iago i mewn i'r teulu?

Gwirio'ch cynnydd

Pam ei bod hi'n bwysig o ran lles corfforol baban eu bod yn ymatebol?

Sut mae profiad o ymlyniadau cadarn yn annog datblygiad gwybyddol?

Beth yw priodweddau 'mam sensitif'?

Pam fod plant sydd wedi ffurfio ymlyniadau cadarn yn fwy abl i ymdopi ag ofnau a phryderon?

Beth yw emosiynau cymdeithasol?

Effeithiau gwahaniad a cholled ar blant a'u teuluoedd

Yn ystod y 1940au astudiodd John Bowlby, awdur y gwaith a nodwyd uchod, bobl ifainc a dorrai'r gyfraith yn gyson. Yn ei lyfr Maternal Care and Mental Health (1951), esboniodd eu bod yn tramgwyddo am eu bod wedi cael eu 'hamddifadu o ofal mamol dros gyfnod hir'. Cyfeiriwyd at y diffyg gofal mamol hwn fel '**amddifadiad mamol**', a ddiffiniwyd ar y pryd fel plentyn yn colli cariad ei fam.

Yn ystod y 1950au a'r 1960au, arsylwodd James a Joyce Robertson, cydweithwyr John Bowlby, blant a dderbyniwyd i'r ysbytai neu feithrinfeydd preswyl. Roeddent yn argyhoeddedig bod gwahanu plant ifainc o'u rhieni'n niweidiol. Ar y pryd, nid oedd y byd meddygol yn derbyn bod hyn yn wir. Defnyddiai'r Robertsons sine-camera i ffilmio plant yng nghyfnodau'r gwahanu. (Mae'r ffilmiau neu'r fideos hyn ar gael o hyd.) Nodwyd bod dilyniant ymddygiadol llawer o blant yn debyg yn ystod y cyfnodau hyn. I bob golwg roedd y broses hon yn digwydd os câi plant eu gwahanu oddi wrth y bobl hynny yr oeddent wedi creu ymlyniad â hwy, a heb dderbyn y gofal priodol wedi hynny. Eu henw ar hyn oedd **syndrom cyfyngder**.

Pan ofalodd y Robertsons am blentyn 2 oed yn eu cartref eu hunain, gan ffilmio ei

term allweddol

Syndrom cyfyngder

y patrwm ymddygiad a ddangosir gan y plant sy'n profi colled gofalwr cyfarwydd, heb fod rhywun arall yn dod yn eu lle

hymatebion, nid oedd unrhyw arwydd o syndrom cyfyngder am y rhesymau a esboniwyd yn y ffilm, sef bod y plentyn, Catrin, wedi cael ei pharatoi ar gyfer y digwyddiad, wedi mynd â llawer o wrthrychau cyfarwydd gyda hi, rhywbeth a wnaeth iddi deimlo'n sicr ac yn ddiogel, a derbyniai gofal un-i-un priodol a gymerai le agweddau mwyaf pwysig cariad a gofal ei rhieni. Hynny yw, derbyniai gofal dirprwyol da.

Mae gwrthrychau cyfarwydd yn rhoi teimlad o sicrwydd a diogelwch

Y SYNDROM CYFYNGDER

Y Syndrom cyfyngder yw'r enw a roddir i'r patrwm ymddygiad canlynol, a amlygir gan blant na chafodd eu paratoi ar gyfer gwahaniad ac sydd heb dderbyn gofal dirprwyol priodol:

- Mae'n dechrau gyda chyfnod o *gyfyngder* neu brotest, a amlygir drwy grïo, sgrechian, a dulliau eraill o fynegi dicter wrth gael eu gadael.

- Yn dilyn hyn ceir cyfnod o *anobaith* pan fydd plant yn dechrau ofni nad yw eu gofalwr yn dod yn ôl, ac o ganlyniad yn troi'n llesg, angen mwy o orffwys, yn araf yn feddyliol, heb ddiddordeb ac yn gwrthod chwarae.

- Yn olaf, mae cyfnod o *ddatgysylltu* pan fydd plant yn ceisio ymwahanu o unrhyw atgof o'r gorffennol, am eu bod yn credu nad yw eu gofalwr yn dod yn ôl. Ni allant ganolbwyntio, ac mae eu hymddygiad yn ansicr; ar brydiau byddant yn ymddangos yn araf yn feddyliol ac yn ddifywyd, dro arall byddant yn fywiog iawn ac wedi eu cynhyrfu. Os ydy plant yn cyrraedd y cam hwn, mae'n ymddangos bod niwed parhaol yn digwydd i'w sicrwydd emosiynol yn y dyfodol.

Yn ogystal, sylwodd y Robertsons ar yr anawsterau a brofai plant wrth ailgysylltu ac ymwneud â'u rhieni ar ddiwedd y cyfnod o wahaniad. Gwnaed astudiaethau o rai o'r plant ar ôl y gwahaniad, a sylwyd eu bod yn crïo'n fwy nag o'r blaen, yn strancio ac yn dangos llai o gariad na chyn y gwahanu. Daethant i'r casgliad y gallai'r profiadau gwahanu negyddol hyn arwain at effeithiau tymor hir.

Yn ffodus, o ganlyniad i'w hymchwil, mae llai o blant yn gorfod dioddef trawma o'r fath.

Astudiaeth achos ...

...derbyn i ysbyty

Ganed Sioned yn 1948. Cafodd blentyndod hapus, ac nid oedd byth yn bell o'i rhieni. Yn 4 oed, ar ôl salwch hir, penderfynwyd y dylid tynnu ei thonsiliau, gan arwain at gyfnod o 10 diwrnod yn yr ysbyty. Roedd yr ysbyty yn y wlad, filltiroedd i ffwrdd o'i chartref, ac nid oedd gan ei rhieni gar, gan olygu bod teithio'n broblem. Er gwaetha'r ffaith bod awr bob prynhawn ar gyfer ymwelwyr, dywedwyd wrth ei rhieni y byddai'n well peidio ag ymweld â Sioned gan y byddai hynny 'yn ei chynhyrfu, efallai'. Oherwydd hyn, ni ddaeth ei rhieni i'w gweld unwaith yn ystod y cyfnod ac aeth Sioned yno ac yn ôl yng nghar yr ysbyty.

Pan gyrhaeddodd Sioned yr ysbyty yn gyntaf, roedd hi'n siriol ac yn ymddiddori ym mhopeth, ond cafodd fraw yn fuan pan gafodd ei gorfodi i yfed moddion a newid ei dillad ar gyfer gŵn ysbyty. Ni ofalwyd amdani gan un person; daeth nyrsys gwahanol ati yn eu tro. Roedd y paratoi ar gyfer y llawdriniaeth yn peri dryswch iddi a dechreuodd grïo am ei mam. Wedi'r llawdriniaeth roedd hi'n anghyffyrddus iawn ac yn crïo mwy fyth. Nid oedd neb yn gas wrthi, ond ni chafodd lawer o sylw. Yn raddol, aeth yn dawel ac yn isel ac ni chymerai fawr o sylw o neb.

Ar ôl cyrraedd adref, roedd ymddygiad Sioned tuag at ei rhieni yn oer ac yn bell. Ni fyddai'n ymateb pan geisient ei hanwesu. Trodd yn blentyn dirdynedig, a phan ddechreuodd yn yr ysgol yn 5 oed, dangosodd ei chyfyngder, ac ni ymgartrefodd am amser maith.

1. *Pa batrwm ymddygiad a ddangosir gan ymatebion Sioned?*

2. *Beth wnaeth iddi ymateb fel hyn, yn eich barn chi?*

3. *Pam na ddaeth ei rhieni i'w gweld?*

4. *Beth oedd effeithiau tymor hir y profiad, yn ôl pob golwg?*

5. *Ym mha ffyrdd y mae derbyniad plant i'r ysbyty'n wahanol heddiw?*

Strategaethau i leihau effeithiau niweidiol gwahaniad

YMARFER DA CYFREDOL

Yn ei lyfr, *Maternal Deprivation Reassessed*, daeth Michael Rutter i'r casgliad y gellid cwrdd ag anghenion plant yn ddigonol drwy ddarparu gofal dirprwyol, wedi'i drefnu mewn ffordd sensitif, a bod y plant a arsylwyd gan y Robertsons yn colli'r ymddygiad gofalgar unigol yr oeddent wedi arfer ag ef cymaint â'u rhieni. Nid yw gwahaniad yn debyg o effeithio cymaint ar blant os ydy'r amgylchedd yn darparu gofal dirprwyol da.

Mae darganfyddiadau Bowlby, ynghyd â chanlyniadau'r Robertsons ac

ymchwilwyr eraill, wedi arwain at newidiadau pellgyrhaeddol o ran arfer gofal plant. Mae nifer o broffesiynau sy'n delio â phlant bellach wedi newid eu hymarfer er mwyn osgoi gwahanu plant o'u rhieni'n ddianghenraid, er enghraifft adrannau derbyn mewn ysbytai, ac i baratoi plant pan fod rhaid gwahanu, er enghraifft pan fydd plant yn mynd i'r ysgol.

Mae'r newidiadau hyn yn cynnwys:

- babanod newydd yn cael eu cadw yn ymyl eu mamau ar wardiau mamolaeth
- rhieni babanod mewn Unedau Gofal Arbennig i Fabanod yn cael eu hannog i gymryd rhan yng ngofal eu babanod sâl neu fychan
- rhieni yn cael eu hannog i aros gyda'u plant yn yr ysbyty, a darpariaeth cyfleusterau sy'n eu galluogi i aros dros nos
- llawer o weithwyr cymdeithasol yn cael eu dysgu i ystyried mai gwahanu plant o'u prif ofalwyr yw'r ateb gwaethaf posibl i broblemau teulu
- paratoad ar gyfer dechrau ysgol a chael eu derbyn i'r ysbyty.

GOFAL DIRPRWYOL DA

Roedd arsylwadau'r Robertsons yn tynnu sylw at bwysigrwydd gofal amnewidiol neu **ofal dirprwyol** (a elwir bellach yn 'doriadau byrdymor') da i blant yn ystod cyfnodau o wahaniad. Mae gofal dirprwyol yn dda pan drefnir ef i gwrdd ag anghenion emosiynol plant.

Mae gofal dirprwyol yn annhebygol o gwrdd ag anghenion plant os bydd plant:

- yn derbyn gofal gan ofalwyr sy'n newid yn gyson, gyda dim ond ychydig o amser ar gyfer rhoi sylw unigol
- yn cael ychydig iawn o gyfle i ffurfio ymlyniad ag unrhyw ofalwr unigol
- wedi cael eu paratoi'n annigonol ar gyfer cael eu gwahanu neu eu haduno
- heb dderbyn anogaeth i gadw mewn cysylltiad â'r bobl hynny roeddent wedi ffurfio ymlyniad â hwy.

Mae ymchwil y Robertsons ac eraill wedi effeithio ar ddarpariaeth gofal i blant yn y sefyllfaoedd niferus lle cant eu gwahanu oddi wrth y gofalwyr y ffurfiwyd ymlyniadau â hwy. Yn y gorffennol, yn aml gofalwyd am blant mewn sefydliadau mawr. Roedd y staff yn gyfrifol am nifer o blant ac ni chaent eu hannog i ddatblygu perthnasau arbennig â phlant unigol.

GOFAL PRESWYL

Heddiw, gofalir am blant nad ydynt yn gallu aros gyda'u rhieni gan eu teulu estynedig neu bobl sy'n gyfarwydd iddynt, os yn bosibl. Mae'r plant sydd dan ofal adran gwasanaethau cymdeithasol yr awdurdodau lleol yn aros mewn cartrefi maeth neu gartrefi grwpiau bach. Mae meithrinfeydd preswyl yn brin erbyn hyn.

Mae'r pwyslais yn awr ar ofal dirprwyol sydd gyn debyced â phosibl i ofal teulu. Anogir gofalwyr dirprwyol i ddatblygu cwlwm cariad â'r plant. Bydd gan blant mewn cartrefi plant bach nifer cyfyngedig o ofalwyr, ac un ohonynt fydd eu **gweithiwr allweddol** neu ofalwr arbennig. Ar ben hyn, mae llawer o blant sydd dan ofal tymor hir yr adran gwasanaethau cymdeithasol bellach yn cael eu mabwysiadu. Mae rhai plant anabl, a dderbyniodd gofal sefydliadau preswyl, hefyd yn cael eu mabwysiadu.

GOFAL DYDD

Mae **gofal dydd** yn golygu gofal i blant sy'n derbyn gofal am ran o'r diwrnod neu'r diwrnod cyfan, ond sy'n dychwelyd at eu prif ofalwyr gyda'r nos. Gall hyn fod yng ngofal gwarchodwyr plant, meithrinfeydd dydd, ysgolion meithrin ac ysgolion

term allweddol

Gofal dirprwyol

y gofal a roddir i blant yn ystod cyfnodau o wahaniad oddi wrth eu prif ofalwyr

term allweddol

Gweithiwr allweddol

yn gweithio gyda phlant penodol, gan ymwneud â'u gofal a'u hasesu

term allweddol

Gofal dydd

darpariaeth gofal yn ystod y dydd mewn amrywiaeth o leoliadau y tu allan i gartref plentyn gyda phobl nad ydynt yn berthnasau agos, naill ai'n llawn-amser neu'n rhan-amser cynradd. Fel rheol bydd plant sydd dan ofal nanis yn aros yn eu cartrefi eu hunain neu efallai na fydd eu rhieni'n bresennol bob amser; o bosibl, byddant yn dal i brofi rhywfaint o golled.

Dan Ddeddf Plant 1989, anogir awdurdodau lleol i ddarparu ystod o wasanaethau i alluogi 'plant mewn angen' i aros yn eu cartrefi eu hunain a derbyn gofal eu teuluoedd eu hunain. Mae hyn yn osgoi'r niwed emosiynol a achosir weithiau gan wahaniad. Mae'r gwasanaethau hyn yn cynnwys:

- meithrinfeydd dydd neu ganolfannau teulu

- gofal seibiant, i blant anabl – mae hyn yn darparu gofal tymor byr sy'n caniatáu i deuluoedd gymryd seibiant ac efallai cadw'r teulu rhag chwalu

- cysylltu ag asiantaethau gwirfoddol sydd hefyd yn darparu gwasanaethau i blant a'u teuluoedd.

Gwirio'ch cynnydd

Beth yw 'amddifadiad mamol'?

Disgrifiwch y syndrom cyfyngder a phryd y gallai ddigwydd.

Beth yw'r mesurau a nodir gan y Ddeddf Plant er mwyn caniatáu i 'blant mewn angen' aros yn eu cartrefi eu hunain?

Trawsnewidiadau

term allweddol

Trawsnewidiad
symudiad plentyn o un sefyllfa gofal i un arall

Yng nghyd-destun gofal plant, mae **trawsnewidiad** yn cyfeirio at symud plentyn o un sefyllfa gofal i un arall. Fel rheol mae hyn yn golygu newid yn yr amgylchedd ffisegol a newid gofalwr/wyr am ran o'r diwrnod neu'r diwrnod cyfan.

Mae trawsnewidiadau'n digwydd mewn amrywiaeth o sefyllfaoedd, sy'n cynnwys mynd â phlentyn at ofalwr plant, neu i feithrinfa dydd, canolfan teulu, crèche, ysgol feithrin neu ysgol fabanod.

Mae trawsnewidiadau yn golygu bod plentyn yn newid a cholli'r bobl y maent wedi creu ymlyniad â hwy, ac mae'r ddau beth hyn yn gallu gwneud i'r plentyn deimlo'n llai sicr a pharod i ymddiried.

STRATEGAETHAU I HELPU PLANT A THEULUOEDD YMDOPI Â THRAWSNEWIDIADAU

Mae plant ifainc angen amgylchedd sefydlog a sicr ac oherwydd hyn rhaid iddynt gael cymorth i ymdopi ag unrhyw drawsnewidiadau y maent yn eu profi. Mae'n bwysig eu bod yn cael eu paratoi, ac yn derbyn gofal dirprwyol da a chymorth gyda'r aduno.

Mae'r ymchwil a wnaed i effeithiau gwahaniad a cholled wedi dylanwadu'r uniongyrchol ar y dull o baratoi plant ar gyfer trawsnewidiadau a'r gofal a dderbyniant pan wahanir hwy o'u gofalwyr naill ai drwy ofal dydd, **gofal preswyl** neu drwy fod yn yr ysbyty.

term allweddol

Gofal preswyl
darpariaeth gofal yn ystod y dydd a'r nos y tu allan i gartref y plentyn gyda phobl nad ydynt yn berthnasau agos

Paratoad

Gall y ffordd y paratoir plant ar gyfer newid ddylanwadu ar eu hymateb i wahaniad. Yn y gorffennol, ni roddwyd fawr o sylw i'r broses o baratoi. Cymerwyd plant i'r ysgol neu'r ysbyty a gadawyd hwy yno i ymdopi â'r profiad. Erbyn hyn, derbynnir bod angen paratoi plentyn sy'n symud i leoliad arall. Mae paratoad erbyn hyn yn

term allweddol

Gweithdrefn
ffordd ragosodedig
o wneud rhywbeth,
y cytunwyd arno
eisoes

rhan o bolisi'r mwyafrif o sefydliadau, gan gynnwys meithrinfeydd, ysgolion, ysbytai, gwarchodwyr plant a gofal maeth tymor hir.

Yn aml, bydd paratoad yn rhan o **weithdrefn** y sefydliad gofal dydd neu ysgol. (Gweithdrefn yw dull o wneud rhywbeth, y cytunwyd arno eisoes.) Mae angen i bobl sy'n delio â phlant ar gyfnod o newid ddeall a bod yn sensitif i anghenion plant.

Gellir defnyddio'r canllawiau canlynol ar gyfer paratoad mewn amrywiaeth o sefydliadau, gan gynnwys ysgolion ac ysbytai. Cyn trawsnewidiad, paratowch blant drwy:

- siarad â hwy ac esbonio'n glir wrthynt beth sydd ar fin digwydd

- gwrando arnynt a thawelu eu meddyliau

- darllen llyfrau ac edrych ar fideos perthnasol gyda hwy

- darparu cyfleoedd ar gyfer chwarae llawn dychymyg a mynegiant a fydd yn helpu plant i fynegi eu teimladau

- trefnu ymweliadau rhagarweiniol ar eu cyfer ac ar gyfer eu gofalwyr, pan ellir cynnig gwybodaeth a phrofiadau ar eu lefel hwy a lefel oedolyn

- sicrhau bod unrhyw fanylion personol perthnasol am blentyn, gan gynnwys eu hoffterau a'r pethau maent yn eu casáu, a'u cefndir diwylliannol, ar gael i'r gofalwr dirprwyol.

Mae darllen llyfrau perthnasol yn gallu helpu i baratoi plentyn ar gyfer newid

GOFALU AM BLANT YN YSTOD GWAHANIAD A THRAWSNEWIDIAD

Dylai gweithwyr asesu ymddygiad plant yn ystod y cyfnod gwahaniad, nodi unrhyw achos pryder a rhoi'r sylw priodol. Fel y gwelir o'r tabl isod, mae Deddf Plant 1989 yn nodi bod plant ifainc angen cysylltu'n agos â gofalwr cyfarwydd. O ganlyniad, mae'n rhoi arweiniad ynglŷn â'r gymhareb plant a gofalwyr: po ieuengaf y plentyn, po uchaf y gymhareb. Mae gan lawer o sefydliadau gofal dydd weithwyr allweddol sy'n delio â gofal ac asesiad plant penodol.

Wrth ofalu am blant, mae angen ystyried y pwyntiau canlynol:

Cymarebau oedolion-plant awgrymedig (Deddf Plant 1989)		
Sefydliad	**Oed**	**Cymhareb plant:gofalwr**
Gofal dydd	Dan 2 oed	3:1
	Dros 2 oed ond dan 3 oed	4:1
	Dros 3 oed ond dan 5 oed	8:1
	Dros 5 oed ond dan 8 oed	8:1
Gofalwyr plant	Dan 5 oed	3:1
	Dros 5 oed ond dan 8 oed	6:1
	Dan 8 oed (gyda dim mwy na thri ohonynt dan 5 oed)	6:1

- Mae plant dan 3 oed yn elwa o berthynas un-i-un â pherson penodol.

- Rhaid deall beth yw anghenion a chefndir plant.

- Dylid sicrhau bod gwrthrychau cysur plant o fewn eu cyrraedd.

- Dylid darparu gweithgareddau i blant sy'n briodol ar gyfer eu hoedran a cham datblygiadol, yn enwedig chwarae sy'n eu hannog i fynegi eu teimladau.

- Dylid tawelu eu meddyliau gyda gonestrwydd.

- Dylai rhieni plant allu cysylltu â'r plant os yw hynny'n briodol, lle bo hynny'n bosibl.

- Dylai fod gan blant wrthrychau, megis ffotograffau, i'w hatgoffa o'u rhieni neu ofalwyr pan fyddant ar wahân.

- Dylid hybu delweddau positif o rieni, a fydd yn atgoffa plant o'u diwylliant cartref.

ADUNO PLANT GYDA'U PRIF OFALWYR

Bydd plant a baratowyd ar gyfer gwahaniad ac sydd wedi derbyn gofal priodol yn cael llai o anhawster wrth gael eu haduno â'u gofalwyr ac i ail-addasu i'w cartref. Mae hyn yr un mor wir am blant sy'n dechrau yn yr ysgol a phlant sy'n dychwelyd adref o ofal llawn amser. Bydd gofalwyr yn helpu plant i aduno drwy gofio:

- bod yn onest ynglŷn â phryd y bydd yr aduno'n digwydd

- gadael iddynt siarad a mynegi eu teimladau drwy chwarae

- cynghori'r rhiant/rhieni i ddisgwyl a derbyn rhywfaint o gynnwrf yn nheimladau eu plentyn ac o bosibl rhywfaint o ymddygiad *atchweliadol* (mynd yn ôl i gam datblygiadol cynharach).

Gadewch i'r plentyn siarad a mynegi teimladau drwy chwarae

TRAWSNEWID I'R FEITHRINFA NEU'R YSGOL

Mae'r mwyafrif o blant yn mynd i'r ysgol. O bosibl bydd rhai yn mynd i ysgol feithrin, ac eraill yn dechrau'n 5 oed, sef yr oed statudol ar gyfer mynd i'r ysgol. Pa beth bynnag fo'u hoedran, mae'n bosibl y bydd plant yn teimlo pryder a straen wrth ddechrau yn yr ysgol.

Dyma resymau posibl dros bryder wrth ddechrau yn y feithrinfa neu'r ysgol.

Mae'n bosibl y bydd y trefnau arferol yn anghyfarwydd ac efallai y byddant yn ofni gwneud rhywbeth na ddylent

- cael eu gwahanu oddi wrth eu gofalwr
- bod mewn grŵp anghyfarwydd o blant a fydd, o bosibl, wedi sefydlu grwpiau cyfeillgarwch yn barod
- gall y diwrnod ymddangos yn hir
- mae'n bosibl y byddant yn anghyfarwydd â phrif ddiwylliant ac iaith yr ysgol
- bydd y trefnau arferol yn anghyfarwydd ac o bosibl, byddant yn ofni gwneud rhywbeth na ddylent
- gall gwahanol weithgareddau megis Addysg Gorfforol, amser chwarae, llaeth a chinio deimlo'n rhyfedd iddynt
- mae'n bosibl y bydd maint a dieithrwch yr adeiladau'n frawychus
- cael eu cyfeirio a gorfod canolbwyntio am gyfnodau hirach nag erioed o'r blaen.

Hwyluso'r trawsnewidiad o'r cartref i'r ysgol

Ceir ffynonellau cymorth posibl i blant sy'n dechrau yn yr ysgol. Mae'r ffynonellau hyn yn cynnwys polisïau'r ysgol ynglŷn â derbyniadau a rhieni, staff yr ysgol a rhieni neu deulu'r plant.

Astudiaeth achos ...

... dechrau yn yr ysgol

Dechreuodd Marc yn nosbarth derbyn yr ysgol fabanod leol yr wythnos ar ôl ei benblwydd yn 5 oed. Roedd hyn yn rhan o bolisi'r ysgol yn ymwneud â derbyniadau. Cyn hynny, aeth i feithrinfa ddydd llawn amser am 4 blynedd tra gweithiai ei fam a'i dad. Rhoddwyd llyfr gwybodaeth defnyddiol am yr ysgol i'w rieni, ac aethant i gyfarfod a gynhaliwyd ar gyfer rhieni pob plentyn newydd. Aeth Marc i sesiynau cyn ysgol gyda phlant newydd eraill yn ystod y tymor cyn ei dymor cyntaf yn yr ysgol. Cynhaliwyd y rhain yn un o'r dosbarthiadau yn yr ysgol un prynhawn yr wythnos, gyda'r athrawes dderbyn.

1. Sut baratowyd Marc ar gyfer y dosbarth derbyn?
2. Sut gallai rhieni Marc ddefnyddio'r wybodaeth a gawsant am yr ysgol?
3. A wnaeth Marc ymgartrefu'n dda, a beth yw'r rheswm dros eich ateb?
4. Pam na fyddai Marc wedi gallu ymgartrefu heb y paratoad hwn?

TRAWSNEWIDIADAU AML

Fel rheol mae plant yn dysgu i ymdopi â mynd i'r ysgol bob dydd os dangosir sensitifrwydd, a rhoddir sylw i'r pwyntiau uchod, wrth drefnu eu derbyniad i'r ysgol. Gellir helpu plant i ddod i arfer â chael eu derbyn i'r ysbyty'n aml hefyd os bydd angen. Mae rhai plant yn gorfod ymdopi â symud rhwng cartref eu teulu a llety preswyl neu ofal maeth. Weithiau bydd hyn yn digwydd oherwydd problemau teuluol; mae'n bosibl nad ydy rhieni'n gallu gofalu amdanynt am eu bod yn cael problemau o ryw fath. Weithiau, os ydy plentyn yn anabl, mae cyfnod o **ofal seibiant** mewn cartref plant cymunedol yn caniatáu i'r plentyn dderbyn hyfforddiant neu gael ei asesu. Mae hefyd yn rhoi seibiant i'w deulu. Gyda'r driniaeth briodol o'r sefyllfa, gall plentyn addasu i newidiadau mewn preswylfa o'r math hwn o bryd i'w gilydd.

term allweddol

Gofal seibiant

gofal tymor byr sy'n caniatáu i blentyn dderbyn hyfforddiant a chael ei asesu a/neu i roi seibiant i'w deulu

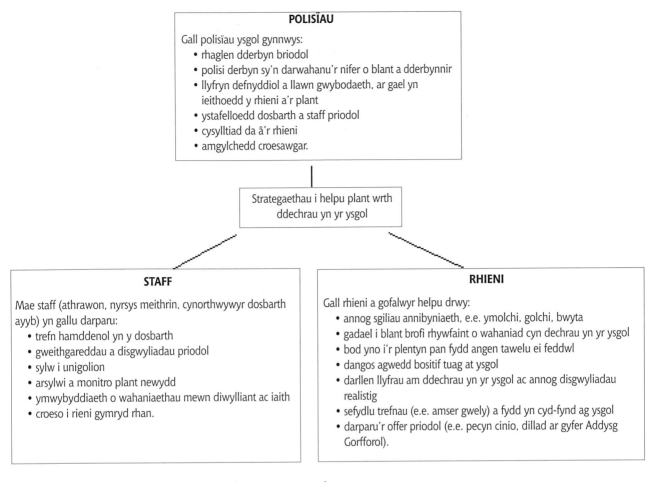

POLISÏAU

Gall polisïau ysgol gynnwys:
- rhaglen dderbyn briodol
- polisi derbyn sy'n darwahanu'r nifer o blant a dderbynnir
- llyfryn defnyddiol a llawn gwybodaeth, ar gael yn ieithoedd y rhieni a'r plant
- ystafelloedd dosbarth a staff priodol
- cysylltiad da â'r rhieni
- amgylchedd croesawgar.

Strategaethau i helpu plant wrth ddechrau yn yr ysgol

STAFF

Mae staff (athrawon, nyrsys meithrin, cynorthwywyr dosbarth ayyb) yn gallu darparu:
- trefn hamddenol yn y dosbarth
- gweithgareddau a disgwyliadau priodol
- sylw i unigolion
- arsylwi a monitro plant newydd
- ymwybyddiaeth o wahaniaethau mewn diwylliant ac iaith
- croeso i rieni gymryd rhan.

RHIENI

Gall rhieni a gofalwyr helpu drwy:
- annog sgiliau annibyniaeth, e.e. ymolchi, golchi, bwyta
- gadael i blant brofi rhywfaint o wahaniad cyn dechrau yn yr ysgol
- bod yno i'r plentyn pan fydd angen tawelu ei feddwl
- dangos agwedd bositif tuag at ysgol
- darllen llyfrau am ddechrau yn yr ysgol ac annog disgwyliadau realistig
- sefydlu trefnau (e.e. amser gwely) a fydd yn cyd-fynd ag ysgol
- darparu'r offer priodol (e.e. pecyn cinio, dillad ar gyfer Addysg Gorfforol).

Strategaethau i helpu plant wrth ddechrau yn yr ysgol

TRAWSNEWIDIADAU LLUOSOG

Mae rhai plant, fodd bynnag, yn symud yn aml. Gall hyn ddigwydd am fod y teulu'n chwalu'n gyson ac yn annisgwyl. Mae plant fel hyn yn ymddiried llai o hyd mewn oedolion. Maent yn cyfarwyddo â newid, ond yn dod yn fwyfwy anabl i greu perthynas agos â gofalwyr. Tarfwyd ar eu datblygiad emosiynol a chymdeithasol ac oherwydd hyn nid ydynt yn hawdd eu trin. Dyma pam fod rhaid sicrhau nad yw plant ifainc yn newid eu hamgylchedd yn aml, os yn bosibl. Mae gweithwyr cymdeithasol yn ceisio gwneud cynlluniau parhaol, tymor hir i blant. Gall y cynlluniau hyn gynnwys gosod plant gyda mabwysiadwyr neu rieni maeth tymor hir.

Gwirio'ch cynnydd

Beth yw gweithiwr allweddol?

Beth yw trawsnewidiad?

Pryd allai plant gael eu gwahanu o'u prif ofalwyr?

Beth sy'n gallu effeithio'n sylweddol ar ymateb plant i drawsnewidiad?

Beth yw'r prif resymau dros bryder plant sy'n dechrau mynd i'r feithrinfa neu'r ysgol?

Colled a galar

Dim ond nifer cyfyngedig o berthnasau agos iawn sydd gennym yn ein bywydau. Mae rhai o'r perthnasau agosaf rhwng mamau cu a thadau cu, rhieni a phlant, brodyr a chwiorydd, a phartneriaid oes.

Fel rheol, mae'r gair **galar** yn disgrifio teimladau o dristwch mawr pan gollir rhywun agos trwy farwolaeth. Mae'r term hefyd yn disgrifio teimladau ac ymateb plant i golled, dros y tymor hir a than amgylchiadau eraill, person y maent wedi ffurfio ymlyniad â hwy. Mae'r colled tymor hir hwn yn gallu digwydd pan fydd gofalwr:

term allweddol

Galar
teimladau o dristwch mawr wrth golli rhywun agos drwy farwolaeth

- yn gwahanu oddi wrth neu'n ysgaru eu partner ac yn colli cysylltiad â'r plentyn

- yn y carchar am gyfnod hir

- yn ddifrifol wael ac yn methu â chyfathrebu (er enghraifft, mewn coma)

- yn mynd i ffwrdd, gan gynnwys i wlad arall, gan adael y plentyn ar ôl.

Os bydd unrhyw un o'r uchod yn digwydd, mae'n bosibl y bydd y plentyn yn teimlo galar. Mae ymchwil wedi dangos bod y galar a deimlir gan blant ac oedolion yn dilyn llwybr neu batrwm adnabyddadwy. Mae'n hanfodol i fod yn ymwybodol o'r patrwm hwn wrth weithio gyda phlant sy'n profi galar. Bydd yr ymwybyddiaeth hon yn eich galluogi i:

- ddeall teimladau ac ymddygiad y plentyn

- fod yn sensitif i anghenion y plentyn

- allu darparu ar gyfer y plentyn a gofalu amdano yn y ffordd fwyaf priodol.

Dim ond nifer cyfyngedig o berthnasau agos iawn sydd gennym yn ein bywydau. Ymhlith yr agosaf yw perthynas brodyr a chwiorydd

CAMAU GALAR

Bydd yr adran hon yn canolbwyntio ar y plentyn sydd wedi colli gofalwr drwy farwolaeth; fodd bynnag, gall plentyn deimlo *fel petai* gofalwr wedi marw dan unrhyw un o'r amgylchiadau a restrir uchod. Fel rheol, mae pobl yn teimlo galar mawr pan gollant berson yr oedd ganddynt ymlyniad cryf â hwy. Ym mywyd pawb, mae nifer y perthnasau agos iawn yn gymharol gyfyngedig.

Gellir meddwl am alar fel nifer o gamau y mae'n rhaid eu profi. Ym mhob cam rhaid profi teimladau ac ymddwyn mewn ffyrdd arbennig. Rhaid gweithio drwy un cam cyn y gellir symud ymlaen at y nesaf. Er bod edrych ar gamau yn y ffordd yma yn ddefnyddiol, gall wneud i'r broses ymddangos yn drefnus ac yn systematig. Mewn gwirionedd, mae'r camau'n tueddu i ymdoddi i'w gilydd. Gall plant (ac oedolion) ddychwelyd at deimladau a brofwyd mewn cam blaenorol unrhyw bryd yn ystod y broses galaru.

Mae cryfder teimladau pobl pan gollant rywun neu rywbeth yn uniongyrchol gysylltiedig â chryfder eu teimladau tuag at y person neu werth y person, yn eu golwg hwy. Mae cyfnod y galaru'n amrywio yn ôl pwysigrwydd y golled. Gall plant weithio trwy brif gamau galar am berson o fewn blwyddyn. Gall oedolion alaru am gyfnodau hirach; mae galaru am 3 blynedd yn digwydd yn gyffredin. Fel rheol rhaid i ddyddiadau arbennig sy'n gysylltiedig â'r person, er enghraifft eu pen-blwydd, fynd heibio o leiaf unwaith cyn y gall plant ac oedolion ddechrau ymgynefino â'r golled.

Mae'r tabl isod yn crynhoi teimladau ac ymddygiad posibl plentyn yn ystod camau galar. Gellir rhannu'r camau galar y mae plentyn (neu oedolyn) yn eu profi ar ôl colli rhywun yn alar cynnar, galar difrifol a galar gostegol.

DELIO Â GALAR

Mae plant yn anaeddfed ac yn fregus iawn ar ôl colli rhywun. Mae arnynt angen ystyriaeth a gofal arbennig. Fodd bynnag, mae'n bosibl bod yr oedolion sydd agosaf iddynt yn dioddef yr un golled. Mae hyn yn golygu na fydd anghenion y plentyn, o bosibl, yn cael blaenoriaeth. Yn wahanol i deuluoedd Asiaidd, efallai, o fewn diwylliant pobl wyn Prydain mae'n gyffredin iawn i gau'r plant allan o gyfnod galar am farwolaeth perthynas, er enghraifft. Mae'n bosibl na ddywedir wrthynt am y farwolaeth tan yn hwyrach, na adewir iddynt fynd i'r angladd hyd yn oed os

Camau galar

Cam y galar	Teimladau posibl y plentyn	Ymddygiad posibl y plentyn
Galar cynnar Yn union wedi'r golled neu'r farwolaeth	Sioc, diffyg teimlad, anghrediniaeth, gwadiad, panig, dychryn	Llesgedd, neu orfywiogrwydd, casáu bod yn ddigwmni, tueddiad i fod yn sâl
Galar llym Yn dilyn derbyniad o'r galar	Tristwch eithafod, dicter, euogrwydd, cywilydd, hiraeth, anobaith	Hiraethu, chwilio ansefydlogrwydd, crio gweithredoedd cymhellol ac afresymol, diffyg canolbwyntio, bod yn sâl
Galar gostegol Pan ddeliwyd â theimladau llym	Heb eu llyncu cymaint â galar, yn fwy llonydd, llai synfyfyriol, yn dangos diddordeb mewn pethau eraill, mwy o hunan-barch	Yn dangos diddordeb mewn bywyd, yn ffurfio ymlyniadau eraill, yn cymryd rhan mewn gweithgareddau, canolbwyntio'n well

dymunant hynny, neu efallai cânt eu gyrru i ffwrdd i aros gydag oedolion nad ydynt yn ymwneud yn uniongyrchol â'r profiad. Mae'n bosibl bod y cau allan yn digwydd am fod yr oedolyn yn credu na ddylid cynhyrfu'r plentyn, ac am nad oes ganddynt yr egni emosiynol i ddelio â galar y plentyn yn ogystal â'u galar eu hunain. Beth bynnag fo'r rhesymau, mae'r ymchwil sydd ar gael yn dangos bod cau'r plentyn allan yn y cyfnod hwn yn gallu creu problemau i'r plentyn yn ddiweddarach. Yn y tymor hir gall y teimladau na chafodd eu mynegi na'u datrys ddychwelyd a chymhlethu eu hiechyd meddyliol yn oedolion.

Gall oedolion nad ydynt yn ymwneud yn uniongyrchol â'r galar, er enghraifft gweithwyr gofal plant neu athrawon, fod o gymorth mawr i'r plentyn. Gallant roi sylw ac ystyriaeth unplyg a syml i'r plentyn. Er gwaethaf hyn, mae llawer o oedolion yn cael anhawster gwneud hyn. Gall hyn ddigwydd oherwydd:

- fod ganddynt hwythau alar nad yw eto wedi'i ddatrys. Efallai na chawsant amser i alaru pan oeddent yn ifanc. Oherwydd hyn, gallai ymwneud â phlentyn sy'n galaru ddeffro atgofion poenus

- nad ydynt yn deall y broses alaru, neu'r amser sydd ei angen, neu'r ffordd briodol o ymateb

- fod ganddynt, fel nifer o bobl, ofn marwolaeth, a dymuniad anymwybodol i beidio ag ymwneud â marwolaeth.

Dylai fod yn rhan o hyfforddiant pob gweithiwr gofal plant i edrych yn fanwl ar eu teimladau a'u hagweddau eu hunain a dysgu cymaint â phosibl am y broses galaru. Nid yw osgoi hyn o gymorth i blant.

RÔL OEDOLYN WRTH WEITHIO GYDA PHLENTYN SY'N GALARU

Dylai oedolion roi cymaint o rybudd â phosibl i blentyn a dweud wrtho'n onest ei fod ar fin profi gwahaniad neu farwolaeth. Dylent annog plant i dderbyn bod y golled wedi digwydd a gadael iddynt rannu eu tristwch gydag eraill, gan fynd i'r angladd os yw hynny'n briodol. Dylent gynnig amgylchedd tawel a rhoi cysur corfforol i'r plentyn. Yn ystod camau galar difrifol mae plant angen amser a sylw, amynedd a thawelwch meddwl gan oedolion. Bydd angen dangos dealltwriaeth os dangosir ymddygiad atchweliadol a dylid darparu chwarae priodol fel y gall y plentyn fynegi ei deimladau'n ddiogel. Dylai oedolion fynnu llai a helpu'r plentyn i ad-drefnu'n raddol, gan ei helpu i gymryd rhan mewn gweithgareddau pan fydd yn barod i wneud hynny. Dylent dreulio amser yn gwrando ar y plentyn, yn gofalu amdanynt ac yn hybu eu lles.

EFFEITHIAU GALAR AR DYFIANT A DATBLYGIAD

Mae galar yn gallu bod yn brofiad digon pwerus i effeithio ar dwf datblygiadol plentyn ym mhob maes. (Gweler y tabl ar dudalen 263).

GALAR MEWN CYMDEITHAS AMLDDIWYLLIANNOL

Mae gan bobl arferion diwylliannol gwahanol ar gyfer delio â marwolaeth a galar. Yn ystod y cyfnod galaru mae pobl yn dangos arwyddion confensiynol galar, megis gwisgo du, neu wisgo gwyn, crïo gyda'i gilydd, cau'r llenni. Mae gwybod am wahanol arferion a chredoau, a dangos parch tuag atynt, yn hanfodol wrth weithio gyda phlant sy'n dod o gefndir diwylliannol a chrefyddol sy'n wahanol i'ch cefndir chi. Heb yr wybodaeth hon, gallai gweithiwr gofal plant ymateb mewn ffordd anaddas, neu gynnig geiriau o gysur sy'n amhriodol neu hyd yn oed yn sarhaus.

Effeithiau galar ar ddatblygiad

Maes datblygiad	Effaith bosibl galar ar ddatblygiad
Corfforol	Mae'n bosibl na fydd y plentyn yn awyddus i fwyta na rhedeg o gwmpas
Gwybyddol	Efallai na fydd y plentyn yn gallu canolbwyntio neu bydd yn rhy drist i chwarae
Iaith	O bosibl, bydd y plentyn wedi ymgolli ynddo ef ei hun ac yn anfodlon i gyfathrebu
Emosiynol	Mae'n bosibl bydd y plentyn yn teimlo'n ansicr, yn colli ymddiriedaeth mewn oedolion, ac yn teimlo diffyg hunan-barch
Cymdeithasol	Efallai na fydd y plentyn yn awyddus i fod gyda ffrindiau neu berthnasau

Gwirio'ch cynnydd

Beth yw prif gamau galar?

Sut gall oedolyn ddarparu orau ar gyfer plentyn sy'n profi galar?

Sut gall galar effeithio ar ddatblygiad y plentyn?

Nawr rhowch gynnig ar y cwestiynau hyn

Pam fod ymlyniadau'n datblygu?

Pa fath o ymddygiad sy'n annog ymlyniadau yn ystod 6 mis cyntaf oes baban?

Sut y gwyddom fod ymlyniad wedi digwydd?

Pam fod ymlyniadau cadarn yn bwysig?

Beth allai ddigwydd o ganlyniad i ymlyniadau gwael neu wan?

Disgrifiwch ganlyniadau posibl gwahaniad tymor hir baban oddi wrth eu rhiant/gofalwr.

Disgrifiwch nodweddion gofal dirprwyol da.

Beth yw manteision gofal maeth, yn hytrach na gofal mewn sefydliad preswyl, i blant ifainc?

Pam fod oedolion sy'n gweithio gyda phlant o bosibl yn mynd i gael anhawster ymateb yn briodol i blentyn sy'n galaru?

RHEOLI YMDDYGIAD

Yn y rhan hon byddwch yn dysgu am reoli ymddygiad plant yn effeithiol. Byddwch yn dysgu sut i annog plant i ymddwyn mewn ffordd dderbyniol a sut i ymateb i ymddygiad annerbyniol. Byddwch yn dechrau deall pam fod rhai plant yn ymddwyn yn annerbyniol ac yn dysgu rhai dulliau o reoli a mowldio'r ymddygiad hwn nes ei wneud yn fwy derbyniol.

Bydd y rhan hon yn ymdrin â'r pynciau canlynol:

⌣ beth yw ymddygiad?

⌣ sut mae ymddygiad yn cael ei ddysgu?

⌣ ymddygiad plant ifainc

⌣ rheoli ymddygiad plant

⌣ addasu ymddygiad.

Beth yw ymddygiad?

Ystyr **ymddygiad** yw actio neu ymateb mewn ffordd benodol. Dyma beth a ddangoswn i eraill. Mae'n cynnwys popeth rydym yn ei wneud a'i ddweud, boed hynny'n dderbyniol neu'n annerbyniol.

Rydym yn dysgu patrymau ymddygiad gan y bobl yr ydym yn dod i gysylltiad â hwy, yn uniongyrchol a hefyd yn anuniongyrchol. Mae hyn yn cynnwys dylanwadau megis y teledu, llyfrau a chylchgronau. Fodd bynnag, y dylanwadau cynharaf a mwyaf grymus ar ein datblygiad yw rhieni neu ofalwyr ac oedolion dylanwadol eraill yn yr amgylchedd cynefin.

Cymdeithas a diwylliant sy'n diffinio ymddygiad, felly. Rydym yn dysgu ein hymddygiad gan y grwpiau cymdeithasol a diwylliannol yr ydym yn rhan ohonynt wrth dyfu i fyny. Wrth gwrs, mae nifer o elfennau cyffredin rhwng cymdeithasau a diwylliannau. Hefyd, llawer o wahaniaethau o ran disgwyliadau a'r hyn a elwir yn ymddygiad derbyniol. Mae hyn yn bwysig – peidiwch â thybio bod ymddygiad sy'n anarferol yn eich golwg chi o reidrwydd yn annerbyniol.

Daw syniadau ynglŷn â beth sy'n batrwm ymddygiad annerbyniol o nifer o ffynonellau:

● teulu agos ac estynedig

● y gymuned leol

- grŵp cyfoedion
- llywodraeth genedlaethol
- hanes, diwylliant a/neu etifeddiaeth genedlaethol.

Ar wahanol adegau ym mywyd unigolyn, bydd gwahanol ddylanwadau yn llywodraethu. Yn achos plant ifainc, y teulu yw'r dylanwad mwyaf. Wrth i blant fynd yn hŷn, daw cyfoedion a'r gymuned ehangach yn gynyddol bwysig.

Gwirio'ch cynnydd

Gan bwy a beth y dysgir patrymau ymddygiad?

Pwy yw'r dylanwadau pwysicaf ar addysg plentyn ifanc?

O ba ffynonellau eraill y dysgir patrymau ymddygiad derbyniol?

Sut mae ymddygiad yn cael ei ddysgu?

termau allweddol

Cosb

canlyniad negyddol a gysylltir ag ymddygiad penodol

Isymwybod

meddyliau a theimladau nad yw person yn gwbl ymwybodol ohonynt

Dysgir ymddygiad drwy broses gymhleth o ddynwared rôl fodelau, disgwyliadau a fynegir ar lafar ac yn ddi-eiriau, a gwobrwyon a **chosbau** sy'n mowldio ymddygiad. Mae rhan helaeth o'r broses hon yn **isymwybodol**: nid ydym yn ymwybodol ei fod yn digwydd. Mae'n broses gyson sy'n para oes. Dyma sut y dysgir ymddygiad derbyniol ac annerbyniol.

Mae'r patrymau ymddygiad a sefydlir yn ystod plentyndod yn dylanwadu ar ein hymddygiad ar hyd ein hoes. Mae'n hanfodol, felly, bod plant ifainc yn cael y cyfle i ddatblygu patrymau ymddygiad derbyniol yn gynnar iawn. Er mwyn eu galluogi i wneud hyn, rhaid i blant gael:

- rôl fodelau positif
- oedolion cariadus gyda disgwyliadau realistig o ran ymddygiad plant ifainc
- disgwyliadau clir a chyson wedi'u mynegi ar lafar ac yn ddi-eiriau
- terfynau teg a chyson o ran ymddygiad derbyniol, gan dderbyn gwobr lle bo hynny'n briodol.

Dan yr amgylchiadau hyn, bydd y mwyafrif o blant yn datblygu patrymau ymddygiad derbyniol gyda'r lleiafswm o wrthdaro.

Mae'r ymddygiad a ddysgir gan blant yn rhy gymhleth i'w ddisgrifio yn nhermau derbyniol ac annerbyniol yn unig. Maent hefyd yn dysgu sut i gyflawni gwahanol rolau. Mae plant yn dysgu am yr hyn mae cymdeithas yn ei ddisgwyl gan wahanol grwpiau o bobl. Er enghraifft, sut mae cymdeithas yn disgwyl i ferch ymddwyn? Sut y disgwylir i fachgen neu ddyn ymddwyn?

termau allweddol

Rhagfarn

barn, sydd fel rheol yn anffafriol, am rywun neu rywbeth, wedi'i seilio ar ffeithiau anghyflawn

Gwahaniaethu

ymddygiad a seilir ar ragfarn, gan olygu bod rhywun yn cael eu trin yn annheg

Mae llawer o bobl yn teimlo bod disgwyliadau cymdeithas yn annheg mewn perthynas â rhai grwpiau o bobl, er enghraifft disgwyl y dylai merched fod yn gyfrifol am yr holl waith tŷ, neu ddisgwyl na fydd bechgyn neu ddynion yn crïo os cânt eu cynhyrfu. Ystyrir bod y rolau hyn yn cyfyngu ar bobl am nad ydynt yn dangos sut mae pobl mewn gwirionedd. Mae'r prosesau dysgu a ddisgrifir uchod mor bwerus, fodd bynnag, fel bod llawer o bobl yn cydymffurfio â'r disgwyliadau.

Mae plant hefyd yn dysgu am y gwerth a roddir ar bob rôl gan gymdeithas. Dysgant fod ymddygiad rhai grwpiau yn cael ei brisio'n fwy nag ymddygiad grwpiau eraill. Mae hyn yn arwain at **ragfarn** a **gwahaniaethu** yn erbyn rhai grwpiau o bobl. Nid yw rhagfarn a gwahaniaethu'n dderbyniol. Mae gan bobl sy'n gweithio gyda phlant gyfle unigryw i weithio tuag at newid hyn drwy'r dylanwad pwerus sydd ganddynt ar ddisgwyliadau plant mewn perthynas ag ymddygiad derbyniol ac annerbyniol.

Ymddygiad plant ifainc

Mae'n bwysig bod ein disgwyliadau ynglŷn ag ymddygiad plant ifainc yn realistig. Os bydd y disgwyliadau'n afrealistig, mae'n bosibl y bydd gwrthdaro a **labelu**'n digwydd. Nid yw ymddygiad derbyniol yn achosi llawer o bryder.

Mae angen ystyried ymddygiad annerbyniol yn ofalus, fodd bynnag, a dyna pam y bydd gweddill y bennod hon yn canolbwyntio ar hyn. Mae'r pwyntiau canlynol yn bwysig mewn perthynas â'r drafodaeth hon.

- Mae'r mwyafrif o blant yn awyddus i gael eu cymeradwyo gan oedolion ac eraill, ac felly'n dymuno ymddwyn yn dderbyniol. Gyda rôl fodelau positif, sef oedolion cariadus sy'n deg ac yn gyson eu disgwyliadau ac sy'n gosod terfynau clir, bydd y mwyafrif o blant yn datblygu patrymau ymddygiad derbyniol.

- Nid yw ymddygiad yn 'ddrygionus' am nad yw'n cydymffurfio â safonau ymddygiad oedolion yn unig. Mae angen i blant ddysgu pa ymddygiad sy'n dderbyniol a beth sy'n annerbyniol.

- Yn aml bydd rheswm dros ymddygiad arbennig. O bosibl, bydd y rheswm yn guddiedig, yn isymwybodol neu yn y gorffennol.

- Yn aml, bydd ymddygiad plentyn yn tarddu o'i deimladau. Mae'r teimladau hynny'n bodoli ac ni ellir eu newid. Yr ymddygiad sy'n digwydd o ganlyniad i'r teimladau hynny yw'r hyn sy'n dderbyniol neu'n annerbyniol. Peidiwch byth â gwrthod teimladau plentyn. Dylid gwrthod ei ymddygiad yn unig.

- Mae teimladau cyffredin ymhlith plant yn gallu arwain at ymddygiad amrywiol. Er enghraifft, gallai un plentyn sy'n ddig fod yn ymosodol yn gorfforol neu ar lafar, ond mae'n bosibl y bydd plentyn arall yn encilgar.

- Mae rhai mathau o ymddygiad wedi hen sefydlu eu hunain, ac mae'n anodd deall pam eu bod yn digwydd.

Bydd y mwyafrif o blant yn dangos ymddygiad derbyniol yn gyson wrth iddynt dyfu a dysgu beth a ddisgwylir ganddynt. Fodd bynnag, maent yn dal i ddysgu, ac mae'n bwysig bod gan oedolion ddisgwyliadau priodol am yr hyn sy'n ymddygiad cyffredin ymhlith plant ifainc. Bydd hyn yn lleihau'r posibilrwydd o wrthdaro a labelu. Os ydy plentyn yn treulio amser mewn amgylchedd sy'n hyrwyddo ymddygiad positif, yna bydd ymddygiad annerbyniol yn lleihau gydag amser wrth i'r plentyn dyfu a dysgu.

RHAI YMDDYGIADAU CYFFREDIN YMHLITH PLANT IFAINC

Dyma rai ymddygiadau cyffredin:

- ymddygiad sy'n gorfforol ymosodol
- defnyddio iaith ymosodol
- strancio oherwydd tymer drwg
- herfeiddio
- encilio
- cenfigen.

PAM FOD YR YMDDYGIADAU HYN YN DIGWYDD?

Mae llawer o resymau dros ymddygiad. Isod ceir rhestr o rai o'r atebion a gynigiwyd i'r cwestiwn hwn. Nid yw'r rhesymau'n syml bob tro, fodd bynnag; ni ellir dod o hyd i atebion syml o hyd, ac nid yw'r teimladau a'r rhesymau sy'n dylanwadu ar ymddygiadau bob amser yn amlwg.

Chwilfrydedd

Mae plentyn yn dysgu trwy weithredu a rhyngweithredu â'i amgylchedd, a thrwy fod yn chwilfrydig amdano. Gall fod gwrthdaro rhwng chwilfrydedd y plentyn a'i angen i weithredu, a dymuniad yr oedolyn i sicrhau bod y plentyn yn ddiogel a/neu sefydlu terfynau sy'n dangos beth sy'n dderbyniol.

> **term allweddol**
>
> **Chwilfrydedd**
> diddordeb holgar

Gall fod gwrthdaro rhwng angen y plentyn i weithredu a dymuniad yr oedolyn i sicrhau diogelwch y plentyn

Dynwared

Bydd plant yn **dynwared** ymddygiad pobl eraill. O bryd i'w gilydd, bydd hyn yn ymddygiad derbyniol gan oedolyn neu blentyn hŷn ond nid gan blentyn ifanc. Pwy neu beth yw rôl fodelau plentyn?

> **term allweddol**
>
> **Dynwared**
> copïo'n agos,
> cymryd patrwm

Hunanganologrwydd

Mae bod yn **hunanganolog** yn golygu gweld pethau dim ond o safbwynt chi'ch hun. Nid yw'r un peth â bod yn hunanol, pan ddewisir y safbwynt hunanol, er y gellir gweld y ddwy ochr. Mae rhai seicolegwyr yn credu na all plant ifainc weld pethau o safbwynt rhywun arall. Rhaid i blant ddysgu'r sgìl dros gyfnod o amser.

> **term allweddol**
>
> **Hunanganolog**
> gweld pethau o
> safbwynt chi'ch
> hun yn unig

Datblygu annibyniaeth

Mae angen i blant ddod o hyd i ddulliau o ddangos eu hannibyniaeth gynyddol, a gall hyn olygu eu bod yn ceisio dylanwadu ar eraill mewn modd annerbyniol.

Mynnu sylw

Mae pobl yn dymuno, ac angen, sylw gan bobl eraill. Gall ymddygiad plant fod yn ffordd o fynnu sylw, hynny yw tynnu sylw pobl eraill. Ym marn rhai plant, mae sylw negyddol yn well na dim sylw o gwbl.

Dicter a/neu rwystredigaeth

Weithiau mae diffyg profiad o'r byd yn golygu nad oes gan blant ddisgwyliadau realistig am yr hyn sy'n bosibl a ddim yn bosibl. Gall hyn arwain at ddicter neu rwystredigaeth, sy'n amlygu ei hun yn eu hymddygiad. Er enghraifft, efallai bydd plentyn yn strancio pan ddywedir wrtho nad yw mam yn gallu stopio'r glaw fel y gallant fynd i'r parc.

Pryder neu ofn

Gall diffyg profiad neu ddealltwriaeth o'r byd arwain at ddehongli digwyddiadau mewn ffordd afrealistig. Er enghraifft, mae'n bosibl y bydd plentyn sy'n pryderu am iddo gael ei adael mewn sefydliad gofal plant ymddwyn yn ymosodol tuag at ei riant sy'n dod i'w gasglu ar ddiwedd y sesiwn. Yn aml, dyma'i ffordd o fynegi rhyddhad o weld y rhiant yn dychwelyd.

Gall plant deimlo pryder a/neu ofn pan newidir patrymau a/neu drefnau cyfarwydd, ac mae'n debyg y bydd hyn yn amlygu ei hun yn eu hymddygiad. Mae gofal plant, dechrau ysgol, newid cyfeillgarwch a diffyg cwsg yn enghreifftiau o hyn. Yn aml bydd y teimladau a gysylltir â hyn yn digwydd dros gyfnod byr ac fel rheol bydd yr ymddygiad yn dechrau tawelu unwaith y bydd y trefnau newydd wedi'u sefydlu.

ANGHENION EMOSIYNOL

Mae gan blant lawer o anghenion emosiynol, er enghraifft:

- **anwyldeb** – y teimlad o gael eu caru gan rieni, gofalwyr, teulu, ffrindiau a'r gymuned gymdeithasol ehangach

- **ymberthyn** – y teimlad eich bod yn rhan annatod o grŵp

- **cysondeb** – y teimlad ei bod hi'n bosibl rhagweld pethau

- **annibyniaeth** – y teimlad o reoli ac arwain eich bywyd eich hunan

- **cyflawniad** – y teimlad o foddhad a ddaw o ganlyniad i lwyddiant

- **cymeradwyaeth gymdeithasol** – y teimlad bod pobl eraill yn cymeradwyo'ch ymddygiad a'ch ymdrechion

- **hunan-barch** – y teimlad o hoffi a gwerthfawrogi eich hunan.

Mae diffyg dim ond un o'r uchod yn gallu arwain at ymddygiad annerbyniol wrth i blant ymdrechu i gael yr hyn sydd ei angen arnynt. Mae plant yn sicr o brofi cyfnodau o straen tymor byr yn ystod eu bywydau am nad ydy rhai o'u hanghenion emosiynol yn cael eu cyflawni, er enghraifft symud tŷ, baban newydd yn y teulu neu gyfnod byr yn yr ysbyty. Os dangosir sensitifrwydd wrth ddelio â'r sefyllfaoedd hyn, nid yw'r problemau ymddygiad yn debygol o bara am gyfnod hir.

Fodd bynnag, os na fydd anghenion emosiynol plant yn cael eu cyflenwi am gyfnod parhaus mae'n bosibl y bydd hyn yn cael effaith fawr ar eu hymddygiad. Er enghraifft, pan fydd plant yn profi gwahaniad, colled a/neu alar neu'n cael eu cam-drin, mae'n debyg y bydd eu hymddygiad yn adlewyrchu eu gofid. Gallai hyn amrywio o enciliad eithafol i ymddygiad treisgar. Mae'n bwysig cofio bod plant yn unigolion a bod yr un teimladau neu ddigwyddiadau'n gallu arwain at wahanol ymddygiadau mewn gwahanol blant. Weithiau byddant yn broblemau tymor hir, sy'n gofyn strategaethau tymor hir i fowldio'r ymddygiad er mwyn ei wneud yn dderbyniol. Mae'n debyg y bydd angen cymorth ac arweiniad arbenigwyr.

Mae sawl gwahanol ffordd o gael hyd i gymorth ac arweiniad. Bydd hyn yn dibynnu ar eich sefyllfa. Yn y byd addysg, fel rheol ceir cymorth drwy gysylltu â'r Cydgysylltwr Anghenion Addysg Arbennig, a fydd yn aelod penodol o'r staff. Ar ôl adnabod anghenion y plentyn, trefnir cynllun addysg unigol (IEP), ac o bosibl bydd hyn yn cynnwys cysylltu â seicolegydd addysg.

Gellir cael cymorth hefyd gan weithwyr iechyd proffesiynol (e.e. ymwelwyr iechyd, meddygon teulu), neu drwy gyfrwng gwasanaethau cymdeithasol (e.e. staff mewn canolfannau meithrin/teulu, gweithwyr cymdeithasol). Gall rhieni neu aelodau o'r teulu sy'n chwilio am gymorth, ffrindiau neu gymdogion sy'n pryderu,

gweithwyr proffesiynol a gweithwyr eraill o fewn asiantaethau statudol neu wirfoddol gysylltu â phob un o'r uchod. Nod y gweithwyr proffesiynol hyn i gyd yw ateb anghenion y plentyn a'r teulu drwy ddatblygu strategaethau i reoli ymddygiad.

Gwirio'ch cynnydd

Pam ei bod hi'n bwysig bod y disgwyliadau ynglŷn ag ymddygiad plant ifainc yn realistig?

Rhestrwch rai ymddygiadau sy'n gyffredin ymhlith plant ifainc.

Cynigiwch rai rhesymau dros yr ymddygiadau hyn.

Beth yw anghenion emosiynol plant?

Beth allai ddigwydd pan na chyflenwir anghenion emosiynol plant a sut gallwch chi helpu?

Sut gallwch chi ddod o hyd i gymorth ac arweiniad arbenigol, pe bai eu hangen?

Rheoli ymddygiad plant

Rhywbeth a ddysgir yw ymddygiad. Oherwydd hyn, mae angen i bobl sy'n gweithio gyda phlant fod yn ymwybodol o ddulliau effeithiol o reoli a mowldio ymddygiad plant. Mae'n bosibl defnyddio'r un technegau ar gyfer newid ymddygiad annerbyniol sy'n digwydd nawr ag a ddefnyddir yn ystod cyfnod dysgu cynharaf plentyn.

Bydd gan sefydliadau gwaith bolisïau a dulliau gweithredu ar gyfer rheoli ymddygiad, ac mae'n bwysig bod pob aelod o'r staff yn gyfarwydd â hwy. Bydd hyn yn sicrhau dull cyson o weithredu, sy'n hanfodol ar gyfer rheoli ymddygiad yn effeithiol. Mae'n bwysig i nodi na chaniateir cosbi corfforol yn y mwyafrif o sefydliadau. Mae nifer o resymau dros hyn, ond y pwysicaf, o bosibl, yw ein bod ni'n gwybod pa dechnegau sydd fwyaf effeithiol. Mae rheolaeth ymddygiad sy'n dangos pa ymddygiadau sy'n dderbyniol, yn hytrach na chosbi ymddygiad annerbyniol, yn ffordd fwy effeithiol o reoli a mowldio ymddygiad.

Mae'r sefyllfa mewn perthynas â chanllawiau a dulliau gweithredu mewn sefydliadau eraill, er enghraifft wrth weithio fel gwarchodwr plant neu nani, yn llai clir. Mae'n hanfodol, felly, bod materion yn ymwneud â rheolaeth ymddygiad yn cael eu trafod a chanllawiau clir yn cael eu sefydlu o'r dechrau.

term allweddol

ABC ymddygiad

patrwm pob ymddygiad. Rhagflaenydd – yr hyn sy'n digwydd cyn yr ymddygiad; Ymddygiad – yr ymddygiad sy'n digwydd o ganlyniad, boed hwnnw'n dderbyniol neu'n annerbyniol; Canlyniad – canlyniad yr ymddygiad, boed hwnnw'n bositif neu'n negyddol

ABC YMDDYGIAD

Mae pob ymddygiad sy'n digwydd, boed hwnnw'n dderbyniol neu'n annerbyniol, yn dilyn patrwm tebyg a elwir yn **ABC ymddygiad**:

- *y Rhagflaenydd [Antecedent]* – yr hyn sy'n digwydd cyn yr ymddygiad

- *yr Ymddygiad [Behaviour]* – yr ymddygiad sy'n digwydd o ganlyniad, boed hwnnw'n dderbyniol neu'n annerbyniol

- *y Canlyniad [Consequence]* – y canlyniadau sy'n digwydd oherwydd yr ymddygiad, boed y rheiny'n bositif neu'n negyddol

Y ffordd fwyaf effeithiol o reoli ymddygiad plant ifainc yw drwy reoli'r rhagflaenydd. Drwy fod yn ymwybodol o'r hyn sy'n arwain at ymddygiad penodol, mae'n bosibl dylanwadu ar yr ymddygiad ei hunan. Rhaid gwylio'r sefyllfa yn ofalus er mwyn adnabod y rhagflaenydd cyn y gellir gwneud newidiadau. Drwy ragweld

269

rhagflaenwyr ymddygiad, gall gofalwyr annog plant i ymddwyn mewn ffordd dderbyniol a lleihau'r posibilrwydd o wrthdaro. Gellir gwneud hyn, er enghraifft, drwy wneud y canlynol.

- Mewn meithrinfa neu leoliad ysgol, atgoffa plant am yr ymddygiad a ddisgwylir, e.e. 'Rydw i'n mynd i ddarllen y stori nawr. Byddwch yn dawel, os gwelwch yn dda, nes y bydda' i wedi gorffen y stori fel bod pawb yn gallu gwrando a mwynhau.'

- Rhoi cyfarwyddiadau clir i blant ynglŷn â'r hyn y disgwylir iddynt ei wneud, e.e. 'Rydyn ni'n mynd allan. Mae'n oer. Ewch i wisgo'ch cot. Os ydych chi angen help, gofynnwch i fi.'

- Sefydlu systemau fel bod gan blant swyddi yn y sefydliad, e.e. casglu'r gofrestr, gosod pethau ar gyfer gweithgareddau, sicrhau bod popeth yn daclus, gosod y bwrdd ar gyfer byrbrydau neu ginio. Mae pob un o'r gweithredoedd hyn yn caniatáu i blant deimlo'n annibynnol ac i brofi teimlad o berchenogaeth ac ymberthyn i'r lleoliad.

- Croesawu plant i'r sefydliad wrth eu henwau; mae hyn yn debygol o wneud iddynt deimlo'n rhan o'r grŵp, ac yn gallu dylanwadu'n gryf ar ymddygiad.

- Byddwch yn ofalus wrth osod plant mewn grwpiau, rhag ofn y bydd rhai o fewn y grŵp nad ydynt yn cydweithio'n dda.

- Darparu digon o le ac offer i leihau'r posibilrwydd o broblemau.

- Canmol ymdrech; mae hyn yn debygol o annog plant i barhau â'r gweithgaredd hwn a gweithgareddau eraill.

Mae newid rhagflaenydd ymddygiad annerbyniol yn un ffordd o ddechrau rheoli ymddygiad plant yn effeithiol a'i wneud yn fwy derbyniol. Unwaith eto, mae'n bwysig gwylio sefyllfaoedd yn ofalus er mwyn sefydlu'r rhagflaenydd. Dyma rai enghreifftiau.

- *Strancio oherwydd tymer* – pryd mae hyn yn digwydd? Beth sy'n digwydd cyn y strancio? A oes modd newid hyn?

- *Ymddygiad sy'n gorfforol ymosodol* – Pwy sy'n cymryd rhan yn hyn? Pryd mae'n digwydd? Beth sy'n dod cyn yr ymddygiad? Pwy neu beth ydy rôl fodelau'r plentyn?

- *Geiriau ymosodol* – Pwy sy'n cymryd rhan yn hyn? Pwy neu beth yw eu rôl fodelau? Pryd mae'n digwydd? Beth sy'n digwydd cyn yr ymddygiad?

Ffordd arall o reoli ymddygiad plant yw drwy newid canlyniad ymddygiad. Gall hyn olygu gwobrwyo ymddygiad derbyniol, neu gysylltu canlyniad negyddol â'r ymddygiad. Er mwyn i hyn fod yn effeithiol, mae'n bwysig bod y plentyn yn ymwybodol o ganlyniadau positif a negyddol yr ymddygiad. Mae'n bwysig hefyd bod y canlyniad dilynol yn cael ei roi ar waith yn gyson. Lle bo hynny'n bosibl, bydd angen i bob oedolyn sy'n dod i gysylltiad agos â'r plentyn roi'r un canlyniadau ar waith yn dilyn yr ymddygiad.

Astudiaeth achos ...

... rheoli ymddygiad yn effeithiol

Roedd Twm, 3 oed, yn blentyn cymharol ddiddig fel rheol, ond yn aml byddai'n cynhyrfu ac yn anodd ei drin pan fyddai'r cyfnod gweithgareddau'n dod i ben a'r plant yn dod at ei gilydd am stori. Ni fyddai'n tacluso'i deganau, ac yn lle hynny byddai'n gweiddi ar y staff a mynnu nad oedd e eisiau stori. Mae'n amlwg bod hyn yn cynhyrfu Twm ac yn tarfu ar weddill y grŵp.

Penderfynodd y staff wylio Twm dros gyfnod o wythnos i weld a oedd patrwm o ddigwyddiadau'n arwain at yr ymddygiad.

Nododd y staff nifer o bethau:

- bod Twm yn aml yn ymgolli yn y gweithgareddau, yn enwedig gweithgareddau adeiladu

- ei fod yn defnyddio'r offer i greu adeileddau gweddol gymhleth

- ei fod yn cynhyrfu pan ofynnid i'r plant eraill dacluso, ei fod yn ceisio gorffen ei waith yn gyflym ac yn dechrau pryderu y byddai'r plant eraill yn ei dorri i fyny

- bod yr ymddygiad hwn yn digwydd dim ond pan nad oedd wedi gorffen gweithgaredd erbyn amser stori.

Rhoddodd y staff y cynllun canlynol ar waith.

- Dywedwyd wrth Twm, 10 munud cyn amser stori, bod y sesiwn yn dod i ben yn fuan er mwyn iddo gael amser i orffen ei waith.

- Rhoddwyd modelau gorffenedig ar un ochr tan y diwrnod canlynol.

- Os na fyddai Twm wedi gorffen ei fodel, byddai'r gwaith yn cael ei roi ar un ochr tan y diwrnod canlynol, pan fyddai'n cael dewis ei orffen neu ei dorri i fyny ei hunan.

1. *Beth oedd rhagflaenyddion ymddygiad Twm?*

2. *Pa ymddygiad annerbyniol oedd yn amlwg?*

3. *Beth oedd canlyniadau'r ymddygiad hwn?*

4. *Sut wnaeth y staff ddarganfod beth oedd yn achosi'r ymddygiad hwn?*

5. *Beth oedd eu cynllun i reoli ymddygiad Twm?*

Gwirio'ch cynnydd

Beth yw ABC ymddygiad? Esboniwch bob elfen.

Beth yw'r ffordd fwyaf effeithiol o reoli ymddygiad plant?

Rhowch rai enghreifftiau o newid y rhagflaenydd.

Sut arall y gellir rheoli ymddygiad plant?

Beth yw nodweddion pwysig rheoli ymddygiad drwy newid y canlyniad?

Addasu ymddygiad

term allweddol

Addasu ymddygiad

technegau a ddefnyddir i newid ymddygiad annerbyniol a'i wneud yn dderbyniol

Addasu ymddygiad yw'r term a ddefnyddir ar gyfer technegau sy'n newid ymddygiad plant gan ei wneud yn dderbyniol. Fe'i seiliwyd ar waith B.F. Skinner a'i ddamcaniaeth cyflyru gweithredol. Mae'r ddamcaniaeth yn tybio:

- y bydd plant yn ailadrodd ymddygiad sy'n denu ymateb positif

- na fydd plant yn ailadrodd ymddygiad nad yw'n denu ymateb neu sy'n denu ymateb negyddol.

Mae modd mowldio ymddygiad drwy drin canlyniadau ymddygiad, felly. Gellir gwneud hyn drwy gysylltu canlyniad positif ag ymddygiad, fel bod y plentyn yn cael ei annog i'w ailadrodd. Fel arall, gellir gwneud hyn drwy anwybyddu ymddygiad.

Gellir gwneud hyn hefyd drwy gysylltu canlyniad negyddol â'r ymddygiad fel bod y plentyn yn amharod i'w ailadrodd. (Mae hyn yr un fath â newid canlyniad ymddygiad yn ABC ymddygiad a amlinellir uchod.)

Strategaeth tymor hir yw'r dull hwn o reoli ymddygiad. Rhaid rhoi gwobrwyon a/neu gosbau dros gyfnod sylweddol o amser i gael effaith, yn enwedig os bu'r ymddygiad annerbyniol yn amlwg am gyfnod hir.

Er mwyn i addasu ymddygiad lwyddo, mae'n hanfodol asesu ymddygiad plentyn. Gellir defnyddio ABC ymddygiad i wneud hyn. Gellir gweld patrymau ymddygiad plant drwy eu gwylio. Yna gellir asesu eu hanghenion a gwneud penderfyniadau ynglŷn â rhaglen addasu ymddygiad priodol.

CYSYLLTU CANLYNIADAU POSITIF AG YMDDYGIAD PLANT

Gellir cysylltu'r canlyniadau canlynol ag ymddygiadau i annog ailadroddiad yr ymddygiad:

- sylw oedolyn, ar lafar neu ddi-eiriau (nodio, gwenu, wincio)
- canmoliaeth gan oedolyn, wedi'i anelu at y plentyn yn unig
- sylw grŵp cyfoedion, lle tynnir sylw'r grŵp at y plentyn a'i ymddygiad
- sylw gan grwpiau eraill o fewn y sefydliad
- cyfrifoldebau o fewn y grŵp
- breintiau estynedig
- dewis gweithgaredd
- tocynnau i'w cyfnewid am freintiau/gweithgareddau/mwy o amser wrth wneud gweithgaredd
- adroddiadau positif i'r rhiant neu'r gofalwr.

CYSYLLTU CANLYNIADAU NEGYDDOL AG YMDDYGIAD PLANT

Gellir cysylltu'r canlyniadau canlynol ag ymddygiadau er mwyn annog y plant i deimlo'n amharod eu copïo neu eu hailadrodd:

- anwybyddu'r ymddygiad
- sylw oedolyn yn cael ei anelu at blentyn sy'n ymddwyn yn dderbyniol
- symud plentyn o sefyllfa bositif i sefyllfa niwtral neu negyddol, er enghraifft 'cymryd seibiant'
- diffyg cymeradwyaeth oedolyn, ar lafar neu'n ddi-eiriau, wedi'i anelu at y plentyn yn unig
- diffyg cymeradwyaeth grŵp cyfoedion, sydd o reidrwydd yn dod oddi wrth blant eraill, nid o ganlyniad i sylwadau gwaradwyddus gan yr oedolyn
- colli cyfrifoldeb neu freintiau.

COSBI YMDDYGIAD ANNERBYNIOL

Pan gosbir, dylai hyn ddilyn patrwm cyfiawnder naturiol; er enghraifft, helpu i ailadeiladu modelau a dorrwyd mewn tymer; peidio â chaniatáu i'r plentyn fynd ar gyfarpar os ydyw wedi camymddwyn yn gyson wrth fynd arno; tacluso annibendod a ddigwyddodd o ganlyniad i gamymddwyn, e.e. dŵr yn cael ei dywallt ar y llawr.

Er mwyn i addasu ymddygiad weithio'n effeithiol, rhaid cwrdd â'r meini prawf canlynol:

- Rhaid sefydlu rheolau a rhaid i'r plant fod yn ymwybodol ohonynt.

- Rhaid i'r plant fod yn ymwybodol o'r canlyniadau a gysylltir ag ymddygiadau, boed y rheiny'n bositif neu'n negyddol.

- Rhaid i'r canlyniadau fod yn briodol i oedran y plant a/neu eu cam datblygiad a dealltwriaeth.

- Rhaid rhoi'r canlyniadau ar waith bob tro y mae'r ymddygiad yn digwydd.

- Rhaid rhoi'r canlyniadau ar waith ar unwaith.

- Rhaid i'r canlyniadau gymryd i ystyriaeth hoff a chas bethau'r unigolyn. Mae'n bosibl bod rhywbeth sy'n ganlyniad negyddol i oedolyn yn bositif yng ngolwg plentyn. Er enghraifft, tynnu plentyn allan o grŵp am fod yn aflonyddgar: mae'n bosibl na fydd y plentyn yn dymuno aros yn y grŵp gan ei fod yn meddwl bod ei ddiffyg gwybodaeth neu allu yn mynd i ddod i'r amlwg, a thrwy ei dynnu o'r grŵp bydd yr oedolyn wedi gwobrwyo'r ymddygiad annerbyniol yn hytrach na'i gosbi.

- Mae angen i bob oedolyn sy'n cysylltu'n agos â'r plentyn neu blant fod yn rhan o'r addasiadau mewn ymddygiad. Mae hyn yn golygu bod y rheolau'n cael eu hatgyfnerthu'n gyson o fewn y sefydliad a'r cartref.

GWNEUD CYTUNDEB

Er mwyn annog plentyn i ymddwyn mewn ffordd dderbyniol dros gyfnod o amser, mae'n bosibl creu **cytundeb** rhwng y plentyn a'r oedolyn. Mae'r plentyn yn cytuno i ymddwyn mewn ffordd benodol dros gyfnod o amser ac mae'r oedolyn yn cytuno i wobrwyo'r ymddygiad derbyniol.

Yn achos plant ifainc, gellir llenwi siart. Bob tro y bydd plentyn yn ymddwyn mewn ffordd briodol llenwir rhan o'r siart. Pan gwblheir y siart, bydd y plentyn yn derbyn y wobr y cytunwyd arni ymlaen llaw. Dangosir enghreifftiau o siartiau o'r fath isod.

Mantais hyn yw ei fod yn annog y plentyn i ymddwyn yn gyson mewn ffordd dderbyniol, gan na fydd yn derbyn y wobr oni bai ei fod wedi ymddwyn fel hyn dros gyfnod o amser.

Mae rheoli ymddygiad yn effeithiol yn rhan hanfodol o weithio gyda phlant. Mae angen i oedolion sy'n gweithio gyda hwy wybod sut i reoli a mowldio ymddygiad fel ei fod, neu'n dod, yn dderbyniol.

Er mwyn sicrhau rheolaeth effeithiol ar ymddygiad, rhaid dangos y nodweddion canlynol:

- *Hyder* – rhaid i oedolion wybod sut i reoli ymddygiad mewn ffordd bositif, lle bo hynny'n bosibl, a sut i addasu ymddygiad annerbyniol, gyda chymorth lle bo angen hynny.

- *Bod yn glir* – dylai rheolau a disgwyliadau fod yn glir i'r oedolion a'r plant o fewn y grŵp.

- *Cysondeb* – dylai rheolau a disgwyliadau fod yn deg ac yn cael eu rhoi ar waith bob tro y bydd ymddygiad yn digwydd.

- *Gofalgar* – mae'r mwyafrif o blant yn awyddus i blesio a byddant yn ymateb i system deg o reoli ymddygiad. Yn aml mae plant sy'n dangos ymddygiad annerbyniol yn gyson yn blant mewn angen.

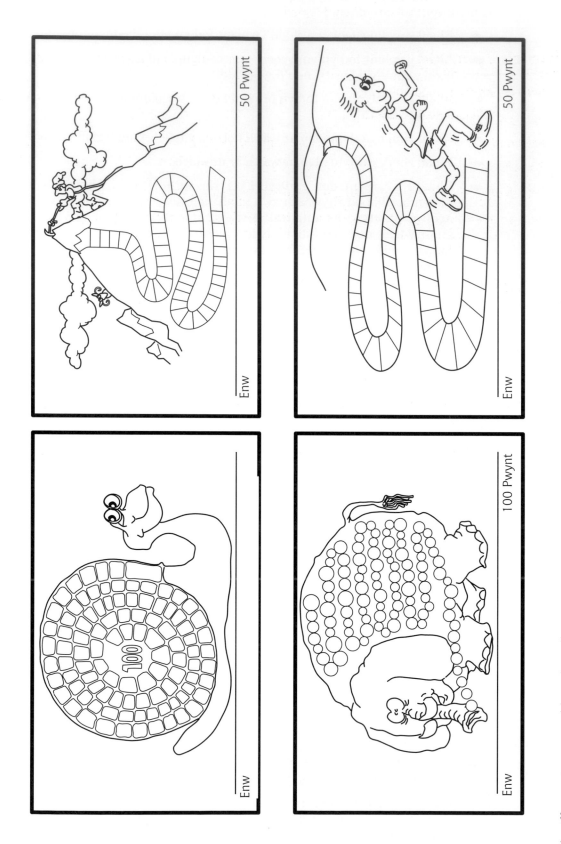

Enghreifffiau o siartiau ymddygiad y gall y plentyn eu llenwi

● *Dal plant yn ymddwyn yn dda* – rheolaeth ymddygiad positif yw'r ffordd fwyaf effeithiol o reoli ymddygiad.

Gwirio'ch cynnydd

Beth yw addasu ymddygiad?

Beth yw'r egwyddorion gwaelodol?

Beth a olygir wrth 'cysylltu canlyniad positif ag ymddygiad'?

Rhowch rai enghreifftiau o ganlyniadau positif.

Beth a olygir wrth 'cysylltu canlyniad negyddol ag ymddygiad'?

Beth yw manteision gwneud cytundebau ymddygiad â phlant?

Nawr rhowch gynnig ar y cwestiynau hyn

Beth yw ymddygiad?

Sut mae pobl yn dysgu eu patrymau ymddygiad?

Beth sydd ei angen ar blentyn i ddatblygu patrymau ymddygiad positif?

Disgrifiwch rai ymddygiadau cyffredin mewn plant ifainc ac amlinellwch pam y gallent ddigwydd.

Disgrifiwch ddulliau a ddefnyddir i reoli patrymau ymddygiad annerbyniol yn effeithiol.

Yn y bennod hon byddwch yn dysgu am hyrwyddo a chynnal iechyd, gan gynnwys rhaglenni gwyliadwriaeth, afiechydon plentyndod, gofalu am blentyn sâl a phlentyn gydag afiechyd sy'n peryglu bywyd neu'n farwol. Bydd y bennod hon yn rhoi'r wybodaeth sylfaenol sy'n ofynnol i weithio yn y mwyafrif o sefydliadau gofal ac addysg y blynyddoedd cynnar, a chyflwyniad i weithio mewn ysbyty.

HYRWYDDO A CHYNNAL IECHYD

Mae hyrwyddo ffordd iach o fyw yn gallu annog agweddau positif ar wella a chynnal iechyd. Mae defnyddio rhaglen gwyliadwriaeth iechyd i fonitro iechyd plant ac i ddarganfod ac atal afiechyd yn rhan bwysig o hyrwyddo iechyd.

Bydd y rhan hon yn ymdrin â'r pynciau canlynol:

⌣ diffinio iechyd

⌣ rôl y gweithiwr gofal plant o ran hyrwyddo iechyd ac addysg

⌣ gwyliadwriaeth iechyd plant

⌣ sgrinio ar gyfer nam ar y clyw

⌣ sgrinio ar gyfer nam ar y golwg

⌣ prawf Guthrie

⌣ prawf ar y glun.

Diffinio iechyd

Mae iechyd yn air anodd ei ddiffinio gan ei fod yn golygu gwahanol bethau i wahanol bobl. Mae rhai yn ystyried eu bod yn iach am nad ydynt yn ysmygu, ac eraill yn dweud eu bod yn iach am nad ydynt wedi bod yn sâl yn ddiweddar. Mae bod yn iach yn golygu mwy na'r cyflwr corfforol yn unig a gall gynnwys bod yn heini, peidio â bod yn sâl a byw i fod yn hen iawn.

Mae Mudiad Iechyd y Byd yn diffinio iechyd fel 'cyflwr o les corfforol, meddyliol a chymdeithasol llwyr ac nid absenoldeb afiechyd neu lesgedd yn unig'.

Mae'r diffiniad hwn yn cydnabod bod tair agwedd i iechyd, corfforol, meddyliol a chymdeithasol, sy'n effeithio ar iechyd cyffredinol person. Fodd bynnag, mae rhai wedi beirniadu'r diffiniad hwn gan ddweud ei fod yn rhy ddelfrydyddol, ac yn golygu bod statws iach y tu hwnt i gyrraedd canran fawr o boblogaeth y byd. Gall tlodi neu anabledd effeithio ar iechyd, ond nid ydynt o reidrwydd yn arwain at iechyd gwael.

Yn ogystal, mae Mudiad Iechyd y Byd yn nodi bod 'Mwynhau'r safon iechyd uchaf posibl yn un o hawliau sylfaenol pob bod dynol, beth bynnag fo'i hil, crefydd, cred wleidyddol, cyflwr economaidd neu gymdeithasol ...'

Un o'r prif faterion yn ymwneud ag iechyd yw gallu person i wneud ei ddewisiadau ei hun. Gallai'r dewisiadau hyn fod yn seiliedig ar:

- draddodiadau'r grŵp diwylliannol

- y teulu

- hunanymwybyddiaeth

- wybodaeth.

Mae oedolion yn gwneud dewisiadau ar ran eu hunain ac ar ran eu plant. Mae enghreifftiau yn cynnwys pryd i ddiddyfnu eu babanod, pa fwydydd i'w rhoi i blant, a ddylid imiwneiddio, a chodi ymwybyddiaeth o ddiogelwch. Dylai'r dewisiadau a wneir gan rieni a gweithwyr gofal plant fod yn ddewisiadau gwybodus. Mae'r Awdurdod Addysg Iechyd a gweithwyr proffesiynol iechyd yn ceisio rhoi gwybodaeth i bobl y DU fel y eu bod yn gallu gwneud eu dewisiadau gwybodus eu hunain.

ADDYSG IECHYD

Prif amcan addysg iechyd yw gwella iechyd cyffredinol y boblogaeth, ac i alluogi pobl ifainc i gymryd cyfrifoldeb am eu hiechyd eu hunain ac iechyd eu plant drwy:

- newid ymddygiad neu agwedd

- ddarparu gwybodaeth a chodi ymwybyddiaeth

- rhoi'r gallu i bobl ddewis eu ffordd o fyw eu hunain ac i fod yn ymwybodol o

oblygiadau eu dewisiadau

- hyrwyddo diddordeb grŵp penodol
- cyrraedd targedau iechyd lleol a chenedlaethol, e.e. hyrwyddo hunanarchwilio er mwyn darganfod cancr ar y fron.

Rôl y gweithiwr gofal plant o ran hyrwyddo iechyd ac addysg

Mae llawer o ffactorau pwysig yn cyfrannu at gynnal iechyd plant a'u cadw'n ddiogel rhag afiechyd. Gall gweithwyr gofal plant ddylanwadu ar iechyd y plant dan eu gofal drwy ddarparu trefnau, gweithgareddau ac addysg sy'n hybu ymwybyddiaeth oedolion a phlant o bwysigrwydd iechyd da a dulliau o gadw'n iach.

Mae'n bwysig bod pynciau a gweithgareddau iechyd yn rhan o'r rhaglen a gynlluniwyd ar gyfer plant. Yn aml, mae'n bosibl cysylltu'r rhain â meysydd eraill o'r cwricwlwm. Er enghraifft, bydd gwaith topig am 'Ni ein Hunain' yn delio ag agweddau ar 'Gwybodaeth a Dealltwriaeth o'r Byd' fel rhan o'r Canlyniadau Dymunol, gan helpu plant i ddeall sut mae eu cyrff yn gweithio ar yr un pryd.

Dylai materion iechyd fod yn rhan o'r trefnau dyddiol a bydd atgoffa ac esbonio am iechyd a hylendid yn atgyfnerthu sgiliau bywyd iach. Dylai gweithwyr gofal plant ddefnyddio dulliau o weithio sy'n hyrwyddo hunan-barch plant fel y gallant deimlo'n dda amdanyn nhw eu hunain, datblygu annibyniaeth a chreu perthnasau positif. Bydd hyn yn cael effaith bositif ar eu hiechyd a'u lles.

Dylai gweithwyr gofal plant fod yn rôl fodelau i'r plant. Er enghraifft, mae plant sy'n gweld eu gofalwyr yn ysmygu'n fwy tebygol o fynd ymlaen i ysmygu eu hunain. Dylid ceisio osgoi ysmygu mewn sefydliadau gofal plant.

Dylai'r amgylchedd gofal plant fod yn ddiogel. Dylai'r staff a'r plant fel ei gilydd fod yn ymwybodol o faterion diogelwch bob amser, a dylai gweithwyr gofal plant ddefnyddio pob cyfle posibl i godi ymwybyddiaeth a dealltwriaeth y plant o ddiogelwch ac o gadw eu hunain yn ddiogel.

Bydd rhoi dewisiadau iach amser bwyd a thrafod bwyd gyda phlant yn gwella eu dealltwriaeth o bwysigrwydd diet iach a'i ddylanwad ar iechyd da.

GWEITHGAREDDAU SY'N GYSYLLTIEDIG AG IECHYD

Mae'n bosibl cynnig nifer o weithgareddau i blant i godi eu hymwybyddiaeth o iechyd da, a'i hyrwyddo. Dylent fod yn briodol ar gyfer cam datblygiad y plentyn, yn ddiddorol ac yn symbylol. Mae'n bosibl, hefyd, eu cysylltu ag addysg plant mewn meysydd eraill o'r cwricwlwm.

Gallai gweithgareddau gynnwys:

- *chwarae llawn dychymyg* – troi'r ardal chwarae llawn dychymyg yn ganolfan iechyd, deintydd, ysbyty, siop, caffi
- *ymweld â lleoedd o ddiddordeb* – i siopau bwyd, ffermydd a gerddi lle tyfir llysiau a ffrwythau
- *ymwelwyr* – yr **ymwelydd iechyd**, nyrs ysgol, patrôl croesi'r ffordd, deintydd
- *trefnau dyddiol* – trefnau hylendid, trefnau diogelwch
- *llyfrau a straeon* – dylai llyfrau mewn sefydliadau gofal plant gyflwyno materion iechyd mewn ffordd gadarnhaol; gellir defnyddio amser stori a

term allweddol

Ymwelydd iechyd

nyrs hyfforddedig sy'n arbenigo mewn hyrwyddo iechyd plant

grŵp ar gyfer trafodaeth

- *gemau* – gemau bwrdd a luniwyd gyda golwg ar agwedd ar iechyd

- *arddangosfeydd a byrddau diddordeb* – gellir creu arddangosfeydd i gyfleu negeseuon iechyd penodol. Mae gwaith plant yn gallu bod yn rhan o arddangosfeydd, er enghraifft eu hysgrifen, lluniadau a phaentiadau am bynciau iechyd

- *arddangosiadau* – golchi dwylo, brwsio gwallt, croesi'r ffordd yn ddiogel.

Gellir cysylltu gweithgareddau fel hyn â hyrwyddiad iechyd a meysydd eraill o'r cwricwlwm (bwyta'n iach, mathemateg a chyfathrebu, iaith a llythrennedd)

Gwirio'ch cynnydd

Diffiniwch iechyd.

Rhestrwch bum gweithgaredd sy'n gysylltiedig â phynciau iechyd a fyddai'n addas ar gyfer pob un o'r grwpiau oedran canlynol:

(a) 1–3 oed   (b) 3–5 oed   (c) 5–7 oed.

Gwyliadwriaeth iechyd plant

Mae gwyliadwriaeth iechyd plant yn system a ddefnyddir i adolygu cynnydd plentyn. Cynhelir yr adolygiadau hyn pan gyrhaeddir oedrannau penodol. Mae rhaglenni sy'n cynnal adolygiadau cyson pan gyrhaeddir oedrannau penodedig yn diogelu plant rhag llithro drwy'r rhwyd, yn enwedig pan fydd teuluoedd yn symud tŷ yn aml ac yn newid eu meddygon a'u hymwelwyr iechyd. Mewn llawer o ardaloedd yn y DU mae gan y prif ofalwr gofnod iechyd y plentyn, ar ffurf llyfr. Mae'r llyfr hwn, cofnod iechyd y plentyn, yn cynnwys bylchau a lenwir gan y rhiant neu'r gofalwr a phobl eraill sy'n gofalu am y plentyn. Mae'r rhain yn cynnwys:

- ymwelwyr iechyd
- meddygon teulu
- staff clinig iechyd plant
- staff adran argyfwng ysbyty
- staff cleifion allanol ysbyty
- tîm iechyd ysgol
- deintyddion.

Yn y modd yma gellir rhannu gwybodaeth a sicrhau ei bod ar gael yn rhwydd i bawb sy'n gofalu am y plentyn. Dylai gwyliadwriaeth plentyn.

EGWYDDORION GWYLIADWRAETH IECHYD PLANT

Mae rhai egwyddorion penodol yn sail i wneud defnydd effeithiol o raglen gwyliadwraeth iechyd plant. Dylai gwyliadwraeth iechyd plant:

- gael ei wneud mewn partneriaeth â'r rhieni neu'r gofalwyr – nhw yw'r arbenigwyr a'r bobl orau i adnabod problemau iechyd, datblygiadol ac ymddygiadol yn eu plant eu hunain
- fod yn brofiad positif i rieni a gofalwyr
- fod yn brofiad dysgu i'r rhieni a'r gofalwyr, y plentyn a'r gweithiwr iechyd proffesiynol – dylai gynnwys cyfnewid gwybodaeth
- fod yn gyfle i roi arweiniad ar bynciau iechyd plant a hybu iechyd
- fod yn broses barhaol a hyblyg – yn ogystal ag asesiadau penodedig, dylai fod cyfleoedd ar gyfer adolygiadau eraill yn ôl anghenion pob plentyn
- gael ei gynnal drwy wylio a siarad â rhieni neu ofalwyr – dylai profion ac archwiliadau ategu'r broses
- fod yn seiliedig ar gyfathrebu a gwaith tîm da.

Y gweithwyr proffesiynol

Cyflawnir y rhan fwyaf o wyliadwriaeth iechyd plant yng nghartref y plentyn ei hunan neu yn y clinig iechyd plant. Cynhelir y clinigau mewn canolfannau iechyd, safle'r meddyg teulu neu mewn mannau cyfleus eraill, fel neuadd yr eglwys. Y gweithwyr proffesiynol sydd yn ymwneud yn bennaf â gwyliadwriaeth iechyd plant yw ymwelwyr iechyd a meddygon. Nyrsys hyfforddedig a aeth ymlaen i hyfforddi mewn gwaith bydwraig ac ymweliadau iechyd yw ymwelwyr iechyd. Mae gan y meddygon, o bosibl meddyg y plentyn, ddiddordeb arbennig mewn iechyd plant. Mae gan bob un o'r gweithwyr proffesiynol hyn gyfrifoldeb dros ran o raglen wyliadwriaeth iechyd y plentyn: maent yn gweithio fel tîm gyda'r rhieni neu'r gofalwyr. Mae'r meddyg teulu a'r ymwelydd iechyd yn rhan o'r **tîm gofal iechyd cychwynnol** ac yn ymgymryd â **gofal iechyd cychwynnol**.

RHAGLEN GWYLIADWRIAETH IECHYD PLANT

Mae asesu cynnydd datblygiadol y plentyn a thrafod pynciau hybu iechyd perthnasol yn rhan o bob adolygiad.

termau allweddol

Tîm gofal iechyd cychwynnol

grŵp o weithwyr proffesiynol sy'n ymgymryd â darparu gofal iechyd uniongyrchol a hybu iechyd

Gofal iechyd cychwynnol

gofal iechyd uniongyrchol a hybu iechyd

281

Y tîm gofal iechyd cychwynnol

Adolygiad geni

Fel rheol cynhelir yr adolygiad geni cyn gadael yr ysbyty, neu gan y meddyg teulu os ganed y plentyn yn ei gartref. Mae'r adolygiad geni'n cynnwys:

- mesuriadau – cofnodir pwysau a chylchedd y pen ar **siart canraddol**
- prawf Guthrie i sicrhau nad oes gan y plentyn ffenylcetonwria
- archwilio'r glun i ddod o hyd i unrhyw afleoliad cynhenid neu wendid yn y glun
- archwiliad cyffredinol i sicrhau nad oes gan y plentyn gyflyrau cynhenid neu glefyd caffaeledig.

Y pynciau hybu iechyd a drafodir yn ystod yr adolygiad hwn yw cyngor ar fwydo, diogelwch a theithio mewn car.

Adolygiad 10-14 diwrnod

Fel rheol cynhelir yr adolygiad 10-14 diwrnod gan yr ymwelydd iechyd yng nghartref y plentyn ac mae'n cynnwys:

- adolygiad, gyda'r rhiant neu'r gofalwr, o'r cynnydd a'r datblygiad a fu ers y geni
- archwiliad cyffredinol
- archwiliad arall o'r glun
- mesuriadau – cofnodir cylchedd pen a phwysau ar y siart canraddol.

Mae'r pynciau hybu iechyd a drafodir yn ystod yr adolygiad hwn yn cynnwys imiwneiddiadau, bwydo, a mwy o adolygiadau iechyd a diogelwch.

Adolygiad 6 wythnos

Fel rheol, cynhelir yr adolygiad 6 wythnos gan y meddyg yn y clinig iechyd plant ac mae'n cynnwys:

- adolygiad, gyda'r gofalwr, o'r cynnydd a'r datblygiad a welwyd oddi ar bythefnos wedi'r geni
- archwiliad corfforol
- mesuriadau – cofnodir pwysau a chylchedd pen ar y siart canraddol
- archwiliad arall o'r glun.

term allweddol

Siart canraddol

siartiau a baratowyd yn arbennig ac a ddefnyddir ar gyfer cofnodi mesuriadau cynnydd plentyn o ran ei dyfiant a'i ddatblygiad. Ceir siartiau canraddol sy'n mesur pwysau, uchder, cylchedd pen a datblygiad

Mae'r pynciau hybu iechyd a drafodir yn ystod yr adolygiad hwn yn cynnwys bwydo a diogelwch.

Adolygiad 3-4 mis

Cynhelir archwiliad arall o'r glun i weld a oes unrhyw arwydd o anabledd neu wendid.

Adolygiad 6-9 mis

Fel rheol cynhelir yr adolygiad 6-9 mis gan yr ymwelydd iechyd yn y cartref neu'r clinig. Mae'n cynnwys:

- adolygiad, gyda'r rhiant neu'r gofalwr, o'r datblygiad a'r cynnydd a welwyd oddi ar 6 wythnos wedi'r geni
- mesuriadau – cofnodir pwysau a chylchedd pen ar y siart canraddol
- archwiliad o'r glun
- prawf clyw, gan ddefnyddio prawf tynnu sylw
- arsylwi ymddygiad o safbwynt gallu'r plentyn i weld
- archwilio am **geilliau heb ddisgyn** – mewn gwrywod dylai'r ceilliau, sydd yn y corff cyn geni'r plentyn, ddisgyn i mewn i'r ceillgwd.

Mae'r pynciau hybu iechyd a drafodir yn ystod yr adolygiad hwn yn cynnwys diogelwch, y defnydd o gardiau tân, llidiardau grisiau, seddau ceir a pheryglon drysau gwydr.

Adolygiad 18-24 mis

Cynhelir yr adolygiad pan fydd y plentyn wedi cyrraedd 18-24 mis oed ac mae'n cynnwys:

- adolygiad, gyda'r rhiant neu'r gofalwr, o ddatblygiad a chynnydd y plentyn oddi ar 9 mis oed
- mesuriadau – cofnodir pwysau ar y siart canraddol
- gwirio datblygiad iaith
- prawf golwg.

Mae'r pynciau hybu iechyd a drafodir yn ystod yr adolygiad hwn yn cynnwys atal damweiniau, diogelwch dŵr (er enghraifft, pyllau), storio moddion a hylifau peryglus eraill yn ddiogel, a diogelwch yn y gegin.

Prawf calon

Rhwng 1 a 3 oed, dylai pob plentyn gael archwiliad calon gan y meddyg.

Archwiliad caill

Rhwng 1 a 3 oed dylai pob plentyn gwryw gael archwiliad arall ar y caill, i sicrhau bod y ddau ohonynt wedi disgyn i mewn i'r ceillgwd.

Adolygiad 3 oed i 3 blwydd 6 mis oed

Mae'r adolygiad hwn, a gynhelir pan fydd y plentyn wedi cyrraedd 3 oed, yn cynnwys:

- adolygiad cynnydd a datblygiad gyda'r rhiant neu'r gofalwr, yn enwedig datblygiad iaith
- mesuriadau – cofnodir taldra ar y siart canraddol.

Mae'r pynciau hybu iechyd a drafodir yn ystod yr adolygiad hwn yn cynnwys diogelwch ar y ffordd ac yn y car. Dyma pryd fydd y meddyg a'r ymwelydd iechyd yn adolygu'r cofnodion gyda'r rhieni neu'r gofalwyr ac yn trafod yr angen am adolygiadau cyson yn y dyfodol.

Adolygiad dechrau ysgol

Cynhelir yr adolygiad dechrau ysgol gan y nyrs a'r meddyg ysgol. Mae'r adolygiad yn cynnwys y canlynol:

- adolygiad, gyda'r rhiant neu'r gofalwr, o gynnydd a datblygiad
- mesur taldra a phwysau
- prawf golwg
- prawf clyw
- imiwneiddiad atgyfnerthol.

Mae'r pynciau hybu iechyd a drafodir yn ystod yr adolygiad hwn yn cynnwys diogelwch ar y ffordd a 'Dieithryn Dansierus'.

Gwerthusiad 8 oed

Cynhelir y gwerthusiad hwn gan y nyrs ysgol, ac mae'n cynnwys y canlynol:

- adolygiad o gynnydd a datblygiad
- mesur taldra a phwysau
- prawf golwg.

Mae'r pynciau hybu iechyd a drafodir yn ystod yr adolygiad hwn yn cynnwys diogelwch ar y ffordd, 'Dieithryn Dansierus', iechyd deintyddol, diet ac ymarfer corff.

Gwirio'ch cynnydd

Pwy sy'n ysgrifennu yn y cofnod iechyd plant?

Pwy yw'r bobl orau i adnabod problemau iechyd a datblygiad?

Sut cynhelir yr adolygiadau?

Pa weithwyr proffesiynol sydd fwyaf ynghlwm wrth wyliadwriaeth gofal plant?

Pa fesuriadau a gofnodir yn y flwyddyn gyntaf?

Ble cofnodir y mesuriadau?

Beth yw man cychwyn pob adolygiad?

Am beth mae'r archwiliad ar y glun yn chwilio?

Beth yw pwrpas yr archwiliad ar y ceilliau?

Pam ddylai pob plentyn gael prawf ar y galon?

Sgrinio ar gyfer nam ar y clyw

Yn aml, bydd rhieni yn ymwybodol bod eu plentyn yn colli eu clyw. Dylai gweithwyr gofal plant wrando yn ofalus ar y pryderon hyn a chyfeirio'r plentyn ar gyfer ymchwiliadau pellach. Cynhelir profion arbennig fel rhan o raglen wyliadwriaeth iechyd plant, ond gellir cynnal profion ar unrhyw adeg os credir bod gan blentyn broblem clyw, a dylid gwneud hynny.

SGRINIO'R BABAN NEWYDD-ANEDIG

Bydd rhieni neu ofalwyr yn gwybod os bydd eu plentyn yn ymateb i synau. Yn yr oed hwn, bydd ymatebion i synau uchel yn cynnwys:

- anystwytho
- ysmicio
- atgyrch Moro
- crïo.

O bosibl, bydd y baban yn ymateb i synau tawelach, mwy parhaus drwy lonyddu ac ymdawelu. Mae dulliau ar gael ar gyfer profi clyw babanod **newydd-anedig**, ond ni chynhelir y profion hyn yn achos pob baban newydd ei eni. Mae'r profion yn cynnwys:

- crud ymateb clywedol (ARC)
- allyriannau otoacwstig (OAE)
- awdiometreg ymateb a achoswyd gan goesyn yr ymennydd (BSERA).

Mae'r rhain yn brofion cymhleth. Fe'u defnyddir fel rheol os oes rheswm dros gredu bod nam ar y clyw.

term allweddol

Plentyn newydd-anedig

baban newydd ei eni

PRAWF TYNNU SYLW

term allweddol

Prawf tynnu sylw

prawf ar y clyw a gynhelir pan fydd y plentyn tua 7 mis oed

Tua 7 mis oed yw'r oedran gorau ar gyfer sgrinio'r clyw, yn ystod blwyddyn gyntaf y plentyn. Dylai pob baban gael prawf ar eu clyw yn yr oedran hwn. O safbwynt datblygiad, dylai'r baban allu eistedd i fyny a rheoli ei ben yn dda. Rhaid cael dau berson i gynnal y **prawf tynnu sylw**, yn ogystal â'r gofalwr: un i wylio a'r llall i gynnal y prawf.

Mae'r baban yn eistedd ar lin y gofalwr gan wynebu'r gwyliwr. Mae'r gwyliwr yn defnyddio tegan di-sŵn i dynnu a chadw sylw'r baban. Pan fydd y gwyliwr wedi cael sylw'r baban, cymerir y tegan i ffwrdd a bydd y profwr yn gwneud y sŵn symbylol ar lefel y glust. Dylai'r baban droi, chwilio am a darganfod ffynhonnell y sŵn. Gelwir hyn yn **lleoleiddio**. Dylid profi'r ddwy glust gydag amrywiaeth o synau tawel, rhai ohonynt gyda thraw uchel ac eraill gyda thraw isel.

term allweddol

Lleoleiddio

chwilio am, a lleoli, ffynhonnell sŵn

Mae synau symbylol yn cynnwys:

- ratlau – ceir ratlau arbenigol, megis ratlau Manceinion a Nuffield
- llais – sŵn traw isel megis w, sŵn traw uchel megis ss, sgwrs dawel yn cynnwys enw'r baban.

Prawf clyw tynnu sylw

Gwneir y synau'n dawel iawn

Mae'r baban yn lleoli'r sŵn

Mae nifer o resymau, megis salwch neu flinder, yn gallu esbonio diffyg ymateb i brawf clyw. Os na fydd baban yn ymateb o gwbl i'r prawf, yna fe'i cynhelir eto ar ôl 2 i 4 wythnos. Os bydd y diffyg ymateb yn parhau, rhaid trefnu asesiad clywedegol llawn.

PROFION AR GYFER PLANT HŶN: 2-5 OED

Wrth i blant ddatblygu, mae'n bosibl defnyddio profion sy'n gofyn am gydweithrediad y plentyn. Mae enghreifftiau'n cynnwys y gêm 'Cer' a'r prawf gwahaniaethu lleferydd.

Gêm 'Cer'

Yn y gêm brawf hon, gofynnir i'r plentyn bostio bricsen i mewn i flwch pan glywant y gair 'Cer'. Gall profwr profiadol amrywio traw a lefel sain y llais a gellir profi'r naill glust a'r llall ar wahân.

Prawf gwahaniaethu lleferydd

Mae'r prawf hwn yn fwy anodd na'r gêm 'Cer' ac yn gofyn am gydweithrediad a dealltwriaeth y plentyn. Rhoddir detholiad o deganau i'r plentyn. Dewiswyd y teganau hyn yn benodol er mwyn profi gallu'r plentyn i glywed gwahanol gytseiniaid, er enghraifft p, g, d galed, c, s, m, f, b. Ar ôl enwi'r teganau mewn llais arferol gyda'r profwr, gofynnir mewn llais tawel i'r plentyn ddangos pob un o'r teganau, er enghraifft drwy ddweud 'Dangosa'r drwm i mi'; 'Rho'r fricsen i Mam'. Unwaith eto, profir y naill glust a'r llall gan ddefnyddio'r ystod i gyd.

Y prawf gwahaniaethu lleferydd

AWDIOMETREG TÔN PUR (O 5 OED)

Yn achos **awdiometreg** tôn pur, mae'r plentyn yn gwisgo ffonau clust ac yn gwrando am y tôn a gynhyrchir gan yr awdiomedr. Cynhyrchir y tonau ar wahanol drawiau a dwyster. Profir y naill glust a'r llall ar wahân. Mae hwn yn brawf hir a chymhleth.

Awdiometreg sgubo

Mae awdiometreg sgubo yn ddull llai cymhleth o awdiometreg tôn pur, lle profir ystod o seinamleddau detholedig. Fel rheol cynhelir y prawf pan fydd y plentyn yn dechrau ysgol.

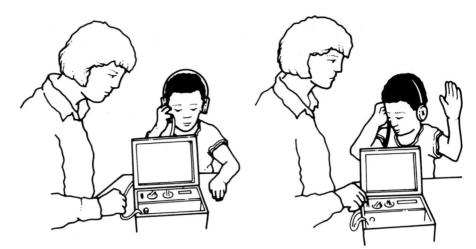

Awdiometreg sy'n defnyddio awdiomedr i fesur clyw

Gwirio'ch cynnydd

Beth yw'r oedran gorau ar gyfer defnyddio prawf tynnu sylw i brofi clyw plentyn?

Enwch ddau brawf arall y gellid eu defnyddio i brofi clyw.

Beth yw ystyr lleoleiddio sain?

Sut fath o seiniau a ddefnyddir i brofi clyw?

Pam ei bod hi'n bwysig i gael cymorth dau berson yn ystod y prawf tynnu sylw?

Astudiaeth achos ...

... prawf clyw

Mae Llinos yn 8 mis oed, ac mae'n ymweld â'r ganolfan iechyd gyda'i mam, Delyth, ar gyfer y prawf clyw arferol. Mae Ruth, ei hymwelydd iechyd, yn trafod datblygiad Llinos gyda Delyth ac mae Delyth yn dweud wrthi fod Llinos yn defnyddio'i llais ac yn gwneud synau o ddwy sillaf. Mae Ruth yn gwylio Llinos ac yn nodi ei bod hi'n eistedd i fyny ac yn rheoli ei phen yn dda. Mae Llinos yn eistedd ar gôl ei mam ac yn wynebu Llyr, ymwelydd iechyd arall, sy'n helpu Ruth i gynnal y profion. Mae Llyr yn chwarae gyda Llinos am ychydig ac yn cadw ei sylw. Yn y cyfamser, mae Ruth yn gwneud sŵn tawel iawn, ar yr un lefel â chlust Llinos a thua 1m i ffwrdd. Mae Llinos yn troi ar unwaith i chwilio am y sŵn, yn gweld Ruth ac yn gwenu. Mae Ruth yn ei chanmol ac yna'n ei hannog i droi ei sylw yn ôl at Llyr. Mae Ruth yn parhau â'r prawf fel hyn, gan ddefnyddio gwahanol seiniau, yn cynnwys seiniau traw uchel ac isel. Mae Llinos yn ymateb yn gyflym i bob sŵn. Mae Ruth yn fodlon ar ganlyniadau'r prawf ac yn dweud wrth Delyth bod Llinos yn clywed yn iawn.

1. Rhwng pa oedrannau y dylid profi clyw baban llai nag 1 oed?

2. Pam wnaeth Ruth drafod datblygiad Llinos gyda'i mam?

3. Pam fod angen dau berson i gynnal prawf clyw?

4. Pam fod Ruth wedi aros i Llinos droi tuag at y synau?

5. Beth yw'r term a ddefnyddir i ddisgrifio hyn?

6. Pe na bai canlyniadau'r prawf wedi bod yn derfynol, beth fyddai Ruth wedi ei wneud?

Sgrinio ar gyfer nam ar y golwg

Yn aml, rhieni neu ofalwyr yw'r bobl gyntaf i sylwi ar nam gweledol. Dylai'r gweithiwr gofal plant wrando'n ofalus ar unrhyw bryderon a chyfeirio'r plentyn at y meddyg teulu neu'r clinig iechyd am fwy o brofion. Dyma rai o'r arwyddion cyffredinol sy'n dangos bod golwg y plentyn yn datblygu'n normal:

- *Ar ôl cael ei eni*, bydd y baban yn edrych am gyfnod byr ar wyneb ei fam.

- *Yn fis oed*, bydd y baban yn gwylio wyneb y gofalwr yn astud, ac yn dilyn wyneb y gofalwr wrth iddo symud o ochr i ochr.

- *Yn 3 mis oed*, bydd y baban yn dilyn tegan sy'n cael ei siglo o flaen ei wyneb; bydd yn dechrau edrych ar ei fysedd ei hun.

- *Yn 6 mis oed*, bydd y baban yn gallu gweld ar draws ystafell a gweld gwrthrychau bach fel Smartie.

- *Yn 9 mis oed*, bydd y baban yn gallu adnabod teganau ar draws ystafell a gweld briwsion bach ar y llawr, a cheisio'u codi.

Os na fydd plentyn i'w weld yn gwneud hyn, mae'n bwysig cynnal mwy o brofion golwg.

Yn ogystal â chadw golwg ar gynnydd y plentyn, profir golwg plant fel rhan o raglen gwyliadwriaeth iechyd plant:

- *Ar ôl y geni ac yn 6 wythnos oed*, bydd y meddyg yn archwilio'r llygaid am unrhyw arwydd o annormaledd, yn enwedig arwydd o gataract, cyflwr lle nad yw lens y llygad yn dryloyw.

- *Rhwng 6 wythnos a 6 mis*, bydd y meddyg a'r ymwelydd iechyd yn chwilio am arwydd o lygad croes, cyflwr lle nad yw'r llygaid yn cydweithio'n iawn, a'r baban ddim fel petai'n edrych yn syth atoch. Defnyddir profion arbennig i ganfod llygad croes: y prawf adlewyrchiad cornbilennol a'r prawf gorchuddio.

- *Rhwng 2 a 5 oed* – erbyn yr oed hwn, gall plant gydweithredu mewn prawf golwg. Gellir defnyddio llythrennau unigol gyda siart cyfateb llythrennau i brofi gweld yn y pellter. Mae'r plentyn yn edrych ar y llythyren sy'n cael ei dal i fyny gan y profwr, ac wedyn yn pwyntio at y llythyren gyfatebol ar ei siart. Bydd plant hŷn yn gallu enwi'r llythrennau. Rhaid profi'r naill lygad a'r llall ar wahân, o 3m o bellter.

Profi golwg ar gyfer gweld yn agos ac yn bell

- *Dan oed ysgol* – fel rheol cynhelir profion sgrinio golwg arferol pan fydd y plentyn yn dechrau ysgol a bob 3 blynedd ar ôl hynny.

- *Namau golwg lliw* – fel rheol argymhellir cynnal profion i sgrinio golwg lliw ar ddechrau'r ysgol uwchradd.

Gwirio'ch cynnydd

Beth yw'r arwyddion cyffredinol sy'n dangos bod y golwg yn datblygu'n normal:
(a) ar enedigaeth y baban?   (b) yn 3 mis oed?   (c) yn 9 mis oed?

Beth fyddai'n gwneud i chi amau, o bosibl, nad yw baban 6 wythnos oed yn gallu gweld?

Prawf Guthrie

Prawf sgrinio i ganfod ffenylcetonwria yw prawf Guthrie. Cyflwr etifeddol yw PKU sy'n effeithio ar allu'r baban i fetaboleiddio rhan o fwydydd protein. Gellir canfod cyflyrau eraill, fel isthyroidedd (cyflwr lle nad yw'r chwarren thyroid yn gweithio'n iawn) a ffibrosis y bledren (cyflwr etifeddol). Cynhelir y prawf pan fydd y baban yn 6 diwrnod oed ac wedi bod yn cymryd llaeth ers dyddiau. Cesglir gwaed o bigiad ar y sawdl i orchuddio pedwar cylch ar gerdyn a baratowyd yn arbennig, cyn ei yrru i'r labordy. Mae trin PKU yn gynnar yn rhoi cyfle da i'r plentyn ddatblygu'n normal.

Gwirio'ch cynnydd

Pryd gynhelir prawf Guthrie?

Beth ddylai'r plentyn fod wedi ei fwyta cyn cael prawf?

Beth mae prawf Guthrie yn ei ganfod?

Prawf ar y glun

DADLEOLIAD GENEDIGOL Y GLUN

Mae **genedigol** yn golygu rhywbeth sy'n digwydd yn ystod y geni. Mae cymal y glun yn cynnwys pen **asgwrn y forddwyd** (asgwrn hir y forddwyd) a'r soced yn y **pelfis** (y gwregys pelfig). Yn achos **dadleoliad genedigol y glun**, mae cymal y glun yn wan am na ddatblygodd yn iawn cyn y geni; gellir priodoli hyn i leoliad y ffoetws yn y groth, ond mae'n bosibl bod cysylltiad genetig hefyd.

Pan fydd y glun wedi ei afleoli neu'n wan, gall pen asgwrn y forddwyd ddod yn rhydd o'r soced yn y pelfis, gan olygu bod un goes yn ymddangos yn fyrrach na'r llall. Os na roddir triniaeth, bydd yn effeithio ar ddatblygiad cerdded.

Profir cluniau'r baban yn fuan ar ôl y geni ac yna ar gyfnodau cyson wedi hynny hyd at flwydd oed. Tynnir coesau'r baban tuag allan a theimlir 'clic' nodweddiadol wrth i ben dadleoledig asgwrn y forddwyd lithro'n ôl i mewn i'r soced.

Mae'r driniaeth yn digwydd mewn camau a'i phwrpas yw atal dadleoliad a chreu cymal clun cryf. Defnyddir sblintiau neu 'blastr broga' i ddal coesau'r baban yn wynebu tuag allan. Fel rheol mae'r cynnydd a wneir yn dda a gellir cerdded yn normal yn y man.

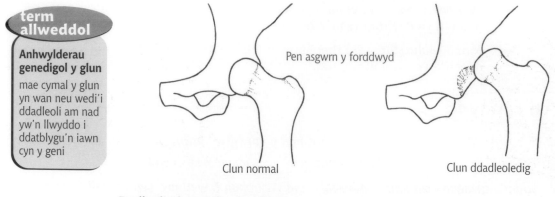

term allweddol

Anhwylderau genedigol y glun
mae cymal y glun yn wan neu wedi'i ddadleoli am nad yw'n llwyddo i ddatblygu'n iawn cyn y geni

Pen asgwrn y forddwyd

Clun normal

Clun ddadleoledig

Dadleoliad genedigol y glun

Gwirio'ch cynnydd

Pryd gynhelir y prawf ar y glun?

Pa esgyrn sy'n rhan o'r prawf ar y glun?

Nawr rhowch gynnig ar y cwestiynau hyn

Pam ei bod hi'n bwysig i rieni a gofalwyr wybod am faterion yn ymwneud ag iechyd?

Pam ei bod hi'n bwysig dod o hyd i golli clyw mor gynnar â phosibl ym mywyd y plentyn?

Pam fod hybu iechyd yn rhan bwysig o rôl y gweithiwr gofal plant?

Sut mae'r rhaglen gwyliadwriaeth iechyd yn cyfrannu at iechyd parhaus y plentyn?

ACHOSION AC ATALIAD AFIECHYD

Mae plant yn dal afiechydon a heintiau sy'n cael eu trosglwyddo'n ddidrafferth o un plentyn i'r llall. Bydd deall sut mae clefydau'n lledaenu'n helpu gweithwyr gofal plant i gadw plant rhag cael eu heintio a rhag trosglwyddo'r haint i eraill. Bydd llawer o blant yn datblygu eu himiwnedd naturiol eu hunain, ond byddant hefyd yn elwa o raglen imiwneiddio.

Bydd y rhan hon yn ymdrin â'r pynciau canlynol:

- trosglwyddo clefydau
- imiwnedd
- geneteg
- imiwneiddiad.

Trosglwyddo clefydau

Cyflwr yw clefyd sy'n digwydd pan fydd rhywbeth yn mynd o'i le gyda'r ffordd mae'r corff yn gweithio fel arfer. O ganlyniad mae'r plentyn yn mynd yn sâl. Dyma rai o'r arwyddion sy'n dangos bod plentyn yn sâl a bod ganddo glefyd:

- tymheredd uchel (38° neu fwy)
- cur pen
- dolur gwddf
- brechau ar y croen
- dolur rhydd.

Mae arwyddion eraill o salwch yn cynnwys crïo llawer, ac ymddwyn yn bigog ac mewn ffordd anarferol. Mae arwyddion posibl o salwch yn peri mwy o bryder yn aml, ac yn fwy arwyddocaol, yn achos babanod a phlant ifainc iawn.

Gelwir yr organebau sy'n achosi clefyd yn **bathogenau**. Y pathogenau pwysicaf yw bacteria, firysau a rhai ffyngau. Yr enw cyffredin am bathogenau yw germau. Mae pathogenau'n dod i mewn i'r corff drwy'r geg a'r trwyn gan amlaf, ac weithiau drwy friwiau ar y croen. Ar ôl mynd i mewn i'r croen, maent yn cynyddu'n gyflym iawn. Mae'r cyfnod hwn, a elwir yn **gyfnod magu** yn gallu parhau am ddyddiau neu wythnosau, gan ddibynnu ar y math o bathogen ydyw. Er bod y person yn derbyn yr

Pathogenau

germau megis bacteria a firysau

Cyfnod magu

y cyfnod sy'n cychwyn pan fydd y pathogenau'n dod i mewn i'r corff ac yn gorffen pan welir arwyddion cyntaf heintiad haint yn ystod y cyfnod magu, nid ydynt yn dechrau teimlo'n sâl ac yn dangos arwyddion o'r haint tan tua diwedd y cyfnod magu.

Mae pathogenau'n gweithio mewn gwahanol ffyrdd wrth heintio'r corff. Mae rhai'n ymosod ar gelloedd y corff ac yn eu dinistrio; mae eraill yn cynhyrchu sylweddau gwenwynol a elwir yn **docsinau** yn y gwaed. Mae actifedd mawr y pathogenau'n creu llawer o wres, felly un o'r arwyddion bod y pathogenau wedi creu haint yw bod tymheredd y plentyn yn codi.

term allweddol

Tocsin

sylwedd gwenwynig a gynhyrchir gan y pathogenau

SUT MAE CLEFYDAU'N LLEDAENU

Mae clefydau'n lledaenu drwy gyfrwng:

- defnynnau o leithder yn yr awyr
- cyffyrddiad
- bwyd a dŵr
- anifeiliaid
- briwiau a chrafiadau.

Defnynnau yn yr awyr

Wrth i chi beswch, tisian, siarad a chanu, daw defnynnau bach iawn o leithder allan o'ch trwyn a'ch ceg. Os oes gennych glefyd, bydd y defnynnau hyn yn llawn pathogenau. Os bydd rhywun arall yn anadlu'r pathogenau hyn i mewn i'w corff, mae'n bosibl y bydd y clefyd yn cael ei drosglwyddo iddyn nhw. Mae anwydau (a achosir gan firysau) yn lledaenu'n gyflym fel hyn.

Cyffyrddiad

Mae'n bosibl dal rhai clefydau heintus drwy gyffwrdd person heintiedig, neu drwy gyffwrdd â thywelion neu bethau eraill a ddefnyddiwyd gan y person hwnnw. Mae'r cyflwr croen impetigo (a achosir gan facteria) yn lledaenu fel hyn. Gellir dal clefyd croen arall, tarwden y traed (a achosir gan ffwng), o loriau ystafelloedd newid a chawodydd cyhoeddus.

Bwyd a dŵr

Bydd wrin ac ymgarthion person a heintiwyd yn cynnwys pathogenau. Gall dŵr yfed gael ei lygru os bydd carthion yn mynd iddo. Gall bwyd a diod gael eu llygru os bydd person â dwylo budr yn eu paratoi neu eu trin, neu os bydd yr ardal paratoi bwyd yn fudr. Dyma pam fod golchi'r dwylo ar ôl ymweld â'r toiled a chyn trin bwyd mor bwysig. Mae gwenwyn bwyd (a achosir gan facteria) yn lledaenu'n gyflym fel hyn, yn enwedig mewn mannau lle mae llawer o blant yn chwarae ac yn bwyta gyda'i gilydd, megis meithrinfeydd.

Anifeiliaid

Cludir pathogenau ar fwydydd gan anifeiliaid megis pryfed, llygod mawr, llygod a chwilod duon. Mae anifeiliaid sy'n sugno gwaed yn lledaenu clefydau eraill; un enghraifft o hyn yw malaria, a ledaenir gan fosgitos.

Briwiau a chrafiadau

Mae pathogenau'n gallu dod i mewn i'r corff drwy friw neu niwed arall i'r croen. Enghreifftiau o hyn yw bacteria tetanws a firws hepatitis.

Gwirio'ch cynnydd

Beth yw arwyddion clefyd?

Beth yw pathogenau?

Rhowch enghreifftiau o bathogenau.

Esboniwch yn fyr y gwahanol ffyrdd y mae clefydau'n lledaenu.

Beth yw tocsinau?

Imiwnedd

Pan ddaw pathogenau i mewn i'r corff, nid yw'r corff yn eistedd yn ôl ac yn gadael i'r pathogenau gymryd drosodd. Mae celloedd gwyn yn gweithio i geisio dinistrio'r bacteria neu'r firysau meddiannol. Mae'r celloedd gwyn yn adnabod y pathogenau meddiannol fel sylwedd estron ac yn dechrau gwneud **gwrthgyrff**. Mae gwrthgyrff yn gwneud i'r pathogenau gasglu gyda'i gilydd fel bod y celloedd gwyn yn gallu eu dinistrio drwy eu hamsugno – gelwir y broses hon yn **ffagosytosis**.

termau allweddol

Gwrthgorff

sylwedd wedi'i wneud gan gelloedd gwyn i ymosod ar bathogenau

Ffagosytosis

y broses lle mae'r celloedd gwyn yn amsugno pathogenau ac yn eu dinistrio

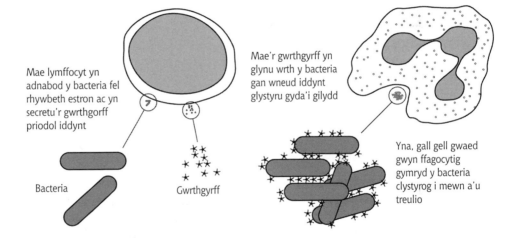

Mae lymffocyt yn adnabod y bacteria fel rhywbeth estron ac yn secretu'r gwrthgorff priodol iddynt

Bacteria

Gwrthgyrff

Mae'r gwrthgyrff yn glynu wrth y bacteria gan wneud iddynt glystyru gyda'i gilydd

Yna, gall gell gwaed gwyn ffagocytig gymryd y bacteria clystyrog i mewn a'u treulio

Ffagosytosis: y modd mae celloedd gwyn yn dinistrio bacteria

term allweddol

Imiwnedd

presenoldeb y gwrthgyrff sy'n amddiffyn y corff yn erbyn clefyd heintus

Bydd yn cymryd amser i'r celloedd gwyn wneud digon o wrthgyrff. Gall hyn roi digon o amser i'r pathogen gynyddu fel bod y plentyn yn dangos arwyddion o'r clefyd. Yn y pen draw, fodd bynnag, bydd y celloedd gwyn yn gwneud digon o wrthgyrff i ddinistrio'r pathogenau a bydd y plentyn yn gwella o'r afiechyd. Os bydd yr un pathogen yn ymosod eto'n ddiweddarach, bydd y celloedd gwyn yn ei adnabod ac yn gallu gwneud gwrthgyrff sy'n dinistrio'r pathogen cyn iddo gael cyfle i gynyddu – crëwyd **imiwnedd**; bellach mae'r plentyn yn imiwn i'r pathogen hwnnw ac i'r clefyd a achosir ganddo.

IMIWNEDD GWEITHREDOL

Mae dioddef o glefyd ac yna gwella'n un ffordd o ddod yn imiwn iddo. Gelwir hyn yn **imiwnedd** gweithredol, am fod y celloedd gwyn yn gwneud y gwrthgyrff yn erbyn y pathogenau sy'n creu'r clefyd. Ceir imiwnedd gweithredol hefyd drwy dderbyn imiwneiddiad drwy **frechlyn**. Mae brechlynnau'n cynnwys ffurfiau o'r pathogenau sy'n achosi'r clefyd penodol, wedi'u lladd neu eu gwanhau. Er enghraifft, mae'r brechlyn BCG ar gyfer y ddarfodedigaeth yn cynnwys bacteria a wanhawyd. Pan chwistrellir hwy i mewn i'r corff, maent yn rhy wan i gynyddu, ond mae'r celloedd gwyn yn gallu eu hadnabod fel celloedd estron ac yn dechrau gwneud gwrthgyrff i'w trechu. Yna ceir imiwnedd i'r clefyd am fod y corff wedi dysgu sut i adnabod y pathogen ac yn gallu gwneud y gwrthgorff sydd ei angen i'w ymladd.

IMIWNEDD GODDEFOL

Math arall o imiwnedd yw **imiwnedd goddefol**, lle rhoddir gwrthgyrff parod i mewn i'r corff. Gellir creu imiwnedd goddefol drwy chwistrellu serwm sy'n cynnwys gwrthgyrff i mewn i'r corff, ond ni wneir hyn yn aml. Yr enghraifft fwyaf cyffredin o imiwnedd goddefol yw pan fydd babanod sy'n derbyn llaeth o'r fron yn dod yn imiwn i glefydau am fod gwrthgyrff yn y llaeth a roddir gan y fam. Nid yw imiwnedd goddefol yn parhau am gyfnod amhenodol, am fod y gwrthgyrff yn diflannu'n raddol o'r gwaed. Mae imiwnedd gweithredol yn para'n hirach o lawer am fod y celloedd gwyn wedi dysgu sut i wneud y gwrthgorff ac yn gallu gwneud hynny pan fydd y pathogen yn dod i mewn i'r corff yn y dyfodol.

Gwirio'ch cynnydd

Beth yw gwrthgorff?

Pa gelloedd yn y corff sy'n dinistrio pathogenau?

Beth yw ffagosytosis?

Sut mae ennill imiwnedd gweithredol?

Sut mae ennill imiwnedd goddefol?

Geneteg

Mae rhai afiechydon a chyflyrau yn cael eu hetifeddu ac yn cael eu cludo gan y cromosomau a'r genynnau.

ETIFEDDIAD ENCILIOL

Yn yr achos hwn mae gan y ddau riant enyn diffygiol ar gyfer cyflwr neu afiechyd penodol, e.e. ffibrosis y bledren neu glefyd y cryman-gell. Mae posibilrwydd o un mewn pedwar y bydd y cyflwr yn cael ei basio ymlaen drwy bob beichiogrwydd

ETIFEDDIAD TRECHOL

Yn yr achos hwn mae gan un rhiant enyn trechol ar gyfer cyflwr penodol, e.e. cryndod Huntington. Mae posibilrwydd o un mewn dau y bydd y cyflwr yn cael ei basio ymlaen drwy bob beichiogrwydd.

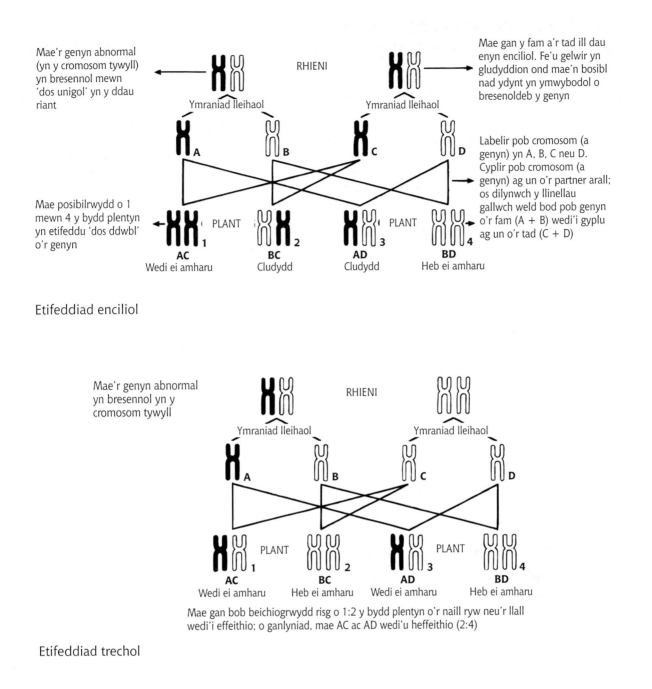

Mae'r genyn abnormal (yn y cromosom tywyll) yn bresennol mewn 'dos unigol' yn y ddau riant

RHIENI

Mae gan y fam a'r tad ill dau enyn enciliol. Fe'u gelwir yn gludyddion ond mae'n bosibl nad ydynt yn ymwybodol o bresenoldeb y genyn

Ymraniad lleihaol

Ymraniad lleihaol

A   B   C   D

Labelir pob cromosom (a genyn) yn A, B, C neu D. Cyplir pob cromosom (a genyn) ag un o'r partner arall; os dilynwch y llinellau gallwch weld bod pob genyn o'r fam (A + B) wedi'i gyplu ag un o'r tad (C + D)

Mae posibilrwydd o 1 mewn 4 y bydd plentyn yn etifeddu 'dos ddwbl' o'r genyn

PLANT   PLANT

1   2   3   4

AC   BC   AD   BD
Wedi ei amharu   Cludydd   Cludydd   Heb ei amharu

Etifeddiad enciliol

Mae'r genyn abnormal yn bresennol yn y cromosom tywyll

RHIENI

Ymraniad lleihaol

Ymraniad lleihaol

A   B   C   D

PLANT   PLANT

1   2   3   4

AC   BC   AD   BD
Wedi ei amharu   Heb ei amharu   Wedi ei amharu   Heb ei amharu

Mae gan bob beichiogrwydd risg o 1:2 y bydd plentyn o'r naill ryw neu'r llall wedi'i effeithio; o ganlyniad, mae AC ac AD wedi'u heffeithio (2:4)

Etifeddiad trechol

ETIFEDDIAD RHYW-GYSYLLTIEDIG

Trosglwyddir cyflyrau rhyw-gysylltiedig neu X-gysylltiedig o famau i'w meibion, e.e. haemoffilia a nychdod cyhyrol Duchenne. Gyda phob beichiogrwydd, mae posibilrwydd o un mewn dau y bydd mamau sy'n cario genyn a amharwyd ar eu cromosom X yn trosglwyddo hyn i'w mab, a phosibilrwydd o un mewn dau y bydd pob merch yn gludydd.

ABNORMALEDDAU CROMOSOMAIDD

Mae gan gyflyrau sy'n codi oherwydd diffygion yn y cromosomau batrwm nodweddiadol. Mae syndrom Down yn abnormaledd cromosomaidd cyfarwydd iawn.

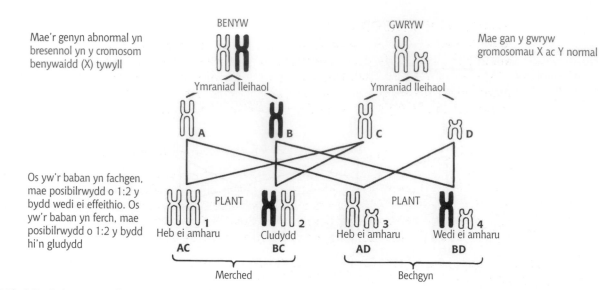

Mae'r genyn abnormal yn bresennol yn y cromosom benywaidd (X) tywyll

Mae gan y gwryw gromosomau X ac Y normal

Os yw'r baban yn fachgen, mae posibilrwydd o 1:2 y bydd wedi ei effeithio. Os yw'r baban yn ferch, mae posibilrwydd o 1:2 y bydd hi'n gludydd

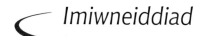
Etifeddiad rhyw-gysylltiedig: rhiant benywaidd yn cludo

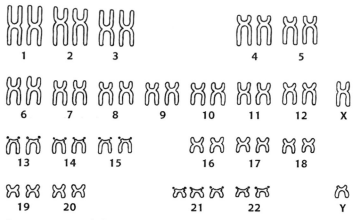

Patrwm cromosom baban gwryw gyda syndrom Down. Nodwch bresenoldeb y cromosom rhif 21 ychwanegol, Trisomy 21.

Patrwm cromosom baban gwryw gyda syndrom Down

Imiwneiddiad

Ystyr imiwneiddiad yw defnyddio brechlyn i ddiogelu pobl rhag clefydau. Mae brechlynnau a ddefnyddir ar gyfer imiwneiddio'n cynnwys naill ai rhannau bach o'r firysau neu'r bacteria sy'n achosi'r clefyd, neu feintiau bach o'r cemegau (tocsinau) a gynhyrchir ganddynt. Cafodd y rhain driniaeth i sicrhau nad ydynt yn achosi'r clefyd, ond er hynny gallant ysgogi'r corff i greu gwrthgyrff. Yn y ffordd yma, bydd y corff yn gallu amddiffyn ei hun yn erbyn heintiau yn y dyfodol. Mae brechlynnau yn amddiffyn y mwyafrif o blant yn effeithiol ac am gyfnod hir. Mae angen ychwanegu at rai imiwneiddiadau, ac mae'n bosibl y bydd angen **dos cyfnerthol** wrth i'r plentyn dyfu.

RHAGLEN IMIWNEIDDIO

Mae imiwneiddio yn amddiffyn plant rhag clefydau difrifol. Mae hefyd yn amddiffyn plant eraill drwy atal clefydau rhag cael eu trosglwyddo.

Mae cyngor ac arweiniad ynglŷn ag imiwneiddio yn rhan o'r rhaglen hybu iechyd plant. Bydd meddygon ac ymwelwyr iechyd yn cynghori rhieni neu ofalwyr am imiwneiddiadau ac yn trafod unrhyw bryderon sydd ganddynt am eu plentyn.

Yr MMR cyfnerthol (brech goch, y dwymyn doben a rwbela)

Ers mis Hydref 1996 mae pob plentyn sy'n derbyn eu pigiad cyfnerthol cyn ysgol yn erbyn diffheria, tetanws a pholio yn cael cynnig dos cyfnerthol o'r frech goch, y dwymyn doben a rwbela. Mae angen dos cyfnerthol am fod tua 5 i 10 y cant o blant yn parhau i fod mewn perygl o ddal yr afiechyd ar ôl eu himiwneiddiad MMR cyntaf. Bydd ail ddos yn amddiffyn y plant hynny ac yn cyfnerthu imiwnedd y lleill.

Y rhaglen imiwneiddio		
Oed	**Brechlyn**	**Dull**
2 fis	Hib (haemoffilws ffliw llid yr ymennydd math b)	1 pigiad
	Diffheria, tetanws, pertwsis (y pas) (DTP)	1 pigiad
	Polio	Trwy'r geg
3 mis	Hib	1 pigiad
	DTP	1 pigiad
	Polio	Trwy'r geg
4 mis	Hib	1 pigiad
	DTP	1 pigiad
	Polio	Trwy'r geg
12–15 mis	Brech goch, y dwymyn doben a rwbela (MMR)	1 pigiad
3-5 oed (wrth gael eu derbyn i'r ysgol)	Diffheria, tetanws	1 pigiad
	MMR	1 pigiad
	Polio	Trwy'r geg
Merched 10-14 oed	Rwbela	Os na dderbyniwyd ef yn 12-15 mis oed 1 pigiad
Merched 10-14 oed (weithiau yn fuan wedi'r geni)	Y ddarfodedigaeth	1 pigiad (BCG)
Plant sy'n gadael ysgol, 15-19 oed	Diffheria, tetanws	1 pigiad
	Polio	Dos cyfnerthol trwy'r geg

SGIL EFFEITHIAU AR ÔL IMIWNEIDDIAD

Wedi'r imiwneiddio bydd rhai plant yn sâl, yn dioddef y dwymyn neu'n bigog am gyfnod. Weithiau bydd y croen yn chwyddo ac yn troi'n goch yn y man lle derbyniwyd y pigiad, neu bydd lwmp bach yn ymddangos. Os bydd y plentyn yn dioddef y dwymyn ar ôl cael ei imiwneiddio, sicrhewch eu bod nhw'n ddigon oer ac yn cael digon i yfed. Mae'n bosibl y bydd y meddyg neu'r ymwelydd iechyd yn argymell dos o sirob parasetamol, ond gwnewch yn siŵr eich bod chi'n rhoi'r dos cywir. Dylai'r man coch neu chwyddedig o amgylch safle'r pigiad ddiflannu'n raddol. Os bydd unrhyw symptomau eraill sy'n achosi pryder, er enghraifft tymheredd neu gonfylsiwn, holwch eich meddyg ar unwaith.

Sgil effeithiau'r imiwneiddiad DTP triphlyg

Nid oes sgil effeithiau mawr i'r imiwneiddiad DTP (difftheria, tetanws, pertwsis – y pas). Mae'n bosibl y bydd y baban yn teimlo'n ddiflas, yn gwynfanllyd ac yn dioddef y dwymyn yn ystod y 24 awr wedi'r pigiad. Mae'n bosibl y bydd rhai plant yn profi confylsiwn (ffit) ar ôl yr imiwneiddiad DTP. Yr elfen o'r brechlyn triphlyg ar gyfer y pas yw'r hyn sy'n poeni rhieni a gofalwyr yn aml. Bu cwestiynau ynglŷn â diogelwch y brechlyn a'r posibilrwydd o niwed i'r ymennydd. Nid yw'r ymchwil diweddaraf wedi dod o hyd i gysylltiad rhwng y brechlyn a niwed parhaol i'r ymennydd.

Sgil effeithiau'r imiwneiddiad Hib (haemoffilius math b)

Bydd gan tua un o bob deg baban rywfaint o gochni neu chwyddo wrth safle'r pigiad. Mae'r chwyddo'n lleihau'n gyflym iawn ac fel rheol bydd wedi diflannu ymhen diwrnod neu ddau.

Sgil effeithiau'r imiwneiddiad MMR (brech goch, y dwymyn doben a rwbela)

Bydd rhai plant yn datblygu twymyn ysgafn a brech tua 7 i 10 diwrnod wedi'r imiwneiddiad. Fel rheol, byddant yn parhau am ddiwrnod neu ddau. Mae rhai plant yn dioddef pwl ysgafn o'r dwymyn doben tua 3 wythnos wedi'r imiwneiddiad. Mae pob un o'r symptomau hyn yn rhai ysgafn ac nid oes modd i blant eraill na merched beichiog gael eu heintio. Efallai bydd nifer bach o blant yn ymateb mewn ffordd fwy difrifol megis drwy ddioddef confylsiwn neu lid yr ymennydd, ond anaml iawn y mae hyn yn digwydd. Yn ddiweddar, cysylltwyd y brechiad MMR ag achosion o awtistiaeth ac anhwylderau'r perfedd mewn plant, ond nid yw ymchwil wedi cael hyd i dystiolaeth derfynol i gefnogi hyn.

Sgil effeithiau'r imiwneiddiad polio

Firws byw a roddir drwy'r geg yw'r brechiad polio. Trosglwyddir y firws drwy'r llwybr treulio ac i mewn i gewyn budr. Mae'n bwysig iawn, felly, bod gweithwyr gofal yn golchi eu dwylo'n ofalus ar ôl newid cewynnau er mwyn osgoi cael haint. Rhaid i weithwyr gofal plant sicrhau bod eu himiwneiddiad polio eu hunain yn gyfredol.

GWEITHWYR GOFAL PLANT AC IMIWNEIDDIAD

Mae imiwneiddiad yn diogelu plant rhag clefydau difrifol. Yn ogystal, mae'n diogelu plant eraill drwy sicrhau nad yw clefydau'n cael eu trosglwyddo.

Bydd gweithwyr gofal plant yn elwa o sicrhau bod eu himiwneiddiadau eu hunain yn gyfredol. Mae angen pigiadau cyfnerthol ar gyfer polio a thetanws. Gallai gweithwyr gofal plant gael eu himiwneiddio hefyd yn erbyn hepatitis.

Gwirio'ch cynnydd

Rhowch ddau reswm pam eu bod hi'n bwysig bod plant yn cael eu himiwneiddio.

Disgrifiwch yr adweithiau lleiaf i imiwneiddiad.

Disgrifiwch y sgil effeithiau mwyaf difrifol.

Pa frechiad a roddir drwy'r geg?

Os ydy baban wedi derbyn y brechiad polio, pa ragofalon arbennig ddylai'r gofalwr eu cyflawni?

Beth mae'r brechiad triphlyg yn ei gynnwys?

Nawr rhowch gynnig ar y cwestiynau hyn

Ym mha wahanol ffyrdd y lledaenir clefydau?

Disgrifiwch sut yr enillir imiwnedd. Beth yw'r gwahanol fathau o imiwnedd?

Pam ei bod hi'n bwysig imiwneiddio plant?

YMATEBION I AFIECHYDON PLENTYNDOD

Mae afiechydon plentyndod yn symud yn ddidrafferth o un plentyn i'r llall. Mae rhai afiechydon yn fwy cyffredin ac yn digwydd i lawer o blant. Yn yr achosion hyn, bydd angen gofal tyner a thriniaethau syml arnynt. Bydd gofyn ymateb yn gyflym i afiechydon mwy difrifol, ac o bosibl, bydd angen i'r gofalwr gyfeirio'r achos.

Bydd y rhan hon yn ymdrin â'r pynciau canlynol:

⌣ afiechydon cyffredin plentyndod

⌣ clefydau heintus

⌣ plâu.

Afiechydon cyffredin plentyndod

ANWYDAU

Mae firysau'n achosi anwydau, ac mae plant yn dal llawer o anwydau am fod nifer o firysau annwyd yn bodoli a phlant ifainc yn cael eu heintio gan bob firws am y tro cyntaf. Wrth dyfu mae plant yn datblygu imiwnedd, ac felly'n dal llai o anwydau. Firysau, ac nid bacteria, sy'n achosi anwydau, ac felly nid yw gwrthfiotigau yn helpu. Gallwch gymryd y camau canlynol i helpu'r plentyn i anadlu'n haws: cadwch y trwyn yn glir a defnyddiwch eli menthol neu gapsiwl llacio (decongestant), yn enwedig gyda'r nos. Gwnewch yn siŵr fod gan y plentyn ddigon i yfed, a rhowch fwyd ysgafn sy'n hawdd ei lyncu. Peidiwch â ffwdanu os nad yw'r plentyn yn awyddus i fwyta am gyfnod – rhowch ddigon o ddiod iddo.

PESYCHIADAU

Fel yn achos anwydau, firws sy'n achosi'r mwyafrif o besychiadau. Os yw'r peswch yn parhau, neu'r frest yn ymddangos yn gaeth, dylid gofyn cyngor meddyg. Mae'r mwyafrif o besychiadau'n digwydd am fod y corff yn clirio'r mwcws o gefn y gwddf, neu o'r llwybr aer yn yr ysgyfaint. Mae'r peswch, felly, yn gwneud gwaith defnyddiol a dylid ei leddfu yn hytrach na'i atal. Bydd mêl ac oren neu lemwn mewn dŵr cynnes neu foddion peswch parod yn helpu. Os defnyddiwch foddion peswch parod, gwnewch yn siŵr ei fod yn addas ar gyfer oedran y plentyn a rhowch y dos a argymhellir. Peidiwch â chymysgu moddion peswch gyda moddion eraill, er enghraifft parasetamol, heb ofyn i'r meddyg yn gyntaf.

DOLUR RHYDD

Mae **carthion** babanod bach fel rheol yn feddal ac yn felyn, a bydd rhai babanod yn baeddu pob clwt, bron. Os sylwch fod y carthion yn troi'n ddyfrllyd ac yn digwydd yn

term allwleddol

Carthion
ymgarthion, cynnyrch bwyd wedi ei dreulio

gyson iawn, ynghyd ag arwyddion eraill afiechyd, holwch y meddyg. Gall babanod sy'n dioddef o'r dolur rhydd golli llawer o hylif yn gyflym iawn, yn enwedig os yw yn chwydu hefyd. Gall hyn fod yn ddifrifol iawn. Galwch y meddyg ac, yn y cyfamser, rhowch gymaint o ddŵr wedi'i ferwi ac yna'i oeri â phosibl. Defnyddiwch lwy de os yw'r baban yn gyndyn o sugno a cheisiwch roi ychydig o ddŵr bob ychydig o funudau. Nid yw'r dolur rhydd yn gymaint o achos pryder mewn plant hŷn, ond gwnewch yn siŵr eu bod yn cael digon o hylif. Os yw'r dolur rhydd yn parhau am fwy na 2 neu 3 diwrnod, holwch y meddyg.

HEINTIAU AR Y GLUST

termau allwleddol

Otitis media
haint ar y glust ganol

Clust ludiog
lle mae deunydd heintiedig yn casglu yn y glust ganol ar ôl nifer o heintiau ar y glust

Yn aml bydd heintiau ar y glust yn datblygu ar ôl annwyd. O bosibl bydd y plentyn yn teimlo'n gyffredinol sâl, yn tynnu neu'n rhwbio ei glustiau neu efallai y bydd rhedlif yn dod o'r glust. O bosibl bydd tymheredd y plentyn wedi codi. Efallai y bydd y plentyn yn cwyno am boen, ond bydd babanod bach yn crïo'n unig ac yn ymddangos yn sâl neu'n anghyffrddus. Os byddwch yn amau bod haint ar y glust, mae'n bwysig cael triniaeth gan feddyg ar unwaith er mwyn osgoi unrhyw niwed parhaol i'r clyw. Mae heintiau ar y glust, yn enwedig y glust ganol (**otitis media**), yn weddol gyffredin. Yn aml bydd yr heintiau hyn yn effeithio ar eu clyw dros dro a bydd hyn yn ei dro'n effeithio ar eu gallu i gymryd rhan mewn gweithgareddau'r feithrinfa neu'r ysgol. Mae heintiau parhaus yn y glust ganol, pan fydd deunydd heintiedig yn casglu yn y glust ganol (a elwir weithiau yn **glust ludiog**) yn gallu arwain at broblemau gyda'r clyw yn y tymor hir.

DOLUR GWDDF

Fel yn achos anwydau, achosir dolur gwddf gan firysau. Mae'n bosibl y bydd y gwddf yn sych ac yn boenus ddiwrnod neu fwy cyn i'r annwyd gychwyn. Weithiau achosir dolur gwddf gan donsilitis, pan fydd y gwddf yn goch ac yn boenus, gyda darnau gwyn ar y tonsiliau, sy'n chwyddedig. Mae'n bosibl y bydd y plentyn yn cael anhawster llyncu, ac y bydd ei dymheredd wedi codi, a'i chwarennau wedi'u chwyddo dan yr ên. Os yw'r tymheredd yn uwch nag arfer, gofynnwch am gyngor meddyg, a fydd, o bosibl, yn argymell rhoi parasetamol. Yn y cyfamser, rhowch ddigon o ddiodydd clir a bwyd meddal i'w fwyta, a chadwch y plentyn yn gynnes ac yn gyffrddus.

BRONCITIS

term allwleddol

Broncitis
haint ar y frest a achosir gan haint ar y prif lwybrau anadlu

Haint a llid ar y prif lwybrau anadlu sy'n achosi **broncitis** (haint ar y frest). Bydd gan y plentyn beswch parhaus ar y frest ac o bosibl bydd yn codi fflem gwyrdd neu felyn wrth beswch. Efallai y bydd ei anadl yn swnllyd, bydd ganddo dymheredd uchel a bydd yn teimlo'n sâl iawn. Ewch at y meddyg mor fuan â phosibl. O bosibl, bydd yn rhoi gwrthfiotigau. Yn y cyfamser, gadewch i'r plentyn orffwys yn dawel. Bydd eistedd i fyny gyda rhywbeth y tu cefn iddo i'w ddal yn helpu'r anadlu. Rhowch barasetamol i ostwng y tymheredd a digon o ddiodydd cynnes lleddfol megis mêl a lemwn. Gallai rhoi tywel llaith ar reiddiadur cynnes helpu i leithio'r awyrgylch. Gallai hyn helpu i lacio'r fflem yn y llwybrau anadlu fel bod peswch yn haws. Mae rhai plant yn tueddu i gael pyliau parhaus o froncitis.

TYMEREDDAU

Mae tymheredd o 38° neu'n uwch yn arwydd bod pathogenau wedi mynd i mewn i'r corff ac yn cynyddu. Gall plant, yn enwedig babanod, ddatblygu tymereddau uchel yn gyflym iawn. Os oes gan faban dymheredd uchel a/neu arwyddion eraill o afiechyd, chwiliwch am gyngor meddyg mor fuan â phosibl, bob amser. Yn achos plant hŷn, cysylltwch â'r meddyg os yw'r tymheredd yn parhau'n uchel neu os oes gan y plentyn arwyddion eraill o afiechyd. Mae'n bwysig i ostwng y tymheredd er mwyn osgoi unrhyw gymhlethdodau. Peidiwch â lapio baban i fyny; tynnwch haen o ddillad. Gadewch i blant hŷn wisgo dillad ysgafn. Cadwch yr ystafell yn oer a gwyntyllwch y

plentyn os yw'n bosibl. Rhowch ddigon o ddiodydd oer, ychydig ar y tro ac yn gyson. Rhowch barasetamol i leihau'r tymheredd, ond chwiliwch am gyngor meddyg yn gyntaf os yw'r baban yn llai na 3 mis oed.

CONFYLSIYNAU TWYMYN

Yn fyr, dyma'r arwyddion y dylid chwilio amdanynt:

term allweddol

Confylsiynau twymyn
ffit neu drawiad sy'n digwydd o ganlyniad i dymheredd uchel yn y corff

- colli ymwybyddiaeth
- anystwythder yn y corff
- corff plyciog
- gall y llygaid droi tuag yn ôl
- gall y plentyn wlychu neu faeddu'i hun.

Mae'n bwysig gweithredu'n effeithiol ac yn gyflym:

- Aros gyda'r plentyn a'i ddiogelu rhag niwed neu ddisgyn.
- Chwilio am gymorth meddygol.
- Rhoi'r plentyn yn yr ystum adferol pan fydd y confylsiynau wedi dod i ben.
- Pan fydd y plentyn yn ymwybodol eto, daliwch ati i geisio lleihau'r tymheredd.

LLINDAG

Haint ffwngaidd sy'n ffurfio mannau gwyn yn y geg, fel rheol ar y tafod a thu mewn i'r bochau a'r gwefusau. Os ceisiwch rwbio'r ffwng i ffwrdd, byddwch yn gadael man coch, dolurus. Gall babanod ddioddef hefyd o ben ôl dolurus am fod y llindag wedi heintio'r croen yn y man lle mae'n cyffwrdd â'r clwt. Holwch y meddyg, a fydd yn rhoi'r driniaeth wrth-ffwngaidd benodol a fydd yn cael gwared ar yr haint. Yn aml trosglwyddir y llindag o un plentyn i'r llall am nad yw'r offer bwydo wedi'i ddiheintio a'i drin yn gywir. Gall hefyd gael ei drosglwyddo gan oedolyn heintiedig. Mae'n bwysig iawn bod offer bwydo'n cael ei lanhau a'i ddiheintio'n drylwyr cyn cael ei ddefnyddio. Ni fydd y llindag yn lledaenu os dilynir arferion hylendid effeithiol mewn ceginau lle paratoir bwyd ac os bydd gweithwyr gofal plant yn dilyn trefnau hylendid personol da.

CHWYDU

Mae pob baban yn dod â rhywfaint o laeth i fyny o bryd i'w gilydd. Os bydd y baban yn chwydu'n gyson neu'n ffyrnig ac/neu os bydd arwyddion eraill o salwch, cysylltwch â'r meddyg. Gall babanod golli llawer o hylif os chwydant yn gyson. Gwnewch yn siŵr fod y baban yn dal i gymryd hylif, ond peidiwch â rhoi llaeth a rhowch hylifau clir mor aml â phosibl. Yn ogystal gellir rhoi hylifau ail-hydradu llafar ac o bosibl fe'u hargymhellir gan feddyg.

Gwirio'ch cynnydd

Rhestrwch bob arwydd sy'n dod i'ch meddwl a fyddai'n dangos bod gan blentyn haint.

Pam ei bod hi'n bwysig i weithredu'n gyflym os bydd gan faban ddolur rhydd?

Pam fod plant yn dal anwydau'n gyson?

Beth mae tymheredd uchel yn ei ddangos?

Sut mae'r llindag yn cael ei ledaenu?

Clefydau heintus

Noder: Mae brechau'n edrych yn wahanol ar wahanol bobl. Gall lliwiau'r smotiau amrywio ac ar groen du mae'n anoddach i weld brechau. Os ydych yn ansicr, gofynnwch i'r meddyg, yn enwedig os bydd y plentyn yn dangos arwyddion eraill o salwch. Gellir atal rhai clefydau heintus drwy imiwneiddio.

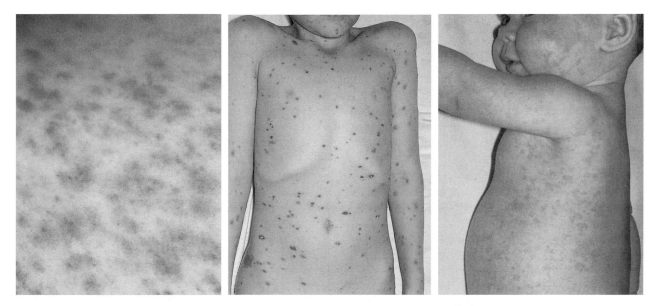

Brech goch   Brech yr ieir   Rwbela

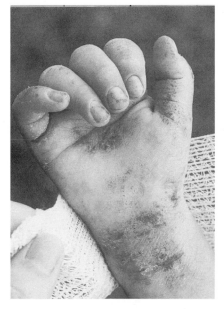

Ecsema   Brech Meningococaidd

Brechau a namau ar y croen

Clefydau plentyndod heintus

Clefyd	Cyfnod magu	Arwyddion i'w nodi	Gofal
Brech yr ieir: haint firaol	14–16 diwrnod	Yn dechrau gyda theimladau cyffredinol o salwch, efallai tymheredd uwch nag arfer; bydd smotiau'n ymddangos yn y lle cyntaf ar y frest a'r cefn ac wedyn yn lledaenu; yn goch yn gyntaf, ond wedyn yn troi'n bothelli llawn hylif; yn y man byddant yn sychu ac yn troi'n grach cyn disgyn i ffwrdd; bydd y smotiau'n dod mewn clystyrau dilynol ac yn cosi.	Rhowch ddigon i yfed, gwnewch yn siŵr fod y plentyn mor gyffyrddus â phosibl, drwy ddefnyddio baddonau, dillad rhydd, cyffyrddus a thrwyth calamin i leddfu'r cosi; cadwch y plentyn rhag crafu gan fod hyn yn gallu gadael creithiau.
Difftheria: haint facteriol	2–6 diwrnod	Arwyddion cyffredinol o salwch, yn cael trafferth anadlu; mae pilen wen yn ffurfio ar draws y gwddf gan rwystro'r llwybr anadlu yn arwydd glasurol o ddifftheria; gall tocsinau a gynhyrchir gan y bacteria niweidio'r galon a'r ymennydd	Rhaid rhoi gwrthfiotigau ar unwaith a mynd â'r plentyn i'r ysbyty
Gastroenteritis: haint facteriol neu firaol sy'n lledaenu drwy gyffyrddiad neu drwy fwyta bwyd neu ddŵr heintiedig	Amrywiol iawn: 1–14 diwrnod; firysau'n effeithio'n gynt	Mae'r plentyn yn gyffredinol sâl, gan chwydu a dioddef dolur rhydd difrifol; mae babanod a phlant ifainc yn dangos arwyddion o ddiffyg hylif yn fuan iawn, gyda cheg a chroen sych, a llai o wrin; mae ffontanél pen blaen babanod ifanc yn suddo	Galwch y meddyg, mae'n bosibl y bydd angen triniaeth mewn ysbyty yn y lle cyntaf; gwnewch yn siŵr fod y plentyn yn weddol oer ac yn gyffyrddus; rhowch ddŵr iddo'n gyson iawn; gellir rhoi hydoddiannau ail-hydradu drwy'r geg hefyd
Brech goch: haint firaol	7–12 diwrnod	Yn dechrau gydag arwyddion o annwyd a pheswch; mae'r plentyn yn raddol yn mynd yn salach a mwy diflas, gyda thymheredd uchel a llygaid dolurus; cyn i'r frech ymddangos ar y croen gellir gweld smotiau gwyn yn y geg (smotiau Kopliks); pan ddaw'r frech, bydd y smotiau'n goch a'r frech yn flotiog; fel rheol bydd y frech yn cychwyn y tu ôl i'r clustiau ac yn lledaenu'n gyflym i lawr at weddill y corff	Mae'n bosibl y bydd y plentyn yn sâl iawn; galwch y meddyg; yn ogystal â phob triniaeth feddygol arall, gwnewch yn siŵr fod y plentyn yn cael digon o orffwys a hylif; efallai y bydd angen talu sylw arbennig i'r llygaid a'u golchi'n ofalus; cadwch y geg yn lân ac yn llaith; chwiliwch am arwyddion o haint ar y glust
Llid yr ymennydd: llid ar y bilen sy'n gorchuddio'r ymennydd; gall haint facteriol neu firaol ei chosi	2–10 diwrnod	Mae'n bwysig i adnabod llid yr ymennydd yn gynnar gan ei fod yn datblygu'n gyflym iawn; fel rheol mae'n dechrau gyda thymheredd uchel, cur pen, chwydu, dryswch, sensitifedd; gall arwyddion eraill ddatblygu'n ddiweddarach, gwddf poenus ac anystwyth, casáu'r golau	Chwiliwch am gymorth meddygol yn gynnar; bydd angen cael triniaeth a gofal mewn ysbyty

Os ydych yn amau bod gan y plentyn lid yr ymennydd, mae'n bwysig chwilio am gymorth meddygol ar unwaith

Clefydau plentyndod heintus – parhad

Clefyd	Cyfnod magu	Arwyddion i'w nodi	Gofal
Y dwymyn doben: haint firaol	14–21 diwrnod	Yn sâl yn gyffredinol; y glust a'r ên yn boenus ac yn dyner, anghyffyrddus i gnoi; chwyddo'n dechrau o dan yr ên ac i fyny wrth y glust, fel rheol ar un ochr o'r wyneb, ac yna (ond nid bob tro) ar yr ochr arall	Cadwch y plentyn yn gyffyrddus a rhowch ddigon i'w yfed; o bosibl bydd y meddyg yn cynghori poenliniarydd (megis parasetamol) i leddfu'r dolur; rhaid gorffwys, gan fod y ceilliau'n llidio yn achos rhai bechgyn, er nad yw hyn yn digwydd yn aml iawn
Poliomyelitis (polio): haint firaol sy'n ymosod ar y system nerfol gan achosi parlys cyhyrol; haint a gludir gan ddŵr	5–21 diwrnod	Mynd yn sâl yn sydyn, gyda chur pen, gwddf a chefn anystwyth, ac yna colli symudiad a pharlys; o bosibl trafferth yn anadlu	Gofal mewn ysbyty yn gyntaf, ac yna cyfnod o orffwys ac adferiad
Rwbela (brech Almaenig): haint fi'raol	14–21 diwrnod	Yn dechrau fel annwyd ysgafn, ond yn aml nid yw'r plentyn yn teimlo'n sâl; brech yn ymddangos yn gyntaf ar yr wyneb, ac yna'n symud i'r corff; mae'r smotiau'n wastad ac yn para am tua 24 awr; weithiau y chwarennau yng nghefn y gwddf yn chwyddedig	Yn aml, nid yw plant sy'n dioddef o rwbela'n teimlo'n sâl; rhowch ddigon i yfed; os bydd gwraig feichiog yn dal rwbela, mae perygl o niwed i'w baban; cadwch y plentyn i ffwrdd o unrhyw un sy'n feichiog neu'n debygol o feichiogi; os oedd y plentyn yng nghwmni rhywun beichiog cyn i chi wybod am y salwch, gadewch iddynt wybod; dylai gwraig feichiog sydd wedi dod i gysylltiad â rwbela weld ei meddyg ar unwaith
Twymyn goch: haint facteriol	2–6 diwrnod	Yn dechrau pan fydd y plentyn yn teimlo'n sâl, gyda dolur gwddf, tymheredd, teimlo'n chwydlyd; mae'r tafod yn ymddangos yn goch iawn, a'r bochau'n wridog; mae'r gwddf yn ymddangos yn goch ac yn ddolurus, gyda mannau gwyn; mae'r frech yn dechrau ar yr wyneb ac yn lledaenu i'r corff	Gwnewch yn siŵr fod y plentyn yn gorffwys ac yn yfed digon; mae'n bosibl y bydd y meddyg yn rhoi gwrthfiotigau; chwiliwch am gymhlethdodau, megis heintiau ar y clustiau a'r arennau
Tetanws: haint facteriol; mae bacteria, sydd mewn pridd, baw a llwch, yn dod i mewn i'r corff drwy friwiau, crafiadau a chlwyfau eraill	4–21 diwrnod	Mae tetanws yn ymosod ar y system nerfol, gan achosi gwewyr cyhyrol poenus; mae cyhyrau'r gwddf yn tynhau a'r ên yn cloi	Rhaid glanhau unrhyw friwiau ac ati'n drylwyr; rhaid cadw'r imiwneiddiad yn gyfredol; rhaid derbyn triniaeth mewn ysbyty ar unwaith ar gyfer tetanws

305

Clefydau plentyndod heintus – parhad

Clefyd	Cyfnod magu	Arwyddion i'w nodi	Gofal
Y ddarfodedigaeth (TB): haint facteriol	28–42 diwrnod	Peswch parhaus, colli pwysau, arbrofion pellach yn dangos niwed i'r ysgyfaint	O bosibl bydd angen triniaeth mewn ysbyty yn y lle cyntaf; rhoddir gwrthfiotigau penodol, ac mae gorffwys a diet da yn hanfodol
Y pas (pertwsis): haint facteriol	7–14 diwrnod	Yn dechrau fel peswch ac annwyd: fel rheol bydd y peswch yn gwaethygu; ar ôl tua 2 wythnos bydd y pyliau o beswch yn dechrau; mae pyliau hir o beswch a thagu'n llafurus a brawychus, gan fod y peswch yn parhau am gyfnod mor hir fel bod y plentyn yn cael anhawster anadlu ac o bosibl yn cyfogi; weithiau bydd sŵn bloeddgar wrth i'r plentyn dynnu anadl ar ôl peswch; gall pyliau peswch barhau am wythnosau	Galwch y meddyg, a fydd o bosibl yn rhoi gwrthfiotigau; bydd y plentyn angen llawer o gefnogaeth a chysuro, yn enwedig yn ystod pyliau o beswch; anogwch y plentyn i yfed llawer; o bosibl bydd angen rhoi bwyd a diod ar ôl pyliau o beswch, yn enwedig os bydd y plentyn yn cyfogi; weithiau ceir cymhlethdodau: confylsiynau, broncitis, torllengig, heintiau ar y glust, llid yr ysgyfaint a niwed i'r ymennydd

Noder Mae brechau'n edrych yn wahanol ar wahanol bobl. Gall lliw'r smotiau amrywio ac ar groen du mae brechau'n gallu bod yn anoddach eu gweld. Os ydych yn ansicr, holwch eich meddyg, yn enwedig os bydd y plentyn yn dangos arwyddion eraill o afiechyd. Gellir atal rhai clefydau heintus drwy imiwneiddio.

LLID YR YMENNYDD A GWENWYNIAD GWAED

Llid ar leinin yr ymennydd yw llid yr ymennydd. Mae'n afiechyd anghyffredin ond difrifol iawn. Mae dau fath o lid yr ymennydd facteriol yn y DU. Fe'u henwir ar ôl y pathogenau (germau) sy'n achosi'r heintiau.

Y ddau fath yw:

- meningococaidd

- niwmococaidd.

Ffurf ar wenwyniad gwaed a achosir, o bosibl gan yr un pathogenau (germau) sy'n achosi llid yr ymennydd yw gwenwyniad gwaed. Mae gwenwyniad gwaed yn ddifrifol iawn a rhaid ei drin ar unwaith; dyma'r haint feningococaidd sydd yn fwy tebygol o beryglu bywyd. Mae'r pathogen yn dod i mewn i'r corff drwy'r gwddf (haint ddefnyn) ac yn teithio trwy lif y gwaed. Mewn rhai achosion, bydd y pathogenau'n cynyddu yn llif y gwaed ac yn gwenwyno'r gwaed.

Mae llid yr ymennydd a gwenwyniad gwaed yn digwydd gan amlaf mewn:

- babanod

- plant

- plant yn eu harddegau.

Mewn plant dan 4 oed *haemoffilws influenzae* math b (Hib) oedd y math mwyaf cyffredin ar lid yr ymennydd ar un adeg. Roedd y pathogen hwn hefyd yn gallu achosi gwenwyniad gwaed. Mae imiwneiddiad yn erbyn haint Hib bellach yn rhan o raglen imiwneiddiadau plentyndod arferol, ac o ganlyniad, mae Hib ymron wedi diflannu.

Adnabod llid yr ymennydd

Nid yw'n hawdd adnabod llid yr ymennydd ar y dechrau gan fod y symptomau'n debyg i rai'r ffliw. O bosibl, ni fydd y symptomau i gyd yn ymddangos ar yr un pryd, a gallant fod yn wahanol mewn babanod, plant ac oedolion.

Symptomau mewn babanod

- cri uchel, griddfanllyd

- anodd ei ddeffro

- gwrthod bwyta

- cyfogi

- croen gwelw neu flotiog

- smotiau coch neu borffor sy'n aros dan bwysau gwasgu – *gwnewch y prawf gwydryn*.

Symptomau mewn plant hŷn ac oedolion

- smotiau coch neu borffor sy'n aros dan bwysau gwasgu – *gwnewch y prawf gwydryn*.

- gwddf anhyblyg

- cysglyd neu ddryslyd

- cur pen difrifol
- cyfogi
- tymheredd uchel
- casáu golau llachar.

Y prawf gwydryn

Gwasgwch ochr gwydryn yn gadarn yn erbyn y frech. Byddwch yn gallu gweld os bydd y frech yn pylu ac yn colli ei liw dan y pwysau. *Os na fydd yn newid ei liw, cysylltwch â'r meddyg ar unwaith.*

Symptomau gwenwyniad gwaed

Dyma'r symptomau:

- brech sy'n gallu ymddangos fel smotiau bach neu smotiau mawr, blotiog, yn debyg i gleisiau
- croen gwelw, oerwlyb
- poenau yn y cymalau ac aelodau'r corff
- tymheredd uchel.

Cofiwch y bydd y frech yn anoddach ei gweld ar groen tywyll. Gallai'r frech ddatblygu'n gyflym iawn, o fewn oriau – gall y smotiau droi'n gleisiau coch neu borffor.

Os ydych yn amau bod y plentyn yn dioddef o lid yr ymennydd neu wenwyniad gwaed, galwch y meddyg ar unwaith.

Triniaeth

Defnyddir gwrthfiotigau i drin llid yr ymennydd a gwenwyniad gwaed bacteriol, ac fe'u rhoddir hefyd i'r teulu agosaf ac unrhyw gysylltiadau agos.

Astudiaeth achos …

… adnabod arwyddion a symptomau cynnar afiechyd

Mae Dafydd wedi bod yn chwarae'n hapus drwy'r bore yn y grŵp chwarae. Daeth ei dad i'w gasglu amser cinio gan mai dyma'r prynhawn mae ei fam yn mynd i'w gwaith. Bwytodd Dafydd ei ginio i gyd ac yna aeth allan i chwarae gyda'i ffrind, Alun. Aeth tad Dafydd â'i bapur i mewn i'r ardd fel y gallai gadw golwg ar y plant. Ar ôl chwarae am ychydig, daeth Dafydd at ei dad i ddweud ei fod yn teimlo'n 'rhyfedd a bod ei fola'n brifo'. Aeth tad Dafydd ag ef i mewn i'r tŷ a'i roi i eistedd mewn lle oer, ond cyfogodd ar unwaith, a dweud ei fod yn teimlo'n waeth o lawer. Rhoddodd tad Dafydd ei fab i orwedd yn y gwely a ffoniodd mam Alun i ofyn iddi ddod i'w nôl. Pan gyrhaeddodd, aeth y ddau i mewn i weld Dafydd a dychryn o weld ei fod yn waeth o lawer – ymddangosai'n boeth ac yn chwyslyd, roedd ei wddf yn brifo ac roedd ganddo frech borffor ar ei stumog.

1. *Beth ddylai rhieni Dafydd ei wneud yn awr?*

2. *Pa afiechyd allai symptomau Dafydd ei ddangos?*

3. *Pwy arall ddylai siarad â'r meddyg?*

Gwirio'ch cynnydd

Enwch ddwy haint a gludir gan ddŵr.

Beth yw arwyddion y frech goch?

Beth yw cymhlethdodau'r frech goch?

Os oes gan eich plentyn rwbela, beth yw'r peth pwysig y mae'n rhaid i chi ei wneud, yn ogystal â gofalu am y plentyn?

Disgrifiwch frech brech yr ieir.

Ble mae bacteria tetanws yn ymddangos?

Beth yw cymhlethdodau posibl y pas?

Beth yw'r arwyddion o lid yr ymennydd mewn:

(a) baban?

(b) plentyn hŷn?

Disgrifiwch y 'prawf gwydryn' ar gyfer llid yr ymennydd.

Beth yw symptomau gwenwyniad gwaed?

Beth yw'r ddau bathogen sy'n achosi llid yr ymennydd a gwenwyniad gwaed?

Plâu

term allweddol

Parasit

yn byw oddi ar, ac yn cael ei fwyd o fodau dynol

Mae **parasitiaid** yn cael eu bwyd o fodau dynol ac yn debyg o effeithio ar bob plentyn ar ryw adeg. Dyma rai o'r parasitiaid cyffredin sy'n effeithio ar blant:

- chwain
- llau pen
- tarwden
- clefyd crafu
- llyngyr.

CHWAIN

Pryfed bach yw chwain. Ni allant hedfan, ond maent yn neidio o un person i'r llall. Mae'r math o chwannen sy'n bwydo ar waed bod dynol yn byw mewn dillad nesaf at y croen. Pan fydd yn brathu er mwyn sugno gwaed, bydd yn gadael marciau coch sy'n cosi ac yn chwyddo. Mae chwain yn dodwy eu hwyau mewn dodrefn a dillad er mwyn bod yn agos at fodau dynol, eu ffynhonnell bwyd. Gellir trin y brathiadau ag antiseptig neu drwyth calamin i atal y cosi a'r chwyddo. I gael gwared ar chwain, mae'n bwysig cael gwared ar yr wyau yn ogystal â'r pryfed byw. Gellir rhoi powdr pryfleiddiad ar ddillad a dillad gwely. Mae glendid yn bwysig iawn; bydd golchi dillad a dillad gwely'n gyson yn cael gwared ar yr wyau. Weithiau mae plant yn sensitif i chwain sy'n byw fel rheol ar gathod neu gŵn. Rhaid trin anifeiliaid yn gyson er mwyn osgoi'r broblem.

LLAU PEN

Pryfed bach sy'n byw mewn gwallt pobl, yn ymyl croen y pen, lle gallant frathu'r croen a bwydo ar y gwaed yw llau pen. Mae llawer o blant yn dal llau pen, drwy ddod i gysylltiad â rhywun sydd eisoes yn dioddef ohonynt. Pan fydd pennau a gwallt yn cyffwrdd, bydd y llau pen yn cerdded o un pen i'r llall. Mae plant yn agored i hyn gan eu bod yn gweithio ac yn chwarae gyda'u pennau'n agos at ei gilydd. Mae'r llau pen yn dodwy wyau, a elwir yn nedd, yn agos at groen y pen ac yn eu gludio'n gadarn i'r gwallt. Mae nedd yn edrych fel brychau o gen ar y pen, ond mae'n anodd eu symud gan eu bod yn sownd yn y gwallt. Fel rheol, croen y pen yn cosi yw'r arwydd cyntaf o lau pen.

Os oes gan blentyn lau pen, rhaid trin y cyflwr ar unwaith. Rhaid defnyddio trwyth pryfleiddiad a geir gan y fferyllydd, y clinig neu'r meddyg. Dilynwch y cyfarwyddiadau'n ofalus, a rhowch y driniaeth i bawb yn y tŷ. Mae'r trwyth yn lladd y llau pen a'r nedd, ond nid yw'n golchi'r nedd i ffwrdd. I gael gwared ar nedd marw, rhaid i chi ddefnyddio crib mân plastig sydd ar gael gan y fferyllydd. Mae rhai llau pen yn dechrau gwrthsefyll y trwythau hyn, ac mae pryderon wedi codi ynglŷn â diogelwch rhai o'r trwythau; felly mae triniaeth erbyn hyn yn dibynnu fwyfwy ar ddulliau naturiol.

Cribo â chrib mân yw'r dull naturiol mwyaf poblogaidd a dylid gwneud hyn bob 2 i 3 diwrnod. Gwlychwch y gwallt a rhowch fymryn o gyflyrydd arno, yna cribwch y gwallt o'r gwreiddyn i'r pen, dros ddarn o bapur gwyn, gan dalu sylw arbennig i'r man y tu ôl i'r clustiau ac yng ngwegil y gwddf. Bydd llau pen yn disgyn allan o'r gwallt ac i'w gweld yn glir ar y papur.

Mae olewau megis olew'r goeden de ac olew'r goeden ewcalyptws yn cael rhywfaint o effaith ar lau pen.

Y ffordd fwyaf effeithiol o atal llau pen yw:

- archwilio'r gwallt yn gyson

- cribo'r gwallt yn drylwyr o leiaf ddwywaith y diwrnod a phob amser ar ôl ysgol neu'r feithrinfa – mae hyn yn niweidio'r llau pen, ac ni fyddant yn dodwy

- golchi'r brwshys a'r cribau'n gyson mewn dŵr poeth, sebonllyd.

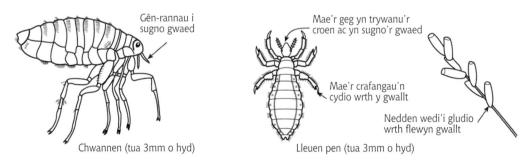

Gên-rannau i sugno gwaed

Chwannen (tua 3mm o hyd)

Mae'r geg yn trywanu'r croen ac yn sugno'r gwaed

Mae'r crafangau'n cydio wrth y gwallt

Nedden wedi'i gludio wrth flewyn gwallt

Lleuen pen (tua 3mm o hyd)

Lleuen pen a nedd

TARWDEN

Ffwng y gellir ei ddal gan anifeiliaid yw tarwden. Mae'n ymddangos fel cylch coch wedi'i godi, gyda chanol gwyn, cennog. Mae'n cosi llawer. Gall olion tarwden ymddangos ar y corff ac ar groen y pen. Cysylltwch â'r meddyg, a fydd yn rhoi'r driniaeth benodol, gan amlaf hufen gwrthfiotig.

CLEFYD CRAFU

Achosir y clefyd crafu gan widdonyn bychan, sarcoptes scabiei, sy'n tyllu dan y croen gan greu cosi difrifol. Mae'r widdon yn gwneud dim byd ond bwydo ar y croen

a dodwy wyau. Weithiau mae'n bosibl gweld y tyllau, neu smotiau coch, wedi'u codi, sy'n cosi'n fawr. Gallai crafu achosi cochni a haint. Fel rheol gwelir y clefyd crafu ar y dwylo rhwng y bysedd, ar y garddyrnau ac weithiau yn y gesail a'r werddyr. Gallai crafu a chrafiadau fod yn arwydd o'r clefyd crafu mewn plentyn. Mae'r widdon yn cropian o un person i berson arall a gall effeithio ar nifer o aelodau'r teulu. Os bydd cosi a dolur difrifol gall y meddyg roi triniaeth benodol megis hufen gwrth-histamin. Fel arall, gall trwyth calamin neu hufen antiseptig ysgafn liniaru'r cosi. Bydd y meddyg yn pennu trwyth sy'n lladd y widdon a'r wyau; bydd gofyn trin pob un o aelodau'r teulu a effeithiwyd. Bydd angen golchi'r holl ddillad gwely a dillad a thrin pob aelod o'r teulu.

LLYNGYR

Mwydod bach gwyn sy'n edrych fel darnau o gotwm ydy llyngyr. Maent yn byw yn y perfedd a gellir eu gweld yn y carthion. Mae llyngyr yn dod allan o'r perfedd gyda'r nos i ddodwy eu hwyau o amgylch y pen ôl. Mae hyn yn achosi cosi, a phan fydd y plentyn yn crafu, trosglwyddir yr wyau i'r bysedd ac o dan yr ewinedd. Yn ddiweddarach bydd y plentyn yn llyfu'i fysedd a llyncir yr wyau, gan ddeor a datblygu yn y perfedd, a pharhau â'r cylch. Gall cosi a chrafu cyson achosi pen ôl dolurus a tharfu ar gwsg y plentyn. Bydd y meddyg yn pennu triniaeth wrth-lyngyr benodol. Mae gofyn bod pawb yn y tŷ yn cael triniaeth, yn cadw eu hewinedd yn fyr ac yn golchi eu dwylo'n drylwyr ar ôl defnyddio'r toiled a chyn bwyta. Gyda'r nos, gallai gwisgo pyjamas sy'n ffitio'n agos helpu i rwystro'r plentyn rhag crafu. Bydd angen golchi a newid pob darn o'r dillad gwely, dillad nos a phants yn gyson.

Astudiaeth achos ...

... ymdopi â llau pen

Mae Aron yn 5 oed a dechreuodd fynychu ei ysgol fabanod leol ychydig fisoedd yn ôl. Mae'r ysgol wedi gyrru llythyr at y rhieni yn dweud wrthynt am y llau pen sydd yn effeithio ar y plant yn yr ysgol. Pan ddaw Aron adref o'r ysgol, mae Mair, ei fam, yn chwilio'i wallt yn ofalus ac yn dod o hyd i lau byw. Mae Mair yn dod atoch am gyngor.

1. Sut fyddech chi'n cynghori Mair i drin gwallt Aron yn awr?

2. Sut fyddech chi'n ei chynghori i drin gwallt Aron yn y dyfodol er mwyn ceisio osgoi dal mwy o lau yn y dyfodol?

Gwirio'ch cynnydd

Sut allwch chi rwystro llau pen?

Sut mae rhywun yn dal y darwden?

Pa arwyddion allai ddangos bod gan blentyn y clefyd crafu?

Ble mae llyngyr i'w gweld?

Beth yw nedd?

Nawr rhowch gynnig ar y cwestiynau hyn

Ym mha wahanol ffyrdd gall heintiau ledaenu?

Disgrifiwch sut yr enillir imiwnedd. Beth yw'r gwahanol fathau o imiwnedd?

Disgrifiwch lid yr ymennydd a gwenwyniad gwaed. Beth yw arwyddion a symptomau llid yr ymennydd a gwenwyniad gwaed?

GOFALU AM BLANT SÂL

Mae angen rhoi gofal arbennig i fabanod a phlant ifainc sy'n sâl, yn y cartref neu oddi cartref.

Bydd y rhan hon yn ymdrin â'r pynciau canlynol:

- gofalu am blant sâl yn y cartref
- gofalu am blant sâl yn y sefydliad gwaith.

Gofalu am blant sâl yn y cartref

Mae babanod a phlant ifainc angen bod gyda'u prif ofalwr pan maent yn sâl. Mae'n debyg y bydd y plentyn yn teimlo'n llai ynysig drwy ddod i lawr y grisiau, oni bai bod y meddyg yn argymell ei fod yn aros yn y gwely. Yma gallant weld a chlywed beth sy'n digwydd, a defnyddio'r soffa fel gwely. Mae'n bosibl y bydd rhai plant angen tawelwch a chysur y gwely, ac yn yr achos hwn dylai'r gofalwr ac oedolion eraill geisio treulio cymaint o amser â phosibl gyda hwy.

GOFAL CORFFOROL

Dylid sicrhau bod y plentyn yn lân ac yn gyffyrddus. Newidiwch eu dillad yn aml a gwnewch yn siŵr eu bod yn llac ac wedi'u gwneud o ddefnydd amsugnol. Os yw'r plentyn yn aros yn y gwely, golchwch ei gorff os nad yw'n bosibl ei olchi yn y baddon. Tacluswch y gwely, gwnewch yn siŵr fod y cynfasau a'r cobenyddion yn llyfn, golchwch y dwylo a'r wyneb a chribwch y gwallt yn gyson.

BWYD A DIOD

Mae yfed yn bwysig. Bydd yfed digon o hylifau yn ystod salwch yn helpu plentyn i wella ac yn atal dadhydradiad, yn enwedig os yw'r tymheredd yn uchel, felly mae'n hanfodol annog plentyn i yfed cymaint â phosibl. Gallai cynnig amrywiaeth o ddiodydd annog plentyn anfodlon i yfed mwy. Gall salwch effeithio ar archwaeth bwyd, felly peidiwch â phoeni am fwyd am ddiwrnod neu ddau oni bai bod awydd amdano; ar ôl hynny, ceisiwch demtio'r plentyn gyda gwahanol fwydydd. Bydd cynnig ei hoff fwydydd, a rhoi cyfrannau bach, blasus yn helpu i annog plentyn anfodlon i fwyta.

TYMHEREDD YR YSTAFELL

Gwnewch yn siŵr fod yr ystafell yn gynnes ac wedi'i hawyru'n dda (ddim yn rhy boeth), ddydd a nos.

MODDION

O ran rhoi moddion, mae'n bwysig nodi'r pwyntiau canlynol.

term allweddol

Dos
maint y moddion a bennwyd ar gyfer claf

- Rhowch ddim byd ond y moddion a roddir neu a gynghorir gan feddyg y plentyn.

- Rhaid rhoi meddyginiaethau ar yr amser iawn a rhaid rhoi'r **dos** (maint) cywir; darllenwch y cyfarwyddiadau ar y label bob tro y byddwch yn rhoi'r moddion.

- Os pennir cwrs o foddion, mae'n bwysig cwblhau'r cwrs llawn. Rhaid gwneud hyn hyd yn oed os bydd y plentyn yn ymddangos yn well, fel y gellir elwa'n llawn o'r moddion.

- Pan bennir moddion, holwch am unrhyw sgil effeithiau posibl. Os credwch fod y plentyn yn ymateb yn wael i foddion (er enghraifft, gyda brech neu ddolur rhydd), peidiwch â rhoi mwy o'r moddion a dywedwch wrth eich meddyg.

- Peidiwch byth â rhoi moddion a bennwyd ar gyfer rhywun arall.

- Ni ddylid rhoi asbirin i blant. Gallai haint Reye ddatblygu, sy'n peri niwed i'r afu.

- Cadwch bob moddion mewn cwpwrdd cloëdig, os yw'n bosibl.

- Peidiwch â chadw moddion a bennwyd neu sy'n rhy hen.

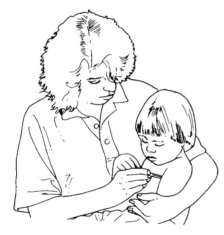

Rhoi moddion

Mesur tymheredd dan y fraich

MESUR TYMHEREDD

Mae thermomedrau sy'n cael eu dal yn erbyn talcen y plentyn yn dangos tymheredd y croen yn hytrach na thymheredd y corff; i fesur tymheredd yn fanwl gywir mae'n well defnyddio thermomedr mercwri.

Yn gyntaf, rhaid ysgwyd y thermomedr i ostwng lefel y mercwri. Gosodwch y plentyn ar eich côl ac yna rhowch y thermomedr o dan ei gesail, nesaf at y croen. Gadewch y thermomedr yno am tua 3 munud; mae'n bosibl y bydd darllen stori i'r plentyn o gymorth wrth i chi wneud hyn.

37ºC yw maint tymheredd normal a fesurwyd dan y tafod; dan y gesail, dylai fesur 36.4ºC.

GWEITHGAREDDAU

Dylai gofalwr wneud amser ar gyfer gemau, straeon, cwmni a chysuro'r plentyn sâl. Bydd plant angen gweithgareddau cymharol syml, heb lawer o ganolbwyntio. Mae'n bosibl y bydd yn well ganddynt ddychwelyd at wneud gweithgareddau a gemau a roddai pleser iddynt pan oeddent yn iau.

Mae plant sâl yn blino'n hawdd ac angen llawer o orffwys. Mae'n bosibl na allant ganolbwyntio am gyfnod hir ac efallai y bydd rhaid i chi wneud pethau drostynt yr oeddent yn gallu eu gwneud drostynt hwy eu hunain pan oeddent yn iach.

Gwirio'ch cynnydd

Wrth roi moddion i blant, beth yw'r ddau beth pwysig y dylid eu gwirio?

Beth yw maint tymheredd normal a fesurwyd dan y fraich?

Beth yw maint tymheredd normal a fesurwyd dan y tafod?

Pam ei bod hi'n bwysig cwblhau cwrs llawn o foddion a bennwyd gan y meddyg?

Os nad oes gan blentyn sâl archwaeth bwyd, beth yw'r peth gorau i'w wneud?

Gofalu am blant sâl yn y sefydliad gwaith

Pan fydd plentyn yn gwaelu oddi cartref, mae'n bwysig sôn am unrhyw bryderon wrth y bobl briodol fel bod modd gwneud diagnosis cywir. Mewn meithrinfa, ysgol neu grŵp chwarae, dylid adrodd yn ôl am y salwch i aelod staff mwy profiadol, a fydd yn dilyn y polisi'r man gwaith gan benderfynu a ddylid cysylltu â rhieni/gofalwyr y plentyn. Dylai gwarchodwr plant neu nani gysylltu'n uniongyrchol â'r rhieni.

Mae'n bwysig cadw cofnod o'r symptomau, gan nodi sut y daethant i'r amlwg yn y lle cyntaf a'u datblygiad ers hynny, ac o bosibl bydd angen rhoi'r wybodaeth hon i feddyg a'r rhieni. Wrth ofalu am blentyn sy'n sâl yn yr ysgol neu mewn meithrinfa bydd angen i chi

- roi cymorth ymarferol, er enghraifft mesur tymheredd, helpu os yw'r plentyn yn cyfogi, darparu lle tawel i'w alluogi i orwedd i lawr

- eu cysuro ac aros gyda'r plentyn

- dweud wrth y plentyn beth rydych yn ei wneud, er enghraifft cysylltu â rhiant

- peidio â disgwyl cymaint gan y plentyn – ni fydd plentyn sy'n teimlo'n sâl yn gallu canolbwyntio, a gall deimlo'n ddiflas ac yn drallodus iawn, a dangos awydd mawr am eu rhiant neu ofalwr.

BETH I'W DDWEUD WRTH FEDDYG OS BYDD PLENTYN YN SÂL

Mae'n bwysig eich bod yn gwybod hanes salwch y plentyn fel y gallwch roi gwybodaeth fanwl gywir i riant/gofalwr y plentyn neu i feddyg. Dyma'r pethau pwysig y dylid eu cofnodi:

- yr adeg pan sylwoch fod rhywbeth o'i le gan wneud i chi amau bod y plentyn yn sâl

- y symptomau

- yr hyn a wnaethoch chi, er enghraifft mesur tymheredd, cymryd camau i oeri'r plentyn, trefnu bod y plentyn yn gorffwys

- sut mae'r symptomau wedi datblygu ers i chi sylwi arnynt am y tro cyntaf

- ymddygiad y plentyn a'r hyn a ddywedodd am y ffordd roedd e neu hi'n teimlo.

GWEITHIO GYDA RHIENI

Os bydd plentyn yn sâl, bydd angen rhoi gwybodaeth i'r rhieni a thawelu eu meddyliau. Gall y gweithiwr gofal plant helpu rhieni drwy:

- ddweud wrthynt ar unwaith os bydd unrhyw bryderon yn codi ynghylch plentyn
- bod yn ddigyffro
- rhoi gwybodaeth fanwl gywir i rieni am eu plentyn
- sicrhau'r rhieni bod y camau priodol wedi cael eu cymryd
- dangos dealltwriaeth o bryderon rhieni
- cynnig cefnogaeth a chymorth ymarferol lle bo hynny'n bosibl.

O bosibl bydd angen i rieni plant eraill wybod os bydd gan blentyn arall yn y lleoliad afiechyd heintus, fel y gallant gymryd camau i ddiogelu iechyd a lles eu plentyn. Rhaid rhoi'r wybodaeth, ond hefyd rhaid parchu cyfrinachedd, ac felly ni ddylid enwi'r plentyn dan yr amgylchiadau hyn

GWYBODAETH SYDD EI HANGEN AM BOB PLENTYN DAN EICH GOFAL

Mae angen i weithwyr gofal plant gadw gwybodaeth am bob plentyn er mwyn gallu cysylltu os bydd argyfwng yn codi. Dylai cofnodion gynnwys:

- enw llawn a dyddiad geni'r plentyn
- cyfeiriad llawn a rhif ffôn y plentyn
- enwau a chyfeiriadau rhieni/gofalwyr y plentyn
- rhifau ffôn y gellir eu defnyddio mewn argyfwng
- rhifau ffôn meddyg ac ymwelydd iechyd y plentyn, ynghyd ag asiantaethau eraill, megis gweithiwr cymdeithasol, lle bo hynny'n berthnasol.

Dylid diweddaru'r cofnodion yn gyson a dylai gweithwyr gofal plant bwysleisio ei bod hi'n bwysig iawn bod rhieni/gofalwyr y plant yn eu hysbysu o unrhyw newidiadau.

DARPARU AMGYLCHEDD HYLAN

Mae plant yn agored iawn i haint a gall heintiau ledaenu'n gyflym iawn mewn sefydliad gofal plant. Gall haint gael ei throsglwyddo rhwng oedolion a phlant, a hefyd rhwng y plant eu hunain. Gall arferion man gwaith atal heintiau rhag lledaenu os rhoddir hwy ar waith mewn ffordd effeithiol, drylwyr a chyson. Dyma dri maes pwysig mewn perthynas ag arefrion hylendid mewn sefydliadau gofal plant:

- hylendid personol
- hylendid yr amgylchedd
- cael gwared ar ddefnyddiau gwastraff.

Hylendid personol

Mae trefnau hylendid personol da yn golygu glanhau'r croen, gwallt, dannedd a dillad yn drylwyr.

Dwylo

Mae golchi'r dwylo'n arbennig o bwysig am mai dyma'r ffordd fwyaf effeithiol o atal lledaeniad haint. Dylai gweithwyr gofal plant sicrhau eu bod yn:

- golchi eu dwylo yn aml yn ystod y dydd, yn enwedig ar ôl mynd i'r toiled, glanhau ar ôl damweiniau bach a *chyn* trin bwyd

- cadw eu hewinedd yn fyr ac yn rhydd o farnais ewinedd – mae bacteria'n tyfu yn y mannau lle mae'r farnais wedi'i dolcio

- diheintio brwshys ewinedd

- defnyddio tywelion papur tafladwy neu sychwyr dwylo aer poeth – os nad yw hyn yn bosibl dylid golchi tywelion bob dydd fan lleiaf a'u cadw mor sych â phosibl

- cuddio unrhyw friwiau a chrafiadau gyda phlastr diddos

- gwisgo menig latecs wrth newid cewynnau, neu ddelio gyda gwaed neu unrhyw hylif arall sy'n dod o'r corff.

Gwallt

Dylid cadw gwallt yn lân, ei frwsio'n aml a'i glymu'n ôl os yw'n hir. Chwiliwch y gwallt yn gyson am lau pen.

Hylendid yr amgylchedd

Nid yn unig mae sefydliad gofal plant glân yn fwy croesawgar ond hefyd mae'n llai tebygol o gynnwys organebau pathogenaidd niweidiol. Gall ymarfer da sy'n ceisio lleihau nifer yr organebau pathogenaidd yn yr amgylchedd a'u hatal rhag lledaenu atal lledaeniad heintiau. Mae ymarfer da yn cynnwys:

- sicrhau bod awyriad da

- goruchwylio plant pan fyddant yn defnyddio'r toiled a gwneud yn siŵr eu bod yn golchi ac yn sychu eu dwylo'n drylwyr wedyn

- osgoi gorlenwi – mae Deddf y Plant yn nodi faint o le sydd ei angen

- darparu ystafelloedd ar wahân ar gyfer babanod a phlant ifainc

- cadw cyfleusterau golchi dillad ar wahân i ardaloedd paratoi bwyd

- glanhau teganau a chyfarpar chwarae yn gyson – dylid golchi teganau bob dydd os yw'r plant dan 12 mis oed

- dwstio gyda chlwtyn dodrefn llaith bob dydd

- defnyddio cadachau a mopiau yn eu meysydd dynodedig, e.e. mopiau llawr gwahanol ar gyfer y toiledau ac ar gyfer yr ystafell chwarae

- gwirio ardal y toiledau/ystafell ymolchi'n gyson

- defnyddio tywelion papur a hancesi papur a defnyddio biniau â gorchudd ar gyfer cael gwared ar sbwriel

- golchi a rhidyllu'r tywod yn gyson

- sicrhau bod anifeiliaid anwes yn cael eu cadw'n lân ac yn derbyn gofal da

- annog rhieni a gofalwyr i gadw plant gartref os ydynt yn sâl – gellir cynnwys hyn yn y polisïau ysgrifenedig atal camddealltwriaeth

- dilyn trefnau gweithio hylendid llym yn yr ardaloedd paratoi bwyd

- chwilio'r ardal awyr agored am faw anifeiliaid neu beryglon eraill, megis gwydr wedi'i falu neu ysbwriel.

Cael gwared ar ddefnyddiau gwastraff

Dylai fod gan bob lleoliad gofal plant bolisi iechyd a diogelwch sy'n cynnwys cael gwared ar wastraff peryglus. Rhaid bod yn ofalus wrth drin gwastraff y corff (gwaed, ymgarthion, wrin, poer) er mwyn sicrhau nad yw heintiau'n cael eu trosglwyddo. Gall heintiau fod yn bresennol heb amlygu eu hunain ac felly rhaid dilyn y polisi'n drylwyr.

Dylid dilyn y canllawiau canlynol wrth drin a chael gwared ar ddefnyddiau gwastraff:

- defnyddio gorchudd diddos i orchuddio unrhyw grafiadau ar y croen
- gwisgo menig latecs wrth drin gwastraff y corff
- defnyddio hydoddiant hypoclorid 1 y cant i orchuddio gwaed cyn glanhau
- defnyddio sebon antiseptig i olchi'r dwylo
- cael gwared ar gewynnau, gorchuddion a menig a ddefnyddiwyd mewn bag dan sêl a'u gosod mewn bin dan sêl yn barod i'w llosgi
- darparu meysydd dynodedig gyda biniau dan orchudd ar gyfer gwahanol fathau o wastraff.

RHOI MODDION YN Y LLEOLIAD GWAITH

Ar adegau bydd plant yn cymryd moddion ac o bosibl bydd angen i'r gweithiwr gofal plant roi'r moddion hwn. Bydd gan bob sefydliad gofal plant ei bolisi ei hun ynglŷn â rhoi moddion i blant dan ei ofal. Dylai gweithwyr gofal plant ddilyn y polisi hwn bob amser.

Mae'r pwyntiau canlynol yn bwysig i'w cofio wrth roi moddion i blant dan eich gofal:

- Dilynwch bolisi eich sefydliad.
- Gwnewch yn siŵr fod gennych gytundeb ysgrifenedig y rhieni/gofalwyr.
- Rhowch ddim byd ond y moddion a gynghorir neu a bennir gan feddyg teulu neu feddyg ysbyty'r plentyn.
- Dilynwch y cyfarwyddiadau ar gyfer dosiau a'r adegau pan ddylid eu rhoi yn ofalus.
- Storiwch foddion yn ddiogel mewn cwpwrdd dan glo.
- Cadwch gofnod o'r holl foddion a roddir, gan gynnwys y dyddiad, yr amser a'r dos.

Astudiaeth achos ...

... teimlo'n sâl yn y feithrinfa

Mae Lewis yn 3 oed ac yn dod i'r feithrinfa 3 diwrnod yr wythnos tra bod ei rieni'n gweithio. Bu'n dod i'r feithrinfa ers 2 fis ac mae wedi ymgartrefu'n dda. Mae'n gymdeithasol iawn ac yn hoffi chwarae gyda'r staff a'r plant eraill. Daeth Lewis i mewn i'r feithrinfa bore heddiw yn siriol, fel arfer, ond yn ystod y bore sylwodd Sandra, y gweithiwr a ofalai am ei grŵp, ei fod yn eistedd ar ei ben ei hun ac yn edrych yn ddiflas. Gwnaeth ei gorau i'w gynnwys yn y gweithgareddau ond roedd yn anfodlon gwneud hynny a dechreuodd grïo. Pan aeth Sandra ato i'w gysuro, sylwodd ei fod yn boeth a phenderfynodd fesur ei dymheredd. Roedd tymheredd Lewis yn uwch nag arfer a sylwodd Sandra fod ganddo frech goch, wastad ar ei wyneb a'i gorff.

1. Beth ddylai Sandra ei wneud nawr?

2. Pa wybodaeth ddylai Sandra ei chofnodi?

3. Beth ddylai Sandra ei ddweud wrth fam Lewis?

Gwirio'ch cynnydd

Pa bwyntiau pwysig ddylech chi eu gwirio wrth roi moddion i blant?

Pa ffeithiau ddylech chi eu hadrodd wrth feddyg am blentyn sy'n sâl?

Pa wybodaeth sydd ei hangen am blentyn er mwyn gallu cysylltu â gofalwr mewn argyfwng?

Sut allwch chi helpu rhieni pan fydd eu plentyn yn sâl?

Nawr rhowch gynnig ar y cwestiynau hyn

Disgrifiwch sut y byddech yn gofalu am blentyn sy'n gwella o'r frech goch yn ei gartref.

Pa bwyntiau pwysig y mae angen eu hystyried os rhoddir moddion i blentyn sy'n sâl yn ei gartref?

Sut ddylech chi weithredu pe bai plentyn yn mynd yn sâl mewn sefydliad gofal plant?

Sut fyddech chi'n mesur tymheredd plentyn gan ddefnyddio thermomedr mercwri?

YMATEB I ARGYFYNGAU

Mae'r bennod hon yn rhoi darlun cyffredinol o gymorth brys i blant. Argymhellir cymryd cwrs cymorth cyntaf cydnabyddedig.
Bydd y rhan hon yn ymdrin â'r pinciau canlynol:

- cymorth cyntaf mewn argyfwng
- archwilio'r anafedig
- ABC dadebriad
- ystum adferol
- cymorth cyntaf ar gyfer mân-anafiadau
- asthma
- clefyd siwgr
- confylsiynau twymyn
- polisïau a gweithdrefnau'r gweithle.

Cymorth cyntaf mewn argyfwng

Cymorth cyntaf yw'r cymorth a roddir i anafedigion cyn i'r ambiwlans gyrraedd neu cyn i'r anafedig gyrraedd yr ysbyty. Yr egwyddorion yw:

- cadw bywyd
- atal y sefyllfa rhag gwaethygu
- hybu gwellhad.

Mae'n bwysig i ymddwyn yn rhesymegol ac yn dawel mewn unrhyw sefyllfa o argyfwng a chofio'r pedair gweithred ganlynol.

1. *Aseswch y sefyllfa* – Os mai chi yw'r person cyntaf i gyrraedd lleoliad damwain, mae'n hanfodol eich bod chi'n asesu'n gyflym beth ddigwyddodd a sut y digwyddodd. Canfyddwch faint o blant sydd wedi cael niwed ac a oes

unrhyw berygl parhaus yn bodoli. A oes unrhyw oedolion eraill a allai helpu? Oes angen ambiwlans?

2. *Diogelwch yn gyntaf* – Mae meddwl am ddiogelwch yn cynnwys diogelwch pob plentyn ac oedolyn, gan gynnwys chi eich hunan. Ni allwch helpu os ydych chi wedi dioddef niwed hefyd. Symudwch unrhyw beryglon i ffwrdd o'r plentyn a symudwch y plentyn dim ond os yw'n hanfodol. Ceisiwch wneud yr ardal yn ddiogel.

3. *Blaenoriaethau* – Triniwch yr anafiadau difrifol yn gyntaf. Fel rheol, yr anafedig tawelaf yw'r un sydd fwyaf angen cymorth – mae'n bosibl eu bod yn anymwybodol. Mae cyflyrau sy'n peryglu bywyd yn cynnwys:

    ● gwaedu difrifol

    ● anallu i anadlu.

4. *Chwilio am gymorth* – Gwaeddwch am gymorth neu gofynnwch i eraill chwilio am gymorth, er enghraifft os bydd damwain yn digwydd ar y buarth chwarae, gellir gyrru plentyn arall i nôl y person cymorth cyntaf neu oedolyn arall o'r sefydliad. Galwch am ambiwlans a rhowch gymorth cyntaf. Symudwch y plentyn i le diogel os bydd angen.

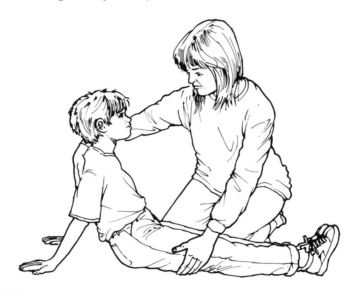

Aseswch y sefyllfa

Archwilio'r anafedig

Mae'n hanfodol i wybod a yw'r plentyn yn ymwybodol neu'n **anymwybodol**. Fel rheol gellir gwneud hyn drwy siarad yn dawel â'r plentyn er mwyn asesu ei gyflwr.

● Ceisiwch gael ymateb – dywedwch enw'r plentyn, pinsiwch y croen.

● Galwch am gymorth.

● Agorwch y llwybr anadlu a chwiliwch i weld a yw'r plentyn yn anadlu.

● Chwiliwch am bwls.

● Wedyn, gweithredwch yn ôl y siart isod.

Sut i ddelio ag anafedig anymwybodol

Anymwybodol Anadlu, pwls	Anymwybodol Ddim yn anadlu, pwls	Anymwybodol Ddim yn anadlu, dim pwls
1 Triniwch anafiadau sy'n peryglu bywyd, e.e. gwaedu, llosgiadau	1 Awyru artiffisial – tua 20 anadl awyru ceg i geg am 1 munud	1 Adfywio'r galon a'r ysgyfaint (CPR) – 5 cywasgiad o'r frest – 1 anadl awyru ceg i geg Ailadroddwch am 1 munud
2 Gosodwch y plentyn mewn ystum adferol	2 Galwch ambiwlans	2 Galwch ambiwlans
3 Galwch ambiwlans	3 Daliwch ati i awyru	3 Daliwch ati gyda'r CPR nes bydd cymorth yn dod
	4 Chwiliwch am bwls bob munud	

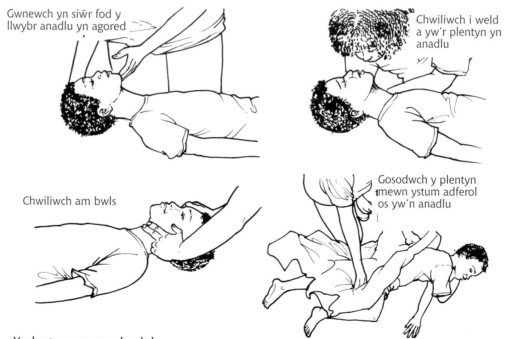

Gwnewch yn siŵr fod y llwybr anadlu yn agored

Chwiliwch i weld a yw'r plentyn yn anadlu

Chwiliwch am bwls

Gosodwch y plentyn mewn ystum adferol os yw'n anadlu

Y plentyn anymwybodol

Gwirio'ch cynnydd

Beth yw egwyddorion cymorth cyntaf?

Pa bedwar cam ddylai gweithiwr gofal plant eu cofio os bydd damwain yn digwydd?

Esboniwch pam ei bod hi'n bwysig i fod yn ddigyffro os bydd damwain yn digwydd?

Sut allwch chi ganfod a yw plentyn yn anymwybodol?

Pa gamau y dylid eu cymryd os yw plentyn yn anymwybodol, yn anadlu ac os oes ganddo bwls?

Beth yw CPR?

ABC dadebriad

Os yw plentyn yn peidio ag anadlu, bydd yn colli ymwybyddiaeth yn gyflym am nad yw'r ocsigen yn gallu cyrraedd yr ymennydd. Bydd y curiad calon yn arafu ac yn dod i ben yn y man oherwydd y diffyg ocsigen.

ABC dadebriad

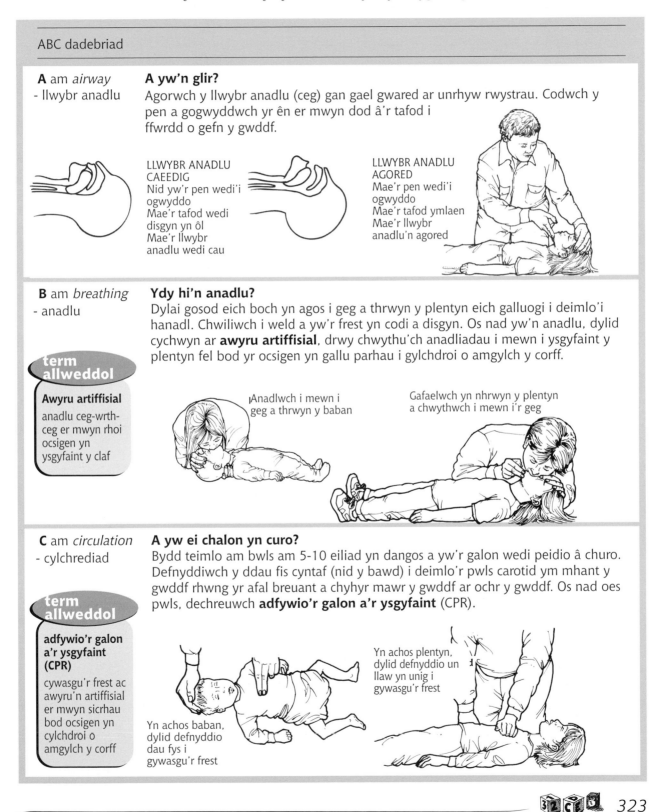

A am *airway* - llwybr anadlu

A yw'n glir?
Agorwch y llwybr anadlu (ceg) gan gael gwared ar unrhyw rwystrau. Codwch y pen a gogwyddwch yr ên er mwyn dod â'r tafod i ffwrdd o gefn y gwddf.

LLWYBR ANADLU CAEEDIG
Nid yw'r pen wedi'i ogwyddo
Mae'r tafod wedi disgyn yn ôl
Mae'r llwybr anadlu wedi cau

LLWYBR ANADLU AGORED
Mae'r pen wedi'i ogwyddo
Mae'r tafod ymlaen
Mae'r llwybr anadlu'n agored

B am *breathing* - anadlu

Ydy hi'n anadlu?
Dylai gosod eich boch yn agos i geg a thrwyn y plentyn eich galluogi i deimlo'i hanadl. Chwiliwch i weld a yw'r frest yn codi a disgyn. Os nad yw'n anadlu, dylid cychwyn ar **awyru artiffisial**, drwy chwythu'ch anadliadau i mewn i ysgyfaint y plentyn fel bod yr ocsigen yn gallu parhau i gylchdroi o amgylch y corff.

term allweddol

Awyru artiffisial
anadlu ceg-wrth-ceg er mwyn rhoi ocsigen yn ysgyfaint y claf

Anadlwch i mewn i geg a thrwyn y baban

Gafaelwch yn nhrwyn y plentyn a chwythwch i mewn i'r geg

C am *circulation* - cylchrediad

A yw ei chalon yn curo?
Bydd teimlo am bwls am 5-10 eiliad yn dangos a yw'r galon wedi peidio â churo. Defnyddiwch y ddau fis cyntaf (nid y bawd) i deimlo'r pwls carotid ym mhant y gwddf rhwng yr afal breuant a chyhyr mawr y gwddf ar ochr y gwddf. Os nad oes pwls, dechreuwch **adfywio'r galon a'r ysgyfaint** (CPR).

term allweddol

adfywio'r galon a'r ysgyfaint (CPR)
cywasgu'r frest ac awyru'n artiffisial er mwyn sicrhau bod ocsigen yn cylchdroi o amgylch y corff

Yn achos plentyn, dylid defnyddio un llaw yn unig i gywasgu'r frest

Yn achos baban, dylid defnyddio dau fys i gywasgu'r frest

Ystum adferol

Ystum adferol
ffordd ddiogel o osod anafedig anymwybodol os ydynt yn anadlu ac yn dangos pwls

Dylid rhoi plentyn anymwybodol sy'n anadlu ac yn dangos pwls yn yr **ystum adferol** i gadw'r llwybr anadlu'n glir drwy atal tagu ar y tafod neu gyfog. Chwiliwch i weld a yw'r plentyn yn anadlu ac a oes ganddo bwls, nes bod cymorth meddygol yn cyrraedd.

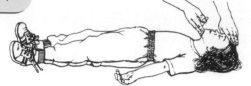

1. Gosodwch y plentyn ar ei gefn
Gogwyddwch y pen yn ôl
Codwch yr ên ymlaen
Gwnewch yn siŵr fod y llwybr anadlu'n glir

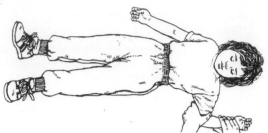

2. Sythwch goesau'r plentyn
Plygwch y fraich sydd agosaf atoch ar ongl sgwâr

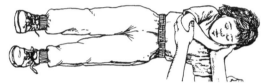

3. Gafaelwch yn y fraich sydd bellaf oddi wrthych a symudwch hi ar draws brest y plentyn, plygwch hi a gosodwch hi ar y boch

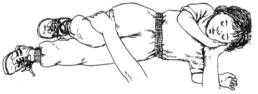

4. Cadwch y goes hon yn syth
Gosodwch y troed yn wastad ar y llawr
Gafaelwch o dan forddwyd y goes allanol a phlygwch hi wrth y pen-glin

5. Tynnwch y goes blygedig tuag atoch a rholiwch y plentyn ar ei ochr
Defnyddiwch y pengliniau i gadw'r plentyn rhag rholio ar ei stumog
Cadwch y llaw yn erbyn y boch

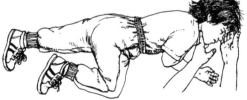

6. Plygwch y goes uwch yn ongl sgwâr i atal y plentyn rhag rholio ymlaen
Gogwyddwch y pen yn ôl i gadw'r llwybr anadlu yn agored
Symudwch y llaw fymryn dan foch y plentyn

Yr ystum adferol

Gwirio'ch cynnydd

Pam fod plentyn yn mynd yn anymwybodol yn gyflym pan nad yw'n anadlu?

Beth mae ABC yn ei olygu?

Sut allwch chi weld a yw'r llwybr anadlu yn agored?

Sut allwch chi wybod a yw plentyn yn anadlu?

Ble yw'r lle hawsaf i gael hyd i bwls plentyn?

Cymorth cyntaf ar gyfer mân-anafiadau

Mae'n hanfodol i fod yn ddigyffro wrth ddelio gyda phlentyn a niweidiwyd. Rhaid eu sicrhau eu bod yn ddiogel a bod popeth yn iawn.

LLOSGIADAU A SGALDIADAU

- Peidiwch â thynnu unrhyw ffabrig a allai fod yn glynu wrth y man a losgwyd.

- Defnyddiwch ddŵr oer i oeri'r llosg neu'r sgaldiad am 10 munud o leiaf. (Defnyddiwch hylif oer arall, megis llaeth, os nad oes dŵr oer ar gael.)

- Peidiwch â chyffwrdd â'r llosg neu'r pothelli.

- Peidiwch â throchi'r plentyn mewn dŵr oer.

1. Defnyddiwch ddŵr oer i oeri'r llosg am o 10 munud o leiaf –

2. Tynnwch ddillad a gafodd eu hoeri ac nad ydynt yn glynu wrth y llosg
Daliwch ati i oeri'r llosg

Trin llosgiadau a sgaldiadau

GWAEDU

- Dylid glanhau a gorchuddio unrhyw fân-waedu.

- Dylid atal unrhyw waedu difrifol drwy bwyso'n drwm ar y clwyf mor fuan â phosibl:

  – os gellir, cadwch y man a glwyfwyd yn uchel

  – rhowch y plentyn i orwedd er mwyn cadw'r pen yn isel

  – defnyddiwch orchudd cadarn, di-haint a rhwymyn i orchuddio'r clwyf.

- Cofiwch y dylech wisgo menig bob amser wrth drin gwaed neu unrhyw hylif arall sy'n dod o'r corff.

GWAEDLINAU

- Rhowch y plentyn ar ei eistedd, gan ei blygu ymlaen a phinsio darn meddal y trwyn uwchlaw'r ffroenau am 10 munud.

- Gadewch i'r plentyn boeri neu lafoeri i mewn i fowlen.

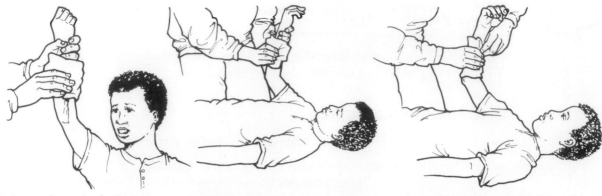

1. Gwasgwch ar y clwyf a chodwch
y rhan a anafwyd

2. Gosodwch y plentyn i orwedd gan ddal i
bwyso a chadw'r rhan a anafwyd yn uchel

3. Gan gadw'r rhan a anafwyd yn uchel,
gorchuddiwch y clwyf â gorchudd
cadarn, di-haint a rhwymyn

Trin gwaedu

- Daliwch ati i binsio'r trwyn nes bod y gwaedu wedi dod i ben, gan wirio hyn bob 10 munud.

- Glanhewch y plentyn yn ofalus a dywedwch wrtho am beidio â chwythu'i drwyn, ac i anadlu drwy'i geg.

Delio â gwaedlin

YSIGIADAU

- Codwch a chynhaliwch yr aelod a anafwyd i leihau'r posibilrwydd o chwyddo. Tynnwch yr esgid a'r hosan os yw'r pigwrn wedi ysigo.

- Gosodwch glwtyn oer ar yr ysigiad – byddai bag polythen yn llawn rhew neu becyn o bys rhewedig yn iawn, os ydynt ar gael.

- Lapiwch badin gwlân cotwm o amgylch yr aelod ac yna rhwymwch ef yn gadarn.

- Cadwch yr aelod i fyny.

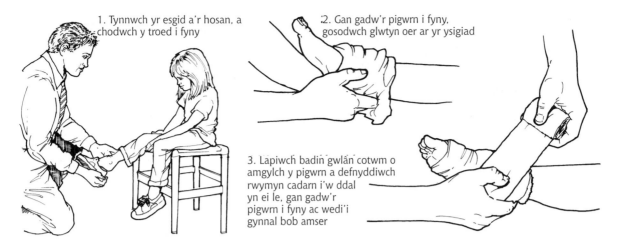

1. Tynnwch yr esgid a'r hosan, a chodwch y troed i fyny

2. Gan gadw'r pigwrn i fyny, gosodwch glwtyn oer ar yr ysigiad

3. Lapiwch badin gwlân cotwm o amgylch y pigwrn a defnyddiwch rwymyn cadarn i'w ddal yn ei le, gan gadw'r pigwrn i fyny ac wedi'i gynnal bob amser

Delio â phigwrn sydd wedi'i ysigo

Bydd *RICE* yn eich helpu i gofio beth i'w wneud:
Gorffwys – **R**est
Rhew – **I**ce
Cywasgu – **C**ompression
Codi – **E**levation.

CORFFYN ESTRON

Dylid mynd â phlant sydd wedi procio rhywbeth i mewn i'w trwyn neu eu clustiau i Adran Ddamwain ac Argyfwng yr ysbyty agosaf, lle gellir tynnu'r gwrthrych.

TAGU

Os ydych yn delio â phlentyn ifanc:

- Gosodwch y plentyn ar eich pen-glin, pen i lawr.

- Slapiwch y plentyn yn sydyn rhwng y palfeisiau hyd at bum gwaith.

- Trowch y plentyn drosodd, a gwthiwch i lawr bum gwaith – gosodwch sawdl eich llaw ar asgwrn brest isaf y plentyn (wrth waelod y sternwm). Gwthiwch i lawr yn sydyn bum gwaith.

- Edrychwch i weld a yw'r gwrthrych wedi dod yn rhydd ac wedi codi i'r geg.

- Os na ellir tynnu'r gwrthrych, gwthiwch i fyny'n sydyn bum gwaith – gosodwch sawdl eich llaw ar yr abdomen ychydig yn is na'r cawell asennau. Gwthiwch i fyny'n gadarn bum gwaith. Yna edrychwch yn y geg eto.

- Galwch am gymorth meddygol – ewch â'r plentyn gyda chi at y ffôn os ydych ar eich pen eich hun.

- Gwiriwch yr ABC.

- Ailadroddwch y broses eto nes bydd cymorth yn cyrraedd neu'r gwrthrych yn cael ei dynnu allan.

Os ydych yn trin plentyn hŷn, dechreuwch drwy slapio cefn y plentyn wrth iddo sefyll a phlygu ymlaen. Yna gosodwch y plentyn i orwedd ar y llawr a dilynwch y drefn ar gyfer plentyn ifanc.

(a) Yn achos plentyn bach:

1. Plygwch y plentyn dros eich pen-glin, wyneb i lawr, a slapiwch ef yn sydyn rhwng y palfeisiau bum gwaith

(b) Yn achos plentyn hŷn:

1. Plygwch y plentyn ymlaen a slapiwch ef yn sydyn rhwng y palfeisiau bum gwaith

2. Trowch y plentyn drosodd, gan gynnal ei gefn ar eich morddwyd, a gwthiwch i lawr bum gwaith

2. Gosodwch y plentyn ar ei gefn a gwthiwch i lawr bum gwaith

3. Edrychwch yn y geg ac os yw'n bosibl, tynnwch y gwrthrych
Os nad yw'n bosibl, daliwch ati drwy wthio i fyny bum gwaith

3. Edrychwch yn y geg ac os yw'n bosibl, tynnwch y gwrthrych.
Os nad yw'n bosibl, daliwch ati drwy wthio i fyny bum gwaith

4. Edrychwch yn y geg ac os gallwch, tynnwch y gwrthrych

4. Edrychwch yn y geg ac os gallwch, tynnwch y gwrthrych

5 Os na allwch dynnu'r gwrthrych, galwch am gymorth meddygol
Parhewch â'r broses, gan ailddechrau yng ngham 1, nes gellir tynnu'r gwrthrych neu nes bydd cymorth yn cyrraedd.
(Yn achos plentyn hŷn, gellir ei droi ar ei ochr er mwyn ei slapio ar ei gefn.)

Delio â (a) phlentyn bach a (b) phlentyn hŷn sy'n tagu

Gwirio'ch cynnydd

Beth ddylai'r bocs cymorth cyntaf mewn sefydliad gofal plant ei gynnwys?

Beth yw'r dull gweithredu mewn argyfwng ar gyfer plentyn sy'n tagu?

Beth yw'r driniaeth cymorth cyntaf ar gyfer gwaedlin?

Am faint ddylid oeri llosgiadau â dŵr oer?

Beth mae RICE yn ei gynrychioli mewn perthynas â thrin ysigiadau?

BOCS CYMORTH CYNTAF

Dylai pob sefydliad a chartref gynnwys bocs cymorth cyntaf sy'n hawdd ei gyrraedd ac yn cynnwys yr eitemau a ddangosir isod.

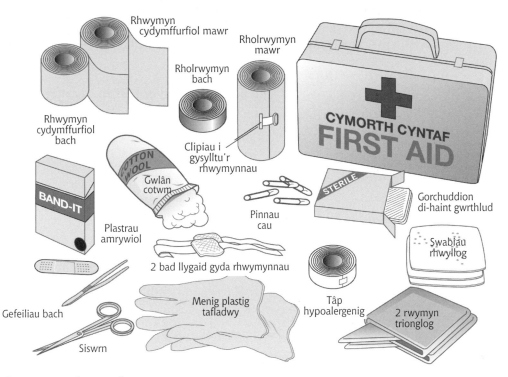

Rhwymyn cydymffurfiol mawr

Rholrwymyn mawr

Rholrwymyn bach

Rhwymyn cydymffurfiol bach

Clipiau i gysylltu'r rhwymynnau

Gwlân cotwm

BAND-IT

Plastrau amrywiol

Pinnau cau

Gorchuddion di-haint gwrthlud

Swabiau rhwyllog

Gefeiliau bach

2 bad llygaid gyda rhwymynnau

Menig plastig tafladwy

Tâp hypoalergenig

2 rwymyn trionglog

Siswrn

Cynnwys bocs cymorth cyntaf

Asthma

Mae pyliau asthma yn gallu dychryn plant – mae'r llwybr anadlu yn cael ffitiau, gan wneud anadlu'n anodd, yn enwedig anadlu allan. Yn nodweddiadol, bydd plentyn yn plygu ymlaen yn ei grwman, yn fyr o anadl – gan gymryd aer i mewn ond gan fethu ei chwythu allan. Mae'n amhosibl siarad yn ystod pwl o'r fath.

GWEITHREDU AR UNWAITH

Os bydd plentyn na chafodd ddiagnosis o asthma yn dioddef pwl, galwch ambiwlans. Yn y cyfamser, dilynwch y camau isod.

Rheoli pwl o asthma

- Cysurwch y plentyn.
- Anogwch anadlu rhydd – yn araf ac yn ddwfn.
- Llaciwch ddillad tynn o amgylch y gwddf.
- Gosodwch y plentyn ar ei eistedd gan ei bwyso ymlaen yn erbyn cynhalydd, megis bwrdd, fel ei fod yn cynnal ei hunan gyda'i ddwylo mewn safle cyffyrddus.
- Arhoswch gyda'r plentyn.
- Rhowch froncoledydd i'r plentyn i'w anadlu – dau ddos – os yw'n wybyddus eu bod yn dioddef o asthma.
- Cynigiwch ddiod gynnes i gadw'r geg yn llaith.

- Daliwch ati i gysuro a thawelu meddwl y plentyn.
- Pan fydd y plentyn yn gwella ar ôl pwl ysgafn, gallant ddychwelyd at wneud gweithgareddau ysgafn.
- Os bydd y cyflwr yn parhau, galwch ambiwlans a chysylltwch â'r rhieni.
- Dywedwch wrth y rhieni am y pwl pan gesglir y plentyn. Os yw'r plentyn wedi'i gynhyrfu gan y digwyddiad, dylid cysylltu â'r rhieni ar unwaith.

Pryd i alw ambiwlans

Galwch ambiwlans ar unwaith, neu gofynnwch i rywun arall wneud hynny, os:

- Mai dyma'r pwl asthma cyntaf
- Cymerwyd y camau uchod ond does dim gwelliant ymhen 5 i 10 munud
- Mae'r plentyn yn lluddedig
- Mae'r gwefusau, y geg a'r wyneb yn troi'n las.

Gwirio'ch cynnydd

Beth sy'n digwydd yn ystod pwl o asthma?

Sut fyddech chi'n adnabod pwl o asthma mewn plentyn ifanc?

Sut fyddech chi'n trin plentyn sy'n cael pwl o asthma?

Pryd fyddech chi'n ystyried bod angen galw ambiwlans?

Clefyd siwgr

term allweddol

Hypoglycaemia
lefelau isel o glwcos yn y gwaed

Am fod y cyflwr hwn yn codi pan geir ymyriad â'r ffordd mae'r corff yn rheoli'r crynodiadau siwgr yn y gwaed, gallai **hypoglycaemia** (rhy ychydig o siwgr yn y gwaed) neu hyperglycemia (gormod o siwgr yn y gwaed) ddigwydd. Bydd y ddau gyflwr yn arwain at anymwybyddiaeth yn y pen draw, ond fel rheol bydd hyperglycaemia yn datblygu'n araf, felly mae'n fwy tebygol y bydd plentyn sy'n dioddef o glefyd siwgr yn profi pyliau o hypoglycemia.

HYPOGLYCAEMIA

Gallai hyn fod yn ganlyniad diffyg inswlin, diffyg bwyd, salwch neu ymarfer corff anarferol o egnïol. Dyma rai o'r arwyddion:

- sensitifedd a dryswch
- colli cyd-symudiad a chanolbwyntio
- anadlu'n gyflym
- chwysu
- pendro.

Rheoli pwl o hypoglycaemia

Os bydd y plentyn yn ymwybodol:

- gosodwch y plentyn ar ei eistedd ac arhoswch gydag ef

- rhowch siwgr, er enghraifft tabledi glwcos, siocled neu ddiod siwgraidd, megis Lucozade.

Dylai'r cyflwr wella o fewn ychydig funudau:

- Os felly, cynigiwch fwy o fwyd neu ddiod wedi'u melysu.

- Gadewch i'r rhieni wybod. Dylent chwilio am gyngor er mwyn sefydlogi'r cyflwr. Dylai rhieni wybod am bob pwl hypoglycemaidd gan ei fod yn gallu dangos bod angen addasu'r diet a/neu'r inswlin.

Os bydd y plentyn yn anymwybodol:

- gosodwch ef yn yr ystum adferol.

- galwch ambiwlans, gan sicrhau bod rhywun yn aros gyda'r plentyn trwy'r amser.

Mae'n ymarfer da i gario tabledi glwcos neu ddiod wedi'i melysu pan fyddwch yn mynd ar daith ysgol neu i wers nofio gyda phlentyn sy'n dioddef o glefyd siwgr.

Astudiaeth achos ...

... pwl o hypoglycaemia

Mae Carys yn 6 oed ac yn dioddef o glefyd siwgr. Mae'n cael pigiad inswlin yn y bore cyn ysgol ac yn y prynhawn ar ôl ysgol i reoli ei chyflwr. Mae hi'n deall bod rhaid rheoli ei diet ac yn gwybod pa fwydydd y gall eu bwyta.

Mae dosbarth Carys newydd ddechrau mynd i nofio bob prynhawn dydd Mawrth ac mae hi wedi cynhyrfu. Mae hi mor brysur yn siarad am nofio amser cinio fel nad yw hi'n bwyta llawer o'i chinio ysgol. Mae Carys yn baglu ar y gris uchaf wrth ddod allan o'r pwll ac yn gwisgo'n araf, gan fotymu ei blows yn anghywir. Mae Miss Jones, yr athrawes, yn sylwi bod ei hwyneb yn llaith wrth iddi ddringo ar y bws, a'i bod hi'n anadlu'n gyflym. Mae hi'n edrych yn welw ac yn dechrau crïo'n dawel. Mae Miss Jones bob amser yn cadw paced o dabledi 'decstros' yn ei bag ac mae hi'n eu cynnig i Carys. Ar ôl sugno dwy dabled, mae Carys yn ymddangos yn well. Nid yw'n chwysu ac erbyn i'r bws gyrraedd yr ysgol, mae hi'n teimlo'n well o lawer. Mae Carys yn dringo i lawr grisiau'r bws ac yn mynd i mewn i'r ystafell ddosbarth i fwyta bisgedi digestif ac i yfed carton o laeth.

1. Pa arwyddion o hypoglycaemia a welwyd yn Carys?

2. Sut wnaeth yr athrawes gywiro'r sefyllfa?

3. Beth oedd achos y pwl?

Gwirio'ch cynnydd

Beth yw rôl y gweithiwr gofal plant yn ystod pwl hypoglycaemaidd?

Sut ddylid gweithredu os nad ydych yn siŵr a yw'r plentyn yn hyperglycaemaidd neu'n hypoglycaemaidd?

Pam ei bod hi mor bwysig i ddweud wrth rieni am byliau hypoglycaemaidd?

Confylsiynau twymyn

Math o ffit sy'n digwydd am fod tymheredd y corff wedi codi yw confylsiwn twymyn. Maent yn digwydd fel rheol mewn plant rhwng 6 mis oed a 5 oed ar ddechrau salwch – mae plant yn agored i hyn am nad yw'r ymennydd, sy'n dal i ddatblygu, yn gallu ymdopi â'r cynnydd sydyn mewn tymheredd. Mae plentyn a gafodd un confylsiwn twymyn yn fwy tebygol o gael un arall.

ARWYDDION

- colli ymwybyddiaeth
- corff anhyblyg (anystwyth)
- y corff a/neu'r wyneb yn plycio – weithiau bydd y llygaid yn rholio'n ôl
- weithiau ni ellir atal wrin neu ymgarthion.

Mae'n bosibl y bydd plentyn yn ymwybodol eto am gyfnod byr ac yna'n cysgu neu'n cysgu'n drwm ar unwaith. Mae'n debyg y byddant yn ddryslyd ac yn bigog ar ôl deffro.

RHEOLI CONFYLSIWN TWYMYN

- Arhoswch gyda'r plentyn drwy gydol y confylsiwn a rhwystrwch ef rhag niweidio'i hun, er enghraifft drwy syrthio allan o'r gwely. Peidiwch ag ymyrryd â phroses y confylsiwn – gadewch iddo ddilyn ei gwrs.
- Os yw'n bosibl, gofynnwch i gydweithiwr anfon am y meddyg.
- Gosodwch y plentyn mewn ystum adferol pan fydd y symudiadau wedi dod i ben – llaciwch ddillad tynn.
- Yn dawel, cysurwch y plentyn os daw ato'i hun cyn cysgu.
- Galwch y meddyg pan fydd y confylsiwn wedi dod i ben, os na wnaed hyn yn barod.
- Daliwch ati i geisio gostwng y tymheredd, e.e. sbwngio â dŵr claear a thynnu dillad.

O bosibl bydd y meddyg yn pennu gwrthfiotigau i ymladd heintiau bacteraidd ac efallai yn pennu tawelyddion a roddir os bydd y tymheredd yn codi eto, er mwyn atal pyliau yn y dyfodol.

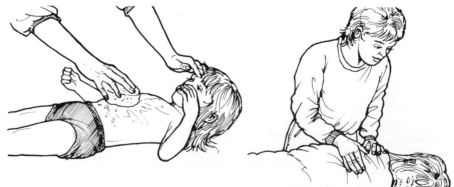

Oerwch y plentyn drwy dynnu dillad a dillad gwely Sbwngiwch â dŵr claear nes bod y tymheredd yn gostwng

Rholiwch y plentyn ar ei ochr gan ei orchuddio â chynfas

Delio â chonfylsiwn twymyn

Astudiaeth achos ...

... confylsiwn twymyn

Cyn cymryd swydd fel gweithiwr chwarae yn y clwb y tu allan i'r ysgol leol, roedd Gwen wedi cwblhau cwrs cymorth cyntaf i blant. Credai y dylai fod yn barod ar gyfer unrhyw ddamweiniau a allai ddigwydd i'r plant ar fuarth yr ysgol neu rywle arall. Roedd hi wrth ei bodd gyda'i swydd newydd. Ar ddiwedd y mis cyntaf, dywedodd yn chwareus wrth ei chydweithwyr ei bod hi'n falch na fu unrhyw alw am ei sgiliau cymorth cyntaf.

Un noswaith, roedd rhai o'r plant yn eistedd ar sachau eistedd ar lawr neuadd yr ysgol, yn gwylio fideo. Yn sydyn, rholiodd Gethin, a oedd wedi ymddangos ychydig yn anhwylus, oddi ar ei glustog i'r llawr a dechreuodd gael ffit. Ar unwaith aeth Gwen ato ac arhosodd gydag ef. Gwnaeth yn siŵr fod ei lwybr anadlu'n glir, ond ni ymyrrodd â hynt y confylsiwn. Aeth un o'i chydweithwyr at y plant eraill i dawelu eu meddyliau, cyn eu cymryd allan i ardal chwarae arall. Ffoniodd gweithiwr gofal plant arall rieni Gethin i ddweud wrthynt beth oedd yn digwydd ac i ofyn iddynt ddod i'w gasglu cyn gynted â phosibl. Cytunai'r rhieni y dylid cysylltu â'r meddyg. Nid oedd Gethin wedi cael confylsiwn erioed o'r blaen, ac er nad oedd Gwen wedi mesur ei dymheredd, gallai deimlo ei fod yn boeth. Aeth i gysgu ar y sachau eistedd ar ôl y confylsiwn.

1. Beth oedd wedi digwydd i Gethin?

2. Beth wnaeth Gwen ar unwaith i helpu Gethin?

3. Pa gefnogaeth a gafodd gan ei chydweithwyr?

4. Beth arall gellid ei wneud i ostwng tymheredd Gethin?

Gwirio'ch cynnydd

Beth yw confylsiwn twymyn?

Beth yw arwyddion posibl confylsiwn twymyn?

Sut ddylai'r gweithiwr gofal plant weithredu pan fydd plentyn yn dioddef confylsiwn twymyn?

Sut gellir gostwng tymheredd plentyn?

Polisïau a dulliau gweithredu'r gweithle

term allweddol

Llyfr damweiniau
dogfennaeth gyfreithiol yn cofnodi pob damwain ac anaf sy'n digwydd mewn unrhyw sefydliad

HYSBYSU RHIENI

Dylid hysbysu rhieni am bob niwed, pa mor fach bynnag ydyw, sy'n digwydd i'w plentyn, gyda chymaint o fanylion â phosibl ynglŷn â sut y digwyddodd yr anaf. Mae hyn yn sicrhau gofal di-dor rhwng y sefydliad a'r cartref – o bosibl bydd y plentyn angen siarad am ei brofiadau gyda'i rieni, a fydd wedyn yn barod i ddelio ag unrhyw ganlyniadau.

LLYFR DAMWEINIAU

Dylid cofnodi pob damwain mewn **llyfr damweiniau**, er mwyn cydymffurfio â rheoliadau iechyd a diogelwch.

Dylai'r wybodaeth a gofnodir mewn llyfr damweiniau gynnwys:

- amser a dyddiad y ddamwain
- enw a chyfeiriad y plentyn neu'r oedolyn a anafwyd
- lleoliad y ddamwain
- pwy oedd yn rhan o'r ddamwain a beth ddigwyddodd (manylion am dystion)
- manylion am yr anaf
- unrhyw driniaeth a roddwyd
- pwy gafodd eu hysbysu am y ddamwain.

Dylid cadw llyfrau damweiniau yn ofalus am o leiaf 3 blynedd.

Gwirio'ch cynnydd

Pam ei bod hi'n bwysig i hysbysu rhieni am unrhyw ddamweiniau y mae eu plentyn yn rhan ohonynt?

Pa wybodaeth y dylid ei chofnodi mewn llyfr damweiniau?

Am faint o amser y dylid cadw llyfr damweiniau?

Nawr rhowch gynnig ar y cwestiynau hyn

Sut ddylai gweithiwr gofal plant weithredu os ceir hyd i blentyn anymwybodol ar y buarth chwarae?

Esboniwch pam ei bod hi'n bwysig bod gan weithwyr gofal plant wybodaeth gynhwysfawr am gymorth cyntaf.

Disgrifiwch bolisïau iechyd a diogelwch gweithle eich sefydliad chi.

PLANT YN YR YSBYTY

Yn aml, gofalir am blant sâl yn y cartref, gan ei bod hi'n well i blant fod mewn lle cyfarwydd yng nghwmni eu prif ofalwyr. Fel rheol bydd plant yn mynd i'r ysbyty am gyfnodau byr ar gyfer triniaeth benodol ac yn dod adref cyn gynted â phosibl.

Bydd y rhan hon yn ymdrin â'r pynciau canlynol:

- *paratoi ar gyfer mynediad i'r ysbyty*
- *chwarae*
- *plant sy'n dioddef afiechyd sy'n peryglu bywyd neu afeichyd marwol.*

Paratoi ar gyfer mynediad i'r ysbyty

Mae llawer o blant yn gorfod mynd i'r ysbyty ar ryw adeg yn eu bywydau; mae nifer ohonynt yn cael eu derbyn ar frys ac felly mae'n bwysig bod pob plentyn yn dod i wybod am ysbytai. Mae plant yn gweld ambiwlansys yn aml ac yn chwarae gyda theganau sydd o bosibl yn cynnwys ambiwlans, a bydd hyn yn rhoi cyfle i siarad am ysbytai. Efallai y byddwch yn pasio ambiwlans yn y car, ac yn gallu dangos yr adeilad i'r plentyn. Mae llawer o lyfrau am ysbytai y gallech eu darllen gyda phlant. Mewn sefydliadau gofal plant, gellid defnyddio'r ardal chwarae llawn dychymyg ar gyfer chwarae ysbyty neu chwarae meddygon a chlinigau, a gall plant defnyddio 'offer meddygol' a gwisgo iwnifformau. Bydd chwarae rôl yn caniatáu iddynt fentro i'r sefyllfa o fewn amgylchedd diogel. Peidiwch ag aros nes bydd y plentyn yn gorfod mynd yno cyn eu cyfarwyddo ag ysbytai. Bydd sicrhau bod ysbyty yn lle cyfarwydd iddynt yn eu helpu pan fydd rhaid iddynt fynd i'r ysbyty ar fyr rybudd neu'n ddirybudd.

MYNEDIADAU WEDI'U TREFNU

Er gwaethaf y paratoadau cyffredinol, mae'r syniad o gael eu derbyn i'r ysbyty yn gallu dychryn plant a'r rhieni neu'r gofalwyr. Mae cynllunio mynediad ymlaen llaw yn golygu y gellir cysylltu â meddygon a nyrsys yn yr adran cleifion allanol. Gellir trefnu i ymweld â'r ward cyn i'r plentyn gael

Mae llawer o blant yn gorfod mynd i'r ysbyty ar ryw gyfnod yn eu bywydau

ei dderbyn i'r ysbyty. Mae llyfryn am yr ysbyty a wnaed ar gyfer plant yn benodol yn ffynhonnell wybodaeth dda. Gall gynnwys lluniau o blant neu degan cyfarwydd megis tedi yn cymryd rhan yng ngweithgareddau'r ysbyty. Bydd hefyd yn cynnwys lluniau o bethau mae plentyn yn debygol o'u gweld, fel thermomedr neu stethosgop.

PARATOI GARTREF

Gartref gellir helpu'r plentyn i ddeall beth fydd yn digwydd drwy chwarae ysbyty. Ychydig ddyddiau cyn iddynt gael eu derbyn i'r ysbyty dylid dweud yn glir ac yn ddidwyll wrth y plentyn beth allai ddigwydd. Dylid ateb unrhyw gwestiynau mor gywir â phosibl mewn ffordd y gall y plentyn ei ddeall. Dylid sicrhau'r plentyn y bydd y rhieni neu'r gofalwyr yn gallu trefnu i aros dros nos ac ymweld mor aml â phosibl. Bydd swm yr hyn a ddywedir ac a ddeellir yn dibynnu ar oedran y plentyn. Mae'n bosibl y bydd plant hŷn yn mwynhau pacio a dadbacio eu bag, a dewis eu hoff deganau ar gyfer mynd i'r ysbyty, yn enwedig os oes ganddynt degan anwes y maent yn hoffi gafael ynddo. Dylid sôn wrth staff y ward am unrhyw hoff enwau a roddwyd i'r pethau hyn.

Astudiaeth achos ...

... mynediad brys

Mae Ioan yn 5 ac wedi cael ei dderbyn ar frys i'r ysbyty. Mae'n dioddef o boenau stumog difrifol ac yn cyfogi. Mae meddyg teulu Ioan yn credu bod ganddo lid y pendics. Mae'r meddyg yn yr ysbyty yn tueddu i gytuno, ond gan fod cyflwr Ioan wedi gwella ers cyrraedd yr ysbyty, mae hi'n awyddus i gadw golwg arno am gyfnod a gwneud mwy o brofion. Daeth mam Ioan gydag ef i'r ysbyty, ac maen nhw'n aros i'w dad gyrraedd. Mae Ioan yn teimlo ychydig yn well ac yn dweud wrth ei fam am yr adeg pan chwaraeodd ysbyty yn y feithrinfa a phan adroddodd ei ffrind hanes ei ymweliad â'r ysbyty pan dorrodd ei fraich. Cofiai fel yr oedd pawb wedi tynnu lluniau ar ei blastr. Ar ôl ychydig, dechreuodd Ioan bryderu a dweud wrth ei fam nad oedd arno eisiau aros yn yr ysbyty a'i fod yn awyddus i fynd adref. Dywedodd fod ei byjamas yn anghyffyrddus ac y byddai ei gwningen yn ei golli. Cysurodd ei fam ef, gan ddweud bod y nyrsys wedi dweud wrthi y gallai aros yno ac y byddai'n cysgu yn yr ysbyty gyda Ioan. Dywedodd y byddai ei dad yn dod â'i byjamas ei hun a'i hoff dedi, a bod Rhun drws nesaf yn mynd i ofalu am ei gwningen. Ar ôl clywed hyn, ymdawelod Ioan a llwyddodd i gysgu am ychydig cyn i'w dad gyrraedd.

1. Beth oedd wedi digwydd yn y feithrinfa a wnaeth i Ioan deimlo'n fwy cartrefol yn yr ysbyty?

2. Sut wnaeth ei fam ei helpu i ymgartrefu?

3. Os bydd rhaid i Ioan dderbyn llawdriniaeth ar gyfer llid y pendics, sut bydd y staff yn ei helpu i ddeall beth sy'n mynd i ddigwydd?

YN YR YSBYTY

Atgoffa mewn ffordd gadarnhaol

Mae'n bwysig cynnal y cysylltiad â'r cartref hyd yn oed pan fydd rhieni neu ofalwyr y plentyn yn aros yn yr ysbyty neu'n ymweld yn aml. Dyma rai dulliau o atgoffa'r plentyn o'i gartref:

- eiddo cyfarwydd, er enghraifft dillad, teganau, teganau anwes

- ffotograff ar gyfer cwpwrdd personol

- rhywbeth cyfarwydd sy'n eiddo i'r fam, y tad a gofalwyr eraill

- llythyrau a chardiau, i'w gosod mewn man lle gall y plentyn eu gweld.

Ymatebion emosiynol

Bydd ymateb plant i aros mewn ysbyty yn dibynnu i raddau ar ba mor ddifrifol yw eu salwch. Ni fydd plentyn sâl iawn yn ymwybodol iawn o'i amgylchedd; bydd y plentyn llai sâl yn ymateb yn sensitif i'w amgylchedd. Y ddau ffactor sy'n dylanwadu mwyaf ar deimladau'r plentyn yw oedran ac i ba raddau y mae'n dibynnu ar rieni neu ofalwyr. Babanod a phlant dan oed ysgol fydd yn teimlo fwyaf diogel os bydd y rhiant neu'r gofalwr gyda hwy trwy'r amser neu fel rheol; mae plant 4 i 8 oed yn dechrau ennill eu hannibyniaeth ond angen llawer o sicrwydd a chysur. Mae angen iddynt gael cwmni rhiant neu ofalwr, yn enwedig yn ystod cyfnodau anoddaf eu harhosiad yn yr ysbyty.

Gall plant sy'n cael eu gwahanu o'u rhiant neu ofalwr yn ystod eu cyfnod yn yr ysbyty ddangos holl arwyddion trallod difrifol.

Dyma'r arwyddion:

- *trallod* neu brotest a fynegir drwy grïo, a dicter am eu bod yn cael eu gadael

- *anobaith,* am fod y plentyn yn ofni na fydd eu gofalwr yn dychwelyd. Mae'n mynd yn llesg, yn colli diddordeb ac yn gwrthod chwarae

- *difaterwch,* pan fydd y plentyn yn argyhoeddedig na fydd eu gofalwr yn dychwelyd byth. Mae eu hymddygiad yn anghyson.

Chwarae

Gallai pryder difrifol effeithio ar ddatblygiad emosiynol plentyn yn y tymor byr neu dros gyfnod hirach. Dylid rhagweld, adnabod a cheisio lleihau pryder ynglŷn â bod mewn ysbyty. Gall chwarae fod yn ddull effeithiol a gwerthfawr o wneud hyn, ac mae nifer o gyfleoedd ar gyfer hyn. Amlinellir rhai ohonynt isod:

- *Yn y gymuned* – gall grwpiau rhieni a phlant bach, cylchoedd chwarae, meithrinfeydd ac ysgolion cynradd ddarparu gwrthrychau ar gyfer chwarae gyda bocs ysbyty, teganau a llyfrau. Mae'n bosibl yr anogir plant i actio eu profiadau, drwy gyfrwng chwarae llawn dychymyg a chwarae rôl. Wrth edrych ar bynciau fel 'Pobl sy'n ein helpu ni', bydd ymweliadau gan y nyrs ysgol, ymwelydd iechyd neu bersonél iechyd eraill yn ddefnyddiol wrth helpu plant i gyfarwyddo. Mae NAWCH (Sefydliad Cenedlaethol er Lles Plant mewn Ysbyty – National Association for the Welfare of Children in Hospital) yn darparu gwybodaeth ar gyfer rhieni a phlant am gyfleusterau lleol.

- *Cleifion allanol* – dylai fod chwarae yn bosibl yn yr adran cleifion allanol, a gellir annog plant sy'n mynd yno i gymryd rhan drwy gynnig darpariaeth ddeniadol a diddorol; mae hyn yn helpu i leihau pryderon plant a phryderon eu rhieni.

- *Ar y ward* – wrth setlo, dylid dod â hoff deganau a gwrthrychau a drysorir i mewn i'r ward a'u cadw gyda'r plentyn. Mae gan y rhan fwyaf o wardiau plant mewn ysbytai ystafell chwarae lle bydd arweinydd chwarae hyfforddedig yn darparu gweithgareddau, straeon a fideos addas i'w defnyddio yn yr ystafell chwarae ac wrth y gwely.

term allweddol

Atchweliad
ymateb mewn modd sy'n briodol ar gyfer cam datblygiad cynharach

CYNLLUNIO CHWARAE

Mae plant sâl angen chwarae, ond mae'n bosibl na fyddant yn gwneud yr ymdrech neu yn meddu ar y gallu i greu gweithgareddau chwarae addas. Mae'n bosibl na fyddant yn gallu canolbwyntio, yn blino'n rhwydd ac o bosibl byddant yn **atchwelyd** ac yn dychwelyd at lefel ymddygiad blaenorol.

Rhaid cynnig gwahanol fathau o chwarae; oherwydd eu profiad cyn hyn, mae'n

Mae'n bosibl y bydd plant sâl yn methu canolbwyntio ac yn blino'n hawdd

bosibl y bydd angen rhoi cymorth i rai plant wrth chwarae a gwneud llanastr. Bydd y sawl sy'n ansymudol angen chwarae unigol. Dylai'r plentyn allu cymryd rhan lawn yn y gweithgaredd. Mae'r chwarae gorau yn dechrau gyda phethau cyfarwydd, yn addas ar gyfer galluoedd y plentyn ac yn defnyddio rhywbeth newydd i symbylu.

Y PLENTYN SY'N GAETH I'R GWELY

Bydd plant sy'n gorfod aros yn y gwely, am eu bod yn sâl iawn, neu am nad ydynt yn gallu codi oherwydd eu triniaeth, angen gweithgareddau priodol a fydd yn eu diddori. Gall y rhain gynnwys siarad, darllen, gwrando ar rywun yn darllen, gemau bwrdd, tapiau o straeon, fideos a gemau cyfrifiadurol yn y llaw. Mae'n hanfodol bod y gweithgareddau'n amrywiol, gan nad yw plant sâl yn gallu canolbwyntio am gyfnod hir fel rheol.

Ar wastad y cefn (gorweddol)

Ar wastad y cefn (gorweddol)

gorwedd ar y cefn

Mae gorwedd **ar wastad y cefn** yn golygu na ellir gweld llawer. Gall ddrychau helpu yn yr achos hwn, a bydd lluniau, posteri a symudion yn gwneud yr ardal uwchlaw pen y plentyn yn fwy diddorol. Bydd llyfrau, gwrando ar straeon, tapiau a siarad, a rhai gemau bwrdd yn bosibl, ond mae defnyddio'r breichiau ar gyfer pob gweithgaredd yn y safle hwn yn flinedig iawn.

Ar yr ochr

Os bydd rhaid i'r plentyn orwedd ar ei hochr, yna bydd gweithgareddau yn ymwneud â phobl chwarae, anifeiliaid, gemau bwrdd a threnau yn bosibl.

Wyneb i lawr (tor-orweddol)

Wyneb i lawr (tor-orweddol)

gorwedd wyneb i lawr

Wrth orwedd **wyneb i lawr** bydd mwy o weithgareddau'n bosibl, yn enwedig os cynhelir y plentyn ar ffrâm arbennig. Bydd hyn yn caniatáu i'r plentyn beintio, darllen a chwarae gemau bwrdd

Eistedd i fyny

Mae'n bosibl y bydd plant yn gaeth i'r gwely ond yn gallu eistedd i fyny, er enghraifft os ydynt dan dyniant. O bosibl, bydd ganddynt lawer o egni, a gellir defnyddio hwn drwy chwarae gyda chlai a thoes neu wneud gweithgaredd morthwylio.

Plentyn sy'n derbyn trwyth mewnwythiennol (IV)

Mae'n bosibl y bydd IV yn cyfyngu ar allu'r plentyn i symud heb ei gaethiwo i'r gwely. Pan osodir yr IV yn ei le, ni ddefnyddir y fraich gryfach. Mae hyn yn golygu bod y llaw fedrusach yn rhydd i chwarae. Lle bo hynny'n bosibl, symudwch y plentyn i leoliad y gweithgareddau. Bydd gweithgareddau addas yn cynnwys peintio, gemau bwrdd, teganau bach, unrhyw beth lle nad oes gofyn defnyddio dwy law. Os nad ydych yn siŵr, rhowch gynnig arni yn gyntaf gan ddefnyddio un llaw.

Plentyn mewn angen gofal dwys

Mae'n bosibl na fydd gan blant sâl iawn fawr o ddiddordeb mewn chwarae, ond mae'n bwysig i ddal ati i symbylu golwg a chlyw'r plentyn. Mae canu, darllen, symudion, lluniau a siarad â'r plentyn am bethau bob dydd yn bwysig iawn. Dylai hoff wrthrych sy'n rhoi cysur fod o fewn golwg y plentyn, hyd yn oed os na all ei ddal.

Plentyn sydd angen bod ar wahân

Mae'n bosibl na fydd plentyn sy'n derbyn gofal mewn cuddygl yn cael cyfle i weld plant eraill. Efallai y bydd rhaid i ymwelwyr, oedolion fel rheol, wisgo gynau a masgiau. O ganlyniad, bydd angen i'r gofalwyr dreulio mwy o amser o lawer yn y cuddygl, yn symbylu ac yn cymryd rhan yn y chwarae. Bydd rhaid i deganau a gemau aros yn y cuddygl. Mae teganau golchadwy a chwarae gyda dŵr yn arbennig o ddefnyddiol.

YSTAFELL CHWARAE'R WARD

Mae gan lawer o wardiau ac adrannau plant eu hystafelloedd chwarae eu hunain gyda gweithiwr gofal plant hyfforddedig, a fydd yn darparu chwarae sy'n briodol ar gyfer anghenion y plant a fydd yn ei defnyddio. Bydd ystod lawn o gyfleoedd ar gyfer chwarae a dysgu ar gael, ynghyd â staff medrus sy'n rhoi cymorth i'r plant a'u rhieni a'u gofalwyr. Mewn llawer o ysbytai bydd athro neu athrawes gymwysedig yn cefnogi addysg barhaus plant oedran ysgol.

Plant sy'n dioddef o afiechyd sy'n peryglu bywyd neu afiechyd marwol

Mae marwolaeth plentyn yn anoddach ei dderbyn na marwolaeth oedolyn, yn aml. Mae llawer o bobl yn teimlo bod colli plentyn, sydd â'i holl fywyd o'i flaen, yn fwy o golled na cholli oedolyn sydd wedi byw bywyd llawn a defnyddiol yn barod. Mae marwolaeth plentyn heddiw yn fwy o drasiedi nag yn y dyddiau pan fu farw llawer o blant ei babandod, am fod cynifer o ddulliau o wella afiechydon yn bodoli erbyn hyn.

GOLWG PLENTYN AR FARWOLAETH

Mae plant yn profi marwolaeth mewn ystyr eang yn aml. Mae colled a gwahaniad hefyd yn rhan o nifer o'u profiadau. Mae eu ffordd o edrych ar y profiadau hyn yn dibynnu ar sut mae'r oedolion sy'n bwysig iddynt yn ymateb ac ar yr esboniadau a roddir iddynt. Yn aml bydd oedolion yn osgoi siarad am farwolaeth ac yn gwthio'r syniad i ffwrdd, er bod angen meddwl trwy'r syniadau er mwyn gallu ateb cwestiynau plant. Mae'r syniad o farwolaeth yn gymhleth ac yn datblygu dros gyfnod o flynyddoedd. Mae dealltwriaeth plentyn wedi'i chyfyngu gan:

- brofiad blaenorol
- datblygiad iaith
- amgyffred y plentyn o gysyniad amser
- datblygiad deallusol.

Yn aml bydd gan blant sy'n marw ddelweddau, ofnau a phryderon eglur iawn yn ymwneud â marwolaeth. Weithiau bydd oedolion yn dweud nad yw plentyn yn gwybod yn well, ond mae llawer o blant yn sylweddoli eu bod yn marw a'r gwahaniaeth mawr yw a ydynt yn mynd i gael cyfle i fynegi eu teimladau ai peidio. Gall dweud nad ydy plentyn yn siarad am farwolaeth olygu nad yw'r plentyn wedi cael cyfle i siarad, gan amlaf am nad yw'r oedolion yn gallu ymdopi â hynny.

Mae'r plentyn ifanc, dan 7 oed, yn credu ei bod hi'n bosibl dadwneud marwolaeth, a'i fod yn gwsg neu'n gyflwr o arwahaniad y gall person ddychwelyd ohono. Mae'n bosibl mai prif ofn plentyn ifanc sy'n marw yw meddwl am wahaniad a mynd i mewn i fan tywyll lle nad oes neb cyfarwydd i roi cariad a chysur iddo. Bydd plant yn mynegi eu hofnau mewn gwahanol ffyrdd; o bosibl byddant yn dymuno cael cysur corfforol a rhywun i wrando arnynt ac i siarad â hwy. Ar adegau eraill, byddant yn dangos eu hofnau drwy ddicter. Weithiau byddant yn dangos y dicter hwn tuag at y person maent yn ei garu ac yn ymddiried ynddynt fwyaf. Yn aml gall hyn fod yn anodd iawn i rieni a gofalwyr cariadus ei ddeall, ond mae'n arwydd o hyder y plentyn ynddynt.

YMATEBION OEDOLION I FARWOLAETH PLENTYN

Mae emosiynau rhieni'n effeithio ar y gofal a roddant i'w plentyn sy'n marw ac i weddill y teulu. Yn aml, bydd rhieni'n profi ystod o emosiynau:

- *Sioc gychwynnol* – Mae'n bosibl y bydd rhieni a gofalwyr yn amau bod gan eu plentyn salwch sy'n peryglu bywyd, ond bydd cadarnhad o hyn yn achosi sioc, anghrediniaeth, fferdod a phanig; o bosibl, ni fyddant yn clywed yr esboniadau ac yna'n dweud na chawsant esboniad.

- *Dryswch* – mae hwn yn ymateb cyffredin, a achosir yn aml gan y ffaith bod rhieni neu ofalwyr yn colli'r hyn a gredent oedd eu rôl, sef magu plentyn.

- *Ofn*– mae rhywfaint o'r dryswch yn codi o ganlyniad i'r ofn corfforol, emosiynol sy'n gafael ynddynt; profir teimlad o fod yn gaeth ac o fethu ag ymdopi â'r anhysbys.

- *Dicter* – mae hyn yn codi o'r teimladau o annhegwch bod plentyn yn marw; yn aml mae'r teimladau o ddicter yn gryf iawn ac nid oes angen llawer i'w sbarduno.

- *Euogrwydd* – yn aml bydd rhieni a gofalwyr yn credu bod marwolaeth plentyn yn gosb am rywbeth a wnaethant, ond yn aml nid yw hyn yn berthnasol i salwch y plentyn.

AROS YN Y TEULU

Nid yn aml y bydd plant sy'n dioddef o afiechyd marwol yn marw yn yr ysbyty. Cefnogir teuluoedd fel y gallant ofalu am eu plentyn gartref. Gall pob teulu benderfynu ar eu cynllun gofal eu hunain ar y cyd â'r tîm gofal. Gall y teulu gysylltu'n gyson â'r nyrs gofal cartref sy'n gweithredu fel ymgynghorydd y teulu drwy ddarparu gofal ar gyfer eu plentyn. Yn ystod yr ymweliadau cartref mae nyrsys gofal cartref hefyd yn darparu cefnogaeth emosiynol i deulu'r plentyn. Er bod teuluoedd yn pryderu am eu plentyn yn marw gartref, bydd cefnogaeth dda a'r teimlad bod popeth dan reolaeth mewn lle cyfarwydd yn aml yn creu'r amgylchiadau gorau a mwyaf cyffyrddus i'r holl deulu.

Nawr rhowch gynnig ar y cwestiynau hyn

Ym mha ffyrdd y gallwch chi godi ymwybyddiaeth plant o ysbytai?

Beth yw manteision cynllunio mynediad i ysbyty?

Rhestrwch rai o'r ffyrdd y gallai plant fynegi eu hofn o ysbyty.

Beth yw rôl y nyrs gofal cartref?

Disgrifiwch chwarae priodol ar gyfer plentyn sy'n gorfod aros yn y gwely.

Pam ei bod hi'n bwysig bod rhiant neu ofalwr plentyn yn aros gyda hwy yn ystod eu cyfnod yn yr ysbyty?

Sut ellir cefnogi rhieni a gofalwyr tra bod eu plant yn yr ysbyty?

AFIECHYDON A CHYFLYRAU CYFFREDIN

Mae rhai afiechydon a chyflyrau plentyndod yn dymor hir (cronig), a rhaid bod gan weithwyr gofal plant wybodaeth a dealltwriaeth arbennig er mwyn gallu cefnogi'r plentyn a'r teulu drwy gyfnodau anodd iawn. Er mwyn gwneud hyn yn effeithiol rhaid i weithwyr gofal plant allu cynnig nid yn unig gofal priodol ar gyfer afiechyd neu gyflwr penodol, ond hefyd dealltwriaeth o effeithiau emosiynol yr afiechyd ar y plentyn, y rhieni a'r teulu.

Bydd y rhan hon yn ymdrin â'r pynciau canlynol:

- asthma
- awtistiaeth
- parlys yr ymennydd
- gwefus a/neu daflod hollt
- cyflwr coeliag
- ffibrosis y bledren
- clefyd siwgr
- syndrom Down
- epilepsi
- haemoffilia
- nam ar y clyw
- hydroceffalws
- nychdod cyhyrol (Duchenne)
- ffenylcetonwria
- anaemia cryman-gell
- spina bifida
- nam ar y golwg.

Asthma

term allweddol

Asthma

anhawster anadlu, pan fydd llwybrau anadlu'r ysgyfaint yn culhau; yn cael ei sbarduno gan alergedd, heintiau, ymarfer corff a gofid emosiynol

ACHOSION

Yn ystod pwl o **asthma** (rhwystr llwybr anadlu cildroadwy) mae llwybrau anadlu'r ysgyfaint yn culhau. Mae leinin y llwybrau anadlu'n chwyddo oherwydd alergedd i sylweddau penodol, er enghraifft paill, gwiddon llwch tŷ neu flew anifail anwes. Weithiau bydd gan blant alergedd i fwydydd penodol hefyd, er enghraifft cnau daear. O bosibl bydd y llwybrau anadlu yn plycio, gan gyfyngu ar y cyflenwad aer. Yn ogystal, gall ffactorau megis haint, ymarfer corff, y tywydd, aer oer neu ofid emosiynol sbarduno pyliau o asthma.

NODWEDDION

Mae anadlu'n mynd yn anoddach wrth i'r llwybrau anadlu blycio. Mae'n bosibl, hefyd, y bydd y llwybrau anadlu'n culhau wrth i'r leininau chwyddo a mwcws gael ei secretu'n gynyddol. Gall pyliau amrywio o ran eu difrifoldeb. Pan geir pwl difrifol, bydd anadlu'n anodd iawn a'r plentyn yn bryderus ac yn ofnus. Mae'r anadlu'n normal rhwng y pyliau hyn. Mae pyliau cas o asthma yn ddifrifol ac yn gallu peryglu bywyd.

DIAGNOSIS

Gweithir diagnosis drwy arsylwi'r pyliau. Weithiau mae cynnal profion ar y croen yn gallu helpu i ganfod yr alergen.

TRINIAETH A CHYNNYDD

termau allweddol

Broncoledydd (esmwythwr)

cyffur sy'n helpu'r llwybrau anadlu i ehangu. Fe'i defnyddir i drin asthma

Rhwystrwr

cyffur a roddir yn gyson er mwyn atal pyliau o asthma. Fe'i rhoddir yn aml drwy gyfrwng mewnanadlydd

Ar gyfer trin asthma, rhoddir cyffuriau a elwir yn **broncoledyddion**, sy'n helpu'r llwybrau anadlu i lacio ac ymagor (lledu neu ehangu). Yn enw cyffredin arnynt yw **esmwythwyr** ac fe'u rhoddir gyda chymorth mewnanadlydd fel bod modd anadlu'r cyffur a'i yrru'n syth at y llwybrau sydd wedi eu heffeithio. Hefyd gellir rhoi cyffuriau ar ffurf tabledi neu foddion peswch. Mae'n bwysig i geisio rhwystro pyliau drwy osgoi alergenau a sefyllfaoedd sy'n debygol o achosi problemau. Yn ogystal, gellir rhoi cyffuriau a elwir yn **rhwystrwyr** yn gyson drwy gyfrwng mewnanadlydd, er mwyn atal pyliau.

Mae mewnanadlwyr glas yn cynnwys esmwythwyr a mewnanadlwyr brown/oren yn cynnwys rhwystrwyr.

TRIN PWL O ASTHMA

- Cysurwch y plentyn.
- Arhoswch gyda'r plentyn.
- Anogwch ef neu hi i ymlacio'u hanadlu.
- Rhowch y mewnanadlydd esmwythol i'r plentyn.
- Gwnewch i'r plentyn eistedd i fyny mewn safle cyfforddus.
- Peidiwch â chynhyrfu a daliwch ati i gysuro a chalonogi'r plentyn nes bydd y pwl wedi dod i ben.
- O bosibl bydd angen galw ambiwlans.

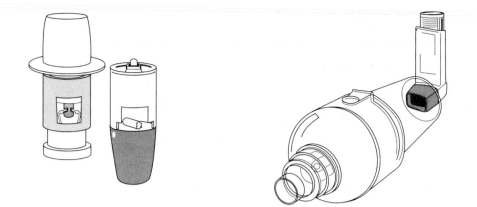

Gwahanol fathau o fewnanadlwyr a ddefnyddir gan ddioddefwyr asthma

Astudiaeth achos ...

... asthma ac alergedd

Mae Alis yn 4 oed ac yn ferch fywiog sy'n mwynhau dod i'r feithrinfa dair gwaith yr wythnos. Dathlodd ei phen-blwydd yn ddiweddar, gan wahodd ei ffrindiau o'r feithrinfa i'r parti. Roedd hi'n arbennig o hapus am ei bod hi wedi derbyn llawer o anrhegion, gan gynnwys cath fach gan ei mam-gu. Roedd Alis yn caru'r gath fach ac yn chwarae gyda hi drwy'r dydd, gan adael iddi ddod i'w hystafell wely i gysgu yn y nos.

Rai wythnosau wedi ei phen-blwydd, sylwodd staff y feithrinfa fod Alis yn colli ei hanadl yn gyflym. Roedd ei mam hefyd wedi sylwi bod ei hanadlu'n swnllyd a'i bod hi wedi dechrau peswch yn y nos.

Beth mae symptomau Alis yn eu dangos?

Pa amgylchiadau newydd ym mywyd Alis allai fod wedi achosi'r symptomau?

Pa driniaeth allai ei helpu?

Am fwy o wybodaeth ynglŷn â sut i reoli pwl o asthma, gweler Pennod 19 Ymateb i Argyfyngau.

Awtistiaeth

ACHOSION

Bydd plentyn sy'n dioddef o **awtistiaeth** yn cael anhawster ymwneud â phobl eraill a deall y byd cymdeithasol. Ni wyddom beth yw'r prif achos. Mae awtistiaeth yn digwydd ym mhob rhan o'r byd ac fel rheol bydd yn dechrau ar adeg geni'r plentyn.

NODWEDDION

Mae'n bosibl y bydd plentyn awtistig:

- yn dangos diffyg ymwybyddiaeth o bobl eraill
- yn talu mwy o sylw i bethau nag i bobl
- yn cael trafferth i gyfathrebu'n ddi-eiriau a/neu ddefnyddio iaith
- ddim yn datblygu iaith
- yn dangos diffyg dychymyg a'r gallu i chwarae
- yn ailadrodd gweithgareddau ac ni fydd symudiadau eu cyrff yn cydsymud
- yn profi anawsterau dysgu.

Mae'n bosibl y bydd gan rai plant awtistig sgìl eithriadol, megis tynnu llun.

DIAGNOSIS

Gwneir diagnosis drwy arsylwi cynnydd y plentyn. Yn aml bydd rhieni neu ofalwyr yn gweld yn fuan iawn bod eu plentyn yn ymddwyn yn wahanol, ac yn teimlo'n rhwystredig am na wnaed diagnosis. Maent yn sylwi ar bethau fel diffyg cyswllt llygaid, anhawster bwyta, sgrechian, diffyg cydweithio corfforol, amharodrwydd i dderbyn newid.

TRINIAETH A CHYNNYDD

Mae triniaeth yn canolbwyntio ar addasu ymddygiad y plentyn. Mae gofal un-i-un cyson yn gofyn amynedd a sgìl gan holl aelodau'r teulu. Mae gweithgareddau cyn dechrau ysgol yn bwysig. Mae gofal seibiant a darpariaeth dymor hir yn ddefnyddiol am eu bod yn helpu pobl ifainc i ddod yn fwy annibynnol.

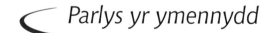

Parlys yr ymennydd

ACHOSION

Anhwylder mewn symudiad ac ystum ydy **parlys yr ymennydd**; mae'r rhan hwnnw o'r ymennydd sy'n rheoli symudiad neu ystum wedi ei niweidio neu'n methu â datblygu. Gall nifer o achosion y cyflwr ddigwydd cyn, yn ystod neu ar ôl genedigaeth. Mae'r rhain yn cynnwys:

- y fam yn dal rwbela yn ystod ei beichiogrwydd
- diffyg ocsigen i ymennydd y baban cyn neu yn ystod genedigaeth
- anghydweddiad Rhesws
- cyneclampsia
- niwed yn ystod geni
- damweiniau neu heintiau ar ôl genedigaeth.

NODWEDDION

Mae'r term parlys yr ymennydd yn cynnwys ystod eang o namau. Mae tri phrif fath o nam ar symudiad:

- *sbastisgrwydd*, pan fo'r symudiadau'n anystwyth, y cyhyrau'n dynn ac aelodau'r corff wedi'u dal yn dynn ac wedi'u troi i mewn tuag at y corff

- *athetosis*, pan fo aelodau'r corff yn llipa, ac yn symud yn aml ac yn anwirfoddol, yn enwedig pan ymdrechir i symud yn bwrpasol

- *ataxia*, pan fo diffyg cydbwysedd a chyd-symudiad corfforol gwael.

Gall parlys yr ymennydd gynnwys ac effeithio ar un neu fwy o aelodau'r corff.

DIAGNOSIS

Gwneir diagnosis drwy arsylwi cynnydd y plentyn yn gysylltiedig â hanes niwed posibl i'r ymennydd.

TRINIAETH A CHYNNYDD

Ni chafwyd hyd i ddull o atgyweirio niwed i'r ymennydd hyd yma. Mae asesiad cynnar yn bwysig iawn. Rhaid rhoi therapi i'r unigolyn gan anelu at wneud y mwyaf o botensial y plentyn; gall gynnwys ffisiotherapi, therapi lleferydd, therapi galwedigaethol neu **addysg ddargludol**. Gall offer hyrwyddo cyfathrebu, symudoledd a byw yn annibynnol.

> **term allweddol**
>
> **Addysg ddargludol**
> dull dysgu sy'n anelu at alluogi plant sydd â nam ar eu symud i weithredu fel aelod o'r gymdeithas

Gwirio'ch cynnydd

Pa sylweddau a allai effeithio ar lwybrau anadlu plentyn sy'n dioddef o asthma?

Pa ffactorau allai achosi pwl o asthma?

Beth yw broncoledydd?

Beth yw nodweddion plentyn awtistig?

Beth yw'r tri phrif fath o nam ar y symudiad a allai fod yn bresennol mewn plentyn sy'n dioddef o barlys yr ymennydd?

Pa ran o'r corff sydd wedi ei niweidio neu'n ddiffygiol os bydd gan blentyn barlys yr ymennydd?

Gwefus a/neu daflod hollt

ACHOSION

Nam ar ffurfiant y wefus uchaf, y daflod neu'r ddau yw **gwefus neu daflod hollt**. Nid yw'r wefus a/neu'r daflod yn datblygu yn ystod wythnosau cyntaf bywyd y ffetws.

> **term allweddol**
>
> **Gwefus neu daflod hollt**
> nam ar ffurfiant y wefus uchaf, y daflod neu'r ddau

NODWEDDION

Mae'n bosibl y bydd y wefus uchaf a'r daflod yn methu â datblygu mewn gwahanol ffyrdd:

- o bosibl effeithir ar y wefus uchaf yn unig, a rennir yn ddwy neu dair rhan gan un neu ddwy hollt

- rhennir y daflod yn unig yn ddwy neu dair rhan gan un neu ddwy hollt

- o bosibl bydd y wefus a'r daflod ill dwy wedi'u rhannu'n ddwy neu dair adran gan un neu ddwy hollt.

DIAGNOSIS

Gwneir diagnosis drwy archwilio pob baban ar adeg eu geni neu'n fuan wedi hynny.

TRINIAETH A CHYNNYDD

Mae'r driniaeth yn amrywio gan ddibynnu ar faint y nam; gall fod yn broses hir sy'n cynnwys cyfres o driniaethau llawfeddygol i drwsio'r bylchau yn y wefus a'r daflod. Fel rheol, bydd y wefus yn cael ei thrwsio'n gyntaf, ac yna'r daflod. Bydd angen rheoli bwydo'n ofalus, ac o bosibl bydd angen therapi lleferydd. Bydd y tîm meddygol yn cydweithio'n agos i sicrhau'r canlyniadau gorau. Mae'r cynnydd yn dibynnu ar yr unigolyn ac yn bositif, gyda chanlyniadau da yn aml.

Cyflwr coeliag

termau allweddol

Cyflwr coeliag

anhwylder metabolaidd yn ymwneud â sensitifrwydd i lwten; ceir anhawster treulio bwyd

Metabolaidd

yn perthyn i'r broses o dreulio, amsugno a defnyddio bwyd

Glwten

protein sy'n ymddangos mewn gwenith, rhyg, barlys a cheirch

ACHOSION

Anhwylder **metabolaidd** yn ymwneud â sensitifrwydd i **lwten** (protein sydd yn ymddangos mewn gwenith, rhyg, barlys a cheirch) yw **cyflwr coeliag**; ceir anhawster treulio bwyd. Credir bod tueddiad teuluol i ddioddef o'r clefyd. Mae leinin y coluddyn bach yn sensitif i lwten ac mae'r niwed a wneir yn lleihau'r gallu i amsugno maetholion o'r bwyd a dorrir i lawr gan y broses treulio.

NODWEDDION

Mae'r plentyn yn dangos arwyddion o ddiffyg maeth ac nid yw'n ennill pwysau nac yn tyfu'n normal. O bosibl hefyd bydd y plentyn yn bigog, bydd ganddo garthion gwelw, swmpus, drewllyd, ac efallai bydd yn cyfogi.

DIAGNOSIS

Mewn plant gwneir diagnosis drwy arsylwi eu hanallu i dyfu ac ennill pwysau digonol, yn enwedig ar ôl eu diddyfnu ar fwydydd sy'n cynnwys glwten. Gwneir diagnosis hefyd drwy fiopsi ac archwilio meinwe a gymerwyd o'r coluddyn.

TRINIAETH A CHYNNYDD

Rhaid dilyn diet sy'n rhydd o lwten. Ceir hyd i lwten mewn nifer o fwydydd ond mae'r Gymdeithas Coeliag yn cynhyrchu rhestrau bwyd i helpu rhieni a gofalwyr. Mae bwydydd fel cig, pysgod, ffrwythau a llysiau ffres yn rhydd o lwten, ond ceir glwten mewn popeth sy'n cynnwys blawd. Fel rheol bydd y coluddyn yn gwella a bydd y plentyn yn dechrau tyfu'n normal.

Gwirio'ch cynnydd

Disgrifiwch dair ffordd yr effeithir ar y wefus a/neu'r daflod.

Pa sylwedd yn y diet y mae plentyn sy'n dioddef o glefyd coeliag yn sensitif iddo?

Pa ran o'r llwybr treulio y mae'r cyflwr coeliag yn effeithio arni?

Ffibrosis y bledren (CF)

term allweddol

Ffibrosis y bledren

cyflwr etifeddol sy'n peryglu bywyd, ac yn effeithio ar yr ysgyfaint a'r llwybr treulio

ACHOSION

Cyflwr etifeddol sy'n peryglu bywyd, ac yn effeithio ar yr ysgyfaint a'r system dreulio yw **ffibrosis y bledren**. Mae'n gyflwr enciliol etifeddol. Effeithir ar y plentyn os bydd y ddau riant yn cario'r genyn CF.

NODWEDDION

Mae mwcws y corff yn drwchus ac yn ludiog. Ceir anhawster anadlu, peswch a heintiau parhaus ar y frest. Nid yw'r **pancreas** yn llwyddo i ddatblygu'n iawn ac mae mwcws yn tagu'r dwythellau, gan effeithio ar y llif **ensymau** i mewn i'r llwybr dreulio. Nid yw bwyd yn cael ei dreulio na'u hamsugno'n iawn. Nid yw'r plentyn yn llwyddo i ennill pwysau a thyfu'n foddhaol.

termau allweddol

Pancreas

chwarren sy'n secretu inswlin ac ensymau sy'n cynorthwyo treulio

Ensym

sylwedd sy'n cynorthwyo'r broses o dreulio bwyd

DIAGNOSIS

Gall hanes teuluol a chynghori ar eneteg olygu bod bodd gwneud diagnosis cyn-geni. Gwneir prawf gwaed ar y 6ed diwrnod wedi'r geni fel rhan o'r sgrinio arferol. Yn ddiweddarach, gwneir diagnosis drwy sylwi ar symptomau'r baban, ac yna prawf chwys a/neu brawf gwaed.

TRINIAETH A CHYNNYDD

Mae'r driniaeth yn anelu at:

- gadw'r ysgyfaint yn rhydd o haint, drwy ddefnyddio therapi gwrthfiotig
- addysg a therapi resbiradol i yrru mwcws allan a chadw'r ysgyfaint yn glir
- ensymau pancreatig a gymerir gyda phob pryd; pennir diet protein uchel gyda fitaminau a mineralau atodol.

Mae'r driniaeth yn cymryd amser, ond yn raddol mae plant yn datblygu i fod yn fwy annibynnol ac yn gallu rheoli a deall eu cyflwr.

Diabetes

term allweddol

Diabetes

cyflwr sy'n rhwystro'r corff rhag metaboleiddio carbohydradau, gan arwain at lefelau uchel o siwgr yn y gwaed a'r wrin

ACHOSION

Mae diabetes yn digwydd pan fydd chwarren y pancreas yn cynhyrchu meintiau annigonol o inswlin neu ddim o gwbl, gan arwain at lefelau uchel o siwgr (glwcos) yn y gwaed. Mae inswlin yn rheoli maint y glwcos yn y corff; mae ei ddiffyg yn golygu bod lefelau anarferol o uchel o lwcos yn y gwaed a'r wrin.

Mae dau fath o ddiabetes:

- Math 1, fel rheol yn dechrau cyn cyrraedd 30 oed ac yn cael ei reoli gan bigiadau inswlin
- Math 2, yn gyffredin mewn pobl hŷn ac yn cael ei reoli gan ddiet a meddyginiaeth.

NODWEDDION

Mae sychder mawr a gwneud wrin yn aml yn arwyddion cynnar o ddiabetes; mae'n bosibl y bydd plant yn colli pwysau. Rhai o'r cymhlethdodau yw nam gweledol, niwed i'r afu a phroblemau gyda chylchrediad y gwaed. Os na roddir triniaeth ar

term allweddol

Inswlin
hormon a gynhyrchir yn y pancreas i fetaboleiddio carbohydrad yn llif y gwaed a rheoli glwcos

gyfer diabetes bydd y lefelau inswlin yn disgyn; bydd anymwybyddiaeth a choma yn dilyn yn fuan.

DIAGNOSIS

Gwneir diagnosis drwy edrych ar symptomau'r plentyn, a thrwy brofi'r gwaed a'r wrin am siwgr.

TRINIAETH A CHYNNYDD

Mae'r driniaeth ar gyfer plant yn cynnwys pigiadau inswlin ynghyd â diet a gynlluniwyd yn ofalus ac sy'n cyfyngu ar faint o garbohydrad y gellir ei fwyta. Mae plant yn dysgu'n fuan sut i brofi eu gwaed a/neu eu wrin ac i gadw cofnod o'r canlyniadau. Yn ogystal maent yn dysgu sut i roi eu hinswlin eu hunain. Er mwyn cadw'n iach rhaid cael prydau bwyd cyson, inswlin cyson, ymarfer corff cyson a goruchwyliaeth feddygol gyson. Pan fydd y plentyn a'r teulu wedi addasu eu hunain i'r angen am driniaeth a diet cyson, bydd bywyd llawn a gweithgar yn bosibl.

Un o'r cymhlethdodau a allai ddigwydd tra bod plentyn dan eich gofal yw **hypoglycaemia** – lefelau isel o lwcos yn y gwaed.

Arwyddion o hypoglycaemia:

term allweddol

Hypoglycaemia
lefelau isel o lwcos yn y gwaed

- bod yn bigog
- dryswch, diffyg cyd-symudiad corfforol a chanolbwyntio
- anadlu'n gyflym
- chwysu
- pendro.

Rheoli pwl o hypoglycaemia:

- Arhoswch gyda'r plentyn.
- Rhowch lwcos i'r plentyn i'w yfed os yw'r plentyn yn ymwybodol ac yn gallu llyncu.
- Os bydd y plentyn yn anymwybodol, rhowch ef yn yr ystum adferol a gofynnwch i rywun alw ambiwlans. Arhoswch gyda'r plentyn.

Astudiaeth achos ...

... adnabod arwyddion a symptomau diabetes

Mae Ben yn 5 oed a newydd ddechrau yn yr ysgol y babanod lleol. Yn fuan wedi iddo ddechrau yn yr ysgol, dechreuodd ei fam boeni amdano. Daeth i mewn i'r ysgol i drafod y sefyllfa gyda'i athrawes ddosbarth a'r nyrs feithrin. Roedd mam Ben wedi sylwi ei fod wedi blino o hyd erbyn hyn, er ei fod yn fachgen bywiog iawn yn y gorffennol. Roedd wedi colli archwaeth bwyd ond i bob golwg roedd arno angen mwy i yfed. Roedd ei fam yn amau mai dyma pam roedd o wedi gwlychu'r gwely sawl gwaith. Roedd ei athrawes ddosbarth a'i nyrs feithrin wedi sylwi bod Ben fel petai'n methu â chanolbwyntio, a hefyd yn gysglyd ac yn chwyslyd ar brydiau. Roedd mam Ben yn bwriadu mynd ag ef at y meddyg teulu'r noswaith honno.

1. Rhestrwch symptomau Ben.
2. Beth sy'n bod ar Ben, yn eich barn chi?
3. Sut y gwneir diagnosis o gyflwr Ben?
4. Beth yw'r driniaeth debygol ar gyfer cyflwr Ben?

Syndrom Down

ACHOS

term allwedol

Achosir **syndrom Down** gan gromosom abnormal; fel rheol cromosom 21.

NODWEDDION

Gall syndrom Down effeithio ar ymddangosiad a datblygiad y plentyn. Gellir adnabod y cyflwr yn fuan wedi'r geni oherwydd rhai nodweddion nodweddiadol. Nid yw pob plentyn yn dangos y nodweddion hyn i'r un graddau, ond o bosibl byddant yn cynnwys rhai o'r canlynol:

- llygaid siâp cneuen almon
- dwylo a thraed byr – mae'n bosibl y bydd gan y dwylo un crych cledrol
- gên fach, fel bod y tafod yn ymddangos yn fawr
- cyhyrau llac
- trwyn, sinysau ac ysgyfaint sydd heb eu datblygu'n iawn, gyda mwy o dueddiad i ddioddef afiechydon.

Gall fod namau eraill, megis clefyd y galon.

termau allweddol

Amniosentesis
defnyddir nodwydd a yrrir i mewn i'r groth drwy wal yr abdomen i dynnu sampl o hylif amniotig; fe'i defnyddir i ganfod abnormaledd cromosomaidd

Samplo filws corionig
tynnir sampl bach o feinwe'r brych drwy'r wain; fe'i defnyddir i ganfod abnormaledd cromosomaidd ac unrhyw abnormaledd arall

DIAGNOSIS

Mae profion cyn-geni ar gael i'r grwpiau sy'n wynebu'r risg mwyaf. Yr un mwyaf cyffredin yw **amniosentesis**, a gynhelir ôl 16eg wythnos y beichiogrwydd. Yn ogystal gellir defnyddio **samplo filws corionig (CVS)**, a gynhelir erbyn cyrraedd 8 i 11 wythnos o'r beichiogrwydd, i ganfod syndrom Down. Gellir hefyd wneud diagnosis drwy edrych ar nodweddion y baban ar ôl y geni.

TRINIAETH A CHYNNYDD

Rhoddir triniaeth ar gyfer heintiau llwybr resbiradu ac unrhyw nam arall a allai effeithio ar y plentyn. Cer asesiadau a chymorth ar gyfer unrhyw feysydd datblygiad a allai gael eu heffeithio. Mae amgylchedd symbylol ac agwedd bositif yn helpu'r plant i gyrraedd eu llawn botensia!

Gwirio'ch cynnydd

Beth yw achos ffibrosis y bledren?

Sut mae ffibrosis y bledren yn effeithio ar blentyn?

Beth sy'n achosi diabetes?

Beth yw'r driniaeth ar gyfer diabetes Math 1?

Beth sy'n achosi syndrom Down?

Disgrifiwch un prawf a gynhelir yn ystod beichiogrwydd i ganfod syndrom Down.

Epilepsi

term allwuddol

Epilepsi

amhariad dros dro ar waith yr ymennydd, yn digwydd dro ar ôl tro

ACHOSION

Mae **epilepsi**'n digwydd pan amharir dros dro ar waith yr ymennydd, dro ar ôl tro. Mae niwed difrifol i'r corff, trawiad neu diwmor ar yr ymennydd yn gallu ei achosi. Gall ddigwydd yn ddigymell neu gael ei sbarduno gan ysgogiadau megis goleuadau fflachiog, twymyn neu gyffuriau. Gall fod tueddiad o fewn y teulu i ddioddef o'r cyflwr.

NODWEDDION

Mae epilepsi'n gallu ymddangos ar sawl ffurf. Mae'r cyflwr yn wahanol yn achos pob plentyn ac yn amrywio o amhariadau ar yr ymwybyddiaeth anamlwg iawn, megis teimladau rhyfedd a methu â chanolbwyntio am gyfnod byr, i ffitiau difrifol gyda chonfylsiynau.

DIAGNOSIS

Gwneir diagnosis drwy arsylwi a chanfod a oes hanes o ffitiau, drwy EEG (electro-enseffalogram), sy'n mesur gweithgarwch trydanol yr ymennydd. Yn ogystal, gwneir profion i ddileu achosion eraill.

term allweddol

Gwrth gonfylsiwn

cyffur a roddir i atal ffitiau

TRINIAETH A CHYNNYDD

Defnyddir cyffuriau **gwrth gonfylsiwn** i reoli'r ffitiau. Mae gofal yn bwysig fel y gellir osgoi peryglon amlwg a sicrhau bod moddion yn cael ei gymryd yn gyson. Mae ofn a chamsyniadau wedi sicrhau bod epilepsi'n stigma, ac felly bydd y plentyn angen llawer o ddealltwriaeth a chefnogaeth. Mae'r mwyafrif o blant sy'n dioddef o epilepsi'n mynd i ysgolion prif lif.

Adnabod epilepsi difrifol

Mae ffit yn dilyn y camau canlynol:

- colli ymwybyddiaeth
- y cefn yn mynd yn anhyblyg ac yn crymu
- symudiadau plyciog
- weithiau bydd yr anadlu yn peidio
- ewyn neu swigod o amgylch y geg
- colli rheolaeth ar y bledren neu'r perfedd
- yn dod yn ymwybodol eto o fewn ychydig funudau
- wedi mwydro neu ddrysu
- o bosibl angen cysgu.

Rheoli pwl o epilepsi

- Gwnewch le o amgylch y plentyn.
- Defnyddiwch badin i ddiogelu'r pen.
- Peidiwch ag atal y plentyn neu roi unrhyw beth yn ei geg.
- Pan fydd y confylsiynau wedi peidio, sylwch ar y llwybr anadlu a'r anadlu.

- Gosodwch y plentyn mewn ystum adferol.

- Arhoswch gyda'r plentyn bob amser a thawelwch ei feddwl.

- Os nad yw plentyn wedi cael ffit o'r blaen, os profant ffit arall neu os byddant yn anymwybodol am fwy na 10 munud, galwch ambiwlans.

Haemoffilia

Anhwylder ar y gwaed, lle mae un o'r ffactorau ceulo'n ddiffygiol yw **haemoffilia**. Fe'i etifeddir drwy ferched, ond mae'n achosi gwaedu mewn dynion yn unig.

NODWEDDION

Ar ôl anaf, bydd y gwaedu'n parhau am lawer hirach nag arfer; gall ddigwydd yn ddigymell i mewn i gymalau ac yn rhannau eraill o'r corff; mae cleisio'n gyffredin. Weithiau bydd y plentyn yn profi poen difrifol pan fydd gwaedu'n digwydd i mewn i gymal.

DIAGNOSIS

Gwneir diagnosis drwy wybod hanes y teulu, ac yna cynnal profion cyn-geni megis samplo filws corionig; a thrwy sylwi ar y symptomau ar ôl y geni.

TRINIAETH A CHYNNYDD

Mae canolfannau haemoffilia'n gallu darparu triniaeth a chefnogaeth. Rhoddir triniaeth drwy bigiad sy'n cynnwys y ffactor ceulo priodol. Bydd cynnydd yn dibynnu ar lwyddo i gadw cydbwysedd rhwng amddiffyn y plentyn yn ddigonol a gadael iddo dyfu i fyny'n oedolyn iach sydd wedi ymaddasu'n dda. Er bod posibilrwydd o hyd y bydd gwaedu'n digwydd, mae'n bwysig bod gweithwyr gofal plant yn gadael i blant sy'n dioddef o hemoffilia gymryd rhan mewn gweithgareddau normal gymaint â phosibl.

Nam ar y clyw

ACHOSION

Mae achosion **nam ar y clyw** yn cynnwys:

- etifeddeg

- nam ar nerf y cochlea

- rwbela'r fam yn ystod beichiogrwydd

- namau cynhenid

- anaf i'r pen

- otitis media (llid y glust ganol)

- heintiau megis llid yr ymennydd

- effaith gwenwynig cyffuriau, megis streptomysin

- cwyr neu gorffynnau estron eraill yn cau corn y glust.

NODWEDDION

Mae ystod eang o namau yn effeithio ar gyfran sylweddol o bobl y DU. Mae dau fath o nam ar y clyw:

- **byddardod yn y glust ganol**, amhariad ar y broses fecanyddol o ddargludo sŵn drwy dympan y glust ac ar draws y glust ganol

- **byddardod nerfol**, sef niwed i'r cochlea (rhan o'r glust fewnol), nerf y clyw neu ganolfannau clywed yr ymennydd; mae'r ystod amhariadau'n eang iawn, o golled bach i fyddardod difrifol.

termau allweddol

Byddardod yn y glust ganol

byddardod a achosir gan amhariad ar y broses o sŵn yn pasio trwy dympan y glust a'r glust ganol

Byddardod nerfol

byddardod a achosir gan niwed i'r glust ganol, neu i'r nerfau, neu ganolfannau clywed yr ymennydd

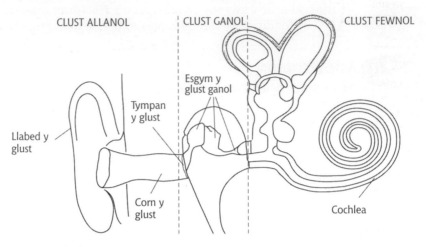

Ffurfiant y glust

DIAGNOSIS

Yn aml bydd rhieni neu ofalwyr yn amau bod nam ar y clyw o'r cychwyn. Gwneir diagnosis drwy gynnal profion ar y clyw; fel rheol cynhelir y prawf cyntaf pan fydd y baban yn 7 mis oed, ond gellir cynnal prawf ar unrhyw oedran.

TRINIAETH A CHYNNYDD

Yn aml gellir trin byddardod yn y glust ganol drwy gael gwared ar yr hyn sy'n ei flocio, trin heintiau a rhai triniaethau llawfeddygol. Mae'n anoddach o lawer i drin byddardod nerfol ond yn ddiweddar datblygwyd mewnblaniad ar gyfer y cochlea.

Mae'n bwysig gwneud diagnosis yn gynnar. Dylai gweithwyr gofal plant fod yn ymwybodol y bydd y mwyafrif o blant yn profi colled clyw ar ryw adeg, fel rheol o ganlyniad i heintiau ar y glust ganol oherwydd anwydydd. Rhaid i ofalwyr fod yn ymwybodol ac yn gefnogol.

Gwirio'ch cynnydd

Beth ddylech chi ei wneud os yw plentyn dan eich gofal yn dioddef ffit epileptig ddifrifol?

Beth sy'n achosi haemoffilia?

Beth yw'r ddau brif fath o fyddardod?

Pryd brofir clyw plentyn am y tro cyntaf?

Beth sy'n achosi haint clust ganol gan amlaf?

Hydroceffalws

term allweddol

Hydroceffalws

cyflwr sy'n achosi i'r hylif sy'n amgylchynu'r ymennydd gynyddu, yn aml yn gysylltiedig â spina bifida

term allweddol

Hylif yr ymennydd

yr hylif sy'n amgylchynu'r ymennydd a madruddyn y cefn

ACHOS

Cynnydd yn yr hylif sy'n amgylchynu'r ymennydd yw **hydroceffalws**. Nid yw'r achos yn wybyddus ond yn aml fe'i cysylltir â spina bifida.

NODWEDDION

Mae **hylif yr ymennydd** (sy'n amgylchynu'r ymennydd a madruddyn y cefn) yn cynyddu am nad yw'n gallu draenio yn y ffordd arferol. Mae'r pen yn tyfu mewn maint ac mewn baban bach gall y ffontanelau a'r pwythau ledu. Mae pwysau cynyddol ar yr ymennydd yn achosi poen a niwed i'r ymennydd.

TRINIAETH A CHYNNYDD

Gwneir diagnosis cynnar drwy fesur cylchedd y pen. Mae gosod falf (siynt) yn caniatáu i hylif yr ymennydd ddraenio'n foddhaol. Mae datgeliad cynnar yn atal niwed i'r ymennydd. Yna dylai'r plentyn ddangos cynnydd, er y gall ymweliadau cyson â'r ysbyty a thueddiad i gael heintiau dro ar ôl tro fod yn broblem.

Nychdod cyhyrol (Duchenne)

term allweddol

Nychdod cyhyrol (Duchenne)

cyflwr sy'n ymwneud â dinistriad cynyddol meinwe'r cyhyrau, yn effeithio ar fechgyn yn unig

ACHOS

Cyflwr sy'n peryglu bywyd, yn ymwneud â dinistriad cynyddol meinwe'r cyhyrau yw **nychdod cyhyrol (Duchenne)**. Mae'r cyflwr yn effeithio ar fechgyn yn unig ac yn abnormaledd yng nghromosom X a etifeddir drwy'r ferch.

NODWEDDION

Duchenne yw'r math mwyaf cyffredin a llym o nychdod cyhyrol. Ar adeg y geni fel rheol ni cheir unrhyw arwydd o'r anabledd. Yn ddiweddarach daw lletchwithdod wrth gerdded, cwympiadau cyson ac anhawster rhedeg i'r amlwg. Mae gwendid cyhyrol yn cynyddu'n araf fel bod gweithgareddau bob dydd yn mynd yn anoddach. Ni fydd yn bosibl cerdded yn y man, ac felly bydd angen defnyddio cadair olwyn. Yn y pen draw, effeithir ar gyhyrau'r dwylo, yr wyneb ac anadlu, ac fel rheol mae haint ar y llwybr anadlu'n achosi marwolaeth.

DIAGNOSIS

Gwneir diagnosis drwy ddarganfod hanes y teulu. Gellir defnyddio profion cyn geni megis amniosentesis i ddarganfod nychdod cyhyrol Duchenne. Yn ogystal, edrychir am y nodweddion uchod ar ôl y geni.

TRINIAETH A CHYNNYDD

Yn aml bydd rhieni neu ofalwyr yn gwybod yn fuan bod problem yn bodoli. Mae'r driniaeth yn anelu at gynnal symudoledd ac annibyniaeth gyhyd â phosibl. Bydd rhieni neu ofalwyr a theuluoedd angen gwybodaeth a chefnogaeth. Bydd angen i'r plentyn allu drafod ei deimladau a chael cefnogaeth tymor-hir i'w alluogi i ddeall natur gynyddol ei gyflwr. Bydd angen i weithwyr gofal plant gefnogi a chynnal symudoledd gyhyd â phosibl.

Ffenylcetonwria (PKU)

ACHOS

Amhariad metabolaidd sy'n atal treuliad normal protein yw **ffenylcetonwria (PKU)**. Fe'i etifeddir yn enciliol. Bydd plentyn yn datblygu PKU os bydd y ddau riant yn cario ac yn trosglwyddo un genyn PKU a newidiwyd. Mae diffyg etifeddol mewn ensym, o'r enw ffenylananin hydrocsylase. Mae hyn yn golygu nad yw'r plentyn yn gallu defnyddio'r asid amino, ffenylalanin, sy'n rhan o'r protein, yn y ffordd arferol. Mae'r sylwedd hwn yn cronni yn y corff ac yn achosi niwed cynyddol i'r ymennydd.

NODWEDDION

Os na chaiff ei drin, bydd y lefelau uchel o ffenylananin sy'n cronni yn y corff yn niweidio'r ymennydd sy'n dal i ddatblygu. Gall effeithio ar bob math ar ddatblygiad.

DIAGNOSIS

Mae pob baban a enir yn y DU yn derbyn prawf gwaed sy'n chwilio am fodolaeth PKU. Gelwir y prawf yn **brawf Guthrie** ac fe'i cynhelir ar y 6ed diwrnod wedi'r enedigaeth ac ar ôl i'r baban yfed llaeth (o'r fron neu fformiwla). Mae'r fydwraig yn cymryd sampl o waed y baban, fel rheol drwy roi pigiad yn y sawdl. Defnyddir y prawf hwn hefyd i ganfod problemau eraill megis isthyroidedd, sef anhwylder endocrin sy'n peri nad yw'r chwarren thyroid yn gweithio'n iawn.

TRINIAETH A CHYNNYDD

Mae diagnosis cynnar yn golygu y gall babanod sy'n dioddef o PKU fod ar ddiet lle rheolir maint y ffenylananin yn ofalus. Mae'r driniaeth yn gymhleth ond gyda chefnogaeth gall y plant ddysgu sut i reoli eu diet a bod yn annibynnol.

Gwirio'ch cynnydd

Disgrifiwch hydroceffalws.

Beth yw achos nychdod cyhyrol Duchenne?

Pwy allai gael eu heffeithio gan nychdod cyhyrol Duchenne a pham?

Disgrifiwch y prawf ar gyfer PKU.

Os oes gan blentyn PKU, pa un o'r prif grwpiau bwyd y bydd angen ei addasu?

Anaemia cryman-gell

ACHOS

Cyflwr etifeddol yn ymwneud â ffurfiant **haemoglobin** yw **anaemia cryman-gell** (neu gyflwr cryman-gell). Os bydd plentyn yn etifeddu haemoglobin cryman gan un rhiant, yna bydd ganddynt nodwedd gryman-gell, lle nad oes symptomau. Fodd bynnag, os bydd plentyn yn etifeddu haemoglobin cryman gan y ddau riant, bydd ganddo anaemia cryman-gell.

Anaemia cryman-gell

cyflwr etifeddol yn ymwneud â ffurfiant haemoglobin

Haemoglobin

protein coch sy'n cario ocsigen ac yn cynnwys haearn, ac sy'n bresennol yn y celloedd gwaed coch

NODWEDDION

Mae anaemia cryman-gell yn achosi pyliau o anaemia, poen, clefyd melyn a haint, a elwir yn *crises*. Achosir crises poenus pan fydd celloedd coch y gwaed yn newid eu siâp o'r siâp crwn arferol i siâp cilgant neu gryman. Mae'r celloedd cryman yn clystyru gyda'i gilydd ac yn cau'r pibellau gwaed llai eu maint gan achosi poen a chwyddo. Mae poen yn gyffredin yn y breichiau, y coesau, y cefn a'r stumog. Mae'n bosibl y bydd y dwylo a'r traed yn chwyddo. Yn ogystal mae'r cryman-gelloedd yn cael eu dileu o'r llif gwaed yn gynt, gan achosi anaemia.

DIAGNOSIS

Gwneir diagnosis drwy ganfod hanes y teulu, drwy gynnal profion cyn geni a phrawf gwaed penodol ar ôl y geni, a thrwy chwilio am symptomau.

TRINIAETH A CHYNNYDD

Mae adnabod a thrin y cyflwr yn gyflym yn bwysig. Bydd gofalwyr yn anelu at gynnal iechyd a diet sy'n gyffredinol dda, ac yn trefnu bod heintiau'n cael eu trin yn gynnar, gan gadw'r plentyn yn gynnes ac yn sych, gyda digon o orffwys. Mae'n bosibl y bydd angen trallwysiadau gwaed. Bydd angen cefnogaeth a dealltwriaeth, yn enwedig yn ystod crises. Bydd cydweithrediad y cartref, yr ysgol a'r ysbyty'n sicrhau bod y plentyn yn cael y cyfle gorau i reoli'r cyflwr a dod yn annibynnol.

Celloedd gwaed coch normal a chryman

Spina bifida

Spina bifida

cyflwr lle nad yw'r asgwrn cefn yn datblygu'n iawn cyn y geni

ACHOS

Mae **spina bifida**'n digwydd pan fydd rhan o'r asgwrn cefn yn methu â datblygu'n iawn cyn y geni. Mae bwlch yn esgyrn yr asgwrn cefn sy'n peri bod cynnwys yr asgwrn cefn i'w gweld. Gall y nam hwn ddigwydd mewn unrhyw ran o'r asgwrn cefn. Ni wyddom beth sy'n ei achosi, ond credir bod ffactorau amgylcheddol a genetig yn atal datblygiad normal esgyrn yr asgwrn cefn.

NODWEDDION

Mae dau brif fath o spina bifida:

- *spina bifida occulta*, lle mae'r croen yn gyflawn – anaml y bydd hyn yn achosi anabledd

- *spina bifida cystica*. Mae dau fath:

  - *meningocele*, pan geir coden llawn hylif ar y cefn, ac mae hylif a philenni'r asgwrn cefn yn ymwthio allan drwy'r bwlch yn esgyrn yr asgwrn cefn

  - *mylomeningocele*, lle mae'r goden yn cynnwys hylif a nerfau'r asgwrn cefn.

Mylomeningocele yw'r math mwyaf difrifol. O ganlyniad profir rhywfaint o barlys islaw'r nam.

DIAGNOSIS

Gwneir diagnosis drwy gynnal profion cyn geni, cynnal sgan uwchsain a/neu amniosentesis.

TRINIAETH A CHYNNYDD

Y driniaeth ar gyfer y cyflwr yw cau'r nam a rhwystro heintiau. Yn ogystal rhoddir triniaeth ar gyfer hydroceffalws cysylltiedig. Mae angen cefnogaeth barhaol er mwyn galluogi'r plentyn i gymryd rhan yn yr holl weithgareddau sy'n arferol ar gyfer eu hoed, megis grŵp chwarae, meithrinfa neu ysgol prif.

Nam ar y golwg

ACHOSION

Gall **nam ar y golwg** fod yn bresennol pan enir y plentyn (cynhenid) neu gall ddigwydd yn ddiweddarach. Mae dallineb cynhenid yn cael ei achosi gan heintiau yn ystod beichiogrwydd, megis rwbela a syffilis, crebachiad y nerf optig neu diwmor. Mae achosion wedi'r geni'n cynnwys cataract, glawcoma a heintiau megis brech goch a firws herpes. Mae rhai cyflyrau etifeddol hefyd yn achosi nam ar y golwg, megis retinitis pigmentosa.

NODWEDDION

Mae tri phrif gategori o nam ar y golwg:

- dall
- gweld yn rhannol ac yn cael defnyddio'r gwasanaethau sy'n briodol i bobl ddall
- gweld yn rhannol.

Mae colli golwg yn wahanol iawn i'r sawl sy'n mynd yn ddall ac yn gallu defnyddio'u profiad o weld, o'u cymharu â'r sawl a aned yn ddall.

DIAGNOSIS

Fel rheol darganfyddir y cyflwr yn gynnar gan fod rhieni neu ofalwyr yn sylwi ar y diffyg ymateb i ysgogiadau gweledol a'r diffyg cyswllt llygaid. Yn ddiweddarach, gall profion gweld gadarnhau'r problemau a welwyd yn gynharach.

TRINIAETH A CHYNNYDD

Ar ôl diagnosis cynnar rhoddir cefnogaeth, gwybodaeth ymarferol ac amser i'r teuluoedd i'w galluogi i addasu. Mae sbectol a lensys cyswllt yn gymhorthion gwerthfawr i rai plant sy'n gweld yn rhannol. Bydd angen i ofalwyr annog ymchwilio ac annibyniaeth. Mae gan Sefydliad Brenhinol Cenedlaethol y Deillion ystod gyflawn o wasanaethau cefnogi, gan gynnwys gwasanaethau cyngor addysgol , ysgolion arbenigol ac ystod eang o gymhorthion cefnogol, llyfrau Braille, Moon a llafar. Bydd cynnydd yn arwain at annibyniaeth yn amrywio o un plentyn i'r llall.

Gwirio'ch cynnydd

Beth sy'n digwydd i'r celloedd gwaed coch os bydd gan blentyn cyflwr cryman-gell?

Beth sy'n achosi crisis poenus yn achos anaemia cryman-gell?

Rhowch ddisgrifiad byr o spina bifida.

Beth yw'r tri phrif fath o spina bifida?

Beth yw arwyddion cynnar nam ar y golwg?

Nawr rhowch gynnig ar y cwestiynau hyn

Mae gan blentyn dan eich gofal asthma. Sut allech chi sicrhau bod llai o berygl y bydd yn dioddef pwl o asthma? Disgrifiwch sut y byddech yn rheoli pwl o asthma.

Beth yw prawf Guthrie? Pryd gynhelir y prawf a pha gyflyrau mae'r prawf yn eu darganfod?

Pa bwyntiau pwysig y byddai'n rhaid i chi eu hystyried pe baech yn gofalu am blentyn gydag anaemia cryman-gell?

Disgrifiwch achosion nam ar y clyw.

Disgrifiwch gamau pwl difrifol o epilepsi.

Bydd y bennod hon yn eich galluogi i adnabod y gwahanol fathau o chwarae plant a'r cysylltiadau rhwng chwarae a dysgu. Byddwch yn dysgu am eich rôl eich hunan a rhai oedolion eraill o ran hyrwyddo addysg plant a sut i ddarparu amgylchedd positif a fydd yn caniatáu i'r addysg ddigwydd. Byddwch hefyd yn dysgu am ofynion statudol yn ymwneud â strwythur a chynnwys y cwricwlwm a chyd-destun y dulliau presennol o weithredu'r cwricwlwm.

 CHWARAE

2 *AGWEDDAU AR Y CWRICWLWM*

3 *MEYSYDD CWRICWLWM*

CHWARAE

R haid i blant ifanc a babanod ennill nifer o sgiliau a dysgu am y byd y maent yn byw ynddo. Maent yn gwneud hyn drwy ymchwilio o hyd i'w hamgylchedd ac ymarfer eu sgiliau datblygol yn gyson. Mae oedolion yn galw hyn yn chwarae. I alluogi plant i wneud y mwyaf o'u chwarae, mae'n bwysig bod oedolion sy'n ymwneud â phlant yn deall gwerth chwarae a sut i drefnu cyfleoedd chwarae.

Bydd y rhan hon yn ymdrin â'r pynciau canlynol:

ᒼ pam fod chwarae yn ffordd dda o gwrdd ag anghenion plant ifanc?

ᒼ mathau o chwarae

ᒼ rôl oedolion yn y chwarae.

Pam fod chwarae yn ffordd dda o gwrdd ag anghenion plant?

- Mae chwarae yn digwydd yn naturiol ymhlith plant ifainc. Oherwydd hyn mae'n beth cyfarwydd i'r plentyn, yn gyswllt rhwng y cartref a'r sefydliad y maent yn ei fynychu. Mae'n ffordd o ddefnyddio'r hyn y mae'r plentyn yn gallu ei wneud yn barod i'w helpu i ddysgu.

- Ni all chwarae fod yn anghywir. Oherwydd hyn mae'n rhoi lle diogel i'r plentyn roi cynnig ar bethau newydd heb ofni methu. Mae hyn yn bwysig o ran helpu'r plentyn i ddatblygu **hunan-barch** positif.

- Mae chwarae'n rhoi'r cyfle i ailadrodd. Dyma un o'r dulliau pwysicaf o ddysgu. Mae chwarae'n rhoi'r cyfle i blentyn ymarfer a chyfnerthu sgiliau newydd mewn ffordd bleserus, cyfarwydd a diddorol.

- Mae chwarae yn darparu cyfle ar gyfer ymestyn dysgu. Bydd amgylchedd chwarae a strwythurwyd yn ofalus yn darparu cyfleoedd dysgu i blant o wahanol alluoedd. Er enghraifft, mae tywod yn gallu bod yn brofiad synhwyraidd, lleddfol a hefyd yn gallu rhoi cyfle i'r plentyn ddysgu am gynhwysedd a chyfaint. Gall sgiliau plentyn ddatblygu o fewn sefyllfa gyfarwydd, felly, lle nad oes cystadleuaeth rhwng y sgiliau corfforol a'r sgiliau deallusol ac iaith.

- Mae chwarae'n rhoi'r cyfle i blentyn ymarfer a pherffeithio ei sgiliau o fewn amgylchedd diogel. Mae plentyn yn gallu defnyddio'r sefyllfaoedd chwarae i roi cynnig ar sgiliau newydd hefyd. Gellir gwneud hyn o fewn amgylchedd diogel, gan fod y plentyn yn gallu tynnu'n ôl o'r sefyllfa chwarae yn ôl ei ddymuniad.

- Bydd y chwarae ar lefel y plant bob amser, fel y gellir cwrdd ag anghenion pob plentyn o fewn y grŵp. Mae'n bwysig, felly, i wneud yn siŵr bod ystod o ddeunyddiau a chyfarpar chwarae ar gael sy'n galluogi pob plentyn i gymryd rhan ar ei lefel ei hunan. Bydd angen i oedolion ymyrryd er mwyn eu galluogi i symud ymlaen i'r lefel datblygiad nesaf.

term allweddol

Hunan-barch

hoffi a gwerthfawrogi eich hunan

Gwirio'ch cynnydd

Sut mae plant a babanod yn dysgu am y byd?

Pam fod chwarae yn rhywbeth cyfarwydd i blant?

Pam fod chwarae yn ddiogel i blant?

Pam fod ailadrodd o fewn chwarae yn bwysig i blant?

Sut gall chwarae gwrdd ag anghenion pob plentyn yn y grŵp?

---

term allweddol

Datblygiad corfforol

datblygiad symudiad a rheolaeth gorfforol

YR HYN MAE PLANT YN EI DDYSGU DRWY CHWARAE

Mae plant ifainc angen dysgu ystod lawn o sgiliau. Rhaid eu hymarfer a'u datblygu drwy gael y cyfle i'w hailadrodd mewn sefyllfaoedd real. Gellir categoreiddio pob un o'r sgiliau y mae'n rhaid i blentyn eu datblygu i nifer o feysydd er mwyn sicrhau eu bod yn hawdd eu deall a'u dysgu, ond mae'n bwysig cofio na ellir gwneud yr un peth o ran datblygiad plant. Mae pob un o'r meysydd datblygiad yn dibynnu ar ei gilydd.

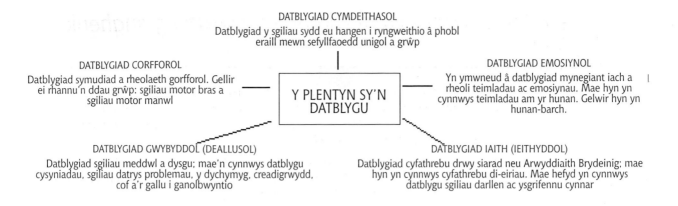

DATBLYGIAD CYMDEITHASOL
Datblygiad y sgiliau sydd eu hangen i ryngweithio â phobl eraill mewn sefyllfaoedd unigol a grŵp

DATBLYGIAD CORFFOROL
Datblygiad symudiad a rheolaeth gorfforol. Gellir ei rhannu'n ddau grŵp: sgiliau motor bras a sgiliau motor manwl

Y PLENTYN SY'N DATBLYGU

DATBLYGIAD EMOSIYNOL
Yn ymwneud â datblygiad mynegiant iach a rheoli teimladau ac emosiynau. Mae hyn yn cynnwys teimladau am yr hunan. Gelwir hyn yn hunan-barch.

DATBLYGIAD GWYBYDDOL (DEALLUSOL)
Datblygiad sgiliau meddwl a dysgu; mae'n cynnwys datblygu cysyniadau, sgiliau datrys problemau, y dychymyg, creadigrwydd, cof a'r gallu i ganolbwyntio

DATBLYGIAD IAITH (IEITHYDDOL)
Datblygiad cyfathrebu drwy siarad neu Arwyddiaith Brydeinig; mae hyn yn cynnwys cyfathrebu di-eiriau. Mae hefyd yn cynnwys datblygu sgiliau darllen ac ysgrifennu cynnar

Y plentyn sy'n datblygu

termau allweddol

Sgiliau motor bras

symud, cyd-symud a chydbwyso'r corff cyfan ac aelodau'r corff

Sgiliau motor manwl

symudiadau manwl o'r bysedd, sgiliau llawdriniol a chyd-symudiad llaw-llygad

Mae chwarae'n cynnig y cyfle i ddatblygu pob un o'r sgiliau hyn. Mae ganddo'r fantais hefyd o fod yn gyfarwydd i'r plentyn, ac mae'n rhoi hyder gan nad yw camgymeriadau yn para am byth, ac mae'r lefel bob amser yn briodol. Mae'n rhoi pleser hefyd, ac yn cynnig y cyfle i ailadrodd sgiliau, rhywbeth sy'n hanfodol ar gyfer dysgu.

Datblygiad corfforol

Datblygiad corfforol yw twf, datblygiad a rheolaeth symudiadau corfforol. Mae plant angen ymarfer y sgiliau hyn drwy eu hailadrodd yn barhaus. Mae datblygiad corfforol yn cynnwys:

- **sgiliau motor bras** – symud, cyd-symud a chydbwyso'r corff cyfan ac aelodau'r corff

- **sgiliau motor manwl** – symudiadau manwl o'r bysedd, sgiliau llawdriniol a chyd-symudiad llaw-llygad.

Astudiaeth achos …

… datblygu sgiliau motor manwl

Fel rhan o'u hasesiad parhaus o'r plant, sylwodd y staff bod y plant angen gweithio ar eu sgiliau motor manwl. Penderfynodd y staff weithio tuag at wneud ychydig o wnïo gyda phob plentyn. Cynlluniwyd nifer o weithgareddau, yn ymwneud â gwnïo, i ddatblygu sgiliau llawdriniol a chyd-drefniant llaw-llygad y plant. Dros gyfnod o dymor, ac ar y cyd â'r gweithgareddau eraill, anogwyd y plant i:

- chwarae â byrddau careio a theils

- edafu gleiniau, riliau cotwm a botymau

- chwarae gyda byrddau pegiau

- gwneud ychydig o wehyddu

- cwblhau byrddau gwnïo syml, gyda chareiau a nodwyddau sach.

Pan deimlai'r staff eu bod yn debygol o lwyddo, rhoddwyd darn o wnïo i bob plentyn.

1. *Pam fod gwnïo yn ffordd dda o ddatblygu sgiliau motor manwl?*

2. *Pam wnaeth y staff gynllunio gweithgareddau a oedd yn gysylltiedig â gwnïo yn gyntaf?*

Mae gweithgareddau peintio'n cyfrannu at ddatblygu sgiliau motor manwl

Chwarae yn yr awyr agored

Mae chwarae yn yr awyr agored yn agwedd bwysig ar ddatblygiad corfforol. Mae'r rhoi'r cyfle i ymarfer a datblygu ystod o sgiliau corfforol, ond mae llawer o fanteision eraill hefyd:

- awyr iach ac ymarfer corff sy'n helpu'r plentyn i dyfu a datblygu

- gofod, sy'n galluogi'r plentyn i ryddhau egni; mae hyn yn cyferbynnu ag ardaloedd o fewn y sefydliad lle mae'n rhaid cyfyngu ar symudiad corfforol

- y cyfle i wneud sŵn; o fewn adeilad, rhaid cadw'r lefelau sŵn yn isel. Allan yn yr awyr agored, gall plant wneud llawer mwy o sŵn, a fydd, o bosibl, yn eu helpu i addasu i'r cyfyngiadau arferol

- graddfa amser wahanol – mae mwy o le yn gallu arwain at ddilyniannau chwarae sy'n para am gyfnodau hirach. Fel rheol nid oes angen y gofod ar gyfer gweithgareddau eraill ac nid oes rhaid gosod cymaint o gyfyngiadau

- addasu i amgylchedd yr ysgol; mae'r mwyafrif o blant yn gyfarwydd â chwarae yn yr awyr agored. Mae'n caniatáu teimlad o ryddid. Gall plant mewn meithrinfa ddod i arfer ag amser chwarae.

- darganfod yr amgylchedd; gall plant brofi gwahanol ddeunyddiau (dail, brigau, cerigos, cerrig). Mae chwarae yn yr awyr agored yn cynnig profiad synhwyraidd cyfoethog lle gall plant ddatblygu ymwybyddiaeth o nifer o gysyniadau, er enghraifft gwynt, glaw, tymheredd, goleuni a chysgod, arogl, dŵr, gwres ac oerni.

Mae angen cynllunio chwarae yn yr awyr agored mor ofalus â phob gweithgaredd chwarae arall. Dylid ystyried materion megis diogelwch, staffio, gofod, storio, cyfleoedd i ddatblygu pob sgìl ac i alluogi pob plentyn i gymryd rhan, ar draws ystod o alluoedd ac anghenion.

Mae plant yn gallu profi gwahanol ddeunyddiau mewn amgylchedd awyr agored

Datblygiad gwybyddol

Ystyr **datblygiad gwybyddol** (neu ddatblygiad deallusol) yw datblygiad sgiliau meddwl a dysgu. Mae'n cynnwys datblygu cysyniadau, sgiliau datrys problemau, creadigrwydd, dychymyg, cof a'r gallu i ganolbwyntio. Mae chwarae'n rhoi'r cyfle i ddatblygu camau cynnar yr holl sgiliau hyn.

Er enghraifft, gall gweithgaredd peintio ddatblygu'r sgiliau canlynol:

- Cysyniadau am liw, maint, siâp, priodweddau dŵr, cymysgu, trwchus, tenau, gwlyb a sych.

- Cyfle i weithio trwy broblemau yn ymwneud â sut i atal y paent rhag rhedeg, sut i gymysgu lliwiau, sut i atal y paent rhag diferu o'r brwsh paent, pa mor fawr y dylid tynnu llun er mwyn gallu ffitio popeth ar y tudalen. I bob golwg maent yn broblemau bach, ond mae'r plentyn yn datblygu sgiliau y gellir eu defnyddio mewn sefyllfaoedd eraill.

- Cyfle i ddefnyddio sgiliau creadigol a llawn dychymyg. Mae plant yn dewis beth i'w beintio ac yn datblygu eu dulliau eu hunain o gynrychioli'u syniadau. Unwaith eto, gellir trosglwyddo'r sgiliau sy'n eu galluogi i wneud hyn i sefyllfaoedd eraill lle bydd y plentyn angen ystyried syniadau neu broblemau a datblygu ymatebion personol iddynt.

- Drwy gymryd rhan mewn gweithgaredd diddorol a phleserus anogir plant i ddefnyddio'u cof a datblygu eu sgiliau canolbwyntio er mwyn gorffen yr hyn a ddechreuwyd ganddynt.

Drwy chwarae, felly, mae plant yn cael y cyfle i ennill, ymarfer a chyfnerthu sgiliau deallusol/gwybyddol sy'n ffurfio sail eu dysgu yn ddiweddarach. Gellir gwneud hyn mewn amgylchedd diogel, cyfarwydd a phleserus.

termau allweddol

Datblygiad iaith

datblygiad sgiliau cyfathrebu, sy'n cynnwys cyfathrebu di-eiriau, darllen ac ysgrifennu, yn ogystal ag iaith lafar; fe'i gelwir hefyd yn ddatblygiad ieithyddol

Cyfathrebu di-eiriau

cyfathrebu nad yw ar lafar, er enghraifft symudiadau corfforol, cyswllt llygaid, ystumiau corfforol ac ar yr wyneb; weithiau fe'i defnyddir yn ychwanegol at, neu yn lle, lleferydd

Datblygiad iaith

Datblygiad sgiliau cyfathrebu yw **datblygiad iaith** (neu ddatblygiad ieithyddol). Mae hyn yn cynnwys sgiliau llafar (siarad) a sgiliau **cyfathrebu di-eiriau** (ystumiau, cyswllt llygaid, symudiadau'r corff), darllen ac ysgrifennu. Mae datblygiad cynnar iaith yn ymwneud yn bennaf ag iaith fynegiannol (llafar neu wedi'i harwyddo). Mae iaith ysgrifenedig a darllen yn sgiliau sy'n datblygu'n ddiweddarach. Unwaith eto, fel pob sgìl arall, bydd sgiliau iaith fynegiannol yn cael eu hennill, eu hymarfer a'u gwella drwy eu defnyddio. Wrth chwarae, mae plant yn defnyddio iaith fynegiannol ar gyfer nifer o bethau:

- disgrifio
- trafod
- adrodd yn ôl
- dychmygu
- rhagweld
- gofyn ac ateb cwestiynau
- ymarfer geiriau newydd
- ffurfio a chynnal perthnasau.

Er mwyn dysgu ac ymarfer eu hiaith lafar, mae plant angen:

- rôl fodelau da
- y cyfle i siarad ac ymarfer eu lleferydd
- oedolion sy'n sensitif i lefel bresennol eu datblygiad a'r cam nesaf.

Mae chwarae'n rhoi'r cyfle i blant ryngweithio ag oedolion a phlant eraill i weld a chlywed iaith, ac i ymarfer a datblygu eu sgiliau eu hunain. Gall rhyngweithio ddigwydd yn ystod unrhyw weithgaredd neu brofiad.

Mae siarad gydag eraill yn angenrheidiol er mwyn galluogi plant i ddysgu iaith ac i addasu a gwella eu sgiliau iaith

Cyfathrebu di-eiriau

Yn ychwanegol at iaith lafar neu fynegiannol, mae plant yn ennill sgiliau cyfathrebu di-eiriau drwy chwarae. Mae'r rhain yn cynnwys symudiadau corfforol, ystumiau, cyswllt llygaid, ystumiau ar yr wyneb ac yn y blaen. Weithiau mae cyfathrebu di-eiriau'n cymryd lle iaith, er enghraifft gosod bys yn erbyn y gwefusau i orchymyn distawrwydd. Mae hefyd yn ategu'r hyn a ddywedwn ar lafar, er enghraifft pwyntio i bwysleisio rhywbeth, ystumiau ar yr wyneb sy'n adlewyrchu'r hyn a ddywedir ar lafar. Mae'r arwyddion di-eiriau hyn yn cael eu deall yn yr un ffordd ag iaith lafar. Maent yn gallu cael dylanwad mawr, a phan fydd cliwiau di-eiriau yn cael eu camddeall, gellir camddehongli ystyr yr hyn a ddywedir. (Mae'n bwysig deall bod ystyr rhai arwyddion di-eiriau yn amrywio yn ôl y diwylliant. Gall hyn arwain at gamddehongliad o'r hyn a ddywedwyd neu a olygwyd.)

Mae rhyngweithio wrth chwarae yn rhoi'r cyfle i blant wylio, dysgu ac ymarfer yr arwyddion cyfathrebu di-eiriau hyn. Er enghraifft, gall plentyn fod yn rhywun arall drwy chwarae rôl, a mabwysiadu eu hiaith lafar, tôn eu llais a'u harwyddion di-eiriau. Gallant wylio eu heffaith ar bobl eraill a'u haddasu a'u newid yn ôl eu dymuniad. Gwneir hyn i gyd gan wybod y gellir rhoi'r gorau i'r chwarae ar unrhyw adeg os byddant yn dechrau teimlo'n annifyr yn y rôl honno.

Astudiaeth achos ...
... defnyddio sgiliau cyfathrebu mewn chwarae llawn dychymyg

Roedd Seren a Carwyn yn chwarae yn yr ardal chwarae llawn dychymyg, a oedd bellach yn siop. Seren oedd y siopwraig a Carwyn oedd y cwsmer:

Seren:	Alla' i helpu ti?
Carwyn	Mae pobl yn dod i 'nhŷ i i gael te a rhaid i fi brynu bwyd.
Seren:	Mae bara a ffa pob 'da ni. Ydy dy ffrindiau di'n hoffi ffa ar dost?
Carwyn	Ydyn, dwi'n meddwl. Mae cannoedd o ffrindiau'n dod a bydd eisiau lot o fwyd.
Seren:	Iawn. Mae tuniau mawr iawn 'da ni yn y siop. Faint wyt ti eisiau?
Carwyn	Dau ddeg cant.
Seren:	Dyna ti. Un deg pum ceiniog plîs.

1. Sut ddefnyddiodd Seren a Carwyn iaith yn y sefyllfa hon? (Cyfeiriwch at y rhestr uchod.)

2. Pa arwyddion di-eiriau y gallent fod wedi eu defnyddio?

3. Sut gallai'r gweithgaredd hwn fod wedi helpu eu datblygiad?

Datblygu dealltwriaeth o ddarllen ac ysgrifennu

Mae plant angen cyfleoedd i ddatblygu dealltwriaeth o ddarllen ac ysgrifennu hefyd. Mae chwarae'n rhoi'r cyfle hwn. Er enghraifft, os darperir llyfrau nodiadau, pensiliau, bwydlenni, rhestrau prisiau a hysbysebion mewn ardal chwarae llawn dychymyg a drawsnewidiwyd yn gaffi neu'n fwyty, bydd plant yn cael y cyfle i ddatblygu sgiliau darllen ac ysgrifennu'n gynnar. Drwy ddynwared yr hyn a welsant mewn caffis neu fwytai, efallai y byddant yn esgus darllen y bwydlenni, gwneud marciau ar y papur i gynrychioli ysgrifen wrth gymryd archebion a chyfeirio at restrau prisiau. Mae hyn yn rhoi darllen ac ysgrifennu mewn cyd-destun naturiol sy'n helpu plant i ddeall pwysigrwydd y sgiliau hyn. Gall plant hŷn sydd wedi ennill rhai sgiliau darllen ac ysgrifennu eu datblygu ymhellach mewn sefyllfaoedd chwarae tebyg.

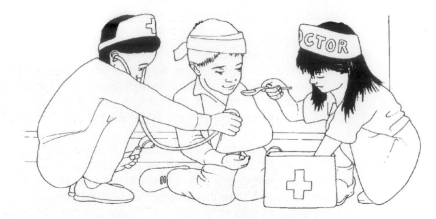

Mae plentyn yn gallu bod yn rhywun arall wrth chwarae rôl, ond gallant roi'r gorau i'r chwarae ar unwaith os dechreuant deimlo'n annifyr

Datblygiad emosiynol

Mae **datblygiad emosiynol** yn cynnwys datblygu'r gallu i fynegi a rheoli teimladau ac emosiynau mewn ffordd iach. Mae'r rhain yn sgiliau a ddysgir ac yn aml mae diwylliant yn eu diffinio. Mae datblygiad emosiynol hefyd yn ymwneud â datblygiad teimladau am yr hunan (hunan-barch).

Mae teimladau'n bodoli ac ni ellir eu newid. Yr ymddygiad sy'n ganlyniad i'r teimladau yw'r hyn y gellir ei newid. Drwy chwarae, caiff plant y cyfle i archwilio eu teimladau. Cânt y cyfle i arbrofi gydag ymatebion i'w teimladau. Mae chwarae yn galluogi plant i fynegi teimladau positif yn agored ac i ddechrau datblygu dulliau o fynegi teimladau anodd mewn modd derbyniol.

Astudiaeth achos ...

... mynegi ac archwilio emosiynau drwy chwarae llawn dychymyg

Roedd mam Awen newydd gael baban newydd. Ar y dechrau, roedd hi wedi cynhyrfu, yn siarad o hyd am y baban ac yn disgrifio'r ffordd roedd hi'n helpu i ofalu am y baban. Ar ôl iddi ddechrau tawelu, sylwodd y staff ar y ffordd y byddai'n chwarae rôl ei mam dro ar ôl tro.

Yn y gornel gartref, gyda ffrind, byddai Awen yn troi'n fam a'i ffrind yn cymryd lle Awen. Gofalai'r ddwy am y baban gyda'i gilydd. Fodd bynnag, wrth chwarae'r rôl, dywedai Awen ei bod hi wedi blino gormod i chwarae ac na fyddent yn mynd i'r parc nawr am fod angen bwydo'r baban. Yn ystod y chwarae, dywedodd Awen wrth ei ffrind i grïo pan glywai na châi wneud rhywbeth yr oedd arni eisiau ei wneud. Ymatebodd Awen drwy ochneidio lawer, rhoi ei braich o amgylch ei ffrind a'i chusanu, a'i rhoi ar ei phen-glin er mwyn ei chysuro.

1. Pam fod Awen eisiau chwarae fel hyn, yn eich barn chi?

2. Beth yw manteision chwarae rôl o'r math hwn?

Gall chwarae greu **hunansyniad**, hefyd. Mae'r ffordd yr ydym yn teimlo amdanom ni'n hunain yn cael effaith fawr ar bob agwedd ar ein bywydau. Oherwydd hyn, mae'n bwysig bod plant yn datblygu hunan-barch positif. Mae chwarae'n gyfarwydd ac yn naturiol iddynt ac felly nid yw'n brofiad bygythiol - fel y dywedwyd eisoes, ni ellir gwneud camgymeriad wrth chwarae. Mae plant yn chwarae ar eu lefel eu

Mae chwarae llawn dychymyg yn galluogi plant i brofi bod yn rywun neu rywbeth arall

<table>
<tr><td>

term allweddol

Hunangysyniad (neu hunanddelwedd)

y ddelwedd sydd gennym ohonom ni ein hunain a'r ffordd y tybiwn fod eraill yn ein gweld

</td></tr>
</table>

hunain ac felly mae'r perygl o fethu'n gyson yn llai. Mae'r amgylchedd cyfarwydd a phositif hwn yn rhoi'r cyfle iddynt ddatblygu synnwyr positif o'u llwyddiannau ac i ddechrau teimlo'n dda amdanyn nhw eu hunain. Mae hyn yn ei dro yn effeithio ar eu datblygiad diweddarach.

Datblygiad cymdeithasol

Mae **datblygiad cymdeithasol** yn ymwneud â datblygiad sgiliau sy'n galluogi plant i gyd-dynnu yn llwyddiannus â phobl eraill. Mae sgiliau cymdeithasol yn galluogi plentyn i ddatblygu'n aelod rhesymol, derbyniol ac effeithiol o'r gymuned. Dysgir y sgiliau hyn drwy ryngweithio â phobl eraill. Mae'r broses yn para am oes. Mae plant ifainc angen dechrau ennill sgiliau megis:

<table>
<tr><td>

term allweddol

Datblygiad cymdeithasol

cynnydd yn y gallu i ymwneud ag eraill yn briodol a dod yn annibynnol, o fewn fframwaith cymdeithasol

</td></tr>
</table>

- rhannu
- cymryd eu tro
- cydweithredu
- gwneud a chynnal cyfeillgarwch
- ymateb i bobl mewn ffordd briodol.

Mae chwarae hefyd yn gallu creu hunansyniad positif

Mae chwarae'n bont tuag at sgiliau cymdeithasol a pherthnasau. Mae'n rhoi'r cyfle i blant ryngweithio â phlant ac oedolion eraill, ar lefel briodol. Mae hyn ynddo'i hun yn helpu plant i ennill y sgiliau angenrheidiol ar gyfer cyd-dynnu ag eraill a dod yn rhan o grŵp. Drwy chwarae mae plant hefyd yn cael y cyfle i ymarfer a pherffeithio sgiliau cymdeithasol mewn sefyllfaoedd sydd dros dro yn unig. Bydd y gweithgaredd, y gêm neu'r profiad yn dod i ben, ond yn y diwedd bydd y sgiliau cymdeithasol a ddefnyddiwyd yn aros yn y cof. O ganlyniad, nid yw'r plentyn yn gorfod teimlo'n annigonol wrth ennill sgiliau newydd.

Datblygiad chwarae cymdeithasol

Mae'r ffordd mae plant yn chwarae mewn grŵp yn dilyn patrwm datblygiadol. Mae symud ymlaen trwy'r camau datblygiad yn dibynnu ar gael y cyfle i chwarae gyda phlant eraill. Wrth i blant ddysgu a datblygu sgiliau cymdeithasol daw'r rhain yn rhan o'u chwarae. Ceir crynodeb o'r patrwm isod.

termau allweddol

Chwarae unigol

mae'r plentyn yn chwarae ar ei ben ei hun

Chwarae cyfochrog

mae'r plentyn yn chwarae ochr yn ochr â phlentyn arall ond heb ryngweithio; mae gweithgareddau chwarae yn dal i fod yn bersonol

Chwarae cysylltiadol

mae'n dechrau chwarae gyda phlant eraill; mae plant yn rhyngweithio weithiau a/neu'n cymryd rhan yn yr un gweithgaredd er bod eu chwarae'n bersonol o hyd

Chwarae cydweithredol

mae plant yn gallu chwarae gyda'i gilydd drwy gydweithredu; gallant fabwysiadu rôl o fewn y grŵp a chymryd anghenion a gweithredoedd eraill i ystyriaeth

1. Chwarae unigol

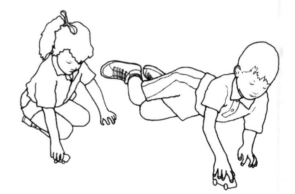

2. Chwarae cyfochrog

3. Chwarae cysylltiadol

4. Chwarae cydweithredol

Datblygiad chwarae cymdeithasol

Gwirio'ch cynnydd

Sut mae chwarae'n cyfrannu at ddatblygiad sgiliau motor manwl a bras?

Pam fod chwarae yn yr awyr agored yn fuddiol i blant?

Beth sydd angen ei ystyried wrth gynllunio chwarae awyr agored?

Beth yw datblygiad deallusol?

Sut gall chwarae gyfrannu at ddatblygiad sgiliau deallusol?

Beth yw datblygiad iaith?

Sut gall chwarae helpu datblygiad iaith?

Beth yw:

(a) sgiliau llafar? (b) sgiliau di-eiriau?

Rhestrwch y ffyrdd y mae plant yn defnyddio iaith wrth chwarae.

Beth yw datblygiad emosiynol?

Rhestrwch rhai o'r ffyrdd y gall chwarae gyfrannu'n bositif at ddatblygiad emosiynol plentyn.

Beth yw hunanddelwedd (neu hunansyniad) a pham ei fod yn bwysig?

Beth yw sgiliau cymdeithasol a pham eu bod yn bwysig?

Sut yr enillir sgiliau cymdeithasol?

Pam fod chwarae'n ffordd dda i blant ddatblygu'r sgiliau hyn?

Mathau o chwarae

Gellir grwpio chwarae plant yn nifer o fathau o chwarae. Mae'n bwysig i sylweddoli eu bod yn grwpiau a wnaed gan oedolion. Mae plant yn archwilio'u byd yn ddi-baid gan symud o un gweithgaredd neu brofiad i'r llall. Mae angen gwneud y rhaniadau hyn weithiau er mwyn cynllunio, adnoddu a monitro chwarae a datblygiad plant.

Bydd gwahanol sefydliadau'n defnyddio gwahanol ddulliau o adnabod a chategoreiddio gweithgareddau a phrofiadau chwarae. Isod ceir amlinelliad o rai mathau o chwarae y gellir eu defnyddio mewn gwahanol sefydliadau.

Mae'n bwysig bod ystod o weithgareddau chwarae yn cael eu darparu ar gyfer plant i sicrhau bod cyfleoedd yn bodoli ar gyfer datblygu'r holl sgiliau a chysyniadau angenrheidiol, a bod eu profiadau yn eang ac yn gytbwys. Dylid gallu ailadrodd gweithgareddau yn gyson ym mhob ardal chwarae i alluogi plant i ymarfer a chyfnerthu sgiliau a chysyniadau.

CHWARAE CREADIGOL

Mae chwarae creadigol yn cynnwys:

- chwarae gyda deunyddiau naturiol megis tywod, dŵr, pren, clai a thoes
- peintio
- gludwaith/collage
- archwilio sŵn gan ddefnyddio offerynnau taro.

 *369*

Mae gweithgaredd creadigol yn ymwneud â syniadau llawn dychymyg. Dylai'r syniadau hyn fod yn rhai'r plentyn. Mae dysgu sgiliau i blant, er enghraifft gwehyddu, yn rhan bwysig o'u dysgu, ond nid yw'n greadigol gan nad yw plant yn mynegi eu syniadau eu hunain.

Er mwyn i weithgaredd neu brofiad fod yn greadigol, dylai gynnwys nifer o'r nodweddion canlynol:

- defnydd o'r dychymyg

- dechrau gyda chanlyniad penagored

- bod yn fynegiant personol o syniadau

- bod yn unigryw o ran ei broses a'i gynnyrch

- mae'r broses yr un mor bwysig â'r cynnyrch.

Bydd plant ifanc iawn angen archwilio deunyddiau i ddod yn gyfarwydd â hwy, ac i ddatblygu a defnyddio eu sgiliau newydd. Mae arnynt angen yr amser, gofod, deunyddiau ac anogaeth i ddatblygu eu syniadau, sgiliau a gwybodaeth. Mae plant hŷn, sy'n gyfarwydd â'r deunyddiau, angen yr her o ddarganfod dulliau creadigol o gynhyrchu eitem, er enghraifft, modelu gan ddefnyddio bocsys i greu 'bygi lleuad'.

CHWARAE CORFFOROL GYDAG OFFER MAWR

Mae plant ifanc angen cyfleoedd i ddatblygu, ymarfer a gwella symudiadau a rheolaeth gorfforol. Mae'r rhain yn cynnwys:

- symudiadau corff cyfan ac aelodau'r corff

- cyd-symudiad

- cydbwysedd.

Mae rheoli symudiadau'r corff yn galluogi plant i ddatblygu sgiliau megis rhedeg, dringo, cicio, prancio, hercio, taflu, dal, nofio a reidio beic.

Mae chwarae gydag offer mawr, tu mewn ac yn yr awyr agored, yn rhoi cyfle i ymarfer a chyfnerthu sgiliau. Fel yn achos datblygiad creadigol, mae plant angen llawer o amser a gofod i archwilio ac arbrofi gyda'r offer. Bydd plant hŷn angen, a byddant yn mwynhau, her gorfforol, er enghraifft adeiladu ffau digon mawr i dri o blant, gwibio rhwng pyst ar feic neu sgipio deg gwaith heb aros.

Mae pob plentyn angen ystod o gyfleoedd i sicrhau bod ystod o sgiliau yn cael eu datblygu. Er enghraifft:

- brics mawr ac offer adeiladu mawr eraill

- offer gwneud ffau ac adeiladu

- cylchau a rhaffau

- peli mawr a bach

- batiau a racedi

- tiwbiau sgramblo

- trawst cydbwyso

- treisiclau a beiciau

- ffrâm ddringo.

CHWARAE LLAWN DYCHYMYG

Ystyr chwarae llawn dychymyg yw gweithgareddau a phrofiadau sy'n galluogi plant i ddefnyddio'u dychymyg. Gallant gynnwys gweithgareddau celf a chrefft neu weithgareddau chwarae dychmygol. Yr hyn sy'n bwysig yw bod plant yn gallu datblygu eu syniadau llawn dychymyg eu hunain. Mae plant ifainc angen yr amser, gofod, adnoddau a, lle bo hynny'n briodol, ymyrraeth sensitif gan oedolyn, i fynegi eu meddyliau a'u syniadau. Mae llawer o weithgareddau'n cynnig y cyfleoedd hyn:

- chwarae cartref, er enghraifft yn y gornel gartref
- chwarae rôl, er enghraifft Elen Benfelen yn nhŷ'r tri arth
- chwarae gyda doliau
- gwisgo
- chwarae byd bach, er enghraifft, model fferm neu ysbyty fodel
- chwarae dychmygol yn yr awyr agored, er enghraifft, mae'r ffrâm ddringo'n gwch a'r buarth chwarae'n fôr sy'n cynnwys morgwn
- chwarae gydag offer adeiladu mawr a bach
- gweithgareddau celf a chrefft lle mae'r plant yn rhydd i feddwl am eu syniadau eu hunain a'u datblygu.

CHWARAE LLAWDRINIOL

Chwarae sy'n galluogi plant i ymarfer a gwella eu sgiliau motor yw chwarae llawdriniol. Mae plant angen ymarfer y sgiliau hyn o hyd. Dylai'r ystod o weithgareddau a phrofiadau a gynigir alluogi plant i weithio ar wahanol lefelau a chynnig cyfle i ddefnyddio offer a chyfarpar yn fwyfwy effeithiol.

Mae llawer o weithgareddau'n cynnig y cyfle i ymarfer a gwella'r sgiliau hyn ar bob lefel. Gellir asesu eu heffeithiolrwydd yn ôl gallu'r plentyn i ymarfer a gwella'u sgiliau ar eu lefel eu hunain, er enghraifft, o fewn grŵp o blant efallai bod rhai sydd wedi methu hyd yma ag adeiladu tŵr o frics, tra bydd eraill, o bosibl, yn adeiladu adeiladau mwy cymhleth. Bydd y grŵp hwn angen gweithgareddau sy'n cynnig cyfleoedd i rai plant ymarfer a chyfleoedd heriol i eraill.

Mae gweithgareddau ar gyfer datblygu sgiliau llawdriniol yn cynnwys:

- edafu
- jig-sos a phosau
- adeiladu ar raddfa fawr a bach
- lluniadu rhydd gyda chreonau a phensiliau amrywiol
- peintio rhydd
- gwaith toes a chlai
- gwisgo a dadwisgo doliau a hwy eu hunain.

Rôl oedolion yn y chwarae

Mae gan oedolion rôl bwysig o safbwynt chwarae plant gan eu bod yn gallu sicrhau y bydd y plant yn derbyn y budd mwyaf ohono. Bydd angen i'r oedolyn gynllunio a pharatoi'r gweithgareddau'n ofalus. Yn ogystal bydd angen iddynt

ryngweithio gyda'r plant yn ystod y gweithgaredd a monitro'r hyn sy'n digwydd drwy arsylwi. Ceir crynodeb o rôl yr oedolyn yn y ffigur isod.

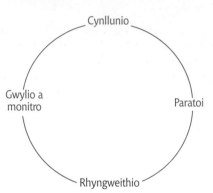

Beth yw lefelau datblygiad y plant?
Beth yw anghenion arbennig plant o fewn y grŵp?
Pa sgiliau y mae'r plant angen eu datblygu?
Faint o ofod sydd ar gael?
Faint o amser sydd ar gael?
Beth yw lefelau ac arbenigedd y staff?
A oes thema neu bwnc cyfredol?
A ydy'r cynllunio yn adlewyrchu amrywiaeth ddiwylliannol?
Pa weithgareddau y mae'r plant yn eu mwynhau?
A oes unrhyw faterion diogelwch y dylid eu hystyried?

Y plant:
- Ydy'r chwarae a ddarparwyd yn cwrdd â'u hanghenion?
- Pwy sy'n chwarae gyda pha weithgaredd? Ydy hyn yn arwyddocaol?
- Pa ryngweithio sy'n briodol gyda'r plentyn/plant?
- Sut y gellir ymestyn chwarae'r plant?

Y gweithgaredd:
- A yw'r gweithgaredd yn briodol ar gyfer y grŵp o blant?
- A gafodd ei gyflwyno'n ddeniadol?
- A yw'r holl offer angenrheidiol ar gael fel y gall y plant fod mor annibynnol â phosibl?
- A oedd digon o amser a gofod i ganiatáu i'r plant chwarae gyda'r gweithgaredd yn llwyddiannus?
- A ddefnyddiwyd amser ac arbenigedd yr oedolyn i'r eithaf?

Cynllunio

Gwylio a monitro

Paratoi

Rhyngweithio

Dylai'r gweithgaredd fod yn ddeniadol ac o fewn cyrraedd y plant.
A yw'r holl offer angenrheidiol ar gael?
A gyflwynir y gweithgaredd mewn ffordd ddeniadol? Gall hyn gynnwys rhoi cychwyn ar y gweithgaredd i awgrymu i'r plant sut i gyflawni'r gweithgaredd.
A oes digon o ofod, amser a chymorth oedolion ar gael i alluogi'r plentyn i lwyddo i wneud y gweithgaredd?
A yw'r ardal yn ddiogel?

Mae dulliau o ryngweithio a'r plant yn cynnwys:
- ymuno yn chwarae'r plant
- chwarae ochr yn ochr â'r plant
- sylwebu ar y chwarae
- cynnig syniadau newydd neu wahanol ar gyfer y chwarae
- cyflwyno offer gwahanol er mwyn ymestyn y chwarae
- trafod y gweithgaredd cyn neu ar ôl y chwarae
- gwylio'r chwarae heb ymyrryd yn uniongyrchol, gan adael i'r plentyn/plant ddatblygu eu syniadau eu hunain.

Rôl oedolyn o safbwynt chwarae plant

YR AMGYLCHEDD CHWARAE

- Mae mynedfa'r ganolfan yn rhoi'r argraff gyntaf o'ch gwaith i rieni ac ymwelwyr. Bydd mynedfa groesawgar sy'n cynnwys arddangosfeydd o waith y plant a gwybodaeth ddiddorol a chyfredol am y ganolfan yn helpu i roi argraff gadarnhaol. Dylai'r hysbysiadau adlewyrchu amrywiaeth ieithyddol y sefydliad er mwyn i bob ymwelydd allu deall yr wybodaeth. Os defnyddir y fynedfa fel man aros, ac os oes lle, gwnewch ymgais i ddarparu cadeiriau.

- Mae'r ardal awyr agored yn rhan bwysig o addysg plant a dylid ei chynllunio'n ofalus. Dylid darparu gofod dan darmac neu balmantog sy'n ddigon mawr ar gyfer defnyddio teganau gydag olwynion a, lle bo hynny'n bosibl, ardal laswelltog gyda gofod ar gyfer tyfu pethau. Bydd rhaid ystyried diogelwch, a rhaid sicrhau bod y ffensys a'r llidiardau yn ddiogel.

- Dylid sicrhau bod yr ystafelloedd cotiau, basnau ymolchi a thoiledau o faint plentyn ac yn hawdd eu defnyddio er mwyn hyrwyddo eu hannibyniaeth.

- Gall arddangosfeydd fod yn ffordd dda o addysgu plentyn yn y sefydliad cyn ysgol a byddant yn gwneud yr amgylchedd yn fwy deniadol. Mae mowntio ac arddangos gwaith plant yn ofalus yn dangos eich bod chi'n gwerthfawrogi

cyflawniadau ac yn eu galluogi hwy eu hunain i deimlo'n bositif am eu llwyddiannau. Gall arddangosfeydd symbylu mwy o ddysgu ac ar yr un pryd maent yn dangos ar unwaith i rieni ac ymwelwyr beth mae'r plant wedi bod yn ei wneud. Defnyddiwch waliau, ffenestri, y nenfwd – beth bynnag sy'n briodol yn eich lleoliad chi. Os oes rhaid i chi dynnu popeth i lawr ar ddiwedd pob sesiwn, efallai y byddai'n bosibl defnyddio sgriniau sy'n plygu ar gyfer pob arddangosfa.

Mae mynedfa groesawgar yn creu argraff dda:

- Bydd dodrefn, carpedi a llenni yn gwneud yr amgylchedd yn fwy deniadol ac yn sicrhau ei fod yn lle pleserus i weithio. Mewn amgylchedd plentyn-ganolog, dylid cadw'r plant mewn cof wrth ddewis yr eitemau hyn, yn enwedig o ran eu maint a'u gwydnwch.

- Mae plant angen digon o le i chwarae ond yn aml ni fydd lle mawr agored yn arwain at chwarae pwrpasol. Bydd darparu nifer o ardaloedd gwahanol ar gyfer gweithgareddau o wahanol fathau drwy leoli darnau o ddodrefn yn ofalus yn galluogi plant i ganolbwyntio'n well. Mae'r dull hwn o weithio'n caniatáu hyblygrwydd hefyd gan fod modd newid y gofod yn gyffredinol yn ôl y galw.

- Mae amgylchedd deniadol yn denu plant i gymryd rhan.

Astudiaeth achos ...

... trefnu gofod ar gyfer chwarae

Sefydlwyd grŵp dan oed ysgol mewn ystafell ddosbarth sbâr mewn ysgol gynradd leol. Roedd yr ystafell yn fawr ac yn awyrog, gyda'i fynediad ei hun i ardal chwarae awyr agored. Darparodd y gweithwyr cyn ysgol ystod eang o weithgareddau ac anogwyd y plant i symud yn rhydd rhyngddynt. Sylwyd nad oedd llawer o blant yn canolbwyntio ar weithgaredd am gyfnod hir, a bod rhai yn treulio llai na munud wrth bob un. Roedd yr ystafell yn ymddangos yn swnllyd iawn a bu'n rhaid atgoffa'r plant o hyd i beidio â rhedeg o amgylch yr ystafell.

Penderfynodd y gweithwyr cyn ysgol fenthyg dodrefn dros ben o storfa'r ysgol gan arbrofi drwy newid gosodiad yr ystafell. Lleolwyd ardaloedd tawel megis y gornel lyfrau a'r bwrdd posau yn bell o'r drws i'r ardal chwarae awyr agored a rhannwyd gweddill yr ystafell yn ardaloedd annibynnol o fewn cyrraedd y plant drwy ddefnyddio'r dodrefn, gan ychwanegu gorchuddion a llenni mewn rhai mannau. Roedd y trefniant hwn yn rhoi'r argraff o ardaloedd ar wahân ond yn galluogi'r staff i oruchwylio'r gweithgareddau ym mhob ardal.

Roedd aelodau unigol o'r staff yn gofalu am weithgareddau penodol o fewn yr ystafell ac yn gyfrifol am y plant a weithiai o fewn yr ardaloedd hynny. Treuliodd y plant fwy o amser wrth bob gweithgaredd, a chawsant gyfle i ddatblygu eu chwarae yno, yn aml gyda chefnogaeth oedolyn. Roedd lefel y sŵn wedi gostwng hefyd, gan fod lleoliad y dodrefn yn golygu bod llai o le i redeg ac roedd y defnyddiau'n amsugno rhai o'r synau.

1. Edrychwch ar eich sefydliad eich hun. A fyddech chi'n gallu trefnu'r gofod mewn ffordd wahanol?

2. Petaech yn trefnu'ch sefydliad yn wahanol, beth fyddai'r effaith?

Dylid trefnu gofod fel bod pob plentyn yn gallu cymryd rhan lawn yn y gweithgareddau:

- Mae'n bosibl y bydd angen i chi addasu'ch lleoliad, er enghraifft ar gyfer plentyn dall neu un sy'n defnyddio cadair olwyn.

- Lle bo hynny'n bosibl, dylid lleoli paent, clai, tywod a dŵr yn ymyl sinciau, ac ar orchudd llawr diogel a gwydn.

- Dylid ceisio sicrhau bod drysau a ffenestri o fewn cyrraedd a hefyd ystyried bod angen i'r plant allu symud o amgylch yr ardal yn ddirwystr.

- Mewn canolfannau lle cynigir prydau bwyd, dylid meddwl am ddarparu ardal fwyta. O bosibl bydd plant sy'n aros am sesiynau dydd cyfan angen gofod priodol ar gyfer gorffwys a chysgu.

Rhaid i'r amgylchedd ffisegol fod yn lle diogel ar gyfer oedolion a phlant. Rhaid glynu wrth Reoliadau Iechyd a Diogelwch, gyda'r staff yn cymryd cyfrifoldeb, yn archwilio'r ardal yn gyson am beryglon ac yn gweithredu'n brydlon pan fo angen.

Darparu a threfnu adnoddau

Mae'r mwyafrif o ganolfannau dan oed ysgol yn darparu ar gyfer gweithgareddau yn y meysydd addysg canlynol:

- ardal greadigol neu grefft, i gynnwys ystod o weithgareddau

- ardal adeiladu ar gyfer offer mawr a bach

- darpariaeth ar gyfer chwarae rôl, gan gynnwys mathau eraill o chwarae dramatig cymdeithasol yn ogystal â chwarae cornel gartref

- ardal ar gyfer deunyddiau hydrin, megis toes, clai, 'Plastisin', ayyb.

- chwarae byd bach, megis pobl, ffermydd a cheir chwarae, tai doliau ayyb.

- chwarae awyr agored, i gynnwys chwarae llawn dychymyg yn ogystal â dringo, rhedeg, pedalu, ayyb.

- posau a gemau

- deunyddiau naturiol megis tywod, dŵr, clai, pridd a phren

- ardal ysgrifennu lle gall plant arbrofi gyda gwahanol gyfryngau ysgrifennu a defnyddio ysgrifennu mewn ffordd ystyrlon

- ardal lyfrau

- ardal ar gyfer technoleg gan gynnwys, mewn rhai canolfannau, darpariaeth ar gyfer technoleg gwybodaeth

- ardal ar gyfer rhyngweithio mewn grŵp, gan amlaf y carped cartref neu'r gornel gartref.

Drwy gyfrwng y meysydd gweithgaredd hyn gellir cyflwyno pob agwedd ar y cwricwlwm i blant mewn modd sy'n cymryd i ystyriaeth eu galluoedd a'u dewisiadau unigol:

- Dylai'r adnoddau a ddarperir ar gyfer eu defnyddio yn yr ardaloedd uchod gynnal ystod gyflawn anghenion dysgu. Bydd darpariaeth amrywiol yn cynnal diddordeb y plant yn yr ardal. Fodd bynnag, dylid cydbwyso hyn ag angen y plant i ddod yn gyfarwydd â defnyddio rhai mathau o adnoddau ac i ennill hyder wrth wneud hynny. Er enghraifft, os cynigir Lego dim ond weithiau er mwyn sicrhau amrywiaeth, ni fydd y plant yn cael digon o gyfle i ddod o hyd i'w holl botensial.

- Dylai'r staff benderfynu beth yw'r blaenoriaethau wrth wario arian ar gyfer adnoddau, gan y bydd rhai meysydd angen mwy o offer ac arian nag eraill.

- Rhaid gosod meini prawf wrth ddewis adnoddau. Mae'n amlwg y bydd

diogelwch yn bwysig iawn, a hefyd ansawdd a gwydnwch. Bydd offer y gellir eu defnyddio mewn amrywiaeth o ffyrdd yn werth yr arian pan nad oes llawer o arian ar gael. Dylid meddwl am hyrwyddo cyfleoedd cyfartal wrth ddewis adnoddau.

● Mae'n bwysig meddwl am y ffordd y trefnir adnoddau. Bydd cyflwyno'r cwricwlwm yn null High Scope yn gofyn am drefnu'r adnoddau mewn dull sy'n galluogi plant i ddewis yr eitemau y mae eu hangen arnynt ac yna'u dychwelyd i'r lle priodol ar ôl eu defnyddio. Pa ffordd bynnag y cyflwynir y cwricwlwm, bydd plant yn dod yn fwy annibynnol os gallant ddod o hyd i'r offer y mae arnynt eu hangen, ac os ydynt yn rhan o'r broses o'u gosod yn ôl yn eu lle wedyn. Er mwyn sicrhau hyn, byddai'n ddefnyddiol i storio'r adnoddau yn rhywle sydd o fewn cyrraedd y plant a'u labelu'n briodol.

● Mae angen cynnal, glanhau a gwirio offer i sicrhau nad yw wedi torri, a dylid gwneud hynny'n gyson. Dylid cael gwared ar unrhyw beth nad yw'n gyflawn, yn hylan neu na ellir ei drwsio.

RÔL OEDOLYN O RAN RHEOLI'R AMGYLCHEDD DYSGU

Mae'r canlynol yn grynodeb o rôl yr oedolyn o ran rheoli'r amgylchedd dysgu:

● cynllunio a pharatoi'r amgylchedd fel y gall gwrdd ag anghenion dysgu pob plentyn yn y grŵp

● bod yn ymwybodol o'r cyfleoedd dysgu o fewn pob gweithgaredd

● croesawu ac annog plant i ddod i'r sesiwn a chymryd rhan mewn gweithgareddau penodol

● rhyngweithio â'r plant mewn ffyrdd sy'n ffocysu ar botensial dysgu'r deunyddiau a'r gweithgaredd

● sicrhau bod cydbwysedd yn yr ystod o weithgareddau a brofir gan blant unigol – bydd hyn yn golygu monitro dewisiadau plant a'u hannog i geisio gweithgareddau sy'n cael eu hosgoi fel rheol

● gwylio a gwerthuso'r ymateb i weithgareddau a defnyddio hyn wrth gynllunio yn y dyfodol

● goruchwylio'r ardal a sicrhau diogelwch yn ystod y sesiwn

● sicrhau y gall pob plentyn gymryd rhan ac nad ydynt y teimlo dan bwysau neu'n cael eu gormesu

● monitro lefelau sŵn fel bod yr awyrgylch yn hyrwyddo chwarae pwrpasol

● gofalu am yr amgylchedd dysgu fel ei fod yn parhau i gynnig profiad croesawgar ac ysgogol.

Mae plant yn elwa'n fawr pan fydd oedolion yn cymryd rhan yn eu chwarae. Dylai gweithwyr gofal plant wylio'r plant yn ofalus a chymryd pob cyfle i gymryd rhan lle bo hynny'n briodol.

Gwirio'ch cynnydd

Beth ddylid ei ystyried wrth gynllunio amgylchedd dysgu?

Sut gall trefniadaeth yr amgylchedd dysgu hyrwyddo annibyniaeth plant?

Sut mae trefniadaeth yr amgylchedd dysgu'n dylanwadu ar y cwricwlwm a sut mae'r cwricwlwm yn dylanwadu ar yr amgylchedd dysgu?

Amlinellwch rôl yr oedolyn o ran rheoli'r amgylchedd dysgu.

Nawr rhowch gynnig ar y cwestiynau hyn

Pam fod chwarae yn ffordd dda o gwrdd ag anghenion plant ifainc?

Disgrifiwch yr ystod o sgiliau a chysyniadau y gall plentyn eu datblygu drwy chwarae.

Beth yw rôl yr oedolyn o fewn chwarae plant?

Beth ddylid ei ystyried wrth gynllunio amgylchedd chwarae?

AGWEDDAU AR Y CWRICWLWM

Mae'r rhan hon yn bwrw golwg ar wahanol ddulliau o weithredu'r cwricwlwm blynyddoedd cynnar ac yn ystyried sut mae'r dulliau hyn yn defnyddio'r hyn a wyddom am ddulliau plant o ddysgu. Yn dilyn hyn, mae'n ystyried gofynion statudol yn ymwneud â chynnwys y cwricwlwm ac yn creu cysylltiadau â rôl y cwricwlwm o ran hyrwyddo cyfle cyfartal.

Bydd y rhan hon yn ymdrin â'r pynciau canlynol:

- cyd-destun cyfredol
- dylanwadau modelau cwricwlwm
- gofynion statudol ar gyfer y cwricwlwm
- cyfleoedd cyfartal a'r cwricwlwm.

Cyd-destun cyfredol

'Cwrs o ddysgu' yw'r diffiniad syml o **gwricwlwm** yn y geiriadur, ond yn achos blynyddoedd cynnar, mae ystyr y term yn ehangach. Mae'r cwricwlwm hefyd yn cyfleu gwerthoedd y sefydliad a'r sawl sy'n gweithio ynddo. Drwy gyfrwng y cwricwlwm, mae plant yn dysgu amdanyn nhw eu hunain a'u lle yn y byd.

Mae astudiaethau o'r ffordd mae plant yn dysgu, a gwaith Piaget yn arbennig, yn dangos mai trwy brofiadau y deellir cysyniadau orau – hynny yw, bod plant yn *dysgu drwy wneud*. Mae'r damcaniaethau hyn wedi dylanwadu'n fawr ar y ffordd yr ydym yn trefnu darpariaeth blynyddoedd cynnar ac wedi arwain at ddulliau dysgu sy'n cymryd galluoedd a diddordebau unigol y plentyn i ystyriaeth (**plentyn-ganolog**) ac a gyflawnir drwy brofiad (**dysgu drwy brofiadau**). Mae gwaith Piaget yn creu sail resymegol ar gyfer chwarae fel cyfrwng priodol ar gyfer dysgu plant, gan ei fod yn rhoi cyfleoedd i blant ddatblygu dealltwriaeth drwy brofiadau uniongyrchol. Oherwydd hyn, rhoddir pwyslais ar rôl chwarae wrth ddarparu cwricwlwm sy'n briodol ar gyfer datblygiad plant ifanc mewn canllawiau statudol cyfredol.

Astudiaeth achos …

… gwneud het law i tedi

Trefnwyd gweithgaredd a fyddai'n galluogi'r plant 5 oed yn y dosbarth i weithio mewn grwpiau. Rhoddwyd nifer o ffabrigau gwahanol, bowlen o ddŵr a chwistrell ddŵr i'r plant. Gofynnwyd iddynt edrych yn fanwl ar bob un o'r ffabrigau a phenderfynu pa rai fyddai fwyaf addas ar gyfer gwneud het law i tedi. Gweithiodd y nyrs feithrin gyda'r plant wrth y bwrdd, gan eu denu i siarad am yr hyn y dylai het law ei wneud a hefyd eu hannog i ddefnyddio'r offer a ddarparwyd i roi prawf ar eu dewisiadau.

Ar ôl treulio peth amser yn chwistrellu dŵr ar y samplau ffabrig, penderfynodd y plant pa ffabrigau oedd yn anaddas ar gyfer cadw tedi'n sych, ac yna penderfynwyd ar 'ddewis gorau' o'r gweddill. Yn ddiweddarach y diwrnod hwnnw cawsant gyfle i brofi'r het law a wnaethant drwy fynd â tedi am dro yn ystod cawod drom. Erbyn diwedd y sesiwn roeddent wedi dod i ddeall llawer am gysyniad amsugnedd ac yn dechrau datblygu eu dulliau eu hunain o ymchwilio'n wyddonol. Yn ogystal, profwyd teimlad o lwyddiant a boddhad am eu bod wedi gallu dilyn y dasg drwy bob cam i'w therfyn.

1. Pam fod hwn yn weithgaredd llwyddiannus o safbwynt y plant?

2. Beth wnaeth y plant ddysgu o hyn, yn eich barn chi?

3. Sut wnaeth yr oedolyn gefnogi dysgu'r plant yn yr achos hwn?

4. Byddai oedolyn wedi gallu dweud wrth blant am amsugnedd a phriodweddau ffabrigau. Fyddai hyn yn eu helpu i ddeall y cysyniad?

Yn y mwyafrif o sefydliadau trefnir yr amgylchedd yn ofalus er mwyn sicrhau bod y plant yn cael y cyfleoedd gorau i ennill profiad uniongyrchol. Bydd offer ar gael i'w galluogi i wneud dewisiadau a dilyn eu diddordebau, gan feithrin cyfrifoldeb dros eu haddysg eu hunain. Bydd nifer o weithgareddau ar gael ar yr un pryd a'r ystafell yn suo gyda sŵn prysurdeb. Bydd plant yn cymryd rhan mewn cynllunio a chydweithio, gydag oedolion a chyda'i gilydd, ac fe'u hanogir i gyfrannu eu syniadau eu hunain. Bydd y staff yn monitro'u cynnydd, yn rhyngweithio â'r plant ac yn cynllunio ac yn darparu ar gyfer y gweithgaredd dysgu nesaf.

Mae'r dull cyfredol hwn o weithredu'r cwricwlwm yn tybio y bydd addysg y plant yn effeithiol ac yn ystyrlon os ydynt yn ymroi i'r hyn a wnânt ac yn ei fwynhau.

Gwirio'ch cynnydd

Beth mae'r term 'cwricwlwm' yn ei olygu i chi?

Sut mae ein dull cyfredol o weithredu'r cwricwlwm blynyddoedd cynnar yn wahanol i ddull y gorffennol?

Beth yw dysgu drwy brofiadau?

Sut mae gwaith Piaget wedi dylanwadu ar ein ffordd o ddarparu ar gyfer dysg plant?

Dylanwadau a modelau cwricwlwm

Er mwyn deall y dulliau cyfredol o weithredu addysg plant, mae'n ddefnyddiol i edrych ar rai ffigurau dylanwadol mewn addysg gynnar a hefyd i edrych ar ystod o ddulliau o weithredu'r cwricwlwm.

FRIEDRICH FROEBEL (1782–1852)

Datblygodd Froebel ddull arloesol o weithredu addysg plant ifainc drwy bwysleisio pwysigrwydd cyflwyno ystod eang o brofiadau i blant i'w galluogi i ddeall hwy eu hunain a'r byd o'u hamgylch. Credai fod chwarae yn weithgaredd pwysig iawn i blant ifainc a chefnogai defnyddio chwarae strwythuredig er mwyn addysgu plant ifanc.

MARGARET MACMILLAN (1860–1931)

Cydnabyddir mai Macmillan yw un o arloeswyr addysg feithrin. Deallai bwysigrwydd addysg gynnar ond gwyddai hefyd nad oedd addysg feithrin o fewn cyrraedd nifer o blant a oedd yn byw mewn cymunedau tlawd. Sylweddolai fod plant afiach a phlant nad oedd yn derbyn digon o faeth yn cael anhawster dysgu ac felly canolbwyntiodd ar wella'u hiechyd. Credai y gallai addysg feithrin wneud yn iawn am rai o ddiffygion bywydau rhai plant. Roedd ei hysgolion awyr agored yn pwysleisio pwysigrwydd chwarae, boed hynny yn yr awyr agored neu dan do. Yn ogystal, anogai rieni i gymryd rhan, gan ddeall pwysigrwydd rôl rhieni o ran cefnogi addysg a datblygiad eu plant. Ystyrir bod hyn yn elfen bwysig o ymarfer addysgol heddiw.

SUSAN ISAACS (1885–1948)

Seiliwyd gwaith Isaac ar yr hyn a welodd wrth arsylwi plant mewn ysgol feithrin. Defnyddiodd ei sylwadau i ddadansoddi a deall rôl chwarae o safbwynt hyrwyddo cynnydd deallusol, gan sylwi yn arbennig ar yr amrediad gwahaniaethau mewn datblygiad plant a'r angen am gwricwlwm a fyddai'n darparu ar eu cyfer.

Mae gan waith yr arloeswyr hyn, ynghyd â modelau cwricwlwm Montessori, Steiner a High Scope, a drafodir isod, lawer yn gyffredin. Seilir pob un ar ddealltwriaeth bod plant yn dysgu drwy ryngweithio â'u hamgylchedd ac mai chwarae yw'r ffordd orau o wneud hyn. Mae pob un yn cydnabod bod plentyndod yn gyfnod pan ddysgir llawer a bod plant yn agored iawn i brofiadau. Seilir y gwahaniaethau rhyngddynt ar y pwyslais a roddir ganddynt ar wahanol elfennau'r cwricwlwm a'r dulliau a ddefnyddir.

Nifer cymharol fach o ganolfannau sydd wedi mabwysiadu'r dulliau gweithredu hyn yn eu cyfanrwydd, ond ceir elfennau o bob un o'r dulliau hyn i'w canfod yn yr hyn a ystyrir yn ddarpariaeth 'brif lif'.

ADDYSG MONTESSORI

Enwyd addysg Montessori ar ôl ei sylfaenydd, Maria Montessori, a ddyfeisiodd ddull o addysgu a seiliwyd ar y plant y gweithiai gyda hwy. Mae'r plentyn yn ganolog i ddull Montessori. Credai fod plant yn dysgu orau drwy eu gweithgarwch digymell eu hunain a bod ganddynt chwilfrydedd ac awydd naturiol i ddysgu. Rôl yr oedolyn yw darparu amgylchedd cynlluniedig a fydd yn rhoi'r cyfle i'r plentyn ddatblygu sgiliau a chysyniadau.

Mae dosbarthiadau Montessori yn debyg i'w gilydd. Mae'r dodrefn o faint plant ac yn cynnwys cypyrddau hir, isel y gall plant ddewis eu deunyddiau eu hunain ohonynt. Ceir rygiau er mwyn i'r plant allu eistedd ar y llawr, ac mae'r dosbarth yn lliwgar ac yn olau, gyda lluniau ar y waliau, a phlanhigion a blodau o amgylch yr ystafell.

Mae'r deunyddiau didactig (dysgu) yn ganolog i ddull Montessori. Mae'r rhain yn cynnwys blociau, gleiniau, silindrau a rhodenni y gall y plant eu defnyddio i chwarae. Mae arbrofi gyda'r deunyddiau hyn yn galluogi'r plant i ddarganfod a deall cysyniadau sylfaenol drostynt hwy eu hunain. Nid oes terfyn amser i'r ymchwilio hwn; mae'r plant yn dal ati nes bodloni. Er mwyn cyflawni hyn, mae'r deunyddiau:

- yn syml – er nad yn rhwydd – fel bod y plentyn yn gallu eu deall a'r oedolyn gwyliadwrus yn gallu penderfynu pryd i ymuno â'r gweithgaredd

- yn ddiddorol yn eu hanfod

- yn gwirio'u hunain, fel bod y plentyn yn gwybod pan fydd wedi llwyddo, heb fod angen ymyrraeth oedolyn.

Mae'r ffaith bod plant yn archwilio deunyddiau didactig yn parhau'n rhan bwysig o gwricwlwm Montessori, er bod hyn, fel rheol, yn cael ei gyflwyno ochr yn ochr ag ystod ehangach o brofiadau.

Mewn dosbarth Montessori, ystyrir mai 'cyfarwyddwr' yw rôl yr oedolyn, sef cadw diddordeb plant drwy eu harwain, ond hefyd i dynnu'n ôl fel gall y plant wneud pethau drostynt hwy eu hunain a datblygu synnwyr o annibyniaeth a hunanhyder. Mae'r cyfarwyddwr yn gwylio'r plant unigol ac yn nodi'r cam a gyflawnwyd ar gofnod sy'n gysylltiedig â'r deunyddiau didactig. Yna bydd y cyfarwyddwr yn penderfynu pa weithgareddau sy'n addas ar gyfer cam nesaf addysg pob plentyn ac yn tywys y plentyn tuag atynt.

ADDYSG STEINER (YSGOLION WALDORF)

Seilir addysg Steiner ar athroniaeth addysgol Rudolf Steiner. Ni chredai y dylai addysg ffocysu ar addysg gul a ddysgai'r sgiliau angenrheidiol ar gyfer cynnydd economaidd cymdeithas, ond yn hytrach mai gwir bwrpas addysg oedd galluogi'r unigolyn i ganfod a dangos ei gymhellion a'i dalentau. Ym marn Steiner, gan fod plant yn dysgu oddi wrth yr hyn sy'n digwydd o'u hamgylch, yr amgylchedd a ddylanwadai fwyaf ar y plentyn, a bod hyn yn cynnwys profiadau a rhyngweithio â phobl eraill, yn ogystal â'r amgylchedd ffisegol. Credai Steiner yn gryf fod plant angen datblygu eu byd mewnol eu hunain, ac ystyriai mai creadigrwydd a hunanfynegiant oedd y pethau pwysicaf. Mae dull Steiner yn annog y priodweddau hyn drwy gyfrwng gweithgareddau megis lluniadu, dawnsio, cerddoriaeth, symudiad a phob math o chwarae ffantasi a dychmygol. Yn ogystal, ystyrir bod ewrhythmi – symudiad rhythmig y corff cyfan – yn werthfawr fel cyfrwng hunanfynegiant creadigol.

Bydd ysgol feithrin Steiner yn cynnwys llawer os nad pob un o'r nodweddion canlynol:

- eitemau a wnaed o ddeunyddiau naturiol, lle bo hynny'n bosibl

- teganau ac eitemau y gellir eu defnyddio mewn ffordd benagored, llawn dychymyg

- ystafell sy'n plesio'r plentyn, gan gymryd i ystyriaeth ffactorau megis golau a'r defnydd o liw

- digon o bapur, peniau a chlai modelu

- bocsys mawr, darnau o garped a hydoedd o ffabrig er mwyn galluogi plant i ddatblygu eu themâu chwarae rôl eu hunain

- gardd lle gall plant ddod i gysylltiad â chylch naturiol plannu, tendio a chynaeafu.

Rôl yr oedolyn, o fewn system Steiner, yw darparu ac arwain. Ni ddylai'r oedolyn gychwyn y chwarae ond bydd yn cymryd rhan lle bo hynny'n briodol. Credai Steiner fod plant yn dysgu drwy ddynwared a rhyngweithio. O ganlyniad, mae ymddygiad da oedolion tuag at ei gilydd a phlant yn ddelfryd ymddwyn sy'n dylanwadu'n fawr ar safonau ymddwyn y plant eu hunain.

Er bod dull Steiner yn ymddangos yn anghonfensiynol, o bosibl, yn yr hinsawdd addysgol bresennol, dylid nodi nad yw dull Steiner yn cadw plant rhag cyflawni targedau addysgol confensiynol, megis llwyddo mewn arholiadau cyhoeddus, ochr yn ochr â nodau Steiner i ddatblygu talentau unigol.

HIGH SCOPE

term allweddol

Addysg gydadferol

rhaglen neu fenter a gynigir i"r sawl a allai brofi anfantais o fewn y system addysg

Dull gweithredu cwricwlwm addysg gynnar a ddatblygwyd yn yr UD yn y 1960au fel rhan o raglen **addysg gydadferol** Headstart yw High Scope. I bob golwg, cafodd ganlyniadau da, yn enwedig wrth helpu plant i ddatblygu synnwyr o gyfrifoldeb dros eu haddysg a'u gweithredoedd eu hunain. Mae ymchwil a wnaed wedi hynny, yn dilyn y plant a gymerodd ran yn y project High Scope gwreiddiol am 30 mlynedd, wedi dangos bod y math hwn o brofiad cyn ysgol wedi cael effaith dda ar y sawl a gymerodd ran, hyd yn oed fel oedolion. Mesurwyd yr effaith honno drwy ystyried eu lles cymdeithasol ac economaidd. Mabwysiadwyd dull High Scope gan nifer o ganolfannau yn y DU, nid fel rhan o raglen gydadferol o reidrwydd, ond am fod ei egwyddorion, credir, yn briodol i ddatblygiad plant ifanc.

Mae'r themâu canlynol yn nodweddu High Scope:

- *Y drefn ddyddiol* – defnyddir dull Cynllunio-Gwneud-Adolygu, lle mae gofyn i blant fynegi i oedolyn yr hyn maent yn bwriadu ei wneud yn ystod y sesiwn (cynllunio), i weithredu'r cynllun hwn yn ystod 'amser gwaith' y sesiwn (gwneud) ac yna i gofio'r hyn a wnaethant (adolygu). Yn aml bydd yr amser cofio hwn yn cynnwys rhyw fath o gynrychioliad megis lluniad, dangos y gwaith, neu ddisgrifiad o'r hyn a wnaed. Gall cofio fod yn rhan o'r 'amser grŵp bach' pan fydd plant yn cymryd rhan mewn gweithgareddau strwythuredig dan arweiniad oedolyn. Bydd y drefn ddyddiol hefyd yn cynnwys sesiynau o amser awyr agored – wedi'u ffocysu ar weithgarwch egnïol fel rheol – ac amser cylch, pan ddaw'r grŵp cyfan at ei gilydd i ganu, trafod neu chwarae gemau.

- *Trefniadaeth ystafell ac offer* – trefnir yr ystafell ar gyfer gweithgareddau penodol mewn mannau gwaith amlwg, gan gynnwys ardal lyfrau, ardal adeiladu, ardal gartref ac ardal gelf fel rheol. Storir a labelir yr holl offer a'r deunyddiau'n glir fel gall y plant gael gafael arnynt yn annibynnol.

- *Termau, cysyniadau a phrofiadau allweddol* – cynlluniwyd y cwricwlwm i ddatblygu ystod o brofiadau allweddol a sgiliau gwybyddol, ac adolygir cynnydd y plentyn drwy gyfeirio at y rhain. Profiadau allweddol yw ffocws rhyngweithio rhwng plentyn ac oedolyn. Cynllunnir y rhain yn benodol ar gyfer amser grŵp bach neu gallent godi'n achlysurol yn ystod amser gwaith. Cyfrifoldeb yr oedolyn yw arwain y chwarae a'r siarad yn y fath fodd fel bod y profiadau allweddol hyn yn amlwg.

- *Rôl yr oedolyn* – rôl yr oedolyn yng nghwricwlwm High Scope yw annog, dangos a helpu ond nid dominyddu. Mae'r oedolyn yn creu fframwaith ddysgu sy'n gwerthfawrogi ac yn gweithredu yn ôl cymhellion a diddordebau'r plant.

Mae'r dull hwn yn gadael i blant gymryd rhan weithredol mewn penderfyniadau am eu haddysg ac yn meithrin cyfrifoldeb ac annibyniaeth.

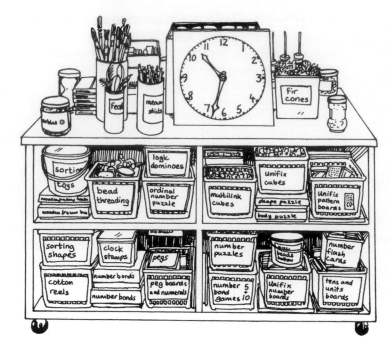

Mae plant yn gallu cael gafael yn annibynnol ar offer, a labelir yn glir

Gwirio'ch cynnydd

Amlinellwch y modelau cwricwlwm a ddisgrifir uchod.

Beth yw'r tebygrwydd rhwng y gwahanol ddulliau gweithredu?

Beth yw nodweddion dull High Scope? Ym mha ffordd mae'r dull hwn yn datblygu cyfrifoldeb?

Gofynion statudol y cwricwlwm

Mae'r adran hon yn crynhoi gofynion statudol (cyfreithiol) cwricwlwm y DU ar gyfer ysgolion statudol a meithrinfeydd, ynghyd â lleoliadau eraill sy'n derbyn cymhorthdal gan y llywodraeth er mwyn darparu addysg.

Y CWRICWLWM CENEDLAETHOL

Cyflwynwyd y **Cwricwlwm Cenedlaethol** yng Nghymru a Lloegr fel rhan o Ddeddf Diwygio Addysg 1988 (mae Deddf debyg yn weithredol yn Yr Alban). Gellir crynhoi'r prif bwyntiau yn ymwneud â'r blynyddoedd cynnar fel hyn:

- Mae'r **Canlyniadau Dysgu Dymunol** cyn oed Addysg Orfodol a gyhoeddwyd yn 1996 yn cynnwys **Meysydd Dysgu** sef y cwricwlwm i blant rhwng 2 a 5 oed mewn sefydliadau sy'n derbyn arian cyhoeddus (**cymhorthdal meithrinfeydd**).

- Mae'r Cwricwlwm Cenedlaethol yn orfodol i bob plentyn rhwng 5 ac 16 oed ym mhob ysgol y wladwriaeth (mae hyn yn cynnwys ysgolion arbennig).

term allweddol

Cwricwlwm Cenedlaethol

cwrs o astudiaeth a bennwyd gan y llywodraeth. Rhaid i bob plentyn rhwng 5 ac 16 oed sy'n mynychu ysgolion y wladwriaeth yn y DU ei ddilyn

- Rhennir y cwricwlwm yn bedwar cyfnod allweddol. Dilynir rhaglen Cyfnod Allweddol Un am chwe thymor, ym mlwyddyn 1 a 2 o addysg orfodol, gyda'r plant yn symud i Gyfnod Allweddol Dau ar ddechrau'r flwyddyn ysgol ar ôl eu 7fed penblwydd.

- Yng Nghyfnod Allweddol Un i Bedwar, mae'r cwricwlwm yn cynnwys y pynciau canlynol: Iaith (Cymraeg a Saesneg – ond ni ddysgir Saesneg i blant Cyfnod Allweddol Un yn ysgolion Categori A), Mathemateg a Gwyddoniaeth, Dylunio a Thechnoleg, Technoleg Gwybodaeth a Chyfathrebu (TGCh), Hanes, Daearyddiaeth, Celf a Dylunio, Cerddoriaeth, Addysg Gorfforol, gydag Iaith Dramor Fodern yng Nghyfnod Allweddol Tri. Rhoddir blaenoriaeth i'r tri phwnc craidd, sef Iaith, Mathemateg a Gwyddoniaeth. Yn ogystal, rhaid dysgu Addysg Grefyddol.

- Rhennir pynciau'n **dargedau cyrhaeddiad**, pob un gyda'i rhaglen astudio ei hun.

- Ar ddiwedd pob cyfnod allweddol, asesir cynnydd plant yn y pynciau craidd. Asesiad athro a wneir yng Nghyfnod Allweddol Un a Dau. Cyflwynir yr wybodaeth i rieni drwy adroddiad ysgrifenedig ac yna ceir y cyfle i'w drafod.

Rhai o effeithiau'r Cwricwlwm Cenedlaethol a'i oblygiadau ar gyfer gweithwyr gofal plant

Pwysleisiwyd pwysigrwydd gwyddoniaeth a thechnoleg yn y blynyddoedd cynnar gan y Cwricwlwm Cenedlaethol. Mae hyfforddiant mewn swydd a buddsoddiad mewn offer wedi rhoi'r cyfle i staff gynllunio a dysgu'r pynciau hyn gyda mwy o hyder nag erioed.

Mae cynllunio rhaglen i gwrdd â gofynion y Canlyniadau Dysgu Dymunol a'r Cwricwlwm Cenedlaethol wedi annog staff i gydweithio. Mae gan nyrsys meithrin a chynorthwywyr dosbarth lawer i'w gyfrannu yn y maes hwn. Rhaid casglu tystiolaeth i gefnogi asesiadau athrawon. Gall hyn olygu arsylwi'r plant yn ogystal â chasglu eitemau gwaith. Bydd gan bawb sy'n gweithio gyda phlant ran i'w chwarae o safbwynt casglu tystiolaeth.

Mae plant ifainc yn dysgu yn y ffordd fwyaf effeithiol drwy addysg plentyn-ganolog a dysgu drwy brofiad. Dangoswyd mai dyma'r dulliau mwyaf priodol o ddysgu'r Cwricwlwm Cenedlaethol hefyd, yn enwedig yn y Blynyddoedd Cynnar (Canlyniadau Dymunol), er bod ymchwil wedi dangos effeithiolrwydd rhywfaint o ddysgu grŵp-cyfan.

Newidiwyd cynnwys a strwythur y Cwricwlwm Cenedlaethol yn sylweddol mewn cyfnod cymharol fyr. Mynegwyd pryder bod cwricwlwm Cyfnodau Allweddol Un a Dau yn orlawn ac nad oedd digon o amser ar gael i ddatblygu sgiliau allweddol llythrennedd a rhifedd. Ers cyflwyniad y **Strategaeth Llythrennedd Cenedlaethol** (1998) a'r **Strategaeth Rhifedd Cenedlaethol** (1999) a fyddai'n cydweddu â gofynion y Cwricwlwm Cenedlaethol diwygiedig (2000), rhoddwyd mwy o bwyslais ar y meysydd pwysig hyn.

STRATEGAETH LLYTHRENNEDD CENEDLAETHOL

Cyflwynwyd y strategaeth lythrennedd neu'r awr lythrennedd, fel y'i gelwir yng Nghymru, ym Medi 1998 ac mae'n nodwedd allweddol o ymgyrch y llywodraeth i gyrraedd targedau gwelliannau mewn llythrennedd plant. Nid yw'n ychwanegol at y Cwricwlwm Cenedlaethol ond dylid ei gweld fel y dull argymelledig o ddysgu rhai o ofynion darllen ac ysgrifennu yng Nghyfnodau Allweddol Un a Dau. Dylai'r awr lythrennedd gynnwys yr elfennau canlynol:

termau allweddol

Canlyniadau Dysgu Dymunol

y cwricwlwm ar gyfer plant dan 5 oed yng Nghymru

Meysydd Dysgu

yr wybodaeth sydd angen ei chyflwyno i blant o fewn gwahanol bynciau'r cwricwlwm

Cymhorthdal meithrin

Arian cyhoeddus a delir i sefydliadau yn y sector breifat a gwirfoddol er mwyn addysgu plant rhwng 2 a 5 oed

term allweddol

Targedau cyrhaeddiad

gwahanol elfennau'r Meysydd Dysgu e.e. siarad a gwrando, darllen ac ysgrifennu yw'r targedau cyrhaeddiad ar gyfer y Gymraeg (iaith, llythrennedd a sgiliau cyfathrebu)

term allweddol

Strategaeth Rhifedd Cenedlaethol

arweiniad gan y llywodraeth (1999) ar strwythur a chynnwys gwers rifedd ddyddiol yn para 45 munud i blant rhwng Cyfnod Derbyn a Chyfnod Allweddol Dau

- tua 15 munud gyda'r dosbarth cyfan yn gweithio ar waith testun, yn aml llyfr mawr, ffuglen neu wybodaeth

- 15 munud ychwanegol ar waith lefel geiriau sydd, yng Nghyfnod Allweddol Un, yn cynnwys ffoneg, sillafu ac ymwybyddiaeth o odl a seiniau

- tuag 20 munud ar waith grwpiau bach, lle bydd athrawon yn arwain darllen neu ysgrifennu cyfeiriedig. Fel rheol bydd yr athro neu'r athrawes yn canolbwyntio ar grŵp o rhwng pedwar a chwe phlentyn bob dydd, tra bydd y lleill yn gweithio'n annibynnol ar dasgau penodol i hyrwyddo llythrennedd

- y 10 munud olaf fel sesiwn lawn, yn casglu'r grŵp at ei gilydd i adlewyrchu ar a chyfnerthu'r hyn a ddysgwyd.

Yn oed derbyn, mae'r canllaw'n argymell bod plant yn cael eu cyflwyno i bob elfen o'r strategaeth, er nad un ar ôl y llall o fewn un awr, o reidrwydd.

(Addaswyd o'r *National Literacy Strategy: Framework for Teaching Literacy from Reception to Year 6*, DfEE, 1998) *Strategaeth Llythrennedd Cenedlaethol: Fframwaith ar gyfer Dysgu Llythrennedd o oed Derbyn i Flwyddyn 6.*

STRATEGAETH RHIFEDD CENEDLAETHOL

Cyflwynwyd y strategaeth rifedd ym Medi 1999 fel rhan o fenter y llywodraeth i godi safonau cenedlaethol mewn rhifedd. Mae'n darparu gwers fathemateg strwythuredig ddyddiol sy'n para rhwng 45 munud ac awr i bob plentyn oed cynradd. Mae'r fframwaith yn sefyll ochr yn ochr â gofynion y Cwricwlwm Cenedlaethol ar gyfer mathemateg yng Nghyfnodau Allweddol Un a Dau. Fel yn achos y strategaeth lythrennedd, nid yw ysgolion yn gorfod dilyn y strategaeth rifedd ond mae'r mwyafrif o ysgolion yn sector y wladwriaeth yn dewis gwneud hynny. Mae'r cyfarwyddyd yn argymell bod plant oed Derbyn yn treulio amser bob dydd ar fathemateg, i'w paratoi ar gyfer y wers ddyddiol, 45 munud a gyflwynir ym mlwyddyn 1. Mae'n ffocysu ar ffordd benodol o ddysgu mathemateg ac yn awgrymu trefnu'r amser fel a ganlyn:

- cyflwyniad i'r dosbarth cyfan, gan gynnwys, fel rheol, cyfrif, gemau bysedd, odlau rhif a chaneuon

- rhywfaint o ddysgu'r dosbarth cyfan am brif bwnc mathemategol y dydd

- gweithgareddau grŵp, a all olygu bod pawb yn gweithio ar yr un gweithgaredd ar yr un pryd mewn grwpiau bach. Fel arall, gellid ffocysu ar yr agwedd fathemategol a ddewiswyd gan ei datblygu drwy gyfrwng ystod o weithgareddau chwarae a gefnogir gan oedolion sy'n gweithio ochr-yn-ochr â'r plant

- sesiwn gyda'r dosbarth cyfan i ymestyn a chyfnerthu drwy drafodaeth a chwestiynu, yr hyn a ddysgwyd ac i dynnu sylw at a chanmol cynnydd.

(Addaswyd o'r *National Numeracy Strategy: Framework for Teaching Mathematics from Reception to Year 6*, DfEE, 1999.) (*Strategaeth Rhifedd Genedlaethol: Fframwaith ar gyfer Dysgu Mathemateg o oed Derbyn i Flwyddyn 6*)

O fewn y strategaethau llythrennedd a rhifedd fel ei gilydd, mae rôl amlwg ar gyfer cynorthwywyr dosbarth i weithio ochr yn ochr ag athrawon gan gefnogi grwpiau yn ogystal â phlant unigol drwy wahanol elfennau'r sesiynau.

CWRICWLWM AR GYFER Y BLYNYDDOEDD CYNNAR (2-5 OED)

Cyflwynwyd y cwricwlwm ar gyfer y Blynyddoedd Cynnar sef y Canlyniadau Dymunol, yn 1996. Rhaid i bob sefydliad sy'n derbyn arian cyhoeddus ar gyfer

addysg plant cyn-Cyfnod Allweddol Un, naill ai drwy hawlio cymhorthdal meithrin neu drwy ariannu uniongyrchol yn achos ysgolion a gynhelir, ddilyn y cwricwlwm yma. Ni wahaniaethir rhwng y gwahanol fathau o sefydliad: mae gofyn i feithrinfeydd dydd preifat, grwpiau chwarae, canolfannau teulu, ysgolion meithrin a dosbarthiadau meithrin a derbyn mewn ysgolion cynradd, ddarparu'r cwricwlwm hwn yn llawn. Rhaid i sefydliadau seilio'u cwricwlwm 2 i 5+ ar raglen sy'n gweithio tuag at ddatblygu sgiliau a chysyniadau plant, fel y gallant gyrraedd y nodau erbyn dechrau blwyddyn 1 yng Nghyfnod Allweddol Un. Rhennir y cwricwlwm yn chwe maes addysg:

- datblygiad personol a chymdeithasol
- iaith, llythrennedd a sgiliau cyfathrebu
- datblygiad mathemategol
- gwybodaeth a dealltwriaeth o'r byd
- datblygiad corfforol
- datblygiad creadigol.

Fel yn achos y Cwricwlwm Cenedlaethol, lluniwyd y gofynion hyn o'r hyn a ystyriwyd yn arfer blynyddoedd cynnar da ar gyfer y grŵp oedran hwn. Ar gyfer pob maes dysgu, mae datganiad sy'n diffinio'r sgiliau, cysyniadau a'r nodau y bydd angen i blant ifainc eu datblygu erbyn *diwedd* y Blynyddoedd Cynnar. Mae arweiniad cynhwysfawr (ACCAC 2000) yn nodi'r **'cerrig sarn'** y mae angen eu darparu i alluogi plant 3 oed a mwy i wneud cynnydd a nesu at y nodau. Ni asesir y Blynyddoedd Cynnar yn ffurfiol, er y disgwylir i sefydliadau wneud asesiadau cyson o gynnydd plant unigol fel rhan o'u darpariaeth. Fodd bynnag, mae'n debyg y bydd **asesu sylfaenol**, a wneir ar hyn o bryd pan ddaw plant i'r ysgol am y tro cyntaf yn 4 oed, yn cael ei ddiwygio a'i symud i ddiwedd y Blynyddoedd Cynnar.

CYFNOD SYLFAEN

Y Cyfnod Sylfaen yw'r cwricwlwm newydd i blant 3-7 oed. Mae'n cyfuno'r hyn sy'n cael ei alw ar hyn o bryd yn Flynyddoedd Cynnar (3-5 oed) a Chyfnod Allweddol 1 y Cwricwlwm Cenedlaethol (5-7 oed). Bydd y Cyfnod Sylfaen yn creu un cyfnod o addysg plant a chanddo un cwricwlwm ac un dull o ddysgu.

Mae cwricwlwm newydd y Cyfnod Sylfaen yn adeiladu ar y Canlyniadau Dymunol presennol i Ddysgu Plant Cyn Oedran Addysg Orfodol, ac yn cynnwys agweddau ar y canllawiau ar gyfer Cyfnod Allweddol 1. Bydd y cwricwlwm newydd yn cael ei ddatblygu o dan y saith Maes Dysgu.
    Dyma'r Saith Maes:

- Datblygiad Personol a Chymdeithasol a Lles
- Sgiliau Iaith, Llythrennedd a Chyfathrebu
- Datblygiad Mathemategol
- Dwyieithrwydd a Dealltwriaeth Amlddiwylliannol
- Gwybodaeth a Dealltwriaeth o'r Byd
- Datblygiad Corfforol
- Datblygiad Creadigol.

Mae'r Fframwaith Ddrafft ar Gyfer Dysgu Plant yn y Cyfnod Sylfaen eisoes yn cael ei dreialu fel rhan o gynllun peilot ers 2004 (mewn 41 o sefyllfaoedd) ac mi fydd y

cynllun yma'n parhau hyd at 2008.

Yn ystod y cyfnod peilot, pan fydd pobl broffesiynol yn integreiddio'r Fframwaith drafft i'w cynlluniau eu hunain ac yn ei ddefnyddio gyda'u plant eu hunain, gofynnir iddynt roi gwybod beth yw cryfderau'r fframwaith yn ogystal â dweud ym mha feysydd y gellir datblygu ymhellach. Mae hon yn rhan bwysig iawn o'r broses o ddatblygu cwricwlwm priodol ar gyfer y Cyfnod Sylfaen yng Nghymru.

Gellir darllen mwy am y Cynllun Sylfaen ar y wefan isod:
http://old.accac.org.uk/cym/content

Gwirio'ch cynnydd

Beth yw ystyr y term 'statudol' mewn perthynas â'r cwricwlwm?

Pa sefydliadau sy'n gorfod dilyn Canlyniadau Dysgu Dymunol y Blynyddoedd Cynnar?

Beth yw'r chwe maes dysgu a ddiffinnir yn y Canlyniadau Dysgu Dymunol?

Pa bynciau a astudir gan blant Cyfnod Allweddol Un?

Cyfleoedd cyfartal a'r cwricwlwm

termau allweddol

Cyfleoedd cyfartal

pawb yn cymryd rhan mewn cymdeithas i'w llawn botensial, beth bynnag fo'u hil, crefydd, anabledd, rhyw neu gefndir cymdeithasol

Gweithredu positif

cymryd camau i sicrhau bod unigolyn neu grŵp arbennig yn cael cyfle cyfartal i lwyddo

Gall y cwricwlwm fod yn ffordd bwerus o hyrwyddo **cyfleoedd cyfartal**. Mae gan weithwyr gofal plant gyfrifoldeb i gyflwyno'r cyfrifoldeb mewn ffordd sy'n cynnwys ac yn galluogi pob plentyn ac yn adlewyrchu profiadau pob adran o gymdeithas. Rhaid sicrhau bod cynllun y cwricwlwm a'i gyflwyniad yn cynnig cyfle cyfartal, heb wahaniaethu o ran hil a diwylliant, rhyw, cefndir economaidd-gymdeithasol neu anabledd. Yn ogystal, rhaid iddo ystyried y ffordd orau o ddatblygu potensial plant sy'n fwy swil neu ymosodol neu hyderus na phlant eraill yn eu grŵp. Ni fydd trin pob plentyn yr un fath yn arwain at gyfleoedd cyfartal. Rhaid i ni gydnabod bod rhai plant o fewn ein cymdeithas yn fwy tebygol o fod o dan anfantais nag eraill ac o bosibl bydd angen **gweithredu positif** i'w helpu i lwyddo. Mae hyn yn ystyriaeth bwysig wrth gynllunio'r cwricwlwm.

MEINI PRAWF Y CANLYNIADAU DYMUNOL

DATBLYGIAD PERSONOL A CHYMDEITHASOL

Bydd plant dan bump yn dysgu amdanynt hwy eu hunain. Byddant yn dysgu am eu perthynas â phlant ac oedolion, ac am y cyfrifoldeb sydd ynghlwm â hynny. Byddant yn dysgu am y byd tu allan i'r teulu, am sut mae pobl yn byw ac am fyd gwaith, am y gorffennol ac am bobl a llefydd tu hwnt i'w profiad uniongyrchol, yn cynnwys pobl o ddiwylliannau a chefndiroedd gwahanol. Byddant yn dysgu am safonau ymddygiad da ac yn datblygu agweddau addas.

Erbyn i blant gyrraedd eu pump oed, dylai eu profiadau dysgu eu galluogi:

- i deimlo'n hyderus a medru ffurfio perthynas â phlant eraill ac oedolion

- i allu dangos gofal, parch a hoffter at blant eraill ac oedolion

- i ddechrau dangos sensitifrwydd i eraill ac i rai ag anawsterau

- i ganolbwyntio am gyfnodau cynyddol wrth ymwneud â thasgau addas

- i archwilio ac i arbrofi'n hyderus gyda chyfleoedd dysgu newydd
- i gydnabod yr angen am gymorth a cheisio cymorth pan fo angen hynny
- i ddechrau fod yn gyfrifol am lendid personol (er enghraifft, golchi dwylo ar ôl defnyddio'r toiled, cyn trin bwyd ac yn y blaen)
- i wisgo eu hunain os rhoddir amser ac anogaeth iddynt
- i aros eu tro, i rannu ac i ddechrau arfer hunan-reolaeth
- i ddeall y dylid trin popeth byw gyda gofal, parch a chonsyrn
- i ymateb yn gadarnhaol i ystod o brofiadau diwylliannol ac ieithyddol newydd

IAITH, LLYTHRENNEDD A SGILIAU CYFATHREBU

Mae defnydd cymwys o iaith yn un o'r medrau dynol mwyaf sylfaenol. Mae'n ffactor allweddol ym meistrolaeth meysydd addysgol eraill. Proses gymhleth yw caffael iaith plant. Os bydd gan y plentyn stôr eang o brofiadau iaith, bydd y feistrolaeth honno'n cael ei sefydlu'n gadarn a bydd dysgu deallusol, emosiynol a chymdeithasol y plentyn yn elwa.

Erbyn i blant gyrraedd eu pump oed, dylai eu profiadau eu galluogi:

- i wrando ar stori dda
- i wrando ar, ymateb i, a chofio caneuon, hwiangerddi, cerddi a rhigymau
- i fynegi anghenion
- i ofyn cwestiynau a gwrando ar atebion
- i adrodd bras drywydd y stori
- i adrodd eu profiadau, yn nhrefn gyffredinol y digwydd
- i drafod eu chwarae grŵp ac unigol cyfredol a chyfeirio at eu bwriadau
- i fynegi barn a gwneud dewisiadau
- i adnabod ac esbonio digwyddiadau mewn lluniau
- i ddewis llyfr a'i ddal y ffordd gywir
- i ddeall bod gan symbolau ysgrifenedig sain ac ystyr
- i fwynhau marcio a phrofiadau ysgrifennu sylfaenol – gan ddefnyddio pensilau, creonau ac yn y blaen
- i ddefnyddio offer marcio i wahanol bwrpasau: peintio, tynnu llun, sgriblo, ysgrifennu.

DATBLYGIAD MATHEMATEGOL

Dechrau deall prosesau a chysyniadau mathemategol yw sail rhifedd. Mae angen gweld y prosesau'n digwydd ar y plant. Er enghraifft, er mwyn deall y cysyniad o rif, mae'n rhaid i'r cysyniad fod yn weledol, yn ddiriaethol ac yn ymarferol. Mae angen i'r plentyn weld y broses yn digwydd a chyflawni'r broses ei hun. Er mwyn i syniadau mathemategol fod yn ystyrlon, mae'n rhaid iddynt gael eu deall mewn cyd-destun gweithgaredd.

Erbyn i blant gyrraedd eu pump oed, dylai eu profiadau eu galluogi:

- i ddefnyddio iaith fathemategol mewn cyd-destunau perthnasol: siâp, safle, maint a swm
- i adnabod ac ail-greu patrymau sylfaenol

- i allu cofio ystod o rigymau, caneuon, storïau a gemau cyfrif
- i ddidoli, cyfateb, trefnu, cyfresu, cymharu a chyfrif pethau cyfarwydd
- i ddechrau deall cysyniadau mathemategol megis 'llai' a 'mwy'
- i ddechrau deall mathemateg arian
- i ddechrau adnabod rhifau ac i ddechrau cyfateb rhif, symbol a sain.

GWYBODAETH A DEALLTWRIAETH O'R BYD

Dylai plant gael profiad o ddiwylliannau eraill, o ddigwyddiadau o'r gorffennol, o waith pobl, o'r defnydd a wneir o arian, o'r amgylchedd, o anifeiliaid a phethau byw eraill.

Dylid annog plant i fwynhau tynnu, gwthio, troi, arbrofi, tywallt, profi, palu, adeiladu a chanfod sut y mae pethau'n gweithio'n gyffredinol.

Dyma'r profiadau fydd yn gosod sail, a hyder, i fwynhad plentyn o wyddoniaeth a thechnoleg.

Erbyn i blant gyrraedd eu pump oed, dylai eu profiadau meithrin eu galluogi:

- i siarad am eu cartref a ble maent yn byw
- i ddechrau deall y gwahaniaethau rhwng llefydd fel cefn gwlad a'r dref
- i fod â dealltwriaeth sylfaenol o'r tymhorau a'u nodweddion
- i ddechrau deall y syniad o amser: amser bwyd, adeg o'r dydd (bore, amser gwely), dilyniant (ddoe, heddiw, yfory)
- i adnabod rhai mathau o weithwyr trwy nodweddion eu gwaith: er enghraifft, deintydd, meddyg, ffermwr, athro, gweithiwr post, gweithiwr ffatri, mecanig
- i fod â dealltwriaeth sylfaenol o ddiben a defnydd arian
- i ddechrau deall ynglŷn â chanlyniadau, datrys problemau, penderfynu
- i ddechrau deall defnydd nifer o ffynonellau gwybodaeth (er enghraifft: llyfrau, teledu, llyfrgelloedd, technoleg gwybodaeth)
- i ddechrau deall pwysigrwydd yr amgylchfyd
- i ddechrau deall ynglŷn â bwyd ac o ble mae bwydydd yn dod
- i ddechrau deall a gwerthfawrogi'r gwahaniaethau mewn ystod o ddeunyddiau a'u defnydd posibl
- i ddewis a dethol o amrywiaeth o ddeunyddiau, archwilio eu posibiliadau, torri, plygu, asio a chymharu.

DATBLYGIAD CORFFOROL

Mae angen i blant dan bump ddeall syniadau ynglŷn â iechyd, glendid a diogelwch. Mae angen iddynt ddechrau deall pwysigrwydd diet, gorffwys a chwsg.

Byddant yn datblygu rheolaeth o'u cyrff, symudoledd, ymwybyddiaeth o ofod ac ystod o sgiliau trin. Bydd angen ystod o brofiadau arnynt a dylent gael cyfle i chwarae saff a chyffrous tu allan.

Erbyn i blant gyrraedd eu pump oed, dylai eu profiadau meithrin eu galluogi:

- i fod yn ymwybodol o'u cyrff eu hunain a'u twf
- i symud yn hyderus, gyda rheolaeth a chydlyniad cynyddol
- i ddefnyddio amrywiaeth o offer, bach a mawr, gyda rheolaeth a hyder cynyddol (er enghraifft: beiciau, peli, fframiau dringo)

- i drin cyfarpar bach gyda rheolaeth gynyddol ac i bwrpas priodol (er enghraifft: pensiliau, brwsys paent)

- i ddeall, gwerthfawrogi a mwynhau'r gwahaniaethau rhwng rhedeg, cerdded sgipio, neidio, dringo a hopian

- i ddeall ac ymateb i awgrymiadau ynglŷn â pherthynas ofodol (er enghraifft: y tu ôl, oddi tan, ar ben ac uwch ben).

DATBLYGIAD CREADIGOL

Bydd plant dan bump yn datblygu eu dychymyg a'u creadigrwydd yn gyson yn y cyfnod hwn. Bydd eu gallu i fynegi a chyfathrebu y dychymyg a'r creadigrwydd hwnnw hefyd yn datblygu. Dylid sicrhau bod plant cyfyng eu symudoledd neu blant ag amhariad ar y synhwyrau yn cael eu cynnwys yn y gweithgareddau. Efallai y bydd angen strategaethau eraill er mwyn i'r plant yma fynegi eu creadigrwydd.

Erbyn i blant gyrraedd eu pump oed, dylai eu profiadau eu galluogi:

- i ymateb i ac i fwynhau rhythm cerddoriaeth a chreu cerddoriaeth gydag amrywiaeth o offerynnau a gyda'u lleisiau

- i ddefnyddio amrywiaeth o ddeunyddiau i greu delweddau cynrychioliadol (er enghraifft: lluniau, lluniadau, adeiladwaith)

- i wneud dewisiadau am liw a chyfrwng

- ymateb i awgrymiadau am ddawns a symud dynwaredol

- i drafod yr hyn sydd ar waith neu wedi'i gwblhau (er enghraifft: peintio, gwneud offerynnau)

- i ddechrau mwynhau chwarae rôl a drama ddychmygol

- i ddechrau sylwi ar waith eraill a'i werthfawrogi

- i ddechrau gwahaniaethu rhwng seiniau heb gliwiau gweledol (er enghraifft: anifeiliaid, offerynnau, lleisiau).

MEINI PRAWF Y CANLYNIADAU DYMUNOL

Pan fydd plant yn cyrraedd oedran addysg orfodol byddant yn dysgu Cymraeg fel rhan o'r Cwricwlwm Cenedlaethol. Byddant hefyd yn cael cyfleoedd, lle bo hynny'n addas, i ddatblygu eu gwybodaeth a'u dealltwriaeth o nodweddion diwylliannol, economaidd, amgylcheddol, hanesyddol ac ieithyddol Cymru, sef y Cwricwlwm Cymreig.

Bydd llawer o gylchoedd chwarae a dosbarthiadau meithrin, sy'n defnyddio Saesneg fel prif gyfrwng eu gweithgaredd, hefyd yn defnyddio ychydig o Gymraeg. Gall profiad o'r Gymraeg yn ifanc, pan fydd sgiliau caffael iaith plentyn ar eu mwyaf effeithiol, fod yn sail werthfawr ar gyfer dysgu Cymraeg yn yr ysgol.

Y Gymraeg yw cyfrwng llawer o ddarpariaeth, gwirfoddol a statudol, i blant dan bump. Yn y ddarpariaeth Gymraeg yma bydd nifer fawr o blant yn dod o gartrefi di-Gymraeg ond gyda chefnogaeth briodol a chynllunio'r dilyniant, bydd y plant yma'n dod yn ddwyieithog maes o law.

Dylai pob plentyn dan bump gael cyfle i glywed am Gymru, am ei gynefin, am ddraddodiadau, hanesion a chwedlau, am bobl ac am ddigwyddiadau. Dylai'r profiadau yma fod yn rhan o brofiad dysgu bywiog a gwerthfawr i blant dan bump yng Nghymru. Bydd yn dyfnhau profiad y plant o fywyd yng Nghymru.

Nawr rhowch gynnig ar y cwestiynau hyn

Esboniwch pam fod dull plentyn-ganolog o ddysgu plant yn briodol ar gyfer blynyddoedd cynnar.

Sut mae dull High Scope o ddysgu'r cwricwlwm yn hyrwyddo annibyniaeth plant?

Disgrifiwch sut mae'r Canlyniadau Dymunol, sef Cwricwlwm y Blynyddoedd Cynnar, yn paratoi plant ar gyfer camau nesaf eu haddysg.

MEYSYDD CWRICWLWM

Mae'r rhan hon yn ystyried yr elfennau sydd gyda'i gilydd yn ffurfio'r cwricwlwm blynyddoedd cynnar ac yn awgrymu rhai o'r dulliau y gall gweithiwr gofal plant gefnogi addysg plant yn y meysydd hyn. Er yr ystyrir hwy ar wahân yn y bennod hon, ni ddysgir y pynciau yn unigol, ond fe'u cyflwynir fel rhan o raglen addysg integredig a chytbwys.

Bydd y rhan hon yn ymdrin â'r pynciau canlynol:

- datblygiad personol, emosiynol a chymdeithasol
- llythrennedd cynnar
- llyfrau plant
- datblygu mathemateg
- gwyddoniaeth a thechnoleg
- hanes a daearyddiaeth
- creadigrwydd
- gweithgareddau corfforol.

Datblygiad personol, emosiynol a chymdeithasol

Mae datblygiad personol, emosiynol a chymdeithasol yn treiddio trwy'r cwricwlwm blynyddoedd cynnar cyfan. Nid yw'n faes pwnc ynddo'i hun, ond mae'n ymwneud â sgiliau ac agweddau sy'n galluogi'r plant i ddatblygu synnwyr cryf o'u gwerth eu hunain a dod yn aelodau llwyddiannus o gymdeithas. Gan eu bod yn agweddau hanfodol o ddatblygiad plant ac yn effeithio'n sylweddol ar eu gallu i ddysgu, mae'n bwysig bod gweithwyr gofal plant yn deall ac yn meddwl o ddifrif am faterion yn ymwneud â datblygiad personol a chymdeithasol o safbwynt y rhaglen a ddarperir ganddynt ac wrth ryngweithio â phlant. Mae'n briodol i ystyried rhai pwyntiau yma i sicrhau bod y cwricwlwm yn hyrwyddo datblygiad personol, emosiynol a chymdeithasol plant yn effeithiol.

HUNAN-BARCH

Mae hon yn elfen bwysig o ddatblygiad emosiynol a chymdeithasol, yn ymwneud ag asesiad yr unigolyn o'u gwerth eu hunain. Gellir annog hyn mewn sawl ffordd:

- drwy ddarparu tasgau a gweithgareddau ar lefel briodol i'r plentyn, sy'n heriol ond yn rhoi'r cyfle iddynt lwyddo

- wrth ryngweithio â phlant, gan ddangos eich bod yn eu parchu a'u gwerthfawrogi er eu mwyn eu hunain, trwy ganmol eu hymdrechion a'u cyflawniadau a thrwy ymyrraeth sensitif sy'n galluogi'r plentyn i lwyddo

- drwy annog plant i fod yn annibynnol ac i fentro, er enghraifft bod yn abl i ddewis ac ymestyn gweithgaredd ac yna bod yn gyfrifol am ei glirio i ffwrdd

- drwy annog delweddau positif i bob plentyn o ran rhyw, ethnigrwydd ac anabledd, a thrwy hynny annog plant i werthfawrogi eu cefndir diwylliannol a'u hunaniaeth eu hunain

- yn y drefn ddyddiol a'r ffordd y trefnir y lleoliad. Mae trefn gyson yn galluogi plant i ragweld beth sy'n debyg o ddigwydd a bydd y cysondeb hwn yn meithrin teimladau o sicrwydd a hyder. Bydd amgylchedd lle mae'r adnoddau ar lefel y plant ac yn rhwydd iddynt eu cyrraedd yn caniatáu i'r plant fod yn annibynnol o ran eu dewis a'u defnydd o offer.

SGILIAU RHYNGBERSONOL

Mae sgiliau rhyngbersonol yn ein galluogi i gyd-dynnu â phobl eraill. Mae plant ifanc yn cael anhawster gweld y byd o safbwynt rhywun arall, ac angen cyfleoedd i ddatblygu empathi cymdeithasol, hynny yw'r gallu i diwnio i mewn i safbwyntiau pobl eraill ac ymddwyn yn briodol. Mae angen iddynt ddatblygu'r sgiliau canlynol:

- ffurfio a chynnal cyfeillgarwch

- rhannu a chymryd eu tro

- ymateb yn briodol i eraill

- bod yn sensitif i deimladau pobl eraill

- mynegi eu teimladau eu hunain yn briodol

- deall ymddygiad priodol.

Gall weithwyr gofal plant helpu plant i ddatblygu'r sgiliau hyn drwy'r ystod o brofiadau a gweithgareddau a ddarperir ganddynt, ond hefyd drwy eu dull o ryngweithio â phlant a thrwy hyn eu hannog yn bositif i ymddwyn yn gymdeithasol. Dyma rai enghreifftiau:

- bod yn rôl fodel da. Mae plant yn modelu eu hymddygiad ar eu profiadau a dylent weld bod gweithwyr gofal plant yn dangos parch a sensitifrwydd tuag at eraill

- cynllunio gweithgareddau sy'n gofyn bod plant yn cydweithio ac yn rhannu, megis peintio murlun, gwneud jig-sos a chwarae gemau, a thrwy ryngweithio â'r plant i gefnogi hyn

- annog plant i rannu a chymryd eu tro a monitro i weld a yw hyn yn digwydd, er enghraifft yn achos eitemau offer poblogaidd

- darparu gweithgareddau, megis chwarae rôl a chwarae byd bach, sy'n rhoi'r cyfle i blant ddechrau profi'r byd o bersbectif arall

- rhoi cyfleoedd i blant fynegi eu teimladau mewn dulliau priodol. Efallai y bydd plentyn yn awyddus i ymestyn a phwnio darn o glai i gael gwared ar deimladau o ddicter, neu fynd i'w grwman mewn cornel gyda blanced os yw'n drist neu wedi ei orlethu. Bydd marwolaeth anifail anwes y feithrinfa yn creu teimladau o dristwch ac yn rhoi'r cyfle i alaru

- cefnogi sgiliau cymdeithasol datblygol plant drwy ganmol y rhai sy'n cydweithio a bod yn ystyriol o bobl eraill, gan greu model ar gyfer plant eraill.

Cynlluniwch weithgareddau sy'n gofyn bod plant yn cydweithio ac yn cymryd eu tro, a rhyngweithiwch er mwyn annog hyn

DATBLYGIAD MOESOL

Mae hyn yn ymwneud â datblygu dealltwriaeth o'r hyn sy'n gywir ac yn anghywir. Ni ellir disgwyl i blant ifainc ystyried eu gweithredoedd a'u hagweddau a'u heffaith ar eraill yn yr un ffordd ag y disgwylir gan blant hŷn, ond erbyn cyrraedd y blynyddoedd cyn dechrau yn yr ysgol, mae plant yn dechrau dod yn ymwybodol bod eu gweithredoedd a'u hagweddau'n effeithio ar bobl eraill a bod rhaid cadw'r rheolau sy'n rheoli ac yn ffurfio ymddygiad. Ar y cychwyn bydd plant yn derbyn rheolau; er enghraifft, ni allwch gipio'r ddol gan blentyn arall, am fod rhywun pwerus a phwysig yn gorfodi'r rheol. Fodd bynnag, yn y diwedd bydd y plentyn yn deall y rhesymau dros y rheol ac yn dechrau eu mewnoli a ffurfio gwerthoedd moesol.

Gall plant cymharol fach, hyd yn oed, ddechrau deall arwyddocâd rheolau os ydynt:

- yn fach o ran nifer ac yn rhwydd eu cofio

- yn mynegi gwerthoedd, ethos a disgwyliadau'r lleoliad

- yn ddealledig gan bawb yn y sefydliad, gan gynnwys rhieni

- yn cael eu dilyn yn gyson

- yn cael eu modelu gan aelodau o'r staff.

Astudiaeth achos …

… sefydlu'r rheolau

Fel rhan o'r pwnc 'Ni ein Hunain', trowyd yr ardal chwarae'n feddygfa. Roedd y plant wedi helpu i gasglu adnoddau ar gyfer yr ardal ac yn edrych ymlaen at chwarae yno. Pan ddaeth y bore cyntaf ar gyfer chwarae yno, roedd llawer o blant eisiau gwneud hynny ac o ganlyniad, roedd yr ardal yn orlawn. Yn ystod amser cylch, cynhaliodd y gweithiwr gofal plant drafodaeth am hyn â'r plant, a oedd yn cytuno bod y sefyllfa'n anfoddhaol. Y broblem oedd bod gormod o blant yn chwarae ar yr un pryd. Ar ôl trafod am beth amser, penderfynodd y plant y gellid datrys y broblem drwy gyfyngu nifer y plant a allai chwarae yn yr ardal ar yr un pryd. Penderfynwyd hefyd bod angen arwydd i ddangos mai dim ond pedwar plentyn a allai fod yn yr ardal ar yr un pryd. Y diwrnod canlynol gwnaeth rhai o'r plant arwydd yn dangos pedwar person. Ar ôl dangos yr arwydd i'r plant eraill, gosodwyd ef wrth fynedfa'r feddygfa.

Ychydig ddyddiau'n ddiweddarach, yn ystod amser cylch, trafodwyd llwyddiant y rheol a phenderfynwyd ei bod hi'n haws erbyn hyn i chwarae yn y feddygfa a bod y rheol, o ganlyniad, yn well i bawb.

Roedd y ffordd gydweithredol hon o sefydlu rheol yn dangos i'r plant bod angen rheolau. Roedd y ffaith eu bod yn cymryd rhan yn golygu y gallent weld y broblem a helpu i ddod o hyd i ateb. Yn y ffordd hon, gallent ddechrau deall y rheswm dros reolau.

1. Nodwch ddulliau'r nyrs feithrin o helpu'r plant i sefydlu'r rheol hon.

2. Pam ei bod hi'n bwysig bod y plant yn cymryd rhan?

3. Sut gallai'r staff sicrhau bod y plant yn cymryd rhan o ran sefydlu rheolau angenrheidiol eraill?

Gwirio'ch cynnydd

Esboniwch pam fod datblygiad personol, cymdeithasol ac emosiynol yn rhan mor bwysig o'r cwricwlwm.

Sut gall y gweithiwr gofal plant helpu plant i ddatblygu ffordd bositif o weld eu hunain?

Esboniwch sut y gellir annog sgiliau rhyngbersonol plant.

Pa weithgareddau sy'n gallu helpu plant i ddod yn ymwybodol o bersbectif rhywun arall?

Sut y gellir helpu plant i ddeall yr angen am gael rheolau a glynu wrthynt?

Llythrennedd cynnar

term allweddol

Llythrennedd
agweddau ar iaith sy'n ymwneud â darllen ac ysgrifennu

Rydym yn byw mewn byd llythrennog, mewn cymdeithas sy'n gwerthfawrogi darllen ac ysgrifennu (**llythrennedd**). O ganlyniad, gosodir pwyslais mawr ar fod yn gymwys yn y meysydd hyn. Mae plant yn dechrau sylwi ar, ac ymateb i'r byd llythrennog hwn ymhell cyn dechrau'r broses ffurfiol o ddysgu darllen ac ysgrifennu. Mae eu hamgylchedd yn cynnwys llawer o enghreifftiau o ysgrifen, yn amrywio o'r arwyddion yn yr uwchfarchnad i'r tocyn bws, i'r cerdyn post gan Mam-

gu a'r llyfr straeon amser gwely. Drwy gyfrwng eu profiadau bob dydd, mae plant yn dod yn gyfarwydd â chynnyrch ysgrifennu. Pan welant rywun yn cymryd neges ffôn neu'n ysgrifennu siec, maent yn ymwybodol o'r broses ysgrifennu. Mae'r profiadau hyn yn cael effaith; unwaith y bydd plant yn sylweddoli bod gan ysgrifen ystyr, maent wedi cymryd eu cam cyntaf tuag at lythrennedd.

DYSGU I DDARLLEN AC YSGRIFENNU

Yn achos y mwyafrif o blant, mae dysgu darllen ac ysgrifennu'n broses hir a chymhleth. Bydd angen iddynt ddysgu sgiliau a rheolau a'u hymarfer yn gyson er mwyn eu cyfnerthu. Os ydy plant wedi dechrau mwynhau llyfrau, mae'n debyg y bydd hyn yn eu symbylu ac yn rhoi rheswm dros ddal ati.

Erbyn cyrraedd 5 oed, bydd llawer o blant yn gallu adnabod nifer o eiriau. Bydd y mwyafrif yn adnabod eu henw eu hunain; bydd llawer yn gallu ei ysgrifennu. Yn aml dysgir darllen ac ysgrifennu yn ffurfiol mewn amgylchedd cyn-ysgol ochr yn ochr â phrofiadau a gweithgareddau eraill, llai ffurfiol sy'n cyfrannu at ddatblygiad sgiliau darllen ac ysgrifennu. Mae'r rhain yn cynnwys gweithgareddau sy'n cynnwys rhai neu bob un o'r canlynol:

- *cyd-symudiad llaw-llygad a sgiliau motor manwl* – mae angen rheoli pensil er mwyn ysgrifennu

- *gwahaniaethu gweledol* – mae'n bwysig i allu gwahaniaethu rhwng un gair a'r llall

- *dilyniannu* – trefn llythrennau neu eiriau, sy'n effeithio ar yr ystyr

- *gwahaniaethu sŵn* – mae clywed y gwahaniaeth rhwng seiniau a chyfuniadau o seiniau yn helpu darllen

- *defnydd o symbolau* – ffurfiau cynrychioladol yw darllen ac ysgrifennu, lle ae un peth, cyfuniad o lythrennau, yn cynrychioli rhywbeth arall.

Mae defnyddio darllen ac ysgrifennu fel rhan ystyrlon o chwarae hefyd yn bwysig yn y cam hwn, er enghraifft, 'darllen' y fwydlen mewn caffi neu 'ysgrifennu' neges ffôn yn y gornel gartref.

Cofiwch fod darllen ac ysgrifennu yn offer hanfodol ar gyfer dysgu diweddarach. Fe'u defnyddir ym mhob maes o fewn y cwricwlwm.

Darllen

Defnyddir dau ddull ar gyfer dysgu darllen:

- **edrych a dweud**
- **ffoneg.**

Mae edrych a dweud yn golygu adnabod geiriau cyfan yn ôl eu siâp. Yn aml ysgrifennir geiriau ar gardiau fflach, a bydd plant yn gwneud ymdrech i'w cofio, gan ymarfer gartref. Yna bydd plant yn gallu darllen straeon syml wedi'u cyfansoddi o'r geiriau a ddysgwyd. Gallant adnabod geiriau o'u siapiau ac o'u golwg. Anfantais y dull hwn yw na fydd dysgwyr cynnar yn gallu adnabod geiriau na ddysgwyd ganddynt yn barod.

Mae ffoneg yn torri geiriau yn seiniau ac yn annog plant i seinio geiriau. Anogir plant i weld patrymau yn seiniau geiriau, gan sylwi ar odlau a rhythmau. Anfantais y dull hwn yw nad ydy Saesneg yn seinegol gyson – bydd un llythyren yn gwneud un sŵn mewn un gair ac yn gwneud sŵn cwbl wahanol mewn gair arall. Ni fydd y darllenydd cynnar yn cael llawer o foddhad o orfod cyfyngu ei hun i eiriau sy'n gyson yn seinegol ac y gellir eu seinio'n uchel. Ar y llaw arall, bydd gwybodaeth am ffoneg yn rhoi strategaeth dda i blant ar gyfer rhoi cynnig ar eiriau anghyfarwydd.

Mae rhywfaint o ddadlau ynglŷn â pha ddull sydd orau, ac yn aml defnyddir cyfuniad o'r ddau. Fodd bynnag, mae'r Strategaeth Llythrennedd Cenedlaethol (Awr Lythrennedd) yn pwysleisio dull o ddysgu darllen sy'n defnyddio ffoneg, a thrwy gydol y Blynyddoedd Cynnar ac i mewn i Gyfnod Allweddol Un anogir plant i ddysgu seiniau llythrennau ac yna'r seiniau mae llythrennau'n eu gwneud pan gyfunir hwy â llythrennau eraill.

Cynlluniau darllen neu 'llyfrau dewis'?

Mae cynlluniau darllen yn cael eu strwythuro a'u graddio'n ofalus. Cyflwynir nifer cyfyngedig o eiriau ym mhob llyfr ac fe'u hailadroddir yn aml. Fel rheol bydd yr un cymeriadau'n ymddangos mewn nifer o lyfrau fel y gall y plant ddod yn gyfarwydd â hwy.

Mae beirniaid cynlluniau darllen yn cwyno bod y straeon yn annaturiol a bod yr iaith yn fawreddog. Cefnogant y syniad o ddefnyddio 'llyfrau dewis', hynny yw llyfrau lluniau a llyfrau stori sy'n cynrychioli llenyddiaeth plant dda. Yn eu barn hwy, mae llyfrau diddorol yn annog plant i ddarllen ac y bydd cymhelliant o'r fath yn arwain at lwyddiant. Mae beirniaid y dull 'llyfrau dewis' yn dweud bod plant yn colli'r strwythur cam-wrth-gam ac o bosibl yn mynd i ddewis llyfrau sydd y tu hwnt i'w gallu.

Mae'r mwyafrif o sefydliadau'n defnyddio cyfuniad o gynlluniau darllen a 'llyfrau dewis', gan addasu'r dull yn ôl yr hyn sy'n addas i blentyn unigol, ochr yn ochr â dewis yr athro.

Sut allwch chi helpu?

Mae darllenwyr cynnar angen llawer o ymarfer. Pan fyddwch yn gwrando ar blant yn darllen, gallwch eu helpu drwy:

- roi eich sylw iddynt

- dod o hyd i le gyda'r nifer lleiaf o bethau i dynnu sylw

- roi amser meddwl i'r plentyn

- eu helpu pan fo angen – weithiau bydd ychydig o anogaeth neu gliw, er enghraifft 'Beth yw'r sŵn 'na?', 'Beth sy'n digwydd yn y llun yna?' yn gallu helpu'r plentyn i symud ymlaen

- siarad am y llyfr a'u denu i siarad â chi – mae'n bosibl y bydd y plentyn yn colli ystyr y stori wrth ei ddarllen bob yn air

- monitro a chofnodi eu cynnydd – mae'n bosibl y byddwch wedi sylwi nad yw plentyn yn cael llawer o hwyl ar lyfr arbennig, felly awgrymwch rywbeth arall, gan y bydd gwahanol ddulliau yn addas ar gyfer gwahanol blant

- tynnu eu sylw at batrymau o fewn geiriau a seiniau

- bod yn bositif am eu cyflawniadau.

Mae'n bosibl hefyd y byddwch yn cymryd rhan mewn gwneud llyfrau arbennig i blant unigol. Fel rheol mae'r rhain yn cynnwys ffotograffau o'r plentyn gyda thestun syml amdanyn nhw eu hunain, eu teulu ac ati, wedi'u mowntio ar gerdyn a'u rhwymo. Mae'r rhain yn boblogaidd iawn ac yn aml, dyma'r llyfrau cyntaf y bydd plant yn eu darllen.

Cofiwch fod darllen yn sgìl cymhleth ac y bydd angen blynyddoedd, o bosibl, i'w ddysgu. Fel yn achos pob sgìl, bydd rhai plant yn dysgu ac yn cynyddu'n gyflym, ac eraill yn cael mwy o anhawster.

Astudiaeth achos ...

... llyfr i Ned

Yn 5 oed, roedd Ned yn ddarllenydd amharod iawn. Tra bod y mwyafrif o blant eraill ei ddosbarth yn symud ymlaen drwy lefelau cynnar y cynllun darllen, nid oedd Ned yn dangos diddordeb. Pan geisiodd Mair, y nyrs feithrin, ennyn ei ddiddordeb yn y llyfrau, dywedodd eu bod yn ddiflas ac ar gyfer babanod yn unig. Penderfynodd adael iddo wneud llyfr arbennig, iddo ef ei hun a neb arall. Am beth amser trafododd y ddau yr hyn yr hoffai ei wneud a'i hoff bethau. Tynnodd Mair rai ffotograffau o Ned a daeth o hyd i luniau o gylchgronau, yna gwnaeth lyfr gan ddefnyddio'r lluniau hyn a thestun syml am Ned ei hun a'i gyflwyno i Ned. Roedd Ned yn hapus iawn gyda'i lyfr a gweithiodd yn galed gyda Mair i ddarllen y tcstun. Gwnaeth Mair lyfr arall, y tro hwn am anifeiliaid anwes Ned. Ar ôl rhai wythnosau, dechreuodd ddangos diddordeb yn y llyfrau eraill o amgylch yr ystafell.

1. Pam fod Ned wedi gwrthod y llyfrau darllen, yn eich barn chi?

2. Pam fod yr hyn a wnaeth Mair yn llwyddiannus?

3. Pam ei bod hi'n bwysig i annog darllenwyr amharod yn gynnar?

4. Beth allech chi ei ddysgu o'r astudiaeth achos hwn?

Ysgrifennu

Mae plant yn dechrau ysgrifennu drwy wneud marciau. I oedolion gall hyn ymddangos fel sgriblo diystyr, ond i blentyn mae'n neges ffôn, llythyr at Santa, eu henw. Yn ystod eu blynyddoedd cynnar yn yr ysgol, mae plant angen dysgu rheolau a chonfensiynau ysgrifennu. Mae'n dod yn offeryn pwysig a ddefnyddir i gyfathrebu â hwy eu hunain ac â'r byd allanol.

Dyma'r confensiynau ysgrifennu y mae plant angen eu dysgu:

- *Ffurfio llythrennau* – mae plant angen gwybod sut i ffurfio llythrennau'n gywir ac yn gyson. Mae hyn yn golygu ble i ddechrau a ble i orffen ac mae'n gofyn llawer o ymarfer. Mae plant hefyd yn dysgu sut i adnabod teimlad llythyren wrth ei hysgrifennu. Mae olino yn yr awyr ac mewn tywod yn helpu i gyfnerthu hyn.

- *Cyfeiriadaeth* – yn Gymraeg (a nifer o ieithoedd eraill) mae hyn yn golygu ysgrifennu (a darllen) o'r chwith i'r dde ac o'r pen i'r gwaelod. Mae'n bosibl y bydd plant dwyieithog wedi profi iaith ysgrifenedig, er enghraifft Urdu neu Hebraeg, sydd wedi'i chyfeirio'n wahanol.

- *Gofodu* – mae grwpiau o lythrennau yn cyd-fynd gan ffurfio llythrennau ac mae gofodau yn gwahanu'r geiriau hyn. Mae angen ymarfer gofodu geiriau.

- *Sillafu* – mae angen i blant ddysgu bod ffordd safonol o sillafu geiriau. Fodd bynnag, bydd canolbwyntio gormod ar hyn ar y dechrau yn cyfyngu ar ysgrifennu plant.

- *Atalnodi* – enillir y sgìl hwn yn ddiweddarach, ond mae plant yn sylwi ar atalnodi yn gynnar wrth ddarllen ac yn dechrau ei ddefnyddio wrth ysgrifennu. Mae hefyd yn cynnwys defnydd priodol o lythrennau mawr a bach.

Nid yw ysgrifennu plant yn ymwneud â'r sgiliau technegol a restrir uchod yn unig, mae'n golygu cynnwys hefyd. Weithiau mae plant yn cael eu llethu gan y sgiliau technegol hyn ac mae hyn yn effeithio ar gynnwys eu hysgrifennu. Ni fydd plentyn sy'n cyfyngu ei hun i'r geiriau y mae'n gallu eu sillafu'n gywir neu sy'n ofni gwneud camgymeriad yn mwynhau ysgrifennu. Bydd yn dasg y bydd rhaid ei gorffen am fod oedolyn yn mynnu hynny. Bydd oedolyn sensitif yn gwylio cynnydd y plentyn ac yn cyflwyno'r angen am sillafu cywir ar yr adeg iawn, gan sicrhau bod y plentyn hwnnw yn cadw ei hyder yn ei allu i ysgrifennu.

Dysgu ysgrifennu

Dysgir ysgrifennu mewn amryw o wahanol ffyrdd. Bydd pob dull a ddefnyddir yn sicrhau bod y plentyn yn dysgu sut i ffurfio llythrennau'n gywir a datblygu arddull rhugl o ran llawysgrifen. Mae rhai ysgolion yn hoffi defnyddio dull lle mae'r plentyn yn ysgrifennu ar ei ben ei hun ac yna'n darllen yr ysgrifen yn ôl i'r oedolyn a fydd wedyn yn gweld rhywbeth y gellir ei drafod â'r plentyn. Gelwir y dull hwn yn **ysgrifennu datblygol** (neu ysgrifennu datblygiadol). Mae'n galluogi plant i fwrw ymlaen i ysgrifennu'r hyn y dymunant ei ysgrifennu heb aros nes bod oedolyn yn dangos iddynt y ffordd gywir o ysgrifennu gair. Mae beirniaid yn dweud ei bod hi'n anoddach sefydlu cywirdeb technegol os defnyddir y dull hwn. Mae ysgolion eraill yn pwysleisio cywirdeb yn gynnar, gan adael i blant ddibynnu ar oedolion ar gyfer sillafu cywir ar y dechrau, a datblygu ysgrifennu annibynnol yn ddiweddarach. Mae beirniaid y dull hwn yn honni bod plant yn mynd yn or-ddibynnol ar oedolion ac na fydd ganddynt yr hyder, o bosibl, i ymdrechu drostynt hwy eu hunain. Wrth gwrs, mae gan y ddau ddull fanteision a bydd y mwyafrif o ysgolion yn cyfaddawdu ac anelu am gydbwysedd, gyda'r bwriad o gynhyrchu llyfrau plant sy'n dangos annibyniaeth a hefyd cywirdeb.

---

term allweddol

Ysgrifennu datblygol

dull o ddysgu ysgrifennu sy'n annog plant i ysgrifennu'n annibynnol; fe'i gelwir hefyd yn ysgrifennu datblygiadol

---

Astudiaeth achos ...

... ysgrifennu datblygol

Roedd yr ystafell Dderbyn wedi bod yn gweithio ar destun bwystfilod bach, a olygai chwilio am fywyd gwyllt yng ngardd yr ysgol ac edrych yn fanwl ar yr anifeiliaid. Anogai'r ysgol ysgrifennu annibynnol drwy werthfawrogi ysgrifennu datblygol y plant. Wedi'r sesiwn yn yr ardd gyda'r microsgopau a'r blychau chwilod, anogwyd y plant i ysgrifennu am eu harsylwadau. Roedd Cadi wedi'i llwyrfeddiannu a threuliodd amser hir yn ysgrifennu. Ar ôl gorffen, darllenodd yr hyn a ysgrifennodd i'r athrawes.

Dyma'r hyn a ddarllenodd: 'Mae dannedd y falwoden ar ei dafod a dw i'n mynd i barti fory ac mae tafod y falwen yn gweithio fel crafell caws.'

Ysgrifennu datblygol Cadi

1. *At ba bwrpas yr oedd Cadi'n defnyddio ei hysgrifennu?*

2. *Beth a enillai o'r ymarfer hwn?*

3. *Beth oedd rôl yr athrawes yma?*

4. *Cyfeiriwch yn ôl at yr adran ar gonfensiynau ysgrifennu a welir uchod. Pa un o'r confensiynau a ddeallwyd gan Cadi?*

Sut allwch chi helpu?

- Eisteddwch gyda'r plant a helpwch hwy i ffurfio llythrennau'n gywir. Mae'n bosibl y bydd plant llawchwith angen help penodol.

- Byddwch yn rôl fodel da. Gadewch i blant eich gwylio'n gwneud nodiadau ar gyfer eich ffeil, llenwi cofrestr ac yn y blaen, fel eu bod yn gweld bod ysgrifennu'n rhan o fywyd bob dydd.

- Pan fyddwch yn ysgrifennu ar gyfer plant, gwnewch yn siŵr fod eich ysgrifennu'n glir, yn ddarllenadwy ac yn gywir. Os ydy plant yn mynd i gopïo'ch ysgrifen, gwnewch yn siŵr ei fod yn ddigon mawr.

- Siaradwch â phlant am eu hysgrifennu; defnyddiwch ef mewn arddangosfeydd. Gadewch iddynt wybod eich bod chi'n ei werthfawrogi.

- Rhowch amrywiaeth o dasgau ysgrifennu i'r plant, nid straeon yn unig. Gofynnwch iddynt wneud rhestrau siopa, cofnodi arbrofion, ysgrifennu llythyrau a gwahoddiadau.

- Dangoswch i blant y gellir cael hyd i ysgrifennu mewn nifer o wahanol fannau. Casglwch enghreifftiau – gadewch i'r plant gymryd rhan yn hyn – a gwnewch arddangosfa o gylchgronau, blychau grawnfwyd, tocynnau bws, labeli ac yn y blaen.

- Helpwch y plant i gyflwyno'u hysgrifennu mewn gwahanol ffyrdd, megis gwneud llyfrau, defnyddio prosesydd geiriau.

Gwirio'ch cynnydd

Beth yw ystyr y term llythrennedd? Pam ei bod hi'n bwysig bod plant yn dod yn llythrennog?

Pam ei bod hi'n bwysig bod plant yn deall pwrpasau darllen ac ysgrifennu?

Beth yw'r gwahaniaethau rhwng y dull ffonig a'r dull edrych a dweud o ddysgu darllen?

Pam ei bod hi'n bwysig bod plant yn dysgu confensiynau ysgrifennu?

Beth yw ysgrifennu datblygol?

Llyfrau plant

Mae llyfrau'n rhan bwysig ac annatod o gwricwlwm y blynyddoedd cynnar. Fe'u ceir ym mhob meithrinfa ac ystafell ddosbarth. Mae darllen ac amser stori yn rhan o bob dydd. Mae gan rai plant lyfrau yn eu cartrefi hefyd, ac yn darllen gyda rhieni a gofalwyr. Mae'r profiad cynnar hwn yn bwysig iawn o ran sefydlu agweddau positif tuag at lyfrau a darllen.

PAM FOD LLYFRAU'N BWYSIG?

Mae llyfrau a straeon yn rhan bwysig o ddatblygiad plant. Isod amlinellir rhai o'r prif sgiliau y gellir eu datblygu a'u meithrin. Gellir cyflwyno llyfrau a straeon i blant ifanc iawn. Er na fydd y plentyn o bosibl yn deall y stori'n llawn, mae amser tawel, agos yn darllen gyda'r rhiant neu ofalwr yn ffurfio cysylltiad positif â'r plentyn. Mae hyn yn ei dro yn helpu i sefydlu arferiad o ddarllen a gwrando ar straeon sy'n fanteisiol i'r plentyn mewn sawl ffordd.

Datblygiad iaith

Dysgir iaith: mwya'n y byd y bydd plentyn yn dod ar draws gwahanol batrymau mewn iaith, mwyaf cyfoethog y mae ei iaith ei hun yn debygol o fod. Ar y dechrau bydd yr iaith yn fynegiannol (llafar), ond yn ddiweddarach bydd yn iaith ddarllenedig ac ysgrifenedig. Mae gwrando ar straeon a siarad am lyfrau yn galluogi plant ifainc i wrando ac ymateb i sŵn a rhythm iaith lafar. Mae hyn yn bwysig i ddatblygiad iaith ar bob lefel. Ar y dechrau, bydd angen i blant adnabod y seiniau a'r rhythmau sy'n digwydd yn eu hiaith; ar ôl sefydlu hyn bydd angen iddynt ymarfer a gwellau eu defnydd o iaith lafar.

Mae gwrando ar straeon yn gallu ymestyn geirfa plentyn hefyd. Cyn belled bod y rhan fwyaf o iaith y testun yn gyfarwydd i'r plentyn, gellir cyflwyno iaith newydd, llawn dychymyg. Bydd y plentyn yn dechrau deall y geiriau newydd hyn yn ôl eu cyd-destun, hynny yw, y defnydd a wneir ohonynt a'u cysylltiad â'r stori a'r lluniau.

Mae profiad gyda llyfrau ac adrodd stori hefyd yn rhan bwysig o ddealltwriaeth gynnar plant o symbolau. Mae plentyn sy'n ymwneud â llyfrau yn dechrau deall bod y sgwigls ar y tudalen yn cynrychioli lleferydd. Mae hwn yn sgìl hanfodol o ran datblygiad darllen ac ysgrifennu.

Datblygiad emosiynol

Mae llyfrau a straeon yn bleserus. Maent yn rhoi cyfle i blant brofi ystod o emosiynau positif. Maent yn cynnig byd sy'n gyfoeth o ddychymyg a all roi llawer o bleser i blentyn a thrwy uniaethu gyda'r cymeriadau a'r stori gall plant ddatblygu ac ymarfer eu hymatebion eu hunain i ddigwyddiadau a phrofi sefyllfaoedd a theimladau sydd y tu hwnt i'w profiadau eu hunain o fywyd. Gellir gwneud hyn mewn amgylchedd diogel lle bydd gan y plentyn elfen o reolaeth dros ddigwyddiadau.

Datblygiad gwybyddol

Os dewisir hwy yn ofalus, gall llyfrau fod yn ysgogiad pwerus i ddychymyg plentyn. Gallant annog meddyliau a syniadau diddorol a chyffrous. Mae datblygu dychymyg yn rhan bwysig o fod yn greadigol. Mae meddyliau a syniadau creadigol yn rhan bwysig o ansawdd bywyd ac yn angenrheidiol at ddatblygiad cymdeithas.

Gall llyfrau hefyd gyflwyno plant i ystod eang o gysyniadau. Bydd ailadrodd a chyd-destunau amrywiol yn galluogi plant i ddatblygu eu dealltwriaeth o'u byd. Mae gwrando ar straeon, cofio a dilyniannu'r digwyddiadau hefyd yn ddulliau defnyddiol o ymestyn gallu plentyn ifanc i ganolbwyntio a chofio.

Datblygiad cymdeithasol

Mae llyfrau a straeon yn fwy na chyflwyniad o ddilyniant digwyddiadau yn unig; maent yn cynnwys ystod o negeseuon am y ffordd mae cymdeithas yn gweithredu. Mae hyn yn cynnwys patrymau ymddygiad derbyniol, disgwyliadau grwpiau o fewn y gymdeithas a chodau moesol yn ymwneud â'r hyn sy'n gywir a'r hyn sy'n anghywir. Mae plant yn gweld y negeseuon hyn. Mae'n hanfodol, felly, bod llyfrau plant ifainc yn portreadu golwg positif ar gymdeithas a'r bobl o fewn y gymdeithas honno. Mae'r golwg positif hwn ar y byd yn helpu plant ifainc i ddatblygu rhagolwg cytbwys ac adeiladol ar fywyd.

Mae amser stori grŵp a rhannu llyfrau yn cyfrannu at ddatblygiad sgiliau cymdeithasol rhannu, cymryd tro a chydweithredu ag eraill. Mae plant yn dechrau dysgu bod rhaid iddynt ystyried anghenion a dymuniadau pobl eraill. Mae amser stori hefyd yn rhoi cyfle i blant ac oedolion adeiladu a chynnal perthnasau. Os darperir amgylchedd clyd a chysurus bydd y plant a'r oedolion sy'n cymryd rhan yn profi teimlad o agosatrwydd.

Mae rhannu llyfrau yn cyfrannu at ddatblygiad sgiliau cymdeithasol

DEWIS LLYFRAU PLANT

Mae'n bwysig bod llyfrau plant yn cael eu dewis yn ofalus. Mae gan blant wahanol anghenion a diddordebau ar wahanol gamau datblygiad. Bydd y plentyn yn elwa fwyaf os dewisir llyfr sy'n ateb ei anghenion. Mae plant yn unigolion a bydd ganddynt wahanol anghenion, hoffterau a chas bethau. Rhaid cymryd hyn i ystyriaeth. Fodd bynnag, mae rhai pwyntiau cyffredinol y dylid eu hystyried wrth ddewis llyfr ar gyfer plentyn ifanc a rhestrir y rhain isod.

CYNLLUNIO AMSER STORI

Mae angen cynllunio amser stori yr un mor ofalus â phob gweithgaredd arall. Dylid ystyried y pwyntiau canlynol wrth adrodd unrhyw stori, boed hynny'n un-i-un, neu mewn grŵp bach neu fawr:

- Dewiswch lyfr sy'n briodol i'r plentyn/plant sy'n cymryd rhan, gan ystyried eu diddordebau ac am faint o amser y gallant ganolbwyntio.
- Gadewch i'r plentyn weld y tudalennau wrth ddarllen y stori.
- Pwyntiwch at y geiriau wrth eu darllen, gan ddangos eich bod eich llygad yn symud o'r chwith i'r dde a nodi geiriau unigol wrth i chi eu hadrodd. Bydd hyn yn helpu plant i ddatblygu darllen clywedol a sgiliau ysgrifennu.
- Adroddwch y stori gyda brwdfrydedd, gan ddangos eich bod chi'n ei fwynhau.
- Siaradwch am y llyfr wedi i chi ei ddarllen, gan ddilyn hyn â chaneuon ac odlau sy'n cysylltu â'r pwnc.

Pan fyddwch yn adrodd stori wrth grŵp o blant, bydd angen i chi feddwl am:

- *yr ardal* – dylai fod yn glyd, yn dawel, yn gynnes ac yn gysurus
- *strwythur y sesiwn* – cyflwyniad, stori, pynciau a chwestiynau trafodaeth, odlau neu ganeuon sy'n briodol i'r stori, lle bo hynny'n bosibl
- *cyfarpar gweledol* – bydd bwrdd stori, pypedau ac ategion eraill yn annog cyfranogiad a dealltwriaeth. Mae **sachau stori**, sy'n cynnwys pypedau, gemau

term allweddol

Sach stori
cymorth i adrodd stori, yn cynnwys pypedau, gemau a gweithgareddau eraill neu weithgareddau eraill a gysylltir â'r stori

Mae llyfrau yn ffordd bwerus o ddylanwadu ar safbwyntiau plant am y gymdeithas y maent yn rhan ohoni. Rhaid i lyfrau plant, felly, adlewyrchu delweddau positif o bob rhan o gymdeithas, yn eu testun ac yn eu darluniau

0–3 OED

- Mae llyfrau lluniau yn briodol ar gyfer yr ystod oedran hon, yn enwedig i blant dan 1 oed.
- Ni ddylai'r llyfr cynnwys llawer o destun, yn enwedig yn achos plant 0-1 oed.
- Dylai'r lluniau gynnwys lliwiau llachar a siapiau cryf.
- Nid oes angen i'r lluniau gynnwys manylion. Rhaid iddynt fod yn syml fel y gellir eu hadnabod yn rhwydd – gan bwysleisio'r nodweddion amlycaf.
- Mae plant yn mwynhau themâu cyfarwydd, er enghraifft teuluoedd, anifeiliaid.
- Gellir cynyddu cymhlethdod lluniau a thestun ar gyfer plant 2+ oed.
- Mae cyd-destun amser stori yr un mor bwysig â'r llyfr ei hun; mae'r amser clyd ac agos yn peri i blant gysylltu llyfrau a darllen â phethau positif.

3–5 OED

- Mae ailadrodd yn bwysig – er mwyn datblygu iaith a mwynhau sŵn a rhythm iaith.
- Rhaid i lyfrau fod yn weddol fyr, i gyd-fynd â gallu plant i ganolbwyntio.
- Rhaid i lyfrau gynnwys dim ond ychydig o destun a digon o luniau sy'n ymwneud â'r testun.
- Mae gwrthrychau a digwyddiadau bob dydd yn themâu poblogaidd o hyd.

5–7 OED

- Mae stori a lleoliad clir yn bwysig.
- Dylid adlewyrchu diddordebau, profiadau a dychymyg ehangach plant yn y themâu.
- Gellir datblygu'r cymeriadau drwy gyfrwng y stori.
- Gall iaith fod yn gyfoethocach – chwarae gydag odl a rhythm, cyflwyno geirfa newydd ac ailadrodd er mwyn creu effaith ddramatig.

3–7 OED

- Dylai fod darluniau'n gryf, yn llachar ac yn dal y llygad, ond gallant gynnwys mwy o fanylion gyda chynnwys sy'n fwy ystyrlon nag adnabyddiaeth yn unig.
- Mae straeon wedi'u dilyniannu yn dod yn boblogaidd – gyda dechrau, canol a diwedd.
- Rhaid i'r stori fod yn rhwydd ei dilyn, gyda nifer cyfyngedig o gymeriadau.
- Mae ailadrodd yn bwysig fel y gall y darllenwr neu'r gwrandäwr gymryd rhan yn y testun.
- Mae gwrthrychau animeiddiedig yn boblogaidd – mae plant yn gallu cymryd rhan mewn ffantasi yn rhwydd.
- Mae plant yn mwynhau hiwmor mewn straeon, ond mae angen i'r hiwmor fod yn amlwg, ac nid yn fwyseiriau neu'n wawd.

Canllawiau ar gyfer dewis llyfrau i blant ifanc

a gweithgareddau eraill a gysylltir â stori benodol, yn arbennig o effeithiol

- *Rheoli ymddygiad* – sut fyddwch chi'n rheoli'r ymddygiad er mwyn sicrhau'r nifer lleiaf o ymyriadau a sicrhau bod pob plentyn yn gallu cymryd rhan yn y sesiwn?

Gwirio'ch cynnydd

Pam ei bod hi'n bwysig i gyflwyno llyfrau a straeon i blant ifanc?

Sut gall llyfrau ac adrodd straeon gyfrannu at ddatblygiad cyffredinol plant?

Sut gall llyfrau a straeon ddylanwadu ar olwg plant ar eu cymdeithas?

Pa feini prawf y dylid eu defnyddio wrth ddewis llyfrau y gallwch eu defnyddio gyda phlant?

Pam ddylai ardal lle adroddir stori fod yn glyd, yn dawel, yn gynnes ac yn gyffyrddus?

Beth yw manteision defnyddio cyfarpar gweledol wrth adrodd stori?

Datblygu mathemateg

Yn ystod y blynyddoedd cynnar, dylid cyflwyno mathemateg drwy gyfrwng gweithgareddau ymarferol sy'n berthnasol ac yn ddealladwy i'r plant. Mae plant sy'n 'gwneud' mathemateg drwy brofiadau uniongyrchol yn fwy tebygol o ennill hyder yn y pwnc a'i ddeall. Bydd llawer o'r hyn mae plant yn ei brofi wrth wneud gweithgareddau'n cynnwys rhywfaint o fathemateg. Gall hyn gynnwys rhywbeth a gynlluniwyd, er enghraifft mesur blodau haul i weld pa un yw'r talaf, neu rywbeth na chynlluniwyd, er enghraifft rhannu teisen pen blwydd. Bydd angen i'r gweithiwr gofal plant fod yn ymwybodol o botensial mathemategol pob sefyllfa, a bod yn barod i ymestyn a datblygu hynny drwy ryngweithio â'r plant.

Cofiwch fod llawer o oedolion yn teimlo'n nerfus ynglŷn â mathemateg, gan gofio, o bosibl, profiadau negyddol o'u cyfnod yn yr ysgol. Mae'n bwysig nad ydy'r plant yn ymwybodol o'r agwedd negyddol hon.

Mewn dosbarthiadau Derbyn, bydd plant yn cael eu cyflwyno i'r strategaeth Rhifedd Cenedlaethol, gan adeiladu tuag at y wers lawn a geir bob dydd ym mlwyddyn 1. Mae'n bwysig creu sylfaen cadarn yn gynnar wrth ddysgu mathemateg i blant gan eu helpu i ddatblygu dealltwriaeth drwy brofiadau ymarferol cyn bod angen cyfrif mewn ffordd fwy haniaethol.

BETH YW MATHEMATEG?

Mae mathemateg o'n hamgylch ym mhob man ac mae plant yn profi llawer o fathemateg yn eu bywydau bob dydd cyn dechrau dysgu mathemateg yn ffurfiol.

Mae mathemateg yn llawer mwy na ffigurau a fformiwlâu yn unig.

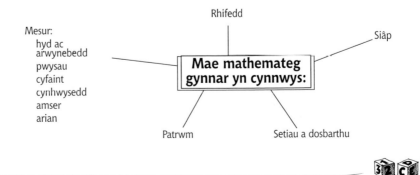

1. Codi. Ydy hi'n dywyll o hyd? (Amser; dod i gasgliadau rhesymegol)

2. Gwisgo; gwisgo dillad yn y drefn iawn. Ydy'r sanau hyn yn bâr? (Dosbarthu, dilyniannu, matsio)

3. Cael brecwast; rhoi creision ŷd mewn bowlen a sudd mewn cwpan. Wps! Paid â'i golli dros y bwrdd! (Amcangyfrif maint, cyfaint)

4. Siopa. Faint o orennau? Pecyn mawr neu becyn bach? Faint mae'n costio? (Cyfrif, maint, arian)

5. Dadbacio'r bagiau. Ble fydd y bocsys hyn yn mynd? Beth sy'n mynd yn yr oergell? (dosbarthu, siâp, maint)

6. Gosod y bwrdd. Faint o bobl? A oes digon o blatiau? Faint o amser sydd cyn bwyta? (matsio, cyfrif, amser)

7. Mynd am dro. Pa mor bell ydy e? Ydw i wedi gweld mwy o fysiau neu fwy o loriau? Faint o hwyaid sydd ar y pwll? (Amcangyfrif, cymharu, cyfrif)

8. Amser gwely. Ga' i un stori arall? Ga' i'r tedi mawr a'r tedi bach. Faint o amser sydd tan y bore? (Rhif, maint, amser)

Mae diwrnod mathemategol Mari'n dangos sut mae mathemateg yn rhan o brofiadau bob dydd plant

Rhifedd

Mae rhifedd yn cynnwys cyfrif, amcangyfrif, cofnodi rhifau a phedair rheol rhif – adio, tynnu, lluosi a rhannu – ac yn ddiweddarach, dealltwriaeth o ffracsiynau a degolion.

- *Gweithgareddau* – cymryd pob cyfle i gyfrif, er enghraifft plant yn y dosbarth, cotiau ar begiau, poteli yn y cawell; matsio pethau, plant a chadeiriau, soseri a chwpanau; cysylltu symbolau rhif â grwpiau o wrthrychau; torri afalau'n haneri a chwarteri a'u rhannu; defnyddio gwrthrychau go iawn ar gyfer adio, tynnu a rhannu. Wrth ddatblygu dealltwriaeth o rif, bydd plant yn dechrau adnabod rhifolion a defnyddio symbolau i gofnodi eu gwaith.

Siâp

Mae plant angen adnabod siapiau dau-ddimensiwn a thri-dimensiwn. Mae angen iddynt ddysgu am briodoleddau siapiau, er enghraifft bod silindrau yn rholio, bod gan giwbiau onglau sgwâr, sut maent yn ffitio gyda'i gilydd a'r gofod a ddefnyddir ganddynt.

- *Gweithgareddau* – adnabod siapiau yn yr amgylchedd; tynnu llinell o amgylch siapiau; dosbarthu jync a'i ddefnyddio i fodelu; defnyddio playdough a chlai i wneud siapiau; adeiladu gyda brics.

Setiau a dosbarthu

Mae plant angen trefnu gwrthrychau'n setiau ac esbonio pam eu bod yn perthyn yno. Mae hyn yn cyfrannu at ddatblygiad eu galluoedd i resymu.

- *Gweithgareddau* – dosbarthu drwy ddefnyddio offer dosbarthu strwythuredig a chasgliadau o gregyn, gleiniau ac yn y blaen; dosbarthu yn ôl lliw, siâp, priodoleddau mwy cymhleth, er enghraifft, gwneud set o anifeiliaid sy'n byw ar ffermydd. Bydd plant hŷn yn dechrau cofnodi eu darganfyddiadau gan ddefnyddio diagramau a dulliau eraill.

Patrwm

Mae patrwm yn digwydd o fewn rhif a siâp. Mae hwn yn gysyniad mathemategol pwysig sy'n creu sylfaen ar gyfer algebra. Mae ei gysondeb a'r ffaith y gellir ei ragweld yn nodweddion hanfodol o batrwm.

- *Gweithgareddau* – chwilio am batrymau yn yr amgylchedd, er enghraifft mewn waliau brics, ar deils llawr, ar ffabrigau a hefyd ym myd natur, yn y patrymau ar groen anifeiliaid ac mewn planhigion; gwneud patrymau drwy ddefnyddio gleiniau, brics a deunyddiau eraill gan gynnwys peintio, printio a gludwaith; copïo ac ymestyn patrymau gyda brics, gleiniau a byrddau peg a hefyd drwy ddefnyddio meddalwedd gyfrifiadurol.

Arian

Fel rhifedd, ond hefyd bydd plant yn dod yn gyfarwydd â darnau arian ac yn deall am gywerthedd, hynny yw y gall gwerth un darn arian fod yr un fath, efallai, â deg darn arian arall.

- *Gweithgareddau* – gwneud siopau yn yr ystafell ddosbarth a phrynu a gwerthu; cyfrif arian go iawn, er enghraifft arian llaeth neu daith ysgol; delio ag arian chwarae a dosbarthu darnau arian; llunio casgliadau o dagiau pris, derbynebau, ac yn y blaen.

Amser

Mae plant angen deall bod modd mesur amser a dod yn gyfarwydd â'n dull o wneud hyn. Erbyn cyrraedd 7 oed, rydym yn disgwyl y bydd plentyn yn gallu darllen yr amser o wynebau cloc analog a digidol. Yn ogystal, dylent allu rhannu digwyddiadau rhwng y gorffennol, presennol a'r dyfodol.

● *Gweithgareddau* – siarad ar drefnau dyddiol; llenwi calendrau sy'n dangos y dyddiau; defnyddio amseryddion o bob math i fesur, er enghraifft, nifer y neidiau a gyflawnir mewn munud, ac yn y blaen; defnyddio wynebau cloc symudol. Mae straeon megis *Rhiain Gwsg* yn ymwneud ag amser yn pasio a gallant helpu plant i ddeall y cysyniad hwnt.

Pwysau

Mae'n bwysig bod plant yn gallu defnyddio mesurau ansafonol (mae llyfr yn pwyso cymaint â thri afal) a safonol (gramau a chilogramau, pwysi ac ownsys). Mae angen iddynt allu defnyddio cysyniad cywerthedd (pwysau cyfartal) ac i allu gwneud cymariaethau a seiliwyd ar bwysau.

● *Gweithgareddau* – profiad ymarferol yn ymwneud â dal pethau a siarad am *trwm* ac *ysgafn*, yna *trymach na, ysgafnach na*; gweithgareddau coginio yn defnyddio mesurau ansafonol (cwpanau, llwyau) neu safonol; defnyddio tafolau pwyso i bwyso gan ddefnyddio mesurau ansafonol ac yna safonol (mae tafolau pwyso'n dangos cywerthedd yn glir i'r plant); ymchwilio i fathau eraill o dafolion.

Hyd ac arwynebedd

Mae angen i blant allu amcangyfrif a mesur hyd ac arwynebedd gan ddefnyddio mesurau ansafonol yn ogystal â mesurau safonol. Dylent allu dewis yr uned mesur fwyaf priodol ar gyfer y dasg.

● *Gweithgareddau* – defnyddio rhychwantau llaw, camau, pensiliau i fesur; mesur gan ddefnyddio mesurau safonol, prennau mesur, tapiau, olwynion mesur; mesur uchder a gwneud siartiau – pwy yw'r talaf?, pwy yw'r byrraf? – rhoi mewn trefn, y byrraf hyd y talaf, y talaf hyd y byrraf; tynnu llinell o amgylch dwylo, traed, plant ar bapur sgwariau a chyfrif y sgwariau; gorchuddio modelau bocs â phapur ac amcangyfrif faint sydd ei angen.

Gofynnwch i'r plant fesur a chymharu taldra

Astudiaeth achos ...

... mesur y buarth chwarae

Roedd plant y feithrinfa wedi bod yn trafod mesur. Roeddent wedi cyflawni nifer o weithgareddau mesur, gan ddefnyddio rhychwantau llaw, camau, pensiliau, brics a choncyrs. Roedd grŵp o blant hŷn yn awyddus i fesur y buarth chwarae. Ar ôl trafod am beth amser, cytunwyd i ddefnyddio pensiliau fel unedau mesur, gan osod nifer o bensiliau ben-wrth-ben. Cyn bo hir, aeth y dasg yn ormod iddynt a rhoddwyd y gorau iddi. Yn ystod amser grŵp yn ddiweddarach y bore hwnnw aethant ati i drafod eu problemau, a chyda chymorth y nyrs feithrin, penderfynwyd defnyddio dulliau eraill o gyflawni'r dasg yn y prynhawn.

1. *Pam fod y dasg yn un mor anodd i'r plant?*

2. *Beth fyddech chi wedi ei awgrymu er mwyn eu helpu?*

3. *Beth ddysgodd y plant o'r ymgais aflwyddiannus hon?*

Cynhwysedd a chyfaint

Mae hwn yn gysyniad anodd i'r plant ei ddeall. Mae angen iddynt ddeall y gellir defnyddio mesurau ansafonol yn ogystal â mesurau safonol i fesur cynhwysedd a chyfaint. Mae angen iddynt allu cymharu cynwysyddion o wahanol feintiau a siapiau ac i wneud cymariaethau o ran eu cynhwysedd.

- *Gweithgareddau* – llenwi bwcedi, biceri, cynwysyddion gyda thywod a dŵr. Gosod problemau – sawl cwpan sydd ei angen i lenwi bwced? Defnyddio mesurau safonol i gymharu cynhwysedd cynwysyddion eraill; cwestiynau 'bywyd go iawn' – sawl bicer y gellir eu llenwi o botel ddiod?

Sut allwn ni ffitio i mewn i'r bocs yma?

Sut allwch chi helpu?

- Anogwch ac esboniwch. Mae llawer o blant yn cymryd amser i ddeall syniadau amser.

- Siaradwch â'r plant am eu gwaith. Cyflwynwch iaith fathemategol, mwy na, llai na, ac yn y blaen. Rhowch yr enwau cywir i siapiau.

- Defnyddiwch brofiadau bob dydd i gyfnerthu dysg fathemategol, er enghraifft cyfrif grisiau, rhannu bisgedi, gosod y bwrdd.

- Byddwch yn ymwybodol o botensial mathemategol gweithgareddau a phrofiadau a datblygwch ddealltwriaeth y plant.

- Arsylwch ar gynnydd unigolion a defnyddiwch hwn i gynllunio'r cam nesaf.

Gwirio'ch cynnydd

Sut ddylid dysgu mathemateg ar y dechrau?

Beth yw elfennau mathemateg gynnar?

Pam ei bod hi'n hanfodol i hyrwyddo agweddau positif tuag at fathemateg yn ystod y blynyddoedd cynnar?

Sut gall yr oedolyn hyrwyddo datblygiad mathemategol plant?

Gwyddoniaeth a thechnoleg

Wrth natur, mae plant yn chwilfrydig amdanynt hwy eu hunain a'r byd o'u hamgylch. Bydd darpariaeth blynyddoedd cynnar dda yn defnyddio'r chwilfrydedd hwn, gan greu'r sylfaen ar gyfer dealltwriaeth wyddonol plant. Mae gwyddoniaeth a thechnoleg yn agweddau ar raglen ddysgu 'Gwybodaeth a dealltwriaeth o'r byd' yn y Canlyniadau Dymunol ac mae ganddynt raglenni astudiaeth ar wahân yng Nghyfnod Allweddol Un o'r Cwricwlwm Cenedlaethol.

BETH YW GWYDDONIAETH?

Mae nifer o sefyllfaoedd lle gall y plentyn ifanc fod yn wyddonydd. Dyma rai enghreifftiau:

- *y byd naturiol* – gofalu am blanhigion ac anifeiliaid, edrych ar y tymhorau, gofalu am yr amgylchedd, cylchoedd bywyd, gwaith ar dyfiant, ni ein hunain

- *defnyddiau naturiol* – darganfod priodweddau dŵr, pren, clai, tywod, aer ac yn y blaen

- *defnyddiau creadigol* – adnabod y wyddoniaeth o fewn peintio, gludwaith (*collage*), modelu jync, cerddoriaeth

- *y byd materol* – defnyddio magnet a batris, defnyddiol lensys a drychau i archwilio golau a lliw, edrych ar symudiad a grymoedd

- *cemeg* – cyfuno sylweddau, gwylio newidiadau, er enghraifft coginio.

Ni ddysgir gwyddoniaeth ar wahân i bynciau eraill. Yn ystod y blynyddoedd cyn ysgol, mae'n rhan annatod o lawer o'r gweithgareddau a ddarperir yn gyson, megis chwarae yn yr awyr agored, adeiladu, tywod, dŵr, paent. Yn yr ysgol, datblygir themâu gwyddonol drwy gyfrwng gwaith topig.

Sut allwch chi helpu?

Mae rôl yr oedolyn o ran hyrwyddo cynnydd dealltwriaeth gwyddonol plant yn hanfodol. Eu rôl yw:

- darparu amgylchedd cyfoethog ac ysgogol ar gyfer y plant

- rhyngweithio a holi'r plant, gan eu hannog i feddwl, gofyn cwestiynau a datrys problemau drostynt hwy eu hunain

- helpu plant i benderfynu ar ddulliau o roi cynnig ar eu syniadau, gan gynnwys dulliau o gynllunio prawf teg

- helpu plant i roi trefn ar eu dealltwriaeth o'r hyn sydd wedi digwydd, hynny yw dod i gasgliadau a ffurfio cysyniadau

- annog plant i gofnodi'u canfyddiadau gan ddefnyddio dulliau amrywiol sy'n cynnwys siarad, lluniadu, gwneud tablau, ysgrifennu

- monitro cynnydd plant a rhoi cyfleoedd ar gyfer dysgu pellach.

Astudiaeth achos ...

... plannu hadau

Roedd dosbarth blwyddyn 1 yn mynd i blannu hadau ffa fel rhan o'u gwaith ar destun tyfu. Casglodd Sioned, y nyrs feithrin, grŵp bach o blant at ei gilydd i siarad am yr hyn yr oeddent yn bwriadu ei wneud. Roedd hi'n awyddus i'r plant ddeall bod pethau byw yn tyfu dim ond os derbynient y gofal yr oedd ei angen arnynt.

Edrychodd y plant ar yr hadau'n ofalus, gan ddefnyddio chwyddwydrau. Anogwyd y plant i'w disgrifio, a dywedodd rhai eu bod yn galed ac yn sgleiniog. Siaradodd y plant am yr hyn y byddent yn ei wneud i'w helpu i dyfu. Roedd rhai o'r plant wedi tyfu pethau yn eu cartref ac yn awyddus iawn i roi awgrymiadau. Roedd pawb yn cytuno bod rhaid i'r ffa gael pridd a dŵr i dyfu, ond ni allant benderfynu a oedd angen lle cynnes neu le cymharol oer ac a ddylai fod yn olau neu'n dywyll. Yn y diwedd, penderfynwyd rhoi cynnig ar sawl lle. Byddent yn plannu'r hadau i gyd mewn pridd a'u cadw'n llaith, ond byddai un pot yn mynd yn yr oergell (oer a thywyll), un yn y cwpwrdd (cynnes a thywyll), un arall ar y sil ffenestr (cynnes a golau) a'r un olaf yn yr awyr agored (oer a golau). Nodwyd dyddiad y plannu ar y calendr ac edrychwyd arnynt yn fanwl bob wythnos ar yr un diwrnod. Cofnodwyd cynnydd yr hedyn drwy ei luniadu ar y pot cywir ar y daflen cynnydd wythnosol.

Ar ôl tair wythnos, casglodd Sioned y grŵp at ei gilydd a gofyn iddynt edrych ar yr hadau yn y potiau a phenderfynu pa rai oedd wedi tyfu orau. O'r profiad hwn, gallent benderfynu pa amgylchiadau oedd orau ar gyfer tyfu hadau. Cofnodwyd eu penderfyniad ar y daflen cynnydd derfynol a defnyddiwyd camera'r ysgol i gofnodi'r 'dystiolaeth'.

1. Beth wnaeth y plant ei ddysgu am egwyddorion ymchwiliad gwyddonol o'r gweithgaredd hwn?

2. Pam ei bod hi'n bwysig bod y plant yn gallu rhoi eu syniadau eu hunain am dyfu ar waith?

3. Sut ddatblygwyd sgiliau arsylwadol y plant yma?

4. Sut wnaeth yr oedolyn gefnogi dysgu'r plant yn ystod y gweithgaredd hwn?

5. Meddyliwch am weithgareddau eraill a fyddai'n annog plant i ddatblygu sgiliau gwyddonol.

TECHNOLEG A TGCH

Mae cysylltiad agos rhwng technoleg ar gyfer blynyddoedd cynnar a gwyddoniaeth. Mae'n ymwneud â defnyddio offer a defnyddiau mewn projectau ymarferol. Mae plant angen cyfleoedd i gynllunio a dylunio, yn ogystal â gwneud. Wrth i'w profiad gynyddu, bydd eu dyluniadau yn mynd yn fwy cymhleth. Yn y maes dysgu hwn, rôl yr oedolyn yw sicrhau bod ystod o ddefnyddiau ar gael i'r plant a'u hannog i gwblhau a gwerthuso eu projectau. Bydd hyn yn cynnwys dysgu ac ymarfer technegau megis torri, cysylltu pethau a gwnïo, yn ogystal ag annog y plant gyda'u projectau.

Dylid sicrhau bod technoleg ar gael i'r plant ei defnyddio ar gyfer eu dysgu ar draws y cwricwlwm. Bydd ganddynt fynediad i ystod o offer, er enghraifft, recordwyr casét, camerâu, allweddellau electronig, setiau teledu a recordwyr fideo.

Bellach mae technoleg gwybodaeth a chyfathrebu (TGCh), sy'n cynnwys defnyddio cyfrifiaduron, yn rhan fawr o'r cwricwlwm blynyddoedd cynnar. Bydd plant yn dod yn gyfarwydd â defnyddio offer a gweithio gyda rhaglenni meddalwedd a gynlluniwyd yn arbennig at ateb eu hanghenion dysgu. Yn ein hoes electronig ni, disgwylir i blant gyfarwyddo â thechnoleg gwybodaeth a chyfathrebu, a'i defnyddio i gefnogi eu dysgu ar draws pob maes cwricwlwm.

Gwirio'ch cynnydd

Pa fath o weithgareddau fydd yn galluogi plant i ddatblygu dealltwriaeth wyddonol?

Beth yw rôl oedolyn o ran hyrwyddo dealltwriaeth wyddonol plant?

Pam ei bod hi'n bwysig annog plant i ofyn cwestiynau?

Beth yw rôl yr oedolyn o ran gofyn ac ateb cwestiynau?

Ym mha ffyrdd y gall plant gofnodi eu hymchwiliadau a'u darganfyddiadau?

Beth yw cynnwys technoleg blynyddoedd cynnar?

Sut gall plant ddefnyddio technoleg gwybodaeth a chyfathrebu i gefnogi eu dysgu ar draws y cwricwlwm? Rhowch enghreifftiau.

Hanes a daearyddiaeth

Bydd hanes a daearyddiaeth yn rhan o unrhyw ddull thematig o ddysgu'r cwricwlwm blynyddoedd cynnar. Mae rhaglenni astudiaeth Cwricwlwm Cenedlaethol yn bodoli ar gyfer hanes a daearyddiaeth yng Nghyfnod Allweddol Un. Ym meini prawf y Canlyniadau Dymunol, mae'r pynciau hyn yn rhan o raglen 'Gwybodaeth a dealltwriaeth o'r byd'.

HANES

Nid yw cysyniad amser yn un hawdd i blant ifainc ei ddeall. Gall 'amser maith yn ôl' olygu wythnos ddiwethaf neu flynyddoedd yn ôl i blentyn bach. Fodd bynnag, dyma rai dulliau o helpu plant i roi ystyr i'r cysyniad:

● Trefnu a dilyniannu digwyddiadau yn eu bywydau eu hunain, er enghraifft edrych ar ffotograffau ohonynt hwy eu hunain fel babanod a phlant bach a'u cymharu â heddiw.

- Gall gwneud cymariaethau rhwng 'bryd hynny' a 'nawr' fod yn llwyddiannus iawn, yn enwedig os bydd plant yn cael y cyfle i afael mewn gwrthrychau o'r gorffennol a'u cymharu'n uniongyrchol â heddiw, er enghraifft, cymharu'r twb doli â pheiriant golchi awtomatig.

- Mae llawer o amgueddfeydd yn cynnal rhaglenni rhagorol sy'n helpu plentyn i brofi sefyllfaoedd fel bod mewn dosbarth Fictoraidd, gan wisgo dillad a chyflawni tasgau.

- Mae gofyn i bobl hŷn siarad â'r plant am y gorffennol yn gallu bod yn werthfawr. Gall plant holi eu rhieni a'u mam-guod a'u tad-cuod eu hunain am fewnwelediadau i'r gorffennol agos.

- Mae hen bapurau newydd a ffotograffau yn gallu cynnig mannau cychwyn da. Gall plant chwilio am gliwiau a rhoi'r lluniau mewn trefn gronolegol.

Astudiaeth achos ...

... teganau ddoe a heddiw

'Teganau' oedd pwnc y tymor yn y feithrinfa. Roedd y plant wedi bod yn edrych ar eu teganau eu hunain gan ymchwilio i'r hyn y gwnaed y teganau ohono a'r hyn y gallant ei wneud â'r teganau. I ddatblygu'r pwnc ymhellach, daeth yr athrawes feithrin â'i theganau hi ei hun i mewn o 20 mlynedd yn ôl a gofynnodd i rieni a mam-guod a thad-cuod y plant a oedd ganddynt deganau y gellid eu benthyg. Edrychwyd yn fanwl ar y teganau, a sylwodd y plant pa mor wahanol oedd y teganau hyn i'w rhai hwy. I fynd gam ymhellach eto, llwyddodd yr athrawes i fenthyg casgliad bach o deganau Fictoraidd o amgueddfa leol. Roedd y plant wedi'u hudo gan yr hanesion am blant yn chwarae yn y stryd gyda chwipiau a thopiau ac yn rholio cylchau ar hyd y gwter. Pan ofynnodd un plentyn pam nad oedd y plant wedi cael eu bwrw i lawr gan geir wrth chwarae gyda'u teganau, dangosodd yr athrawes feithrin ffotograff o'r cyfnod i'r plant fel y gallent weld drostynt hwy eu hunain faint oedd y perygl gan draffig.

1. Pam fod hwn yn fan cychwyn da ar gyfer ymchwiliad hanesyddol?

2. Pam ei bod hi'n bwysig bod y plant yn cael cyfle i afael yn y teganau, yn eich barn chi?

3. Beth mae'r plant yn ei ddeall am y cyfnod Fictoraidd o ganlyniad i'r gweithgaredd hwn, yn eich barn chi?

DAEARYDDIAETH

Mae'r cwricwlwm daearyddiaeth yn annog plant i archwilio nodweddion ffisegol a dynol eu hamgylchedd cynefin, a thrwy wneud hyn, ddysgu am y byd ehangach. Byddai'r gweithgareddau canlynol yn cyfrannu at y ddealltwriaeth hon:

- gwneud mapiau syml, efallai yn dangos llwybrau o'r cartref i'r ysgol

- darllen mapiau syml drwy ddilyn cyfarwyddiadau ac adnabod nodweddion

- edrych ar elfennau tebyg a gwahanol leoliadau, er enghraifft rhwng ysgol mewn dinas ac ysgol mewn pentref – mae llawer o ysgolion yn 'efeillio' er mwyn gwneud hyn

- cynnig cyfleoedd i edrych yn fanwl ar yr amgylchedd lleol, gan roi cyfle i'r plant adnabod gwahanol ddulliau o ddefnyddio'r tir ac i nodi newidiadau. Yn

ogystal, gellid gofyn i'r plant awgrymu sut y gellid gwella'r amgylchedd

● sylwi ar a chofnodi'r tywydd a chydnabod ei bwysigrwydd a phwysigrwydd y cylch tymhorol.

Gan fod plant yn dysgu drwy brofiad uniongyrchol o'r byd, dylid elwa ar bob cyfle i fynd allan i'r amgylchedd lleol. Gellir gwneud hyn er mwyn edrych ar nodweddion penodol, megis adeiladau neu byllau, neu efallai i brofi tywydd megis gwynt neu eira. Rôl yr oedolyn yma yw ffocysu golwg y plentyn ac i dynnu ei sylw at nodweddion perthnasol yn yr amgylchedd.

Gall yr oedolyn dynnu sylw'r plant at nodweddion perthnasol yn yr amgylchedd

Gwirio'ch cynnydd

Pam fod cysyniad hanes yn anodd i blant ifanc ei ddeall?

Rhestrwch rhai o'r dulliau y gellir eu defnyddio i wneud hanes yn berthnasol i blant ifanc.

Beth yw cynnwys cwricwlwm daearyddiaeth y blynyddoedd cynnar?

Pam ei bod hi'n bwysig bod plant yn mynd allan i sylwi ar yr amgylchedd?

Awgrymwch rai profiadau a fyddai'n cyfrannu at ddealltwriaeth ddaearyddol plant.

Creadigrwydd

Mae **creadigrwydd** yn ymwneud â mynegi syniadau. Mae gweithgareddau creadigol yn rhoi modd i blant gyfathrebu â hwy eu hunain a'r byd allanol. Mae gweithgareddau creadigol yn rhoi gwerth ar broses yn ogystal â chynnyrch. Dylid cynnig cyfleoedd i blant fod yn greadigol a datblygu eu syniadau eu hunain drwy ddefnyddio nifer o gyfryngau drwy gydol y blynyddoedd cynnar.

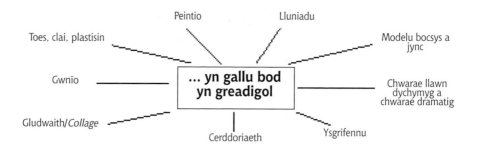

Toes, clai, plastisin

Modelu bocsys a jync

Gwnïo

... yn gallu bod yn greadigol

Chwarae llawn dychymyg a chwarae dramatig

Gludwaith/*Collage*

Cerddoriaeth

Ysgrifennu

Creadigrwydd

mynegi syniadau mewn ffordd bersonol ac unigryw, gan ddefnyddio'r dychymyg

DARPARU AR GYFER CREADIGRWYDD

Mae'r ffordd y cyflwynir gweithgaredd yn effeithio ar ei botensial ar gyfer **creadigrwydd**. Ystyriwch y gweithgareddau canlynol:

1. Gofynnwyd i'r plant ddefnyddio'r deunyddiau naturiol a gasglwyd ganddynt wrth fynd am dro yn yr hydref i wneud gludwaith. Mae papur a glud ar gael ac mae'r plant yn dehongli'r dasg hon mewn nifer o ffyrdd.

2. Mae'r plant yn brysur yn torri o amgylch cylchoedd o bapur. Wedyn maent yn eu glynu ar amlinelliad o glown ar ddarn o bapur. Maent yn matsio'r cylchoedd o ran eu maint i ofodau ar y papur.

Mae'r gweithgaredd cyntaf yn rhoi'r cyfle i'r plant ddatblygu eu syniadau eu hunain, i fod yn greadigol. Mae'r ail weithgaredd, sydd hefyd yn weithgaredd gludwaith, yn helpu'r plant i ymarfer sgìl torri, a datblygu eu cysyniadau o faint a siâp. Mae'r gweithgaredd hwn yn rhoi cyfle i'r plant ddatblygu sgiliau gwerthfawr, ond nid yw'n eu galluogi i fod yn greadigol.

Dylid cysylltu'r hyn a ddisgwyliwn gan blant a'r hyn a ddarparwn ar eu cyfer o ran gweithgareddau creadigol â'u cam datblygiadol. Yn y camau cynnar, byddant yn archwilio ac yn arbrofi gyda'r deunyddiau, gan eu defnyddio ar hap. Byddant yn gorffen yn gynnar, ac yn symud ymlaen at rywbeth arall. Wrth ennill profiad, byddant yn adeiladu stôr o sgiliau a thechnegau y gallant wedyn eu defnyddio'n greadigol. Byddant yn gweithio ar weithgaredd am gyfnod hirach ac yn dangos mwy o ddiddordeb yn y cynnyrch terfynol.Bydd cyfleoedd da ar gyfer y blynyddoedd cynnar yn darparu ar gyfer pob agwedd ar ddatblygiad creadigol plant. Bydd amgylchedd ysgogol yn annog plant i gymryd rhan mewn ystod eang o brofiadau, gan roi cyfleoedd iddynt archwilio ac arbrofi.

DARPARU AR GYFER LLUNIADU A PHEINTIO

Erbyn cyrraedd y sefydliad gofal plant, mae'n debyg y bydd plant wedi cael cryn brofiad o luniadu a pheintio. Bydd y mwyafrif o blant wedi cael y cyfle i ddefnyddio gwahanol fathau o gyfryngau lluniadu a bydd rhai yn gyfarwydd â phaent. Fodd bynnag, nid yw'n ddefnyddiol i gymryd yn ganiataol bod pob plentyn wedi cael yr un profiadau.

Lluniadu

Bydd amrywiaeth o gyfryngau lluniadu yn galluogi'r plant i ddarganfod gwahanol briodweddau a chymwysiadau. Byddai'r canlynol yn rhoi amrywiaeth o effeithiau:

- *Pensil* – cynigiwch rai trwchus a thenau, carbon a lliw.
- *Siarcol* – dangoswch y technegau a gysylltir â'r cyfrwng.
- *Sialc* – bydd sialciau gwyn a lliw yn creu gwahanol effeithiau.
- *Creonau cwyr* – cynigiwch greonau o wahanol drwch a gweadau.

- *Pennau blaen ffelt a ffibr* – darparwch ystod eang, gan gynnwys y rhai lle gellir blendio'r lliwiau.

- *Pastelau* – mae pastelau olew a dŵr yn cynnig amrywiaeth o effeithiau, er eu bod yn ddrud ac yn fregus.

Peintio

Mae'r ffordd y darperir ar gyfer peintio yn dibynnu ar faint o ofod sydd ar gael ac i raddau, ar y cyllid. Gan gadw hyn mewn cof, dyma rai pwyntiau cyffredinol:

- *Darparwch amrywiaeth o baentiau* – gan gynnwys paent powdr, paent wedi'i gymysgu'n barod mewn poteli gwasgu a phaentiau bys. Cymysgwch baent â glud neu bast i greu gwahanol effeithiau.

- *Darparwch amrywiaeth o frwshys ac offer* – gan gynnwys brwshys trwchus a thenau, a brwshys addurnwyr ar gyfer ardaloedd mawr. Cyflwynwch offer y gellir eu defnyddio gyda phaent megis sbyngiau, cyrc, hen frwshys dannedd a gwellt a dangoswch y technegau hyn.

- *Darparwch amrywiaeth o bapur* – rhowch gyfle i'r plant beintio ar wahanol arwynebau, garw, llyfn, sgleiniog, rhychiog. Torrwch bapur i wahanol feintiau a siapiau a chynigiwch ystod o liwiau.

- *Ystyriwch y gofod* – bydd rhaid cael rhywfaint o ofod ar y llawr ar gyfer gweithiau mawr. Ceisiwch gynnig îsls yn ogystal â byrddau fel bod plant yn gallu dysgu sut mae paent yn ymddwyn ar arwyneb fertigol.

Darparu ar gyfer gludwaith/collage

Mae gludwaith yn ymwneud â gludio deunyddiau dau a thri dimensiwn, megis ffabrigau, papur, brigau a phlu, ac yn cyflwyno amrywiaeth o weadau i blant.

- *Cynigiwch yr adlyn cywir* – bydd y plant yn dechrau teimlo'n rhwystredig wrth geisio gludio'r carped â glud papur wal!

- *Casglwch a storiwch amrywiaeth ysgogol o ddeunyddiau* – gofynnwch i'r plant a rhieni i helpu.

- *Trefnwch y storio fel bod y deunyddiau ar gael i blant* – sicrhewch fod y deunyddiau'n ddiogel.

- *Cyflwynwch ddeunyddiau yn ôl themâu*, er enghraifft deunyddiau naturiol neu bethau sgleiniog. Gall dewis o fewn thema roi fframwaith ar gyfer gwaith y plant.

- *Darparwch amrywiaeth o arwynebau y gall plant ludio arnynt* – cerdyn, bwrdd, ffabrig ac yn y blaen.

- *Dysgwch gwahanol dechnegau rhwygo a thorri i blant*, a darparwch sisyrnau effeithiol.

Darparu ar gyfer modelu bocs a jync

Mae gweithio mewn tri dimensiwn yn her arall i greadigrwydd plant ac mae'n rhoi mwy o broblemau iddynt eu datrys.

- Casglwch ddigon o ddeunyddiau i alluogi'r plant i fod mor hyblyg â phosibl.

- Storiwch ddeunyddiau mewn ffordd drefnus a hygyrch.

- Dangoswch a darparwch adnoddau ar gyfer amrywiaeth o dechnegau uno. Yn ogystal â glud, cynigiwch dâp Selo, tagiau trysorlys, pinnau hollt, styffylau, fflapiau torri a cholfachau.

- Rhowch ddigon o ofod ac amser ar gyfer y gweithgaredd.

- Diogelwch y modelau pan fyddant yn fregus ac yn wlyb.

Clai, toes a deunyddiau hydrin eraill

Mae'r cyfryngau hyn yn cynnig ffordd arall o fynegi creadigrwydd. Bydd plant angen amser i ddod yn gyfarwydd â'r deunyddiau hyn cyn iddynt ddod yn ymwybodol o'u potensial. Byddant yn ymarfer technegau torri a rholio ac yn arbrofi gydag offer. Gellir cyfuno'r deunyddiau hyn gyda deunyddiau eraill o weadau cyferbyniol megis cerigos, moch coed a chregyn. Yn achos rhai deunyddiau hydrin, bydd modd ymestyn y gweithgaredd drwy bobi a thanio.

CERDDORIAETH

Dylai plant gael cyfleoedd i wrando ac ymateb i gerddoriaeth a chreu eu cerddoriaeth eu hunain mewn amgylchedd blynyddoedd cynnar. Yn ogystal â meithrin gwerthfawrogiad o gerddoriaeth, bydd y plant yn cael cyfrwng arall o gyfathrebiad a hunanfynegiant.

- *Darparwch gyfleoedd i'r plant wrando ar gerddoriaeth* – cyflwynwch ystod eang o arddulliau cerddorol, clasurol, cyfoes, electronig. Dewiswch gerddoriaeth sy'n amrywio o ran diwylliant. Tynnwch sylw'r plant at briodweddau cerddoriaeth – cywair, tôn, cyflymdra – a gwrandewch am ymadroddion cerddorol sy'n cael eu hailadrodd.

- *Dysgwch ganeuon a rhigymau i'r plant* – cynhwyswch bob math o rigymau, traddodiadol, doniol, rhif, ac o bob rhan o'r byd. Anogwch y plant i adnabod y rhythm mewn caneuon a rhigymau. Cyflwynwch glapio a chyfeiliant cerddorol syml.

- *Anogwch y plant i symud i gyfeiliant cerddoriaeth* – defnyddiwch gerddoriaeth i greu awyrgylch neu i ddweud stori a cheisiwch ennyn ymateb gan y plant. Cyflwynwch wahanol fathau o ddawnsio iddynt ac anogwch hwy i ymateb i gerddoriaeth gan ddefnyddio'u cyrff, drwy ddawnsio.

- *Anogwch y plant i greu eu cerddoriaeth eu hunain* – er mwyn sicrhau'r amrywiaeth mwyaf, cynigiwch offerynnau a brynwyd i gyd-fynd â'r rhai a wnaed gan y plant. Gadewch i'r plant dapio eu cerddoriaeth eu hunain er mwyn gallu ei defnyddio wrth chwarae neu i'w rhannu gyda'u rhieni.

Rhowch gyfle i'r plant greu eu cerddoriaeth eu hunain

CHWARAE LLAWN DYCHYMYG A CHWARAE DRAMATIG

Bydd y mwyafrif o sefydliadau'n cynnig ystod o gyfleoedd i ddefnyddio'r dychymyg wrth chwarae. Fel rheol mae lle ar gyfer chwarae cartref a hefyd ar gyfer chwarae rôl gan ddefnyddio'r dychymyg, er enghraifft mewn caffi neu ysbyty. Bydd plant yn gallu creu eu senarios eu hunain mewn ardaloedd adeiladu a chyda chwarae byd bach. Yn aml, bydd dillad gwisgo-i-fyny ar gael, naill ai yn gysylltiedig â thema neu fel gweithgaredd ar wahân. Gall tywod a dŵr a deunyddiau anniben eraill roi ffocws i chwarae llawn dychymyg.

Mae chwarae llawn dychymyg yn rhoi'r modd i blant gyfathrebu ag eraill a chyda hwy eu hunain. Gall hefyd roi golwg arall ar y byd a'u rôl ynddo.

I annog chwarae llawn dychymyg:

- Sicrhewch fod yr adnoddau yn y gornel gartref yn amrywio, gan gadw cydbwysedd rhwng offer newydd ac offer cyfarwydd.

- Cynlluniwch i sicrhau bod cysylltiad rhwng ardaloedd chwarae llawn dychymyg ag unrhyw thema y gellid ei datblygu.

- Sicrhewch fod dillad gwisgo-i-fyny yn rhwydd eu gwisgo. Darperwch hetiau, bagiau ac ategolion eraill, ynghyd â drych fel y gall y plant edmygu eu hunain.

- Darparwch ar gyfer chwarae brics mawr. Yn aml bydd hyn yn golygu cydweithio ac yn cynnwys straeon cymhleth.

- Dangoswch i'r plant eich bod chi'n gwerthfawrogi eu chwarae llawn dychymyg drwy siarad â hwy amdano a chymryd rhan, os ydy hynny'n briodol, ac ymestyn a herio mewn ffordd sensitif.

- Cyflwynwch chwarae byd bach mewn gwahanol ffyrdd, weithiau ar fatiau chwarae, weithiau yn y tywod, weithiau i mewn gyda'r brics.

- Cynlluniwch ar gyfer chwarae llawn dychymyg yn yr awyr agored hefyd. Gellir gwneud pebyll o flancedi a gorchuddion. Gall marciau sialc ar y buarth chwarae sbarduno bob math o gemau.

- Rhowch amser a gofod i'r plant ddatblygu eu chwarae llawn dychymyg eu hunain. Anogwch hwy i ddefnyddio adnoddau yn eu ffyrdd unigryw eu hunain.

Mae plant yn mwynhau edmygu eu hunain mewn drych

RÔL OEDOLYN O RAN DATBLYGU CREADIGRWYDD PLANT

Darpariaeth

- Dewiswch a chyflwynwch ddeunyddiau ac offer sy'n briodol i gam ddatblygiad y plentyn, er enghraifft brwshys trwchus ar gyfer plant 3 oed, rhai teneuach ar gyfer plant 7 oed.

- Storiwch y deunyddiau fel eu bod ar gael ac yn rhwydd eu cynnal.

- Cyflwynwch ddeunyddiau newydd. Gallent ysgogi syniadau'r plant.

- Arddangoswch waith y plant yn ofalus, gan ddangos eich bod chi'n gwerthfawrogi eu hymdrechion.

Cynllunio

- Rhowch amser a gofod i weithgareddau creadigol.

- Trefnwch weithgareddau a fydd yn ysgogi gweithgareddau creadigol.

Gweithio ochr yn ochr

- Anogwch y plentyn.

- Peidiwch â barnu yn ôl safonau oedolyn. Gwerthfawrogwch waith y plentyn er ei fwyn ei hun.

- Peidiwch â gwneud y gweithgaredd ar ran y plentyn. Byddwch yn peri iddo deimlo'n anfodlon â'i ymdrechion ac yn ddibynnol arnoch chi.

- Gallwch ddigio plentyn drwy ofyn 'Beth ydy e?'. Byddai 'Wyt ti'n gallu dweud mwy amdano fe?' yn well!

- Dysgwch dechnegau i blant. Bydd creadigrwydd plant yn cael ei ddal yn ôl os nad oes ganddynt sgiliau i gyd-fynd â gweithgaredd.

Gwirio'ch cynnydd

Beth yw creadigrwydd?

Pa fath o weithgareddau sy'n caniatáu i blant archwilio'u creadigrwydd?

Pam fod gweithgareddau creadigol yn bwysig i ddatblygiad plant?

Gwnewch restr o'r pwyntiau y dylech eu hystyried wrth ddarparu ar gyfer creadigrwydd plant.

Sut gall oedolion gefnogi datblygiad creadigrwydd plant?

Gweithgareddau corfforol

Mae gweithgareddau corfforol yn rhan hanfodol o'r cwricwlwm blynyddoedd cynnar. Maent yn bwysig ar gyfer iechyd a datblygiad plant a gallant hefyd fod yn fan cychwyn da ar gyfer gweithgareddau hamdden. Bydd pob meithrinfa'n darparu cyfleoedd cyson ar gyfer chwarae egnïol yn yr awyr agored. Mae'r math hwn o chwarae'n bwysig ar gyfer pob maes datblygiad, ac nid y corfforol yn unig.

Mae chwarae egnïol yn yr awyr agored yn cyfrannu at bob maes datblygiad

Bydd llawer o ganolfannau yn cynnig rhai neu bob un o'r canlynol fel rhan o'r cwricwlwm AG:

- Sesiynau gymnasteg sy'n cynnwys gwaith llawr yn ogystal â defnyddio offer mawr a bach. Yn aml bydd plant yn gweithio ar thema, er enghraifft symud gwahanol rannau o'r corff. Fe'u hanogir i osod eu targedau eu hunain. Mae'n bosibl y bydd rhai plant yn gyndyn o ddefnyddio'r offer mawr a dylai oedolion fod yn sensitif i hyn a chaniatáu i'r plentyn wylio'r plant eraill nes y bydd yn barod i ymuno. Gall plant helpu i osod yr offer a'i rhoi o'r neilltu ar y diwedd; mae goruchwyliaeth foddhaol yn hanfodol wrth wneud hyn.

- Cyfleoedd ar gyfer dawnsio i gerddoriaeth fyw neu gerddoriaeth a recordiwyd. Gellir cyflwyno dawnsfeydd o wahanol ddiwylliannau, weithiau drwy ddangos y ddawns i'r plant yn gyntaf.

- Cyflwynir gemau a sgiliau gemau yn ystod blynyddoedd cynnar yn yr ysgol. Gall y rhain fod yn sesiynau o fewn yr ysgol neu yn yr awyr agored. Mae'n bosibl y bydd plant iau yn cael anhawster i gofio rheolau ond fel rheol gallant ddygymod â gemau syml. Nid yw gemau tîm mawr yn addas ar hyn o bryd gan fod y plant yn treulio gormod o amser yn aros. Cofiwch y gall fod gwahaniaethau sylweddol rhwng cyd-symudiad corfforol, cydbwysedd a medrusrwydd corfforol y plant yn yr oedran hwn a rhaid darparu ar gyfer yr ystod hon yn ystod pob sesiynau sgiliau.

- Mae cyfarpar yn bwysig hefyd: mae bag ffa yn rhwyddach ei ddal na phêl tennis; mae pêl droed maint llawn yn rhy fawr i blentyn bach. Gwnewch yn siŵr fod pob plentyn yn cymryd rhan. Ni fyddant yn mwynhau chwarae'r gêm os nad ydynt wedi cael cyfle i ddysgu'r sgiliau.

- Gellir cynnig nofio mewn ardaloedd lle mae'r cyfleusterau ar gael. Mae'n bosibl y bydd plant nad ydynt wedi profi nofio cyn hyn yn ofnus ar y dechrau a bydd angen tawelu eu meddyliau. Os oes digon o staff, bydd oedolyn yn y dŵr yn helpu. Dylai sesiynau fod yn fyr ond yn fynych, ac ni ddylid gorfodi plant i gymryd rhan os ydynt yn teimlo'n ansicr.

● Yn yr ysgol, bydd amser chwarae yn cynnig cyfle arall ar gyfer gweithgareddau corfforol, yn aml heb arweiniad oedolyn. Mae rhai plant yn trefnu eu hunain ar gyfer gemau cymhleth; mae eraill yn mwynhau dim ond rhedeg o amgylch. Mae'n bosibl y bydd plant sy'n wynebu'r sefyllfa am y tro cyntaf ac wedi arfer â'r drefniadaeth a rhyngweithio oedolion a geir ar fuarth chwarae'r feithrinfa yn teimlo'n ofnus ar ganol gweithgarwch bywiog buarth chwarae'r ysgol a byddant yn chwilio am le tawel i wylio nes teimlo'n fwy sicr.

Cofiwch adael digon o amser ar gyfer newid cyn yn ogystal ag ar ôl sesiynau Addysg Gorfforol, gan y bydd angen cymorth ar nifer o blant.

Astudiaeth achos ...
... dysgu nofio

Roedd dosbarth Dafydd yn mynd i fynd i'r pwll nofio bob wythnos yn ystod tymor yr haf. Roedd nifer o'r plant 6 a 7 oed yn mynd i'r pwll nofio'n gyson, ond doedd Dafydd ddim wedi bod o'r blaen. Siaradodd yr athrawes ddosbarth â'r dosbarth cyfan am yr hyn y byddent yn ei wneud, gan atgoffa'r plant i ddod â'u dillad nofio a'u tywelion ar gyfer y sesiwn.

Er bod Dafydd yn teimlo'n gyffrous ar y bws, erbyn cyrraedd ymyl y pwll roedd yn rhy ofnus i fynd i mewn. Roedd gweld y plant eraill yn neidio i mewn ac yn tasgu'r dŵr yn gwneud iddo deimlo'n waeth. Dywedodd ei athrawes wrtho i lapio'i hun mewn tywel a chwilio am le lle gallai wylio. Doedd dim angen iddo boeni am fynd i'r pwll heddiw.

Cyn y sesiwn nesaf, siaradodd yr athrawes â Gaenor, un o'r myfyrwyr nyrs feithrin a leolwyd yn yr ysgol, a threfnodd iddi fynd i nofio gyda'r grŵp ac ymuno â hwy yn y dŵr. Ar y dechrau, roedd Dafydd ar ymyl y pwll fel o'r blaen, ond 5 munud cyn diwedd y sesiwn llwyddodd Gaenor i'w berswadio i eistedd gyda'i goesau yn y dŵr, fel y gallai tasgu'r dŵr a chicio.

Wrth i'r wythnosau fynd heibio, daeth Dafydd yn fwy mentrus, a chyda help Gaenor, erbyn diwedd y tymor roedd yn treulio'r amser cyfan yn y pwll ac yn gofyn i'w fam fynd ag ef i nofio ar benwythnosau.

1. *Pam fod yr athrawes ddosbarth yn iawn i ymateb i ofnau Dafydd fel y gwnaeth?*
2. *Beth fyddai wedi digwydd pe bai Dafydd wedi cael ei orfodi i mewn i'r dŵr?*
3. *Pam fod dull Gaenor o dawelu ofnau Dafydd yn llwyddiannus, yn eich barn chi?*

Gwirio'ch cynnydd

Pam fod chwarae egnïol yn bwysig ar gyfer datblygiad plant?

Pa fathau o weithgarwch corfforol a ddarperir mewn ysgol?

Pam ei bod hi'n bwysig i ddysgu sgiliau gemau i blant?

Sut ddylid delio â phlant sy'n anfodlon ymuno i mewn â rhai gweithgareddau corfforol?

Nawr rhowch gynnig ar y cwestiynau hyn

Sut gall y gweithiwr gofal plant hyrwyddo datblygiad ysgrifennu plant?

Pa gysyniad mathemategol y gellid ei gyflwyno i blant fel rhan o weithgaredd gwneud bisgedi?

Pa bwyntiau fyddech chi'n eu cadw mewn cof wrth ddewis llyfrau ar gyfer plant 3 i 5 oed?

Disgrifiwch sut y byddech yn hyrwyddo creadigrwydd plant o ran peintio.

Sut allech chi gyflwyno cysyniad hanes i blant mewn ffordd ddealladwy?

Yn y bennod hon byddwch yn dysgu am genhedliad, gofal cyn-geni, geni a gofal babanod ifanc. Mae'r uned hon hefyd yn ymwneud ag egwyddorion hyrwyddo datblygiad a dysg. Ar ôl llwyddo i gwblhau'r bennod hon dylech ddeall sut i weithredu'n ddiogel a darparu amgylchedd positif, gofalgar ar gyfer babanod. Dylech hefyd ddeall sut i hyrwyddo perthynas bosidif gyda phrif ofalwyr, ac i adnabod a chwrdd ag anghenion babanod sy'n derbyn gofal yn ystod y dydd mewn sefyllfa grŵp neu ddomestig.

 1   CENHEDLIAD, DATBLYGIAD Y FFETWS A GOFAL CYN-GENI

2   GENI, GOFAL ÔL-ENI A BABANOD PWYSAU GENI ISEL

3   HYRWYDDO DATBLYGIAD A DYSGU

4   GOFAL POSITIF AC YMARFER DIOGEL

5   ANGHENION MAETHOL BABANOD

6   GWEITHIO GYDA PHRIF OFALWYR A BABANOD IFANC MEWN GOFAL GRŴP A DOMESTIG

CENHEDLIAD, DATBLYGIAD Y FFETWS A GOFAL CYN-GENI

Mae twf a datblygiad baban yn cychwyn ymhell cyn y geni ei hunan. Mae paratoadau'r darpar-rieni a gofal cyn-genhedliad da yn dylanwadu'n gryf ar dwf a datblygiad yn ddiweddarach. Mae twf a datblygiad baban yn dechrau yn y groth yn ystod cenhedliad ac yn parhau trwy 40 wythnos y beichiogrwydd, gan ddilyn amserlen barod. Yn ystod y cyfnod hwn gall llawer o ddylanwadau da a niweidiol effeithio ar dwf a datblygiad. Bydd gofal cyn-geni da yn helpu i ddiogelu iechyd y fam a'r baban sydd heb ei eni.

Bydd y rhan hon yn ymdrin â'r pynciau canlynol:

⌒ organau atgynhyrchu'r gwryw a'r fenyw

⌒ y gylchred fislifol

⌒ datblygiad yr ofwm

⌒ twf a datblgiad y ffetws

⌒ gofal cyn-cenhedlu a chyn-geni

⌒ beichiogrwydd.

Organau atgynhyrchu'r gwryw a'r fenyw

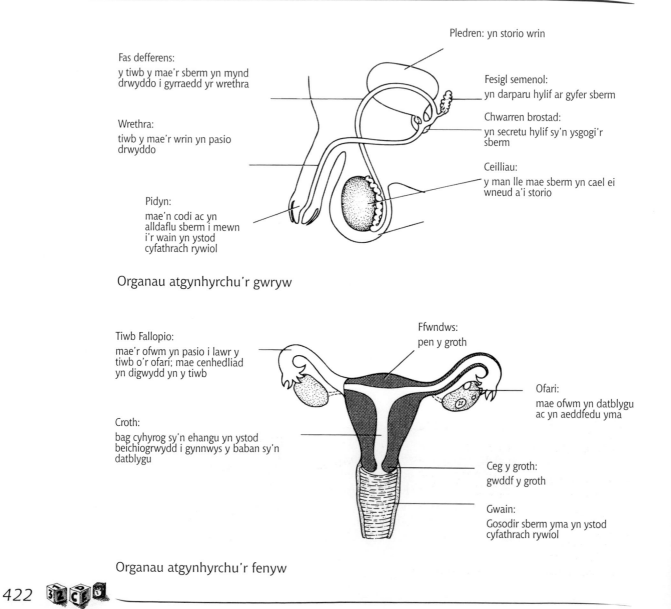

Pledren: yn storio wrin

Fas defferens:
y tiwb y mae'r sberm yn mynd
drwyddo i gyrraedd yr wrethra

Fesigl semenol:
yn darparu hylif ar gyfer sberm

Chwarren brostad:
yn secretu hylif sy'n ysgogi'r
sberm

Wrethra:
tiwb y mae'r wrin yn pasio
drwyddo

Ceilliau:
y man lle mae sberm yn cael ei
wneud a'i storio

Pidyn:
mae'n codi ac yn
alldaflu sberm i mewn
i'r wain yn ystod
cyfathrach rywiol

Organau atgynhyrchu'r gwryw

Tiwb Fallopio:
mae'r ofwm yn pasio i lawr y
tiwb o'r ofari; mae cenhedliad
yn digwydd yn y tiwb

Ffwndws:
pen y groth

Ofari:
mae ofwm yn datblygu
ac yn aeddfedu yma

Croth:
bag cyhyrog sy'n ehangu yn ystod
beichiogrwydd i gynnwys y baban sy'n
datblygu

Ceg y groth:
gwddf y groth

Gwain:
Gosodir sberm yma yn ystod
cyfathrach rywiol

Organau atgynhyrchu'r fenyw

Gwirio'ch cynnydd

Beth yw enw'r agoriad cul rhwng y groth a'r wain?

Beth yw swyddogaeth y chwarren brostad?

Ble mae'r ofwm yn datblygu?

Beth mae'r sgrotwm yn ei gynnwys?

Ble mae cenhedliad yn digwydd?

Y gylchred fislifol

termau allweddol

Y gylchred fislifol
proses ofwliad a mislif mewn merched sy'n aeddfed yn rhywiol a ddim yn feichiog

Ofwm
wy a gynhyrchir gan yr ofari

Croth
rhan o'r llwybr atgenhedlol

Sberm
cell rhyw'r gwryw aeddfed

Cenhedliad
mae'n digwydd pan fydd sberm yn ffrwythloni ofwm aeddfed

Oestrogen
hormon a gynhyrchir gan yr ofarïau

Progesteron
hormon a gynhyrchir gan yr ofarïau

Endometriwm
leinin y groth

Fasgwlar
yn cynnwys cyflenwad da o bibellau gwaed

Yn ystod y **gylchred fislifol** mae **ofwm** aeddfed yn cael ei gynhyrchu gan yr ofari a'r **groth** yn paratoi i'w dderbyn. Os ffrwythlonir yr ofwm gan **sberm**, ar ôl cael ei ryddhau o'r ofari, bydd **cenhedliad** yn digwydd. Fel rheol bydd y gylchred fislifol yn digwydd dros gyfnod o 28 diwrnod, ond bydd hyn yn amrywio o un wraig i'r llall. Rheolir y gylchred fislifol gan ddau hormon (negesyddion cemegol) a elwir yn **oestrogen** a **progesteron**, a gynhyrchir gan yr ofari. Ysgogir rhan gyntaf y gylchred (a elwir yn amlhad) gan oestrogen: ailadeiledir yr **endometriwm** (leinin y groth). Ysgogir ail ran y gylchred (a elwir yn secretiad) gan brogesteron ac mae'r endometriwm yn tewhau ac yn troi'n **fasgwlar** (yn cynnwys cyflenwad da o bibellau gwaed) er mwyn maethu'r ofwm ffrwythlon. Yn ystod y cyfnod cyn-fislifol (a elwir yn atchweliad) mae'r endometriwm yn rhoi'r gorau i dyfu 5 i 6 diwrnod cyn y mislif.

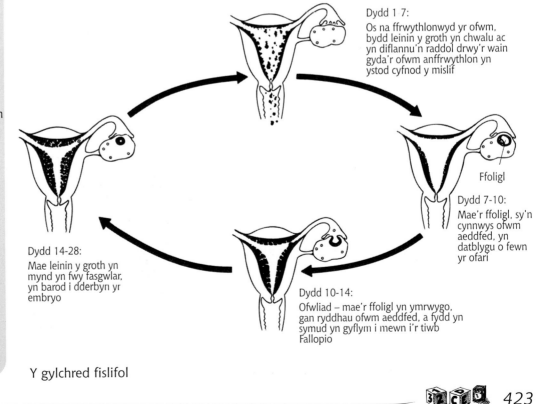

Dydd 1 7:
Os na ffrwythlonwyd yr ofwm, bydd leinin y groth yn chwalu ac yn diflannu'n raddol drwy'r wain gyda'r ofwm anffrwythlon yn ystod cyfnod y mislif

Ffoligl

Dydd 7-10:
Mae'r ffoligl, sy'n cynnwys ofwm aeddfed, yn datblygu o fewn yr ofari

Dydd 10-14:
Ofwliad – mae'r ffoligl yn ymrwygo, gan ryddhau ofwm aeddfed, a fydd yn symud yn gyflym i mewn i'r tiwb Fallopio

Dydd 14-28:
Mae leinin y groth yn mynd yn fwy fasgwlar, yn barod i dderbyn yr embryo

Y gylchred fislifol

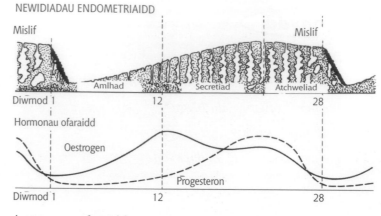

NEWIDIADAU ENDOMETRIAIDD

Dylanwad yr hormonau ofaraidd

Gwirio'ch cynnydd

Beth yw hormon?

Pa ddau hormon a gynhyrchir gan yr ofari?

O fewn y gylchred fislifol, pryd mae'r mislif yn digwydd?

Beth sy'n digwydd i'r endometriwm os na ffrwythlonir yr ofwm?

Ble mae'r ofwm yn datblygu?

Datblygiad yr ofwm

term allweddol

Impiad

mae'n digwydd pan fydd yr ofwm ffrwythlon yn sefydlu ei hunan yn leinin y groth

term allweddol

Embryo

term a ddefnyddir i ddisgrifio'r baban sy'n datblygu o'r cenhedliad hyd at 8 wythnos wedi'r cenhedliad

Tua'r ddeuddegfed diwrnod wedi cychwyn y gylchred fislifol, mae ofarïau merch yn rhyddhau un ofwm aeddfed. Mae'r ofwm yn symud yn gyflym i mewn i'r tiwb Fallopio. Yn ystod cyfathrach rywiol, mae sberm aeddfed y gwryw yn cael eu gosod yng ngheg croth y fenyw. Hylif a elwir yn semen sy'n cario'r sberm. Os bydd cyfathrach rywiol yn digwydd yn y cyfnod pan ryddheir yr ofwm, bydd y sberm gweithredol cyntaf sy'n cyrraedd yr ofwm yn y tiwb Fallopio yn treiddio trwy'r haen allanol ac yn ffrwythloni'r ofwm. Bydd cenhedliad wedi digwydd. Unwaith y bydd hyn wedi digwydd, bydd haen allanol yr ofwm yn gwrthod unrhyw sberm arall fel mai dim ond un sberm sy'n gallu ffrwythloni'r ofwm.

Pan fydd yr ofwm a'r sberm yn uno yn ystod ffrwythloniad, bydd gwybodaeth enetig o'r ddau bartner yn cyfuno i greu unigolyn newydd. Ar unwaith, bydd yr ofwm ffrwythlon yn dechrau rhannu, yn ddwy gell yn gyntaf, ac yna'n bedwar. Mae'n parhau i rannu fel hyn wrth basio i lawr y tiwb Fallopio i gyrraedd y groth. Mae leinin y groth wedi ei baratoi'n barod i'w dderbyn. Mae'r belen celloedd yn sefydlu ei hunan yn leinin y groth. Gelwir hyn yn **impiad** ac mae'n digwydd tua diwrnod 21 o'r gylchred fislifol.

IMPIAD

Unwaith y bydd wedi sefydlu ei hunan yn leinin y groth, bydd yr embryo ffrwythlon yn parhau i rannu. Mae nifer y celloedd yn cynyddu ac yn ffurfio **embryo**. Yn ogystal â chynhyrchu'r embryo, mae'r ofwm ffrwythlon yn ysgogi **brych**, **llinyn bogail** ac

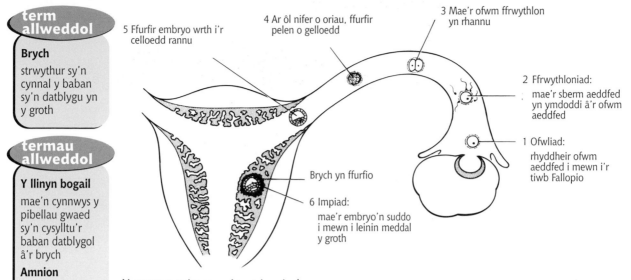

Y camau sy'n arwain at impiad

term allweddol

Brych

strwythur sy'n cynnal y baban sy'n datblygu yn y groth

termau allweddol

Y llinyn bogail

mae'n cynnwys y pibellau gwaed sy'n cysylltu'r baban datblygol â'r brych

Amnion

y pilenni sy'n ffurfio'r goden sy'n cynnwys y baban datblygol

In the diagram:

5 Ffurfir embryo wrth i'r celloedd rannu

4 Ar ôl nifer o oriau, ffurfir pelen o gelloedd

3 Mae'r ofwm ffrwythlon yn rhannu

2 Ffrwythloniad: mae'r sberm aeddfed yn ymdoddi â'r ofwm aeddfed

1 Ofwliad: rhyddheir ofwm aeddfed i mewn i'r tiwb Fallopio

Brych yn ffurfio

6 Impiad: mae'r embryo'n suddo i mewn i leinin meddal y groth

amnion. Datblygir y strwythurau hyn er mwyn cynnal y baban a byddant yn gadael y groth gyda'r baban yn ystod y geni.

- Hyd at 8 wythnos wedi'r cenhedliad, gelwir y baban datblygol yn embryo.

- O 8 wythnos wedi'r cenhedliad hyd y geni, gelwir y baban datblygol yn **ffetws**.

Astudiaeth achos ...

... beichiogi

Mae gan Rhian a Dewi berthynas sefydlog ac mae'r ddau yn awyddus i gael baban. Mae cylchred fislifol Rhian yn normal ac yn para tua 28 diwrnod. Hyd yma nid yw Rhian wedi beichiogi, ond y mis hwn ni chafodd ei mislif arferol a bellach mae pythefnos wedi pasio oddi ar y cyfnod pan ddisgwyliodd ei mislif.

1. *Ydy Rhian yn debygol o fod yn feichiog?*

2. *Disgrifiwch beth sydd wedi bod yn digwydd i'r ofwm ers iddo gael ei ryddhau o'r ofari.*

term allweddol

Ffetws

y term a ddefnyddir i ddisgrifio'r baban o'r wythfed wythnos wedi'r cenhedliad hyd y geni

term allweddol

Capilarïau

pibellau gwaed bach iawn

Y BRYCH

Mae'r brych yn cynnal yr embryo a'r ffetws. Mae gan y brych estyniadau tebyg i fysedd, a elwir yn fili. Mae'r fili'n ffitio'n glòs i mewn i wal y groth. Mae'r llinyn bogail yn cysylltu'r brych â'r ffetws. O fewn y llinyn mae rhydweli a gwythïen. Mae'r rhydweli yn mynd â'r cyflenwad gwaed o'r ffetws i mewn i'r brych, a'r wythïen yn dychwelyd y gwaed i'r ffetws.

Yn y brych mae **capilarïau** yn llawn gwaed y ffetws. Yn wal y groth mae gofodau mawr yn llawn o waed y fam. Nid yw gwaed y ffetws a gwaed y fam yn cymysgu; mae wal y brych yn eu gwahanu, ond fe'u tynnir yn agos iawn at ei gilydd. Mae wal y brych yn denau iawn. Mae hyn yn caniatáu i ocsigen a maetholion basio o'r fam i'r ffetws ac i gynhyrchion gwastraff gael eu pasio'n ôl i'r fam fel y gellir cael gwared ohonynt.

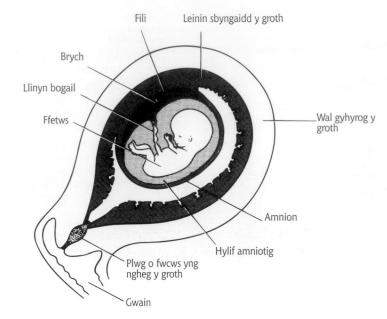

Fili
Leinin sbyngaidd y groth
Brych
Llinyn bogail
Ffetws
Wal gyhyrog y groth
Amnion
Hylif amniotig
Plwg o fwcws yng ngheg y groth
Gwain

Y ffetws datblygol

Gwirio'ch cynnydd

Beth mae'r ofwm yn ei wneud yn syth ar ôl ffrwythloniad?

Beth yw'r term a ddefnyddir i ddisgrifio'r baban datblygol hyd at 8 wythnos wedi'r cenhedliad?

Beth yw'r term a ddefnyddir i ddisgrifio'r baban datblygol o 8 wythnos wedi'r cenhedliad hyd y geni?

Sut mae'r ffetws yn cyfnewid ocsigen a maetholion gyda'r fam?

Beth yw swyddogaeth llinyn y bogail?

Twf a datblygiad y ffetws

Mae twf a datblygiad yr embryo a'r ffetws yn digwydd yn ystod 40 wythnos beichiogrwydd. Mae amserlen twf a datblygiad pob baban yn dilyn yr un patrwm. Gall unrhyw ddylanwadau niweidiol yn y cyfnod hwn achosi abnormaledd yn y twf neu'r datblygiad.

4-5 WYTHNOS WEDI'R CENHEDLIAD

Mae'r mwyafrif o ferched beichiog yn dechrau credu eu bod yn feichiog pum wythnos wedi'r cenhedliad. Yn barod, mae system nerfol yr embryo yn dechrau datblygu. Mae celloedd yn plygu i ffurfio tiwb gwag, a elwir yn **diwb niwral**. Bydd hwn yn datblygu i fod yn ymennydd a madruddyn cefn y baban, felly mae gan y tiwb ben uchaf a phen isaf. Ar yr un pryd mae'r galon yn ffurfio ac eisoes mae gan yr embryo rai o'i bibellau gwaed ei hunain. Mae llinyn o'r pibellau gwaed hyn yn cysylltu'r fam â'r embryo ac yn y man byddant yn troi'n linyn bogail.

term allweddol

Tiwb niwral
celloedd yn yr embryo a fydd yn datblygu i ffurfio madruddyn cefn y baban

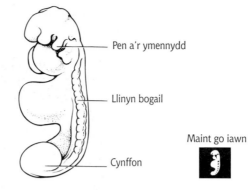

Pen a'r ymennydd

Llinyn bogail

Cynffon

Maint go iawn

Yr embryo 5
wythnos wedi'r
cenhedliad

6-7 WYTHNOS WEDI'R CENHEDLIAD

Mae'r galon yn dechrau curo a gellir gweld hyn ar sgan uwchsain. Mae chwyddiadau bach a elwir yn flagur aelodau yn dangos lle mae'r breichiau a'r coesau'n tyfu. Yn 7 wythnos oed mae'r embryo yn mesur tua 8 mm.

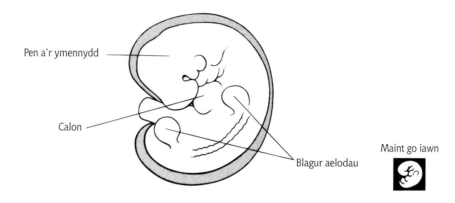

Pen a'r ymennydd

Calon

Blagur aelodau

Maint go iawn

Yr embryo 6-7
wythnos wedi'r
cenhedliad

8-9 WYTHNOS WEDI'R CENHEDLIAD

Erbyn hyn gelwir y baban datblygol yn ffetws. Mae'r wyneb yn ffurfio'n araf. Mae'r llygaid yn fwy amlwg ac mae yna geg gyda thafod. Mae'r prif organau mewnol (y galon, ymennydd, ysgyfaint, arennau a'r coluddion) oll yn datblygu. Yn 9 wythnos oed mae'r ffetws yn mesur tua 17 mm o'r pen i'r gwaelod.

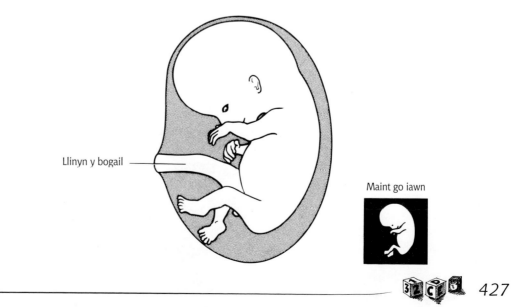

Llinyn y bogail

Maint go iawn

Y ffetws 8-9
wythnos wedi'r
cenhedliad

10 -14 WYTHNOS WEDI'R CENHEDLIAD

Deuddeg wythnos wedi'r cenhedliad mae'r ffetws wedi'i ffurfio'n llwyr. O hyn ymlaen, rhaid iddo dyfu ac aeddfedu. Mae'r ffetws yn symud yn barod, ond nid yw'r fam yn gallu teimlo'r symudiadau. Erbyn tua 14 wythnos mae curiad y galon yn gryf iawn a gellir ei glywed drwy ddefnyddio canfodydd uwchsain. Mae cyfradd curiad y galon yn uchel iawn – tua 140 curiad y funud. Yn 14 wythnos oed, mae'r ffetws tua 56 mm o hyd o'r pen i'r gwaelod.

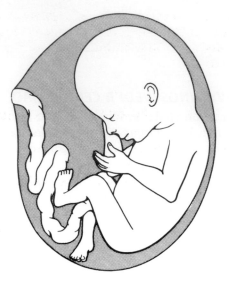

Y ffetws 10-14 wythnos wedi'r cenhedliad

15-22 WYTHNOS WEDI'R CENHEDLIAD

Bellach mae'r ffetws yn tyfu'n gyflym. Mae'r corff wedi tyfu'n fwy fel bod y pen a'r corff yn fwy cytbwys o ran maint. Mae'r wyneb yn edrych yn fwy dynol a'r gwallt yn dechrau tyfu yn ogystal â'r aeliau a'r amrannau. Erbyn hyn mae ewinedd y bysedd a'r traed yn tyfu. Mae llinellau'r croen wedi'u ffurfio ac mae gan y ffetws fysbrintiau ei hunan. Erbyn cyrraedd tua 22 wythnos oed mae blew mân, a elwir yn **lanwgo** yn gorchuddio'r ffetws. Erbyn tua 18-22 wythnos mae'r fam yn teimlo symudiadau am y tro cyntaf. Os yw'n ail faban, yn aml teimlir y symudiadau'n gynt, tua 14-16 wythnos wedi'r cenhedliad. Yn 22 wythnos oed mae'r ffetws yn mesur tua 160 mm o'r pen i'r gwaelod.

term allweddol

Lanwgo

blew mân a geir ar gorff y ffetws cyn y geni, ac ar y baban newydd-anedig

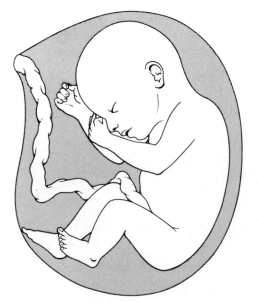

Y ffetws 15-22 wythnos wedi'r cenhedliad

23-30 WYTHNOS WEDI'R CENHEDLIAD

Bellach mae'r ffetws yn gallu symud o amgylch ac yn ymateb i gyffyrddiad a sŵn. Mae'n bosibl y bydd y fam yn ymwybodol bod gan y ffetws ei amseroedd ei hun ar gyfer bod yn llonydd a symud.

Gorchuddir y ffetws â sylwedd gwyn, hufennog a elwir yn **fernics**, a chredir ei fod yn amddiffyn y croen wrth i'r ffetws arnofio yn yr hylif amniotig. Ar ôl tua 26 wythnos mae'r llygaid yn agor. Erbyn 28 wythnos mae'r ffetws yn **hyfyw**, sy'n golygu bod ganddo gyfle da i fyw os caiff ei eni. Mae llawer o fabanod a enir cyn 28 wythnos yn goroesi, ond yn aml bydd ganddynt broblemau arbennig gyda'u hanadlu. Mae gofal arbenigol mewn Unedau Gofal Arbennig i Fabanod yn helpu mwy o fabanod a enir yn gynnar i oroesi. Yn 30 wythnos oed mae'r ffetws yn mesur tua 240 mm o hyd o'r pen i'r gwaelod.

31-40 WYTHNOS WEDI'R CENHEDLIAD

Yn ystod yr wythnosau olaf mae'r ffetws yn tyfu ac yn ennill pwysau. Mae croen, a fu'n grychiog, yn fwy llyfn erbyn hyn, ac mae'r fernics a'r lanwgo'n dechrau diflannu. Yn ddelfrydol, mae'r ffetws yn troi i wynebu ar i lawr, sef y safle diogelaf ar gyfer y geni.

termau allweddol

Fernics

sylwedd gwyn, hufennog ar groen y ffetws. Yng nghrychiadau croen babanod aeddfed ac ar fongyrff babanod a aned yn gynnar

Hyfyw

y gallu i oroesi y tu allan i'r groth

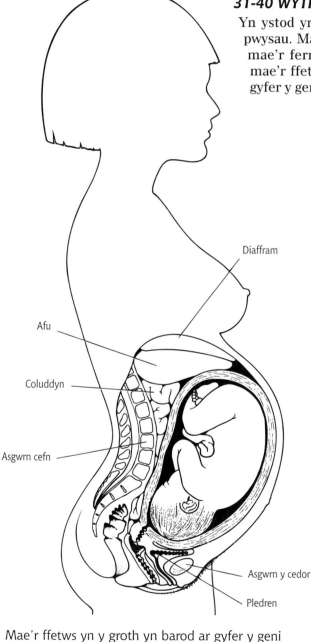

Mae'r ffetws yn y groth yn barod ar gyfer y geni

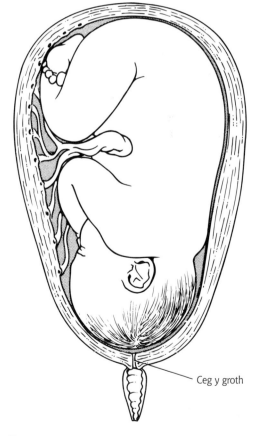

Y ffetws 31-40 wythnos wedi'r cenhedliad

Gwirio'ch cynnydd

Beth fydd y tiwb niwral yn datblygu i fod, yn y pen draw?

Enwch yr hylif y mae'r ffetws yn arnofio ynddo.

Beth yw hyd y ffetws yn 9 wythnos oed?

Pryd mae'r ffetws wedi'i ffurfio'n llawn?

Beth yw:

(a) lanwgo?   (b) fernics?

Pryd mae'r fam yn teimlo'r ffetws yn symud am y tro cyntaf?

Pryd mae'r ffetws yn ymateb i sŵn?

Pryd mae llygaid y ffetws yn agor?

Beth yw'r safle gorau ar gyfer geni'r ffetws?

Gofal cyn-cenhedlu a chyn-geni

Mae cysylltiad agos iawn rhwng iechyd y fam ac iechyd y ffetws datblygol. I roi'r cyfle gorau i'r ffetws ddatblygu a thyfu'n normal, mae angen system gofal cyn-geni dda. Mae'n bosibl y bydd cyngor a gofal cyn-cenhedlu ar gael hefyd.

GOFAL CYN CENHEDLU

Cyn cenhedlu yw'r term a ddefnyddir i ddisgrifio'r cyfnod rhwng penderfyniad cwpl i gael baban a chenhedliad y baban. Yn ystod wythnosau cyntaf beichiogrwydd, mae'n bosibl na fydd merch yn sylweddoli bod cenhedliad ac impiad wedi digwydd, oherwydd erbyn i'r mislif ddod i ben mae'r embryo eisoes yn tyfu'n gyflym yn y groth. Dyma pryd y gall darpar-rieni sicrhau bod eu hiechyd gystal â phosibl, er mwyn i'w plentyn gael y cyfle gorau i dyfu a datblygu'n normal. Mewn rhai mannau mae'n bosibl y gellir mynychu clinigau gofal cyn cenhedlu am gymorth a chyngor i baratoi'r ddau bartner ar gyfer beichiogrwydd iach. Gall y clinigau hyn fod yn rhan o'r gwasanaethau mamolaeth lleol neu ran o'r gwasanaeth meddyg teulu.

Ffactorau iechyd cyffredinol yn ystod gofal cyn-cenhedlu

Cynhelir profion sgrinio sylfaenol yn y clinig gofal cyn-cenhedlu. Mae'n bosibl y profir y meysydd iechyd canlynol hefyd:

- pwysau
- pwysedd gwaed
- gofal dannedd
- prawf ceg y groth
- imiwnedd rwbela
- anaemia
- cynghori genetig os oes cyflwr etifeddol yn y teulu.

Rhoddir cyngor ynglŷn â'r canlynol:

- *Cyffuriau* – mae unrhyw sylwedd a gymerir oherwydd ei effaith ar weithredoedd y corff yn gyffur. Mae alcohol yn gyffur, a hefyd nicotin, a geir mewn tybaco; gall meddyginiaethau a roddwyd gan feddyg neu a brynwyd dros y cownter heb bresgripsiwn, neu gyffuriau a dderbyniwyd yn anghyfreithlon, oll groesi'r brych ac effeithio ar y ffetws datblygol.

- *Ysmygu* – mae'n well bod y ddau riant yn rhoi'r gorau i ysmygu cyn y cenhedliad. Gall ysmygu arwain at berygl uwch o erthyliad naturiol, genedigaeth gynamserol, pwysau geni isel, geni'n farw, syndrom marwolaeth sydyn babanod (SIDS). Gall hefyd gael effaith anffafriol ar y sberm gwrywaidd.

- *Alcohol* – mae tystiolaeth yn awgrymu bod yfed lefelau canolig ac uchel o alcohol yn ystod beichiogrwydd yn effeithio ar dwf a datblygiad y ffetws. Os bydd dynion yn yfed llawer iawn o alcohol, gall arwain at anffrwythlondeb ac abnormaledd yn y sberm.

- *Meddyginiaethau* – dylid cymryd dim ond y meddyginiaethau hynny a roddwyd gan feddyg, a hynny dim ond pan fydd y meddyg wedi cadarnhau nad ydynt yn niweidio'r ffetws.

- *Cyffuriau anghyfreithlon* – mae gan bob cyffur y potensial i fod yn sylwedd peryglus. Maent nid yn unig yn beryglus i'r fam ond hefyd yn peryglu bywyd baban.

GOFAL CYN-GENI

Drwy gydol beichiogrwydd bydd profion cyson gan fydwraig gymunedol, meddyg teulu, staff obstetreg neu gyfuniad o'r gofalwyr hyn yn sicrhau bod y fam a'r ffetws datblygol yn iach. Gellir cynnal neu wella iechyd y fam. Gellir cynnal profion i weld twf a datblygiad y ffetws, a gellir nodi unrhyw broblemau'n gynnar, boed y rheiny'n fawr neu'n fach. Gall y rhieni gynllunio'r beichiogrwydd a'r geni yn ôl eu hanghenion. Prif nod gofal cyn-geni yw helpu'r fam i roi genedigaeth i faban byw ac iach.

Ffactorau iechyd cyffredinol yn ystod gofal cyn-geni
Diet

Mae diet cytbwys yn bwysig bob amser, ond yn enwedig yn ystod cyfnod beichiogrwydd. Mae'n bosibl y bydd merched sydd ymhell dros neu o dan eu pwysau'n cael anhawster cenhedlu a dylent dderbyn cyngor dietegol ynglŷn â sut i gyrraedd pwysau derbyniol cyn dechrau'r beichiogrwydd. Rhaid trin anhwylderau bwyta fel anorecsia nerfosa a bwlimia.

Mae'n well bwyta diet sy'n llawn fitaminau, mineralau a phrotein cyn cenhedlu. Dylid cymryd ychwanegion asid ffolig am 3 mis cyn i'r beichiogrwydd ddechrau ac am 3 mis o leiaf wedi i'r beichiogrwydd gychwyn. Gall y mineral hwn helpu i atal diffyg yn y tiwb niwral, er enghraifft **spina bifida**. Mae'n hanfodol bod y fam yn derbyn cyngor dietegol da ac yn gweithredu arno cyn beichiogi ac yn ystod y cyfnod cyn-geni. Dylai'r cyngor hwn gynnwys rhybudd i osgoi cawsiau meddal a phate, a all gynnwys firws listeria (gall heintiad achosi niwed i'r ffetws), ac i goginio bwyd yn drwyadl i osgoi tocsoplasmosis (parasit, a all ymosod ar y ffetws, a ganfyddir mewn cig na choginiwyd yn ddigonol).

Clefydau trosglwyddadwy

Gellir canfod a thrin clefydau cysylltiad rhywiol (STDau), megis gonorrhoea a syffilis, cyn i'r beichiogrwydd ddechrau, i osgoi'r posibilrwydd y bydd yn effeithio ar y baban. Os na dderbynnir driniaeth, gall babanod gael eu geni gyda syffilis cynhenid, sy'n eu lladd yn y man. Mae gonorrhoea yn gallu achosi dallineb am fod

term allweddol

Spina bifida
cyflwr lle mae'r asgwrn cefn yn methu â datblygu'n gywir cyn y geni

llygaid y baban yn gallu cael eu heffeithio yn ystod y geni.

Nid yw firws diffyg imiwnedd dynol (HIV – y firws sy'n gallu achosi AIDS) yn welladwy hyd yma. Mae gwragedd sy'n credu bod ganddynt y firws angen chwilio am gyngor proffesiynol i'w helpu i benderfynu a ddylent gael prawf ai peidio. Gall gwragedd sy'n HIV positif roi'r firws i'w babanod yn ystod beichiogrwydd.

Ffordd o fyw

Mae'r ffordd mae merched yn byw eu bywydau yn effeithio ar eu hiechyd yn gyffredinol; mae hyn yn cynnwys faint o ymarfer corff a'r math o waith a wnânt. Bydd ymarfer corff yn gyson a byw mewn amgylchedd sy'n rhydd o straen yn helpu i wella iechyd a lles cyffredinol y ddau bartner.

Astudiaeth achos ...

... gofal cyn-cenhedlu a chyn-geni

Roedd Rhian a'i gwr Dewi wedi cynllunio i ddechrau teulu ac maent wedi gweithio gyda'i gilydd cyn-cenhedlu i sicrhau bod eu baban yn cael y dechrau gorau posibl i'w fywyd. Erbyn hyn mae Rhian wedi bod yn feichiog ers 13 wythnos. Cafodd feichiogrwydd didrafferth hyd yma ac mae hi'n bwriadu parhau i weithio gyhyd â phosibl. Mae hi wedi bod yn mynychu'r clinig cyn-geni yn ei meddygfa leol yn gyson ac wythnos ddiwethaf aeth i'r ysbyty mamolaeth ar gyfer apwyntiad cyn-geni rheolaidd. Mae Rhian yn gwneud popeth posibl i sicrhau bod ei baban yn cael ei eni'n iach, ac mae ei gwr Dewi wedi ei chefnogi ar hyd y ffordd.

1. *Pa gamau fyddai Rhian a Dewi wedi gallu eu cymryd cyn i Rhian feichiogi i geisio sicrhau bod eu baban yn cael cyfle da i dyfu a datblygu'n normal?*

2. *Pa bwynt datblygol pwysig fyddai baban Rhian wedi cyrraedd erbyn ei hymweliad cyn-geni diwethaf?*

3. *Disgrifiwch dwf a datblygiad baban Rhian o nawr tan eni'r baban.*

Gwirio'ch cynnydd

Beth yw gofal cyn-cenhedlu?

Pa brofion iechyd gellir eu gwneud yn y clinig gofal cyn-cenhedlu?

Pam ei bod hi'n bwysig i gymryd ychwanegion asid ffolig cyn i'r beichiogrwydd ddechrau?

Pam na ddylid ysmygu yn ystod cyfnod beichiogrwydd?

Pam na ddylid bwyta cawsiau meddal a phate yn ystod beichiogrwydd?

Pa broblem fyddai gonorrhoea'r fam yn gallu ei hachosi i'r ffetws?

Beichiogrwydd

Mae beichiogrwydd yn dechrau pan ffrwythlonir yr ofwm gan y sberm, fel rheol yn y tiwbiau Fallopio. Mae'n amhosibl i wraig fod yn ymwybodol fod hyn yn digwydd yn ei chorff. Dim ond wedi i'r embryo (ofwm ffrwythlon) impio ei hun yn

wal y groth y gwelir arwyddion a symptomau beichiogrwydd.

Achosir y newidiadau cynnar hyn a nodir gan y fam gan weithrediadau'r ddau hormon benywaidd, oestrogen a phrogesteron, a gynhyrchir gan yr ofari yn ystod 12 wythnos gyntaf beichiogrwydd ac yna gan y brych aeddfed. Fel rheol cadarnheir beichiogrwydd drwy ddefnyddio prawf wrin syml i ganfod **gonadotroffin corionig dynol (HCG)**. Cynhyrchir yr hormon hwn gan yr embryo a fewnblanwyd, a ysgarthir yn wrin y fam.

ARWYDDION A SYMPTOMAU BEICHIOGRWYDD

Amenorrhoea

Mae amenorrhoea (mislif yn dod i ben) yn arwydd dibynadwy iawn o feichiogrwydd mewn gwraig iach sydd wedi profi cylchred fislifol reolaidd ac sy'n cael bywyd rhywiol.

Newidiadau yn y fron

Gall newidiadau i'r fron yn ystod beichiogrwydd gynnwys pinnau bach, helaethiad, yr areola mwyaf yn tywyllu o amgylch y deth ac weithiau daw hylif o'r fron.

Pasio dŵr yn aml

O ganlyniad i weithgarwch yr hormonau a helaethiad y groth, mae angen i ferched wagio'u pledrenni'n amlach ar ddechrau'r beichiogrwydd.

Cyfog a salwch

Yn aml cyfeirir at gyfog fel 'salwch bore', a gall ddigwydd ar unrhyw adeg o'r dydd neu'r nos neu fod yn bresennol o hyd. Fel rheol, bydd yn dod i ben erbyn y trydydd mis.

Blinder

Mae cysgadrwydd (diffyg egni) yn gyffredin yng nghyfnod cynnar beichiogrwydd ond fel rheol bydd yn gwella wrth i'r beichiogrwydd fynd yn ei flaen.

Arllwysiad o'r wain

Mae arllwysiad gwyn o'r wain, nad yw'n ffiaidd, yn normal ac yn cael ei achosi gan weithgarwch hormonaidd cynyddol.

Arwyddion diweddarach yn dangos beichiogrwydd

Erbyn 12 wythnos, mae'r groth uwchben yr asgwrn pelfig a gall bydwraig neu feddyg ei deimlo.

Erbyn 16-20 wythnos, mae'n bosibl y bydd y fam yn dechrau teimlo'r baban yn symud (symudiadau'r ffetws neu ystwyriad), ac mae'n bosibl i deimlo rhannau o'r baban pan archwilir y fam mewn clinig cyn-geni. Gellir clywed calon y ffetws drwy ddefnyddio stethosgop.

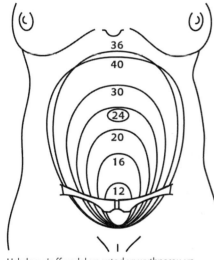

Uchderau'r ffwndal yn ystod yr wythnosau yn ystod beichiogrwydd

Twf y groth yn ystod wythnosau beichiogrwydd

term allweddol

Gonadotroffin corionig dynol (HCG)

hormon a gynhyrchir gan yr embryo a fewnblanwyd, ac ysgarthir yn wrin y fam; mae ei bresenoldeb yn cadarnhau beichiogrwydd

Gwirio'ch cynnydd

Beth yw arwyddion cynnar beichiogrwydd?

Beth yw arwyddion diweddarach beichiogrwydd?

EGWYDDORION ALLWEDDOL AC YMARFER GOFAL CYN-GENI

Cyflwynwyd cysyniad gofal cyn-geni mor ddiweddar â 1915, ond nid oedd ar gael yn rhad ac am ddim i bob merch tan 1948, pan grëwyd y Gwasanaeth Iechyd Cenedlaethol. Gofal cyn-geni fu'n gyfrifol am leihad sylweddol yng nghyfradd marwolaethau mamau a babanod.

Nid gofal cyn-geni yn unig sy'n gyfrifol am y lleihad hwn, fodd bynnag. Mae gwelliannau mewn cyflwr byw ers 1915 hefyd yn gyfrifol am welliant yn iechyd y genedl; ond mae pobl sy'n byw mewn tlodi a than anfantais yn parhau i ddioddef o gyfradd marwolaethau mamau a babanod uwch na'r cyffredin.

EGWYDDORION GOFAL CYN-GENI

Cynigir gofal cyn-geni yn rhad ac am ddim gan weithwyr proffesiynol i ferch a'i phartner yn ystod beichiogrwydd. Gall y gweithwyr proffesiynol gynnwys y fydwraig gymunedol, meddyg teulu, ymwelydd iechyd neu obstetregydd, sy'n arbenigo mewn gofalu am fam a'r baban heb ei eni. Mae'r gofal yn cynnwys pob agwedd ar iechyd ac amgylchiadau cymdeithasol i hyrwyddo lles. Ei nodau yw:

● cynnal a gwella iechyd yn ystod beichiogrwydd

● canfod unrhyw abnormaledd mor fuan â phosibl a'i drin

● paratoi'r ddau riant ar gyfer y geni ac esgoriad diogel, normal, sy'n brofiad pleserus

● annog bwydo o'r fron

● baban byw, iach ac aeddfed sy'n cael ei groesawu i'r teulu

● addysg iechyd y rhieni.

YMARFER GOFAL CYN-GENI

Beichiogrwydd cynnar

Anogir merched i weld eu meddyg teulu (GP) cyn gynted ag y byddant yn meddwl eu bod yn feichiog. Gall eu meddyg gadarnhau eu cyflwr drwy wneud prawf wrin syml ar gyfer HCG (uchod). Mae'n bwysig i weld meddyg mor fuan â phosibl fel y gellir:

● creu man cychwyn ar gyfer cofnodion ac arsylwadau – wedyn, bydd yn haws o lawer i weld os bydd abnormaleddau yn datblygu'n ddiweddarach

● rhoi cyngor am iechyd a ffordd o fyw i hyrwyddo beichiogrwydd iach.

Dylai'r meddyg esbonio wrth y fam am y dewisiadau posibl o ran gofal cyn-geni a ble y mae'n dymuno i'r baban gael ei eni. Os yw'r wraig yn dewis geni yn yr ysbyty, bydd y meddyg yn ei chyfeirio at yr uned famolaeth leol, a bydd hi'n derbyn apwyntiad i fynychu'r clinig bwcio.

Clinig bwcio

Y clinig bwcio yw'r ymweliad cyntaf â chlinig cyn-geni'r ysbyty (ANC). Rhoddir gwely ar un ochr ar gyfer yr adeg pan ddisgwylir y baban. Gwneir nifer o arsylwadau, profion a chofnodion yn y clinig hwn a rhoddir yr wybodaeth yn nodiadau ysbyty'r wraig.

Cofnodi hanes

Yn y clinig bwcio nodir yr wybodaeth ganlynol:

● *Manylion cyffredinol* – gwneir cofnodion manwl gywir o enw, oedran, cyfeiriad, meddyg teulu a bydwraig y wraig.

- *Beichiogrwydd presennol* – cyfrifiad o ddyddiad y geni (EDD). Holir y wraig am ddyddiad diwrnod cyntaf ei mislif diwethaf (LMP). Cyfrifir naw mis ymlaen ac ychwanegir 7 diwrnod, er enghraifft: LMP: 1.1.99, ychwanegir 9 mis a 7 diwrnod, EDD: 8.10.99. Asesir iechyd y fam yn ystod y beichiogrwydd hwn, er enghraifft, mae'n bosibl y bydd y fam yn sôn am gyfogi, gwaedu o'r wain neu abnormaleddau eraill.

- *Beichiogrwydd yn y gorffennol* – cofnodir manylion unrhyw feichiogrwydd a brofwyd cyn hyn, gan fod hyn yn gallu effeithio ar y gofal a roddir yn ystod y beichiogrwydd hwn.

- *Hanes meddygol* – cofnodir unrhyw salwch sy'n effeithio ar y fam, yn enwedig os oes perygl y byddant yn effeithio ar y baban, er enghraifft diabetes neu glefyd y galon.

- *Hanes y teulu* – cofnodir gefeilliaid, genedigaethau lluosog, cyflyrau genetig neu broblemau meddygol.

Archwiliad y fydwraig

Yn y clinig bwcio bydd y fydwraig yn archwilio'r canlynol:

- *Pwysau* – cofnodir pwysau fel man cychwyn ar gyfer mesur ennill pwysau yn y dyfodol. Fel rheol enillir tua 12 – 15kg yn ystod beichiogrwydd.

- *Taldra* – gall taldra ddangos maint y pelfis.

- *Prawf wrin* – profir yr wrin ar gyfer protein, cetonau a siwgr. Ni cheir hyd i'r sylweddau hyn mewn wrin fel rheol; os ceir hyd iddynt bydd rhaid ymchwilio ymhellach.

- *Pwysedd gwaed (BP)* – unwaith eto mae hwn yn rhoi man cychwyn ar gyfer cofnodion yn y dyfodol. Gall BP uchel yn ystod beichiogrwydd fod yn arwydd cyntaf o gyneclampsia.

Cyflwr sy'n digwydd dim ond pan fydd merch yn feichiog yw cyneclampsia. Dyma'r arwyddion:

- pwysedd gwaed uchel

- protein yn yr wrin

- oedema (meinweoedd yn chwyddo), yn enwedig yn y dwylo a'r traed

- ennill pwysau yn gyflym.

Mae cyneclampsia ar ffurf ysgafn yn gymharol gyffredin ac mae'r fydwraig a'r meddyg yn argymell gorffwys a monitro'r sefyllfa'n ofalus. Mae cyneclampsia mwy difrifol yn gallu niweidio'r fam a'r baban – mae'n bosibl mai'r unig ateb fydd geni'r baban. O bosibl bydd hyn yn digwydd yn gynnar iawn, ac felly bydd gan y baban broblemau sy'n gysylltiedig â chynamseroldeb, gan olygu y bydd o bosibl yn **ysgafn-am-ddyddiadau** hefyd.

Archwiliad meddygol

Cynhelir archwiliad meddygol llawn gan obstetregydd. Bydd hwn yn cynnwys archwilio'r:

- dannedd
- bronnau
- calon ac ysgyfaint
- archwilio'r abdomen

term allweddol

Ysgafn-am-ddyddiadau
baban sy'n llai na'r disgwyl o ystyried hyd y beichiogrwydd (cyfnod beichiogi)

- aelodau is y corff, ar gyfer gwythiennau faricos neu chwyddo (**oedema**)

- archwiliad mewnol o'r wain i wirio maint y groth; bydd sgan uwchsain yn rhoi asesiad cywirach fyth. Gwneir prawf ceg y groth os bydd angen.

Profion gwaed

Yn ystod yr ymweliad cyntaf hwn â'r ANC, cymerir sampl o waed ar gyfer nifer o brofion amrywiol:

- *Grŵp ABO a ffactor Rhesws* – gyda'r wybodaeth a geir o'r prawf hwn, gellir croes-fatsio gwaed ar unwaith rhag ofn bod anaemia neu waedu yn ystod y beichiogrwydd, pan fydd angen trallwysiad gwaed, o bosibl. Y pedwar prif grŵp yw A, B, O ac AB. Yn ogystal, mae'r sylwedd a elwir yn ffactor Rhesws yn bodoli yng ngwaed rhai pobl. Mae tua 85 y cant o'r boblogaeth yn Rhesws positif a thua 15 y cant yn Rhesws negatif. Mae'r baban yn etifeddu dau enyn Rhesws, un o bob rhiant. Mae'r genyn Rhesws positif D yn drechol. Mae'r genyn Rhesws negatif d yn enciliol.

    Yn ystod beichiogrwydd ni ddylai gwaed y ffetws a'r fam gymysgu, ond yn ystod y geni, neu os bydd erthyliad naturiol, gall gwaed y baban fynd i mewn i system y fam. Os yw'r fam yn Rhesws negatif a'r baban yn Rhesws positif, mae'n bosibl y bydd y fam yn ymateb i ffactor Rhesws gwaed ei baban a gwneud gwrthgyrff i ymosod ar y celloedd estron (ffactor Rhesws gwaed y baban).

    Gall maint y niwed amrywio, o **anaemia** a **chlefyd melyn** ysgafn i glefyd haemolytig y baban newydd-anedig, sy'n ddifrifol iawn ac o bosibl yn golygu y bydd angen trallwysiad gwaed. Yn ffodus, nid yw'r sefyllfa hon yn digwydd yn aml iawn erbyn hyn, am fod profion gwaed cyson yn ystod beichiogrwydd yn gallu canfod gwrthgyrff yng ngwaed y fam. Gall pigiad Gwrth-D (ffactor gwrth-Rhesws) atal ffurfiad mwy o wrthgyrff a diogelu'r baban.

- *Seroleg* – i ganfod syffilis (clefyd gwenerol). Gellir ei drin er mwyn atal niwed i'r baban.

- *Haemoglobin* – cofnodir yr haearn yn y gwaed ac yna gwneir hyn bob mis i ganfod arwyddion cynnar o anaemia.

- Profir gwaed pob mam o waed Affricanaidd, Asiaidd neu Ganoldirol ar gyfer clefyd cryman-gell a thalasaemia.

- *Rwbela* – profir y gwaed ar gyfer gwrthgyrff rwbela.

- **Serwm alffa-ffetoprotein** (SAFP) – cynhelir y prawf hwn ar ôl 16 wythnos o feichiogrwydd pan fydd lefel uwch o SAFP yn dangos posibilrwydd fod gan y baban spina bifida; fodd bynnag, gall y lefel uchel hon ddangos genedigaeth luosog neu fod y dyddiad LMP yn anghywir. Cynigir amniosentesis i famau gydag SAFP uwch, ac fel rheol cynhelir sgan uwchsain i wirio am efeilliaid neu fwy, ac i archwilio asgwrn cefn y ffetws.

- **Prawf triphlyg** – gellir cynnig y prawf hwn i wragedd dros 35 oed, neu o bosibl gwneir cais amdano. Mae'n mesur lefelau serwm alffa-ffetoprotein (SAFP), gonadotroffin corionig dynol (HCG) ac oestriol (hormonau brychol). Yn gysylltiedig ag oedran y fam, mae'r prawf yn cyfrifo'r perygl bod gan y baban Syndrom Down a Spina Bifida. O bosibl, cynigir amniosentesis i famau os bydd angen.

Y cerdyn cydweithrediad (co-op)

Mae pob gwraig feichiog yn derbyn cerdyn cydweithrediad i gofnodi pob asesiad cyn-geni a wneir gan y fydwraig gymunedol, meddyg teulu neu staff obstetreg. Fel mae'r enw'n awgrymu, pwrpas y cerdyn yw hwyluso cydweithrediad rhwng darparwyr gofal cyn-geni yn ogystal â'r fam. Dylai gario'r cerdyn bob amser am nad

COFNOD CYN-GENI

YMCHWILIADAU		DYDDIAD	CANLYNIADAU	HANES		ARCHWILIAD CYNTAF		ARCHWILIAD wythnos 33/37			Mae'r claf hwn yn ddigon iach i dderbyn analgesia mewnanadlu

Grŵp Gwaed A.B.O.   A Rh +
Grŵp Gwaed Rhesws
Gwrthgyrff **24/8/98**
WR/KAHN   3/12.10668
Pelydr X o'r frest
Arall

NODYN PWYSIG - os rhoddir trallwysiad dylid gwirio'r cofnod hwn o grŵp gwaed a thrawsgyfeirio

ARCHWILIAD CYNTAF — Taldra **5. 6"** — Arsylwadau arbennig — **yn anwyddus i fwydo o'r fron**

Dannedd, Bronnau, Calon, Ysgyfaint, Gwythiennau faricos, Pelfis, Prawf ceg y groth **Aug. 96** — **NAD**

MEITHRINIAD WRIN — CYTOLEG CEG Y GROTH — MYNEGAI K.P. — SERWM ALFFA — FFETO-PROTEINAU — RWBELA A/B   **28/9/98**

DYDDIAD	WYTHNOSAU	PWYSAU	WRIN ALB SIWGR	P.G. (B.P.)	UCHDER FFWNDWS	CYFLWYNIAD A SAFLE	PERTHYNAS Y P.P. I'R YMYL	F.H.	OEDEMA	H.b.	YMWELIAD NESAF	LLOFNOD	NODIADAU
26.7.98	7	57 kg	n o.d.	95/60					Dim		SB	Iach
24.8.98	11	59.8	Nad	100/65	Just palp				Dim	12.6	2 wk	Jo Harris	ymca (SAFP)
20.9.98	15	59 kg	N.A.D.	94/60	16				Dim.		4 wk	SB	BKD MISS BAKER CHN
18.10.98	19	59 kg	N.A.D.	100/60	19			FHH	Dim		4 wk.	SB	Iach
5.11.98		Ymweliad cartref Bydwraig Gymunedol Rhagylch ladau gartref yn aedas ar ôl cyfer diwyddiau o fewn 24 awr										Crosby	Archwiliad o'r bronnau, boston
15.11.98	22+	60½kg	N.A.D.	95/60	23			FHH	Dim		4 wk.	SB	cyngor ar ofalu y fronnau
13-12-98	27	65 kg	N.A.D.	100/60	27	Ceff	Dim	33	Dim		4 wk.	SB	Iach
10.1.99	31	69 kg	N.A.D.	90/50	31	Ceff	Dim	H	Dim		3 wk Jan	SB	Iach
19/1/99	32	67 kg	NAD	100/60	32	Vx symudol	LOT	FHH	Dim.	11.4	1 wk.	B	tabed Asilene
31.1.99	34	67 kg	NAD	90/50	34	Vx symudol	H	FHH	Dim		2 wk.	SB	Iach
6/2/99	36	69.35	NAD	100/60	36	Vx y/ymyl	LOT	FHH	Dim		2 wk.	B	
21.2.99	37	69 kg	N.r.D.	90/54	37	"	LOT,	FHH	Dim	11.7	1 wk.	SB	Iach
28.2.99	38	69.5 kg	N.r.D.	88/54	38	Vx.	LOT,	FHH	Dim		1 wk.	SB	Iach
5-3-99	39	70.0 kg	NAD	95/55	39	Vx.			Dim.		1 wk.		
13-3-99	39+	70.0	NAD	95/55	40	Vx.		✓	Dim.		1 wk.	SB	Iach

Cerdyn cydweithrediad (co-op)

yw beichiogrwydd yn rhywbeth y gellir ei ragweld – gallai problem godi ar unrhyw adeg, hyd yn oed os bydd y fam allan am y diwrnod neu ar wyliau. Bydd pwy bynnag sy'n gofalu amdani angen gwybod hynt y beichiogrwydd hyd y pwynt hwnnw, fel y gellir cynnig y driniaeth orau. Mae hwn yn gofnod manylach a gedwir gan y fam ac mae'n adlewyrchu arddull nodiadau'r ysbyty.

Wrth i'r beichiogrwydd ddatblygu, bydd yn bosibl cofnodi calon y ffetws a theimlo rhannau'r ffetws pan archwilir y fam. Bydd y fam yn dechrau teimlo'r baban yn symud, ar ôl tua 20 wythnos ar gyfer y baban cyntaf, ac yn gynharach ar gyfer beichiogrwydd wedi hynny gan y bydd mam brofiadol yn adnabod symudiad y ffetws. Cofnodir yr arsylwadau hyn yn ystod pob ymweliad cyn-geni ar y cerdyn cydweithrediad.

Rhaid ymweld yn gyson ar gyfer archwiliadau cyn-geni a bydd y meddyg teulu, y fydwraig gymunedol a'r staff obstetreg yn monitro'r cynnydd.

Profion cyffredin ac ymchwiliadau yn ystod beichiogrwydd

Sgan uwchsain

Gellir cynnal sgan uwchsain i wirio maint a safle'r ffetws yn y groth, darganfod abnormaleddau yn y ffetws a chadarnhau beichiogrwydd lluosog.

Ar ôl 18 wythnos o feichiogrwydd cynigir sgan manwl i ferched fel y gall meddygon edrych ar wneuthuriad organau'r ffetws.

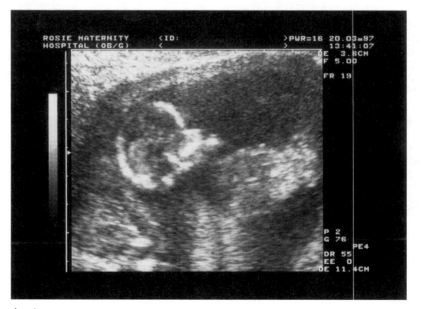

Sgan uwchsain

Profion ar y brych

Mae brych iach yn hanfodol er mwyn galluogi'r ffetws i dyfu a datblygu'n normal. Mae'n bosibl profi iechyd a chryfder y brych drwy wirio faint o hormonau beichiogrwydd a gynhyrchir ganddo.

Amniosentesis

Mae amniosentesis yn golygu tynnu sampl fach o hylif amniotig o'r groth, drwy'r wal abdomenol. Gellir perfformio hyn ar ôl 16 wythnos o feichiogrwydd, pan fo modd gwirio a yw'r cromosomau, gan gynnwys y cromosomau rhyw, yn normal.

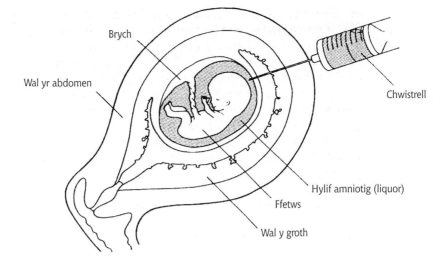

Brych

Wal yr abdomen

Chwistrell

Hylif amniotig (liquor)

Ffetws

Wal y groth

Amniosentesis

O bosibl, cynigir amniosentesis i wragedd gyda:

- hanes abnormaleddau cromosomaidd, megis Syndrom Down

- SAFP uwch

- hanes anhwylderau sy'n gysylltiedig â rhyw, megis nychdod cyhyrol Duchenne

- yn hynach na 33 oed (mae perygl abnormaleddau cromosomaidd, yn enwedig Syndrom Down, yn cynyddu gydag oedran).

Samplu filws corionig

Cynhelir samplo filws corionig (CVS) rhwng 8 ac 11 wythnos o feichiogrwydd. Gyda chymorth sgan uwchsain i ddod o hyd i safle'r brych a'r ffetws, tynnir sampl o feinwe'r brych drwy geg y groth. Defnyddir CVS i ganfod anhwylderau etifeddol megis Syndrom Down, haemoffilia, thalasaemia, clefyd cryman-gell, ffibrosis y bledren.

Gellir ei ddefnyddio hefyd i ddarganfod rhyw'r ffetws, os oes hanes teuluol yn dangos cyflyrau sy'n gysylltiedig â rhyw.

Gall cwpl benderfynu dod â'r beichiogrwydd i ben oherwydd canlyniadau'r amniosentesis neu CVS, Beth bynnag yw eu penderfyniad, bydd arnynt angen llawer o gefnogaeth ac empathi gan bob un o'r gweithwyr proffesiynol sy'n gofalu amdanynt.

Arweiniad proffesiynol

Bydd y fydwraig, y meddyg a'r ymwelydd iechyd yn rhoi llawer o gefnogaeth emosiynol yn ogystal â gofal corfforol. Wrth i'r beichiogrwydd fynd yn ei flaen, byddant ar gael i drafod, roi cyngor a thawelu meddwl ynglŷn ag unrhyw faterion a all achosi pryder i'r rhieni.

Tua diwedd cyfnod y beichiogrwydd, pan fydd mam a gyflogwyd wedi cyrraedd cyfnod absenoldeb mamolaeth, gwahoddir rhieni i ddosbarthiadau paratoi at fagu plant. Trefnir y dosbarthiadau hyn gan yr awdurdod iechyd lleol ac fe'u cynhelir gan y fydwraig leol a/neu'r ymwelydd iechyd yn y ganolfan iechyd neu ysbyty. Fel rheol maent yn para am ddwyawr ac yn digwydd unwaith yr wythnos am 6-8 wythnos, ac yn cynnwys sesiynau gyda'r nos fel bod partner y fam yn gallu mynd. Edrychir ar ystod eang o bynciau perthnasol.

Gwirio'ch cynnydd

Beth yw egwyddorion gofal cyn-geni?

Rhestrwch rai o'r arsylwadau a gofnodir ar gerdyn cydweithrediad.

Gan dybio mai'r dyddiadau canlynol yw diwrnod cyntaf y mislif diwethaf (LMP), cyfrifwch ddyddiad disgwyliedig y geni (EDD): 25.12.2001; 6.5.2001; 29.1.2002.

Pa brofion a wneir ar sampl wrin?

Disgrifiwch oedema.

Disgrifiwch bwrpas:

(a) sgan uwchsain

(b) prawf gwaed ar gyfer serwm alffa-ffetoprotein (SAFP)

(c) amniosentesis

(ch) samplu filws corionig (CVS).

Pwy sy'n gallu rhoi arweiniad proffesiynol yn ystod beichiogrwydd?

Nawr rhowch gynnig ar y cwestiynau hyn

Copïwch y diagramau hyn o'r organau atgenhedlu gwrywol a benywol. Ar y diagram gwrywol labelwch y rhannau canlynol; fas defferens; ceillgwd; pidyn; chwarren brostad; ceilliau; Ar y diagram benywol labelwch y rhannau canlynol: gwain; ffwndws; croth; tiwb Fallopio; ceg y groth; ofari.

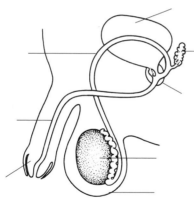
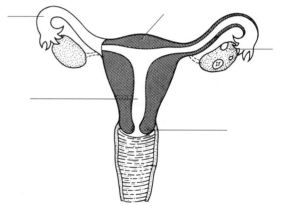

Yr organ atgynhyrchu gwrywol   Yr organ atgynhyrchu benywol

Disgrifiwch ddatblygiad yr ofwm a ffrwythlonwyd, o'r cenhedliad i'r impiad yn wal y groth.

Pam fod gofal cyn-cenhedlu a chyn-geni da yn bwysig?

Disgrifiwch y profion gwaed a gynhelir yn ystod beichiogrwydd a phryd mae'r profion hyn yn cael eu cynnal.

Beth yw gwerth y cerdyn cydweithrediad?

GENI, GOFAL ÔL-ENI A BABANOD PWYSAU GENI ISEL

M ae'r esgor a'r geni'n dilyn wythnosau o dyfu a datblygu yn y groth. Mae'r gofal a roddir yn ystod y geni a'r gofal ôl-eni sy'n dilyn hyn yn hanfodol o ran datblygiad y baban yn y dyfodol.

Bydd y rhan hon yn ymdrin â'r pynciau canlynol:

‿ y broses geni

‿ gofal yn ystod y geni

‿ gofal ôl-eni

‿ babanod pwysau geni isel.

Y broses geni

term allweddol

Esgor

y broses sy'n peri bod y ffetws, y brych a'r meinweoedd yn cael eu gyrru allan o'r llwybr geni

E sgor yw'r broses sy'n peri bod y ffetws, y brych a'r meinweoedd yn cael eu gyrru allan drwy'r llwybr geni.

Arwyddion sy'n dangos bod yr esgor wedi dechrau:

● cyfangiadau cryf a chyson yn dechrau

● 'dangosiad' – mwcws gwaedlyd yn dod allan o'r wain

● 'dŵr yn torri' – y meinweoedd yn rhwygo, gan ryddhau rhywfaint o hylif amniotig drwy'r wain

Gall un, neu unrhyw gyfuniad o'r rhain, ddangos bod yr esgor wedi dechrau. Dylai gwraig gysylltu â'i bydwraig am gyngor pan fydd yn amau ei bod ar fin esgor. Gall rhwygiad y meinweoedd adael i haint fynd i mewn i'r groth, ac felly dylai gysylltu â'r ysbyty ar unwaith os yw'n dymuno geni'r baban yno.

term allweddol

Tymor

rhwng 38fed a 42il wythnos beichiogrwydd

ESGOR NORMAL

Bydd gan esgor normal y nodweddion canlynol:

● Mae'n dechrau'n ddigymell (yn naturiol) heb unrhyw gymorth gan y meddyg neu gyffuriau.

- Mae'n dechrau ar **dymor**, hynny yw rhwng 38 a 42 wythnos o feichiogrwydd.
- Mae cyflwyniad ceffalig (pen yn gyntaf).
- Fe'i cwblheir mewn 24 awr.
- Genir y baban yn fyw ac yn iach.
- Ni cheir cymhlethdodau.

Mae tri pheth yn dangos bod yr esgor wedi dechrau

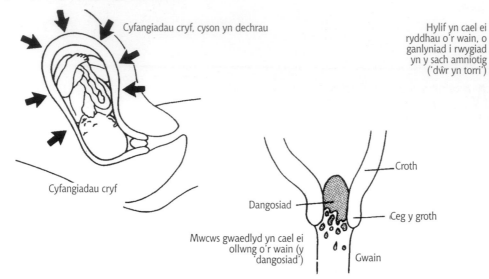
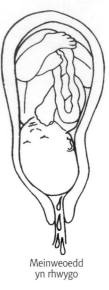

Cyfangiadau cryf, cyson yn dechrau

Cyfangiadau cryf

Hylif yn cael ei ryddhau o'r wain, o ganlyniad i rwygiad yn y sach amniotig ('dŵr yn torri')

Croth

Dangosiad

Ceg y groth

Mwcws gwaedlyd yn cael ei ollwng o'r wain (y 'dangosiad')

Gwain

Meinweoedd yn rhwygo

Yr esgor yn dechrau. Mae tri arwydd yn dangos bod yr esgor wedi dechrau

CAMAU ESGOR

Mae esgor wedi'i rannu'n dri cham.

Cam 1

Mae cam cyntaf esgor yn dechrau pan fydd **cyfangiadau'r** groth yn dechrau digwydd yn gyson. Yn ystod y digwyddiad hwn bydd ceg y groth yn ymledu (yn lledu neu'n mynd yn fwy) er mwyn caniatáu i'r baban gael ei eni. Bydd yn dod i ben pan fydd ceg y groth yn ymledu'n llawn, gan gyrraedd 10cm ar ei fwyaf.

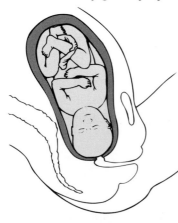
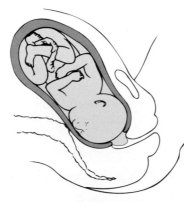
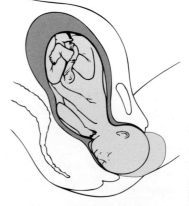

Mae ceg y groth yn ymledu

Pan fydd ceg y groth wedi ymledu'n llawn, bydd y pen ar fin ymddangos

Cam cyntaf geni

Cam 2

Mae ail gam yr esgor yn dechrau pan fydd ceg y groth yn ymledu'n llawn ac yn gorffen gyda genedigaeth y baban.

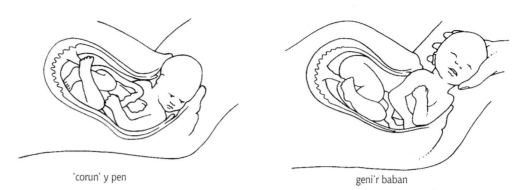

'corun' y pen

geni'r baban

Ail gam yr esgor

Cam 3

Mae'r trydydd cam yn dechrau gyda genedigaeth y baban ac yn gorffen pan ddaw'r brych a'r meinweoedd allan o'r corff.

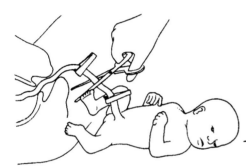 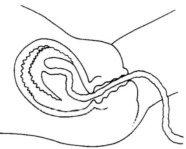 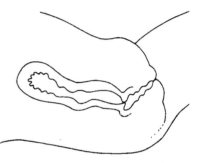

Mae'r cortyn yn cael ei glampio a'i dorri   Mae'r brych yn dod allan   Mae'r groth yn cyfangu

Trydydd cam yr esgor

MATHAU O ENI

Mae angen cymorth ar rai mamau a babanod yn ystod y broses geni, ac mae'n bosibl y bydd gofyn cael rhyw fath o ymyriad meddygol i sicrhau bod y fam a'r baban yn iach ar ddiwedd y cyfnod esgor.

Cymell geni

Mae **cymell geni** yn golygu dechrau'r geni drwy ddulliau artiffisial. Mae'n bosibl y bydd gofyn cymell y geni os bydd:

- y baban yn hwyr iawn yn cyrraedd
- y fam yn sâl er enghraifft yn dioddef o gynclampsia
- y brych yn methu.

Gellir cymell geni drwy rwygo'r meinweoedd a/neu roi hormonau artiffisial i ysgogi cyfangiadau.

---

term allweddol

Cymell geni
dechrau'r esgor drwy ddulliau artiffisial, er enghraifft drwy dorri'r dŵr neu roi hormonau i ysgogi cyfangiadau

Episotomi

Toriad a wneir yn y perinëwm (y rhan rhwng y wain a'r rectwm) yn ystod ail gam yr esgor yw **episotomi**. Fe'i gwneir am ddau brif reswm:

- i ganiatáu geni'r baban yn gyflymach os gwelir unrhyw arwydd o gyfaddawdu'r ffetws
- i osgoi creu rhwyg mawr.

Geni drwy efeiliau

Os yw'r baban yn dechrau ymddangos mewn trafferth, mae'n bosibl y defnyddir **gefeiliau** i'w eni. Mae'r gefeiliau ar ffurf llwy ac yn ffitio o amgylch pen y baban fel y gall y meddyg gynorthwyo gyda'r pen wrth eni'r plentyn.

Echdyniad Fentws

Mae echdyniad **fentws** yn golygu defnyddio offeryn siâp cwpan sy'n ffitio ar ben y baban ac ynghlwm wrth offer sugno. Gyda chymorth sugnedd, mae'r baban yn teithio'n ofalus drwy'r llwybr geni.

Toriad Cesaraidd

Llawdriniaeth lawfeddygol i dynnu'r baban, y brych a'r meinweoedd drwy wal yr abdomen yw toriad **Cesaraidd**. Gellir ei pherfformio pan fydd y fam yn effro, ond gyda chymorth anaesthetig epidwral neu floc madruddol, sy'n atal poen. Mae'n bosibl y bydd yn well gan rai gwragedd dderbyn anaesthetig cyffredinol. Gwneir toriadau Cesaraidd am nifer o resymau. Mae rhai yn 'ddewisol', sy'n golygu eu bod yn digwydd cyn bod yr esgor yn dechrau, a bydd rhai yn digwydd fel rhan o ddull gweithredu argyfwng, am fod abnormaledd yn digwydd yn ystod yr esgor.

Lleihau poen yn ystod yr esgor

Y ffordd orau o leihau poen wrth esgor yw meithrin agwedd bositif a bod yn ymwybodol o'r hyn sy'n digwydd. Fel rheol bydd gwragedd sydd wedi mynychu dosbarthiadau magu plant/ymlacio yn ymdopi'n dda, a bydd eu partneriaid yn gwybod sut i'w helpu. Mae'n bosibl y bydd dal gafael mewn llaw garedig, cael bydwraig gydymdeimladol a chofio technegau anadlu'n helpu i osgoi defnyddio poenladdwyr ac anaesthetigion. Fodd bynnag, defnyddir y mathau canlynol o boenladdwyr gan nifer o wragedd:

- *pethidin* – cyffur cryf y gellir ei roi drwy bigiad bob pedair awr, i leihau poen y cyfangiadau
- *Ocsid nitrws ac ocsigen (NO_2 a O_2)* – nwy y gall y fam ei anadlu i'w helpu gyda'r cyfangiadau; mae hi'n rheoli'r maint a gymerir i mewn, fel na all dderbyn gormod
- **Epidwral** – chwistrelliad cyffur poenladdol i mewn i'r gofod o amgylch madruddyn y cefn; mae'n lladd poen y cyfangiadau drwy anesthetigo'r nerfau sy'n cludo teimladau i'r ymennydd. Nid yw'r math hwn o anesthetig yn niweidio'r baban ac mae'r fam yn aros yn gwbl ymwybodol
- **Ysgogiad nerfau trawsgroenol** (TENS) – yn cynnwys offer sy'n creu ysgogiadau trydanol sy'n rhwystro unrhyw deimladau o boen cyn iddynt gyrraedd yr ymennydd; benthycir yr offer i'r fam cyn i'r esgor ddechrau fel y gall ddechrau ei ddefnyddio cyn gynted ag y bydd yn meddwl bod yr esgor wedi dechrau. Mae'n fwyaf effeithiol os dechreuir ef yn gynnar iawn wrth esgor
- *Geni mewn dŵr* – mae galluogi'r fam i ddefnyddio baddon o ddŵr cynnes yn gallu lliniaru poen yn ystod camau cynnar yr esgor.

term allweddol

Episotomi

toriad yn y perinëwm i gynorthwyo gyda geni'r ffetws

term allweddol

Gefeiliau

offer siâp llwy i amddiffyn pen y baban a chynorthwyo gyda geni'r ffetws

term allweddol

Fentws

cwpan sugno a roddir ar ben y ffetws er mwyn ei eni

term allweddol

Cesaraidd

geni'r ffetws drwy endoriad yn yr abdomen

termau allweddol

Epidwral

anaesthetig a chwistrellir i mewn i'r gofod epidwral yn y madruddyn i feirioli'r ardal o dan y wasg

Ysgogiad nerfau trawsgroenol (TENS)

dyfais electronig i helpu rheoli poen yn ystod yr esgor

Gwirio'ch cynnydd

Pa dair arwydd sy'n dangos bod yr esgor wedi dechrau?

Beth yw ystyr 'esgor normal' yn eich barn chi?

Beth yw tri cham yr esgor?

Pam fydd yr esgor yn cael ei gymell weithiau?

Beth yw episotomi?

Pa fathau o boenaddwyr sydd ar gael yn ystod yr esgor?

Gofal yn ystod y geni

SICRHAU BOD Y BABAN YN ANADLU

Cyn gynted ag y bydd y pen yn ymddangos, bydd y fydwraig yn sychu trwyn a cheg y baban fel nad yw ei anadl cyntaf yn llawn mwcws neu waed. Mae'r mwyafrif o fabanod yn anadlu'n ddigymell, ond mae offer arbenigol ar gael yn yr ystafell esgor ar gyfer dadebriad os bydd angen.

CYNNAL TYMHEREDD Y CORFF

Mae babanod yn wlyb pan gânt eu geni ac yn colli gwres yn gyflym iawn. Dyna pam fod ystafelloedd geni ysbytai mor boeth. Mae'n bwysig sychu'r baban mor fuan â phosibl, fel rheol drwy ei lapio mewn tywelion cynnes fel y gall y fam ei anwesu. Bydd twymydd tanbaid dros y crud yn ei gynhesu, yn barod ar gyfer y baban.

Defnyddir thermomedr rectwm neu ddigidol i fesur tymheredd y baban o fewn awr wedi'r geni.

CREU PERTHYNAS AGOS

Mae'n bwysig iawn bod gan y rhieni gysylltiad agos â'u baban newydd, er mwyn sicrhau dechrau da i'r berthynas. Gellir annog perthynas agos drwy'r dulliau canlynol:

- mae'r fam yn helpu gyda'r geni, drwy afael yn ysgwyddau'r baban a'i godi allan

- caiff y baban ei roi ym mreichiau'r fam, neu ar ei stumog os yw hynny'n bosibl

- mae'r fam neu ei phartner yn torri'r llinyn bogail os ydynt yn dymuno gwneud hynny – mae hon yn ffordd symbolaidd o ddangos bywyd newydd

- mae'r fam yn cael ei hannog i fwydo o'r fron mor fuan â phosibl wedi'r geni, os dyna sut y mae'n dewis bwydo.

ADNABYDDIAETH

Labelir y baban yn syth wedi'r geni drwy glymu breichledau bach ar un arddwrn ac un pigwrn. Mae'r labeli hyn yn cynnwys enw a rhif ysbyty'r fam a dyddiad ac amser y geni. Labelir crud y baban hefyd.

Mae'n bwysig iawn bod cysylltiad agos yn cael ei sefydlu rhwng rhieni a'u baban newydd

ARSYLWADAU
Sgôr Agpar

Tra bod hyn i gyd yn digwydd, bydd y fydwraig yn gwylio'r baban yn ofalus. Bydd yn chwilio am arwyddion bywyd:

- cyfradd curiad y galon
- resbiradaeth
- tôn y cyhyrau
- ymateb i ysgogiad
- lliw.

term allweddol

Sgôr Agpar
dull o asesu cyflwr y baban newydd-anedig drwy sylwi ar yr arwyddion bywyd

Drwy sylwi ar y meysydd penodol hyn bydd yn gallu asesu'r **sgôr Agpar**. Mae hon yn system a ddefnyddir yn rhyngwladol ar gyfer asesu cyflwr babanod ar ôl y geni. Sylwir ar bob un o'r pum maes a rhoddir sgôr o 0, 1 neu 2 bwynt i'r baban yn ôl ei gyflwr. Ychwanegir y pwyntiau hyn i roi sgôr fwyafrifol o 10. (Gweler y tabl isod.)

Y sgôr Agpar			
Arwydd	**0**	**1**	**2**
Cyfradd curiad y galon	Absennol	Araf (dan 100)	Cyflym (uwchlaw 100)
Resbiradaeth	Absennol	Araf, anghyson	Da, yn crïo
Tôn y cyhyrau	Llipa	Rhywfaint o blygu ar yr eithafon	Gweithredol
Ymateb i ysgogiad (ysgogi'r droed neu'r trwyn/ceg)	Dim ymateb	Tynnu wyneb	Crïo, peswch
Lliw	Glas, golau	Corff yn binc/ croendywyll digon o ocsigen; yr eithafon yn las	Yr holl gorff yn binc/lliw iach, digon o ocsigen

Y galon a'r gyfradd resbiradol yw'r ffactorau pwysicaf.

Mae babanod rhieni du, Asiaidd neu gymysg yn lliw pinc tywyll pan gânt eu geni, am nad yw'r melanin dan y croen, sy'n gyfrifol am liw eu croen yn y pen draw, wedi cyrraedd ei grynodiad llawn. Asesir pob baban drwy fonitro ocsigeniad y gwaed i'r croen.

Cynhelir y prawf yn gyntaf pan fo'r baban yn 1 munud oed, yna 5 munud yn ddiweddarach, a phob 5 munud wedi hynny nes cyrhaeddir yr uchafswm, sef 10. Mae sgôr o 8 i 10 yn dangos bod y baban mewn cyflwr da ar enedigaeth. Mae'n bosibl y cyfeirir at y sgôr Agpar yn ddiweddarach mewn plentyndod os bydd plentyn yn dangos unrhyw arwyddion o oedi yn y datblygiad a allai fod yn ganlyniad i'w cyflwr gwael ar enedigaeth. Cedwir cofnod o'r sgôr yng nghofnodion iechyd y plentyn a gedwir gan y rhieni, yr ymwelydd iechyd ac yn ddiweddarach gan y nyrs ysgol.

Mesuriadau

Yn fuan wedi'r geni pwysir y baban a chofnodir y pwysau mewn cilogramau

Yn ogystal, cofnodir cylchedd y pen i roi man cychwyn y gellir ei ddefnyddio i gymharu mesuriadau'r dyfodol.

Tymheredd

Cymerir y tymheredd i sicrhau bod y baban yn ddigon cynnes.

Carthion a chynnyrch wrinol

Mae'n bwysig iawn bod y fydwraig yn arsylwi ac yn cofnodi pan fydd y baban wedi gwneud wrin, a phasio meconiwm (carthion meddal, gwyrdd-ddu). Mae methu â gwneud un neu'r ddau beth yn dangos abnormaledd, a bydd angen ymchwilio ymhellach.

ARCHWILIAD

Gwneir archwiliad manwl o'r baban yng nghwmni'r rhieni.

Arsylwadau cyffredinol

Bydd y fydwraig yn gwirio ar gyfer anadlu cyson, diymdrech a lliw croen – bydd lliw iach yn dangos bod y gwaed yn cylchredu ocsigen o amgylch y corff.

Mae pob baban yn wahanol fathau o binc ar enedigaeth, beth bynnag fo'u cefndir hiliol. Mae'n bosibl y gwelir **lanwgo** (blew meddal, mân a welir ar fabanod cynamserol, ond mae'n bosibl y bydd rhyweint yn bresennol mewn babanod a enir yn eu tymor). Mae caseosa fernics yn sylwedd gwyn, seimlyd sy'n amddiffyn y croen yn ei amgylchedd dyfrllyd yn y groth. Mewn babanod aeddfed, ceir hyd iddo yng nghrychiadau'r croen, ond gall hefyd fod yn bresennol ar y bongorff os yw'r baban yn gynamserol.

Bydd y fydwraig yn nodi gweithgarwch y baban, gan edrych i weld a yw aelodau'r corff yn symud.

Arsylwadau manwl

Y pen

Teimlir ffontanelau a llinellau pwyth; archwilir y llygaid i gadarnhau eu presenoldeb a bod y ffurfiant yn normal. Edrychir ar y clustiau i wirio am dagiau croen a'r geg am wefus a thaflod hollt.

Y breichiau a'r dwylo

Archwilir y breichiau a'r dwylo am symudiad llawn; cyfrifir y bysedd a nodir webin (anghyffredin iawn).

Y corff

Gosodir clamp llinyn bogail; nodir organau cenhedlu allanol a'u gwirio.

Gwirir yr anws drwy fesur y tymheredd. Tra bod y baban yn wynebu i lawr,

---

Clamp llinyn bogail

term allweddol

Talipes
safle abnormal y droed, a achosir gan gyfangiad cyhyrau neu dendonau penodol

archwilir y cefn i chwilio am dystiolaeth o spina bifida. Gall fod nam agored (clwyf) neu bant bach yn dangos presenoldeb nam cuddiedig.

Mae'n bosibl y bydd gan y baban **smotiau glas mongolaidd**, ardaloedd lle ceir arlliw glas i'r croen, yn debyg i gleisiau. Ceir hyd iddynt yn aml yng ngwaelod yr asgwrn cefn (y sacrwm) er y gallant fod ar unrhyw ran o'r corff. Fel rheol ceir hyd iddynt mewn babanod o waed Asiaidd, Affricanaidd-Caribïaidd neu Ganoldirol, neu mewn babanod o waed cymysg. Maent yn diflannu cyn 5 oed, ond dylid eu cofnodi er mwyn osgoi unrhyw gyhuddiadau o gam-drin plant yn ddiweddarach.

Y coesau

Profir cluniau'r baban ar gyfer afleoliad cynenedigol. Nodir symudiadau'r coesau, i gael gwared ar y posibilrwydd o barlys, a talipes (abnormaledd o'r droed). Cyfrifir bysedd y traed.

O fewn 24 awr wedi'r enedigaeth, dylai paediatregydd (meddyg sy'n arbenigo yng ngofal plant) archwilio'r baban. Bydd y gwirio hwn yn cynnwys gwrando ar y galon a'r ysgyfaint a theimlo'r organau abdomenol.

Gwirio'ch cynnydd

Pa ofal a roddir ar unwaith i'r baban ar ei enedigaeth?

Pam fod ystafelloedd geni'n gynnes bob amser?

Pam fod y sgôr Agpar yn arsylwad mor bwysig?

Pa fesuriadau o'r baban a gofnodir wedi'r geni?

Beth yw'r enw ar garthion cyntaf baban?

Beth yw lanwgo?

Beth yw caseosa fernics?

Beth yw smotyn glas mongolaidd?

Astudiaeth achos ...

... genedigaeth normal

Mae Jaci newydd gael ei hail faban. Roedd yr enedigaeth yn llawer haws y tro hwn - roedd ei phartner Bryn gyda hi ac roedd hi'n gwerthfawrogi ei bresenoldeb a'i bryder. Parhaodd y cam cyntaf 4 awr yn unig ac, ar ôl 20 munud o wthio, ganwyd eu mab Dyfed. Pan ymddangosodd y pen, anogwyd Jaci gan y fydwraig i deimlo'i ben a helpu i godi ei ysgwyddau allan gyda'r cyfangiad nesaf. Gosodwyd y baban ar abdomen Jaci a thorrodd Bryn y llinyn, dan oruchwyliaeth y fydwraig. Roedd Jaci'n anwesu'r baban pan ddywedodd y fydwraig wrthi fod ei sgôr Agpar yn 9 ar ôl 10 munud, ond roedd hi'n rhy brysur yn cyfrif ei fysedd ac yn anwesu ei ddwylo i ofyn am esboniad.

1. *Beth wnaeth y fydwraig a'r rhieni i annog ffurfio perthynas agos yn ystod y geni?*

2. *Sut arall gellir annog creu perthynas agos?*

3. *Sut fyddech chi'n esbonio'r sgôr Agpar i Jaci?*

Gofal ôl-eni

DIOGELWCH MEWN UNEDAU OBSTETREG

Erbyn hyn mae gan y mwyafrif o ysbytai fesurau diogelwch llym i gadw babanod yn ddiogel yn ystod eu cyfnod yn yr ysbyty. Mae'r mesurau hyn yn cynnwys defnyddio cloeon ar ddrysau'r wardiau, camerâu fideo i gofnodi'r hyn sy'n digwydd yng nghoridorau a wardiau'r ysbyty, mwy o bersonél diogelwch, a thagiau electronaidd ar fabanod i fonitro eu lleoliad ac i'w hamddiffyn rhag cael eu cipio.

ARSYLWI A GOFAL BOB DYDD

Mae gan fydwragedd cofrestredig hawl a chyfrifoldeb cyfreithiol i archwilio pob mam a baban hyd am o leiaf 10 diwrnod wedi'r geni. Gallant barhau i ymweld am 28 diwrnod, os bydd angen.

Yn ystod y 24 awr gyntaf, sylwir ar y mwyafrif o abnormaleddau ac afiechydon. Gall gymryd mwy o amser o lawer i gadarnhau anableddau, megis byddardod neu oedi yn y datblygiad. Yn ogystal â nodi'r tymheredd, resbiradaeth a phatrymau bwydo, dylai'r arsylwadau dyddiol gynnwys y meysydd canlynol.

Y croen

Mae gan lawer o fabanod **milia** (smotiau llaeth bach, gwyn) dros y trwyn. Bydd y rhain yn diflannu ymhen amser, ond o bryd i'w gilydd byddant yn heintiedig ac angen triniaeth.

Gall mannau geni ymddangos yn ystod y dyddiau cyntaf wedi'r geni; nid ydynt yn bresennol ar enedigaeth, bob tro.

Carthion

Meconiwm yw'r carthion cyntaf a wneir gan y baban. Mae'n wyrdd tywyll ac yn ludiog, yn llawn cynnwys y llwybr treulio a gronnwyd yn ystod bywyd y ffetws. Ar ôl bwydo ar laeth, mae'n troi'n wyrdd-frown, ac yna'n felynfrown. Gelwir y rhain yn *garthion cyfnewid*, wrth i weddillion y meconiwm ddod allan gyda chynnyrch gwastraff y bwyd llaeth. Fel rheol bydd hyn yn digwydd tua'r 4ydd diwrnod.

Yn nodweddiadol, mae carthion baban sy'n bwydo o'r fron yn ddyfrllyd, melyn llachar ac yn cael eu pasio dair neu bedair gwaith y diwrnod (er bod hyn yn amrywio). Os oes arogl o gwbl, nid yw'n gryf. Mae carthion baban sy'n bwydo o fotel yn fwy cadarn, yn oleuach, fel pwti ac yn arogli. Mae carthion gwyrdd yn naturiol yn achos rhai babanod, gan ddibynnu ar ddiet y fam os yw'n bwydo o'r fron neu'r math o laeth artiffisial. Gall carthion melyn neu wyrdd, dyfrllyd a chyson fod yn arwydd o gastro-enteritis. Fel rheol, mae carthion bach, gwyrdd tywyll yn arwydd o fwydo rhy ychydig.

Y llygaid

Mae **llygaid gludiog** (offthalmia neonatorwm) yn gyffredin, gan nad yw baban newydd-anedig eto'n gallu creu dagrau. Maent yn rhwydd eu trin gyda diferion gwrthfiotig os canfyddir y cyflwr yn fuan. Archwilir a glanheir y llygaid bob dydd, gan ddefnyddio swabiau glân ar gyfer y naill lygad a'r llall.

Y geg

Archwilir y geg ar gyfer **llindag** y geg, haint ffwngaidd gyffredin. Mae'n edrych fel gweddillion llaeth ar y tafod a'r bochau.

Y llinyn bogail

Dylid archwilio'r llinyn bob dydd a'i gadw'n lan ac yn sych er mwyn osgoi heintiau. Fel rheol bydd stwmp y llinyn yn disgyn i ffwrdd erbyn y 6ed diwrnod.

Bwydo

Bydd babanod yn sefydlu eu trefn eu hunain, boed hynny'n bwydo o'r fron neu botel. Argymhellir bwydo ar gais pan fydd y baban yn awyddus am fwyd yn hytrach na thrwy ddilyn cynllun 4 awr.

Ymdrochi

Gellir golchi babanod bob dydd a bydd y fydwraig yn dysgu'r drefn gywir i'r fam newydd. Fodd bynnag bydd 'pen a chynffonna' (golchi'r wyneb, y dwylo a'r pen ôl) yn ddigonol gydag ymdrochiad llawn mewn baddon bob 2 neu 3 diwrnod, os bydd hyn yn fwy cyfleus o ran y drefn ddyddiol.

Crïo

Mae pob baban yn crïo yn ystod yr wythnosau cyntaf, gan mai dyma sut y maent yn dangos beth yw eu hanghenion. Fel rheol mae baban yn crïo oherwydd awydd bwyd, syched, cewynnau budr neu wlyb, teimlo'n anghysurus oherwydd poenau gwynt, bod yn rhy boeth neu'n rhy oer. Dylid gofyn am gyngor os teimlir bod y crïo'n ormodol neu'n anarferol.

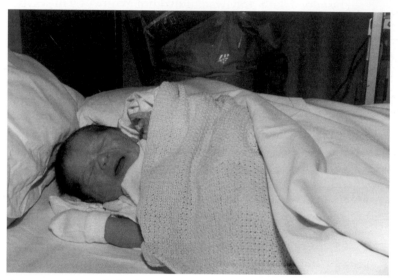

Mae pob baban yn ceisio cyfathrebu eu hanghenion

PROFION SGRINIO

Cynhelir profion **sgrinio** yn gynnar yn y cyfnod newydd-anedig i chwilio am abnormaleddau penodol y gellir eu trin yn llwyddiannus os ceir hyd iddynt yn ddigon cynnar.

Prawf Guthrie

Cynhelir **prawf Guthrie** ar y 6ed diwrnod o fwydo llaeth, i chwilio am ffenylcetonwria (PKU) a ffibrosis y bledren. Tynnir sampl o waed o sawdl y baban. Archwilir y sampl hefyd am lefelau thyrocsin fel y gellir trin isthyroidedd (cretinedd).

Prawf Barlow

Cynhelir prawf ar y glun gan y fydwraig ac yn ddiweddarach gan y meddyg, i chwilio am afleoliad cynhenid y glun. Bydd yr ymwelydd iechyd yn ailadrodd y prawf, a'r meddyg teulu hefyd pan fydd y baban yn cael profion meddygol a datblygiad ar ôl 6 wythnos.

term allweddol

Sgrinio
archwilio pob plentyn ar oedrannau penodol ar gyfer abnormaleddau penodol

term allweddol

Prawf Guthrie
tynnir sampl o waed y baban ar y 6ed diwrnod wedi'r geni, fel rheol drwy bigiad yn y sawdl, i chwilio am ffenylcetonwria, ffibrosis y bledren a chretinedd

Babanod pwysau geni isel

Nid yw pob baban yn cael ei eni yn ei dymor; mae rhai yn cael eu geni'n gynnar, ac mae nifer cynyddol o'r rhain yn goroesi o ganlyniad i ofal newydd-anedig gwell. Gellir rhannu babanod **pwysau geni isel** yn ddau brif gategori:

- **Cynamserol** – genir y babanod hyn cyn i 37 wythnos y beichiogrwydd ddod i ben, h.y. mewn cyfnod cario o 36 wythnos neu lai

- **Ysgafn-am-ddyddiadau** *(bach-am-ddyddiadau)* – tmae'r babanod hyn islaw'r pwysau a ddisgwylir ar gyfer eu hoedran cyfnod cario – hyd y beichiogrwydd, yn ôl y siartiau canraddol.

Mae rhai babanod yn gynamserol *ac* yn ysgafn-am-ddyddiadau. Mae mwy o siawns y bydd baban yn goroesi os yw'n pwyso mwy na 2.5kg.

termau allweddol

Pwysau geni isel

babanod a enir cyn eu hamser neu o dan y 10fed canradd o ran eu cyfnod cario, fel rheol yn pwyso llai na 2.5kg ar enedigaeth

Cyn-tymor

baban a enir cyn diwedd 36 wythnos y beichiogrwydd; fe'i disgrifir hefyd fel baban cynamserol

Ysgafn-am-ddyddiadau

baban sy'n llai na'r disgwyl, o ystyried cyfnod y beichiogrwydd (cyfnod cario)

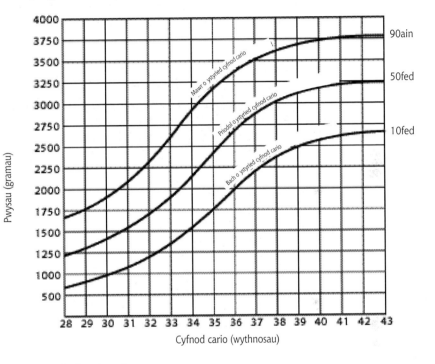

Siart canraddol yn dangos pwysau a chyfnod cario

BABANOD CYNAMSEROL

Mae babanod cynamserol yn anaeddfed ac nid ydynt eto'n barod i oroesi oddi allan i'r groth. Mae ganddynt well siawns o oroesi os bydd eu pwysau rhwng y 90ain a'r 10fed canradd.

Nodweddion babanod cynamserol

Mae gan fabanod cynamserol nifer o nodweddion cyffredin:

- Mae'r pen yn fwy o faint hyd yn oed na'r cyffredin, mewn perthynas â'r corff.

- Mae'r wyneb yn fach ac yn drionglog, gyda gên bigfain.

- Mae'r baban yn ymddangos yn bryderus.

- Mae'n bosibl y byddant yn anfodlon agor eu llygaid.

- Mae eu pwythau a'u ffontanelau'n fawr.

 451

- O bosibl bydd y croen yn goch iawn.

- Mae'r gwythiennau'n amlwg.

- Mae'n bosibl y bydd lanwgo'n gorchuddio'r baban.

- Mae aelodau'r corff yn denau.

- Mae'r ewinedd yn feddal.

- Mae'r frest yn gul.

- Mae'r abdomen yn fawr.

- Mae'r bogail yn isel

- Mae'r genitalia'n fach a heb eu datblygu'n llawn.

- Mae'r cyhyrau'n llipa.

- Mae'r breichiau a'r coesau'n ymestyn allan.

- Mae'r baban yn wanllyd ac yn gysglyd.

- Mae'r atgyrchau'n wael, mae'n bosibl na fydd y baban yn gallu sugno.

Achosion cynamseroldeb

Yn aml, ni wyddom beth sy'n achosi genedigaeth gynamserol, ond mae'n digwydd yn amlach yn achos mamau sy'n ysmygu a'r rhai gyda chyneclampsia neu feichiogrwydd lluosog. Mae cynamseroldeb hefyd yn gysylltiedig â thlodi ac amddifadiad, a all ddangos pwysigrwydd diet da a ffordd o fyw iach yn ystod beichiogrwydd.

Cymhlethdodau cynamseroldeb

Dyma'r cymhlethdodau a all godi yn achos baban cynamserol:

term allweddol

Myctod genedigaeth

methiant y baban i resbiradu'n ddigymell ar enedigaeth

- **myctod genedigaeth** – mae'n bosibl y bydd babanod cynamserol yn araf i anadlu ar ôl cael eu geni o ganlyniad i ganolfan resbiradol anaeddfed yn yr ymennydd

- *problemau resbiradol* – gall ysgyfaint anaeddfed olygu bod anadlu'n anodd

- *gwaedlif mewn greuanol (gwaedu yn yr ymennydd)* – gall pibellau gwaed bregus yn yr ymennydd waedu'n rhwydd. Gall hyn achosi niwed tymor-hir.

Mae gofal babanod cynamserol yn faes arbenigol iawn; maent yn agored i nifer o broblemau. Er enghraifft, fel yn achos pob baban, nid ydynt yn gallu rheoli eu tymheredd, ond po leiaf y baban, mwyaf y perygl o ddioddef hypothermia. Maent yn fwy tebygol o ddatblygu'r clefyd melyn neu anaemia neu o fod yn agored i heintiau. Mae rhai babanod cynamserol yn goroesi ac yn datblygu'n dda, ond mae rhai yn dioddef niwed tymor-hir o ganlyniad uniongyrchol i'w cynamseroldeb.

Dyma rai effeithiau posibl ar ddatblygiad:

- *oedi cyffredinol yn y datblygiad* – gall yr oedi 'cyffredinol' hwn effeithio ar bob maes datblygiad, gan olygu bod y baban yn cyrraedd cerrig milltir pan fydd yn hŷn nag arfer, os o gwbl

- *anawsterau datblygiadau penodol* – gall fod problem benodol o ran un maes datblygiad, megis sgiliau motor neu gyfathrebu

- *colli'r synhwyrau* – mae dallineb a byddardod yn fwy cyffredin o lawer yn achos plant a anwyd yn gynnar iawn.

UNED BABANOD GOFAL ARBENNIG (SCBU)

Bydd angen gofal arbenigol yr SCBU ar rai babanod cynamserol er mwyn derbyn y

cymorth gyda lefel uchel o sgìl a thechnoleg sydd ei angen arnynt. Fel rheol rhennir yr unedau hyn yn feysydd dibyniaeth uchel a dibyniaeth isel.

Dibyniaeth uchel

term allweddol

Crud cynnal
crud amgaeedig sy'n rheoli tymheredd a lleithder

Yn y maes dibyniaeth uchel, gofalir am fabanod mewn **crudau cynnal**. Crudau amgaeedig, tryloyw yw crudau cynnal. Maent yn newid y tymheredd yn awtomatig i gynnal tymheredd corff y baban ar 36.5 i 37.2°C. Gellir gorchuddio babanod â tharian wres a'u gwisgo mewn het, menig a bwtîs i'w cadw'n gynnes, cyn belled nad yw hyn yn amharu ar asesiad o'u cyflwr. Bydd matres 'apnoea' yn monitro eu hanadlu a larwm yn canu os bydd y resbiradu'n peidio neu'n anghyson.

Gafaelir mewn babanod bach, cynamserol gyn lleied â phosibl, ond yn ofalus iawn. Maent yn derbyn bwyd a gofal drwy ddrysau persbecs ar ochr y crud cynnal. Mae talu sylw manwl i hylendid yn yr SCBU yn helpu i atal heintiad.

Dibyniaeth isel

Wrth i gyflwr y baban wella, fe'u trosglwyddir i'r ardal ddibyniaeth isel lle derbyniant ofal mewn crud. Bydd eu cynnydd yn cael ei fonitro cyn iddynt gael eu symud i ward ôl-eni neu eu gyrru adref.

CEFNOGAETH I RIENI

Ar enedigaeth y plentyn mae'n bosibl y gall y fam ddal y baban am gyfnod byr cyn iddo gael ei drosglwyddo i'r SCBU. Gall hi a'i phartner ymweld â'r baban ar unrhyw adeg, ac fe'u hanogir i gyffwrdd â'r baban a'i anwesu a dal ei law. Cefnogir ac anogir rhieni bob amser i roi cymaint o ofal â phosibl – mae'n hanfodol eu bod yn cyffwrdd â'u baban yn gynnar er mwyn bondio.

Gwirio'ch cynnydd

Am faint o amser wedi'r geni y mae gan fydwraig gyfrifoldeb i ymweld â mam a baban?

Beth yw milia?

Disgrifiwch garthion nodweddiadol:

(a) baban sy'n bwydo o'r fron   (b) baban sy'n bwydo o botel.

Pam fod llygaid y baban yn agored i haint?

Beth yw bwydo ar alw?

Pryd gynhelir prawf Guthrie? Beth yw'r rheswm dros ei gynnal?

Beth yw dau gategori babanod pwysau geni isel?

Pam fod pwysau geni baban yn bwysig?

Beth yw'r ffactor(au) a allai achosi cynamseroldeb?

Beth yw nodweddion babanod cynamserol?

Sut y gallai cynamseroldeb effeithio ar ddatblygiad yn y dyfodol?

Pa ofal arbenigol a roddir mewn SCBU?

Pam fod y rhan a chwaraeir gan y rhieni mor bwysig os yw baban mewn SCBU?

Nawr rhowch gynnig ar y cwestiynau hyn

Beth yw'r arwyddion cynnar sy'n dangos bod esgor wedi dechrau?

Yn fyr, disgrifiwch dri cham esgor.

Disgrifiwch rôl yr Uned Babanod Gofal Arbennig.

Beth yw anghenion penodol babanod cynamserol sydd o bwysau geni isel?

Disgrifiwch y gwahanol ddulliau o ladd poen sydd ar gael yn ystod yr esgor.

HYRWYDDO DATBLYGIAD A DYSGU

*B*ydd y gofal, symbyliad a'r cysylltiad corfforol agos a diogel a dderbynnir oddi wrth yr oedolion pwysicaf yn eu bywydau'n dylanwadu'n gryf ar ddatblygiad cynnar y baban. Bydd y rhan hon yn ymdrin â'r pynciau canlynol:

⌣ datblygiad cynnar

⌣ rôl chwarae a phrofiadau chwarae wrth annog datblygiad.

Datblygiad cynnar

*M*ae babanod yn datblygu sgiliau penodol ar wahanol oedrannau. Mae'n bwysig cofio bod pob plentyn yn datblygu mewn ffordd unigryw iawn ac y dylid mesur eu cynnydd yn erbyn:

- yr hyn sy'n nodweddiadol o'u hystod oedran
- eu tarddiad diwylliannol/biolegol
- cefndir o ran eu rhieni/geneteg
- grŵp cymdeithasol
- oedran cyfnod cario
- lefel symbyliad
- cefndir meddygol
- eu cyflawniadau eu hunain, hynny yw, a ydynt wedi dysgu unrhyw sgiliau newydd o fewn cyfnod o amser.

Mae'n bwysig cofio bod cysylltiad rhwng pob maes datblygiad a'u bod yn ddibynnol ar ei gilydd. Ni ddylid eu hystyried ar wahân.

Rôl chwarae a phrofiadau chwareus wrth annog datblygiad

Rhaid i bob baban gael ei symbylu er mwyn mynd trwy'r camau datblygiadol. Gall symbyliad fod yn syml iawn, megis siarad â baban newydd a chreu a chynnal cyswllt llygaid. Mae babanod angen llawer o gyffwrdd corfforol gan oedolion, a fydd yn treulio amser gyda hwy, yn gofalu amdanynt ac yn cwrdd â'u hanghenion. Bydd hyn yn galluogi babanod i gyfathrebu a theimlo'n ddiogel. Yn fwy na dim, mae babanod angen cysylltiad agos a chyson ag oedolion. Mae'r berthynas wedi'i seilio ar ymddiriedaeth, ac yn arwain at ddatblygu a dysgu sgiliau. Mae'n hanfodol bod plentyn yn teimlo'n ddiogel a bod rhywun yn gofalu amdano er mwyn iddo gyrraedd ei lawn botensial.

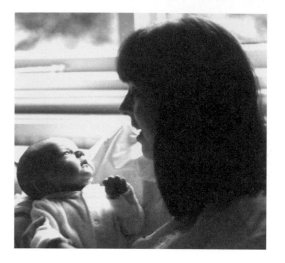
Mae wynebau dynol yn swyno babanod

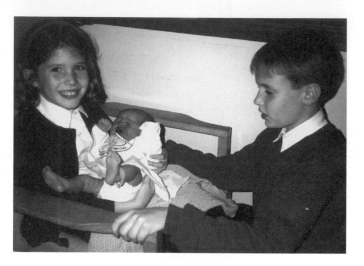
Mae babanod angen cysylltiad corfforol â'u teulu agos

HYRWYDDO DATBLYGIAD A DYSGU

Mae'r tabl a welir gyferbyn yn crynhoi gweithgareddau a rôl chwarae a phrofiadau chwareus o safbwynt datblygiad cyffredinol, a theganau priodol ar gyfer y gwahanol oedrannau a chamau datblygiad.

Yn 6-9 mis oed bydd babanod yn eistedd heb gymorth am gyfnodau hirach

Dulliau o ysgogi datblygiad

Oedran	Meysydd datblygiad	Cam datblygiad	Gweithgareddau/teganau symbylol
0-3 mis	Motor bras	Yn datblygu rheolaeth ar y pen; yn cicio'r coesau, a'r symudiadau'n dod yn fwy llyfn a chymesur ar wastad ei g/chefn; yn mwynhau cael ei ddal ar ei eistedd: yn dechrau cynnal y pen a'r frest ar ei elinau pan fydd wyneb i lawr	Amser i orwedd ar y llawr a chicio ac arbrofi gyda symudiadau; cyfle i fynd heb gewyn neu ddillad i annog cyd-symudiad: newid safle o wyneb i lawr i wastad ei gefn fel bod y baban yn teimlo'n gyffyrddus yn y ddau safle: cynnal yr eistedd drwy osod y baban ar ben-glin y gofalwr ac yn y crud neidio.
	Motor manwl	Wedi'i swyno gan wynebau dynol: atgyrch gafael yn lleihau; datblygiad tuag allan yn cynyddu: yn ceisio cyd-symud dwylo a llygaid er mwyn rheoli'r amgylchedd: chwarae bysedd: yn dechrau darganfod y dwylo; o bosibl yn dechrau dal gwrthrychau am ychydig funudau pan osodir hwy yn y llaw	Gwrthrychau llachar, lliwgar i annog ffocysu o fewn cyrraedd golwg 20-25 cm, e.e. symudion, edrych ar y lein ddillad, lluniau o wynebau o amgylch y crud, teganau gyda nodweddion wyneb: cyfle i wylio'r hyn sy'n digwydd o'i hamgylch, defnyddio sŵn i dynnu sylw, e.e. ratl wedi'i gosod yn ei llaw neu wrthrychau wedi'u crogi uwchben y crud, sy'n gwneud sŵn pan gyffyrddir â hwy: campfa baban, neu wrthrychau eraill o fewn cyrraedd breichiau sy'n chwifio
	Clyw a lleferydd	Yn adnabod llais y prif ofalwr; yn lleisio ar batrwm sgwrs; yn dechrau chwilio am ffynhonnell y sŵn; yn crïo i fynegi angen	Cyfle i fondio gyda'r prif ofalwr ac adnabod eu llais; digon o gyffwrdd corfforol ac anwesu a sgyrsiau cariadus sy'n cynnal cyswllt llygaid ac yn rhoi cyfle i'r baban ymateb: rhaid i'r gofalwyr ddangos llawer o bleser pan fydd y baban yn gwneud hynny; yn mwynhau clywed rhywun yn canu iddynt
	Cymdeithasol a chwarae	Yn gwenu o tua 5 i 6 wythnos ymlaen; yn mwynhau pob trefn ofal ac yn ymateb pan afaelir ynddo'n gariadus; yn dynwared rhai ystumiau wynebol; yn dechrau adnabod sefyllfaoedd, e.e. yn gwenu, yn lleisio ac yn symud y corff cyfan i fynegi pleser yn ystod amser bath neu amser bwydo	Llawer o gysylltu ag oedolion a phlant i ehangu'r rhwydwaith cymdeithasol, ond yn bennaf gyda'r prif ofalwr; gryfhau'r berthynas agos; arferion ar gyfer ateb anghenion er mwyn creu teimladau o ddiogelwch a chysur; symbylu meysydd datblygiad, fel uchod: cyfle ar gyfer cyswllt llygaid ac i wylio wynebau a'u dynwared, e.e. gwthio'r dafod allan

457

Dulliau symbylu datblygiad – parhad

Oedran	Maes datblygiad	Cam datblygiad	Gweithgareddau/teganau symbylol
3-6 mis	Motor bras	Wedi sefydlu rheolaeth ar y pen; yn dechrau eistedd gyda chymorth; yn rholio drosodd: yn chwarae gyda'r traed ar wastad ei gefn, ac yn codi'r pen i edrych o amgylch; yn cynnal y pen a'r frest ar elinau estynedig wyneb i lawr; yn dal ei bwysau ac yn bownsio wrth gael ei ddal ar ei sefyll	Cyfle i ymarfer eistedd, ar ben-glin y gofalwr, ac wedyn wedi'i ddiogelu gan glustogau pan fydd yn syrthio! Chwarae corfforol; bownsio ar y pen-glin i gyfeiliant caneuon addas; chwarae ar y gwely, rholio a bownsio (DS Peidiwch byth â gadael baban ar ei phen ei hun ar y gwely neu arwyneb uchel arall); mae pen-glin y gofalwr yn gampfa ddelfrydol yn yr oedran hwn; mae rhai babanod wrth eu boddau'n sefyll ac yn bownsio i fyny ac i lawr am gyfnodau hir; gall fod yn werthfawr prynu sbonciwr baban; amser i ymarfer ac arbrofi sgiliau ar y llawr
	Motor manwl	Yn dechrau defnyddio gafael cledrol a throsglwyddo gwrthrychau o'r naill law i'r llall; yn gwylio pob gweithgarwch gyda diddordeb: yn symud y pen i ddilyn pobl a gwrthrychau	Wrth i'r baban ddarganfod ei dwylo, bydd teganau sy'n rhuglo'n hanfodol; wrth iddi afael mewn gwrthrych, bydd y sŵn mae'r gwrthrych yn ei wneud yn tynnu ei sylw a bydd yn ystyried bod yr hyn a wnaeth yn glyfar; mae teganau lliwgar, bach a diogel y gall bysedd bach afael ynddynt yn werthfawr iawn, e.e. anifeiliaid meddal, bocs o frics, pêl sy'n gwneud sŵn clychau, teganau cartref, e.e. poteli plastig tryloyw gyda dŵr lliw ynddynt neu'n hanner llawn o siwgr neu ffa sych sy'n ratlo (rhaid bod y clawr yn dynn ar y botel a rhaid goruchwylio'r baban); mae hen riliau cotwm plastig wedi'u gosod ar linyn yn rhoi profiad cyffyrddol defnyddiol: mae'r baban angen pethau i ymestyn amdanynt a phethau i'w taro
	Clyw a lleferydd	Yn troi ar unwaith tuag at seiniau cyfarwydd: gellir cynnal profion sgrinio clyw o 6 mis oed ymlaen; lleisio soniarus, seiniau sy'n codi ac yn gostwng, yn chwerthin ac yn gwichian gyda phleser; yn ymateb i wahanol leisiau emosiynol y gofalwr	Llawer o gyffyrddiad corfforol a chwarae sy'n defnyddio caneuon a'r llais; sgyrsiau gyda gofalwyr ac eraill, sy'n rhoi amser i'r baban ymateb, yn cadarnhau ymatebion drwy ddangos pleser ac ailadrodd seiniau: yn mwynhau gwrando ar rigymau a gemau bysedd gydag alaw a rhythm: mae 'Un mochyn bach' a 'Gee ceffyl bach' yn annog gwrando a hwyl
	Cymdeithasol a chwarae	Yn dechrau rhoi'r holl deganau yn y geg i'w harchwilio ac ymchwilio i'r byd fesul gwrthrych: adnabod gwrthrychau sy'n gwneud sŵn, ceisio gwneud defnydd ohonynt; yn darganfod bod y traed a'r ffynhonnell ymchwiliad a phleser; yn mwynhau dieithriaid os ydynt yn gyfeillgar ac yn dyner	Teganau diogel, diwenwyn i'w rhoi yn y geg: o bosibl bydd rhai babanod yn mwynhau defnyddio bysedd i fwyta hefyd; gwnewch fagiau ffa gyda llenwadau amrywiol, e.e. pys sych, grawnfwyd creisionllyd, i roi profiad geneuol; gwnewch lyfrau sy'n addas i'w cnoi, gan ddefnyddio ffotograffau a/neu luniau mewn cloriau plastig; mae llyfrau diddos ar gyfer y baddon yn ddefnyddiol; cyfle i chwarae ac archwilio ar ben ei hun ac yng nghwmni plant eraill

Dulliau ysgogi datblygiad – parhad

Oedran	Maes datblygiad	Cam datblygiad	Gweithgareddau/teganau symbolol
6–9 mis	Motor bras	Yn gallu eistedd heb gymorth am gyfnodau hirach o amser o hyd: o bosibl yn dechrau cropian; mae'n bosibl y bydd yn sefyll ac yn symud drwy afael mewn dodrefn a gwrthrychau sefydlog eraill; o bosibl bydd rhai yn dechrau cerdded gan afael yn llaw rhywun arall neu hyd yn oed ar eu pennau eu hunain	Angen amser i chwarae ar y llawr, wedi ei gosod mewn safle eistedd, gyda chynhaliaeth nes ceir sefydlogrwydd; teganau sy'n hwyl ac sy'n ddigon mawr i'w gweld a thynnu sylw, fymryn y tu hwnt i afael y baban er mwyn symbylu symudiad, ond nid digon i gynyddu rhwystredigaeth; amgylchynwch y baban â theganau ar ei eistedd i annog sgiliau cydbwyso wrth iddo ymestyn i afael i'w ochr ac o'i flaen; treulio amser yn bownsio'r baban ar ei goesau ac annog y coesau i gryfhau; dodrefn sefydlog y gall y baban eu defnyddio i dynnu i fyny i sefyll
	Motor manwl	Yn effro iawn i bobl a gwrthrychau gweledol; yn datblygu gafael gyda'r bawd a'r mynegfys; yn defnyddio'r mynegfys i brocio a phwyntio; yn chwilio am wrthrychau sydd wedi syrthio	Angen llawer o weithgarwch gweledol cyffrous, e.e. mynd i'r parc, siopa: mae grŵp plant bach e.e. Cylch Ti a Fi, yn gyfle da i arsylwi plant eraill yn chwarae; gellir cyflwyno gwrthrychau llai dan oruchwyliaeth. (cofiwch y bydd popeth yn mynd i mewn i'r geg), e.e. darnau bach o fisged neu fara, darnau siwgr mân i annog gafael gefail ac eto bod yn ddiogel i'w bwyta; adeiladu tyrau o frics y gellir eu bwrw i lawr gyda phleser; edrych ar lyfrau lluniau, gan annog y baban i bwyntio at wrthrychau cyfarwydd gyda chi; anogwch y baban i chwilio am a darganfod eitemau a 'gollwyd' dros ymyl y gadair uchel, i helpu deall y bydd ac achos ac effaith, e.e. dydy rhywbeth a ollyngwyd ddim yn diflannu am byth
	Clyw a lleferydd	Yn bablan yn uchel ac yn soniarus, gan ailadrodd seiniau dro ar ôl tro, e.e. da da da; yn dechrau deall geiriau ac ymadroddion a ddefnyddir yn aml, e.e. Na, Ta ta; yn amrywio uchder a thraw gan ddibynnu a yw'n hapus neu'n ddig; yn dal i grio er mwyn dangos ei anghenion	Siaradwch â'r baban am beth sy'n digwydd trwy'r amser; ailadroddwch ei ddehongliadau o eiriau: canwch ganeuon ailadroddus, a'i annog i leisio gyda chi; mae rhigymau bys a bawd yn annog iaith; darllenwch lyfrau gyda'ch gilydd, gan enwi gwrthrychau; anogwch y baban i ddynwared iaith eiriol a di-eiriau; enwch unrhyw wrthrychau y bydd y baban yn pwyntio atynt
	Cymdeithasol a chwarae	Erbyn hyn yn amheus o ddieithriaid: yn chwarae gemau syml fel chwarae mig a pî-pô: yn clapio a chodi llaw; yn cynnig teganau i eraill; yn bwydo gyda'r bysedd; yn gwneud ymgais i ddefnyddio cwpan a/neu botel; yn chwilio am deganau sy'n rhannol guddiedig	Mae gemau a gweithgareddau sy'n annog datblygiad iaith hefyd yn symbylu chwarae a sgiliau cymdeithasol; wrth i'r baban ddarganfod gwerthoedd gwrthrychau, bydd arni angen pethau sy'n ymateb yn wahanol pan wneir yr un peth iddynt, e.e. bydd pêl yn rholio pan gaiff ei wthio, ond ni fydd bricsen yn gwneud hynny; bydd bisgeden yn briwsioni os gwesgir hi, ond ni fydd bara yn gwneud hynny, teganau sy'n gwichian, brics sydd ddim yn gwichian; drych diogelwch mewn ffrâm i ganiatáu i'r baban adnabod ei hun; postiwch beli tenis bwrdd i mewn i rolyn papur cegin: teganau neu eitemau tŷ diogel y gellir eu taro i wneud sŵn, llwy bren, sosban neu seiloffon; mae babanod yn dechrau creu cerddoriaeth ac wrth eu bodd pan fyddant yn llwyddo

459

Dulliau symbylu datblygiad – parhad

Oedran	Maes datblygiad	Cam datblygiad	Gweithgareddau/teganau ysgogol
9-12 mis	Motor bras	Erbyn hyn yn symud o gwmpas, yn cropian, cerdded ar ei ben-ôl, arth-gerdded neu gerdded: o bosibl, yn gallu cropian i fyny'r grisiau; symudedd yn gallu bod yn rhwystredig yn ogystal â phleserus; mae babanod yn gallu cyrraedd mannau a oedd yn waharddedig, ac felly bydd angen rhoi sylw drwy ddarparu teganau addas o fewn ei gyrraedd	Teganau gydag olwynion mawr sy'n hwyl i'w gwthio, troli frics neu degan tebyg y gellir ei gwthio i helpu datblygu sgiliau mynd o amgylch corneli, bacio ayyb; fframiau dringo bach a ddefnyddir dan oruchwyliaeth i gynyddu cydbwysedd a chyd-symudiad; nofio; cerdded yn yr awyr agored gyda ffrwynau
	Motor manwl	Gafael gefail aeddfed: yn taflu teganau'n fwriadol; yn pwyntio at wrthrychau y mae'n eu dymuno; yn taro teganau yn erbyn ei gilydd	Bocs canu tynnu llinyn neu degan tebyg i annog deheurwydd a hefyd dysgu achos ac effaith; bydd teganau nythu, brics adeiladu ayyb yn annog cydbwysedd a chysyniadau siâp, maint a lliw; rholio peli fel y gall y baban eu nôl, yn fuan bydd yn eu rholio ar eich cyfer chi; tun neu fasged yn llawn gwrthrychau diddorol y gellir eu tynnu a'u gosod yn ôl; jariau a photeli plastig gyda chloriau y gellir eu tynnu i annog ymchwiliad i'w cynnwys, neu bleser o allu tynnu'r clawr
	Clyw a lleferydd	Yn deall nifer o eiriau ac ymadroddion; yn ufuddhau i orchmynion syml; llawer o leisio gyda seiniau ar gyfer gwrthrychau penodol, e.e. gall ti olygu ci	Siaradwch â'r baban yn gyson, ailadroddwch enwau pobl a gwrthrychau, canwch ganeuon, gemau a rhigymau, darllenwch straeon yn cynnwys sefyllfaoedd cyfarwydd ac ychydig o gymeriadau: dylid amgylchynu'r baban ag iaith i ddatblygu sgiliau cyfathrebu'n effeithiol
	Cymdeithasol a chwarae	Fel rheol yn gariadus ac yn serchog, yn hoffi bod yn ymyl rhywun cyfarwydd; yn gallu yfed o gwpan gydag ychydig o gymorth; yn gwneud ymgais i ddefnyddio llwy; yn hoffi gosod gwrthrychau i mewn ac allan o gynwysyddion; yn cymryd rhan mewn arferion	Gwnewch yn siŵr fod y gofal yn gyson ac yn gyfarwydd: rhowch gyfle i ddysgu sut i fwydo, e.e. gadewch i'r baban ymarfer defnyddio cwpan a llwy, er gwaetha'r llanastr anorfod; yn werthfawr ar gyfer profiad synhwyraidd: cynigiwch ddigon o gyfleoedd ar gyfer chwarae gyda rhyngweithio oedolion, e.e. cymryd tro, aros a mynd: weithiau bydd y baban yn ennill sgil newydd drwy wneud i rywbeth ddigwydd drwy ddamwain – os yw'n hwyl, bydd yn dymuno ei wneud eto: rhaid i'r oedolyn wylio hyn ac atgyfnerthu gweithredoedd positif: cyfle i wylio a dynwared eraill, efallai wrth wneud dyletswyddau domestig bob dydd: padell lwch a brwsh bach neu rywbeth tebyg i annog hyn a dangos bod cymorth yn cael ei werthfawrogi: angen ei offer ei hun, e.e. gwlanen, brwsh dannedd, cwpan, llwy i feithrin teimlad o hunaniaeth bersonol, ac anogaeth i gymryd rhan mewn arferion gofal

Teganau symbylol
ar gyfer pram neu
grud baban

Gellir symbylu datblygiad mewn pob ffordd heb wario llawer o arian. Y ffactor bwysicaf yw ansawdd y rhyngweithio rhwng yr oedolyn a'r baban. Dylai rhieni a gofalwyr dreulio amser yn siarad ac yn chwarae gyda baban. Mae'n bwysig cofio bod babanod angen ailadrodd gweithgareddau a phrofiadau er mwyn ennill sgiliau cyn symud ymlaen at y cam nesaf a bydd gofyn i weithwyr gofal plant fod yn amyneddgar a gadael i'r baban symud ymlaen yn ei amser ei hun. Nid yw pob teulu yn gallu fforddio siopa'n aml i brynu'r tegan neu gymorth datblygiad diweddaraf. Bydd ychydig o ddyfeisgarwch a dychymyg, ynghyd ag ymwybyddiaeth o ddiogelwch, yn gallu darparu lliaws o brofiadau dysgu gyda gwrthrychau domestig bob dydd.

Yn 6-9 mis mae babanod yn dangos diddordeb mawr yn eu hamgylchedd

Mae gwrthrychau domestig bob dydd yn gallu darparu profiadau dysgu

Nawr rhowch gynnig ar y cwestiynau hyn

Pa ffactorau a ddylid eu hystyried wrth ystyried datblygiad?

Pam fod rhyngweithio oedolyn/baban yn arbennig o bwysig i faban ifanc?

Sut allwch chi symbylu:

(a) datblygiad motor bras o'r enedigaeth hyd at 3 mis oed?

(b) datblygiad motor manwl o 3 hyd at 6 mis oed?

(c) chwarae cymdeithasol o 6 hyd at 9 mis oed?

(ch) clyw a lleferydd o 9 hyd at 12 mis oed?

GOFAL POSITIF AC YMARFER DIOGEL

Yn ystod blwyddyn gyntaf bywyd, mae babanod angen gofal a fydd yn ateb eu hanghenion unigol hwy ac anghenion neilltuol pob plentyn. Mae pob baban yn unigryw ac yn arbennig ac, oherwydd eu hoedran a'u cam datblygiad, mae arnynt angen gofal llawn sgil gan eu rhieni neu weithwyr gofal plant cymwysedig. Mae'r rhan hon yn esbonio gwerth mathau o ofal ac offer arbenigol a ddefnyddir yn ystod blwyddyn gyntaf bywyd.

Bydd y rhan hon yn ymdrin â'r pynciau canlynol:

- pwysigrwydd arferion gofal

- gofalu am y croen a'r gwallt

- arwyddion a symptomau salwch a welir yn gyffredin

- syndrom marwolaeth sydyn babanod (SIDS)

- iechyd positif i fabanod

- offer

- dillad ar gyfer y flwyddyn gyntaf.

Pwysigrwydd arferion gofal

Mae babanod yn dibynnu'n llwyr ar oedolyn i ateb eu holl anghenion. Er bod anghenion babanod yr un fath ar y cyfan, bydd y modd yr atebir yr anghenion hynny'n amrywio yn y flwyddyn gyntaf. Mae pob baban yn wahanol – bydd rhai yn cysgu'n dda, ond eraill ddim; bydd rhai yn hapus ac yn fodlon, ac eraill ddim. Mae angen i oedolion cariadus fod yn hyblyg ac yn amyneddgar, i dderbyn newid a bod yn ymwybodol o sut a phryd y gall y newidiadau hyn ddigwydd. Mae gweithwyr gofal plant ac addysg angen bod yn ymwybodol bod ymarfer gofal plant yn amrywio a'i fod yn bwysig gwybod am ac ymateb i anghenion y gofalwyr cychwynnol.

Gellir crynhoi anghenion emosiynol a chorfforol babanod a phlant ifanc fel hyn.

- Mae anghenion emosiynol yn cynnwys:
  - parhad a chysondeb gofal
  - cyswllt corfforol
  - diogelwch

– cymdeithasoli

– symbyliad.

- Mae *anghenion corfforol* yn cynnwys:

  – bwyd

  – cynhesrwydd, cysgod, dillad

  – glendid

  – gorffwys, cwsg, ymarfer corff

  – awyr iach, golau haul

  – diogelwch ac amddiffyniad rhag anaf a haint

  – ymyriad meddygol, os bydd angen

Yn y man, bydd babanod yn dilyn eu trefn dyddiol eu hunain, yn ôl eu hangen am fwyd. Cysondeb bwydo a brys y baban amdano yw sail pob trefn yn ystod yr wythnosau cyntaf. Yn aml, bwydo'r baban ar gais yw'r dull mwyaf boddhaol. Wrth I fababod dyfu, byddant yn cysgu am gyfnod hirach dros nos, er bod rhai babanod angen bwyd neu ddiod yn ystod y nos yn ystod yr ail neu hyd yn oed y drydedd flwyddyn. Nid oes rheolau ynglŷn ag ymddygiad plentyn: mae pob un yn unigolyn gydag anghenion unigolyn.

Wrth I'r baban ddechrau cysgu am gyfnod hirach dros nos, mae'n debyg y bydd yn effro am gyfnodau hirach yn ystod y dydd, nes y byddant yn cael dim mwy nag un cwsg hir neu ddau gwsg byr yn ystod y dydd, erbyn diwedd y flwyddyn gyntaf. Mae'r anhunedd newydd hwn yn rhoi'r cyfle I ddatblygu ym mhob maes, gyda gofal a symbyliad da. Yn ogystal, mae'n rhoi'r cyfle I'r gofalwr gyflawni'r trefnau gofal a fydd wrth fodd y plentyn, os bydd y gofalwr yn dangos anwyldeb, amynedd a dealltwriaeth.

Gofalu am y croen a'r gwallt

Mae'n bwysig i roi sylw manwl i ofalu am groen a gwallt baban oherwydd:

- mae'r baban yn agored iawn i haint
- rhaid i'r croen allu cyflawni ei swyddogaethau.

Yn ogystal â thalu sylw i gadw'n lân, mae'r gofal arferol hwn yn cynnwys cadw golwg cyson ar gyflwr y croen ar gyfer brechau neu fannau dolurus.

GOFAL BOB DYDD

Nid oes rhaid ymdrochi babanod mewn baddon bob dydd. Nid ydynt yn ddigon gweithgar yn ystod y misoedd cyntaf i beri bod angen golchi eu gwallt a'u cyrff cyfan fwy na dwywaith neu dair yr wythnos. Mae'n well gan rai gofalwyr ymdrochi'r baban bob dydd fel ei fod yn dod yn rhan o'r drefn ddyddiol.

Mae amser baddon yn rhoi cyfle delfrydol i siarad a chwarae gyda'r baban. Fodd bynnag, gall 'pen a chynffonna', fod yr un mor bleserus, ac yn fwy cysurlon i fabanod ifainc sy'n gallu teimlo'n anniogel pan dynnir eu dillad a rhoddir hwy dan ddŵr.

PEN A CHYNFFONNA

Mae pen a chynffonna yn cynnwys glanhau wyneb, dwylo a phen-ôl y baban.

Paratoi

Casglwch yr offer angenrheidiol:

- bowlen o ddŵr cynnes

- bowlen ar wahân o ddŵr wedi'i ferwi ac yna'i oeri rhywfaint, ar gyfer y llygaid yn ystod y mis cyntaf

- peli gwlân cotwm

- sbwng baban neu wlanen

- tywel

- newid dillad

- cewynnau

- hufenau, os defnyddir hwy

- siswrn ewinedd min pŵl.

Dull

- Gosodwch y baban ar ei gefn ar dywel neu fat newid.

- Tynnwch y dillad allanol, os ydych yn bwriadu eu newid.

- Yn ofalus, sychwch y naill lygad a'r llall â pheli cotwm a wlychwyd gan ddŵr wedi'i ferwi ac yna'i oeri. Defnyddiwch un bêl ar gyfer pob llygad, a symudwch o gornel fewnol y llygad i'r gornel allanol (trwyn i'r glust).

- Defnyddiwch y peli gwlân cotwm i sychu'r wyneb, y gwddf a'r clustiau.

- Gwnewch yn siŵr fod y baban yn sych, yn enwedig yn y mannau lle mae croen yn rhwbio yn erbyn croen, megis yng nghrychau'r gwddf.

- Glanhewch y dwylo, gan ddefnyddio sbwng neu wlanen. Sicrhewch fod yr ewinedd yn fyr ac nad oes ymylon garw y gallai'r baban eu defnyddio i grafu. Torrwch yn syth ar draws yr ewinedd.

- Tynnwch y cewyn a glanhewch ardal y pen-ôl, gan ddefnyddio gwlân cotwm neu wlanen ar wahân. Sychwch *bob amser* o'r fylfa/ceillgwd i'r anws – o'r tu blaen i'r tu cefn. Os yw'r baban wedi trochi'r cewyn, awgrymir y dylid defnyddio sebon i lanhau'r ardal. Gellir defnyddio sychwyr gwlyb, ond gallant weithiau achosi dolur

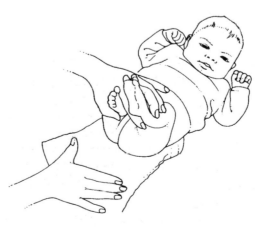

Pen a chynffonna

- Newidiwch y cewyn am gewyn glân, ar ôl sychu'r pen-ôl yn drylwyr.
- Newidiwch y dillad.

YMDROCHI MEWN BADDON

Yn y man, dylai cyfnod ymdrochi fod yn amser 'hwyl' i'r baban a'r gofalwr, ond er hyn mae rhai amodau angenrheidiol rhaid talu sylw iddynt:

- Dylai'r ystafell fod yn gynnes – o leiaf 20°C.
- Dylai'r dŵr fod yn gynnes – ar dymheredd y corff, 37ºC.
- Rhowch ddŵr oer yn y bath yn gyntaf, bob amser.
- Casglwch yr holl offer at ei gilydd cyn cychwyn llenwi'r baddon.
- Peidiwch byth â gadael plentyn ifanc ar ei ben ei hun yn y baddon – mae babanod yn gallu boddi mewn dim mwy nag 1cm o ddŵr.
- Ar ôl y baddon, sicrhewch fod y baban yn hollol sych, yn enwedig yng nghrychau'r croen, i osgoi dolur.

Diogelwch yn y baddon

Wrth i'r baban dyfu, mae'n bosibl y bydd yn well ganddo eistedd yn y baddon. Rhaid cynnal y baban yn gorfforol o hyd i gadw'r baban rhag llithro o dan y dŵr, neu deimlo'n anniogel. Gallai profiad o'r fath droi'r baban yn erbyn ymdrochi am gyfnod sylweddol o amser. Byddai'n ddoeth i brynu mat baddon gwrth-lithr ar gyfer diogelwch. Wrth i'r baban dyfu, mae'n bosibl y bydd sefyll i fyny'n ei blesio. Dylid ceisio rhwystro hyn, gan fod damweiniau difrifol yn bosibl os bydd y baban yn syrthio.

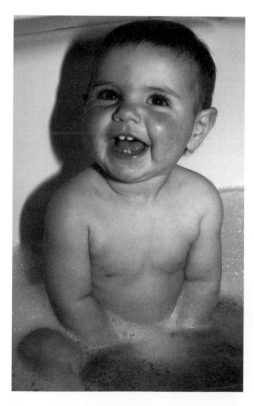

Mae amser baddon yn hwyl

Mae amser baddon yn hwyl

Os yw'r baban yn ddiogel yn y baddon, bydd yn teimlo'n sicr ac yn dechrau mwynhau'r profiad. Mae llawer o deganau ar gael i'w defnyddio mewn baddon, a gellir dyfeisio llawer ohonynt o wrthrychau a geir yn y tŷ. Bydd poteli golchi llestri yn chwistrellu dŵr; mae sbyngau wedi'u gwasgu'n creu cawod. Ond yn ystod y flwyddyn gyntaf mae gan faban fwy o ddiddordeb mewn cyffyrddiad corfforol a chwarae. Bydd chwythu swigod, goglais a chanu caneuon gydag ystumiau oll yn ei ddifyrru ac yn rhoi pleser. Gall golchi gwallt fod yn hwyl hefyd. Os yw'r baban wedi arfer â gwlychu ei wyneb o'r cychwyn, dylai golchi gwallt fod yn rhwydd. Os yw'n anodd, gadewch iddo am ddau ddiwrnod. Sychwch y pen gyda gwlanen laith ac yn raddol, ailddechreuwch olchi'r gwallt, gan ddefnyddio rhywbeth i warchod yr wyneb os bydd angen. Yn bwysicach na dim, peidiwch â gadael i'r profiad droi'n frwydr. Nid yw mor bwysig â hynny, a gallai creu ofn dŵr rwystro gallu'r baban i nofio yn y dyfodol.

Gwirio'ch cynnydd

Beth yw anghenion emosiynol y baban?

Pam fod babanod yn dod i arfer ag arferion gwahanol?

Pam ei bod hi'n bwysig talu sylw arbennig i ofalu am groen a gwallt y baban?

Pa mor aml y dylid ymdrochi babanod?

Beth yw pen a chynffonna?

Beth yw tymheredd cywir dŵr baddon?

Beth yw'r dull mwyaf dibynadwy o fesur tymheredd dŵr baddon?

Pa faterion diogelwch pwysig y dylid talu sylw iddynt wrth ymdrochi baban?

Pam ei bod hi'n bwysig sicrhau bod amser baddon yn brofiad pleserus?

PROBLEMAU CROEN ANHEINTUS

Crudgen

Mae crudgen yn gyflwr cymharol gyffredin sy'n effeithio ar groen y pen, yn enwedig yr ardal o amgylch y ffontanél blaen (man meddal). Mae'n gramen gennog, seimllyd neu sych sy'n ymddangos erbyn tua 4 wythnos ac yn diflannu erbyn 6 mis. O bosibl fe'i achosir gan ofn dianghenraid rhwbio'r rhan honno o groen y pen. Gellir ei atal drwy olchi'r gwallt unwaith neu ddwywaith yr wythnos, a'u rinsio'n drwyadl. Os yw'n edrych yn hyll neu'n ddolurus, gellir defnyddio siampŵ arbennig i dynnu'r gramen.

Brech wres

Achosir brech wres gan ormod o wres ac mae'n ymddangos fel brech goch, fân a all fynd a dod. I'w thrin rhaid tynnu dillad gormodol, ymdrochi'r baban i dynnu chwys a rhoi trwyth calamin i leihau'r cosi a gwneud i'r baban deimlo'n gysurus.

Ecsema

Mae ecsema yn gymharol gyffredin mewn babanod, yn enwedig os ceir hanes alergedd yn y teulu. Mae'n dechrau gydag ardaloedd o groen sych, a all ddechrau cosi a throi'n goch, a mannau cennog. Bydd crafu yn gwneud i'r croen ollwng a gwaedu. Dylai menig crafu cotwm atal hyn. Y driniaeth yw osgoi defnyddio pethau ymolch persawrus; defnyddiwch olew megis Oilatum yn y baddon a hufen dyfrllyd yn lle sebon. Mae powdr golchi biolegol a rhai cyflyryddion ffabrig yn gallu gwaethygu'r cyflwr, felly defnyddiwch ddewis arall llai llym. Dillad cotwm sydd orau, a cheisiwch atal y baban rhag crafu os yw'n bosibl. Dylid gofyn am gyngor meddyg teulu os yw'r cyflwr yn ddifrifol neu'n achosi dolur.

Brech cewyn

Fel rheol, mae brech cewyn yn dechrau'n raddol, wrth i'r croen gochi yn ardal y cewyn; os na roddir triniaeth bydd yn troi'n bothelli, smotiau ac ardaloedd cignoeth, a all waedu. Mae'n hynod o anghysurus i'r baban, a fydd yn crïo gan boen pan newidir y cewyn. Achosir brech cewyn gan:

- gewyn budr neu wlyb a adawyd yn rhy hir ar y baban – mae hyn yn rhoi cyfle i amonia sy'n bresennol yn yr wrin wneud y croen yn ddolurus

- wrin crynodol (canlyniad diffyg yfed y baban)

467

- alergedd i, er enghraifft, powdr golchi, sychwyr gwlyb, hufen baban
- haint, er enghraifft llindag
- rinsio cewynnau cotwm yn annigonol
- defnyddio pants plastig, sy'n rhwystro'r croen rhag anadlu.

Dyma'r driniaeth:

- Tynnwch y cewyn.
- Defnyddiwch sebon di-bersawr i olchi'r pen-ôl, yna rinsio a gadael iddo sychu'n llwyr.
- Gadewch i'r baban orwedd ar gewyn fel y gall yr awyr gyrraedd y pen-ôl.
- Sicrhewch fod yr ardal yn rhydd o gewynnau mor aml â phosibl, gan y bydd awyr iach yn helpu'r broses o wella.
- Newidiwch y cewyn gyn gynted ag y mae'n fudr neu'n wlyb, o leiaf bob 2 awr.
- Peidiwch â rhoi unrhyw hufen arno nes bydd y pen-ôl yn gwbl sych; mae hufen yn gallu achosi brech cewyn drwy gadw'r lleithder i mewn.
- Peidiwch â defnyddio pants plastig neu rwber.

Os nad yw'r cyflwr yn gwella, dylai'r gofalwr holi'r ymwelydd iechyd neu feddyg teulu.

Gwirio'ch cynnydd

Beth allai achosi crudgen? Sut ddylid trin y cyflwr?

Sut ellir osgoi brech wres?

Os bydd brech wres yn datblygu, sut ddylid ei thrin?

Rhestrwch dri pheth y gellir eu gwneud i leihau difrifoldeb ecsema.

Rhestrwch bum peth a allai achosi brech cewyn.

Sut ellir trin y cyflwr hwn?

GOFAL CEWYN

Mae dau brif fath o gewyn:

- cewynnau cotwm
- cewynnau parod.

Mae cewynnau yn ddewis personol. Dylid ystyried y ffactorau canlynol:

- *Cost* – rhaid talu mwy am gewynnau cotwm yn y lle cyntaf (bydd angen 24), ond credir eu bod yn rhatach yn y pen draw, yn enwedig os defnyddir hwy ar gyfer y baban nesaf hefyd. Mae ymchwil wedi dangos bod hyn o bosibl yn gamarweiniol, gan fod rhaid ystyried cost trydan ar gyfer golchi (ac weithiau sychu), toddiant diheintio, powdr golchi, leinin cewyn, pinnau cewyn, pants plastig a bwcedi cewyn yn ogystal. Gall cost cewynnau parod olygu na fyddant yn cael eu newid mor aml ag y dylid.
- *Amser* – yn ddi-os, mae cewynnau parod yn cymryd llai o amser, ar y cyfan.

● *Hylendid* – rhaid cael gwared ar gewynnau parod mewn ffordd hylan ac mae llawer ohonynt yn cael eu taflu gyda'r ysbwriel gan lygru'r amgylchedd. Rhaid diheintio cewynnau cotwm cyn eu golchi, er bod gwasanaeth glanhau cewynnau ar gael mewn rhai ardaloedd.

Mae'r ddau fath o gewyn yn ddigonol os defnyddir hwy â gofal. Pa fath bynnag y defnyddir, dylid eu newid bob 3 i 4 awr, pan fydd yn amser bwydo, ac ar adegau eraill os byddant yn effro ac yn anghysurus. Peidiwch â defnyddio unrhyw hufen cewyn os na fydd rhaid. Defnyddiwch ddŵr, sebon baban, trwyth baban, sychwyr gwlyb neu olew baban i lanhau pen-ôl y baban. Gwnewch yn siŵr fod y profiad yn hwyl; peidiwch byth â dangos anghymeradwyaeth. Siaradwch â'r baban a gadewch iddo fwynhau rhywfaint o ryddid heb orfod cael ei gyfyngu gan gewyn.

Astudiaeth achos ...

... brech cewyn

Mae Harri'n 6 mis oed. Mae'n torri dannedd ac wedi cael pwl o ddolur rhydd. Mae newydd orffen cwrs o wrthfiotigau ar gyfer haint ar y frest. Yn awr mae gan Harri frech cewyn; mae ei ben-ôl a'i geillgwd yn goch ac yn ddolurus ac mae'n crïo bob tro y newidir ei gewyn. Mae'r gwarchodwr plant yn ei drin yn dyner iawn ac yn golchi ei ben-ôl yn ofalus bob tro y newidir ei gewyn, ac yn ei rwbio â haen drwchus o jeli petrolewm i amddiffyn ei groen eiddil. Nid yw hyn yn helpu ac mae mam Harri'n sylwi bod ei ben-ôl yn gwaedu ychydig.

1. Beth allai fod wedi achosi brech cewyn Harri?

2. Pam nad oedd y jeli petrolewm yn llwyddiannus, yn eich barn chi?

3. Pa driniaeth fyddech chi'n ei awgrymu i helpu gwella'r cyflwr?

Gwirio'ch cynnydd

Pa fathau gwahanol o gewyn sydd ar gael i rieni?

Beth yw manteision ac anfanteision defnyddio cewynnau cotwm?

Rhestrwch fanteision, ac anfanteision posibl, defnyddio cewynnau parod.

Sut ddylid glanhau pen-ôl y baban pan newidir y cewyn?

GOFALU AM GROEN DU

Er bod gan bob baban groen sych i raddau, mae'n arbennig o gyffredin mewn plant croenddu a dylid rhoi gofal arbennig i hyn. Dyma ganllawiau cyffredinol:

● Ychwanegwch olew at ddŵr y baddon bob amser a pheidiwch â defnyddio cynnyrch sail-glanedydd, gan fod y rhain yn sychu.

● Tylinwch y baban ar ôl y baddon, gan ddefnyddio olew baban, gel tylino neu olew almon. Mae hwn yn brofiad bendigedig i'r ddwy ochr!

● Archwiliwch y baban yn aml am arwyddion o sychder a chosi poenus – mae angen trin mannau cennog gyda hufen lleitho.

● Byddwch yn ofalus o olau'r haul – mae croen du yr un mor debygol o losgi â chroen gwyn. Defnyddiwch hufen atal llosg haul ar groen y baban yn yr haul, a het haul.

- Golchwch y gwallt unwaith yr wythnos, ond tylinwch olew i mewn i groen y pen yn ddyddiol, gan fod y gwallt yn gallu bod yn fregus ac yn sych.

- Defnyddiwch grib dannedd bras i gribo gwallt cyrliog iawn.

- Peidiwch â phlethu gwallt yn dynn gan fod hyn yn gallu tynnu gwreiddyn y gwallt allan a chreu mannau moel.

Gwirio'ch cynnydd

Sut gall gweithiwr gofal plant geisio atal croen sych mewn plant?

Sut gellir amddiffyn y croen rhag niwed gan yr haul?

Pa ofal arbennig sydd ei angen ar wallt du i'w gadw'n ystwyth ac yn iach?

Arwyddion a symptomau afiechyd a welir yn gyffredin

Am nad yw babanod ifainc yn gallu dweud pan maent yn teimlo'n sâl, neu ddangos ble mae poen, mae'n bwysig iawn i allu adnabod arwyddion afiechyd. Mae babanod yn gallu troi'n ddifrifol wael yn gyflym iawn, a dylid chwilio am gyngor meddyg os ydych yn poeni am gyflwr iechyd baban.

Fel rheol mae babanod yn gwella'n gyflym hefyd, os derbyniant y driniaeth gywir. Dyma'r arwyddion y dylid chwilio amdanynt:

- *Mae'r baban yn edrych yn welw a heb fawr o egni* (mae babanod croenddu yn edrych yn welwach nag arfer) neu yn *edrych yn wridog ac yn teimlo'n boeth*, oherwydd tymheredd uchel.

- *Colli archwaeth bwyd* – o bosibl, bydd baban sy'n bwydo ar ddim byd ond llaeth yn gwrthod bwyd neu'n cymryd dim ond ychydig ohono; efallai bydd baban hŷn yn gwrthod bwyd solid ac yn awyddus dim ond i sugno o'r frest neu'r botel.

- *Yn chwydu'n barhaus ar ôl a rhwng bwydo* – ni ddylid drysu rhwng hyn ac ailchwydiad normal llaeth ar ôl bwydo. Gall chwydu hyrddiol mewn baban 4 i 8 wythnos oed fod yn arwydd o **stenosis pyloraidd**. Achosir hyn wrth i'r cyhyr yn allfa'r stumog i'r coluddyn bach dewhau. Mae'r baban yn bwydo ac mae'r stumog yn llenwi gyda llaeth, sy'n methu â symud trwy'r allfa gulach i'r coluddyn bach. Yna mae'r baban yn chwydu i wagio'r stumog lawn. Dylid siarad â meddyg ar unwaith.

- *Dolur rhydd* – carthion diferllyd, parhaus, ffiaidd, a all fod yn wyrdd, melyn neu'n ddyfrllyd; dylid ei drin ar unwaith; mae babanod yn gallu dadhydradu'n gyflym iawn.

- **Ffontanél pen blaen** *suddedig* – mae hwn yn arwydd difrifol o ddadhydradu, efallai ar ôl cyfnod o chwydu a/neu ddolur rhydd neu gymeriant hylif annigonol oherwydd colled archwaeth bwyd.

- *Ffontanél pen blaen chwyddedig* – mae'r 'man meddal' yn ymddangos fel lwmp curiadol ar dop pen y baban, ac fe'i achosir gan bwysau cynyddol o fewn y penglog; mae angen triniaeth feddygol ar unwaith.

- *Yn crïo'n barhaus ac yn gwrthod cael eu cysuro* – gall hyn ddigwydd gydag unrhyw arwydd(ion) eraill o afiechyd; o bosibl bydd y gri yn wahanol i unrhyw un o'r crïoedd arferol.

termau allweddol

Stenosis pyloraidd

y cyhyr wrth allfa'r stumog i'r coluddyn bach yn tewhau – nid yw llaeth yn gallu symud trwy'r allfa fach i mewn i'r coluddyn bach

Ffontanél pen blaen

ardal o feinwe siâp diemwnt ar flaen pen y baban. Mae'n cau rhwng 12 a 18 mis oed

Cysgadrwydd

yn brin o egni, yn flinedig ac yn ddiymateb

- **Cysgadrwydd** – mae'r baban yn brin o egni a bydd i'w weld yn atchwelyd (mynd yn ôl) o ran ei ddatblygiad.

- *Brech* – os yw'r baban yn datblygu brech ac yn dangos unrhyw arwyddion eraill o afiechyd, holwch y meddyg; gall brech yn unig fod yn ganlyniad gwres neu alergedd. Mae'n bosibl y gellir trin hyn heb gymorth meddygol.

- *Peswch parhaus* – mae peswch yn creu trallod i faban a gofalwr; os nad yw'n gwella, neu os cysylltir ef ag unrhyw arwyddion eraill o salwch, dylid holi meddyg.

- *Rhedlif o'r clustiau, neu os bydd y baban yn tynnu ar ei glustiau ac yn crïo* (yn enwedig os bydd arwyddion eraill o salwch) – dylid holi meddyg. Mae heintiau ar y glust yn gyffredin mewn plant ifainc a dylid eu trin yn brydlon i osgoi niwed i'r glust.

- *Newidiadau yn y carthion neu'r wrin* – ar wahân i newidiadau o ganlyniad i'r dolur rhydd (carthion rhydd, mynych) a dadhydradiad (cynnyrch wrinol prin), gellir gweld newidiadau eraill. O bosibl bydd y carthion neu'r wrin yn cynnwys gwaed neu grawn, a'r carthion yn troi'n swmpus ac yn ffiaidd. Dylid sylwi ar liw, ansawdd ac amlder y carthion, a chofnodi ac ymchwilio i unrhyw abnormaledd – gall fod yn ganlyniad newid diet. Gorau oll, dylid sôn wrth y meddyg am unrhyw bryderon, a chynnwys sampl.

Gwirio'ch cynnydd

Pam ei bod hi'n bwysig bod gweithwyr gofal plant yn gallu adnabod arwyddion cynnar salwch mewn baban?

Beth mae chwydu hyrddiol yn arwydd ohono?

Pa newidiadau i'r ffontanél pen blaen sy'n arwyddion difrifol o salwch?

Os yw baban sydd yn gyffredinol iach yn datblygu brech, beth yw'r achosion posibl?

Pa newidiadau yng ngharthion ac wrin y baban allai fod yn arwydd o salwch?

Syndrom marwolaeth sydyn babanod

Syndrom marwolaeth sydyn babanod (SIDS) yw marwolaeth annisgwyl, ac fel rheol anesboniadwy baban. Ar un adeg fe'i gelwid yn 'syndrom marwolaeth yn y crud' oherwydd fel rheol canfyddir y baban yn y crud ar ôl methu â deffro ar gyfer bwydo. Gall ddigwydd rhwng 1 wythnos a 2 flwydd oed, ond tua 3 mis oed yw'r oedran mwyaf cyffredin.

ACHOSION SYNDROM MARWOLAETH SYDYN BABANOD

Nid yw ymchwil wedi dangos bod un achos penodol, ond yn hytrach wedi canfod rhai ffactorau risg sy'n gysylltiedig â SIDS:

- gormod o wres

- ysmygu

- bod yn gyffredinol sâl yn ystod yr ychydig ddyddiau cyn y farwolaeth

- gosod y baban i gysgu ar ei stumog.

Mae SIDS yn fwy cyffredin:

- ym misoedd y gaeaf
- mewn bechgyn
- mewn babanod cynamserol
- mewn babanod pwysau geni isel.

ATAL SYNDROM MARWOLAETH SYDYN BABANOD

Mae pedwar prif ganllaw a ddylai, os mabwysiadir hwy, leihau'r peryglon o farwolaeth crud:

- Gosodwch y baban i gysgu ar ei gefn yn y crud, pram neu'r bygi i'w atal rhag rholio drosodd ar ei stumog.

- Peidiwch â gadael i'r baban fynd yn rhy gynnes.

- 'Traed i'r droed' yn y crud – gosodwch y baban wrth droed y crud, gyda'i draed yn cyffwrdd y gwaelod. Mae hyn yn cadw'r baban rhag ymdroelli i lawr dan y gorchuddion a gor-gynhesu, neu fygu.

- Peidiwch â defnyddio 'duvet' – defnyddiwch gynfas a haenau o flancedi yn lle, oherwydd gellir cymhwyso'r rhain at dymheredd yr ystafell. 18°C yw'r tymheredd delfrydol er mwyn i'r baban gysgu.

- Cadwch y baban allan o atmosfferau myglyd – mae'n well peidio ag ysmygu yn yr ystafelloedd a ddefnyddir gan y baban. Dylai rhieni roi'r gorau i ysmygu yn ystod y beichiogrwydd.

- Dylai meddyg archwilio'r baban os yw'n ymddangos yn sâl. Os oes pryder, gwell chwarae'n saff.

CEFNOGAETH I RIENI SYDD WEDI COLLI PLENTYN

Bydd rhieni'n mynd trwy gamau galaru – gan deimlo sioc a fferdod yn gyntaf, yn methu â derbyn yr hyn sydd wedi digwydd, dryswch, dicter, euogrwydd ac anobaith. O bosibl byddant yn awyddus i siarad a dylent gael pob cyfle i wneud hynny. O bosibl, bydd rhwydwaith cefnogi o deuluoedd sydd wedi profi'r un trawma ar gael drwy gyfrwng grwpiau gwirfoddol lleol. Mae'n bosibl y bydd angen cynghori proffesiynol.

Mae ychydig mwy o berygl y bydd ail faban hefyd yn dioddef SIDS ac yn naturiol, bydd rhieni'n pryderu am ddiogelwch eu plant yn y dyfodol. Rhaglen a sefydlwyd i gefnogi rhieni a gollodd plentyn bach yw Gofal o'r Plentyn Bach Nesaf (CONI). Mae'n cynnig cyngor, cymorth ymarferol a thawelwch meddwl.

Mae'r Sefydliad Ymchwil i Farwolaethau Babanod (FSIDS) yn argymell bod rhieni yn cadw eu babanod yn eu hystafelloedd gwely, mewn crud ar wahân, am y 6 mis cyntaf fan lleiaf.

Mae gan bob grŵp diwylliannol eu dull eu hunain o fagu plant. Yn y DU, mae'r gyfradd SIDS yn is ymhlith Asiaid. Mae'n bosibl bod hyn yn wir am fod y mwyafrif o rieni Asiaidd yn cadw'r baban yn ystafell wely'r rhieni yn ystod y nos.

Gwirio'ch cynnydd

Pa fabanod sydd fwyaf mewn perygl o ddioddef SIDS?

Pa gamau y gellid eu cymryd i leihau'r perygl o SIDS?

Pa gefnogaeth sydd ar gael i rieni sydd wedi profi 'marwolaeth crud'?

Iechyd positif i fabanod

Dylai gofalwr proffesiynol archwilio babanod yn gyson i sicrhau eu bod yn ffynnu ac yn datblygu o fewn yr ystod gyffredin. Mae'r monitro'n dechrau ar enedigaeth baban, pan archwilir ef gan y fydwraig. Bydd paediatregydd hefyd yn archwilio'r baban cyn gadael iddo fynd adref. Os ganed y baban yn y cartref, bydd y fydwraig gymunedol a'r meddyg teulu yn gyfrifol am y gwiriadau hyn. Bydd y fydwraig, sy'n gyfrifol am ofal y baban, yn ymweld ag ef bob dydd am y 10 diwrnod cyntaf. Dylai'r meddyg teulu hefyd ymweld â'r cartref i weld y baban. Pan fydd y fydwraig wedi cwblhau ei dyletswyddau, (fel rheol ar y 10fed diwrnod, os na fydd problemau), bydd yr ymwelydd iechyd yn trefnu i archwilio'r baban. Bydd yr 'ymweliad geni' hwn yn digwydd yn y cartref fel rheol. Bydd yr ymwelydd iechyd yn defnyddio ei sgiliau proffesiynol i benderfynu pa mor aml y bydd angen gweld y baban.

Mae'r tîm gofal iechyd cychwynnol yn gwylio pob baban yn gyson.

CLINIGAU IECHYD PLANT

Yn ystod blwyddyn gyntaf bywyd, anogir gofalwyr i fynychu clinigau iechyd babanod gyda'u babanod. Yma gellir pwyso'r baban, trafod ei gynnydd gyda'r ymwelydd iechyd a gweld y meddyg os bydd angen. Mae hwn hefyd yn gyfle i gyfarfod babanod eraill o oedrannau tebyg, ar yr un camau datblygiad.

Yn ogystal, mae'r rhaglen imiwneiddio'n dechrau yn y flwyddyn gyntaf, yn 2, 3 a 4 mis oed. Mae hwn yn gyfle arall i'r baban gael ei weld, ac i'r gofalwr allu adrodd yn ôl am gynnydd ac unrhyw drafferthion.

GRWPIAU A GWASANAETHAU CEFNOGI

Yn aml ceir grwpiau cefnogi lleol ar gyfer rhieni a gofalwyr gyda babanod ifainc. O bosibl, bydd grwpiau o famau sydd wedi cyfarfod mewn dosbarthiadau ymlacio yn cadw mewn cysylltiad ac yn cyfarfod yn gyson er mwyn cefnogi ei gilydd. Ymhlith y dewisiadau eraill mae'r Ymddiriedolaeth Geni Plant Genedlaethol, Cynghrair La Leche a grwpiau cefnogi ôl-eni wedi'u lleoli mewn ysbytai. Sefydliad cenedlaethol sy'n helpu i gefnogi teuluoedd un-rhiant yw Gingerbread. Mae'n debygol bod eraill yn bodoli yn eich ardal chi.

Ni ddylai neb orfod eistedd gartref yn poeni am faban; mae llawer o wasanaethau a phobl sy'n barod iawn i helpu. Fodd bynnag, mae'n bosibl bod rhwystrau, megis iaith, yn cadw pobl rhag defnyddio'r gwasanaethau sydd yn agored iddynt. Mewn ardaloedd lle nad yw canran uchel o'r boblogaeth yn siarad Cymraeg neu Saesneg fel iaith gyntaf, mae cymorth arbenigol ar gael, er enghraifft cyfieithwyr mewn clinigau, pamffledi wedi'u hargraffu yn yr iaith berthnasol ac ymweliadau cartref cefnogol ychwanegol gan ymwelwyr iechyd a hyfforddwyd yn benodol.

Gwirio'ch cynnydd

Pa weithwyr proffesiynol sy'n gyfrifol am ofal iechyd babanod?

Pa wasanaethau sydd ar gael yn y clinig iechyd plant?

Beth yw manteision grwpiau cefnogaeth cymdeithasol i famau?

Sut ellir cefnogi mamau sy'n siarad Saesneg fel iaith ychwanegol?

Offer

*B*ydd cael baban yn golygu rhywfaint o wario, oni bai bod baban eisoes yn y teulu a'r eitemau angenrheidiol wedi cael eu cadw. Er hyn, bydd angen sicrhau bod yr offer yn addas o hyd ac yn ddiogel i'w ddefnyddio. Rhaid ystyried nifer o ffactorau, ond y pwysicaf yw lles y plentyn bach. Amlinellir rhai o'r ffactorau hyn isod.

DIOGELWCH

Rhaid i'r holl offer a brynir, benthycir neu a logir, yn newydd neu'n ail law, gydymffurfio â deddfwriaeth ddiogelwch ac arddangos nod barcut diogelwch BSI.

Nodau diogelwch

LLETY

Mae'n bosibl bod gan y teulu ddigon o le ar gyfer offer mawr, neu efallai eu bod yn byw mewn fflat bach neu fflat un ystafell, neu'n byw gyda'r teulu estynedig. Efallai y bydd rhaid i ofalwyr ystyried, er enghraifft, sut i ymdopi â chludo'r baban i fyny rhesi o risiau cul.

HYBLYGRWYDD A GWYDNWCH

Rhaid gallu cyfiawnhau prynu offer o ran ei ddefnyddioldeb yn y tymor hir, a'i gryfder i wrthsefyll traul a gwisgo arferol. Er enghraifft, bydd crud yn cael ei ddefnyddio am 2 flynedd neu fwy. Dylai fod yn ddigon cryf i barhau i fod yn ddiogel ar gyfer y baban hwn a babanod eraill.

Rhaid i bramiau a bygis fod yn addas ar gyfer eu defnyddio hyd yn oed pan fo'r baban yn blentyn bach, er mwyn osgoi ei newid yn rhy gynnar.

EITEMAU HANFODOL

Mae pob baban angen:

- lle i gysgu
- darpariaeth ar gyfer arferion bwydo a hylendid, er enghraifft ymdrochi a newid cewynnau
- cael eu cludo'n ddiogel.

Mae'r tabl isod yn crynhoi manteision ac anfanteision gwahanol fathau o eitemau hanfodol.

Eitemau hanfodol ar gyfer cysgu a chludo

Er mwyn ceisio atal marwolaethau crud sy'n digwydd yn ddiangen, mae ymchwil cyfredol yn dangos y dylai pob baban gysgu:

- ar eu cefnau
- heb obennydd
- heb 'duvet' yn ystod y flwyddyn gyntaf; mae cynfasau a blancedi yn golygu na fydd y baban yn or-gynhesu gan fod modd tynnu haen pan fod angen.

Eitem	Nodweddion	Manteision	Anfanteision
Basged Moses	Basged wiail gyda leinin a chloriau addurnedig, gyda neu heb ganopi; fel rheol gyda dwy ddolen ar gyfer cludiant; o bosibl, bydd ganddi waelod i'w chynnal neu fe'i gosodir ar y llawr	Mae'r baban yn teimlo'n ddiogel mewn gofod bach, amgaeedig; yn rhwydd ei chludo o ystafell i ystafell; yn edrych yn dlws ac yn ddeniadol	Ni ellir ei defnyddio i gario'r baban allan yn yr awyr agored; nid yw'n ddiogel i'w defnyddio yn y car; anaddas ar gyfer babanod hŵn/ trymach oherwydd diffyg lle mewnol; gallai droi drosodd wrth i'r baban symud o gwmpas
Crud	Preseb pren gyda mecanwaith siglo, naill ai ar siglwyr neu wedi'i grogi rhwng dau gynheiliydd unionsyth	Yn debyg i'r fasged Moses, ar wahân i'r ffaith nad yw'n hawdd ei gludo o un ystafell i'r llall; o bosibl bydd y baban yn ymateb yn dda i gael ei siglo i gysgu	Yn debyg i'r fasged Moses
Caricot	Fframwaith anhyblyg gyda matres, gorchudd a lwfer diddos a dolennau cludo; wedi'i orchuddio mewn ffabrig golchadwy neu blastig	Gofod amgaeedig fel bod y baban yn teimlo'n gysurus ac yn ddiogel, yn cael ei ddefnyddio ar gyfer cysgu yn y nos a'r dydd; yn rhwydd ei gludo o un ystafell i'r llall drwy ddefnyddio dolennau; addas ar gyfer ei ddefnyddio yn yr awyr agored, weithiau ar gael gyda chludwyr (olwynion) i'w droi'n bram; strapiau ataliol ar gyfer cael ei gludo mewn car	Bydd babanod yn tyfu allan o garicot yn gynt na phram maint llawn; gal yn drwm ac yn gall fod yn drwm ac yn feichus i'w godi pan fydd y baban yn hŷn
Pram	Adeiledd fframwaith, cadarn gyda lwfer a gorchudd diddos ar olwynion, gyda breciau, ffabrig golchadwy, plastig neu fetel tu allan a thu mewn ffabrig gyda matres; pwyntiau sefydlu harnais	Mae'r baban yn teimlo'n gyffyrddus ac yn ddiogel; gellir ei ddefnyddio i gysgu ar lawr waelod y cartref; delfrydol ar gyfer ei ddefnyddio yn yr awyr agored, teithio ar droed neu ar gyfer gadael i'r baban gysgu yn yr awyr agored; addas ar gyfer ei ddefnyddio ym mhob tywydd; yn ddigon mawr i gludo'r baban am y flwyddyn gyntaf a mwy; mae hambwrdd siopa'n golygu ei bod yn haws cludo nwyddau; yn gallu cludo plentyn bach yn ogystal ar sedd bram a gynlluniwyd yn arbennig	Anaddas ar gyfer dringo a dod i lawr y grisiau, felly rhaid gwneud trefniadau eraill ar gyfer cysgu yn y nos; gall fod yn broblem mewn blociau o fflatiau os nad yw'r lifft yn gweithio; anaddas ar gyfer cludo mewn car; gall greu problem storio mewn tŷ/fflat bach neu fflat un ystafell

475

Eitemau hanfodol ar gyfer cysgu a chludiant – parhad

Eitem	Nodweddion	Manteision	Anfanteision
Cot	Ardal gysgu wedi'i godi'n bwrpasol ar gyfer baban a phlentyn bach; dylai fod yn gryf ac yn sefydlog; ni ddylai'r bariau fod yn fwy na 7cm ar wahan, er mwyn sicrhau na fydd dwylo, traed a'r pen yn mynd yn sownd; matres ddiogelwch ddiddos sy'n ffitio'n dynn o fewn y fframm; dylai fod gan gotiau gydag ochrau y gellir eu gollwng; cliciedau diogelwch na all plant eu hagor; ceir dewis o safleoedd matres uchel neu isel, gan ddibynnu ar oedran/gam ddatblygiad y baban	Amgylchedd ar gyfer cysgu sy'n ddiogel ac ar gyfer un baban yn unig; boed y baban yn rhannu'r ystafell neu beidio	Dim anfanteision, cyn belled â bod yr holl fanylebau dan 'Nodweddion' yn cael eu cyflawni
Sedd baban mewn car sy'n wynebu tuag yn ôl	Wedi'i gynllunio ar gyfer teithio'n ddiogel mewn car gan ddefnyddio gwregysau diogelwch inertia safonol; yn cynnwys harnais i atal y baban o'i mewn; dolen gludo i symud y sedd i mewn ac allan o'r car	Cludiant diogel mewn car; yn rhwydd ei chario gyda baban yn cysgu ynddo; gellir ei defnyddio o'r enedigaeth hyd at 9 mis; defnyddiol i fabanod sydd angen symudiad i gysgu; gellir ei defnyddio yn y tŷ fel cadair gyntaf	Gallu fod yn ddrud; bydd angen ei newid am sedd car sefydlog ar ôl cyrraedd 9 mis; gall fod yn anodd cario rhai modelau a chlymu gwregysau diogelwch car iddynt
Preseb sboncio	Sedd ffabrig feddal ar gyfer baban newydd ei eni hyd tua 6 mis; o bosibl bydd yn cynnwys rhes o deganau	Yn cael ei ddefnyddio o'r geni; gellir cludo'r baban o un ystafell i'r llall a gweld beth sy'n digwydd ym mhob man; gall babanod siglo eu hunain i gysgu; yn rhwydd golchi'r clawr ffabrig	Yn beryglus os gadewir ef ar wely neu arwyneb gweithio pan fydd y baban yn gallu sboncio'i hun oddi arno; anaddas pan fydd babanod yn gallu eistedd heb gael eu cynnal
Slingiau cludo	Slingiau baban ffabrig, wedi'u cysylltu â chorff y gofalwr i alluogi'r baban i gael ei gludo mewn safle unionsyth ar y frest	Mae'r baban yn teimlo'n gyffyrddus ac yn ddiogel, yn gallu clywed curiad calon y gofalwr a chynhesrwydd ei chorff; gellir cario babanod o fewn adeiladau ac yn yr awyr agored, amhrisiadwy ar gyfer babanod cecrus sy'n cael anhawster cysgu neu'n crefu cysylltiad o hyd; yn gadael dwy law yn rhydd i ymdopi â phlentyn bach neu blant eraill sydd angen goruchwyliaeth a sylw; yn caniatáu i'r gofalwr barhau â thasgau arferol	O bosibl, bydd yn anodd ei wisgo a'i dynnu i ffwrdd, gan ddibynnu ar y mecanwaith; gall osod pwysau ar y cefn wrth i'r baban ennill pwysau; esgidiau gwastad a safiad gofalus yn hanfodol er mwyn osgoi niweidio'r baban drwy syrthio

Eitemau hanfodol ar gyfer ymdrochi

Eitem	Nodweddion	Manteision	Anfanteision
Mae cynhesrwydd yn hanfodol pan ymdrochir baban newydd. Bydd thermomedr wal yn sicrhau bod yr ystafell yn 70°C fan lleiaf cyn cychwyn			
Baddon baban	Baddon baban plastig a adeiladwyd i bwrpas, fel rheol yn cael ei brynu gyda stand	Yn ddigon mawr i'w ddefnyddio nes bydd y baban tua 6 mis oed; gellir ei ddefnyddio mewn unrhyw ystafell lle mae gwres digonol; yn gyffyrddus ar gyfer y baban a'r gofalwr, sy'n gallu eistedd mewn cadair i ymdrochi'r baban pan ddefnyddir y stand baddon	Yn para dim ond am gyfnod, a fawr o werth pan ymdrochir y baban yn y baddon mawr; yn anodd ac yn drwm ei gario pan yw'n llawn o ddŵr; gall fod yn anodd ei storio mewn llety bach
Bowlen golchi llestri neu flwch storio newydd	Cynhwysydd plastig mawr	Gellir ei ddefnyddio at ei bwrpas gwreiddiol pan na fydd angen ymdrochi mwyach; yn rhwydd ei gludo i amgylchedd cynnes pan yn llawn o ddŵr, yn ddigon mawr i roi baddon i faban yn ystod yr wythnosau cynnar; yn golygu nad oes rhaid gwario ar fodelau a adeiladwyd i bwrpas	Bydd angen symud y baban i'r baddon mawr erbyn iddo gyrraedd tua 2-3 mis oed

Mae bowlen blastig fawr neu flwch ar gyfer ymdrochi yn effeithiol a hefyd yn gost effeithiol

Eitemau hanfodol ar gyfer bwydo

Manteision ac Anfanteision	Bwydo o'r fron	Bwydo o'r botel	Offer hanfodol eraill
Mae bwydo o'r fron neu fwydo o botel yn ddewis personol i raddau helaeth.			
Trafodir manteision ac anfanteision bwydo o'r fron neu'r botel yn ddiweddarach yn y bennod	Mae'n fuddiol i gael rhywfaint o offer bwydo o'r botel i roi dŵr neu sudd ffrwythau ychwanegol, hyd yn oed os bwydir y baban o'r fron: dylai ddwy neu dair teth fod yn ddigonol.	Os bwydir y baban o'r botel, yna bydd angen wyth i ddeg potel a theth i wneud digon o fwyd ar gyfer cyfnod o 24 awr.	Mae offer diheintio'n hanfodol, a chyflenwad da o laeth fformiwla: mae llawer o frandiau ar gael.

Gwirio'ch cynnydd

Pa ffactorau y mae angen eu hystyried wrth brynu offer ar gyfer baban newydd?

Sut ddylid rhoi babanod i gysgu i geisio osgoi marwolaeth crud?

Beth yw nodweddion basged Moses?

Rhestrwch fanteision caricot.

Pam ddylid gosod preseb sbonciog ar y llawr bob amser?

Dillad ar gyfer y flwyddyn gyntaf

term allweddol

Layette
dillad cyntaf
baban

LAYETTE

Y **layette** yw'r set gyntaf o ddillad a ddarperir ar gyfer baban. Ceir rhai canllawiau ynglŷn â phrynu dillad baban isod:

- Osgowch rubanau, rhwymynnau a chlymau, sy'n gallu dal bysedd a bysedd traed bach yn sownd, a bod yn anodd eu gwisgo a'u dad-wisgo. Gall arwain at berygl o dagfa. Gall dillad o wead llac (er enghraifft, dillad wedi'u gwau â llaw) fod yr un mor beryglus.

- Mae'n bosibl tagu ar fotymau hefyd, ac mae'n anodd i fysedd mawr eu trin.

- Dewiswch ddillad sy'n hawdd eu glanhau; mae angen newid dillad baban yn aml.

- Ffibrau naturiol yw'r rhai mwyaf cyffyrddus; er enghraifft, mae cotwm yn fwy amsugnol na ffabrigau synthetig.

- Dylai dillad fod yn gyffyrddus, er mwyn caniatáu rhyddid i symud, ac nid yn rhy dynn, yn enwedig o gwmpas y traed, sy'n agored i niwed. Mae dillad wedi eu gwneud o ffabrig ymestynnol ac yn cynnwys llewys raglan yn peri bod gwisgo a dadwisgo'n haws. Peidiwch â defnyddio siwtiau gyda thraed gan ei bod hi'n demtasiwn eu defnyddio wedi iddynt fynd yn rhy fach. Mae siwt heb draed gyda phâr o sanau o'r maint cywir yn ddewis gwell.

- Dylai fod gan ddillad orffeniad gwrthfflam.

DILLAD AR GYFER BABAN NEWYDD-ANEDIG

- Chwe fest – mae siwtiau corff yn helpu i atal mannau oer a chadw'r cewyn yn ei le

- Chwe dilledyn un-darn – dilledyn babygro, heb draed os gellir

- Tri phâr o sanau neu fwtis

- Tair cardigan (cot matinée)

- Het – het haul yn yr haf a boned ar gyfer tywydd oerach

- Dillad awyr agored – bydd y math a ddewisir yn dibynnu ar ddull cludo'r baban. Mae'n bosibl y bydd siwt bram wedi ei gwau yn ddigonol neu efallai y bydd angen dilledyn un-darn wedi ei gwiltio

- Menig difysedd cynnes a chrafu

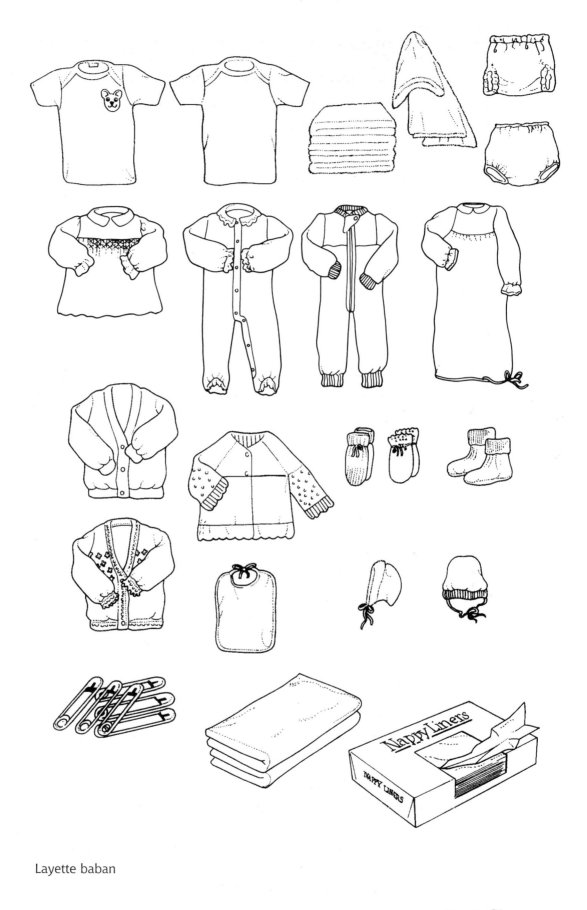

Layette baban

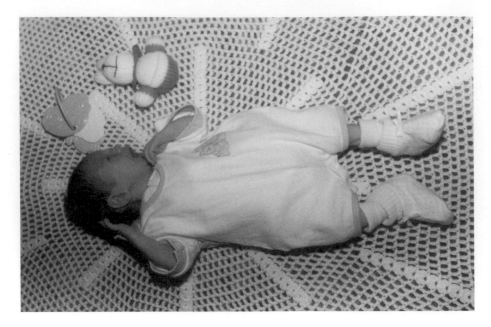

Dylai dillad baban fod yn gyffyrddus

Bydd angen cyflenwad da o gewynnau, rhai tafladwy neu rai cotwm. Peidiwch â phrynu mwy nag un pecyn o gewynnau maint cyntaf nes y bydd y baban wedi cael ei eni a'r maint yn glir. Mae gwasanaethau deialwch am gewyn ar gael mewn rhai ardaloedd.

Mae dau ddeg pedwar cewyn cotwm yn ddigonol, ac o bosibl byddant yn para ar gyfer baban arall. Bydd angen pinnau cewyn, leininau cewyn a phants plastig hefyd.

DILLAD AR GYFER Y FLWYDDYN GYNTAF

- Mae babanod yn tyfu'n gyflym iawn, felly mae'n gwneud synnwyr i beidio â phrynu gormod o ddillad o'r un maint. Ni fydd llawer o gyfle i'w gwisgo i gyd cyn iddynt fynd yn rhy fach.

Dillad ar gyfer y flwyddyn gyntaf: dylai dillad ganiatáu rhwyddineb symud a bod yn hawdd eu golchi

- Nid oes angen esgidiau nes bydd plentyn angen cerdded yn yr awyr agored. Mae'n well mynd yn droednoeth na gwisgo sanau, hyd yn oed, os yw'n ddigon cynnes a'r llawr yn ddiogel.

- Dewiswch ddillad a fydd yn helpu datblygiad ac nid yn ei rwystro; bydd babanod benywaidd sy'n ceisio cropian mewn ffrog, er enghraifft, yn mynd yn fwy rhwystredig wrth iddynt gropian i mewn i'w sgertiau.

- Bydd anghenion dillad yn amrywio yn ôl y tymor.

- Ewch drwy'r dillad yn gyson a thynnwch bopeth sydd wedi mynd yn rhy fach o ddroriau'r babanod. Bydd hyn yn cadw'r sawl nad ydynt yn gwisgo'r baban yn aml rhag eu gwasgu i mewn i ddillad sy'n rhy fach.

Nawr rhowch gynnig ar y cwestiynau hyn

Esboniwch pam ei bod hi'n bwysig i wylio babanod, i fonitro eu hiechyd, yn ystod y flwyddyn gyntaf.

Disgrifiwch sut y gellir cwrdd ag anghenion corfforol baban yn ystod blwyddyn gyntaf bywyd.

Beth yw arwyddion a symptomau ecsema mewn babanod ifainc?

Pa grwpiau cefnogi sydd ar gael i deuluoedd gyda phlant ifanc yn eich ardal chi?

ANGHENION MAETHOL BABANOD

Mae babanod angen symud ymlaen o fwydo ar laeth yn unig, sef llaeth o'r fron neu laeth fformiwla, i ddiet cymysg ac amrywiol a fydd yn darparu'r holl faetholion angenrheidiol. Fel rheol bydd y broses hon yn digwydd yn ystod blwyddyn gyntaf bywyd. Bydd y rhan hon yn ymdrin â'r pynciau canlynol:

- bwydo
- bwydo o'r fron
- bwydo o botel (fformiwla)
- diddyfnu.

Bwydo

Dylid bwydo pob baban ar laeth yn unig am 3 mis cyntaf eu bywydau o leiaf, felly rhaid i'r rhieni benderfynu sut i fwydo'r baban. Mae'r penderfyniad i fwydo o'r fron neu o'r botel yn un personol iawn. Mae gan y mwyafrif o wragedd syniad am sut y byddant yn bwydo'u babanod cyn beichiogi. O bosibl, bydd y penderfyniad hwn yn cael ei ddylanwadu gan y bwyd a roddwyd iddynt gan eu mam, y ffordd mae eu ffrindiau'n bwydo'u babanod, addysg iechyd yn eu hysgol, dylanwad y cyfryngau a'r ffordd maent yn teimlo am eu corff.

Mae gan y ddau ddull fanteision ac anfanteision, ond derbynnir bod y canlynol yn wir am laeth o'r fron:

- mae'n laeth naturiol i blant gan mai dyma ffynhonnell ddelfrydol maetholion ar gyfer misoedd cyntaf bywyd
- dylid ei annog fel y dewis cyntaf ar gyfer bwydo plant ifanc.

Fodd bynnag, efallai na fydd yn bosibl bwydo o'r fron am nifer o resymau ac ni ddylai gwragedd deimlo'n annigonol os ydynt yn bwydo'u babanod o botel.

Bwydo o'r fron

Prif waith y bronnau yw rhoi bwyd a maeth i blentyn bach. Yn ystod beichiogrwydd mae'r bronnau'n paratoi ar gyfer bwydo. Nid yw bwydo o'r fron yn llwyddiannus yn dibynnu ar faint y bronnau; gall gwragedd â bronnau bach iawn fwydo o'r fron yr un mor llwyddiannus â gwragedd â bronnau mawr.

Rhennir pob bron yn 15-20 llabed yn cynnwys alfeoli, sy'n cynhyrchu llaeth. Mae pob llabed yn draenio llaeth i mewn i ddwythell lactifferaidd, sy'n lledaenu i mewn i ampwla (cronfa fach) yn syth tu ôl i'r deth. Mae'n culhau cyn agor ar arwyneb y deth

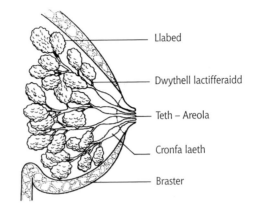

Llabed

Dwythell lactifferaidd

Teth – Areola

Cronfa laeth

Braster

Adeiladwaith y deth

O 16eg wythnos beichiogrwydd, mae'r bronnau'n cynhyrchu **colostrwm**. Bydd hyn yn bwydo'r baban am y 2-3 diwrnod cyntaf wedi'r enedigaeth. Mae'n hylif trwchus, melynaidd gyda chynnwys protein uchel ond gyda llai o siwgr a braster na llaeth dynol aeddfed. Dim ond ychydig o filimedrau a gynhyrchir bob tro y bydd y baban yn bwydo, ond mae'n ei fodloni ac yn hawdd i'r baban ei dreulio.

Ar y 3ydd neu 4ydd diwrnod mae'r llaeth yn dod i mewn a'r fam yn sylwi bod ei bronnau'n llenwi. Nid yw llaeth bron yn gwbl aeddfed tan tua 3 wythnos wedi'r geni.

MANTEISION BWYDO O'R FRON

- Llaeth o'r fron gan fam sydd wedi cael digon o faeth yw'r bwyd delfrydol: fe'i gwnaed yn benodol ar gyfer babanod. Mae'n cynnwys pob un o'r maetholion cywir mewn cyfraneddau perffaith ar gyfer cwrdd ag anghenion newidiol y baban. Mae'n hawdd ei dreulio.

- Mae gan golostrwm grynodiad dwys o wrthgyrff y fam, felly mae'n amddiffyn y baban rhag rhai heintiau.

- Mae'n ddi-haint (nid yw'n cynnwys germau) ac yn lleihau perygl haint.

- Mae llai o achosion alergedd, er enghraifft asthma, mewn babanod sy'n derbyn llaeth o'r fron.

- Mae bob amser ar gael ar y tymheredd cywir.

- Mae'n fwy cyfleus: does dim angen paratoi na chynhesu poteli.

- Mae'n llai drud na phrynu llaeth wedi'i addasu.

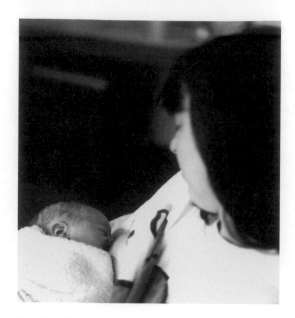

Bwydo o'r fron

RHEOLI BWYDO O'R FRON

term allweddol

Bwydo ar alw

bwydo babanod yn ôl eu dymuniad yn lle bwydo yn ôl y cloc

term allweddol

Bwyd cyflenwol

bwydo ychwanegol yn ogystal â bwydo o'r fron

- Mae'n well **bwydo ar alw** (bwydo'r baban pan fydd arno eisiau bwyd) na bwydo yn ôl y cloc. Mae gan fabanod anghenion gwahanol, ac er y byddant yn bwydo'n aml yn ystod y dyddiau cyntaf, o bosibl, yn aml byddant wedi sefydlu eu trefn fwydo eu hunain lle cymerir bwyd bob 3 i 5 awr erbyn cyrraedd 3-4 wythnos oed. Ar ambell ddiwrnod byddant eisiau bwyd yn amlach – yr unig ffordd y gallant ysgogi'r fron i gynhyrchu mwy o laeth yw trwy sugno am gyfnod hirach.

- Peidiwch â rhoi **bwyd cyflenwol** mewn potel.

- Dylai fod y fam yn bwyta diet cytbwys, sy'n cynnwys digon o hylif. Bydd ei diet yn effeithio ar gyfansoddiad llaeth y fron a bydd rhai bwydydd yn achosi colig. Ni fydd y baban angen fitaminau ychwanegol os bydd y fam yn bwyta diet iach.

- Mae bwydo o'r fron yn waith blinedig yn ystod yr wythnosau cyntaf, felly dylid annog mamau i ymlacio. Bydd cymorth ychwanegol yn y cartref nes bydd bwydo o'r fron wedi ei sefydlu o les i'r fam a'r baban.

- Gadewch i'r baban orffen sugno o un bron cyn cynnig y llall. Peidiwch ag amseru'r bwydo o'r ddwy fron gan mai'r llaeth olaf i ddod o'r fron, yr armel, yw'r llaeth sy'n llenwi fwyaf, sef y llaeth sy'n cynnwys y braster mwyaf. Bydd hyn yn helpu'r baban i setlo am gyfnodau hirach rhwng cyfnodau bwydo.

- Gellir godro llaeth o'r fron drwy ddefnyddio'r dwylo neu bwmp bronnau os na all y fam wneud hyn. Gellir storio'r llaeth a odrwyd o'r fron (EBM) hyd at 3 mis mewn rhewgell gartref a'i gynnig mewn potel.

- Gall y fam barhau i fwydo o'r fron cyhyd ag y dymuna (mae bwydo am ychydig ddyddiau yn well na pheidio â bwydo o gwbl). Dylid dechrau diddyfnu ar fwydydd solid rhwng 4 a 6 mis ac o ganlyniad, bydd y baban angen llai o laeth.

Bwydo o botel (fformiwla)

Seilir y mwyafrif o fformiwlâu babanod modern (llaeth baban wedi'i addasu) ar laeth buwch, er bod rhai yn dod o ffa soya, ar gyfer babanod na all gymryd llaeth buwch. Mae cynhyrchwyr yn ceisio sicrhau bod y cynnwys mor agos â phosibl at gynnwys llaeth dynol. Rhaid i bob math o laeth sydd wedi'i addasu gwrdd â safonau'r Adran Iechyd. Fodd bynnag, mae gwahaniaethau sylfaenol rhwng llaeth o'r fron a llaeth wedi'i addasu. Mae llaeth buwch:

- yn anodd ei dreulio; mae ganddo fwy o brotein na llaeth o'r fron, yn enwedig casein, na fydd y baban o bosibl yn gallu ei dreulio. Mae'r cynnwys braster hefyd yn anoddach ei dreulio a gallai hyn achosi gwynt neu golig

- yn cynnwys mwy o halen; mae halen yn beryglus i bob baban gan nad yw eu harennau'n ddigon aeddfed i'w ysgarthu. Mae gwneud bwyd sy'n rhy gryf, neu roi llaeth buwch na chafodd ei addasu, yn gallu bod yn beryglus iawn

- yn cynnwys llai o siwgr (lactos, rhywbeth y mae babanod dynol ei angen) na llaeth o'r fron.

MANTEISION BWYDO O'R BOTEL

Dyma fanteision bwydo o'r botel:

- Mae'n bosibl gweld faint o laeth a lyncir gan y baban.

- Mae tadau a gofalwyr eraill yn gallu helpu gyda'r bwydo, a allai roi cyfle i'r fam orffwys, yn enwedig yn y nos; o bosibl bydd hyn yn golygu bod ganddi fwy o gyfle i weithio neu ddilyn ei diddordebau ei hun.

- Gellir bwydo'r baban ym mhob man, heb deimlo'n chwithig.

- Mae'n llai blinedig i'r fam yn ystod yr wythnosau cyntaf.

PARATOI A STORIO BWYD

Offer ar gyfer bwydo o'r botel

Dylid diheintio'r holl offer bwydo o'r botel yn drylwyr yn ôl cyfarwyddiadau'r gwneuthurwr ar y botel neu becyn toddiant diheintio. Dylid golchi a rinsio'r offer cyn ei ddiheintio. Peidiwch â defnyddio halen i lanhau'r tethi, gan y bydd hyn yn cynyddu cymeriant halen y baban os na cheir gwared ar yr halen drwy rinsio trylwyr. Defnyddiwch lanhawr tethi priodol, sef rhywbeth sy'n debyg i frwsh potel. Yna dylid gwneud y bwyd gan ddilyn canllawiau'r cynhwysydd llaeth wedi'i addasu. Bydd angen yr offer canlynol:

- poteli (mae gan rai leininau plastig tafladwy)
- tethi
- cloriau poteli
- brwsh potel
- glanhawr tethi
- cyllell blastig
- jwg blastig
- tanc diheintio, toddiant neu dabledi diheintio, neu ddiheintydd ager.

Mae rhai pwyntiau pwysig y dylid eu cofio wrth baratoi bwyd o'r botel:

- Golchwch eich dwylo bob amser cyn ac ar ôl paratoi bwyd.

- Sychwch yr arwyneb gweithio cyn paratoi bwyd.

- Defnyddiwch ddŵr berwedig i rinsio'r offer bwydo wedi iddo ddod allan o'r toddiant diheintio.

- Rhowch y dŵr i mewn i botel neu jwg cyn y powdr llaeth bob amser.

- Defnyddiwch ddŵr wedi'i ferwi a'i oeri i wneud y bwyd.

- Bwydwch fabanod sy'n bwydo o'r botel ar alw yn hytrach nag yn ôl y cloc. Dylai'r prif ofalwr roi'r mwyafrif o brydau bwyd i'r baban, er mwyn annog perthynas agos.

- Helpwch y baban i basio gwynt unwaith neu ddwywaith wrth fwydo; gwiriwch faint y twll yn y deth; os yw'n rhy fach bydd y baban yn cymryd aer i mewn wrth sugno'n galed i dderbyn y llaeth, a fydd yn achosi gwynt; os yw'r deth yn rhy fawr bydd yn derbyn y bwyd yn rhy gyflym ac o bosibl yn tagu.

- Defnyddiwch yr un brand o laeth baban bob amser; peidiwch â'i newid heb gyngor neu argymhelliad yr ymwelydd iechyd neu'r meddyg teulu.

Peidiwch byth:

- ychwanegu lletwad ychwanegol o bowdr, ar unrhyw gyfrif

- pacio'r powdr yn rhy dynn yn y lletwad

- rhoi lletwadau gorlawn.

Bydd gwneud y pethau hyn yn cynyddu cryfder y bwyd a maint yr halen a gymerir i mewn. Bydd hyn yn peri bod y baban yn sychedig, ac felly bydd y baban yn crïo. O ganlyniad, rhoddir mwy o fwyd, gan gynyddu'r halen fwy fyth. Gall y baban fynd yn ddifrifol wael yn gyflym iawn.

Peidiwch byth:

- gadael baban, wedi ei gynnal, gyda photel

- ychwanegu grawnfwydydd baban neu fwyd arall i'r botel; pan fydd y baban yn barod ar gyfer bwyd solid, dylid ei gynnig ar lwy.

Faint o laeth

Dylid bwydo babanod a fwydir o'r botel ar alw hefyd, gan eu bod yn creu eu trefn unigol eu hunain fel rheol. Bydd babanod newydd angen tua 8 pryd y diwrnod – tuag unwaith bob 4 awr – ond ceir rhai amrywiadau. Yn gyffredinol dylid cynnig i fabanod 150ml i bob kg o bwysau'r corff bob dydd (24 awr). Er enghraifft:

- bydd baban 3kg angen 450ml dros gyfnod o 24 awr

- bydd baban 4kg angen 600ml dros gyfnod o 24 awr

- bydd baban 5kg angen 750ml dros gyfnod o 24 awr.

Rhennir y cyfanswm gan nifer y prydau bob dydd er mwyn asesu faint o laeth y dylid ei roi i'r baban. Pan fydd y baban yn gwagio potel, dylid cynnig mwy o laeth.

COLIC

Bydd rhai babanod, a fwydir o'r fron neu o'r botel, yn dioddef colig, a achosir gan yr aer a gymerir i mewn wrth fwydo neu grïo. Mae'r gwynt hwn yn pasio trwy'r stumog ac yn cael ei ddal yn y coluddion bach, gan olygu bod y coluddion yn cyfangu ac yn achosi poen mawr.

1. Gwnewch yn siŵr nad yw'r fformiwla wedi pasio ei ddyddiad gwerthu. Darllenwch y cyfarwyddiadau ar y tun. Gwnewch yn siŵr fod y tun wedi cael ei gadw mewn cwpwrdd oer, sych.

2. Berwch ddŵr ffres a gadewch iddo oeri.

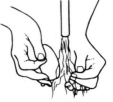

3. Golchwch eich dwylo a'ch ewinedd yn drylwyr.

4. Cymerwch yr offer sydd ei angen o'r tanc diheintio a rinsiwch ef â dŵr wedi'i ferwi a'i oeri.

5. Llenwch y botel, neu jwg os ydych yn paratoi llawer o fwyd, gyda dŵr i'r lefel a ddymunir.

6. Mesurwch faint y powdr yn <u>union</u> gan ddefnyddio'r lletwad a ddarparwyd gyda'r fformiwla. Defnyddiwch gyllell i lefelu'r cynnwys. Peidiwch â'i bacio'n dynn.

7. Ychwanegwch y powdr i'r dŵr a fesurwyd yn y botel neu'r jwg.

8. Sgriwiwch y cap ar y botel a'i hysgwyd, neu cymysgwch ef yn dda yn y jwg a'i dywallt i mewn i boteli diheintiedig.

9. Os nad ydych am ei ddefnyddio ar unwaith, oerwch ef yn gyflym a'i storio yn yr oergell. Os ydych am ei ddefnyddio ar unwaith, profwch y tymheredd ar du mewn eich garddwrn.

10. Bydd babanod yn cymryd llaeth oer ond mae'n well ganddynt fwyd cynnes (megis o'r frest). Os ydych yn dymuno cynhesu'r llaeth, rhowch y botel mewn jwg o ddŵr poeth. <u>Peidiwch byth â chadw bwyd yn gynnes am fwy na 45 munud</u>, i roi llai o gyfle i facteria fridio.

Noder: pryd bynnag y gadewir y botel am gyfnodau byr, neu pan storir hi yn yr oergell, defnyddiwch y cap a ddarparwyd gyda'r botel i'w gorchuddio.

Paratoi prydau o'r botel

Mae poen yn arwain at grïo na ellir ei leddfu, rhywbeth sy'n peri gofid i rieni a gofalwyr. Fel rheol bydd colig yn digwydd rhwng 2 wythnos a 3 mis oed. Yn aml fe'i gelwir yn 'colig 3 mis' gan mai dyma'r cyfnod y mae'n para fel rheol.

Ni ddylid ailddechrau rhoi llaeth yn rhy fuan i'r baban ar ôl pwl o astro-enteritis. Gallai hyn arwain at anoddefgarwch lactos a cholig.

Arwyddion o golig

Arwyddion o golig yw'r baban yn crïo, wyneb sydd wedi cochi a'r baban yn tynnu'r pen-gliniau i fyny gan ymddangos fel petai mewn poen. Mae'n digwydd gyda'r nos yn aml mewn babanod sy'n bwydo o'r fron. Fodd bynnag, mae rhai babanod yn dioddef o golig yn y dydd a hefyd yn y nos.

Ni ddylid tybio, fodd bynnag, mae colig sy'n gyfrifol bob tro y bydd baban yn crïo – ceisiwch sicrhau nad oes achosion eraill. Dylid trafod unrhyw bryderon gyda'r ymwelydd iechyd neu feddyg teulu.

Gofalu am faban sy'n dioddef o golig

- Cysurwch y baban – codwch ef a rhwbiwch ei gefn i gael gwared ar unrhyw wynt a ddaliwyd yno.

- Fel rheol, bydd gosod y baban ar ei stumog ar gôl y gofalwr a rhwbio'i gefn yn helpu.

- O bosibl bydd symudiadau siglo, fel y ceir yn ystod siwrnai mewn car, neu pan gludir y baban mewn sling neu bram, yn helpu i leddfu'r poen.

- Mae rhai meddygon yn cynghori mamau sy'n bwydo o'r fron i fonitro'u diet er mwyn osgoi bwydydd a allai waethygu'r colig.

- Dylid cael gwared ar wynt babanod sy'n bwydo o'r fron yn gyson; gwiriwch y tethi i weld beth yw maint y twll a'r llaeth sy'n llifo o'r botel – bydd twll bach nad yw'n caniatáu llif mawr o laeth yn golygu bod y baban yn llyncu mwy o aer.

- Mae meddyginiaethau homeopathig ar gael gan homeopathiaid cofrestredig. Mae'n bosibl y bydd y meddyg teulu'n rhagnodi diferion meddyginiaethol, i'w cymryd cyn bwydo.

Gwiriwch cynnydd

Am ba hyd y dylid bwydo babanod ar laeth yn unig?

Beth allai effeithio ar benderfyniad mam i fwydo'i baban o'r fron neu botel?

Pam y cytunir yn gyffredinol mai'r 'fron sydd orau'?

Beth yw colostrwm?

Rhestrwch fanteision bwydo o'r fron.

Disgrifiwch ystyr 'bwydo ar alw'.

Pa sylw ychwanegol y dylai mam sy'n bwydo o'r fron ei dalu i'w diet a'i hiechyd?

Rhestrwch fanteision bwydo o'r botel.

Disgrifiwch y broses diheintio offer a pharatoi bwyd.

Sut allwch chi gyfrifo faint o laeth i'w gynnig i faban a fwydir o'r botel?

Beth allai achosi colig mewn baban ifanc? Sut y gellid trin y cyflwr hwn?

Diddyfnu

Diddyfnu yw'r broses raddol sy'n digwydd pan fydd baban yn dechrau cymryd bwyd solid. Ni ddylid dechrau'r broses cyn i'r baban gyrraedd 3 mis oed, nac ar ôl cyrraedd 6 mis oed.

PAM FOD ANGEN DIDDYFNU?

Nid yw llaeth ar ei ben ei hun yn rhoi digon o faeth i faban sy'n fwy na 6 mis oed. Mae'r baban wedi defnyddio'r haearn a storiwyd yn ystod y beichiogrwydd ac yn awr rhaid iddo ddechrau cymryd haearn yn ei ddiet. Rhaid cael startsh a ffibr hefyd er mwyn tyfu a datblygu'n iach. Yn ogystal, mae diddyfnu yn cyflwyno'r baban i flasau ac ansoddau bwyd newydd.

Pan gyrhaeddant tua 6 mis oed, mae babanod yn barod i ddysgu sut i gnoi bwyd. Mae'r symudiad cyhyrol yn helpu'r geg a'r ên i ddatblygu, a hefyd yn helpu datblygiad y lleferydd.

Mae prydau bwyd yn achlysuron cymdeithasol a rhaid i fabanod deimlo'n rhan o'r grŵp cymdeithasol ehangach. Wrth i'r diddyfnu mynd yn ei flaen, maent yn dysgu sut i ddefnyddio llwy, fforc, bicer bwydo a chwpan. Hefyd, dechreuant ddysgu rheolau cymdeithasol eu cefndir diwylliannol yn ymwneud â bwyta, os oes ganddynt rôl fodelau da; rheolau megis defnyddio cyllell a fforc, gweill bwyta, cnoi gyda'r geg ar gau neu eistedd wrth y bwrdd nes bydd pawb wedi gorffen bwyta.

PRYD I DDECHRAU DIDDYFNU

Rhwng 3 a 6 mis, bydd babanod yn dechrau dangos arwyddion bod llaeth ddim yn ddigon i fodloni'u hawydd am fwyd. Nid oes rheolau caeth yn ymwneud â phwysau'r baban cyn diddyfnu. Mae'r canlynol yn arwyddion fod y baban, o bosibl, yn barod ar gyfer diddyfnu:

- mae'r awydd am fwyd yn parhau ar ôl bwydo'n dda ar laeth

- deffro'n gynnar am fwyd

- mae'n anhapus ac yn sugno'i ddyrnau yn fuan ar ôl bwydo (gall hwn fod yn arwydd bod dannedd llif y baban yn datblygu hefyd)

- peidio â setlo i gysgu ar ôl bwyta, crïo.

SUT I DDIDDYFNU

Gan nad yw babanod ifainc yn gallu cnoi, mae'r bwydydd diddyfnu cyntaf yn hylifol fel y gall y baban ei sugno'n hawdd o lwy. Dechreuwch ddiddyfnu yn ystod y pryd bwyd pan fydd y baban yn dangos yr awydd mwyaf am fwyd: fel rheol, mae hyn yn digwydd amser cinio. Rhowch hanner ei bryd llaeth i'r baban i leihau ei chwant am fwyd, yna cynigiwch ychydig o reis babanod, ffrwythau wedi eu stwnshio neu lysiau wedi eu cymysgu â llaeth o'r fron neu fformiwla i drwch lled-hylifol gan ddefnyddio llwy.

Dylai'r baban fod mewn preseb sboncio neu rywbeth tebyg, ond nid yn y safle bwydo arferol ym mreichiau'r gofalwr. Dylai'r awyrgylch fod yn ymlaciol ac yn rhydd o unrhyw bwysau neu bethau sy'n tynnu sylw, a allai gynhyrfu'r baban. Dylai'r gofalwr eistedd gyda'r baban drwy gydol y bwydo a chynnig eu sylw llwyr. Mae'n bosibl y bydd rhaid rhoi sawl cynnig arni dros gyfnod o rai dyddiau cyn y bydd y baban yn barod i gymryd bwyd o'r llwy yn llwyddiannus.

CANLLAWIAU AR GYFER DIDDYFNU

- Peidiwch byth ag ychwanegu halen at fwyd, a pheidiwch byth â melysu bwyd drwy ychwanegu siwgr.

- Peidiwch â rhoi bwyd sbeislyd; osgowch chilli, sunsur a chlofau.

- Dylai'r bwydydd cyntaf fod yn rhydd o lwten, h.y. ddim yn cynnwys blawd gwenith, rhyg na barlys, gan fod ymchwil yn dangos y gall cyflwyno glwten yn gynnar arwain at ddatblygiad clefyd coeliag neu broblemau treulio eraill yn hwyrach ymlaen mewn bywyd.

489

- Rhowch gynnig ar flasau ac ansoddau gwahanol yn raddol – un ar y tro. Mae hyn yn rhoi cyfle i'r baban ddod i arfer ag un bwyd newydd cyn cael cynnig un arall. Os bydd baban yn casáu bwyd, peidiwch â'i orfodi i'w fwyta. Rhowch gynnig arno eto ymhen ychydig ddyddiau. Wrth natur, mae'n well gan fabanod fwydydd melys. Bydd y tueddiad hwn yn llai os cynigir ystod lawn o flasau.

- Yn raddol, cynyddwch faint y bwyd solid i ychydig amser brecwast, amser cinio a the. Ceisiwch ddefnyddio bwyd y teulu fel bod y baban yn profi ei ddiwylliant ei hun ac yn dechrau cyfarwyddo â blasau prydau teuluol.

- Wrth i faint y bwyd gynyddu, rhaid lleihau'r bwyd llaeth. Gellir cynnig sudd babanod neu ddŵr mewn cwpan bwydo yn ystod rhai prydau. Mae'r baban angen rhywfaint o laeth o hyd oherwydd y maeth sydd ynddo, a hefyd er mwyn cael y teimladau o gysur a diogelwch a ddaw o ganlyniad i fwydo o'r fron neu'r botel.

Llaeth o'r fuwch

Ar ôl 6 mis, mae'n bosibl y bydd babanod yn derbyn llaeth o'r fuwch mewn prydau teuluol. Ni ddylid ei gynnig fel diod nes eu bod yn fwy na blwydd oed. Dylai diodydd llaeth fod yn llaeth wedi ei addasu neu laeth o'r fron o hyd.

Haearn

Erbyn cyrraedd 6 mis, mae storfeydd haearn babanod yn isel, felly dylid rhoi bwydydd yn cynnwys haearn. Mae'r rhain yn cynnwys:

- afu
- cig oen
- ffa
- dahl (corbys wedi eu stiwio)
- llysiau gwyrdd
- bara cyflawn
- grawnfwydydd yn cynnwys haearn
- wyau, ond ni ddylid cynnig y rhain nes bod y baban yn 12 mis oed; oherwydd perygl salmonela, dylid eu berwi'n galed a'u stwnshio.

Dylid osgoi cynhyrchion cig eidion oherwydd perygl BSE.

CAMAU DIDDYFNU

Cam 1

Mae bwydydd diddyfnu cynnar yn cynnwys ffrwythau wedi eu stwnshio, llysiau wedi eu stwnshio, grawnfwyd reis plaen, dahl. Llaeth yw'r bwyd pwysicaf o hyd.

Cam 2

Bydd y baban yn symud o fwyd wedi ei stwnshio i fwyd mâl ac yna bwyd wedi ei falu'n fân. Mae defnyddio cymysgydd llaw neu drydan neu brosesydd bwyd yn ddefnyddiol i alluogi babanod i fwynhau bwyd y teulu. Mae llai o fwydo llaeth wrth i'r baban gymryd mwy o fwyd solid. Gellir cynnig sudd ffrwythau ffres, heb ei wanhau na'i felysu neu ddiodydd perlysieuol.

Cam 3

Cynigiwch fwyd talpiog i annog cnoi. Gellir cynnig bwyd i'w ddal a'i gnoi, fel darn o dost neu afal. Gellir cyflwyno cwpan. Dylid cymryd tri phryd cyson yn ogystal â diodydd.

ANAWSTERAU BWYDO

Achosir y mwyafrif o broblemau bwydo gan oedolion sy'n anghyfarwydd â'r broses bwydo neu ddiddyfnu neu sy'n disgwyl gormod gan fabanod a phlant.

Gellir osgoi problemau drwy ddilyn y canllawiau canlynol:

- Byddwch yn ymwybodol bod diddyfnu yn broses anniben; bydd ymateb negyddol yn rhwystro'r baban rhag archwilio ac arbrofi gyda bwyd.

- Anogwch annibyniaeth drwy adael i'r baban ddefnyddio'i fysedd a chynnig llwy gyn gynted ag y gall y baban afael ynddi – yn y man, bydd yn cyrraedd y geg! Cynigiwch fwydydd bys addas hefyd.

- Gadewch i'r baban fwynhau'r profiad o fwyta.

- Nid yw babanod wedi dysgu bod seigiau'n dilyn patrwm fel rheol, ac o bosibl byddant eisiau eu bwyta mewn trefn wahanol. Peidiwch â chreu anghydfod drwy fynnu bod rhaid gorffen un cwrs cyn cynnig y nesaf. Pan fydd y baban wedi cael digon o un saig, symudwch hi a chynigiwch y nesaf.

- Fel rheol bydd babanod yn awyddus i fwyta, felly gall gwrthod bwyd fod yn arwydd o salwch. Gall hyn fod yn achos pryder neu'n afiechyd bach, ond os yw'r baban yn bwyta'n dda fel rheol, dylid ystyried bod gwrthod bwyd yn arwydd o rywbeth mwy difrifol a dylid chwilio am gyngor meddygol. Bydd yr archwaeth bwyd yn dychwelyd pan fydd y baban yn well.

ALERGEDDAU BWYD

term allweddol

alergeddau bwyd

adweithiau i fwydydd penodol mewn diet

Mae'n haws canfod **alergeddau bwyd** os cynigir bwydydd newydd bob yn un i'r baban. Gall symptomau gynnwys:

- cyfogi
- dolur rhydd
- brechau croen
- gwichian ar ôl bwyta'r bwyd tramgwyddol.

Dylid gofyn cyngor meddyg, ac osgoi'r bwyd arbennig hwnnw.

Mae'n bosibl y bydd rhai babanod yn methu cymryd llaeth buwch. Os yw'r baban yn bwydo o'r botel, mae'n bosibl na fydd yn ffynnu fel y dylai, a dylid holi paediatregydd i gadarnhau'r cyflwr. Bydd dietegydd yn rhoi cyngor am fwydo a dylid derbyn eu cyngor cyn dechrau diddyfnu.

Gall yr alergedd ddod i'r amlwg mewn baban sy'n bwydo o fron ac mae'n bosibl yr argymhellir bod y fam yn cyfyngu ar y llaeth buwch yn ei diet. Ym mhob achos o alergedd i laeth buwch, dylid ailgyflwyno llaeth dan oruchwyliaeth feddygol. Mae mathau eraill o laeth ar gael, fel rheol o ffa soya.

Gwirio'ch cynnydd

Beth yw diddyfnu?

Pam fod angen diddyfnu?

Sut gall baban ddangos ei fod yn barod i'w ddiddyfnu?

Disgrifiwch sut y rheolir cyflwyno'r bwyd solid cyntaf.

Pa fwydydd sy'n cynnwys llawer o haearn?

Disgrifiwch y camau diddyfnu.

Sut ellir osgoi problemau bwydo?

Beth yw symptomau alergeddau bwyd?

Edrychwch ar y llun dros y tudalen a gwnewch restr o'r rhesymau dros anfodlonrwydd y baban hwn ar adegau bwyd.

Pethau sy'n tynnu sylw yn ystod amser bwydo

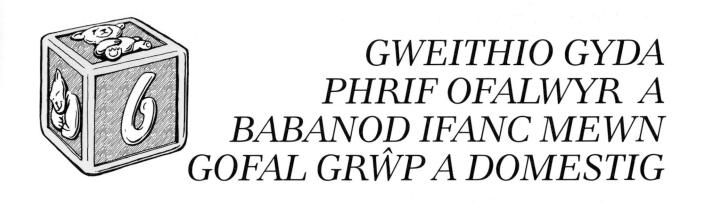

GWEITHIO GYDA PHRIF OFALWYR A BABANOD IFANC MEWN GOFAL GRŴP A DOMESTIG

Yn ystod y flwyddyn gyntaf, prif ofalwyr sy'n dylanwadu fwyaf ar ddatblygiad cymdeithasol, emosiynol, corfforol, ieithyddol a gwybyddol babanod. Erbyn hyn, hefyd, mae tystiolaeth sylweddol yn dangos pwysigrwydd rôl 'magu plant' y gofalwr o ran iechyd, lles, cyflawniad addysgol ac addasiad cymdeithasol dilynol y baban. Fodd bynnag, mae gofalu am faban 0 i 1 oed yn gofyn gwneud llawer o ymdrech corfforol ac emosiynol, ac yn aml yn newid bywyd economaidd a chymdeithasol y prif ofalwyr yn sylweddol.

Bydd y rhan hon yn ymdrin â'r pynciau canlynol:

- pwysau gofalu am faban ar deuluoedd a bywyd teuluol
- adeiladu perthnasau positif gyda phrif ofalwyr
- anghenion penodol babanod ifanc mewn gofal grŵp a chartref
- y system gweithiwr allweddol
- y modd mae babanod yn dysgu drwy ryngydweithion ddyddiol â'u gofalwyr.

Pwysau gofalu am faban ar deuluoedd a bywyd teuluol

Er bod 'magu plant' yn un o'r rolau mwyaf dylanwadol, ymdrechgar a heriol y gellir ei chyflawni, dyma'r rôl na ellir paratoi fawr ddim ar ei chyfer, a'r cyfnod pan geir y lleiafswm o gefnogaeth.

PWYSAU CYMDEITHASOL

Mae llawer o deuluoedd yn teimlo dan bwysau yn eu bywydau bob dydd. Maent yn cynnwys effaith anfantais, y gwahaniaethau rhwng yr adnoddau cymdeithasol, emosiynol ac ymarferol sy'n galluogi rhai rhieni i ymdopi mewn ffordd fwy positif nag eraill dan bwysau, a'r ffactorau o fewn rhai teuluoedd sy'n peri bod babanod a phlant yn fwy agored i gamdriniaeth.

PWYSAU PERSONOL

Mae genedigaeth baban yn gallu creu pwysau penodol yn ymwneud â:

- *rhieni'n colli cwsg* – mae'r blinder a brofir gan rai rhieni os bydd eu baban yn deffro'n gyson yn ystod y nos yn gallu peri bod tasgau cyffredin, bob dydd yn fwy anodd eu cyflawni a gall gorlflinder arwain at deimladau o bryder a phwysau

- newidiadau yn y berthynas rhwng partneriaid – mae'n bosibl y bydd cyplau a fu'n ganolbwynt bywydau ei gilydd yn cael anhawster ar y dechrau i addasu i alwadau baban bach sy'n mynnu eu sylw

- bod yn rhiant sengl – gall mam (neu dad) unigol sydd heb gefnogaeth deimlo eu bod wedi eu llethu gan gyfrifoldeb gofalu am faban ar eu pen eu hunain ar y dechrau

- genedigaeth ail faban neu faban dilynol – gall pwysau ateb anghenion y baban, ynghyd â gofynion plant hŷn gydag arferion gwahanol o ran bwyta a chysgu, fod yn anodd addasu iddynt

- peidio â bod o fewn cyrraedd cymorth teulu estynedig – mae rhai pobl yn symud o amgylch y wlad oherwydd eu gwaith, gan adael eu teulu gwreiddiol a'u ffrindiau yn bell i ffwrdd, ac oherwydd hynny yn brin o gymorth ymarferol oddi wrth rieni pan enir y baban.

Adeiladu perthnasau positif gyda prif ofalwyr

Gall rôl y prif ofalwr gynnwys cynnig cefnogaeth a 'chyngor' uniongyrchol i ofalwyr sylfaenol unigol neu drwy gyfrwng 'grwpiau magu plant', yn ogystal â chefnogaeth anuniongyrchol drwy ofalu am eu baban. Mae'n bwysig hefyd eu bod yn gwybod ble y gallant gynghori gofalwyr cychwynnol i fynd i gael cyngor a gwybodaeth fwy arbenigol sydd y tu allan i'w profiad a'u gwybodaeth hwy (gweler cyfeiriadau cynharach yn yr uned hon).

Dylai gweithwyr gofal plant:

- fod yn ymwybodol o'r gwasanaethau statudol

- ymgyfarwyddo â'r ystod o grwpiau cefnogi a rhwydweithiau ffurfiol ac anffurfiol sydd ar gael i deuluoedd gyda babanod sy'n byw yn y gymdogaeth.

YR AMRYWIAETH O ARFERION MAGU PLANT

Nid oes unrhyw gynllun penodedig ar gyfer 'magu plant effeithiol' ac mae babanod yn ffynnu mewn amrywiaeth eang o strwythurau teuluol, gydag arferion magu plant o bob math. Mae'n ddyletswydd ar y gweithiwr gofal plant i beidio â beirniadu'r gwahaniaethau hyn ac i osgoi datblygu agweddau sy'n peri eu bod yn stereoteipio rhieni sy'n byw bywydau ac yn dilyn arferion gwahanol iawn i'w rhai hwy. Mae rôl y gweithiwr yn cynnwys sicrhau bod y gofal a roddir i'r plant yn barhaus ac yn gyson, ac mae hyn yn golygu bod rhaid gweithio mewn partneriaeth â'r rhieni. Mae partneriaeth o'r fath yn golygu derbyn bod prif ofalwyr fel rheol yn adnabod eu baban hwy yn well na neb arall a dysgu ganddynt am bersonoliaeth ac anghenion penodol eu baban.

Fodd bynnag, nid yw ffurfio partneriaeth â'r rhieni yn golygu na all y gweithiwr gofal plant drafod arferion gofal neu ymarferion magu plant eraill â rhieni, a defnyddio eu hyfforddiant a phrofiad i gyfoethogi profiad y baban, os yw'r prif ofalwr yn cytuno â hyn. Dylai gweithiwr gofal plant benderfynu peidio â chydymffurfio â dymuniadau'r prif ofalwr dim ond pan deimlir bod lles y plentyn dan fygythiad.

PERTHNASAU GYDA PHRIF OFALWYR

Defnyddir y term prif ofalwr i ddisgrifio'r person neu bobl sy'n cymryd rôl gofalwr 'cyntaf' y baban. Yn y mwyafrif o achosion mae hyn yn golygu mam neu dad y plentyn, ond gall gynnwys perthnasau agos eraill neu ddirprwy ofalwyr megis rhieni maeth.

Mae nifer cynyddol o rieni yn ailddechrau gweithio y tu allan i'r cartref yn fuan wedi genedigaeth eu plant. Gall benderfynu ar y gofal gorau i'w baban fod yn ddewis anodd i rieni a bydd angen iddynt dreulio amser yn ymchwilio i'r posibiliadau. Bydd rhaid ystyried galwadau eu gwaith a chost gwahanol fathau o ddarpariaeth ynghyd â dewisiadau personol ynglŷn â sut orau i ateb anghenion eu baban.

Bydd rhieni o'r fath yn disgwyl 'gwerth eu harian' ond weithiau gallant roi gormod o bwysau ar ofalwyr, er enghraifft drwy beidio â chasglu eu baban ar yr amser y cytunwyd arno. Bydd cytundeb rhyngddynt â'r sefydliad penodol yn amlygu disgwyliadau'r ddwy ochr yn ddefnyddiol er mwyn cadw'r berthynas yn bositif.

Mae'n bosibl y bydd rhai prif ofalwyr yn amlygu agweddau 'anodd' neu heriol tuag at staff y sefydliad gofal plant. Gall hyn ddigwydd am eu bod yn anfodlon ynglŷn â chael eu cyfeirio at sefydliad penodol ar gyfer cymorth a chefnogaeth yn ymwneud â gofalu am eu baban.

Mae'n bwysig ceisio adeiladu perthynas bositif gyda phawb sy'n defnyddio gwasanaethau. Mae'r canlynol yn debygol o hyrwyddo perthnasau positif:

- cymryd yn ganiataol bod y prif ofalwyr yn dymuno'r gorau ar gyfer eu baban

- gwrando gyda meddwl agored

- adnabod ac ymateb i'r ystod o deimladau y mae'n bosibl y bydd prif ofalwyr yn eu profi wrth roi eu baban dan ofal rhywun arall

- mabwysiadu dull gweithredu nad yw'n feirniadol

- dangos empathi tuag at amgylchiadau a ffordd o fyw'r gofalwyr

- sicrhau bod prif ofalwyr yn rhan o weithgarwch y sefydliad ac o'r penderfyniadau ynglŷn â sut i'w redeg

- bod yn fodlon i newid y dull gweithredu

- esbonio a dangos dealltwriaeth o sut i hyrwyddo datblygiad babanod a diddordeb diffuant am les a datblygiad eu baban.

Gwirio'ch cynnydd

Pa bwysau cymdeithasol y gallai rhieni babanod ifanc eu profi?

Gyda pha bwysau personol penodol y mae'n bosibl y bydd rhieni babanod ifanc yn gorfod delio?

Ar gyfer pa rôl mewn bywyd yr ydym leiaf tebygol o gael ein paratoi?

Dan ba amgylchiadau y gallai gofalwr gofal plant drafod arferion gofal neu ymarferion magu plant gwahanol gyda rhieni?

Pa agwedd y dylai gweithiwr gofal plant ei mabwysiadu tuag at yr amrywiaeth o ymarferion magu plant y gallent ddod ar eu traws?

Beth yw elfennau allweddol gweithio gyda rhieni mewn ffordd gadarnhaol?

Anghenion penodol babanod ifanc mewn gofal grŵp a chartref

ANGHENION EMOSIYNOL A CHYMDEITHASOL BABANOD MEWN GOFAL DYDD

Derbyniwyd ers tro bod ansawdd a natur perthnasau agos cynnar plant yn hollbwysig o safbwynt eu datblygiad cymdeithasol ac emosiynol. Mae gwaith arloesol John Bowlby yn parhau i fod yn ddylanwadol. Dyma ddamcaniaeth ymlyniad a cholled::

- mae babanod a phlant ifainc angen sefydlu ymlyniadau cadarn â gofalwyr agos

- mae profi'r fath ymlyniadau'n hanfodol ar gyfer datblygiad cymdeithasol ac emosiynol iach plant

- gall fod ar wahân i'r person y maent yn teimlo ymlyniad tuag atynt beri gofid a niwed os nad yw'r gofal dirprwyol yn ateb anghenion y baban.

Mae'n naturiol bod babanod a phlant ifanc sy'n cael eu gwahanu yn ystod y dydd o'r prif ofalwyr y maent yn teimlo ymlyniad tuag atynt angen gofalwr dirprwyol y gallant ffurfio ymlyniad â hwy ac sy'n gallu eu helpu i ddysgu ac felly datblygu'n iach.

ANGHENION EMOSIYNOL A CHYMDEITHASOL BABANOD SY'N CAEL EU GWAHANU ODDI WRTH EU PRIF OFALWYR

Mae ymchwil yn dangos nad yw babanod yn creu ymlyniad cryf â'r bobl hynny sy'n treulio'r *amser* hiraf gyda hwy o reidrwydd, ond â'r bobl sydd fwyaf *sensitif* i anghenion y baban. Er mwyn datblygu ymlyniad, mae baban angen:

- profi perthynas gynnes, barhaus a chariadus

- gofalwyr a fydd yn ymateb yn sensitif iddynt

- rhyngweithio rhwng y baban a'r gofalwr/wyr

- gofalwyr a fydd yn aros gyda'r baban y rhan fwyaf o'r amser

- cyfathrebu sy'n datblygu rhwng y plentyn bach a'r gofalwyr

- gofalwyr sy'n rhoi cariad a serch corfforol cariadus.

Mae'n ofynnol, felly, i'r sawl sy'n gweithio gyda babanod mewn sefydliad gofal dydd allu darparu ar gyfer babanod mewn ffordd sy'n ateb yr anghenion hyn.

Mae damcaniaeth ymlyniad wedi dylanwadu'n fawr ar ddarpariaeth a hefyd trefniadaeth gofal dydd yn y DU, ac wedi ffurfio sail canllawiau ar gyfer darparu gofal dydd yn Neddf Plant 1989, gyda'i phwyslais ar gymarebau isel ac ystafelloedd a glustnodwyd yn benodol ar gyfer babanod.

Fodd bynnag, er mwyn ateb anghenion babanod wrth drefnu ystafell fabanod, nid yw'n ddigon bod meithrinfa ddydd yn darparu ystafell gyda chymarebau staff isel; *ansawdd* y gofal a roddir yw'r peth mwyaf arwyddocaol o ran profiad, datblygiad a hapusrwydd y baban.

DARPARU GOFAL DYDD I FABANOD YN Y DU

Mae damcaniaeth ymlyniad yr un mor ddylanwadol ag y bu erioed. Fodd bynnag, fe'i dehonglwyd fwyaf yn y DU, yn rhannol am fod John Bowlby yn byw ac yn gweithio yma.

O ganlyniad i'r ddamcaniaeth hon, o'r 1950au i'r 1970au anogwyd mamau'n gryf i

beidio â gweithio, ac ystyriwyd nad oedd gosod plant ifanc mewn gofal dydd yn ymarfer da. Am nifer o flynyddoedd, ceisiai nifer o awdurdodau lleol y DU annog pobl i beidio â gosod babanod mewn meithrinfa, boed hynny mewn meithrinfeydd gwasanaethau cymdeithasol neu yn yr ychydig feithrinfeydd preifat a fodolai bryd hynny. Credwyd bod gofal dydd llawn-amser ar gyfer plant hŷn hefyd yn beth i'w osgoi, er bod dosbarthiadau meithrin rhan-amser a chylchoedd chwarae'n dderbyniol. Os oedd angen gofal plant, defnyddiwyd gwarchodwyr plant, yn y gobaith y byddent yn gweithredu fel mamau dirprwyol.

Fodd bynnag, wrth i agweddau a chyfreithiau cyfleoedd cyfartal ennill mwy o dir, ac wrth i'r economi brofi prinder llafur y gellid eu cydbwyso drwy annog gwragedd i fynd yn ôl i weithio, daeth yn fwy derbyniol i famau plant ifanc weithio a dyma pryd y dechreuodd y farchnad meithrinfeydd preifat ffynnu.

Babanod mewn gofal grŵp

Meithrinfeydd dydd

Yn 1989 pasiwyd y Ddeddf Plant: roedd yn cydnabod yr angen am ofal plant, ond gan ddangos dylanwad y ddamcaniaeth ymlyniad, mynnai bod canllawiau yn cael eu creu i sicrhau cymhareb oedolion i fabanod o 1:3 yn achos plant 2 oed a llai. Y broblem a achosir gan hyn yw bod angen llawer o staff i gyflawni'r cymarebau hyn, ac felly mae darpariaeth gofal dydd y DU yn ddrud iawn, yn enwedig o'i gymharu â rhai gwledydd eraill. O ganlyniad, o fewn y sector breifat gellir talu'r gost dim ond drwy dalu cyflogau isel a/neu godi ffioedd uchel. Er hyn, mae'r farchnad meithrinfeydd preifat wedi ehangu i fod yn ddengwaith gymaint â'r sector cyhoeddus yn y 10 mlynedd diwethaf ac erbyn hyn gofalir am nifer mawr o fabanod yn y meithrinfeydd hyn.

Gwarchodwyr plant

Mae llawer o rieni wedi dewis defnyddio gwarchodwyr plant i ofalu am eu plant ifainc. Ers 1997, mae polisïau'r llywodraeth wedi derbyn bod angen gofal plant fforddiadwy ac o ansawdd uchel i alluogi rhieni i gymryd rhan ym myd gwaith a thrwy hynny gyfrannu i'r economi. Lansiwyd nifer o fentrau i gefnogi hyn, gan gynnwys amrywiaeth o fentrau i annog hyfforddiant a chofrestriad llawer mwy o warchodwyr plant. Mae hyn yn cydnabod y bydd yn well gan rai rhieni greu perthynas â gwarchodwr plant unigol a sicrhau bod eu plant yn derbyn gofal mewn amgylchedd cartrefol yn hytrach nag amgylchedd gofal grŵp. Bydd gofynion cofrestru sy'n pennu nifer y plant o oedrannau penodol y gall gwarchodwr plant ofalu amdanynt, ac sydd fel rheol yn cyfyngu ar y nifer o fabanod hyd at 1 oed, yn golygu y bydd y profiad hwn yn fwy tebyg i grŵp teuluol, gan gynnwys plant o wahanol oedrannau a'r un gofalwr.

Nanis

Bydd rhai rhieni'n darganfod bod galwadau eu swyddi ac yn enwedig yr oriau hir a'r teithio oddi cartref a ddisgwylir gan lawer o weithwyr rheolaethol/proffesiynol yn golygu ei bod hi'n anodd cwrdd â'u hanghenion gofal plant. Gall nani a gyflogir o ddydd i ddydd neu i fyw fel rhan o'r teulu, roi'r gofal plant hyblyg sydd ei angen dan yr amgylchiadau hyn. Bydd y baban yn elwa o sylw un oedolyn y gallant ymlynu â hwy o fewn amgylchedd cyfarwydd y cartref a bydd gan y rhieni gysylltiad cyson, parhaus â gofalwr eu plentyn. Un o anfanteision y dewis hwn, fel yn achos dewisiadau eraill, yw'r posibilrwydd y bydd y nani'n penderfynu gadael ac y bydd rhaid i'r baban greu ymlyniad â'r nani newydd.

Y system gweithiwr allweddol

Fel rheol, rhoddir cyngor am ofal dydd i blant o fewn cyd-destun a thraddodiad damcaniaeth ymlyniad a hefyd o fewn fframwaith rheoleiddiol tynn Deddf Plant 1989. Mae llyfr dylanwadol Elinor Goldschmied a Sonia Jackson, *People Under Three: Young Children in Day Care* (Routledge, Llundain, 1994), yn gwneud un o'r ymdrechion mwyaf cyflawn i ddiffinio arfer da i blant ifanc. Yn eu barn hwy, dylai gofal dydd geisio bod fel amgylchedd y cartref, er eu bod yn sylweddoli nad yw'n ymarferol i ystyried bod meithrinfa yn gartref. Maent yn argymell y dylid grwpio plant yn ôl eu hoedran gan ei fod yn haws ateb eu hanghenion datblygiadol. O fewn y grwpio yn ôl oedran, argymhellir system 'gweithiwr allweddol', sef un person 'sy'n gyfrifol am greu perthnasau â phlentyn penodol, gan ei chyfarch pan fydd yn cyrraedd y lleoliad, lle bo hynny'n bosibl, ei helpu i ymgartrefu, gan drefnu, arwain ac ymateb i'w gweithgareddau yn dawel a chwrdd â'i hanghenion corfforol'. Os na fydd y gweithiwr allweddol ar gael dylid trefnu gofal dirprwyol i sicrhau cyn lleied â phosibl o darfu ar y drefn. Os darperir hwn, dylai baban brofi'r amgylchiadau sydd eu hangen i greu ymlyniad.

MANTEISION Y SYSTEM GWEITHIWR ALLWEDDOL

Yn eu llenyddiaeth, mae Cychwyn Cadarn (menter gan y llywodraeth a drefnir yn ôl ardal) yn argymell y dylai'r gweithiwr allweddol fod yn brif ofalwr, yn enwedig yn achos babanod, gan eu bod angen y sicrwydd sy'n dod o gael gofalwr sy'n gyson.

Dyma fanteision y system gweithiwr allweddol:

- Nid yw baban yn gallu mynegi ei anghenion ar lafar, ac felly rhaid i ofalwr ddeall beth ydynt drwy wylio rhythmau'r baban o ran cysgu a bwydo, a thrwy gyfnewid gwybodaeth â'r rhieni. Gellir gwneud hyn os ffurfir perthynas bersonol agos o fewn y sefydliad, a fydd yn helpu'r babanod i fod ar wahân i'w hamgylchedd cartref a'u galluogi i ymdopi'n well â'r ddarpariaeth gofal dydd. Oherwydd hyn, dylai plant fod yn rhan o grŵp allweddol ac o fewn y grŵp hwnnw dylent fod dan ofal gweithiwr allweddol. Os bydd dau aelod o'r staff yn gweithio gyda'i gilydd mewn grŵp, gallant wneud gwaith y gweithiwr allweddol ar ran ei gilydd a bydd y ddau yn dod yn gyfarwydd â phob un o'r plant.

● Bydd plant yn dod i adnabod eu gweithiwr allweddol ac yn gallu defnyddio'r berthynas honno i greu sail ddiogel o fewn y lleoliad a thrwy hynny ennill hyder a datblygu eu hannibyniaeth.

● Yn ogystal, bydd y gweithiwr allweddol yn gyfrifol am sicrhau bod dogfennau'r plentyn yn gyfredol, gan gynnwys arsylwadau ac asesiadau, ac am ddatblygu perthynas â'r teulu sy'n cynnwys cyfnewid gwybodaeth yn gyson.

Nid yw'r trefniant hwn yn golygu mai'r gweithiwr allweddol yw'r unig oedolyn sy'n gweithio gyda'r plentyn, ond disgwylir y byddant yn treulio rhywfaint o'r diwrnod gyda'i gilydd, yn enwedig pan fydd y plentyn yn cyrraedd ac yn gadael y lleoliad, ac yn ystod prydau bwyd. Er enghraifft dylai'r gweithiwr allweddol gyfarch, bwydo, newid a helpu baban i gysgu. Bydd hyn yn galluogi'r plentyn bach i ddatblygu a chynnal yr ymlyniad sicr sydd mor llesol iddynt.

Astudiaeth achos ...

... manteision system gweithiwr allweddol

Roedd Carys newydd gael ei hapwyntio fel uwch-nyrs feithrin yn ystafell y babanod o fewn meithrinfa ddydd fawr. Gan amlaf, byddai rhwng saith a naw baban dan un oed a thri aelod o staff yno bob dydd. Yn ystod yr wythnos gyntaf gwyliodd y staff a'r babanod yn ystod yr arferion dyddiol, ac yn arbennig, ymatebion y babanod. Derbyniai'r babanod ofal corfforol da ac roedd y cymarebau staff yn cwrdd â'r gofynion cyfreithiol. Golchwyd y babanod a newidiwyd y cewynnau'n gyflym, ar adegau penodol o'r diwrnod, gan bwy bynnag oedd yn cyflawni dyletswyddau'r ystafell ymolchi. Yn ogystal, cawsant eu bwydo ar adegau penodol; weithiau byddai gweithiwr gofal plant yn defnyddio dwy lwy a dwy fowlen i fwydo dau faban a ddiddyfnwyd gyda'i gilydd. Fodd bynnag, sylwodd Carys fod y babanod weithiau'n gecrus, yn enwedig yn ystod cyfnodau newid a bwydo.

Penderfynodd Carys y dylai wneud rhai newidiadau a galwodd y staff at ei gilydd i drafod hyn. Esboniodd bod y babanod, yn ei barn hi, yn gorfod creu cysylltiadau â gormod o oedolion yn ystod y dydd ac o ganlyniad, nad oedd y staff yn cael digon o amser i gysylltu â babanod penodol, amser y gellid ei ddefnyddio i ddod i nabod ei gilydd yn iawn.

Penderfynwyd cyflwyno system gweithiwr allweddol fel y gellid cysylltu pob baban ag aelod penodol o'r staff am y rhan fwyaf o'r amser a dreuliwyd yn y feithrinfa. Byddai pob gweithiwr hefyd yn paru â gweithiwr arall fel y byddent yn gallu gweithio sifftiau ar ran ei gilydd a threfnu gwyliau staff. O ganlyniad, y gweithiwr allweddol fyddai prif gysylltiad y rhieni â'r lleoliad a byddai'n gyfrifol am gynnal cofnodion y baban.

Pan sefydlwyd y system, treuliai gweithwyr allweddol y babanod rywfaint o amser un-i-un â'u plant penodol hwy bob dydd, gan ddod i'w nabod yn dda iawn. Yn ogystal, ar ôl trafod hynny â'r staff, aildrefnodd Carys rai o arferion ystafell y babanod gan annog y staff i ymlacio, gan beidio â brysio a gwneud y mwyaf o'r cyfleoedd a geir yn ystod arferion bwydo a newid i gyfathrebu'n agos. Yn awr, newidiwyd y babanod yn ôl eu hangen, yn hytrach nag yn ôl y cloc a gwnaed hyn gan y gweithiwr allweddol, lle bo hynny'n bosibl. Mor aml â phosibl, hefyd, bwydwyd y babanod gan eu gweithwyr allweddol pan fyddai arnynt awydd bwyd, gan fwydo un ar y tro bob amser.

Ar ôl rhai wythnosau, daeth y staff at ei gilydd i drafod y manteision. Roedd pawb yn cytuno bod y babanod wedi elwa o'r system newydd; roeddent i'w gweld yn

hapusach ac wedi ymlacio. Teimlai'r staff eu bod wedi elwa hefyd; roeddent yn gwerthfawrogi cael mwy o amser i ddod i adnabod eu babanod 'eu hunain' ac yn teimlo'n fwy abl i ragweld eu hanghenion. Yn eu barn hwy, hefyd, roedd y ffaith bod ganddynt well ddealltwriaeth o'u babanod unigol eu hunain yn golygu bod eu cysylltiad â'r rhieni a'r cyfnewid gwybodaeth wedi gwella hefyd.

Beth oedd y broblem pan ddechreuodd Carys ar ei swydd, yn eich barn chi?

Beth ddarparwyd o ganlyniad i'r system gweithiwr allweddol newydd?

Pam fod babanod angen ymwneud â rhywun penodol o fewn sefyllfa gofal grŵp?

Pam ei bod hi'n bwysig gwneud y mwyaf o arferion i ryngweithio â babanod?

Beth oedd manteision y newidiadau hyn o safbwynt staff ystafell y babanod a rhieni'r babanod, yn eich barn chi?

ANFANTEISION Y SYSTEM GWEITHIWR ALLWEDDOL

Mae anfanteision y system gweithiwr allweddol yn codi oherwydd trefniadaeth meithrinfeydd dydd y DU, rhywbeth sy'n peri ei bod yn anodd rhoi'r system ar waith yn ymarferol. Mae nifer o resymau dros hyn:

- Mae'r ffioedd yn uchel, sy'n golygu bod llawer o'r plant yn dod i'r feithrinfa ran-amser. Fodd bynnag, mae angen llenwi meithrinfeydd er mwyn sicrhau eu bod yn talu ffordd, ac felly maent yn derbyn cynifer â phosibl o blant, a hynny ar sail ran-amser yn aml. Gall hyn olygu ei bod hi'n anodd trefnu'r gweithwyr.

- Yn wahanol i nifer o wledydd Ewropeaidd, fel rheol bydd meithrinfeydd ar agor drwy gydol y flwyddyn i ehangu 'dewis' y rhieni ac i ateb galwadau'r farchnad lafur, ond mae hyn yn golygu bod rhaid i'r staff gymryd gwyliau drwy gydol y flwyddyn. O ganlyniad, mae'n bosibl na fyddant yno pan fydd eu plant allweddol yn bresennol.

- Mae gofynion y gymhareb 1:3 ar gyfer plant dan 2 oed, ynghyd â niferoedd amrywiol o blant, yn golygu y bydd staff yn cael eu symud yn aml i weithio mewn ystafelloedd os na ellir sicrhau'r cymarebau am fod niferoedd y plant yn amrywio, aelodau o'r staff ar eu gwyliau, pobl yn absennol, neu gyfyngiadau eraill.

- Mae diwrnod hir y feithrinfa a'r system sifftiau ar gyfer y staff yn golygu na fydd gweithiwr allweddol y plentyn yno ar hyd yr amser, o bosibl. Gallai hyn greu anawsterau i rieni a hoffai siarad â'r un gofalwr ar ddechrau a diwedd y diwrnod.

- Er bod rhai amrywiadau rhanbarthol, ar y cyfan mae'r staff yn tueddu i newid yn aml yn y sector meithrinfeydd preifat. O ganlyniad, mae'n bosibl y bydd rhaid i'r baban greu nifer o ymlyniadau newydd.

Mewn egwyddor, mae'r system gweithiwr allweddol yn bodoli yn y DU ond yn ymarferol, o ganlyniad i rai o'r ffactorau a amlinellir uchod, weithiau nid yw'n gweithredu fel y bwriadwyd.

Gwirio'ch cynnydd

Beth yw rhai o fanteision y system gweithiwr allweddol?

Pam fod cael mwy nag un gweithiwr gofal plant ym mhob grŵp allweddol yn ddefnyddiol i'r plentyn a'r rhieni?

Rhestrwch rai o anfanteision y system gweithiwr allweddol.

Y modd mae babanod yn dysgu drwy ryngweithio'n ddyddiol â'u gofalwyr

Mae ymchwil wedi dangos bod blwyddyn gyntaf bywyd yn adeg hanfodol o ran datblygiad ymennydd plant bach a bod ansawdd yr amgylchedd ac, yn benodol, y rhyngweithio sy'n digwydd rhwng babanod a'u gofalwyr, yn allweddol er mwyn sicrhau cynnydd y baban. Mae angen i'r sawl sy'n gofalu am fabanod ystyried sut y maent yn cwrdd â'r anghenion hyn wrth ddarparu arferion a phrofiadau (Murray, L. ac Andrews, L. *The Social Baby: Understanding Babies' Communications from Birth,* The Children's Project: Llundain, 2000).

RHYNGWEITHIO Â BABANOD

Mae babanod yn gymdeithasol wrth natur ac yn gwneud ymgais i gysylltu â'r sawl sydd o'u hamgylch. Maent yn debyg o gael y cysylltiad hwn gan oedolion a phlant hŷn, ac nid gan fabanod eraill. Mae arnynt angen gofalwyr sy'n adnabod ac yn ymateb i'r ymdrechion cynnar hyn i gyfathrebu. Os na fydd ymateb, bydd y babanod yn rhoi'r gorau i ymdrechu ac o ganlyniad bydd yr ysgogiad i gyfathrebu a chyfleoedd i ddysgu yn cael eu colli.

Dyma rai dulliau y gellir eu defnyddio i gefnogi dysgu a chyfathrebu cynnar:

- Crëwch awyrgylch lonydd sy'n galluogi'r baban i nodi seiniau a lleisiau cyfarwydd. Nid oes rhaid cael distawrwydd, ond nid yw'r baban yn gallu gwneud synnwyr o amgylchedd swnllyd iawn.

- Mae system gweithiwr allweddol yn sicrhau bod babanod yn derbyn sylw pobl gyfarwydd. Bydd y gweithiwr allweddol yn gwybod beth mae'r baban yn ei hoffi a'i gasáu ac yn gallu adeiladu ar sail hyn.

- Defnyddiwch arferion gofal fel cyfleoedd i gyfathrebu â babanod. Gall gofal corfforol gymryd cryn dipyn o'r amser pan fydd y baban yn effro. Mae newid a golchi yn cynnig cyfleoedd da ar gyfer cysylltiad agos a sgwrsio â baban. Mae

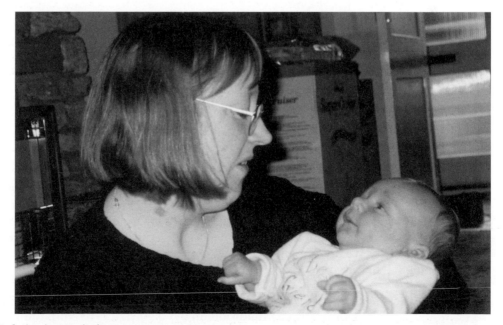

Cyfathrebu â'r baban

babanod yn ymateb i ddŵr yn tasgu ac i deimlad hufen ar eu croen. Dylid treulio amser yn cyflawni'r gweithgareddau hyn, ac ni ddylid *byth* eu trin fel petaent ar gludfelt, gan eu rhuthro drwy'r broses gyn gynted â phosibl.

- Sicrhewch fod bwydo'n brofiad ymlaciol a phleserus. Dylai bwydo o botel fod yn brofiad un-i-un a dylid sicrhau bob amser bod amser ar gyfer cwtsh. Pan fydd babanod yn cael eu diddyfnu, dylid cynnig y llwy ar gyflymdra sy'n addas i'r baban, ac nid y gweithiwr gofal plant. Ni fydd yn brofiad pleserus i neb os bydd y gweithiwr gofal plant yn bwydo mwy nag un baban o lwy ar yr un pryd.

- Mae angen i ofalwyr roi eu sylw llawn i fabanod. Mae babanod yn ffynnu os gwneir hyn, a byddant yn colli diddordeb os bydd sylw'r gofalwr wedi crwydro.

- Cymerwch fantais o unrhyw gyfle i ysgogi chwilfrydedd babanod am y byd. Tynnwch eu sylw at adar yn clwydo ar y ffens, neu'r glaw yn tasgu allan o'r beipen law, a siaradwch am hynny â'r baban.

- Wrth gynllunio gweithgareddau ar gyfer babanod, sicrhewch fod eich disgwyliadau ynglŷn â'u hymateb a'r ffordd y byddant yn elwa yn realistig. Bydd gwneud printiau llaw ar bapur yn weithgaredd diystyr i blentyn 8 mis oed. Bydd ganddi fwy o ddiddordeb o lawer mewn blasu'r paent a'i rwbio dros ei chorff.

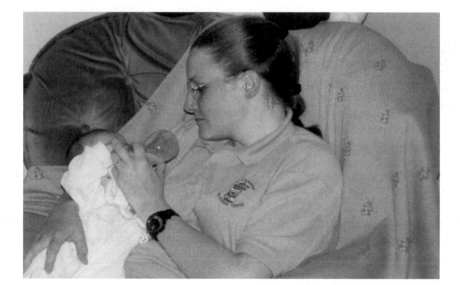

Dylai bwydo baban fod yn brofiad un-i-un

AWGRYMIADAU YNGLŶN Â SIARAD Â BABANOD

Mae babanod wrth eu boddau'n cyfathrebu, ond i'r sawl nad ydynt wedi cael unrhyw brofiad blaenorol o ran gweithio gyda babanod, gall siarad â hwy ymddangos yn dasg anodd. Mae ymchwilwyr yn defnyddio'r term **parablu mam** (neu **barablu rhiant**) i ddisgrifio'r math o gyfathrebu agos sy'n galluogi ac yn annog datblygiad iaith gynnar babanod. Ond nid oes rhaid i chi fod yn rhiant y baban i allu ei ddeall! Ystyriwch y canlynol:

- Ewch yn agos at y baban. Mae babanod yn hoff iawn o wynebau ac yn ymateb i wenau.

- Defnyddiwch ymadroddion byr a geiriau cyffredin, nid siarad babanod.

- Ystyriwch dôn a modyliad eich llais. Mae babanod yn ymateb i gywair ychydig yn uwch nag arfer ac i iaith fynegiannol.

- Cofiwch eich bod chi'n siarad â, nid at, y baban.

- Arhoswch a gwrandewch fel y gall y baban ateb. Dylai'r rhythm hwn adlewyrchu patrwm sgwrs arferol – nid yw babanod yn gwerthfawrogi monologau!

- Mae'n ddefnyddiol i ailadrodd yr un ymadroddion neu rai tebyg i'w gilydd, ond peidiwch â gorwneud hyn.

- Dilynwch y baban a gadewch iddi gychwyn y sgwrs. Sylwch ar beth mae hi'n edrych neu at beth mae'n pwyntio ac ymatebwch.

Gwirio'ch cynnydd

Pam ei bod hi'n bwysig cyfathrebu â babanod o'r cam cyntaf?

Sut gall arferion gofal roi cyfleoedd ar gyfer rhyngweithio gwerthfawr rhwng baban a gofalwr?

Beth ddylai gweithwyr gofal plant ei wneud i sicrhau bod babanod yn mwynhau amser bwyd?

Sut gall y gweithiwr gofal plant annog chwilfrydedd babanod?

Beth yw rhai o nodweddion parablu mam?

Nawr rhowch gynnig ar y cwestiynau hyn

Beth yw'r ffordd orau o sefydlu perthnasau positif gyda rhieni?

Sut mae damcaniaeth ymlyniad wedi dylanwadu ar ddarpariaeth gofal dydd yn y DU?

Beth yw buddion cymharol rhoi baban mewn meithrinfa ddydd, gyda gwarchodwr plant neu gyflogi nani?

Beth yw rhai o'r ffactorau allweddol y dylid eu cofio wrth gyfathrebu â babanod?

Yn y bennod hon byddwch yn dysgu am strwythur ystod o safleoedd gwaith a rôl y gweithiwr gofal ac addysg blynyddoedd cynnar o fewn y safleoedd hynny. Byddwch yn dysgu sut i baratoi ar gyfer cyflogaeth ym myd gofal ac addysg blynyddoedd cynnar a sut i weithio fel rhan o dîm.

STRWYTHURAU SEFYDLIADAU A SAFLEOEDD GWAITH A RÔL Y SWYDD

*B*ydd y bennod hon yn ymdrin â'r pynciau canlynol:

- safleoedd gwaith a rôl y swydd
- strwythurau'r sefydliad a rôl y swydd
- cyfrifoldebau gweithiwr gofal plant proffesiynol
- y modd mae timau'n gweithio
- paratoi ar gyfer cyflogaeth.

Safleoedd gwaith a rôl y swydd

term allweddol

Sector statudol
safleoedd gofal a ddarperir gan y wladwriaeth

Mae patrymau cyflogaeth yn newid dros gyfnod o amser. Erbyn hyn mae gweithwyr gofal plant yn gweithio mewn amrywiaeth ehangach o safleoedd nag erioed. Tra bod rhai cyfleoedd yn y **sector statudol** yn aros yr un fath, neu wedi dirywio, mae'r cyfleoedd o fewn y **sectorau** preifat a **gwirfoddol** yn cynyddu, o fewn sefydliadau megis meithrinfeydd dydd preifat a chyfleusterau chwarae a gysylltir â chyfleoedd hamdden. O ganlyniad i gynnydd twristiaeth, mae llawer o gwmnïau teithio'n cyflogi gweithwyr gofal plant dramor mewn mannau gwyliau.

Erbyn hyn mae plant anabl yn fwy tebygol o gael eu cynnwys ym mhob lleoliad. O ganlyniad, mae mwy o gyfleoedd gwaith ar gael ar gyfer gweithwyr gofal plant sy'n cefnogi dull cynhwysol o weithio o ran eu gofal a'u haddysg.

Y STRATEGAETH GOFAL PLANT GENEDLAETHOL

Mae llywodraeth y DU wedi ymrwymo ei hun i alluogi rhieni a gofalwyr i gael eu hyfforddi a'u cyflogi. Mae'r Strategaeth Gofal Plant Genedlaethol yn ceisio annog datblygiad gofal plant fforddiadwy a hygyrch, gan gynnwys gofal y tu allan i'r ysgol. Mae hyn yn debygol o gynyddu cyfleoedd ar gyfer gweithwyr gofal plant. Yn ogystal, mae'r Partneriaethau Datblygiad Blynyddoedd Cynnar a Gofal Plant a mentrau megis Cychwyn Cadarn yn darparu cyfleoedd sy'n caniatáu i weithwyr gofal plant profiadol gymryd rhan mewn datblygu ystod eang o wasanaethau addysg blynyddoedd cynnar a gofal plant. Gall y rolau hyn gynnwys gweithio mewn dulliau arloesol fel rhan o dîm **amlddisgyblaethol**.

NANIS A GWARCHODWYR PLANT

Mae'r cyfleoedd i weithio fel nanis o fewn teuluoedd preifat yn cynyddu o hyd, ar gyfer nanis preswyl a rhai dyddiol. Mae llawer o deuluoedd yn dewis gwarchodwyr plant i ofalu am eu plant ond mae dirywiad yn nifer y gwarchodwyr plant cofrestredig, yn enwedig mewn rhai ardaloedd, wedi cyfyngu'r dewis.

Mae'n bwysig bod y rhai sy'n gweithio ar wahân yn canfod dulliau o dderbyn adborth am eu hymarfer, cefnogaeth a datblygiad proffesiynol. Gall trafod ag eraill sy'n cyflawni rôl debyg fod o gymorth. Mae nifer o rwydweithiau nanis a rhwydweithiau gwarchodwyr plant yn datblygu mewn sawl rhan o'r DU. Dylid ystyried cyfleoedd ar gyfer diweddaru ac ymgymryd â hyfforddiant pellach.

Amddiffyn plant

Wrth weithio ar wahân, fel yn achos lleoliad gofal plant, mae'n bosibl y byddwch yn ymwybodol o'r posibilrwydd y byddwch yn dod ar draws achosion cam-drin plant. Gan na allwch droi ar unwaith at gydweithwyr, mae'n hanfodol eich bod yn ystyried ymlaen llaw sut y byddech yn delio ag unrhyw amheuaeth neu ddatgeliad, gan gynnwys sut i gyfeirio at yr asiant briodol, h.y. yr heddlu, yr adran gwasanaethau cymdeithasol neu'r NSPCC. Gallwch gysylltu â'r adran gwasanaethau cymdeithasol am gyngor ac arweiniad. Peidiwch ag anwybyddu neu gadw i chi'ch hun unrhyw ddatgeliad neu amheuaeth o gam-drin plant.

Strwythurau'r sefydliad a rôl y swydd

Gall safle gwaith fod yn eiddo i sefydliad statudol, gwirfoddol neu breifat. Bydd hyn yn dylanwadu ar ei nodau a'i amcanion a'r strwythur, gan gynnwys rolau staff a rheolaeth linell.

NODAU AC AMCANION

Mae'n debyg y bydd gan bob safle gwaith ei nodau ac amcanion penodol ei hunan sy'n dylanwadu ar ei ymarfer. Dylai hawliau ac anghenion plant ifainc danategu a dylanwadu ar y rhain, ynghyd â'r polisïau a gweithdrefnau cefnogol.

Polisïau, gweithdrefnau a chanllawiau

O fewn eich man gwaith, mae'n debyg y bydd polisïau a gweithdrefnau (codau ymarfer) yn bodoli sy'n ymwneud â'r canlynol:

- cyfleoedd cyfartal – mae hyn yn golygu na fydd yr un oedolyn na phlentyn yn derbyn triniaeth lai ffafriol ar sail eu rhyw, hil, lliw, cenedligrwydd, gwreiddiau ethnig neu genedlaethol, oed, anabledd, crefydd, statws priodasol neu dueddfryd rhywiol

- derbyniadau

- trefniadau ariannol

- adeiladau ac iechyd a diogelwch

- argyfyngau meddygol

- amddiffyn plant

- iechyd, maeth a gwasanaeth bwyd

- hawliau a chyfrifoldebau staff, cymwysterau, rheolaeth, hyfforddiant a datblygiad

- cymhareb staff a phlant

- cadw cofnodion

- partneriaethau â rhieni

- cysylltu ag asiantau eraill

- ymgilio mewn argyfwng

- rheoli ymddygiad

- plant gydag anghenion addysgol arbennig

- ymweliadau y tu allan i'r safle

- rhoi cyffuriau cyfreithiol

- cysylltu â gweithwyr proffesiynol eraill.

Mae cyfrifoldebau gweithiwr proffesiynol yn cynnwys dod i wybod beth yw oblygiadau'r uchod a deall sut mae gofynion statudol yn dylanwadu arnynt.

Gofynion statudol

Mae rhai polisïau a gweithdrefnau'n ganlyniad gofynion statudol (h.y. maent yn rhan o ddeddfwriaeth). Bydd gan agweddau ar y ddeddfwriaeth (cyfreithiau) ganlynol oblygiadau ar gyfer polisi ac ymarfer pob lleoliad:

- Deddf y Plant (1989)

- Deddf Addysg (1988)

- Deddf Diwygio Addysg (1993)

- Deddf Cysylltiadau Hiliol (1975)

- Deddfau Gwahaniaethu ar Sail Rhyw (1975, 1986)

- Deddf Cyflog Cyfartal (1970)

- Deddf Amddiffyn Cyflogaeth (1978)

- Deddf yr Anabl (1986)

- Deddf Swyddfeydd, Siopau ac Adeiladau Rheilffordd (1963)

- Deddf Iechyd a Diogelwch yn y Gwaith (1974)

- Deddf Diogelwch Bwyd (1990)

- Rheoliad Hylendid Bwyd (1970)
- Rheoliad Gwelliant Hylendid Bwyd (1990).

Yn ychwanegol at hyn, mae'n bosibl y bydd gan safleoedd systemau sicrwydd ansawdd i sicrhau bod polisïau a gweithdrefnau yn bodoli ac yn cael eu gweithredu, ac yn annog gwelliannau wrth eu hymarfer yn barhaus. Mae'n bosibl y bydd y rhain ynghlwm wrth arolygiad allanol sefydliadau gofal plant o dan ofal Estyn ac ASGC (Asiantaeth Safonau Gofal Cymru).

Gwirio'ch cynnydd

Pam fod mwy o gyfleoedd gwaith i weithwyr gofal plant yn bodoli erbyn hyn?

Pa feysydd y gall polisïau a gweithdrefnau eu cynnwys?

Beth sy'n pennu ac yn rheoli gofynion statudol?

Cyfrifoldebau gweithiwr gofal plant proffesiynol

Gall polisïau hyrwyddo ymwybyddiaeth, ond ni fyddant yn newid agweddau neu ymarfer ynddynt eu hunain. Bydd ymarfer da yn dibynnu ar ymrwymiad y staff i anghenion a hawliau'r plant, ac i'w gallu a'u parodrwydd i gyflawni eu dyletswyddau mewn ffordd broffesiynol. Mae cyfrifoldebau gweithiwr gofal plant proffesiynol yn cynnwys deall y canlynol a'u rhoi ar waith:

- cyfrinachedd
- cyfrifoldeb
- dibynadwyaeth
- cynllunio ac adolygu
- gweithio mewn partneriaeth â rhieni/gofalwyr
- ymrwymiad i gyfleoedd cyfartal ac ymarfer gwrth-wahaniaethol.

DATBLYGIAD PERSONOL A HYFFORDDIANT PELLACH

Fel gweithiwr gofal plant proffesiynol, byddwch yn awyddus i dderbyn mwy o hyfforddiant, ac yn agored i awgrymiadau ynglŷn â newid eich dulliau o weithio. Dylech ganfod bod eich hunanymwybyddiaeth yn cynyddu o ganlyniad i oruchwyliaeth gweithwyr proffesiynol. Bydd hyfforddiant staff mewn swydd a hyfforddiant pellach hefyd yn eich helpu i fod yn ymwybodol o ddatblygiadau newydd a gwella eich ymarfer gwaith.

Y modd mae timau'n gweithio

BETH SY'N PERI BOD TÎM YN EFFEITHIOL

Bydd gan dimau effeithiol y nodweddion canlynol:

- nodau ac amcanion sydd wedi eu diffinio'n glir (wedi eu hegluro a'u hailddiffinio'n gyson) y gall pob aelod o'r tîm eu rhoi mewn geiriau a'u hymarfer

term allweddol

Rolau penodedig

dyletswyddau a bennir gan eraill

- rolau hyblyg sy'n galluogi unigolion i ddefnyddio'u cryfderau, yn hytrach na chyflawni **rolau penodedig** sy'n gofyn iddynt gydymffurfio â disgwyliadau a bennwyd yn barod neu sy'n stereoteipiedig (er enghraifft, mae'r athro'n gyfrifol am amser stori bob amser, a'r gweithiwr gofal plant yn tacluso bob tro)

- arweinwyr tîm effeithiol sy'n rheoli gwaith y tîm, yn annog ac yn gwerthfawrogi cyfraniadau unigolion ac yn delio â gwrthdaro

- Aelodau sydd wedi eu hymrwymo i:
  - ddatblygu hunanymwybyddiaeth
  - greu, cadw a chynnal perthnasau gweithio da
  - ddangos sgiliau cyfathrebu effeithiol, gan fynegi eu barn mewn ffordd bendant yn hytrach na ffordd ymosodol
  - ddeall ac adnabod eu cyfraniad i'r ffordd mae'r grŵp yn gweithio
  - gyflawni penderfyniadau'r grŵp, ar wahân i'w teimladau personol
  - dderbyn cyfrifoldeb am ganlyniad penderfyniadau'r tîm.

STRAEN A GWRTHDARO O FEWN TIMAU

O fewn unrhyw dîm ceir gwrthdaro weithiau. Mae'n bwysig delio â hyn mewn ffordd

Yn y man gwaith, fel rheol bydd gweithwyr gofal plant yn gweithio gyda chydweithwyr fel rhan o dîm

adeiladol yn hytrach na cheisio'i anwybyddu. Mae'r canllawiau canlynol ynglŷn ag ymddygiad yn debygol o arwain at ddatrys gwrthdaro:

- Ymunwch â'r person arall fel y gall y ddau ohonoch 'ennill': mae pobl sy'n gwrthdaro'n tueddu i fod yn erbyn ei gilydd yn hytrach na gyda'i gilydd, yn aml. Cadwch ddarlun clir yn eich meddwl o'r person arall a chi'ch hunan, heb ystyried mater y gwrthdaro. Mae'n bosibl y collir golwg ar y mater sy'n achosi'r gwrthdaro oherwydd cryfder eich teimladau yn erbyn y person arall. Mae angen i chi ymrwymo'ch hun i weithio tuag at ganlyniad sy'n dderbyniol i'r ddwy ochr.

- Gwnewch ddatganiadau 'fi' clir: cymerwch gyfrifoldeb drosoch chi'ch hun a pheidiwch â beio'r person arall am eich teimladau a'ch barn chi.

- Byddwch yn glir ac yn benodol wrth fynegi eich barn am y gwrthdaro a'r hyn yr ydych yn chwilio amdano, a gwrandewch ar farn y person arall.

- Deliwch ag un mater ar y tro: peidiwch â chymysgu rhwng un mater ac un

arall, gan ddefnyddio enghreifftiau o'r gorffennol i egluro'ch pwynt. Mae defnyddio'r gorffennol neu ddweud dim ond rhan o'r stori i wneud eich pwynt yn gallu creu fersiwn rhagfarnllyd o'r hyn a ddigwyddodd. Mae'n bosibl y bydd y person arall wedi anghofio, neu'n cofio'r digwyddiad mewn ffordd wahanol.

- Edrychwch a gwrandewch ar eich gilydd: deliwch yn uniongyrchol â'r anhawster.

- Gwnewch yn siŵr eich bod chi'n deall eich gilydd: os nad ydych yn deall y mater yn iawn, gofynnwch gwestiynau agored ac aralleiriwch yr hyn rydych yn tybio eich bod yn clywed yn ôl i'r siaradwr.

- Cyd-gyfrannwch eich syniadau er mwyn canfod dulliau creadigol o ddatrys y gwrthdaro; gwnewch restr o'r holl ddatrysiadau posibl ac ewch drwyddynt gyda'ch gilydd.

- Dewiswch amser a lle sy'n gyfleus i'r ddwy ochr: mae'n ddefnyddiol i gytuno ar hyd y cyfarfod.

- Cydnabyddwch a gwerthfawrogwch eich gilydd: meddyliwch am briodoleddau'r person arall heb ystyried mater y gwrthdaro, gan eu cydnabod a'u gwerthfawrogi.

CYMRYD RHAN MEWN CYFARFODYDD A GRWPIAU TÎM

O fewn y lleoliad gwaith bydd nifer o grwpiau'n cyfarfod yn ffurfiol ac yn anffurfiol; cyfarfodydd tîm y staff, grwpiau rhieni/gofalwyr, plant a gweithwyr proffesiynol eraill. Gall cyfarfodydd grŵp fod yn ffordd effeithiol o sbarduno syniadau newydd, rheoli projectau, gwneud penderfyniadau, monitro ac adolygu cynnydd, a chefnogi aelodau'r grŵp. Fodd bynnag, gallant hefyd fod yn anghynhyrchiol. Gall fod o gymorth i aelodau'r grŵp ystyried eu hymddygiad a'r nodweddion a allai wella neu amharu ar nodau'r tîm.

Ymddygiad a nodweddion aelodau'r tîm

Ymddygiad positif:

- *cychwyn* – dechrau pethau a'u cadw ar fynd

- *hysbysu* – rhoi gwybodaeth, syniadau, ffeithiau, teimladau, a barn

- *egluro, crynhoi neu aralleirio* – helpu'r grŵp i roi trefn ar bethau, dod â phethau at ei gilydd neu ddod â phethau i ben

- *wynebu* – swyddogaeth bwysig o ran sicrhau bod grwpiau'n effeithiol, ond bydd angen dangos sgìl a gofal am deimladau eraill

- *cytgordio* – gweithio i ddatrys anghytundebau, i gael gwared ar dyndra a helpu i edrych yn fanwl ar wahaniaethau

- *annog*

- *cyfaddawdu* – cyfaddef camgymeriad neu addasu barn neu safbwynt

- *amseru* – sicrhau bod y grŵp yn cadw i amser.

Ymddygiad negyddol:

- *ymosodol* – ymosod ar eraill, bychanu eu cyfraniad neu eu difrïo

- *blocio* – rhwystro'r grŵp rhag cyflawni eu tasg

- *dominyddu* – torri ar draws, cymryd drosodd neu ymyrryd â hawliau eraill i gymryd rhan

- *osgoi* – rhwystro'r grŵp rhag wynebu materion

- *tynnu'n ôl* – dangos diffyg ymrwymiad.

Gwirio'ch cynnydd

Beth sy'n rhaid i'r canlynol ei wneud i hwyluso gwaith tîm effeithiol:

(a) y tîm gyda'i gilydd?   *(b) aelodau unigol?*   *(c) yr arweinydd?*

Beth sy'n rhaid i aelodau'r tîm ymrwymo ag ef er mwyn gweithredu'n effeithiol?

Wrth ddelio â gwrthdaro, beth yw'r canlyniad yr anelir ato?

Paratoi ar gyfer cyflogaeth

Dylid ystyried yr un pethau wrth chwilio am, a chael, gwaith gyda phlant ifainc ag unrhyw waith arall. Rhaid i weithwyr gofal plant geisio osgoi gormod o deimladrwydd a gorgyfareddu'r gwaith.

CHWILIWCH I WELD BETH SYDD AR GAEL

Mae cyfleoedd gwaith yn gallu ymddangos ar ffurf hysbysebion mewn cylchgronau, newyddiaduron, papurau lleol neu genedlaethol, yn y Ganolfan Waith neu mewn rhai ardaloedd gan yr awdurdod lleol mewn taflen swyddi. Fel arall, gellir cael hyd i waith drwy gymorth asiant.

Cofiwch ddefnyddio pob cyfrwng posibl i ddod o hyd i gyfleoedd am waith. Mae eich teulu a'ch ffrindiau a staff a myfyrwyr y lleoliad lle rydych yn derbyn eich hyfforddiant oll yn gysylltiadau defnyddiol.

AMODAU CYFLOGAETH

Un o agweddau mwyaf hanfodol cael a chadw swydd yw sicrhau bod disgwyliadau'r cyflogwr a'r ymgeisydd yn glir. Yn achos swydd o fewn sefydliad statudol, preifat neu wirfoddol, mae'n debyg y bydd disgrifiad swydd yn bodoli, ynghyd ag amodau gwasanaeth yn amlinellu rôl a chyfrifoldebau'r gweithiwr gofal ac addysg plant. Mae'n bosibl y bydd manyleb person wedi cael ei llunio i ddangos beth yw gofynion y cyflogwr, y cymwysterau, profiad, sgiliau, gwybodaeth a'r agwedd a ddymunir gan ymgeisydd. Fodd bynnag, mae hyn yn llai tebygol o ddigwydd pan geisir am waith fel nani o fewn teulu preifat.

YMGEISIO AM WAITH

Mae'r wybodaeth ganlynol yn fyr ac wedi'i chrynhoi, o reidrwydd. Os yw'n bosibl, chwiliwch am gymorth arbenigwr gyda'r broses o ymgeisio am swydd. Ym mhob cam o'r broses, bydd angen i chi wneud y mwyaf ohonoch chi'ch hun, eich cymwysterau, profiad, sgiliau a gwybodaeth, os ydych am symud ymlaen i'r cam nesaf a chael swydd yn y pen draw.

Paratoi curriculum vitae (CV) cywir a chynrychiadol

Mae'r canllaw canlynol (ac A Practical Guide to Child-care Employment gan Christine Hobart a Jill Frankel, Stanley Thornes, 2000), yn amlinellu'r prif bwyntiau:

- Dylid teipio (neu airbrosesu) y CV yn daclus ar bapur gwyn A4.

- Mae rhai pobl yn credu bod cyflwyno'r CV mewn ffordd llawn dychymyg ac anarferol yn mynd i greu mwy o argraff. Gall hyn fod yn wir, ond gall hefyd fod yn gamgymeriad. Gofynnwch i ffrindiau, cydweithwyr neu diwtoriaid am eu hymateb.

- Rhaid bod y sillafu a'r gramadeg yn gywir (gwiriwch nhw).

- Cadwch e'n fyr. Ni ddylai fod yn fwy na dwy dudalen o hyd.

- Peidiwch â chynnwys blociau sylweddol o sgript.

- Defnyddiwch ofod i bwysleisio pwyntiau a thynnu sylw at adrannau.

- Gofynnwch i diwtor neu ffrind ei ddarllen i weld a oes unrhyw amwysedd. Gall fod yn glir yn eich barn chi, ond yn aneglur i rywun o'r tu allan.

- Diweddarwch ef yn gyson.

Dylai eich CV sylfaenol gynnwys:

- manylion personol

- addysg a chymwysterau

- profiad gwaith a hanes eich gyrfa

- diddordebau personol a hobïau

- manylion perthnasol eraill.

Cwblhau ffurflen gais

Mae'n bosibl y bydd gofyn i chi gwblhau ffurflen gais yn lle gyrru CV. Darllenwch unrhyw wybodaeth ategol yn drylwyr. Gwnewch yn siŵr ei fod wedi'i llenwi'n daclus ac yn glir. Dylid ateb pob cwestiwn yn ddidwyll. Defnyddiwch eich CV fel canllaw.

Llythyr eglurhaol

Defnyddiwch yr wybodaeth a yrrwyd gan y darpar gyflogwr i'ch arwain. Unwaith eto, gwnewch yn siŵr ei fod yn daclus ac yn ddarllenadwy, yn fyr ac yn berthnasol.

Datganiad o briodoldeb ar gyfer y swydd

Mae'n bosibl y ceir cais ar wahân ar gyfer hwn. Ceisiwch bwysleisio pwyntiau o'ch CV i gyfateb â'r disgrifiad swydd.

TECHNEGAU CYFWELIAD

Mae'n hanfodol paratoi ac ymarfer ar gyfer cyfweliad. Paratowch drwy ddysgu am y swydd benodol ac am gyfweliadau'n gyffredinol. Gellir gwneud hyn drwy ddarllen testun, chwilio Technolegau Gwybodaeth a Dysgu, a thrwy raglenni hyfforddiant. Ceisiwch ymarfer eich sgiliau cyfathrebu mewn lleoliadau ffurfiol ac anffurfiol. Gwnewch ffug-gyfweliad a mynnwch adborth gan y cyfwelwyr. Bydd y cwestiynau canlynol yn rhoi syniad cyffredinol o'r hyn y gellid ei ofyn mewn cyfweliad, ond bydd angen i chi feddwl yn fanwl beth y gallai cyflogwr fod eisiau gwybod amdanoch chi a pham:

- Pam ydych chi eisiau'r swydd hon?

- Beth yw eich cryfderau a'ch gwendidau?

- Disgrifiwch sut y buoch yn gweithio fel rhan o dîm.

- Sut fyddech chi'n annog perthnasau positif â rhieni?

- Beth yw'r ystyriaethau pwysicaf wrth weithio gyda phlant ifanc?

- Sut fyddech chi'n hyrwyddo cyfleoedd cyfartal ac ymarfer gwrth-wahaniaethol?

- Pe baech yn cael y swydd, beth fyddai eich anghenion hyfforddiant a datblygiad?

- Pa gwestiynau fyddech chi'n hoffi eu gofyn i ni?

Dysgu am y swydd

Yn ogystal â'r cyflogwr yn dysgu amdanoch chi, bydd angen i chi wneud yn siŵr eich bod chi eisiau'r swydd. Wrth reswm, bydd angen i chi ystyried y telerau ac amodau, ond hefyd dylech sicrhau eich bod yn cytuno â nodau ac amcanion y sefydliad. Dylech hefyd ddarganfod pa fath o ddull rheoli a ddefnyddir yn y sefydliad. A yw'n ddull democrataidd lle gwneir y penderfyniadau gan y tîm? A yw'r rheolwyr yn gwneud y penderfyniadau heb ymgynghori â'r tîm? A oes cyfeiriad amlwg, neu a oes diffyg arweiniad? Os nad ydych yn adnabod y sefydliad, darllenwch yr wybodaeth a yrrwyd atoch a gofynnwch am gael ymweld cyn y cyfweliad.

Astudiaeth achos ...

... swydd gyntaf Helen

Roedd Helen wrth ei bodd am mai hi oedd y myfyriwr cyntaf yn ei grŵp i gael swydd. Roedd hi wedi gweld hysbyseb yn ei phapur lleol. Roedd yn ymddangos yn wych – ei hystafell ei hun gydag en-suite a'r defnydd o gar. Roedd rhaid iddi rannu ystafell gartref ac roedd hi'n awyddus iawn i adael. Roedd rhieni'r plant yn ymddangos yn neis iawn. Roedden nhw'n rhy swil i siarad am arian ac oriau, ond roedd Helen yn siŵr y byddai hynny'n cael ei drafod pan ddechreuai ar y gwaith.

Daeth Helen yn ôl i weld ei thiwtor 6 mis yn ddiweddarach. Pan ofynnodd ei thiwtor sut roedd pethau'n mynd, dywedodd Helen ei bod wedi gadael. Esboniodd eu bod wedi disgwyl iddi wneud mwy a mwy o waith tŷ tra roedd y plentyn hynaf yn y feithrinfa. Roedden nhw mor brysur eu hunain, ni allai wrthod. Gwneud gwaith tŷ wedi'r holl hyfforddiant 'na!

Yna disgwylient iddi warchod heb rybudd a dywedwyd wrthi am gymryd yr amser hynny yn ystod y dydd, pan oedd hynny'n gyfleus iddynt hwy. Yn y man, roedd hi'n gwneud sifftiau hollt ac ni allai gynllunio unrhyw beth. Roedd y cartref yn bell o bob man ac roedd y bws ola'n ôl yn gadael am 7y.h.!

Roedd yr arian yn dderbyniol, ond ni châi gyfle i fynd allan a'i wario! Roedd hi'n unig iawn. Roedd y rhieni'n gwneud eu gorau, ond roedden nhw'n hŷn o lawer na hi. Dywedodd ei bod hi'n mwynhau rhannu ystafell, ar ôl iddi, yn y diwedd, ddod adref.

Roedd hi wedi cymryd at y plant, fodd bynnag, a phan ddywedodd ei bod hi'n awyddus i adael, teimlai'n euog iawn am eu gadael. Cynigiwyd mwy o arian iddi, ond nid yr arian oedd y broblem. Roedd hi'n awyddus i dorri'n rhydd ac yn y diwedd, paciodd ei bagiau heb rybuddio'r rhieni. Teimlai na allai fynd yn ôl i'w gweld ac roedd hi'n amau a fyddent yn rhoi geirda iddi.

Sut fyddai wedi bod yn bosibl osgoi'r sefyllfa hon?

Beth ddylai Helen fod wedi holi amdano a gwirio, cyn derbyn y swydd?

Beth oedd yn bod ar y swydd, yn ôl Helen?

Sut fydd y teulu'n teimlo nawr? Beth allai'r plant fod wedi meddwl a theimlo?

Lluniwch ddisgrifiad swydd a chytundeb ar gyfer y swydd hon.

AMODAU GWAITH

Cytundeb cyflogaeth

Mae'r Deddfau Amddiffyn Gwaith yn gofyn bod gan bob gweithiwr cyflogedig sy'n gweithio am fwy nag 16 awr yr wythnos gytundeb cyflogaeth - dogfen sy'n nodi'r telerau ac amodau gwaith.

Hawliau a chyfrifoldebau

Unwaith y bydd gennych swydd, bydd gennych chi a'ch cyflogwr hawliau a chyfrifoldebau a nodir mewn cyfraith gyflogaeth. Bydd angen i chi ystyried eich cyfrifoldeb o ran talu treth incwm a chyfraniadau Yswiriant Cenedlaethol. Mae'n bosibl hefyd y byddwch yn awyddus i gyfrannu at bensiwn ymddeol.

RÔL UNDEBAU LLAFUR A CHYMDEITHASAU PROFFESIYNOL

Mae'n bosibl y byddwch am ystyried ymuno ag undeb a/neu gymdeithas broffesiynol. Bydd angen i chi ymchwilio a deall beth yw rôl y ddau a goblygiadau bod yn aelod.

Gall undebau llafur a chymdeithasau proffesiynol gynnig y canlynol i'w haelodau:

- amddiffyniad cyfreithiol
- trafod cyflog ac amodau
- yswiriant rhad
- ymdrechion cyfunol i wella amodau gwaith
- diogelu aelodau drwy arferion iechyd a diogelwch, pensiwn a materion yn ymwneud â hawliau.

Gwirio'ch cynnydd

Ble mae modd gweld cyfleoedd gwaith?

Beth mae manyleb person yn ei dangos?

Beth ddylid ei gynnwys mewn CV sylfaenol?

Sut allwch chi baratoi ar gyfer cyfweliad?

Beth fyddwch chi angen ei wybod am y swydd rydych yn ymgeisio amdani?

Beth ddylai gael ei gynnwys mewn cytundeb gwaith?

Beth yw manteision bod yn aelod o undeb llafur/cymdeithas broffesiynol?

Nawr rhowch gynnig ar y cwestiynau hyn

Yn ymarferol, sut gall sefydliadau gofal plant annog creu partneriaeth â rhieni?

Disgrifiwch ac esboniwch chwe agwedd ar ymarfer proffesiynol.

Beth yw anghenion a hawliau plant ifanc?

Esboniwch fanteision gweithio gyda chydweithwyr mewn tîm.

Sut gall staff ddelio â gwrthdaro yn y gweithle?

Disgrifiwch yr ymddygiad a'r nodweddion sy'n creu timau effeithiol.

Pennod 9: Darpariaeth Gwasanaethau a Diogelwch Plant

Cynlluniwyd y bennod hon er mwyn rhoi gorolwg o faes perthnasau cyfreithiol a chymdeithasol o ran y ffordd y maent yn effeithio ar y teulu. Bydd yn eich helpu i ddeall sut i amddiffyn plant rhag posibilrwydd camdriniaeth, a sut i amddiffyn plant a gafodd eu cam-drin.

Mae'r ffordd mae cymdeithas yn gweithredu'n cael effaith fawr ar y ffordd mae gweithwyr gofal plant ac addysg yn gwneud eu gwaith. Bydd angen iddynt ddeall strwythur bywydau teuluol y plant y maent yn gweithio gyda hwy. Rhaid iddynt hefyd ddeall y ddarpariaeth gwasanaethau a'r fframwaith cyfreithiol yng Nghymru, Lloegr a Gogledd Iwerddon o ran eu heffaith ar fywydau plant a'u teuluoedd.

Ar ôl cwblhau'r bennod hon yn llwyddiannus, byddwch yn deall strwythur bywyd teuluol; ffynonellau anfantais mewn cymdeithas; y polisïau a'r ddeddfwriaeth sy'n effeithio ar ddarpariaeth gwasanaethau i blant a'u teuluoedd. Dylech allu adnabod arwyddion camdriniaeth; deall egwyddorion diogelu plant rhag camdriniaeth; adnabod y gweithdrefnau sy'n dilyn amheuaeth neu ddatganiad camdriniaeth; adnabod ffyrdd o gefnogi plant a theuluoedd. Dylech hefyd allu deall rôl y gweithiwr gofal plant ac addysg.

1. DATBLYGIAD A STRWYTHUR Y TEULU O FEWN Y GYMDEITHAS

2. MATERION CYMDEITHASOL

3. RÔL Y GWASANAETHAU STATUDOL, GWIRFODDOL AC ANNIBYNNOL

4. AMDDIFFYN PLANT

5. DULLIAU CAM-DRIN AC EFFEITHIAU CAMDRINIAETH

6. GWEITHREFNAU AMDDIFFYN PLANT

7. AMDDIFFYN PLANT: YMATEB I GAM-DRIN PLANT

DATBLYGIAD A STRWYTHUR Y TEULU O FEWN Y GYMDEITHAS

Mae plant yn hollol ddibynnol pan gânt eu geni. Er mwyn goroesi a datblygu yn ystod y cyfnod hwn o ddibyniaeth mae arnynt angen gofal, diogelwch, amddiffyniad, symbyliad a chyswllt cymdeithasol. Yn y rhan fwyaf o gymdeithasau ac yn amlach na pheidio drwy gydol hanes mae plant wedi cael eu meithrin a derbyn gofal o fewn eu teuluoedd. Y teulu, felly, sy'n dylanwadu fwyaf ar ddatblygiad plant. Dehonglir ystyr 'teulu' mewn sawl ffordd. Mae gan wahanol fathau o deuluoedd nifer o swyddogaethau tebyg i'w gilydd, ond weithiau bydd eu strwythur a'r ffordd y cyflawnant eu tasgau yn wahanol iawn.

Bydd y bennod hon yn ymdrin â'r pynciau canlynol:

- yr ystod amrywiol o strwythurau teuluol

- strwythur y teulu

- bywyd, gofal a diogelwch y teulu: y dewisiadau eraill

- patrymau newidiol bywyd a rolau teuluol

- deddfwriaeth yn ymwneud â phlant a'u teuluoedd

- deddfwriaeth yn ymwneud â gofal plant yn y DU

- gwethio gyda phlant a'u teuluoedd.

Yr ystod amrywiol o strwythurau teuluol

BETH YW TEULU?

Mae'n anodd iawn diffinio teulu, ond gellir dweud bod:

- gan bob teulu elfennau cyffredin

- pob teulu'n wahanol.

Dyma un diffiniad defnyddiol: 'grŵp o bobl sy'n perthyn i'w gilydd ac sy'n cefnogi ei gilydd mewn amrywiaeth o ffyrdd, yn emosiynol, yn gymdeithasol a/neu'n economaidd'.

Astudiaeth achos ...

... gwahanol deuluoedd

Mewn dosbarth meithrin prysur mae'r athrawes yn ymwybodol o fanylion personol rhai o'r plant sy'n dod i'r dosbarth. Mae Ana'n byw gyda'i mam-gu, mae ei mam wedi marw a dydy hi ddim yn gwybod pwy yw ei thad. Mae Rhys a'i hanner-chwaer yn byw gyda'i fam, sy'n gofalu amdanynt ar ei phen ei hun. Mae Dyfed yn byw gyda'i fam-gu a'i dad-cu, ei rieni, ei ewyrth, ei fodryb a'i gefndryd. Mae Carol yn byw gyda'i mam a'i chariad benywaidd. Mae Twm yn byw gyda'i dad, partner newydd ei dad a'i merch hŷn.

1. Yn ôl y diffiniad uchod, pa rai o'r plant hyn sy'n byw mewn 'teulu'?

2. A oes unrhyw resymau pam y gallai rhai pobl honni nad yw'r un o'r plant uchod yn byw mewn teulu?

BETH YW PWRPAS ASTUDIO'R TEULU?

Mae bywyd teuluol ar ryw ffurf yn rhan hanfodol o brofiad y mwyafrif o blant. Mae'r teulu'n dylanwadu'n gryf ar bob agwedd ar fywyd a datblygiad plentyn. Am y rheswm hwn, mae angen i weithwyr gofal plant:

- ddeall pwysigrwydd y teulu o ran datblygiad plant
- wybod cefndir teuluol y plant dan eu gofal
- ddeall effeithiau a dylanwadau posibl gwahanol amgylchiadau teuluol ar y plant.

SWYDDOGAETHAU'R TEULU A'R TEBYGRWYDD RHWNG TEULUOEDD

Ystyr **swyddogaethau'r teulu** yw'r pethau hynny mae teuluoedd yn gwneud er mwyn eu haelodau. Mae pob teulu yn cyflawni'r un swyddogaethau i ryw raddau. Mae'r swyddogaethau hynny'n cynnwys:

- cymdeithasoli
- gofal ac amddiffyniad ymarferol
- cefnogaeth emosiynol a chymdeithasol
- cefnogaeth economaidd.

Fodd bynnag, mae gan deuluoedd wahanol draddodiadau, arferion a dulliau o gyflawni'r swyddogaethau hyn.

Cymdeithasoli

Mae teuluoedd yn darparu'r amgylchedd sylfaenol a mwyaf pwysig lle gall plant ddysgu am **ddiwylliant** y gymdeithas y maent yn rhan ohoni. Yn ymwybodol ac yn anymwybodol, mae'r teulu'n dysgu prif agweddau diwylliant i blant. Mae'r rhain yn cynnwys **gwerthoedd** a **normau** a rennir ac iaith.

Mae dylanwad cyfoedion, ysgolion a'r cyfryngau yn gryf wrth i blant dyfu, ond mae plant yn dysgu seiliau diwylliant o fewn y teulu.

Gofal ac amddiffyniad ymarferol

Mae'r teulu'n effeithiol iawn o safbwynt darparu gofal ymarferol o ddydd i ddydd ar gyfer ei aelodau dibynnol - plant, y rhai sy'n sâl neu'n anabl a'r henoed. Mae gofalu am bobl y tu allan i'r teulu yn ddrutach o lawer, ac yn aml yn llai effeithiol

---

term allweddol

Swyddogaethau'r teulu

y pethau hynny mae'r teulu yn gwneud er mwyn ei aelodau

---

termau allweddol

Diwylliant

y dull o fyw, iaith ac ymddygiad sy'n dderbyniol ac yn briodol i'r gymdeithas y mae person yn byw ynddi

Gwerthoedd

credoau bod rhai pethau'n bwysig, ac y dylid eu gwerthfawrogi, er enghraifft hawl person i'w eiddo ei hun

Norm

sgil datblygiadol a gyflawnir o fewn graddfa amser cyfartalog

---

Cefnogaeth emosiynol a chymdeithasol

Mae teuluoedd yn cyflawni rôl bwysig iawn. Maent yn rhoi enw i'r baban a'i safle gyntaf mewn cymdeithas. (Pan glywn am faban a adawyd, ar unwaith rydym yn dechrau dyfalu pwy yw'r baban ac o ble mae'n dod.) Mae'r teulu'n rhoi hunaniaeth i'r plentyn, synnwyr o berthyn a theimlad ei fod yn cael ei werthfawrogi.

Mae teulu yn gallu rhoi'r teimlad positif o gael ei werthfawrogi i blentyn, teimlad sy'n sylfaenol (a phwysig iawn) ar gyfer datblygu'n iach yn emosiynol. Mae'n cwrdd ag angen sylfaenol am gariad ac anwyldeb, cwmni a diogelwch. Wrth fyw bywydau prysur a llawn, mae pobl yn llai tebygol o ddod o hyd i'r gefnogaeth hwn y tu allan i'w teuluoedd, lle gweneir cysylltiadau llai personol. Fel rheol, o fewn y DU bydd plant sy'n colli eu teuluoedd yn derbyn gofal maeth neu'n cael eu mabwysiadu (hynny yw, o fewn teulu gwahanol). Gwneir hyn oherwydd credir bod bywyd teuluol yn bwysig iawn i sicrhau lles emosiynol a chymdeithasol.

Cefnogaeth economaidd

Mae maint y gefnogaeth economaidd a gynigir gan deuluoedd yn amrywio o un diwylliant i'r llall. Mae'r teulu'n uned economaidd o hyd, ar sawl ystyr. Fodd bynnag, o fewn y DU a gwledydd Ewropeaidd eraill, nid yw aelodau'r teulu'n dibynnu ar ei gilydd bellach er mwyn gallu goroesi. Erbyn hyn mae'r wladwriaeth yn darparu rhwyd ddiogelwch economaidd, er enghraifft drwy gynnig budd-daliadau nawdd cymdeithasol, sy'n atal y newyn a'r angen mawr a brofwyd gan bobl yn y gorffennol pan oeddent yn dibynnu ar eu teuluoedd.

Gwirio'ch cynnydd

Beth yw gwerth a beth yw norm?

Beth yw prif swyddogaethau'r teulu?

Strwythur y teulu

Er bod llawer o nodweddion tebyg rhwng teuluoedd, maent yn amrywio'n fawr o ran eu strwythur a'u maint. Mae'r gwahaniaethau hyn yn gallu dylanwadu'n fawr ar y ffordd mae teuluoedd yn cyflawni eu swyddogaethau, ac felly ar fywydau'r plant.

Y TEULU CNEWYLLOL GYDA DAU RIANT

Ystyr **teulu cnewyllol** yw grŵp teuluol lle mae'r rhieni yn byw gyda'u plant ac yn ffurfio grŵp bach. Nid oes aelodau eraill o'r teulu'n byw gyda hwy nac yn agos iddynt. Mae'r math hwn o deulu wedi dod yn fwyfwy cyffredin o fewn cymdeithasau modern fel y DU, lle mae llawer o bobl yn symud er mwyn cael gwaith neu addysg ac yn gadael eu **teulu dechreuadol** (hynny yw, y teulu y mae rhywun yn cael ei eni i mewn iddo).

Mewn gwledydd lle mae economi amaethyddol yn bodoli ac mae pobl yn gweithio ar y tir, maent yn llawer mwy tebygol o aros yn ymyl eu teulu dechreuadol.

Amrywiadau cymdeithasol a diwylliannol o fewn teuluoedd cnewyllol

Mae teuluoedd cnewyllol yn fwy cyffredin mewn **grwpiau economaidd cymdeithasol** uwch, hynny yw ymhlith y rhai a gyflogir mewn swyddi rheoli, gweinyddol a phroffesiynol (megis rheolwyr busnes, athrawon neu gyfreithwyr).

term allweddol

Grŵp economaidd gymdeithasol

grwpio pobl yn ôl eu statws mewn cymdeithas, yn seiliedig ar eu galwedigaeth, a gysylltir yn agos â'u cyfoeth/incwm; ffordd arall o gyfeirio at ddosbarth cymdeithasol person

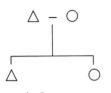

△ Gwryw

○ Benyw

Enghraifft o deulu cnewyllol

Mae'r teuluoedd hyn yn fwy tebygol o symud o amgylch yn ddaearyddol er mwyn cael addysg a gwaith. Mae gwneud hyn yn fwy ystyrlon a phosibl am eu bod yn gallu ennill mwy o arian. Mewn rhai teuluoedd cnewyllol, mae'r rhieni wedi datblygu system o rannu cyfrifoldebau teuluol. Gelwir hyn yn *system ddemocrataidd*, am fod y naill bartner a'r llall yn rhannu ennill cyflog, gofal plant a swyddi domestig.

Bywyd o fewn teulu cnewyllol

Gall plant sy'n tyfu i fyny o fewn teulu cnewyllol:

- brofi perthnasau agos o fewn y teulu
- derbyn llawer o sylw unigol
- cael mwy o ofod a phreifatrwydd.

Fodd bynnag, gallent:

- deimlo'n ynysig
- derbyn gormod o sylw gan rieni
- bod â llai o bobl y gallent droi atynt ar adeg o dyndra
- dioddef os nad oes gan y rhieni gyfundrefn gefnogi a all eu cynnal pan fyddant yn sâl neu mewn angen.

Y TEULU CNEWYLLOL GYDA PHRIF OFALWR UNIGOL

Defnyddir y termau 'teulu un-rhiant' neu 'teulu rhiant unigol', yn ogystal, i ddisgrifio teuluoedd gyda phlant dibynnol a arweinir gan brif ofalwr unigol; o blith y gofalwyr hyn, mae tua 10 y cant yn ddynion a 90 y cant yn wragedd. O blith y gwragedd, mae tua 60 y cant wedi'u hysgaru neu wedi gwahanu, 23 y cant yn sengl a 7 y cant yn wragedd gweddw.

Amrywiadau cymdeithasol a diwylliannol mewn teuluoedd un-rhiant

Mae nifer cynyddol o blant y DU (un ym mhob wyth) yn cael eu geni i famau dibriod. Mae incwm y mwyafrif o rieni unigol yn llai na'r mwyafrif o deuluoedd dau riant. Mae llawer yn derbyn budd-daliadau'r wladwriaeth ac mae eu dull o fyw yn newid am nad oes llawer o arian ar gael ar gyfer moethau. Yn ogystal, mae rhieni unigol a'u plant yn wynebu anawsterau pan fydd problemau'n codi, er enghraifft salwch, os nad oes ganddynt deulu estynedig yn ymyl i'w cefnogi. Mae'r cyhoeddusrwydd a roddir i'r Asiantaeth Cynnal Plant wedi canolbwyntio sylw ar ymdrechion y llywodraeth i sicrhau bod tadau'n fwy cyfrifol yn ariannol am eu teuluoedd yn dilyn gwahaniad.

Dim ond lleiafswm o rieni unigol sy'n ennill digon o arian i allu talu am ofal dydd i'w plant iau. Mae'r mwyafrif o famau unigol yn llai tebygol o weithio na'r rhai sydd â phartneriaid. Fodd bynnag, erbyn hyn mae gan y llywodraeth bolisi clir i'w cynorthwyo gyda'u costau gofal plant, a'u hannog i beidio â dibynnu ar fudd-daliadau lles. Mae'r mwyafrif o rieni unigol wedi eu hysgaru neu wahanu; mae llai ohonynt yn rhieni sengl. Mae cyfran uchel yn perthyn i'r grwpiau cymdeithasol economaidd is.

Er bod llawer o gyplau priod yn y gymuned Affricanaidd-Caribiaidd, mae traddodiad o rieni sengl yn bodoli hefyd. Roedd hyn yn un o ganlyniadau caethwasiaeth yn y Caribî, lle gwaharddwyd y tadau rhag magu plant. Mae cyfraddau diweithdra wedi hynny, yn India'r Gorllewin a'r DU, wedi peri bod y traddodiad hwn o ddiffyg ymyrraeth y tadau wedi parhau. Mae llawer o deuluoedd Affricanaidd-Caribiaidd , felly, yn tueddu i fod yn **fatriarchaidd**, lle mae gwragedd yn bwysig ac yn ddominyddol.

term allweddol

Teulu matriarchaidd

teulu lle mae'r gwragedd yn bwysig ac yn ddominyddol

Bywyd mewn teulu un-rhiant

Mae'n bosibl y bydd plant sy'n tyfu i fyny mewn teuluoedd un-rhiant:

- yn sefydlu perthynas agos, cydgefnogol gyda'r rhiant
- yn cynnal perthynas agos gyda'r rhiant arall a'i deulu/theulu.

Fodd bynnag, mae'n bosibl hefyd y byddant:

- wedi profi cyfnod o alar a cholled pan wahanodd eu rhieni
- yn colli cysylltiad â'r rhiant arall
- yn profi safonau materol is na phlant o deuluoedd dau riant
- yn derbyn llai o sylw gan oedolion ar adegau pan fydd eu rhiant yn ceisio ymdopi ag anawsterau ymarferol ac emosiynol.

Y TEULU ESTYNEDIG

term allweddol

Teulu estynedig

grŵp teuluol sy'n cynnwys aelodau eraill o'r teulu sy'n byw naill ai gyda'i gilydd neu'n agos iawn i'w gilydd ac sy'n cysylltu â'i gilydd yn aml

Mae **teulu estynedig** yn ymestyn y tu hwnt i riant/rieni a phlant i gynnwys aelodau eraill o'r teulu, er enghraifft mam-guod a thad-cuod, ewythrod a modrybedd. Fel rheol, dywedir bod teulu'n estynedig os bydd ei aelodau:

- yn byw gyda'i gilydd neu'n agos iawn i'w gilydd
- yn cysylltu â'i gilydd yn aml.

Mae llawer o bobl sy'n byw yn bell oddi wrth eu perthnasau yn derbyn llawer o gefnogaeth emosiynol ganddynt, ond mae pellter yn peri na all deulu estynedig agos gynnig llawer o gefnogaeth ymarferol. Pan fydd teulu estynedig yn cynnwys dim ond dwy genhedlaeth o berthnasau megis ewythrod, modrybedd a chefndryd, fe'i gelwir yn *deulu ar y cyd*.

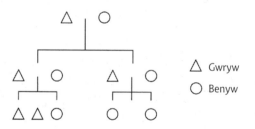

Enghraifft o deulu estynedig

Amrywiadau cymdeithasol a diwylliannol o fewn teuluoedd estynedig

Mae pobl o fewn grwpiau cymdeithasol economaidd is sy'n gwneud gwaith lled fedrus neu waith llaw yn llai tueddol o symud i ffwrdd o'u hardal i chwilio am waith neu addysg. Mae hyn yn golygu eu bod yn fwy tebygol o fod yn rhan o gyfundrefn

term allweddol

Teulu patriarchaidd

teulu lle mae'r dynion yn dominyddu ac yn gwneud y penderfyniadau pwysig

deuluol estynedig hir-sefydledig. Mae hyn yn amlwg o fewn teuluoedd gwyn, dosbarth gweithiol lle ceir traddodiad o wragedd yn aros yn agos at eu mamau a lle mae cyfundrefn fatriarchaidd yn gyffredin. Mae'n debyg y bydd rolau'r teulu wedi'u rhannu, gyda'r dynion yn draddodiadol yn ennill cyflog a'r gwragedd yn gofalu am y cartref, er eu bod o bosibl yn gweithio rhan neu lawn amser y tu allan i'r cartref.

Mae teuluoedd a ddaeth yn wreiddiol o India, Pacistan a Bangladesh wedi cynnal traddodiad o fyw mewn teuluoedd estynedig agos. Daeth llawer o ardaloedd gwledig lle'r oedd hyn yn draddodiadol. Roedd eu cefndir diwylliannol a chrefyddol hefyd yn rhoi pwyslais mawr ar y ddyletswydd a'r cyfrifoldeb i ofalu am bob cenhedlaeth o'r teulu. Mae'r teuluoedd estynedig hyn fel rheol yn **batriarchaidd**, lle mae'r dynion

yn dominyddu ac yn gwneud y penderfyniadau pwysig. Wrth briodi, mae gwraig yn dod yn rhan o deulu ei gŵr ac fel rheol yn byw gyda nhw neu yn agos iddynt.

Mae gan deuluoedd sy'n dod o wledydd Canoldirol, megis Cyprus a'r Eidal, draddodiad o deuluoedd estynedig hefyd. Yn aml bydd aelodau'r teulu'n cyfarfod i ddathlu. Mae merched yn tueddu i gadw cysylltiad agos â'u mamau ar ôl priodi, ond mae gan y dyn lawer o awdurdod o fewn y teulu.

Bywyd o fewn teulu estynedig

Mae plant sy'n byw o fewn teulu estynedig:

- yn cael cyfle i ddatblygu a phrofi amrywiaeth eang o berthnasau gofalgar
- yn cael eu hamgylchynu gan rwydwaith o gefnogaeth ymarferol ac emosiynol.

Fodd bynnag, mae'n bosibl y byddant yn teimlo:

- diffyg gofod personol neu breifatrwydd
- bod nifer mawr o bobl yn eu gwylio a bod rhaid iddynt eu plesio
- bod ganddynt lai o gyfle i fentro a gweithredu ar eu pen eu hunain.

Mae teulu estynedig yn galluogi plant i ddatblygu amrywiaeth o berthnasau gofalgar

Y TEULU AD-DREFNIEDIG

Mae'r teulu ad-drefniedig neu adluniedig, yn gyfundrefn deuluol a welir yn amlach o hyd, gan fod nifer cynyddol o rieni'n ysgaru ac yn ail-briodi. Mae teulu ad-drefniedig yn cynnwys oedolion a phlant a fu unwaith yn rhan o deulu gwahanol. Fel rheol, bydd plant y bartneriaeth wreiddiol yn byw gydag un rhiant, yn llysblant i'r partner newydd ac yn llyschwiorydd neu lysfrodyr i blant y partner newydd. Bydd plant a aned i'r partneriaid newydd yn hanner-chwiorydd neu hanner-frodyr. Mae teuluoedd o'r fath yn amrywio o ran eu maint a'u strwythur, ac yn gallu bod yn weddol gymhleth!

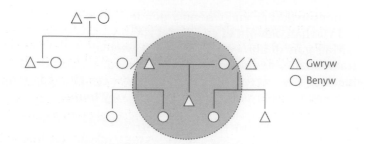

Enghraifft o deulu
ad-drefniedig

△ Gwryw
○ Benyw

Amrywiadau cymdeithasol a diwylliannol o fewn teuluoedd ad-drefniedig

Mae teuluoedd ad-drefniedig yn fwy cyffredin ymhlith pobl sy'n derbyn ysgariad. Gall hyn gynnwys pobl heb gredoau crefyddol neu Gristnogion Protestannaidd. Nid yw Mwslimiaid yn gwahardd ysgaru, ond maent wedi'u hymrwymo i fywyd teuluol ac nid yw ysgaru mor gyffredin.

Mae teuluoedd ad-drefniedig yn llai cyffredin ymhlith pobl sy'n credu'n gryf yn y teulu ac sydd yn erbyn ysgaru, fel rheol am fod eu hathrawiaethau crefyddol yn ei erbyn. Mae'r rhain yn cynnwys Hindŵiaid, Sikhiaid a Phabyddion sy'n credu bod priodas yn sanctaidd ac na ddylid ei diddymu.

Bywyd o fewn teulu ad-drefniedig

Gall hwn fod yn brofiad positif i blentyn am fod:

- eu rhiant o bosibl yn hapusach, yn fwy sicr ac yn berchen ar fwy o adnoddau ariannol

- y plentyn yn ennill rhiant ac o bosibl teulu estynedig.

Fodd bynnag, mae'n bosibl y byddant yn:

- cael anhawster wrth ymwneud â'r llys-riant a'r llysfrodyr a llyschwiorydd

- gorfod cystadlu â phlant eu hoedran hwy am sylw

- teimlo eu bod yn derbyn llai o sylw am eu bod yn gorfod rhannu eu rhiant

- gorfod derbyn genedigaeth plant newydd o ganlyniad i berthynas newydd eu rhieni.

Gwirio'ch cynnydd

Beth yw teulu cnewyllol?

Beth yw teulu estynedig?

Beth yw teulu ad-drefniedig?

Pam fod nifer cynyddol o deuluoedd ad-drefniedig yn bodoli?

TREFNU PARTNERIAETH

Mae oedolion yn trefnu partneriaethau mewn amryw ffordd. O ganlyniad, ceir gwahanol drefniadau gofal i blant.

Mae trefniadau rhwng partneriaid yn cynnwys y canlynol:

- *Monogami* – priodas rhwng partneriaid heterorywiol (un partner o'r naill ryw a'r llall): mae hyn yn parhau'n boblogaidd yn y DU, er bod y gyfradd briodi wedi dirywio ers y 1960au.

- *Amlwreiciaeth* – priodas person o un rhyw (dyn fel rheol) â nifer o bobl eraill (gwragedd fel rheol) ar yr un pryd; mae'r trefniant yn anghyfreithiol yn y DU, lle gelwir ef yn ddwywreiciaeth. Bu'n gyffredin iawn mewn gwledydd eraill, yn enwedig y rhai hynny lle ceir diwylliannau Mwslimaidd.

- *Monogami gyfresol* – term a ddefnyddir i ddisgrifio un person o'r naill ryw neu'r llall gydag un partner, ac yna un arall, dros gyfnod o amser, gyda phob perthynas yn gorffen gyda gwahaniad neu ysgariad.

- *Cyd-fyw* – partneriaid yn byw gyda'i gilydd heb selio hynny'n gyfreithlon â phriodas; mae hyn yn fwyfwy cyffredin yn y DU, lle mae tua 30 y cant o bartneriaid yn cyd-fyw.

- *Partneriaethau cyfunrywiol* – yn enwedig rhwng gwragedd, derbynnir bod partneriaethau o'r fath yn cynnig sail dderbyniol ar gyfer magu plant. Mor ddiweddar â'r 1980au, byddai gwragedd a adawai eu gwŷr er mwyn gwraig arall yn colli cystodaeth eu plant; ystyriwyd bod trefniant o'r fath yn anaddas. Ym Mehefin 1994, am y tro cyntaf daeth dwy wraig lesbiaidd o Fanceinion yn gyd-rieni cyfreithiol i blentyn un ohonynt. Digwyddodd hyn o ganlyniad i'r Ddeddf Plant 1989 am ei fod yn caniatáu i grŵp o bobl rannu cyfrifoldeb rhiant. Mae pob darn o ymchwil a wnaed ers y 1960au yn dangos nad oes gwahaniaethau yn natblygiad cymdeithasol ac emosiynol plant partneriaethau lesbiaidd a heterorywiol, na gwahaniaethau yn eu tueddfryd rhywiol.

Astudiaeth achos …

… bywyd teuluol

Priododd Mr a Mrs Jones 26 mlynedd yn ôl. Mae ganddynt dri o blant, Siân, Rhys a Branwen. Ysgarodd Siân â'i gŵr ac erbyn hyn mae hi'n byw gyda'i phartner newydd mewn tŷ yn yr un stryd â'i rhieni ac yn eu gweld nhw'n aml. Mae ganddi ddwy ferch, ac mae ganddo yntau un mab, ac mae pawb yn byw yn yr un tŷ. Mae cyn-ŵr Siân wedi ailbriodi, ac mae ganddo un mab newydd, sy'n faban. Mae Rhys wedi priodi hefyd, â gwraig sy'n fam ond na fu'n briod o'r blaen; mae ganddynt un mab, ond maent yn byw milltiroedd i ffwrdd. Mae Branwen yn byw yn yr ardal leol gyda'i phartner benywaidd a'u dwy ferch, a aned o ganlyniad i berthnasau o'r gorffennol a ddaeth i ben gydag ysgariad.

1. *Pa aelodau teuluol sydd mewn priodas fonogamaidd?*

2. *Faint o'r priodasau gwreiddiol a ddaeth i ben gydag ysgariad?*

3. *Pa bobl sy'n byw fel rhan o deulu estynedig?*

4. *A oes unrhyw rai o'r bobl uchod nad ydynt yn byw mewn teulu?*

5. *Tynnwch lun coeden deuluol a cheisiwch gynnwys yr holl bobl hyn!*

Bywyd, gofal a diogelwch y teulu: y dewisiadau eraill

Yn y gorffennol a heddiw, y teulu yw'r cefndir mwyaf arferol ar gyfer magu plant, yn y DU ac mewn gwledydd eraill. Mae'n debyg mai'r teulu yw'r trefniant fwyaf cyffredin ar gyfer gofal plant am mai dyma'r ffordd fwyaf ymarferol o gwrdd ag anghenion plant a rhieni fel ei gilydd. Fodd bynnag, mae rhai amgylchiadau a lleoedd lle ystyriwyd bod dewisiadau eraill yn lle bywyd teuluol yn angenrheidiol neu'n well.

Y DEWISIADAU ERAILL I FYWYD TEULUOL

Mae'r rhain yn cynnwys cartrefi plant, comiwnau a chibwtsau.

Cartrefi plant

Roedd cartrefi mawr i blant, a elwid weithiau yn gartrefi plant amddifaid, yn bodoli flynyddoedd yn ôl yn y DU. Mewn grwpiau mawr, gofalwyd am blant a oedd wedi colli eu rhieni oherwydd marwolaeth neu a oedd yn methu gofalu amdanynt. Ni ddarperir y math hwn o gartref plant sefydliadol at y pwrpas hwn yn y DU bellach. Lle bo galw, gofalir am blant yn bennaf mewn cartrefi maeth neu unedau preswyl bach. Ailgynlluniwyd rhai cartrefi mawr i blant er mwyn darparu gofal seibiant (a elwir erbyn hyn yn 'doriadau tymor byr') o fewn unedau bach i blant gydag anghenion arbennig. Fodd bynnag, mae sefydliadau mawr yn dal i fodoli mewn rhai rhannau o Ewrop, yn enwedig yn rhai o'r gwledydd gyn-Gomiwnyddol, lle gadewir rhai plant o deuluoedd tlawd, plant anabl a phlant amddifaid dan ofal y wladwriaeth, fel y digwyddai ar un adeg yn y DU.

Comiwnau

Weithiau mae pobl yn cyd-fyw mewn comiwnau. Mae oedolion yn rhannu tasgau ac yn magu eu plant gyda'i gilydd. Roedd y trefniant hwn yn boblogaidd ymhlith lleiafrif o bobl yn y 1960au a'r 1970au yn UDA a'r DU.

Cibwtsau

Mae rhai pobl yn Israel yn byw mewn cibwtsau. Mewn cibwts, mae pobl yn byw ac yn gweithio gyda'i gilydd er budd economaidd y gymuned gyfan. Gofalir am blant gyda'i gilydd, mewn unedau ar wahân i'w rhieni, gan adael y rhieni yn rhydd i ddefnyddio'u hamser a'u hegni ar gyfer gwaith. Mae'r gyfundrefn hon yn parhau i fodoli ond erbyn hyn gwneir addasiadau yn aml o ran gwahanu'r plant a'r rhieni.

Gwirio'ch cynnydd

Pam mai'r teulu yw'r amgylchedd mwyaf cyffredin o ran gofal plant?

Beth yw'r prif resymau dros y ffaith fod plant wedi derbyn, ac yn parhau i dderbyn, gofal mewn sefydliadau?

Ble mae sefydliadau mawr yn bodoli o hyd?

Beth yw cibwts?

Patrymau newidiol bywyd a rolau teuluol

MAINT A ROLAU'R TEULU

O safbwynt niferoedd cyfraddol, mae llai na dau o blant i bob teulu yn y DU erbyn hyn. Yn raddol mae'r nifer hwn wedi lleihau oddi ar ganol y 19eg ganrif, pan oedd tua chwe phlentyn ym mhob teulu. Dyma'r rhesymau pwysicaf dros y newid hwn:

- mae'n rhwyddach cael gafael ar atalwyr cenhedlu ac erthylu cyfreithiol
- safonau byw uwch, ynghyd â'r ffaith bod cynnal plant yn gostus, a'u bod yn dechrau gweithio'n hwyrach na phlant y gorffennol
- newidiadau yn rolau, agweddau a disgwyliadau merched; ym marn llawer o

ferched, dim ond *rhan* o'u bywydau yw magu plant, ac maent yn awyddus i wneud pethau eraill hefyd. Er bod gan y teulu cyffredin ddau o blant, mae teuluoedd mwy o faint yn bodoli, wrth gwrs. Mae ymchwil yn dangos nad yw eu cyfleoedd mewn bywyd, ar y cyfan, gystal â phlant o deuluoedd bach.

Mae llawer o blant yn tyfu i fyny'n unig blentyn. Mae'r plant hyn yn fwy llwyddiannus, ond mae'n bosibl y bydd ganddynt anfanteision cymdeithasol.

ROLAU RHYW NEWIDIOL O FEWN Y TEULU

Mae tystiolaeth yn dangos bod y rôl draddodiadol wrywaidd o 'ddarparu ac ennill cyflog' a rôl y ferch o 'roi gofal a chreu cartref' wedi newid mewn teuluoedd ar draws ystod o grwpiau cymdeithasol a diwylliannol yn y DU. Mae dynion yn cymryd mwy o ran o hyd mewn gofalu am eu plant bach, ac mae merched yn fwy tueddol o weithio y tu allan i'r cartref. Mae ymchwil yn dangos, fodd bynnag, bod gan ferched y prif gyfrifoldeb o hyd dros wneud neu drefnu gwaith tŷ, beth bynnag fo'u cefndir cymdeithasol neu ddiwylliannol.

Merched a chyflogaeth

Mae ymron i hanner gweithlu'r DU yn ferched. Er bod nifer cynyddol o ferched gyda phlant dibynnol yn gweithio y tu allan i'r cartref, po ieuenga'r plant, lleiaf tebygol y mae'r fam o weithio naill ai llawn amser neu ran amser. Mae'r cynnydd mewn darpariaeth gofal plant fforddadwy ar gyfer plant ifainc yn golygu bod mwy a mwy o famau'n gweithio, ac mae'r llywodraeth yn annog hyn drwy gefnogi ehangiad gofal plant. Mewn rhai gwledydd Ewropeaidd, mae lefel ddarpariaeth uwch o lawer yn bodoli, a chyfran uwch o lawer o famau'n gweithio y tu allan i'r cartref.

Rhieni sy'n gweithio

Pan fydd dau riant â phlentyn ifanc yn gweithio y tu allan i'r cartref, rhaid iddynt wneud trefniadau ar gyfer gofal eu plant. O ganlyniad i'r galw hwn a hefyd mentrau'r llywodraeth, mae mwy o ddewis o hyd o amryw fathau o ofal dydd. Mae ymchwil yn dangos y gellir cwrdd ag anghenion plant yn ddigonol os derbyniant ofal dydd da.

Gellir cwrdd ag anghenion plant yn ddigonol os derbyniant ofal dydd da

Astudiaeth achos ...

... newid rolau teuluol

Mae Wenna'n briod â Dylan ac mae ganddynt faban, Cadi, sy'n 9 mis oed. Mae Cadi wedi bod yn mynd i feithrinfa ddydd bum niwrnod yr wythnos ers cyrraedd 6 mis oed, pan ddychwelodd ei mam i weithio llawn amser fel fferyllydd. Mae Wenna a Dylan yn rhannu pob tasg yn y cartref, gan gynnwys gofalu am Cadi, siopa a choginio. Mae Mair, mam Dylan, yn ymweld weithiau ac yn rhoi help llaw, ond mae hi wedi bod yn gweithio llawn amser ers deng mlynedd ac felly nid oes ganddi lawer o amser hyd yn oed i wneud ei gwaith tŷ ei hunan, er ei bod yn cyflogi glanhawr. Mae hi'n pryderu ychydig am ffordd o fyw ei mab a'i merch-yng-nghyfraith, ac yn eu hatgoffa'n aml o ba mor wahanol oedd bywyd pan oeddent yn blant. Mae Wenna'n cythruddo rywfaint pan fydd Mair yn eu hatgoffa ei bod hi wedi rhoi'r gorau i'w gwaith pan oedd ei phlant yn ifanc ac wedi dychwelyd i weithio rhan-amser dim ond pan oeddent yn ddigon hen i fynd i'r ysgol. Fodd bynnag, mae tad-cu Wenna'n mynegi teimladau cryf ynglŷn â dull ei wyres o fyw ei bywyd. Mae'n cofio'r adeg pan roddodd ei fam y gorau i weithio a throi'n wraig tŷ ar ôl priodi. Pan fydd Wenna, yn ei dicter, yn gofyn 'I beth?', mae'n ateb, 'I ofalu amdana' i, dyna pam. Ro'n i'n mynd allan yn gynnar ac roedd rhaid iddi hi fod yno i goginio fy mrecwast i'. Penderfynodd Wenna ymatal rhag ymateb i hyn, gan ei fod mor wahanol i'w phrofiadau hi!

1. Beth yw'r prif newidiadau amlwg mewn arferion gofal plant dros y tair cenhedlaeth?

2. Sut mae'r tair cenhedlaeth yn amlygu'r newid yn rôl merched a gwaith cyflogedig?

3. Pa newidiadau sy'n amlwg yn rolau teuluol dynion a merched?

4. Pam fod Wenna wedi penderfynu ymatal rhag ymateb i ddatganiad ei thad-cu, yn eich barn chi?

Gwirio'ch cynnydd

Beth yw nifer cyfartalog plant dibynnol pob teulu yn y DU?

Beth yw'r rhesymau pwysicaf dros leihad maint y teulu?

Pam fod nifer cynyddol o famau'n gweithio?

Deddfwriaeth yn ymwneud â phlant a'u teuluoedd

PRIODAS

Cytundeb cyfreithiol rhwng dau berson yw priodas. Mae'n ymrwymo partneriaid i ymddwyn yn rhesymol a chefnogi ei gilydd. Mae hefyd yn rhoi hawliau penodol i'r ddau bartner, gan gynnwys yr hawl i fyw yn y cartref priodasol a rhannu'r cyfrifoldeb dros eu plant yn gyfartal rhyngddynt. Mae'r mwyafrif o bobl y DU yn priodi o hyd, ond ceir arwyddion bod priodi'n llai poblogaidd erbyn hyn. Mae'r gyfradd priodi wedi dirywio yn ystod y degawdau diwethaf gan beri i rai pobl ragweld y gallai priodas fod yn brofiad lleiafrifol yn y 21ain ganrif.

CYD-FYW

Mae cyd-fyw (partneriaethau cyfraith gwlad) yn drefniant rhwng partneriaid sy'n cyd-fyw heb ymrwymo'n gyfreithiol drwy briodi; mae hyn yn dod yn fwy poblogaidd o hyd yn y DU, lle mae tua 30 y cant o bartneriaid yn cyd-fyw; er bod llawer yn priodi eu partneriaid yn ddiweddarach, yn enwedig ar ôl cael plant. Erbyn hyn mae'r trefniant hon yn dderbyniol ymhlith nifer o grwpiau cymdeithasol a fyddai wedi ystyried ei fod yn gywilyddus cyn hyn. Nid oes gan bob gwlad Ewropeaidd gyfradd gyd-fyw gyfuwch â'r DU; mae cyfraddau priodi uchel yn bodoli o hyd yn y gwledydd hynny lle mae traddodiadau crefyddol Pabyddol cryf. Ar y cyfan, mae gan deuluoedd o gefndir Asiaidd gyfradd briodi uchel a chyfradd cyd-fyw isel hefyd.

CHWALFA'R TEULU: GWAHANIAD AC YSGARIAD

Mae'r gyfradd ysgaru a gwahanu wedi parhau i godi yn y DU ers i'r cynnydd dramatig ddechrau ar ddechrau'r 1970au, yn dilyn deddfwriaeth ysgariad newydd. Os bydd y tueddiadau presennol yn parhau, bydd tua 40 y cant o'r priodasau sy'n digwydd ar hyn o bryd yn chwalu. Mae gan Brydain a Denmarc gyfraddau uchaf Ewrop, ond mae'r rhain yn is nag yn UDA.

Yn aml, ni sylweddolir nad yw'r gyfraith yn amddiffyn gwragedd sy'n cyd-fyw, neu 'gwragedd cyfraith gwlad' fel y'i gelwir yn aml, yn yr un ffordd â phetaent yn briod; os ceir gwahaniad, nid oes gan y llysoedd y grym i ailddosbarthu cyfoeth y dyn iddi hi, hyd yn oed os bu'n 'wraig' arbennig o dda iddo. Nid oes gan wraig a roddodd y gorau i'w gyrfa er mwyn cael a gofalu am blant hawl i fynnu unrhyw beth gan y dyn. Bydd y plant bob amser yn gallu hawlio arian cynnal plant gan eu tad ac o dan rai amgylchiadau gallant hawlio cyfalaf ar gyfer eu cartref tra'u bod yn ddibynnol. Er y gall hyn helpu'r fam i roi cartref i'w phlant ifainc, mae'n golygu y bydd hi'n ddigartref pan fyddant yn dod yn annibynnol. Gallai gwraig fod yn agored i broblemau economaidd os bydd ei pherthynas yn chwalu, yn enwedig os bydd ganddi blant ac yn rhoi'r gorau i'w gwaith i ofalu amdanynt.

Sail i ysgariad

Yr unig sail i ysgariad, yn dilyn Deddf Diwygio Ysgariad 1969 yw 'chwaliad anadferadwy' priodas. Dyma'r dystiolaeth y gellir ei defnyddio i brofi bod chwaliad wedi digwydd:

- godineb
- ymddygiad afresymol
- enciliad am gyfnod o 2 flynedd
- partneriaid yn byw ar wahân am 2 flynedd a'r ddau yn cytuno i ysgaru
- partneriaid yn byw ar wahân am 5 mlynedd.

Yn 2001, methodd ymgais i newid y gyfraith a chyflwyno 'ysgariadau difai' y gellid eu setlo mewn 3 mis drwy gytundeb.

Fel rheol mae plant yn teimlo straen o ganlyniad i chwaliad partneriaeth eu rhieni, hyd yn oed os nad ydynt yn briod o ran y gyfraith. Gall plant deimlo colled mawr, a hyd yn oed beio'u hunain.

Nid oes gan dad dibriod hawliau cyfreithiol dros ei blant yn dilyn gwahaniad, oni bai bod ganddo gyfrifoldeb rhiant.

Plant ac ysgariad – Deddf Plant 1989

Pan fydd partneriaeth yn chwalu, weithiau bydd rhieni'n anghytuno ynglŷn â lle y dylai'r plentyn fyw a pha mor aml y dylai naill riant a'r llall weld y plentyn. Mewn anghydfod o'r fath, gall rieni wneud cais i'r llys am orchmynion dan Ddeddf Plant

term allweddol

Gorchmynion Adran 8
fe'u pennir gan lys pan fydd anghydfod ynghylch pa riant y dylai'r plentyn fyw gyda hwy, gyda phwy y gallant gysylltu, a rhai o'r camau a'r penderfyniadau y gall rhieni eu gwneud yn eu cylch

1989. O ganlyniad i'r Ddeddf hon, crëwyd pedair deddf newydd i gymryd lle rhai yn ymwneud â chystodaeth a mynediad. Gelwir y rhain yn **Orchmynion Adran 8**, ac maent yn pennu, ynghyd â Gorchymyn Cymorth Teulu, gyda phwy y dylai plentyn fyw, gyda phwy y gallant gysylltu, a rhai o'r camau a'r penderfyniadau y gall rhieni eu gwneud.

Gorchmynion Adran 8 (Deddf Plant 1989)

Dyma'r pedwar Gorchymyn:

- *Gorchymyn Preswylio*, yn datgan gyda phwy y bydd y plentyn yn byw; gall hyn fod o blaid mwy nag un person, a nodi faint o amser y dylai'r plentyn ei dreulio gyda phob person

- *Gorchymyn Cyswllt*, yn gofyn i'r person y mae'r plentyn yn byw gyda hwy ganiatáu i'r plentyn fod mewn cysylltiad â'r person a enwir ar y Gorchymyn; gall rhieni, mam-guod a thad-cuod ac aelodau eraill o'r teulu wneud cais amdano os na chaniateir iddynt gysylltu â'r plentyn.

- *Gorchymyn Camau Gwaharddedig*, y gwneir cais amdano os bydd rhywun yn gwrthwynebu rhywbeth y mae rhiant yn ei wneud sy'n effeithio ar y plentyn; mae'r gorchymyn yn ceisio cyfyngu ar y ffordd mae'r person yn defnyddio'u cyfrifoldeb fel rhiant, er enghraifft, eu hawl i fynd â'r plentyn dramor.

- *Gorchymyn Mater Penodol*, sy'n anelu at ddatrys anghydfodau ynglŷn â gofal a magwraeth plentyn; gall wneud gorchymyn penodol, er enghraifft yn ymwneud ag addysgu neu driniaeth feddygol.

Mae'r *Gorchymyn Cymorth Teuluol* yn anelu at ddarparu cymorth tymor byr i deulu na all ddatrys eu hanghytundebau ynglŷn â'u plant yn dilyn gwahaniad.

Gwirio'ch cynnydd

Beth yw monogami, poligami a chyd-fyw?

Beth yw'r unig seiliau ar gyfer ysgaru?

Beth yw'r pedwar prif Orchymyn Adran 8?

Beth mae Gorchymyn Cymorth Teuluol yn ceisio'i ddarparu?

Deddfwriaeth yn ymwneud â gofal plant yn y DU

PWYSIGRWYDD DEDDF PLANT 1989

Mae Deddf Plant 1989 yn ddeddfwriaeth bwysig iawn. Roedd cyfreithiau blaenorol yn ymwneud â phlant ac a basiwyd yn ystod y 19eg a'r 20fed ganrif, yn gorgyffwrdd ac weithiau'n anghyson. Roedd hyn yn creu dryswch ac anhawster. Mae'r Ddeddf Plant yn anelu at sicrhau cysondeb ym maes amddiffyniad plant drwy ddod â deddfau blaenorol at ei gilydd a'u newid.

Ofnwyd hefyd y gellid defnyddio deddfwriaeth ddiweddar, a basiwyd cyn Deddf y Plant, heb unrhyw anhawster i gymryd hawliau a chyfrifoldebau i ffwrdd o rieni. Ystyriwyd nad oedd hyn o les i'r plant na'r rhieni. Un o brif fwriadau Deddf 1989, felly, oedd cydbwyso anghenion a hawliau plant, a chyfrifoldebau a hawliau rhieni.

HAWLIAU A CHYFRIFOLDEBAU RHIENI

Hawliau rhieni

Yn y gorffennol, roedd gan rieni hawl perchenogaeth ar eu plant. Yn ôl yr hawl hwn, a atgyfnerthwyd gan y gyfraith, gallai'r rhieni wneud yr hyn a fynnent â'u plant, fwy neu lai. Yn raddol, mae'r gyfraith wedi newid, ac erbyn hyn mae'n cyfyngu'n sylweddol ar hawliau a grym rhieni. Mae'n sicrhau bod hawliau rhieni i fagu eu plant a gwneud penderfyniadau ar eu rhan yn dibynnu ar y ffaith eu bod yn cyflawni eu dyletswyddau a'u cyfrifoldebau tuag at y plant.

Mae'r gyfraith yn rhoi'r hawl iddynt fod yn rhan o unrhyw ymholiad amddiffyn plant, cyn belled â bod hynny'n cyd-fynd â lles a diogelwch y plentyn. Er enghraifft, mae ganddynt yr hawl i fynychu cynhadledd achos. Mae ymchwil yn dangos y gellir gwneud mwy o waith pwrpasol a chreadigol gyda theuluoedd os bydd rhieni'n cymryd mwy o ran yn y broses, ond bod anghytundeb, boed hynny anghytundeb go iawn neu'n dybiedig, rhwng gweithwyr cymdeithasol a rhieni yn amharu'n fawr ar sicrhau canlyniadau positif i'r plant wedi'r ymholiad.

Cyfrifoldebau rhieni

Mae'r gyfraith yn cydnabod bod gan rieni hawliau ond bod ganddynt hefyd ddyletswyddau a chyfrifoldebau tuag at eu plant.

Mae'r Ddeddf Plant yn defnyddio'r ymadrodd 'cyfrifoldeb rhiant' i grynhoi'r casgliad o ddyletswyddau, hawliau ac awdurdod sydd gan rieni mewn perthynas â'u plant.

Egwyddor cyfrifoldeb rhiant yw egwyddor sylfaenol Deddf Plant 1989. Nid yw'r Ddeddf yn dweud yn union sut y dylai oedolion gyflawni eu cyfrifoldeb rhiant; mae'n cydnabod y gallant wneud hyn mewn amryw o ffyrdd. Mae'n pwysleisio bod gan rieni ddyletswydd i ofalu am eu plant a'u magu gyda'r nod o sicrhau 'iechyd moesol, corfforol ac emosiynol'. Dyma sut mae'r gyfraith yn gosod y lleiafswm safonau ar gyfer gofal plant ac yn sicrhau eu lles.

Mae Deddf 1989 yn cydnabod bod gan y ddau riant gyfrifoldeb dros eu plant yn ymwneud â'r canlynol:

- gofalu amdanynt a'u cynnal
- eu rheoli
- sicrhau eu bod yn derbyn addysg briodol.

Yn ogystal, mae gan rieni'r awdurdod:

- i'w disgyblu
- i'w cymryd allan o'r wlad
- i gytuno i archwiliad a thriniaeth feddygol.

Y bobl a allai arddel cyfrifoldeb rhiant dros blentyn

Mae gan bobl wahanol hawliau dros blant ar eu genedigaeth - mae gan rai pobl gyfrifoldeb rhiant yn awtomatig, ac ni fydd gan eraill y cyfrifoldeb, er y gallant ei ennill yn ystod bywyd y plentyn.

Mae gan y bobl ganlynol gyfrifoldeb rhiant awtomatig dros blentyn ar ei enedigaeth:

- gwraig a gŵr a oedd yn briod pan aned y plentyn
- rhieni sydd wedi gwahanu neu ysgaru – nid yw gwahaniad neu ysgariad yn effeithio ar gyfrifoldeb rhiant yn gyfreithiol, ond o bosibl bydd Gorchmynion Adran 8 yn nodi gyda phwy y dylai'r plentyn fyw a phwy all gysylltu â'r plentyn.
- mam ddibriod.

Mae'n bosibl y bydd y bobl ganlynol yn ennill cyfrifoldeb rhiant yn ystod bywyd y plentyn:

- tad dibriod – nid yw'n berchen ar yr hawl yn awtomatig; rhaid iddo naill ai drefnu 'cytundeb cyfrifoldeb rhiant' ffurfiol â'r fam, neu wneud cais i'r llys am orchymyn sy'n sicrhau cyfrifoldeb rhiant

- rhywun nad yw'n rhiant sy'n gwneud cais am Orchymyn Preswylio ac yn gallu dangos eu bod wedi sefydlu perthynas agos â'r plentyn, ac mewn safle i gymryd rôl rhiant, er enghraifft fel llys-dad

- pobl a ddynodir yn warcheidwaid os bydd rhieni'r plentyn yn marw

- gofalwyr, yn dilyn Gorchymyn Mabwysiadu neu Orchymyn Preswylio

- awdurdod lleol, pan fydd llys yn cyflwyno Gorchymyn Gofal neu Orchymyn Diogelu Brys.

Erbyn hyn nid yw rhieni'n colli cyfrifoldeb rhiant dros eu plant (ac eithrio pan fabwysiadir hwy, neu os bydd rhywun sydd â chyfrifoldeb rhiant yn gwneud cais i ddod â chyfrifoldeb rhiant tad dibriod i ben). Byddant yn parhau i fod yn gyfrifol, hyd yn oed os cyflwynir gorchymyn llys sy'n cymryd y plentyn i ffwrdd o'u gofal.

Astudiaeth achos …

… cyfrifoldeb rhiant

Ganed Aled pan oedd Elen, ei fam, yn 17 oed ac yn ddibriod. Ar ôl iddo gael ei eni, trefnodd Elen gytundeb cyfrifoldeb rhiant ffurfiol gyda Bedwyr, ei dad, a oedd yn 18 oed, ond collwyd y cysylltiad â Bedwyr wedi iddo symud i ffwrdd pan oedd Aled yn 1 oed.

Parhaodd Elen ac Aled i fyw gyda'i rhieni am 4 blynedd, yna priododd Elen â'i gŵr, Steffan. Erbyn hyn mae Aled yn 8 oed ac wedi bod yn byw gydag Elen a Steffan er pan oedd yn 4 oed. Mae Steffan yn awyddus, gyda bendith Elen, i gael cyfrifoldeb rhiant dros Aled, ac yn bwriadu gwneud cais am Orchymyn Preswylio er mwyn sicrhau hyn. Ar yr un pryd, mae Elen yn bwriadu gwneud cais i ddod â chyfrifoldeb rhiant Bedwyr i ben.

1. A oedd gan Elen gyfrifoldeb rhiant dros Aled pan aned ef, a pham?

2. Sut gafodd Bedwyr gyfrifoldeb rhiant dros Aled?

3. Pam ei bod hi'n debygol y bydd Steffan yn derbyn cyfrifoldeb rhiant dros Aled?

4. Pam ei bod hi'n bosibl y bydd Bedwyr yn colli cyfrifoldeb rhiant dros Aled?

Gwirio'ch cynnydd

Ym mha ffordd sylfaenol y mae hawliau rhiant wedi newid yn sylweddol yn ystod y 200 mlynedd ddiwethaf?

Beth yw rhai o ddyletswyddau a chyfrifoldebau rhieni?

Pa hawliau awtomatig sydd gan fam y plentyn, yn ôl y gyfraith?

A oes gan dad dibriod yr un hawliau?

GOFAL AWDURDOD LLEOL

Dan Ddeddf Plant 1989, mae gan awdurdodau lleol gyfrifoldeb i ddarparu ystod o wasanaethau i ddiogelu a sicrhau lles 'plant mewn angen' yn eu hardal hwy. Gallant wneud hyn drwy gynnig cyngor, cymorth a gwasanaethau i deuluoedd, gan gynnwys gofal dydd. Gallant hefyd 'ofalu am' blant drwy ddarparu llety llawn amser ar eu cyfer, neu gartrefi maeth neu gartrefi cymuned.

Plant sy'n derbyn gofal – darparu llety

Weithiau y ffordd orau y gall awdurdod lleol gynorthwyo teulu yw drwy drefnu llety i blentyn yn ôl trefniant gwirfoddol â rhieni'r plentyn. Cynigir y cymorth hwn:

- er mwyn rhoi seibiant (toriad) i'r rhieni ar ôl gofalu am blentyn y mae'n anodd gofalu amdano – gall hyn fod yn arbennig o werthfawr yn achos teuluoedd sy'n gofalu am blant gydag anableddau

- pan fydd sefyllfa'r teulu'n peri ei bod yn anodd i'r rhieni gwrdd ag anghenion y plentyn, oherwydd salwch neu broblemau teuluol difrifol.

Gall rhieni fynd â'u plant adref ar unrhyw adeg yn ystod y trefniant gwirfoddol hwn, ac fe'u hanogir i gysylltu â'r plant yn gyson.

Plant sy'n derbyn gofal – Gorchmynion Gofal

Mae awdurdodau lleol yn ceisio cadw plant a rhieni gyda'i gilydd, ac i hyrwyddo gofal plant o fewn eu teuluoedd eu hunain. Fodd bynnag, ar rai adegau gellir sicrhau lles y plentyn dim ond drwy ei symud o ofal ei deulu. I wneud hyn, rhaid i'r awdurdod lleol sicrhau gorchymyn llys. Mae'r Gorchmynion yn cynnwys:

- Gorchymyn Diogelu Brys

- Gorchymyn Asesu Plentyn

- Gorchymyn Gofal.

Fel arall, gall yr awdurdod dderbyn y grym i orfodi goruchwyliaeth y plentyn yn ei gartref. Er mwyn gwneud hyn, rhaid i'r awdurdod lleol gael:

- Gorchymyn Goruchwylio

- Gorchymyn Goruchwylio Addysg, sy'n gosod plentyn oedran ysgol dan oruchwyliaeth yr awdurdod lleol os bydd y llys yn penderfynu nad yw'r plentyn yn mynychu'r ysgol fel y dylai.

MATHAU O OFAL DIRPRWYOL

Bydd awdurdod lleol yn darparu'r math o ofal sydd fwyaf priodol ar gyfer anghenion y plentyn. Nid yw'r math o ofal a ddarperir yn gysylltiedig, o reidrwydd, â'r cwestiwn a yw'r plentyn yn derbyn llety dan gytundeb gwirfoddol, neu a yw'n destun gorchymyn llys. O bosibl bydd plant yn cael eu gosod mewn cartref maeth, cartref preswyl i blant neu, dan rai amgylchiadau, gyda mabwysiadwyr.

Gofal maeth

Mae rhieni maeth yn bobl sy'n dod o bob math o gefndir ac sy'n cael eu recriwtio gan awdurdod lleol i dderbyn plant i'w cartrefi am gyfnodau byr neu hir. Gallant fod yn sengl neu'n gyplau priod. Cânt eu cyfweld yn drwyadl i sicrhau eu bod yn addas i ofalu am blant; rhaid bod ganddynt ystod o briodweddau i allu cyflawni'r gwaith o ofalu am blant a fydd wedi cael profiadau bywyd a fydd, o bosibl, wedi effeithio ar eu hymddygiad. Mae'n bosibl hefyd y byddant yn cysylltu'n gyson â rhieni'r plant.

Wedi i'r rhieni maeth gael eu cymeradwyo, byddant yn derbyn lwfans wythnosol ar gyfer y plant sy'n aros gyda hwy. Erbyn hyn ystyrir mai gofal maeth yw'r math mwyaf priodol o ofal dirprwyol i blant na all fod gyda'u teuluoedd. Fel rheol bydd adrannau gwasanaethau cymdeithasol yr awdurdod lleol yn cynhyrchu taflenni i'r cyhoedd i'w hannog i wneud cais i fod yn rhieni maeth neu fabwysiadwyr.

Gofal preswyl

Gofal preswyl yw'r term a ddefnyddir i ddisgrifio cartrefi plant, a elwir yn aml yn *gartrefi cymuned*. Fel rheol maent yn cynnwys unedau bach, yn aml tai o fewn y gymuned. Mae gweithwyr cymdeithasol preswyl yn gweithio yno. Ar y cyfan, credir eu bod yn anaddas ar gyfer gofalu am blant ifainc, ac eithrio dan amgylchiadau arbennig, megis argyfyngau, neu os bydd eu hymddygiad yn anodd ei reoli ar y dechrau. Mae'n fwy tebygol y bydd y cartrefi hyn yn cael eu defnyddio i gynnwys plant hŷn, teuluoedd mwy o faint, neu i asesu anghenion datblygiadol plant.

Mabwysiadu

Mae mabwysiadu yn broses gyfreithiol, ac yn ôl y broses hwn mae un set o rieni'n ildio hawliau a chyfrifoldebau rhiant a set arall o rieni yn eu derbyn. Rhaid trefnu mabwysiad drwy gyfrwng asiantaeth fabwysiadu cydnabyddedig a gorchymyn a roddwyd gan lys. Rhaid i bob awdurdod lleol gynnig gwasanaeth mabwysiadu. Mae mabwysiadwyr yn dilyn yr un broses cyfweld a dewis â rhieni maeth. Yn ystod y blynyddoedd diwethaf dirywiodd nifer y babanod a roddwyd ar gyfer eu mabwysiadu, o 2,649 yn 1979 i 895 yn 1991. Mae llawer o blant hŷn yn cael eu mabwysiadu erbyn hyn. Mae gan blant yr hawl i fynegi eu dymuniadau mewn gwrandawiad mabwysiadu. Mae tueddiad erbyn hyn tuag at fabwysiad agored, lle cedwir rhyw fath o gysylltiad rhwng y plentyn a'i rieni biolegol neu berthnasau. Yn ogystal, ystyrir yr angen i osod plant mewn teuluoedd o'r un tarddiad ethnig.

Gwirio'ch cynnydd

Pryd allai plentyn 'dderbyn gofal' gan awdurdod lleol?

Sut y gellid symud plentyn drwy orfodaeth o'i gartref?

Pam fod gofal maeth yn cael ei weld fel y math mwyaf priodol o ofal dirprwyol i blant ifanc?

Ar gyfer pwy y mae lletŷ preswyl fwyaf tebygol o gael ei ddarparu?

Beth yw mabwysiadu ac o dan ba amgylchiadau y gallai mabwysiadu fod yn fwy addas ar gyfer plentyn na gofal maeth tymor hir?

Gweithio gyda phlant a'u teuluoedd

ARFER DA I WEITHWYR GOFAL PLANT

Mae rhai pwyntiau pwysig y dylai unrhyw un sy'n gweithio gyda phlant a'u teuluoedd eu cofio:

- Mae'r teulu yn ffurfio calon bywyd pob plentyn.
- Mae plant yn dod o amrywiol fathau a strwythurau teuluol.
- Mae teulu pob plentyn yn bwysig ac yn ystyrlon i'r plentyn hwnnw.
- Bydd rhai plant yn derbyn gofal o fewn teuluoedd dirprwyol neu sefydliadau.

● Rydym yn tueddu i fod yn hunan-ganolog iawn yn ein barn am deuluoedd, gan ystyried bod ein teulu ein hunain yn 'normal'.

GWELLA YMARFER GWEITHIO

● Ceisiwch wella'ch ymwybyddiaeth a dealltwriaeth o wahanol batrymau teuluol. Gallwch wneud hyn drwy wylio'r bobl o'ch amgylch, siarad â hwy, darllen llyfrau ac erthyglau, gwylio rhaglenni teledu, ffilmiau a fideos. Mae'n bwysig bod yn agored ac yn barod i ddysgu.

● Byddwch yn ymwybodol o'r darpariaethau gwahanol a geir o fewn y gymuned ar gyfer gofal plant.

● Lle bo hynny'n briodol, dysgwch am amgylchiadau teuluol pob plentyn dan eich gofal. Cofiwch fod cyfrinachedd yn hanfodol, o ran yr hyn a ddywedwch wrth eraill a'r ffordd yr ydych yn cadw cofnodion.

● Aseswch anghenion unigol pob plentyn. Dyma'r unig ffordd i sicrhau cyfle cyfartal i bob plentyn. Mae pobl sy'n honni eu bod yn 'trin pob plentyn yr un fath' yn gwrthod cydraddoldeb i blant drwy beidio â chydnabod a darparu ar gyfer eu gwahaniaethau a'u hanghenion penodol.

● Cynlluniwch y ffordd orau o gwrdd ag anghenion unigol plant a darparu sylw, gofal a symbyliad priodol.

Gwirio'ch cynnydd

Pam fod ein golwg ar deuluoedd yn tueddu i fod yn hunan ganolog?

Sut all gweithwyr gynyddu eu dealltwriaeth o wahanol fathau o deuluoedd?

Ym mha ffordd y gall gweithiwr gwrdd ag anghenion unigol plant orau?

Nawr rhowch gynnig ar y cwestiynau hyn

Beth yw'r gwahaniaethau mwyaf arwyddocaol rhwng profiad bywyd plentyn o fewn teulu cnewyllol, estynedig neu ad-drefniedig?

Pam fod newidiadau mewn rolau, agweddau a disgwyliadau merched wedi bod yn un o'r rhesymau dros leihad yn nifer y plant o fewn teulu cyffredin?

Beth allai anghenion penodol plant unigol a phlant o deuluoedd mawr fod pan ddechreuant fynd i'r feithrinfa?

Beth yw'r gwahaniaethau rhwng y tasgau mae dynion a merched yn eu cyflawni o'u cymharu â rhai'r gorffennol?

Beth ddylai gofal dydd dirprwyol da ddarparu er mwyn cwrdd ag anghenion datblygiadol cyffredinol plant ifainc?

MATERION CYMDEITHASOL

Mae llawer o bethau yn effeithio ar y ffordd mae unigolion a theuluoedd yn byw ac yn profi bywyd. Mae rhai o'r pethau hyn yn faterion personol sy'n ymwneud â'u hiechyd, eu deallusrwydd a'u personoliaeth, ond mae eraill yn faterion cymdeithasol a ddylanwadwyd gan eu haddysg, eu cyfoeth a'u safle mewn cymdeithas. Mae pawb yn profi straen yn eu bywydau, ond mae gan bobl adnoddau ymarferol, emosiynol a chymdeithasol gwahanol i ddelio â'r pwysau hyn. Gall hyn esbonio i raddau pam fod pobl yn ymateb i broblemau yn wahanol i'w gilydd a pham fod rhai pobl yn gallu darparu amgylchedd da i'w plant er gwaethaf unrhyw bwysau arnynt, tra bod eraill yn cael mwy o anhawster gwneud hynny.

Bydd y rhan hon yn ymdrin â'r pynciau canlynol:

- beth yw cymdeithas?

- polisi economaidd a chymdeithasol – y fframwaith cyfreithiol

- effeithiau amddifadiad cymdeithasol ac economaidd.

Beth yw cymdeithas?

Yn ôl datganiad Margaret Thatcher, a wnaed yn 1987 pan oedd hi'n brif weinidog y DU: 'Nid yw cymdeithas yn bod. Mae 'na ddynion a merched unigol, ac mae 'na deuluoedd.' Mae llawer o bobl wedi gwneud sylwadau am y datganiad hwn ers hynny.

Mae llawer o bobl, fodd bynnag, yn credu bod cymdeithas yn bodoli. Maent yn sylwi nad yw unigolion a theuluoedd yn byw ar wahân i'w gilydd, ond yn rhan o gymdeithas ac yn cael eu heffeithio'n fawr gan eu hamgylchedd cymdeithasol a chyfreithiol.

Gellir disgrifio cymdeithas fel nifer o bobl yn byw gyda'i gilydd o fewn fframwaith o gyfreithiau ac arferion cyfrannol a grëwyd dros gyfnod o amser. Mae cymdeithas yn darparu'r amgylchedd cymdeithasol, diwylliannol, economaidd a materol sy'n gefndir i fywydau pobl.

CYMDEITHAS AMLDDIWYLLIANNOL

Mae pob cymdeithas yn cynnwys gwahanol grwpiau cymdeithasol. Mae llawer o gymdeithasau, gan gynnwys y DU, hefyd yn cynnwys amrywiaeth o grwpiau diwylliannol ac o bosibl bydd ganddynt wahanol arferion a rheolau cymdeithasol. Mae hyn yn gallu creu amgylchedd cymdeithasol amrywiol a phositif. Weithiau

term allweddol

Cymdeithas amlddiwylliannol

cymdeithas yn cynnwys aelodau sy'n dod o amrywiaeth o gefndiroedd diwylliannol ac ethnig

bydd arferion un grŵp yn dod yn hysbys i grŵp arall ac yn cael eu mabwysiadu ganddynt. Fel hyn mae bywydau pobl yn cael eu cyfoethogi. Un enghraifft syml o hyn yn y DU yw'r ffordd mae llawer o bobl yn mwynhau bwydydd traddodiadol gwahanol grwpiau diwylliannol, er enghraifft Asiaidd, Tsieineaidd ac Eidalaidd.

Er mwyn i gymdeithas amlddiwylliannol weithio'n bositif a bod o fudd i'w holl aelodau, mae'n hanfodol bod:

- cyfreithiau penodol yn cael eu rhannu a'u parchu gan bawb

- derbyniad a goddefgarwch yn cael eu dangos gan bawb o ran gwahaniaethau mewn arferion

- nad oes gan yr un grŵp, ac nad ystyrir bod gan yr un grŵp fwy o rym, statws ac adnoddau nag un arall.

Mae cymdeithas amlddiwylliannol yn gallu darparu amgylchedd cymdeithasol amrywiol a phositif

Polisi economaidd a chymdeithasol - y fframwaith cyfreithiol

Mae gan y DU, fel pob cymdeithas ddemocrataidd, set o gyfreithiau. Pasiwyd y cyfreithiau hyn yn y senedd gan gynrychiolwyr etholedig ac maent yn berthnasol i bawb. Maent yn ffurfio fframwaith gyfreithiau a rheolau sy'n:

- ymwneud â hawliau dinasyddion i gael eu trin yn deg ac yn gyfartal ac i gael eu diogelu rhag niwed

- cynnwys dull y llywodraeth o drin polisi economaidd a chymdeithasol, ac amlinelliad o hawliau dinasyddion i wasanaethau a budd-daliadau lles penodol, ynghyd â'r modd y caiff y rhain eu hariannu

- cynnwys dyletswydd dinasyddion i ymddwyn mewn ffyrdd penodol, a'r cosbau bydd unigolyn yn eu dioddef os byddant yn torri'r gyfraith, gan gynnwys hawlio budd-daliadau lles yn anghyfreithlon.

EFFEITHIAU POSIBL AMDDIFADIAD CYMDEITHASOL AC ECONOMAIDD AR DEULUOEDD

Mae'r pwysau a achosir gan amddifadiad cymdeithasol ac economaidd yn gallu cael effaith fawr ar deuluoedd a'u plant. Mae dylanwad cryf cefndir cymdeithasol ac economaidd teulu plentyn yn amlwg pan ddarllenir canlyniadau arholiad ysgolion unigol yn y DU. Gyda mân amrywiadau, mae canlyniadau plant sy'n mynychu ysgolion mewn ardaloedd lle mae cyfran uchel o deuluoedd o blith grwpiau cymdeithasol-economaidd is, yn is na phlant sy'n mynychu ysgolion mewn ardaloedd lle mae'r teuluoedd yn dod o grwpiau cymdeithasol-economaidd uwch.

Mae'n ymddangos, er gwaethaf cyflwyniad **polisïau cyfle cyfartal** ac ysgolion cyfun yn ystod y degawdau diwethaf, na lwyddwyd i sicrhau **symudoledd cymdeithasol** drwy bob rhan o'r gyfundrefn addysg ar raddfa eang i blant o deuluoedd sydd dan anfantais yn gymdeithasol ac yn economaidd.

Mae plant yn etifeddu eu safle cymdeithasol o'u teuluoedd biolegol. Mae'r gyfundrefn gofal dydd ac addysg yn rhoi cyfle da iddynt ehangu eu profiad a hefyd, os ydynt yn dymuno hynny, i newid eu safleoedd cymdeithasol fel oedolion. Mae agweddau eu teulu gwreiddiol yn bwysig iawn o ran penderfynu a fydd plant yn gwneud defnydd o'r cyfleoedd a roddir iddynt drwy'r gyfundrefn ofal ac addysg. Mae llawer o dystiolaeth yn dangos mai dim ond lleiafrif o blant sy'n llwyddo i oresgyn effeithiau anfantais gymdeithasol ac economaidd ar hyn o bryd. Mae polisi cyfredol y llywodraeth, gan gynnwys sefydlu'r Uned Eithrio a rhaglen Cychwyn Cadarn, yn ceisio gwrthweithio'r fath anfantais.

termau allweddol

Polisïau cyfle cyfartal

polisïau wedi'u llunio i ddarparu cyfleoedd i bawb lwyddo yn ôl eu hymdrechion a'u galluoedd

Symudoledd cymdeithasol

symudiad person o un grŵp cymdeithasol i un arall

Astudiaeth achos …
… symudoledd cymdeithasol

Ganwyd mam-gu a thad-cu Leroy a Sam yn Jamaica ac fe'u hanogwyd i ddod i'r DU yn y 1950au i weithio ar drafnidiaeth gyhoeddus. Gadawyd eu mam a'u tad yn wreiddiol yn y Caribî nes bod eu rhieni wedi sefydlu eu hunain, ac ymunodd y ddau â hwy yn eu harddegau cynnar.

Dechreuodd mam Leroy a Sam weithio fel nyrs a gweithiai eu tad yn y diwydiannau gwasanaethu. Roeddent yn byw mewn fflat mewn ardal yng nghanol y ddinas. Aeth y ddau fachgen i ysgolion lleol. Roedd Leroy a Sam yn blant disglair, ac roedd eu rhieni'n awyddus iawn iddynt lwyddo. Aethant ati i'w hannog i weithio'n galed, gan wrando arnynt yn darllen a sicrhau eu bod yn gwneud eu gwaith cartref. Anogwyd hwy gan eu hathrawon, a llwyddodd Leroy a Sam yn dda yn eu harholiadau. Aeth Leroy i'r brifysgol i astudio'r gyfraith, ac erbyn hyn mae'n gweithio fel cyfreithiwr. Gwnaeth ei frawd Sam ymarfer dysgu, a bellach mae'n gweithio mewn ysgol gynradd leol.

1. Pam fod Leroy a Sam wedi llwyddo o fewn y gyfundrefn addysg?

2. Pa ffactorau fyddai wedi gallu rhwystro hyn rhag digwydd?

Y PWYSAU AC ANFANTEISION CYMDEITHASOL SY'N WYNEBU RHAI PLANT A'U TEULUOEDD

Pwysau a phroblemau personol a chymdeithasol

Mae pob oedolyn yn debygol o wynebu rhyw fath o anhawster, problem neu bwysau yn ystod eu hoes. Os ydynt yn rhieni, mae'n debyg y bydd y profiadau hyn yn effeithio ar eu plant mewn rhyw ffordd.

Gellir disgrifio rhai problemau yn fwy manwl drwy ddweud eu bod yn 'bersonol', ac eraill yn 'gymdeithasol'. Mae problemau personol yn tarddu o amgylchiadau bywyd person unigol. Mae problemau personol yn gallu cynnwys anawsterau gyda neu ddiwedd perthynas, profedigaeth, salwch meddyliol a chorfforol. Disgrifir problemau eraill fel problemau 'cymdeithasol' pan maent yn tarddu o'r ffordd y mae'r amgylchedd cymdeithasol a chorfforol wedi cael ei drefnu. Mae enghreifftiau o 'broblemau cymdeithasol' yn cynnwys dadfeilio trefol neu ddirywiad gwledig, gwahaniaethu hiliol a chymdeithasol, tlodi, diweithdra, cartrefi gwael a bod yn ddigartref. Mae llawer o deuluoedd yn dioddef sawl anfantais a defnyddir y term 'eithrio cymdeithasol' i ddisgrifio effeithiau'r anfantais hon.

Yn aml ceir cysylltiadau agos rhwng problemau personol a chymdeithasol; yn aml, bydd profi problemau cymdeithasol yn achosi problemau personol. Er enghraifft, gall profi tlodi tymor hir achosi straen, pryder a theimladau o fod yn ddiwerth; o ganlyniad, gall problemau cymdeithasol arwain at bryder, iselder ac afiechyd neu drais yn y cartref, a chamddefnyddio cyffuriau ac alcohol.

Ffynonellau anfantais a phwysau cymdeithasol

Gellir dweud bod pobl dan anfantais os nad ydynt yn derbyn cyfle cyfartal i gyflawni'r hyn mae pobl eraill mewn cymdeithas yn ei ystyried yn normal. Gall hyn fod oherwydd tlodi, diweithdra, cartrefi gwael, bod yn ddigartref, gwahaniaethu hiliol, amgylchedd tlawd, neu am eu bod yn sâl neu'n anabl.

TLODI

termau allweddol

Tlodi cymharol

yn digwydd pan fydd adnoddau pobl yn llawer is na'r adnoddau sydd ar gael i unigolyn neu deulu cyffredin yn y gymuned

Tlodi absoliwt

heb ddigon o ddarpariaeth i gynnal iechyd ac effeithlonedd gweithio

Yn aml mae diffyg arian a thlodi tymor hir yn broblem sylweddol i deuluoedd. Ystyrir bod teulu'n byw mewn tlodi os bydd eu hincwm yn llai na hanner y cyflog wythnosol ar gyfartaledd. Gelwir hyn yn ffin tlodi. Yn ôl adroddiad gan yr Adran Nawdd Cymdeithasol (DSS) a gyhoeddwyd gan y llywodraeth yn 1994, roedd 14 miliwn o bobl yn byw islaw'r ffin dlodi; roedd 4 miliwn ohonynt yn blant. Mae'r nifer hwn yn dair gwaith cymaint â'r nifer a gofnodwyd yn 1979.

Fel rheol, erbyn hyn dywedir bod tlodi'n **gymharol**. Mae hyn yn golygu bod pobl yn cael eu hystyried yn dlawd 'os bydd eu hadnoddau'n disgyn yn llawer is na'r adnoddau sydd ar gael i unigolyn neu deulu cyffredin yn y gymuned' (Peter Townsend, *Poverty in the United Kingdom*, 1979). Yn y canrifoedd a fu, yn y DU, roedd llawer o bobl yn byw mewn *tlodi absoliwt*, hynny yw, nid oedd ganddynt 'ddigon o ddarpariaeth i gynnal eu hiechyd a'u heffeithlonedd gweithio' (Seebohm Rowntree, *Studies of Poverty in the City of York*, 1899).

Achosion tlodi

Prif achosion tlodi yw cyflogau isel neu fyw ar fudd-daliadau nawdd cymdeithasol y wladwriaeth. Dyma'r bobl sydd fwyaf tebygol o fod yn dlawd:

- y di-waith
- aelodau o deuluoedd un rhiant
- aelodau o grwpiau croenddu a grwpiau lleiafrifol eraill
- yr afiach neu'r analluog
- yr henoed
- y bobl sy'n ennill cyflogau isel.

Effeithiau tlodi ar y teulu

Mae tlodi'n gallu effeithio ar bob rhan o fywyd teulu. Mae'n bosibl na fydd digon o arian ar gyfer diet maethlon ac amrywiol, cartrefi da, trafnidiaeth, offer ar gyfer y cartref, gweithgareddau hamdden neu deganau. Gall greu straen, pryder, anhapusrwydd ac arwain at salwch meddyliol a chorfforol. Mae pobl yn llai tebygol o allu mynd allan, derbyn gwesteion neu fynd ar deithiau neu ar wyliau. Gall fod yn straen ar berthnasau teuluol. Mae pobl yn ymwybodol, trwy'r cyfryngau, yn enwedig y teledu, bod gan eraill safon uwch o fyw. Gall hyn arwain at deimladau o anobaith, ac o fod y tu allan i (wedi'u heithrio o) brif lif cymdeithas.

Mae rhai cymdeithasegwyr yn cyfeirio at y bobl sy'n byw mewn tlodi eithafol a pharhaol fel y 'dosbarth is' – sef grŵp o bobl sy'n teimlo nad oes ganddynt obaith o wella'u sefyllfa. Mae'r Uned Eithrio yn gweithio wrth galon y llywodraeth i ddod â phobl sydd wedi'u heithrio'n gymdeithasol yn ôl i mewn i gymdeithas.

Mae llawer o bobl yn profi'r **trap tlodi** os ydynt yn derbyn budd-daliadau gan y wladwriaeth – drwy ennill ychydig o arian ychwanegol, maent weithiau yn colli'r rhan fwyaf o'u budd-daliadau ac yn dlotach nag erioed. Maent yn gaeth i'r sefyllfa. Mae'r llywodraeth yn ceisio newid y sefyllfa hon drwy gyflwyno diwygiadau yn ymwneud â budd-daliadau, a fydd yn peri bod pobl yn gallu cadw mwy o unrhyw gyflog ychwanegol a enillir.

term allweddol

Trap tlodi

rhywbeth a brofir gan bobl os ydynt yn derbyn budd-daliadau gan y wladwriaeth ac yn darganfod eu bod yn colli'r mwyafrif o'u budd-daliadau ac yn dlotach nag erioed drwy ennill ychydig mwy o arian

DIWEITHDRA

Mae cyfraddau diweithdra wedi amrywio erioed. Roedd yn uchel yn y 1980au, ac ers hynny y mae wedi disgyn, codi a disgyn eto. Byddai'n anodd iawn sicrhau bod pawb yn cael eu cyflogi, ond os oes dim ond hanner miliwn o bobl ym Mhrydain wedi'u cofrestru fel pobl ddi-waith, ystyrir bod hwn yn ffigur isel iawn. Mae diweithdra wedi effeithio ar bob rhan o'r boblogaeth, ond mae rhai pobl yn fwy agored iddo nag eraill. Mae'r bobl hyn yn cynnwys:

- pobl heb sgiliau na chymwysterau
- gweithwyr llaw
- pobl ifainc a'r henoed
- merched
- pobl sy'n tueddu i ddioddef oherwydd gwahaniaethu cymdeithasol – mae'r rhain yn cynnwys pobl o grwpiau ethnig lleiafrifol a phobl gydag anableddau, pobl sydd wedi dioddef salwch meddyliol neu rai sydd wedi bod yn y carchar.

Effeithiau diweithdra ar y teulu

Gall diweithdra effeithio'n fawr ar unigolion a theuluoedd. Mae'r rhai sy'n profi diweithdra tymor hir yn fwy tebygol o fod yn byw mewn tlodi ac yn dioddef effeithiau hynny. O bosibl, byddant yn teimlo cywilydd, yn ddiwerth, diflastod a rhwystredigaeth a all effeithio ar eu hiechyd meddyliol a chorfforol. Gall hyn osod straen ar berthnasau teuluol, a pheri bod y plant yn byw mewn amgylchedd anhapus ac efallai treisgar. Gall cymunedau cyfan deimlo'n anobeithiol ac yn ddigalon.

CARTREFI GWAEL

Er gwaetha'r rhaglen sylweddol a lansiwyd yn y 1950au i waredu slymiau ac ailadeiladu, mae llawer o bobl yn byw o hyd mewn llety sy'n llaith, yn orlawn ac yn anaddas i blant. Roedd rhai o'r fflatiau mewn tyrau a godwyd er mwyn ailgartrefu pobl yn y 1950au a'r 1960au wedi'u hadeiladu'n wael iawn, gan gyfrannu at ystod eang o broblemau personol a chymdeithasol. Ers hynny, dymchwelwyd neu ailgynlluniwyd rhywfaint o'r lluty hwn, er bod rhai enghreifftiau'n bodoli o hyd mewn rhai ardaloedd trefol.

Mae cysylltiadau amlwg rhwng tlodi pobl a'r ffaith eu bod yn byw mewn cartrefi gwael. Mae'r sawl sydd ag arian yn prynu lluty sy'n addas ar gyfer eu hanghenion. Fel rheol, rhaid i bobl dlawd gymryd yr hyn sydd ar gael.

Effeithiau cartrefi gwael ar y teulu

Mae cartrefi llaith, annigonol a pheryglus yn gallu arwain at iechyd gwael, salwch, damweiniau a lledaeniad heintiau a hylendid gwael. Mae'n anodd gwella tai sydd mewn cyflwr gwael, neu eu cadw'n lân. Weithiau bydd oedolion yn beio'i gilydd ac yn teimlo'n ddigalon ac yn bryderus. Mae hyn, ynghyd â diffyg lle i chwarae, yn creu amgylchedd anaddas ar gyfer magu plant.

BOD YN DDIGARTREF

Mae prinder lluty fforddadwy ledled y wlad. Yn rhannol, achoswyd hyn gan bolisi'r llywodraeth Geidwadol yn y 1980au o roi'r hawl i denantiaid y cyngor brynu eu tai, ond gwrthod gadael i'r cynghorau ddefnyddio'r arian a enillwyd i adeiladu mwy o dai. Mae perchenogion preifat wedi bod yn gyndyn o osod lluty i deuluoedd am fod deddfwriaeth yn peri ei bod hi'n anodd eu troi allan yn ddiweddarach. Mae nifer cynyddol o bobl ddigartref; ar y cyfan, maent yn ddigartref am y rhesymau canlynol:

- mae eu perthnasau'n amharod i barhau i roi lluty iddynt, neu'n methu gwneud hynny
- maent yn cael eu troi allan am fethu â thalu morgais neu rent
- mae eu priodas neu eu partneriaeth yn chwalu.

Mae'r mwyafrif o bobl ddigartref yn ifanc, naill ai'n sengl neu gyda theuluoedd ifainc, ac ar incwm isel.

Rhoi lluty i bobl ddigartref

Mae gan yr awdurdod lleol ddyletswydd gyfreithiol i roi lluty i deuluoedd digartref. Mae prinder lluty yn golygu bod nifer cynyddol ohonynt yn gorfod lletya dros dro mewn lluty gwely a brecwast. Mae amgylchiadau o'r fath yn gwbl anaddas. Yn aml, mae'n orlawn, yn beryglus ac nid yw'n hylan. Fel rheol nid oes cyfleusterau sylfaenol ar gael, er enghraifft ar gyfer coginio a golchi. Nid oes llawer o breifatrwydd na lle i chwarae. Yn aml bydd pobl yn teimlo eu bod wedi'u hynysu o'u teulu a'u ffrindiau. Yn ogystal, mae'n anoddach iddynt drefnu materion yn ymwneud ag addysg, iechyd a gwasanaethau eraill. Gall teuluoedd dreulio blynyddoedd yn y math hwn o lety.

Effeithiau bod yn ddigartref ar deuluoedd

Mae byw am gyfnod hir dan amgylchiadau clos ac anfoddhaol yn gallu cael effaith ddrwg iawn ar berthnasau teuluol rhwng oedolion a phlant. Mae'n bosibl na fydd gan rieni sy'n profi'r math hwn o straen bob dydd fawr ddim o egni i roi mwy na'r anghenion mwyaf sylfaenol i'w plant. Yn aml, nid yw'n rhwydd cynnal safonau glanweithdra da, a gall fod yn anodd darparu bwyd maethlon os yw'r offer ar gyfer coginio'n brin, neu ddim ar gael. Gall y diffyg lle i chwarae beri nad yw'r plant yn cael eu symbylu'n ddigonol, nac yn cael digon o awyr iach ac ymarfer corff. Gall effeithio ar bob agwedd o'u datblygiad. Gall y cyfle i fanteisio ar ofal dydd fod yn werthfawr iawn i blant sy'n byw mewn lluty gwely a brecwast.

Gall cael y cyfle i fanteisio ar ofal dydd fod yn werthfawr iawn i blant sy'n byw mewn llety gwely a brecwast

termau allweddol

Grŵp ethnig

grŵp o bobl sy'n rhannu diwylliant cyffredin

Grŵp lleiafrif ethnig

grŵp o bobl gyda diwylliant cyffredin, sy'n llai na'r grŵp mwyafrifol yn eu cymdeithas

GWAHANIAETHU HILIOL

Mae'n anodd diffinio hil, ond defnyddir y term i ddisgrifio grŵp o bobl sy'n rhannu rhai nodweddion biolegol cyffredin. Mae grwpiau ethnig yn bobl sy'n rhannu'r un diwylliant. Grwpiau lleiafrif ethnig yw grwpiau o bobl sy'n llai niferus na'r grŵp mwyafrif ethnig yn eu cymdeithas.

Mae llawer o grwpiau ethnig yn y DU. Mae rhai yn derbyn ychydig iawn o sylw, er enghraifft y nifer o bobl gyda gwaed Eidalaidd, Pwylaidd a Gwyddelig sy'n byw mewn rhai rhannau o'r wlad. Y grwpiau sy'n derbyn y sylw mwyaf yw'r rhai hynny sy'n amlwg oherwydd eu diwylliant, eu gwisg neu liw eu croen, yn enwedig y rhai o gefndir Affricanaidd-Caribiaidd, Indiaidd, Pacistanaidd a Bangladeshi. Yn aml, cyfeirir atynt fel pobl ddu a/neu Asiaidd.

Deddf Cysylltiadau Hiliol (1965)

Yn ôl y Ddeddf hon, roedd yn anghyfreithlon i wahaniaethu yn erbyn pobl ar sail eu hil, o ran eu gwaith, cartrefi a darpariaeth nwyddau a gwasanaethau. Mae gwahaniaethu'n digwydd pan fydd rhai pobl yn cael eu trin yn llai ffafriol nag eraill, naill ai'n fwriadol neu'n anfwriadol. Yn 1976 derbyniodd y Comisiwn dros Gydraddoldeb Hiliol (CRE) fwy o rymoedd i ddwyn pobl o flaen y llys am eu bod wedi gwahaniaethu'n uniongyrchol (h.y. yn ymarferol ac yn agored) neu'n anfwriadol (h.y. yn 'guddiedig', er enghraifft rheolau sy'n eithrio grwpiau penodol o bobl).

Patrymau ymfudo

term allweddol

Ymfudiad

symud i wlad neu allan ohoni

Yn hanesyddol, dyma fu patrwm **mudo** (symud i wlad neu allan ohoni) y DU:

- ymfudodd (gadawodd) llif cyson o bobl
- mae tonnau amlwg o bobl wedi bod yn mewnfudo (dod i mewn).

Yn gyffredinol, mae'r niferoedd yn gytbwys, er bod rhai pobl yn mynegi teimladau hiliol gan ddweud bod y wlad wedi cael ei 'gorlethu' gan fewnfudwyr, rhywbeth sy'n groes i'r ffeithiau.

Mae'r ddadl ynglŷn â thriniaeth ymofynwyr noddfa Prydain yn cynyddu. Nid yw'r ymdrech i wasgaru pobl i wahanol rannau o'r wlad wedi llwyddo ar y cyfan, ac felly mae lleoliad teuluoedd o'r fath wedi cael mwy o effaith ar rai ardaloedd nag ardaloedd eraill, yn enwedig yn ne Lloegr a Llundain.

Y problemau sy'n wynebu teuluoedd o grwpiau lleiafrif ethnig

Weithiau mae teuluoedd lleiafrif ethnig, yn enwedig y rhai sy'n amlwg iawn, yn dioddef oherwydd gwahaniaethu, rhagfarn ac anoddefgarwch, stereoteipio a chael eu troi'n fwch dihangol yn eu bywydau bob dydd. Mae pobl ddu ac Asiaidd, yn arbennig, yn dioddef gwahaniaethu o ran:

- *cyflogaeth* – maent yn fwy tebygol o weithio mewn swyddi gyda statws a chyflog isel gyda llai o gyfle ar gyfer dyrchafiad a mwy o waith sift na phobl gwyn; mae pobl ddu hefyd yn fwy agored i ddiweithdra a thlodi

- *tai* – mae gwahaniaethau rhwng grwpiau ethnig yn amlwg iawn; mae teuluoedd Asiaidd wedi tueddu i brynu eu cartrefi, ond yn aml yn prynu'r tai rhatach yng nghanol dinasoedd; bu pobl o gefndir Affricanaidd-Caribiaidd yn fwy tebygol o fyw mewn llety preifat rhatach neu gyngor

- *aflonyddwch ac ymosodiadau hiliol* – bu cynnydd dychrynllyd yn nifer yr ymosodiadau hiliol yn y DU, gan arwain at farwolaeth mewn rhai achosion; gall y profiad o ddioddef ymosodiad hiliol ddifrodi unigolyn a theulu. Mae'r heddlu yn cyflwyno rhaglenni i wrthweithio hiliaeth ymhlith aelodau'r heddlu ac i annog polisi o ymateb yn gynt i ymosodiadau hiliol.

YR AMGYLCHEDD TREFOL

Nodweddir llawer o ardaloedd yng nghanol dinasoedd y DU gan lygredd a dirywiad yr amgylchedd, diffyg lle i chwarae a chyfraddau trosedd uwch. Mae'r pethau hyn wedi denu llawer o gyhoeddusrwydd yn y blynyddoedd diwethaf, ac wedi arwain at nifer o gynlluniau a ariannwyd gan y llywodraeth ac yn wirfoddol, wedi'u hanelu at wella'r amgylchedd ac ansawdd bywydau pobl. Mae'r mentrau hyn wedi amrywio o ran eu llwyddiant, yn rhannol am ei bod hi'n anodd gwybod beth yn union yw'r problemau.

Mae poblogaeth canol dinasoedd y DU wedi dirywio yn y blynyddoedd diwethaf. Mae llawer o bobl wedi dewis symud o ganolfannau trefol i'r maestrefi er mwyn bod yn berchen ar erddi a mwynhau awyr iach. Roedd hyn yn bosibl o ganlyniad i ddatblygiad cludiant cyhoeddus a phreifat. Yn ogystal, diflannodd diwydiant a chyfleoedd cyflogaeth o ganol y dinasoedd, ac mae cynllunio gwael wedi helpu i greu amgylcheddau amhersonol a dadfeiliad.

Yn y mwyafrif o achosion, felly, gydag eithriad ambell ganol dinas 'poblogaidd', mae pobl gydag adnoddau materol yn dewis peidio â setlo yng nghanol y trefi, ond i fyw ar yr ymylon. Mae hyn yn gadael crynodiad o bobl yng nghanol y dinasoedd gyda llai o adnoddau, gan gynnwys pobl sy'n profi:

- straen oherwydd tlodi, diweithdra a thai

- salwch corfforol a meddyliol

- gwahaniaethu ar sail hil neu anabledd

- ynysu cymdeithasol, megis bod yn aelod o deuluoedd un rhiant

- problemau teuluol, gan gynnwys trais a chamdriniaeth.

Yn ogystal, mae mwy o bobl yn ymwneud â throsedd, camddefnyddio cyffuriau a phuteindra mewn ardaloedd yng nghanol dinasoedd.

Yn ychwanegol at hyn, mae mwy o dueddiad i bwyso ar wasanaethau iechyd a

term allweddol

Anfanteision lluosog

crynodiad problemau cymdeithasol mewn un ardal

chymdeithasol, ac oherwydd hyn mae ansawdd y gwasanaethau hyn yn tueddu i fod yn is.

Un ffordd o ddeall problemau canol y ddinas, felly, yw drwy ystyried y syniad o **anfanteision lluosog**, sy'n pwysleisio'r ffaith nad yw amddifadiad trefol yn broblem unigol, ond yn hytrach yn nifer o broblemau sydd wedi'u crynodi mewn un ardal.

Effeithiau byw mewn amgylchedd trefol difreintiedig ar deuluoedd

Mae'n bwysig cofio nad yw amgylchedd trefol o reidrwydd yn brofiad negyddol ar gyfer pob un o'r preswylwyr. Mae llawer o bobl yn byw bywydau hapus a llawn ac sy'n magu eu plant yn llwyddiannus mewn dinasoedd a threfi. Fodd bynnag, mae mwy o anfantais yno nag yn y maestrefi. Mae'n bosibl y bydd bywydau plant a'u datblygiad yn dioddef mewn amryw ffordd drwy fyw mewn amgylchedd o'r fath.

Nodweddir llawer o ganol dinasoedd y DU gan lygredd amgylchedd, dadfeiliad a diffyg lle i chwarae

Yn y mwyafrif o achosion, mae pobl gydag adnoddau materol yn dewis peidio â byw yng nghanol dinas, ond yn byw ar yr ymylon

YR AMGYLCHEDD GWLEDIG

Mae'r problemau sy'n wynebu teuluoedd mewn ardaloedd gwledig yn derbyn llawer llai o gyhoeddusrwydd. Mae poblogaeth wledig y DU yn gyfatebol is o'i chymharu â llawer o wledydd Ewrop. Mae rhai pobl sy'n byw mewn ardaloedd gwledig yn derbyn incwm uchel ac mae hyn yn eu helpu i brynu cartrefi deniadol, tir a thrafnidiaeth breifat. Mae eraill, er enghraifft gweithwyr fferm, yn derbyn incwm llawer is na'r cyfartaledd cenedlaethol. O bosibl, byddant yn dioddef tlodi a diweithdra a'r holl effeithiau a ddaw o hynny. Weithiau mae'n anodd iawn dod o hyd i gartrefi a thrafnidiaeth. Mae'n bosibl y bydd eu cartref yn dibynnu ar eu gwaith, a gallent

golli'r ddau ar yr un pryd.

Effeithiau amgylchedd gwledig ar y teulu

Gall teuluoedd sy'n byw mewn amgylchedd gwledig brofi problemau tebyg i deulu trefol os yw eu hincwm yn isel. Mae'r diffyg trafnidiaeth gyhoeddus, a'u pellter oddi wrth gefnogaeth a chanolfannau cynghori yn gallu gwneud eu problemau yn waeth.

PETHAU ERAILL SY'N GOSOD PWYSAU AR DEULUOEDD A'U PLANT

Mae'r pethau eraill a all gael effaith wael ar ddatblygiad ac iechyd plant yn cynnwys gofalwyr yn camddefnyddio cyffuriau ac alcohol, trais teuluol ac afiechyd meddwl.

Camddefnyddio cyffuriau ac alcohol

Mae'n bwysig i beidio â chyffredinoli, ond gall camddefnyddio sylweddau gael effaith negyddol ar sgiliau gofal ymarferol rhiant, ac weithiau bydd plant mewn perygl o gael eu hesgeuluso, neu eu niweidio'n gorfforol neu eu cam-drin yn emosiynol. Os bydd rhieni'n camddefnyddio alcohol, mae'n bosibl y bydd y plant yn cael eu cam-drin yn gorfforol. Mae'n arbennig o beryglus i blentyn os yw un rhiant yn ceisio rhoi'r gorau i gyffuriau, neu os yw'r camddefnydd yn anhrefnus ac allan o reolaeth. Mae'n bosibl y bydd rhieni'n cael anhawster rhoi anghenion eu plant yn gyntaf. Mae'r costau ariannol yn golygu bod llai o arian ar gael i gwrdd ag anghenion sylfaenol, a gall ddenu'r rhieni i dorri'r gyfraith. Gallai plant fod yn agored i niwed corfforol oherwydd cyffuriau a nodwyddau.

Trais teuluol

Gall hyn effeithio ar blant mewn sawl ffordd, a gall byw gyda hyn effeithio ar ddatblygiad plentyn ym mhob ffordd, ond yn enwedig yn emosiynol ac yn gorfforol. Gallent ddioddef rhywfaint o'r trais a ddioddefir gan eu rhiant a gallent ddioddef yn fawr wrth weld hyn yn digwydd. Mae'n bosibl y bydd gallu eu rhiant i ofalu amdanynt yn cael ei amharu'n ddifrifol gan eu profiadau, yn enwedig pan gamddefnyddir cyffuriau ac alcohol, yn ychwanegol at y trais. Gall profi'r gwrthdaro rhwng rhieni dros gyfnod hir gael effaith ddifrifol ar les plant, hyd yn oed pan na ddefnyddir trais corfforol.

Afiechyd meddwl gofalwr

Nid yw hyn o reidrwydd yn cael effaith wael, yn enwedig os nad yw am gyfnod hir, nac yn ddifrifol iawn, ac os nad yw'n creu gwrthdaro rhwng rhieni. Fodd bynnag, gall effeithio ar brofiadau'r plentyn. Gall afiechyd meddwl a chorfforol gyfyngu ar weithgareddau'r plentyn a pheri bod y plentyn hwnnw yn cymryd rôl gofalwr yn rhy ifanc. Mewn rhai achosion, mae'n bosibl y bydd anghenion y plentyn yn cael eu hesgeuluso, neu o bosibl byddant yn agored i ymosodiad corfforol.

Gwirio'ch cynnydd

Pa bobl sydd fwyaf tebygol o fod yn dlawd yn y DU heddiw?

Sut gall diweithdra effeithio ar bobl?

Pam ei bod hi'n anodd iawn i bobl fagu plant mewn llety gwely a brecwast?

Ym mha ffyrdd y gall pobl o grwpiau lleiafrif ethnig brofi anfantais?

Pa anfanteision lluosog y gallai pobl sy'n byw yng nghanol dinas eu profi?

Sut gall teulu sy'n byw mewn lle gwledig brofi anfantais?

Nodwch rai pethau eraill sy'n rhoi pwysau ar blant o fewn rhai teuluoedd.

Astudiaeth achos ...

... anfanteision lluosog

Mae Sera'n 7 oed ac yn byw gyda'i mam a'i thad a'i dau frawd iau mewn fflat ar bumed llawr bloc chwe llawr ar ystâd o dai yng nghanol dinas. Mae'r ardal o amgylch y fflatiau mewn cyflwr gwael. Mae'r ysbwriel yn cynyddu'n gyson ac mae graffiti ar nifer o'r waliau a'r drysau. Nid yw'r lifftiau sy'n cludo pobl i'w fflatiau'n ddeniadol, hyd yn oed pan fyddant yn gweithio. Mae Sandra, mam Sera, yn gweithio sifftiau mewn ffatri leol, ond gan fod ei thad yn ddi-waith, mae'r rhan fwyaf o arian a enillir yn cael ei dynnu o'u hategiad incwm. Mae Sandra'n flinedig ac yn isel yn aml; mae ei g?r yn gwylltio ac yn ei tharo weithiau. Mae brodyr iau Sera'n 3 a 4 oed, ac yn gwlychu'r gwely'n aml yn ystod y nos. Nid yw'n hawdd golchi a sychu, ac weithiau, pan fydd eu mam yn gweithio, nid yw'r bechgyn yn cael eu golchi na'u bwydo. Mae Sera'n aeddfed am ei hoedran, ac yn helpu ei mam gymaint ag y gall, ond mae hi wedi blino'n aml yn ystod y dydd, ac ni all ganolbwyntio ar ei gwaith ysgol.

Rhestrwch y problemau y mae'r teulu hwn yn eu hwynebu.

Pam ei bod hi'n anodd i'r teulu gamu allan o'r trap tlodi?

Pa fath o gynnydd y bydd Sera'n debygol o'i wneud yn yr ysgol, a pham?

Pa ffynonellau cymorth allai helpu'r teulu?

Beth yw eich barn chi am y sefyllfa hon?

Effeithiau amddifadiad cymdeithasol ac economaidd

GWAHANOL YMATEBION POBL I'R PWYSAU A DDAW OHERWYDD ANFANTAIS

Un o beryglon disgrifio problemau cymdeithasol a'u heffaith ar bobl yw nad yw *pawb* yn ymateb iddynt neu'n cael eu heffeithio ganddynt yn yr un ffordd. Mae'n anodd gwybod bob amser pam fod rhai pobl yn ymdopi gyda phwysau a phobl eraill yn dioddef yn enbyd. Gallwn ddweud dim ond y *gallai* rhai pobl ymateb i bwysau, neu y *gallent* gael eu heffeithio ganddynt mewn rhai ffyrdd. Gellir esbonio'r gwahaniaeth mewn ymateb i anfantais yn rhannol drwy ystyried:

- pa mor llym, dwys a thymor hir yw'r pwysau – mae llawer o bobl yn ymdopi'n weddol dda gyda phwysau *tymor byr* o ddydd i ddydd, ond yn cael mwy o anhawster ymdopi gyda phwysau tymor hir a difrifol

- gwahaniaethau o ran yr adnoddau ymarferol, cymdeithasol ac emosiynol sydd gan bobl i ymdopi â bywyd.

ADNODDAU

Ystyr adnoddau yw'r ffynonellau ymarferol, cymdeithasol ac emosiynol o gymorth a chryfder sydd gan bobl i wahanol raddau i'w helpu i ymdopi â bywyd, ac i fagu eu teuluoedd. Mae gan rai pobl lai o adnoddau i ymdopi â bywyd bob dydd nag eraill. Mae hyn yn golygu eu bod.

- yn agored i niwed ac yn gallu cael eu llethu ar adegau o bwysau a thrafferthion

- yn llai abl i amddiffyn eu plant rhag pwysau a phroblemau

- o bosibl yn methu â rhoi gofal digonol i'w plant ar adegau. Nid yw hyn yn golygu, fodd bynnag, eu bod yn anghyfrifol neu ddim yn caru eu plant digon.

Diffyg adnoddau ymarferol

Mae adnoddau ymarferol yn cynnwys arian wrth gefn, asedau materol, sgiliau rheoli a symudedd. Gall y straen a achosir gan amgylchiadau cymdeithasol megis tlodi, diweithdra neu dai gwael effeithio ar allu person i ofalu am eu plant, naill ai dros dro neu'n barhaol. Mae'n debyg bod pobl heb gynilion, sy'n poeni'n barhaus am arian ac sy'n dioddef amgylchiadau amgylcheddol gwael yn profi lefel uwch o straen yn eu bywydau bob dydd na'r rhai sydd heb bryderon o'r fath.

Diffyg adnoddau cymdeithasol

Mae adnoddau cymdeithasol yn cynnwys teulu cefnogol, ffrindiau, rhwydwaith gymdeithasol agos a bod yn aelod o grŵp. Mae pobl yn profi **arwahanu cymdeithasol** pan nad oes ganddynt deulu agos neu ffrindiau i ofalu amdanynt. Mae'n golygu nad oes neb yno i rannu problemau a phryderon. Mae dywediad sy'n honni 'Ysgafnu'r baich yw ei rannu'. Mae'n bosibl y bydd rhieni sydd mewn perthynas agos a chariadus, ac sy'n mwynhau cefnogaeth pobl eraill, yn fwy abl i ymdopi ar adegau o bwysau a phroblemau.

Diffyg adnoddau emosiynol

Mae adnoddau emosiynol yn cynnwys bod wedi profi perthnasau cadarn a gofalgar, bod â hunan-barch sylweddol, gallu ymdopi â phwysau a rhwystredigaeth, gallu adnabod a delio â theimladau eithafol, ac edrych ar fywyd mewn ffordd bositif a bod â'r gallu i ymddiried a rhoi.

Gall nifer o bethau leihau adnoddau emosiynol person. Ceir nifer o faterion personol megis hunan-barch isel, afiechyd meddwl, problemau gyda pherthnasau, profedigaeth, afiechyd, analluogrwydd neu brofiadau bywyd yn y gorffennol. Gall y materion hyn effeithio'n fawr ar y ffordd mae rhywun yn edrych ar fywyd ac yn peri eu bod yn agored i straen. Gall hyn, yn ei dro, effeithio ar sgiliau magu plant.

DARPARIAETH AR GYFER PLANT A THEULUOEDD YN Y DU

Mae llawer o sefydliadau statudol, gwirfoddol a phreifat yn bodoli a allai helpu pobl os byddant yn wynebu problemau. Gall meithrinfa helpu i gwrdd ag anghenion cyffredinol plentyn a helpu i gydbwyso unrhyw anfanteision y gallai'r plentyn eu profi.

---

term allweddol

Arwahanu cymdeithasol

mae pobl yn profi arwahanu cymdeithasol pan nad oes ganddynt deulu agos neu ffrindiau i ofalu amdanynt

---

Gwirio'ch cynnydd

Pam fod pobl yn ymateb yn wahanol i bwysau?

Pa adnoddau amrywiol a ddefnyddir gan bobl i ymdopi â phwysau?

Sut gall gofal dydd helpu i wneud iawn am unrhyw anfantais y gallai'r plentyn ei phrofi?

Nawr rhowch gynnig ar y cwestiynau hyn

Pa fath o ymddygiad gwyrdröedig a allai effeithio ar allu teulu i ofalu am eu plant a beth allai effaith hynny fod?

Gyda rhai mân-amrywiadau, mae plant ysgolion mewn ardaloedd lle mae mwy o deuluoedd yn perthyn i grwpiau cymdeithasol-economaidd uwch yn cael canlyniadau uwch na phlant ysgolion mewn ardaloedd lle mae mwy o deuluoedd yn perthyn i grwpiau cymdeithasol-economaidd is. Pam fod hyn yn wir, yn eich barn chi?

Sut mae pobl yn cael eu dal yn y trap tlodi?

Disgrifiwch sut y gall pwysau cymdeithasol a diffyg adnoddau effeithio ar ddatblygiad iach plentyn.

RÔL Y GWASANAETHAU STATUDOL, GWIRFODDOL AC ANNIBYNNOL

Mae'r mwyafrif o blant yn cael eu magu gan eu teuluoedd eu hunain. Mae'r cysylltiad rhwng gweithwyr gofal plant a rhieni'r plant dan eu gofal yn amrywio yn ôl eu safle gwaith. Mae'n hanfodol bod gan y rhai sy'n gweithio gyda phlant a'u rhieni wybodaeth drylwyr o ddeddfwriaeth gofal plant a'r gwahanol fathau o ddarpariaeth gofal plant a'r gwasanaethau cynnal sydd ar gael i blant a'u teuluoedd.

Bydd y rhan hon yn ymdrin â'r pynciau canlynol:

- y brif ddeddfwriaeth berthnasol yn ymwneud â hawliau plant

- rôl gwasanaethau statudol, gwirfoddol ac annibynnol mewn perthynas â phlant a'u teuluoedd

- yr ystod o wasanaethau i blant a theuluoedd

- stwrythur gwleidyddol ar gyfer darpariaeth gwasanaethau yn y DU

- gwasanaethau gofal plant ac addysg

- gwasanaethau cymdeithasol personol

- tai

- nawdd cymdeithasol

- iechyd.

Y brif ddeddfwriaeth berthnasol yn ymwneud â hawliau plant

DEDDF PLANT 1989

Daeth Deddf Plant 1989 i fod ym mis Hydref 1990. Mae'n ceisio amddiffyn plant ym mhob sefyllfa, boed hynny yn eu cartrefi, mewn gofal dydd, neu ofal llawn amser. Mae'n rhoi arweiniad manwl ynghylch rheoli gwasanaethau i blant a theuluoedd. Fe'i seiliwyd ar nifer o **egwyddorion** pwysig sydd wedi'u hymgorffori yn y Ddeddf. Mae'r egwyddorion hyn yn cynnwys:

- Mae gan blant yr hawl i gael eu hamddiffyn rhag esgeulustod, camdriniaeth ac ecsploetiaeth.

547

- Lles y plentyn yw'r ystyriaeth bwysicaf.

- Lle bo hynny'n bosibl, dylai plant gael eu magu, a derbyn gofal gan, eu teuluoedd.

- Dylid ystyried dymuniadau'r plentyn wrth wneud penderfyniadau.

- Dylid osgoi unrhyw oedi dianghenraid o ran dulliau gweithredu ac achosion llys.

- Dylid trefnu gorchymyn llys dim ond os yw'n cyfrannu i les y plentyn mewn ffordd gadarnhaol.

- Dylai gweithwyr proffesiynol weithio mewn partneriaeth gyda rhieni ym mhob cam.

- Dylid helpu rhieni gyda phlant mewn angen i fagu eu plant eu hunain.

- Er bod gan blant anghenion sylfaenol cyffredinol, gall y dulliau o ymateb iddynt amrywio'n fawr. Mae patrymau bywyd teuluol yn amrywio yn ôl diwylliant, dosbarth a chymuned. Dylid parchu a derbyn y gwahaniaethau hyn.

CYTUNDEB Y CENHEDLOEDD UNEDIG AR HAWLIAU PLANT

Ceir y disgrifiad mwyaf manwl o hawliau plant yng Nghytundeb y Cenhedloedd Unedig ar Hawliau Plant. Crëwyd y Cytundeb dros gyfnod o 10 mlynedd, pan gasglwyd cyfraniadau cynrychiolwyr o wahanol gymdeithasau, crefyddau a diwylliannau, ac fe'i mabwysiadwyd fel cytundeb hawliau dynol rhyngwladol ar 20 Tachwedd 1989. Fe'i gweithredwyd yn gyflymach nag unrhyw ddeddf flaenorol ar 2il o Fedi 1990. Mae'n cynnwys amrywiaeth gynhwysfawr o hawliau, ac yn dod â hawliau sifil a gwleidyddol, economaidd, cymdeithasol a diwylliannol, ynghyd â hawliau dyngarol at ei gilydd am y tro cyntaf o fewn un offeryn rhyngwladol. Yn gyffredinol, mae'r Cytundeb yn gweithredu fel tirnod o ran hyrwyddo hawliau plant, gan sicrhau bod plant yn derbyn yr un driniaeth â grwpiau eraill o'r boblogaeth y mae eu hawliau'n cael eu hamddiffyn gan gytundeb rhyngwladol. Fe'i seilir ar y gred bod bob plentyn yn cael ei eni gyda rhyddid sylfaenol a hawliau cynhenid pob bod dynol. Dyma gynsail sylfaenol y Cytundeb ar Hawliau Plant, cytundeb hawliau dynol rhyngwladol sy'n trawsnewid bywydau plant a'u teuluoedd ledled y byd. Mae pobl ym mhob gwlad ac o bob diwylliant a chrefydd yn gweithio i sicrhau bod pob un o'r 2 filiwn o blant y byd yn derbyn yr hawl i oroesi, iechyd ac addysg, amgylchedd teuluol gofalgar, chwarae a diwylliant, i gael eu hamddiffyn rhag ecsploetiaeth a chamdriniaeth o bob math, ac i gael gwrandawiad ac ystyriaeth o'u barn ar faterion pwysig.

Rôl gwasanaethau statudol, gwirfoddol ac annibynnol mewn perthynas â phlant a'u teuluoedd

Mae ystod eang o wasanaethau statudol, gwirfoddol ac annibynnol sy'n cefnogi plant a'u teuluoedd yn bodoli yn y DU heddiw. Mae gan y DU wladwriaeth les sy'n darparu gwasanaethau statudol, drwy gyfrwng yr awdurdod lleol a'r llywodraeth ganolog. Fe'i cyflwynwyd gan y llywodraeth yn ystod y 1940au. Mae'r wladwriaeth les yn ceisio sicrhau bod safonau incwm, tai, addysg a gwasanaethau iechyd pob dinesydd yn ddigonol. Mae'r wladwriaeth les a'r gwasanaethau a ddarperir ganddi wedi newid llawer ers eu cyflwyniad. Mae llywodraethau diweddar wedi cefnogi cynnydd darpariaeth breifat a gwirfoddol sy'n ychwanegu at wasanaethau'r wladwriaeth, a ddarperir gan awdurdodau lleol a'r llywodraeth ganolog.

Yr ystod o wasanaethau i blant a theuluoedd

Darperir gwasanaethau gofal ac addysg i blant a'u teuluoedd naill ai gan:

- y wladwriaeth, drwy naill ai awdurdodau lleol neu adrannau llywodraeth ganolog wedi'u trefnu mewn rhanbarthau – cyfeirir atynt fel gwasanaethau statudol

- wirfoddolwyr neu grwpiau gwirfoddol – cyfeirir atynt fel gwasanaethau cymdeithasol

- unigolion preifat neu gwmnïau – cyfeirir atynt fel gwasanaethau annibynnol neu breifat.

GWASANAETHAU STATUDOL A DDARPERIR NAILL AI GAN AWDURDODAU LLEOL NEU ADRANNAU LLYWODRAETH GANOLOG

Beth yw gwasanaeth statudol?

Darperir gwasanaeth statudol gan y llywodraeth ar ôl i'r senedd basio cyfraith (neu statud). Mae cyfreithiau o'r fath yn datgan naill ai bod:

- *rhaid* darparu gwasanaeth (h.y. mae ei ddarparu'n gyfrifoldeb), er enghraifft addysg i blant 5 i 16 oed; neu

- *gellir* darparu gwasanaeth (h.y. mae gan awdurdod y grym i'w ddarparu os yw'n dewis gwneud hynny), er enghraifft meithrinfeydd dydd yr awdurdod lleol.

Beth mae gwasanaethau statudol yn ei ddarparu?

Ymhlith pethau eraill, mae gwasanaethau statudol yn darparu ar gyfer addysg, gofal iechyd, cefnogaeth ariannol, gwasanaethau cymdeithasol personol, tai, gwasanaethau hamdden ac iechyd y cyhoedd. Weithiau cyfeirir at ddarpariaeth gan y llywodraeth fel 'y sector gwladol'. Gan fwyaf, mae'r awdurdodau lleol yn ymwneud â darparu addysg, gwasanaethau cymdeithasol, tai, iechyd y cyhoedd a gwasanaethau hamdden. Mae'r llywodraeth ganolog yn darparu budd-daliadau nawdd cymdeithasol a'r Gwasanaeth Iechyd Cenedlaethol.

Sut yr ariannir gwasanaethau statudol?

Ariannir gwasanaethau statudol gan y wladwriaeth, sy'n casglu arian drwy drethiant lleol a chenedlaethol ac Yswiriant Cenedlaethol. Weithiau cynhelir gweithgareddau codi arian a chodir tal am wasanaethau (er enghraifft, tâl presgripsiwn a thaliadau am deithiau ysgol). Bu pwysau cynyddol ar wasanaethau gwladol i fod yn fwy atebol yn ariannol ac i gael eu rhedeg yn debycach i sefydliadau preifat gan roi 'gwerth am arian'. Mae'r athroniaeth hon wedi cael effaith ar y ffordd mae ysbytai ac ysgolion gwladol yn cael eu hariannu a'u trefnu.

Sut mae gwasanaethau statudol yn cael eu staffio

Mae'r mwyafrif o bobl sy'n gweithio mewn sefydliadau statudol yn cael eu hyfforddi a'u talu am eu gwaith, ond mae'n bosibl y bydd gwirfoddolwyr yn cyflawni rhai o'r tasgau (er enghraifft, rhieni sy'n helpu mewn ysgolion, gweithwyr WRVS mewn ysbytai).

GWASANAETHAU GWIRFODDOL

Beth yw gwasanaethau gwirfoddol?

Gelwir sefydliadau yn 'wirfoddol' pan sefydlir hwy gan bobl sy'n awyddus i helpu grwpiau penodol o bobl sydd, yn eu barn hwy, angen cymorth (h.y. fe'u sefydlir yn wirfoddol, fel Barnardos a'r NSPCC). Y gwahaniaeth sylfaenol rhwng sefydliadau

gwirfoddol a statudol yw nad oes rhaid pasio deddfwriaeth er mwyn sefydlu sefydliad gwirfoddol, yn wahanol i sefydliad statudol. Mae'r llywodraeth yn bositif iawn ynglŷn â'r ffaith bod 'y sector gwirfoddol' yn darparu rhai gwasanaethau, ond mae'n pasio deddfau i'w rheoli, gan ofyn i rai ohonynt gofrestru, fel y gall swyddogion y llywodraeth archwilio'r gwasanaethau a ddarperir ganddynt er mwyn amddiffyn y bobl sy'n eu defnyddio (er enghraifft, grwpiau chwarae a gwarchodwyr plant, dan Ddeddf Plant 1989).

Beth mae gwasanaethau gwirfoddol yn ei ddarparu?

Mae traddodiad gwaith gwirfoddol hir ac amrywiol yn y DU, ac o ganlyniad, ceir amrywiaeth eang o sefydliadau gwirfoddol. Mewn rhai gwledydd Ewropeaidd, yr eglwys yn unig a fu'n gyfrifol am weithgarwch gwirfoddol. Mae gan sefydliadau gwirfoddol nifer o wahanol swyddogaethau. Mae rhai o'r sefydliadau hyn yn cyfuno mwy nag un o'r swyddogaethau hyn. Maent yn:

- gweithredu fel cyrff sy'n rhoi gwybodaeth ac yn ymgyrchu (er enghraifft Shelter)

- darparu arian i helpu pobl dan amgylchiadau penodol – weithiau fe'u gelwir yn arian gwirfodd neu elusennau

- helpu a chefnogi pobl gyda chyflyrau neu namau iechyd (er enghraifft, Scope, Royal National Institute for the Blind neu'r RNIB)

- cefnogaeth a gofal i deuluoedd a phlant, ac unigolion eraill (er enghraifft, Barnardos a chanolfannau dydd a theulu NCH, Mencap, Relate).

Sut yr ariannir gwasanaethau gwirfoddol?

Mae arian ar gyfer gwasanaethau gwirfoddol yn dod o amrywiaeth o ffynonellau sy'n cynnwys rhoddion, codi arian, grantiau gan y llywodraeth ganolog neu leol, grantiau loteri a ffioedd am y gwasanaethau a ddarperir ganddynt.

Sut mae gwasanaethau gwirfoddol yn cael eu staffio?

Mae rhai pobl yn gweithio heb dâl ac nid oes ganddynt gymwysterau (er enghraifft mewn grwpiau hunangymorth), a dyma'r rheswm pam fod y mwyafrif o bobl yn meddwl eu bod yn 'wirfoddol'. Fodd bynnag, mae llawer o bobl sy'n gweithio i sefydliadau gwirfoddol wedi'u hyfforddi ac yn dal cymwysterau proffesiynol, ac yn derbyn cyflog (er enghraifft arolygwyr o fewn yr NSPCC neu weithwyr o fewn canolfannau teuluol NCH). Bydd rhai sefydliadau gwirfoddol yn talu un person, a fydd wedyn yn trefnu nifer o wirfoddolwyr digyflog (er enghraifft Homestart), neu'n talu ychydig i nifer o bobl (er enghraifft, gweithwyr grŵp chwarae). O bosibl, byddant yn cael eu rhedeg gan bwyllgor rheoli gwirfoddol, fel yn achos nifer o grwpiau chwarae a grwpiau cymunedol.

GWASANAETHAU ANNIBYNNOL NEU BREIFAT
Beth yw gwasanaethau annibynnol?

Fel rheol, mae gwasanaethau annibynnol yn wasanaethau preifat a ddarperir gan unigolion, grwpiau o bobl neu gwmnïau i ateb angen, darparu gwasanaeth a gwneud elw ariannol. Fel yn achos sefydliadau gwirfoddol, mae'r llywodraeth yn fodlon bod 'y sector preifat neu annibynnol' yn darparu rhai gwasanaethau penodol.

Beth mae gwasanaethau annibynnol yn ei ddarparu?

Fel rheol, mae gwasanaethau annibynnol yn anelu at ddarparu gwasanaeth a *hefyd* gwneud elw ariannol i'w perchenogion. Rhaid iddynt fod yn 'ariannol bosibl' felly, sef gallu rhedeg heb wneud colled. Ymhlith pethau eraill maent yn darparu gofal meithrin, addysg, gofal iechyd, gwasanaethau cynghori, gwasanaethau tai a hamdden. Mae nanis a gwarchodwyr plant yn rhan o'r sector preifat.

Sut mae gwasanaethau annibynnol yn cael eu hariannu?

Mae gwasanaethau preifat yn cael eu hariannu gan fuddsoddiadau preifat pobl sy'n dymuno adennill eu buddsoddiad, a chan y ffioedd a godir ganddynt am eu defnyddio. Mewn rhai achosion, bydd y wladwriaeth yn talu ffioedd rhywun sy'n dymuno defnyddio gwasanaeth preifat. Mae hyn yn digwydd pan fydd ganddi ddyletswydd i ddarparu gwasanaeth ar gyfer cleient penodol, ond lle nad yw'r sector gwladol yn darparu ar gyfer y maes hwnnw (er enghraifft, talu am ofal dydd gyda gwarchodwr plant ar gyfer plentyn yr ystyrir ei fod 'mewn angen' dan Ddeddf Plant 1989).

Sut mae gwasanaethau annibynnol yn cael eu staffio?

Mae nifer staff gwasanaethau annibynnol yn dibynnu ar angen y sefydliad. Wrth reoli rhai gwasanaethau gall y wladwriaeth fynnu, er enghraifft, eu bod yn cyflogi cyfran benodol o staff gyda chymwysterau proffesiynol. Mae'n bosibl hefyd y bydd rhai defnyddwyr yn mynnu bod ganddynt gymwysterau, er enghraifft, y rhai sy'n defnyddio nanis cymwysedig.

Gwirio'ch cynnydd

Diffiniwch 'gwasanaethau statudol' a rhowch enghraifft.

Diffiniwch 'gwasanaethau gwirfoddol' a rhowch enghraifft.

Diffiniwch 'gwasanaethau annibynnol neu breifat' a rhowch enghraifft.

Pa Ddeddf Seneddol sy'n cynnwys y gweithdrefnau ar gyfer cofrestru ac archwilio'r sefydliadau preifat a gwirfoddol sy'n gofalu am blant?

Strwythur gwleidyddol ar gyfer darpariaeth gwasanaeth yn y DU

Darperir gwasanaethau statudol, gwirfoddol a phreifat i blant a'u teuluoedd o fewn strwythur gwleidyddol gwlad. Mae strwythurau gwleidyddol yn amrywio o wlad i wlad ac felly mae gwahaniaethau rhwng darpariaeth y DU a gwledydd Ewropeaidd eraill. Yn y DU, er bod rhywfaint o ddarpariaeth gwasanaethau'n cael ei gweinyddu'n ganolog, mae darpariaethau eraill yn dibynnu ar y dewisiadau a wneir gan wahanol awdurdodau lleol. O ganlyniad, gall gwasanaethau amrywio o ardal i ardal. Mae pleidiau gwleidyddol yn newid ac o bosibl bydd y gwasanaethau yn cael eu haddasu o ganlyniad.

AGWEDDAU GWLEIDYDDOL A LEFEL DARPARIAETH GWASANAETH

Gall y gwahaniaethau yn lefelau'r ddarpariaeth gwasanaeth, fel yn achos meithrinfeydd dydd gwladol, adlewyrchu credoau gwleidyddol y blaid sydd mewn grym mewn ardal leol neu'n ganolog o fewn gwlad. Un ffordd syml o ddeall pam fod hyn yn wir yw drwy edrych ar y syniadau sylfaenol sydd y tu cefn i gredoau gwleidyddol croes. Gellir disgrifio'r syniadau sylfaenol hyn fel naill ai 'aden-dde' neu 'aden-chwith'.

Credoau aden-dde

Dylai credoau aden-dde gynnwys syniadau tebyg i'r rhai canlynol:

- Dylai pobl gymryd cyfrifoldeb drostynt hwy eu hunain a'u teuluoedd eu hunain.

- Dylai'r wladwriaeth godi'r lleiafswm posibl o drethi.

- Dylai'r wladwriaeth wario'r lleiafswm posibl ar wasanaethau.

- Dylai pobl dalu ychydig iawn o drethi a bod yn rhydd i gadw a gwario'u harian ar ba bynnag wasanaethau a ddymunant.

- Mae'n well bod rhai gwasanaethau penodol yn cael eu darparu gan gyrff preifat neu wirfoddol, a bod y bobl sy'n awyddus i'w defnyddio yn talu amdanynt eu hunain.

Credoau aden-chwith

Mae credoau aden-chwith yn cynnwys syniadau tebyg i'r rhai canlynol:

- Mae'r wladwriaeth yn gyfrifol am les ei dinasyddion.

- Dylid casglu arian digonol drwy godi trethi; dylid casglu mwy gan y rhai sy'n ennill yr incwm uchaf.

- Dylai'r llywodraeth wario arian trethdalwyr i ddarparu gwasanaethau.

- Dylai'r wladwriaeth ddarparu gwasanaethau am ddim i bawb sydd eu hangen, heb ystyried a ydynt wedi cyfrannu tuag atynt drwy dalu trethi neu yswiriant.

GWASANAETHAU STATUDOL: DARPARIAETH LLYWODRAETH GANOLOG

Cynigir rhai gwasanaethau statudol gan lywodraeth ganolog, drwy wahanol adrannau. Mae'r *broses wleidyddol* sy'n arwain at y ddarpariaeth hon yn cynnwys y canlynol:

- Mewn etholiad gyffredinol, mae dinasyddion yn ethol gwleidyddion, a elwir yn Aelodau Seneddol (AS). Mae AS yn gwneud penderfyniadau polisi am y gwasanaethau maent yn awyddus i'w darparu, wedi'u seilio ar eu credoau gwleidyddol. Yna, maent yn pasio cyfreithiau (statudau) i ddweud pa wasanaethau y dylid eu darparu.

- Mae ASau yn cyflogi swyddogion i weithredu eu polisïau. Gelwir y swyddogion hyn, sy'n derbyn cyflog yn dod o drethi, yn weision sifil. Mae'r swyddogion hyn yn gweithio mewn swyddfeydd canolog a rhanbarthol ledled y wlad.

- Trefnir yr Adran Iechyd, Cyllid y Wlad, a'r Adran Nawdd Cymdeithasol fel adrannau llywodraeth ganolog gyda swyddfeydd rhanbarthol.

GWASANAETHAU STATUDOL: DARPARIAETH LLYWODRAETH LEOL

Mae llywodraeth leol hefyd yn darparu rhai gwasanaethau statudol, drwy awdurdod lleol. Mae trefniadaeth awdurdodau lleol y DU yn amrywio ac yn gymhleth. Dyma'r prif wahaniaethau:

- Mae gan rai ardaloedd o'r wlad ddwy haen o lywodraeth leol, ac mae'r ddwy yn cynnwys cynghorau etholedig, sef:

  - cyngor dosbarth, a all gynrychioli bwrdeistref, dinas neu ddosbarth

  - cyngor sir, a fydd yn cynnwys nifer o ddosbarthiadau.

Mewn ardaloedd o'r fath rhennir y ddarpariaeth gwasanaethau rhwng y ddau awdurdod.

- Mae gan ardaloedd eraill un haen o lywodraeth leol yn unig, a dim ond un cyngor etholedig. Gelwir y rhain yn *awdurdodau unedol*, gan fod *un* corff yn darparu'r holl wasanaethau lleol.

Mae'r *broses wleidyddol* sy'n arwain at ddarpariaeth gwasanaethau yn ymwneud â'r canlynol:

- Mae dinasyddion yn pleidleisio dros, ac yn ethol, cynghorwyr mewn etholiadau cyngor dosbarth a sir. Mae'r cynghorwyr hyn yn ffurfio'r cyngor lleol. Mae'r blaid gyda'r nifer mwyaf o gynghorwyr yn rheoli (gelwir hyn yn broses democrataidd). Mae cynghorau lleol yn derbyn eu pwerau drwy Ddeddfau Seneddol a thrwy basio is-ddeddfau.

- Mae cynghorwyr yn apwyntio swyddogion i weithredu eu polisïau ac i drefnu a darparu gwasanaethau yn yr ardal honno. Fe'u gelwir yn swyddogion llywodraeth leol ac mae eu cyflog yn dod o drethiant lleol a chanolog. Mae'r swyddogion yn gweithio mewn neuaddau trefi, canolfannau dinesig a swyddfeydd eraill yn yr ardal. Darperir rhai ysgolion a gwasanaethau addysg eraill, gwasanaethau cymdeithasol, gwasanaethau hamdden a thai fel hyn gan adrannau llywodraeth leol.

Y WLADWRIAETH MEWN PERTHYNAS Â GWASANAETHAU ANNIBYNNOL A GWIRFODDOL

Mae parodrwydd y wladwriaeth i annog darpariaeth annibynnol neu wirfoddol yn dibynnu ar ei thueddiad gwleidyddol. Yn draddodiadol, bu cysylltiad agos rhwng llywodraethau Ceidwadol a chefnogaeth i'r sector breifat, annibynnol. Fodd bynnag, mewn ffaith mae llywodraethau diweddar o'r ddwy blaid wleidyddol yn gynyddol wedi annog darpariaeth gwasanaethau preifat a gwirfoddol. Er mwyn amddiffyn y bobl sy'n eu defnyddio, mae'r wladwriaeth yn pasio cyfreithiau sy'n gofyn bod y gwasanaethau hyn yn cyrraedd safonau penodol, yn cofrestru ac yn cael eu harchwilio gan swyddogion y llywodraeth (er enghraifft gwarchodwyr plant a meithrinfeydd dydd preifat, dan Ddeddf Plant 1989).

Ar wahân i hyn, gall gwasanaethau annibynnol godi ffioedd y bydd pobl, yn eu barn hwy, yn barod i'w talu am wasanaeth. Maent yn ateb galwadau'r 'farchnadfa'. Fel rheol, rheolir darparwyr gwirfoddol gan ryw ffurf ar gyngor sy'n penderfynu pwy ddylai'r gwasanaeth eu helpu. Gall hyn olygu bod defnyddwyr gwasanaeth yn gorfod credu rhywbeth penodol, neu fod yn 'haeddiannol'. Mae hyn yn wahanol iawn i ddarpariaeth gwladol, y gall pob dinesydd eu hawlio os ydynt yn gymwys.

Gwirio'ch cynnydd

Pam fod lefelau darpariaeth gwasanaethau yn gallu amrywio yn ôl y blaid wleidyddol sydd, neu sydd wedi bod, mewn grym?

Beth yw credo gwleidyddol aden-dde?

Beth yw credo gwleidyddol aden-chwith?

Pwy sy'n cael eu hethol mewn etholiad cyffredinol?

Pwy sy'n apwyntio gweision sifil a beth mae gweision sifil yn ei wneud?

Pwy sy'n apwyntio swyddogion llywodraeth leol a beth mae swyddogion llywodraeth leol yn ei wneud?

Beth yw awdurdodau unedol?

Gwasanaethau gofal plant ac addysg

DARPARIAETH STATUDOL YN YMWNEUD Â GWASANAETHAU GOFAL PLANT AC ADDYSG

Mae'r gyfraith yn mynnu bod y wladwriaeth yn sicrhau bod pob plentyn, gan gynnwys y rhai sydd ag anableddau, yn derbyn addysg os ydynt mewn **oedran ysgol statudol**. Mae hyn yn golygu dechrau'r tymor ar ôl eu 5ed penblwydd, tan ddiwedd y flwyddyn ysgol pan gawsant eu 16eg penblwydd.

Addysg Blynyddoedd Cynnar

Mae strwythur darpariaeth ysgol gynradd yn amrywio yn ôl ardal. Gellir darparu addysg gynradd ar gyfer plant mewn:

- *un* ysgol gynradd hyd at 11 oed

- ysgol fabanod hyd at 7 oed, yna ysgol gynradd hyd at 11 oed

Rheolaeth leol ysgolion

Erbyn hyn mae awdurdodau addysg lleol yn rhoi cyfran fawr o'u cyllideb addysg yn uniongyrchol i ysgolion. Bydd y prifathro a llywodraethwyr yr ysgol yn penderfynu sut i wario'r arian a sut i staffio'r ysgol. Maent yn gyfrifol am reolaeth ariannol a chyffredinol eu hysgol. Gelwir y system hon yn **rheolaeth leol ysgolion (LMS)**. Mae'r mwyafrif o bobl o fewn byd addysg yn ystyried bod hwn yn bolisi llwyddiannus sydd wedi rhoi'r grym a'r disgresiwn i ysgolion i reoli eu cyllidebau eu hunain.

Y Cwricwlwm Cenedlaethol a'r Canlyniadau Dysgu Dymunol

Erbyn hyn rhaid i bob ysgol ddilyn y Cwricwlwm Cenedlaethol, yn ôl y gyfraith. Pwrpas hyn yw sicrhau bod pob plentyn yn dilyn cwricwlwm eang a chytbwys. Diwygiwyd cynnwys y Cwricwlwm Cenedlaethol sawl gwaith a bellach nid yw'r profion yn statudol yng Nghymru yng Nghyfnod Allweddol Un a Dau.

Ysgolion a dosbarthiadau meithrin

Bu gan awdurdodau lleol y grym i ddarparu addysg cyn ysgol ers nifer o flynyddoedd, ond nid ydynt wedi defnyddio'r grym hwn yn gyson ar draws y wlad nac o fewn eu hardal hwy. O ganlyniad, mae'r ddarpariaeth dosbarthiadau ac ysgolion meithrin gwladol yn amrywio ledled y wlad. Mae rhai cynghorau'n darparu ysgolion meithrin ar wahân, eraill yn darparu unedau meithrin sydd ynghlwm wrth ysgolion cynradd, tra bod eraill yn cynnig fawr ddim. Fel rheol mae'r addysg a gynigir ganddynt yn rhan amser. Erbyn hyn, mae'r llywodraeth yn ariannu addysg dan oed ysgol i bob plentyn 4 oed, ond gall rhieni ddewis a fydd yr addysg yn dod o'r sector gwladol, gwirfoddol neu breifat. Estynnwyd y cyllidebu i gynnwys rhai plant 3 oed ac anelir ar ariannu pob plentyn 3 oed. Er mwyn derbyn yr arian hwn, rhaid i sefydliadau gael eu harolygu a dangos eu bod yn cynnig addysg sy'n llwyddo i hyrwyddo Meini Prawf y Canlyniadau Dysgu Dymunol yn ddigonol. Mae pwyslais mawr o hyd ar chwarae ac archwilio ym mhob addysg feithrin. Gan amlaf, ceir hyd i ysgolion meithrin gwladol yn yr ardaloedd hynny sydd â'r angen cymdeithasol mwyaf.

Mae'r rhan fwyaf o wledydd Ewrop yn darparu mwy o addysg feithrin na'r DU ond fel rheol mae'r oedran ysgol statudol yn hŷn. Er enghraifft, yn Ffrainc a'r Almaen mae gan bob plentyn rhwng 3 a 6 oed hawl cyfreithiol i le mewn ysgol feithrin. Yn yr Eidal, mae 92 y cant o blant rhwng 3 a 6 oed yn derbyn addysg cyn ysgol fel rhan o'r gyfundrefn wladol; mae'r ffigur hwn yn 95 y cant yng Ngwlad Belg. Yn Sweden, mae gan bob rhiant sy'n gweithio neu'n astudio yr hawl i le ar gyfer eu plant mewn canolfan a ariannir yn gyhoeddus wedi iddynt droi 1 oed.

---

term allweddol

Oedran ysgol statudol

yr oedrannau pan fo rhaid i blentyn dderbyn addysg yn ôl y gyfraith: o ddechrau'r tymor ar ôl eu 5ed penblwydd, tan ddiwedd y flwyddyn ysgol pan gawsant eu 16eg penblwydd

term allweddol

Rheolaeth leol ysgolion (LMS)

yn galluogi prifathro a llywodraethwyr ysgol i benderfynu sut i wario'u harian a staffio ysgol

Mudiad Ysgolion Meithrin

Mae Mudiad Ysgolion Meithrin yn fudiad gwirfoddol yng Nghymru, sy'n rhoi cyfle i bob plentyn o dan oedran ysgol i gael profiad o ystod eang o weithgareddau amrywiol a fydd yn hybu eu datblygiad cyfannol drwy gyfrwng y Gymraeg.

Mae yna gylchoedd meithrin, cylchoedd Ti a Fi a Chanolfannau Integredig ledled Cymru ar gyfer plant o dan bump oed. Mae'r rhain yn cael eu harwain gan rwydwaith cenedlaethol o Swyddogion Datblygu.

Prif nod y cylchoedd meithrin yma yw hyrwyddo addysg a datblygiad plant o enedigaeth hyd at oed ysgol. Rhoddir cyfleoedd amrywiol i blant ddysgu a chymdeithasu o dan ofal staff proffesiynol o fewn y maes gofal plant. Rhoddir yn ogystal, yn y Cylch Ti a Fi, gyfleoedd i rieni a gwarchodwyr fwynhau chwarae gyda'u plant, cymdeithasu mewn awyrgylch anffurfiol Gymreig, ac i drin a thrafod materion e.e. datblygiad plant, iechyd a gofal ac ati.

Croesewir pob plentyn i'r cylchoedd a gweithredir polisi cyfleoedd cyfartal ar draws y mudiad. Cynllunnir cwricwlwm blynyddoedd cynnar sy'n hyrwyddo'r 'Canlyniadau Dymunol i Ddysgu Plant cyn Oedran Ysgol Orfodol' yn y cylchoedd, a chynigir gweithgareddau sy'n sicrhau bod pob plentyn yn cael profiadau a fydd yn ei alluogi i ddatblygu i'w lawn botensial yn ystod ei gyfnod yn y cylch meithrin.

Am fwy o wybodaeth ynglŷn â'r mudiad, gellir ymweld â gwefan y Mudiad, sef: www.mym.co.uk

Meithrinfeydd dydd a chanolfannau teulu

term allweddol

Plant mewn angen

mae plentyn 'mewn angen' os yw'n annhebygol o lwyddo i gynnal safon iechyd neu ddatblygiad rhesymol heb ddarpariaeth gwasanaethau, neu os yw'n anabl

Mae gan adran gwasanaethau cymdeithasol (SSD) yr awdurdod lleol y grym i ddarparu gofal dydd i blant mewn meithrinfeydd dydd a chanolfannau teulu, a dyletswydd dan Ddeddf Plant 1989 i ddarparu ar gyfer **plant mewn angen** yn eu hardal hwy. Bellach, yn Lloegr trosglwyddwyd llawer o'r grymoedd hyn i'r Adran Addysg a Chyflogaeth (DfEE), a wnaeth lawer o'r gwaith o ddatblygu polisïau ar gyfer Datblygiad Blynyddoedd Cynnar a Chynlluniau a Phartneriaethau Gofal Plant, ac o sefydlu'r Canolfannau Rhagoriaeth Blynyddoedd Cynnar.

MENTRAU'R LLYWODRAETH

Cychwyn Cadarn

Menter gan y llywodraeth a leolir mewn ardaloedd o ledled y wlad yw Cychwyn Cadarn. Fe'i lansiwyd yn 1999 gyda'r bwriad o wella iechyd a lles teuluoedd a phlant cyn ac wedi'r geni, fel bod plant yn barod i ffynnu erbyn cyrraedd yr ysgol. Ceir crynodiad o raglenni Cychwyn Cadarn mewn ardaloedd lle mae canran uchel o'r plant yn byw mewn tlodi a lle gobeithir y bydd Cychwyn Cadarn yn gallu eu helpu i lwyddo drwy arloesi dulliau newydd o weithio i wella'r holl wasanaethau a anelir at blant a'u teuluoedd.

Mae saith adran o'r llywodraeth yn gweithio gyda'i gilydd yn gyfrifol am Cychwyn Cadarn. Cynhelir y rhaglenni'n lleol gan bartneriaethau, gan gynnwys sefydliadau gwirfoddol a chymunedol, iechyd, llywodraeth leol, addysg ac, yn bennaf, rhieni lleol.

Mae'r canlynol yn dangos lleiafswm darpariaeth Cychwyn Cadarn, ond mae'r ffordd a wnânt hyn yn union yn dibynnu ar amgylchiadau ac anghenion lleol:

- estyn allan ac ymweliadau cartref
- cefnogaeth i deuluoedd a rhieni
- cefnogaeth ar gyfer chwarae, dysgu a gofal plant o ansawdd uchel
- iechyd a gofal cymdeithasol cymunedol a chychwynnol
- cefnogaeth i blant a rhieni gydag anghenion arbennig.

Mae rhaglenni Cychwyn Cadarn yn dilyn yr egwyddorion allweddol hyn:

- yn cyd-lynu ac yn ychwanegu gwerth at wasanaethau sy'n bodoli'n barod

- yn cynnwys rhieni, tad-cuod a mam-guod a gofalwyr eraill mewn ffyrdd sy'n adeiladu ar eu cryfderau presennol

- yn osgoi gwarthnod drwy sicrhau bod pob teulu lleol yn gallu defnyddio gwasanaethau Cychwyn Cadarn

- yn sicrhau cefnogaeth barhaol drwy gysylltu â gwasanaethau i blant hŷn

- bod yn briodol o safbwynt diwylliant ac yn sensitif i anghenion penodol

- hyrwyddo cyfranogaeth pob teulu lleol o ran cynllunio a gweithredu'r rhaglen.

Y Strategaeth Ofal Plant Genedlaethol

Mae'r llywodraeth Lafur hefyd yn datblygu **Strategaeth Ofal Plant Genedlaethol** o fewn y DfEE. Ym Mai 1998 datgelodd y llywodraeth ei chynlluniau i wario mwy na £300 miliwn ar ariannu lleoedd gofal plant dros y 5 mlynedd ganlynol. Y bwriad yw sicrhau gofal plant o ansawdd da, rhwydd ei gyrraedd a fforddadwy ar gyfer plant hyd at 14 oed ym mhob cymdogaeth yn Lloegr. Mae ei strategaeth yn cynnwys mesurau i sicrhau bod gofal plant yn fwy fforddadwy, gan gynnwys credydau treth i deuluoedd sy'n gweithio, ac yn fwy cyraeddadwy drwy gynyddu nifer y lleoedd ac annog darpariaeth amrywiol i fodloni rhieni. Mae strategaeth debyg yn bodoli yng Nghymru.

DARPARIAETH GWASANAETHAU GOFAL PLANT AC ADDYSG YN Y SECTOR GWIRFODDOL

Cylchoedd chwarae cyn ysgol

Dechreuodd mudiad cylch chwarae'r DU yn y 1960au pan ffurfiwyd cylch gan un rhiant. Ehangodd y mudiad yn gyflym drwy'r wlad. Dros y blynyddoedd, llenwodd fwlch amlwg o ran darpariaeth dan oed ysgol, ond o ganlyniad i newidiadau yn y cyllidebu a'r cynnydd yn narpariaeth sectorau eraill, dirywiodd nifer y cylchoedd chwarae ledled y wlad.

Er mwyn ffurfio cylch chwarae, fel rheol bydd pobl leol yn ffurfio grŵp, yn rhentu safle ac yn ffurfio pwyllgor sy'n trefnu ac yn apwyntio gweithwyr. Weithiau bydd rhieni'n cyfrannu i sesiynau drwy gymryd rhan mewn rota. Fel rheol, mae nifer o sesiynau rhan amser ar gael bob wythnos; codir tâl am bob plentyn, ond o bosibl ariannir plant 3 a 4 oed. Yn draddodiadol, mae cylchoedd chwarae cyn ysgol wedi darparu cyfleusterau chwarae a chysylltiad cymdeithasol, ond os ydynt yn derbyn plant 3 a 4 oed a ariannir, yna rhaid iddynt ddangos i arolygwyr ESTYN y byddai eu rhaglen yn galluogi plant i dderbyn addysg ddigonol. Bu proses arolygu ESTYN yn bwysau mawr ar rai cylchoedd chwarae; mae cyflogau'r staff yn gymharol isel ac o bosibl ni fydd ganddynt gymwysterau proffesiynol. Yn ogystal, roedd rhaid i'r cylchoedd chwarae gofrestru gyda'r adran gwasanaethau cymdeithasol a chael eu harolygu ganddynt hwy drwy Asiantaeth Safonau Gofal Cymru ((ASGC).

Weithiau bydd cylchoedd rhieni a phlant bach yn defnyddio'r un cyfleusterau â chylchoedd chwarae. Mae rhieni a gofalwyr yn dod â phlant a babanod, ond yn eu goruchwylio wrth iddynt chwarae.

Canolfannau meithrin a theulu yn y sector gwirfoddol

Erbyn hyn, mae sefydliadau gwirfoddol a fu'n ymwneud â darparu gofal preswyl yn draddodiadol, yn ariannu nifer o ganolfannau meithrin a theulu mewn ardaloedd gydag anghenion cymdeithasol mawr. Mae sefydliadau yn cynnwys Barnardos ac NCH Gweithredu dros Blant wedi dargyfeirio eu hadnoddau er mwyn darparu gofal dydd yn y gymuned a chefnogaeth deuluol ar gyfer y rhai sy'n profi anawsterau.

Mae gwarchodwyr plant yn gofalu am blant pobl eraill yn eu cartrefi eu hunain

DARPARIAETH GWASANAETHAU GOFAL PLANT AC ADDYSG YN Y SECTOR PREIFAT

Gwarchodwyr plant

Pobl sy'n gofalu am blant pobl eraill yn eu cartrefi eu hunain yw gwarchodwyr plant. Mae ganddynt ddyletswydd gyfreithiol i gofrestru, gynt gyda'r AGC (Adran Gofal Cymdeithasol) ond erbyn hyn gyda'r DfEE, a rhaid iddynt gydymffurfio â safonau canllawiau Deddf Plant 1989 a'r Safonau Gofal newydd. Rhaid bod ganddynt iechyd a chymeriad da ac arddel agweddau anwahaniaethol. Mae'r Safonau'n ymwneud â diogelwch, gofod llawr a chymarebau gwarchodwr: plant ar gyfer y gwahanol oedrannau. Mae gan warchodwyr plant yr hawl i godi eu ffioedd eu hunain. Weithiau derbyniant dâl gan adran gwasanaethau cymdeithasol i ofalu am blant mewn angen.

Mae'r Sefydliad Gwarchodwyr Plant Cenedlaethol (NCMA) yn gorff dylanwadol sy'n ymwneud â darparu gwybodaeth a hyfforddiant, a gweithredu fel carfan bwyso ar gyfer gwarchodwyr plant.

Meithrinfeydd dydd preifat

Bu cynnydd driphlyg a mwy yn y nifer o feithrinfeydd dydd preifat rhwng 1987 a 1997. Lleolir meithrinfeydd dydd preifat mewn safleoedd o wahanol fathau, gan gynnwys meithrinfeydd wedi eu codi'n bwrpasol a rhai mewn adeiladau wedi eu trosi; maent yn amrywio mewn maint. Rhaid i bob un ohonynt gofrestru gydag ESTYN ar gyfer nifer penodol o blant a chydymffurfio â safonau fel y gwna gwarchodwyr plant ac i reoliadau cenedlaethol yn ymwneud â lefelau staff cymwysedig. Maent yn darparu gofal ac addysg lawn neu ran amser ar gyfer plant dan oed ysgol ac mae llawer yn derbyn babanod. Yn ogystal, mae rhai yn darparu gofal cyn ac ar ôl ysgol a gofal yn ystod gwyliau ysgol. Mae'r ffioedd yn amrywio ac i raddau maent yn adlewyrchu'r hyn mae pobl yr ardal yn gallu talu.

Mae'r Sefydliad Meithrinfeydd Dydd Cenedlaethol (NDNA) yn anelu at hyrwyddo ansawdd yn y sector preifat.

Clybiau y tu allan i'r ysgol

Darperir clybiau y tu allan i'r ysgol mewn ysgolion, meithrinfeydd neu safleoedd eraill ac mae'r llywodraeth wedi rhoi cefnogaeth ariannol sylweddol iddynt yn ystod y blynyddoedd diwethaf. Maent yn cynnig cefnogaeth amhrisiadwy i blant rhieni sy'n gweithio, yn y cyfnodau rhwng oriau gwaith ac oriau ysgol. Yn 1997 roedd 2,600 o glybiau'n bodoli, gan gynnig lleoedd i 79,000 o blant rhwng 5 a 7 oed – codiad o 13 y cant dros y flwyddyn flaenorol. Mae'r niferoedd hyn yn debygol o godi eto.

Ysgolion meithrin preifat

Mae ysgolion meithrin yn bodoli er mwyn ateb gofynion rhieni sydd yn awyddus i'w plant gael eu haddysgu yn y sector preifat. Yn aml, maent yn rhan o ysgol breifat i blant hyd at 11 oed. Mae'r ysgolion hyn yn darparu addysg lawn a rhan amser i blant o 3 oed yn ystod oriau ysgol; gallant hefyd ddarparu gofal cyn ac ar ôl ysgol. Rhaid i ysgolion gofrestru gyda'r DfEE a chwrdd â safonau penodol. Os ydynt yn darparu addysg feithrin i blant sy'n cael eu hariannu, rhaid iddynt gofrestru gydag ESTYN a chael eu harchwilio ganddynt.

Nanis

Cyflogir nanis yn breifat gan rieni i ofalu am blant yng nghartref y teulu. Gall nanis fyw yn y cartref neu'r tu allan iddo. Maent yn trefnu eu cytundeb, sy'n cynnwys oriau, cyflog a dyletswyddau, gyda'u cyflogwr. Nid oes rhaid iddynt fod yn gymwysedig; rhaid iddynt gofrestru dim ond os ydynt yn gofalu am blant tri neu fwy o deuluoedd ar yr un pryd. Gwnaed cais ar gyfer cofrestru nanis o fewn cyfundrefn genedlaethol. Mae hyn yn codi nifer o broblemau, ac mae rhai arbenigwyr o'r farn na fyddai modd gweithredu'r fath system, ac na fyddai'n gwneud llawer i ddiogelu'r plant. Cyhoeddodd y Ffederasiwn Gwasanaethau Recriwtio a Chyflogi (FRES) set o ganllawiau ar gyfer unrhyw un sydd yn awyddus i gyflogi nani. Mae'n darparu rhestr yn cynnwys deg o bwyntiau ar gyfer cyflogwyr, i'w helpu i ddewis y nani gywir.

Meithrinfeydd man gwaith

Nid yw darparu lleoedd gofal dydd mewn man gwaith yn gyffredin. Yn 1998 dim ond 25 o 500 prif gwmni a ddarparai meithrinfa yn y man gwaith. Roedd gan ddeg cwmni leoedd ar gadw mewn meithrinfa a 15 clybiau ar ôl ysgol. Pan ofynnwyd iddynt, dywedodd 88 y cant o'r cwmnïau nad oeddent yn credu bod mamau ac weithiau yn llai dibynnol fel aelodau staff na'r mwyafrif o weithwyr cyflogedig, a chytunai 65 y cant y dylent wneud mwy i helpu rhieni gweithiol. Mae'n bosibl y bydd cyflogwyr yn dod yn fwy ymwybodol o'r ddadl ariannol dros fuddsoddi mewn gofal plant, gan fod mwy o wragedd gyda phlant ifainc yn dychwelyd i'r gwaith.

Astudiaeth achos...

... gofal plant ac addysg i blant rhieni sy'n gweithio

Daeth Rhian, Ann, Rhodd ac Aisha yn ffrindiau ar ôl cyfarfod yn y dosbarthiadau cyn-geni. Maent wedi aros mewn cysylltiad wrth i'w babanod dyfu'n hŷn, ac weithiau byddant yn trafod eu pryderon ynglŷn â gwneud y dewisiadau iawn o ran gofal plant ac addysg i'w plant. Mae pob un ohonynt yn byw gyda phartner sy'n gweithio, ond maent oll yn cytuno mai nhw eu hunain sy'n teimlo fwyaf cyfrifol am drefnu gofal plant i'w plant, er bod pob penderfyniad yn cael ei wneud ar y cyd gyda'u partneriaid. Nid oes gan yr un ohonynt berthnasau sy'n byw'n agos. Maent yn cytuno bod angen system hyblyg sy'n caniatáu iddynt wneud eu gwaith, ond sydd hefyd yn darparu gofal da i'w plant mewn amgylchedd symbylol.

- Mae gan Rhian blentyn 18 mis oed. Mae hi'n gweithio oddi cartref ac mae ei horiau'n hyblyg i raddau, ond er hyn mae'n ceisio gwneud 6 awr o waith yn ei swyddfa bob dydd, mor aml â phosibl.

- Mae gan Ann faban 6 mis oed ac un 20 mis oed. Mae hi newydd ddychwelyd i weithio rhan amser am un diwrnod llawn a thri hanner diwrnod bob wythnos mewn siop adrannol.

- Mae gan Rhodd blentyn 19 mis oed ac un 3 oed, ac mae'n gweithio fel nyrs feithrin llawn amser mewn ysgol gynradd.

- Mae gan Aisha dri phlentyn 18 mis, 4 a 7 oed. Mae'n gweithio fel clerc mewn swyddfa cyfreithiwr brysur.

1. *Amlinellwch y trefniadau gofal plant mwyaf addas ac ymarferol, yn eich barn chi, ar gyfer pob un o'r teuluoedd hyn. Rhowch resymau dros eich dewisiadau ym mhob achos.*

2. *Awgrymwch ddewis arall priodol ar gyfer pob teulu.*

Gwirio'ch cynnydd

Pa wasanaethau gofal plant ac addysg a ddarperir gan y sector gwladol?

Pa wasanaethau gofal plant ac addysg a ddarperir gan y sector gwirfoddol?

Pa wasanaethau gofal plant ac addysg a ddarperir gan y sector preifat?

Gwasanaethau cymdeithasol personol

DARPARIAETH STATUDOL GWASANAETHAU CYMDEITHASOL

Gofal ar gyfer plant mewn angen

Mae awdurdodau lleol yn darparu gwasanaethau cymdeithasol personol drwy eu hadran gwaith cymdeithasol (SSD). Dan Ddeddf Plant 1989 roedd ganddynt ddyletswydd i ddarparu gwasanaethau ar gyfer 'plant mewn angen' yn eu hardal i'w helpu i aros gyda'u teuluoedd ac i gael eu magu ganddynt.

Bernir bod plentyn 'mewn angen' os:

- yw'r plentyn yn annhebygol o gyflawni neu gadw, neu dderbyn y cyfle i gyrraedd neu gadw safon iechyd neu ddatblygiad rhesymol heb ddarpariaeth y gwasanaethau

- yw gofal neu ddatblygiad y plentyn yn debygol o gael eu hamharu'n sylweddol, neu eu hamharu ymhellach, heb ddarpariaeth gwasanaethau o'r fath

- yw'r plentyn yn anabl.

Mae'r SSD yn ceisio cadw teuluoedd gyda'i gilydd drwy gynnig cefnogaeth yn y gymuned iddynt. Gall ddarparu cyngor a chefnogaeth gwaith cymdeithasol, cefnogaeth ymarferol yn y cartref, canolfannau teulu, cyfnodau byr o ofal seibiant, helpu i ddarparu anghenion hanfodol yn y cartref a chyngor hawliau lles. Mewn rhai achosion, gall ofalu am blant mewn angen drwy ddarparu gofal maeth neu lety preswyl a gofal seibiant (a elwir erbyn hyn yn 'doriad tymor byr') i blant anabl.

Plant mewn perygl

Mae'n ddyletswydd ar yr SSD i ymchwilio i amgylchiadau unrhyw blentyn y credir ei fod yn agored i niwed ac i weithredu ar eu rhan er mwyn eu diogelu drwy ddefnyddio gweithdrefnau amddiffyn plant. Yn ogystal, mae'n darparu gofal mewn cartrefi preswyl neu faeth ar gyfer plant a wnaed yn destun gorchmynion gofal gan y llys.

Plant sy'n derbyn gofal

Mae'r SSD yn darparu llety ar gyfer plant sydd, gyda chytundeb eu rhieni, angen cyfnod o ofal i ffwrdd o'u teuluoedd. Bydd rhieni maeth, sy'n derbyn sêl bendith ac yn cael eu talu gan yr adran, yn gofalu am blant o'r fath. Yn ogystal, mae'n darparu cartrefi cymuned ar gyfer rhai plant. Mae pob SSD yn darparu gwasanaeth mabwysiadu ar gyfer plant sydd angen rhieni newydd, parhaol.

Anghenion arbennig

Y mae hefyd ystod o wasanaethau a ddarperir i blant anabl, ochr yn ochr â darpariaeth yr awdurdodau iechyd ac addysg.

Yn ôl Deddf Gofal Cymuned a Gwasanaeth Iechyd Gwladol 1990 roedd awdurdodau lleol yn gyfrifol am asesu anghenion cleientiaid unigol a oedd angen, am nifer o resymau, cymorth i'w helpu i barhau i fyw yn y gymuned.

Astudiaeth achos ...

... plant 'mewn angen'

Roedd Heddwen yn 17 oed pan aned ei phlentyn cyntaf. Ni roddwyd enw'r tad ar y dystysgrif geni. Yn dilyn hyn, cafodd ddau faban arall gan ddau ddyn gwahanol. Rhannodd ei chartref gyda'r olaf, ond weithiau roedd yn dreisgar tuag ati ac yn dangos fawr ddim diddordeb yn y plant. Ni allai Heddwen ymdopi'n hawdd. Ni châi lawer o arian gan ei phartner, ac weithiau ni allai fwydo'i phlant na gofalu amdanynt yn ddigonol. Galwai'r ymwelydd iechyd, ond nid oeddent byth yno. Fe'u cyfeiriwyd at y gwasanaethau cymdeithasol lleol gan gymdoges gan ei bod hi'n credu bod y plant yn cael eu hesgeuluso.

Ar ôl ymholiad a chynhadledd achos, rhoddwyd enwau'r plant ar y gofrestr amddiffyn plant am eu bod yn cael eu hesgeuluso ac am fod dyn treisgar yn byw yn y tŷ. Roedd y cynllun diogelu yn argymell gosod ei phlant 2 a 3 oed mewn meithrinfa. Byddai hyn yn digwydd rhan amser, ar yr amod bod Heddwen yn aros gyda hwy ddau fore bob wythnos i ddysgu am chwarae a gofal corfforol. Roedd gan y plentyn 5 oed le mewn ysgol gynradd leol. Roedd gan yr ysgol hon bartneriaeth â'r gwasanaethau cymdeithasol i ddarparu gofal cyn ysgol, gan gynnwys brecwast, i rai plant a gyfeiriwyd. Daeth gweithiwr cymdeithasol i weld Heddwen, gan ffurfio cyfeillgarwch a'i helpu gyda chyngor ac arweiniad. Yn ogystal trafododd y posibilrwydd y gallai Heddwen dderbyn lle gydag asiantaeth hyfforddi leol i ddechrau hyfforddi ar gyfer gwaith.

Flwyddyn yn ddiweddarach, roedd Heddwen wedi aeddfedu i fod yn wraig ifanc fwy hyderus ac aeddfed. Dywedodd wrth ei phartner i adael, dechreuodd reoli ei harian a dechreuodd wneud cwrs rhan amser. Roedd ei phlant yn ffynnu, ac yn amlwg yn hapusach.

1. Pam y cyfeiriwyd Heddwen at y gwasanaethau cymdeithasol lleol?

2. Pam y gellid dweud bod ei phlant 'mewn angen' yn nhermau Deddf Plant 1989?

3. Pa gymorth a roddwyd gan y gwasanaethau cymdeithasol wedi i enwau'r plant gael eu rhoi ar y gofrestr amddiffyn plant?

4. Pam fod ei phlant yn ffynnu ac yn amlwg yn hapusach flwyddyn yn ddiweddarach, yn eich barn chi?

5. Pam y gelwir hyn yn 'waith ataliol'?

Cael hyd i wybodaeth am wasanaethau

Gellir cael hyd i wybodaeth am adrannau gwasanaethau cymdeithasol gan eu swyddfeydd, a restrir yn y llyfr ffôn, ac mewn llyfrgelloedd lleol. Bydd gan yr SSD daflenni yn hysbysu'r cyhoedd am eu gwasanaethau.

MUDIADAU GWIRFODDOL CENEDLAETHOL

CANOLFANNAU CYMUNED AFFRICANAIDD-CARIBIAIDD, INDIAIDD, PACISTANAIDD

Yn bodoli mewn ardaloedd lle ceir nifer o bobl o dras Caribiaidd ac Asiaidd. Maent yn cynnig ystod o wasanaethau cynnal a chefnogi ar gyfer pobl leol. Yn ogystal, ceir ystod eang o sefydliadau lleol sy'n ceisio ateb anghenion cymunedau lleiafrifol eraill. Mae rhai o'r rhain yn darparu meithrinfeydd.

BARNADOS

Yn gweithio gyda phlant a'u teuluoedd er mwyn lliniaru effeithiau anfantais ac anabledd. Mae'n rhedeg nifer o brojectau mewn cymunedau, gan gynnwys canolfannau dydd lle gall plant ifainc sy'n agored i niwed dderbyn gofal a lle gall eu teuluoedd dderbyn cefnogaeth. Yn ogystal, mae'n darparu llety preswyl i blant gydag anghenion arbennig. Mae'n ymchwilio i feysydd lle mae angen ac yn cyhoeddi canlyniadau'r ymchwil.

CHILDLINE

Yn darparu llinell gymorth cynghori dros y ffôn cenedlaethol i blant sydd mewn trafferth neu berygl. Mae'n gwrando, yn cysuro ac yn amddiffyn. Y rhif rhadffôn yw 0800 1111.

CYMDEITHAS Y PLANT

Yn cynnig gwasanaethau gofal plant i blant a theuluoedd mewn angen. Mae'n ceisio helpu plant i dyfu i fyny o fewn eu teuluoedd a'u cymunedau eu hunain.

SEFYDLIAD CENEDLAETHOL CANOLFANNAU CYNGHORI

Yn darparu cyngor a chymorth cyfrinachol, diduedd a rhad ac am ddim i bawb. Mae ganddo fwy na mil o swyddfeydd lleol, yn darparu gwybodaeth, cyngor ac arweiniad cyfreithiol ar nifer o bynciau. Mae'r rhain yn cynnwys nawdd cymdeithasol, tai, arian, materion teuluol a phersonol.

CONTACT-A-FAMILY

Yn hyrwyddo cefnogaeth gilyddol rhwng teuluoedd sy'n gofalu am blant anabl. Mae ganddo brojectau wedi'u lleoli yn y gymuned sy'n cynorthwyo grwpiau hunangymorth rhieni, ac yn rhedeg llinell gymorth genedlaethol.

UNEDAU GWASANAETH TEULUOL

Yn darparu ystod o wasanaethau gwaith cymdeithasol a chymuned a chefnogaeth i deuluoedd a chymunedau dan anfantais gyda'r bwriad o gadw teuluoedd rhag chwalu.

SEFYDLIAD LLES TEULUOL

Yn cynnig gwasanaethau i deuluoedd, plant a phobl gydag anableddau. Mae'n darparu cymorth ariannol i blant mewn angen eithriadol, cefnogaeth gwaith cymdeithasol a chanolfannau galw heibio.

GINGERBREAD

Yn darparu cefnogaeth emosiynol, cymorth ymarferol a gweithgareddau cymdeithasol i rieni unigol a'u plant.

GOFAL IDDEWIG

Yn darparu cymorth a chefnogaeth i bobl o'r ffydd Iddewig a'u teuluoedd. Ymhlith cyfleusterau eraill, mae'n rhedeg canolfannau dydd ac yn darparu timau gwaith cymdeithasol a chymorth cartref.

MENCAP

Yn ceisio cynyddu ymwybyddiaeth gyhoeddus o'r problemau a wynebir gan bobl gydag anableddau meddyliol a'u teuluoedd. Mae'n cefnogi canolfannau dydd a chyfleusterau eraill.

MIND

Yn ymwneud â gwella gwasanaethau i bobl gydag anhwylderau meddwl a hyrwyddo iechyd meddwl a gwasanaethau gwell.

SEFYDLIADAU GWIRFODDOL CENEDLAETHOL – PARHAD

CARTREFI CENEDLAETHOL Y PLANT (GYNT, NCH GWEITHREDU DROS BLANT)

Yn darparu cymorth i blant sydd dan anfantais a'u teuluoedd. Mae'n rhedeg nifer o gynlluniau, gan gynnwys canolfannau teulu, gofal maeth a chymorth a chefnogaeth i deuluoedd. Yn ogystal, mae'n ymchwilio ac yn cyhoeddi canlyniadau'r ymchwil.

CYMDEITHAS GENEDLAETHOL PLANT BYDDAR

Elusen genedlaethol sy'n gweithio ar ran plant byddar a'u teuluoedd. Mae'n rhoi gwybodaeth, cyngor a chefnogaeth yn uniongyrchol i deuluoedd gyda phlant byddar. Mae'n eu helpu i ddod o hyd i gymorth a chefnogaeth leol.

CYMDEITHAS GENEDLAETHOL ER ATAL CREULONDEB I BLANT (NSPCC)

Mae ganddi rwydwaith o dimau amddiffyn plant ledled Cymru a Lloegr. Mae'r NSPCC yn gweithio mewn ffordd debyg yn yr Alban. Mae'r Llinell Gymorth Amddiffyn Plant - 0800 800500 - sy'n 24 awr, ac yn rhad ac am ddim, yn ganolog i wasanaethau'r NSPCC. Mae'n darparu gwasanaeth cynghori, gwybodaeth a chyngor i unrhyw un sy'n poeni am blentyn sydd mewn perygl. Mae'n ymchwilio i achosion yn ymwneud â chyfeirio a hefyd yn cynnig cefnogaeth mewn canolfannau gofal teulu. Mae'n gwneud llawer o ymchwilio a chyhoeddi, ac yn darparu gwybodaeth a hyfforddiant i weithwyr proffesiynol eraill. Yn ogystal, mae'n ymgyrchu i newid agweddau tuag at blant a'u gofal.

PARENTLINE

Yn cynnig llinell gymorth dros y ffôn i rieni sy'n cael problemau o unrhyw fath gyda'u plant – 01702 559900.

MATERION CHWARAE: CYMDEITHAS LYFRGELLOEDD TEGANAU CENEDLAETHOL

Yn bodoli er mwyn hyrwyddo ymwybyddiaeth o bwysigrwydd chwarae ym mywyd y plentyn sy'n datblygu. Trefnir llyfrgelloedd yn lleol, ac maent yn benthyg teganau o ansawdd da i deuluoedd gyda phlant ifainc.

RELATE (GYNT CYNGOR CYFARWYDDYD PRIODAS)

Yn hyfforddi ac yn darparu cynghorwyr i weithio gyda phobl sy'n profi anawsterau yn eu perthnasau. Fel rheol bydd pobl yn cyfrannu'r hyn a allant ei fforddio i'r gwasanaeth hwn.

Y SAMARIAID

Yn darparu cefnogaeth gyfrinachol ac emosiynol i bobl mewn argyfwng ac mewn perygl o gyflawni hunanladdiad. Mae'r Samariaid ar gael 24 awr y dydd. Gellir cael hyd i ganghennau lleol drwy chwilio'r llyfr ffôn dan S, neu ffonio 0345 909090.

DARPARU GWASANAETHAU CYMDEITHASOL YN WIRFODDOL

Sefydliadau gwirfoddol cenedlaethol

Mae ystod eang o sefydliadau gwirfoddol yn bodoli sy'n helpu i gefnogi teuluoedd a'u plant; dangosir rhai ohonynt yn y tabl canlynol. Mae'r sefydliadau hyn yn atodi gwaith yr adran gwasanaethau cymdeithasol. Gellir cael hyd i gyfeiriadau a gwybodaeth bellach o lyfrau ffôn, o *The Charities Digest* a gyhoeddir gan y Sefydliad Lles Teuluoedd ac ar gael mewn llyfrgelloedd lleol, ac o ganolfan wirfoddoli.

Yn y rhan fwyaf o ardaloedd, mae mudiadau gwirfoddol yn bodoli i ateb anghenion y boblogaeth leol. Yn aml, bydd Cyngor Gwasanaeth Gwirfoddol (CVS) yn cadw rhestr ohonynt ac yn eu cyd-lynu. Ceir rhestr ohonynt hefyd dan 'Mudiadau gwirfoddol' mewn llyfrau ffôn *Yellow Pages*. Mae amrywiaeth fawr o fudiadau yn bodoli. Mae rhai ohonynt yn grwpiau hunangymorth, ac eraill yn ateb anghenion pobl o wahanol gefndiroedd ethnig a chenedlaethol. Gallant ddarparu gwasanaethau gwybodaeth benodol, cyngor a chefnogaeth.

DARPARIAETH ANNIBYNNOL GWASANAETHAU CYNNAL PERSONOL

Gellir prynu rhai gwasanaethau cynnal yn breifat, er enghraifft therapi personol a theuluol, gwahanol fathau o gynghori, cymorth gofalu a chymorth yn y cartref. Mae'r gwasanaethau hyn yn tueddu i fod yn ddrud ac ni all rhai pobl eu fforddio, ond gallant fod yn ddefnyddiol iawn i bobl sydd angen cefnogaeth o ran materion teuluol.

Gwirio'ch cynnydd

Pa Ddeddf Seneddol a bennodd bod gan yr awdurdod lleol ddyletswydd i ddarparu gwasanaethau ar gyfer plant mewn angen yn eu hardal hwy?

Pwy yw 'plentyn mewn angen'? Ceisiwch ei ddiffinio yn eich geiriau eich hun.

Pa Ddeddf Seneddol a bennodd bod gan yr awdurdodau lleol gyfrifoldeb dros asesu anghenion unigol cleientiaid?

Beth mae NSPCC, NCH a Barnardos yn ei ddarparu?

Pa fudiadau gwirfoddol sy'n darparu llinellau ffôn ar gyfer y cyhoedd?

Pa wasanaethau cynnal y gall pobl eu prynu?

Tai

TAI A DDARPARWYD GAN Y WLADWRIAETH

Mae'r awdurdodau lleol yn gweithredu fel galluogwyr o ran darparu tai a disgwylir iddynt weithredu'n strategol, gan ddelio â phob mater yn ymwneud â thai yn eu hardal hwy. Maent yn annog y sector preifat a gwirfoddol i adeiladu tai newydd, ac mae'n ddyletswydd arnynt i sicrhau nad oes teuluoedd digartref yn eu hardal hwy. Dechreuasant ddarparu tai cyngor ar ddechrau'r 20fed ganrif, ond bu'r galw yn fwy na'r nifer o dai erioed, ac felly dim ond rhai categorïau penodol o bobl a gâi fyw ynddynt. Lansiwyd rhaglen fawr i gael gwared ar slymiau ac ailadeiladu wedi'r Ail Ryfel Byd, ac mae'n ddyletswydd ar awdurdodau lleol o hyd i ailgartrefu teuluoedd a ddadleolwyd gan glirio slymiau neu gynlluniau ailddatblygu.

Disgwylir i awdurdodau lleol gynnal cyflwr eu stoc tai presennol, ond mae nifer y tai cyngor wedi dirywio'n gyson ers i'r llywodraeth Geidwadol gyflwyno'r polisi 'hawl i brynu' yn nechrau'r 1980au. Anogwyd pobl i brynu eu tai cyngor, ond yn ôl y gyfraith ni châi cynghorau ddefnyddio'r arian a enillwyd wrth werthu'r tai i adeiladu tai newydd. Yn rhannol, mae gwerthu tai cyngor wedi ychwanegu at y cynnydd mewn digartrefedd.

Bod yn ddigartref

Mae gan awdurdodau lleol ddyletswydd i roi cartref i deuluoedd digartref ond gan nad oes ganddynt ddigon o lety, yn aml rhaid iddynt leoli teuluoedd digartref mewn hostelau, er eu bod yn brin, neu mewn llety gwely a brecwast, sy'n ddrud ac yn anaddas, yn enwedig yn achos teuluoedd gyda phlant.

Mae cynghorau lleol yn talu Budd-dal Tai i deuluoedd sydd angen cymorth i dalu'r rhent.

DARPARU TAI YN WIRFODDOL
Cymdeithasau tai

Mae gan ymddiriedolaethau elusennol mawr, megis Ymddiriedolaeth Guinness ac

term allweddol

Cymdeithasau tai
sefydliadau dielw sy'n bodoli er mwyn darparu cartrefi ar gyfer pobl o wahanol gefndiroedd cymdeithasol a diwylliannol sydd angen tai

Ymddiriedolaeth Peabody, hanes hir o ddarparu tai mewn rhai dinasoedd. Yn fwy diweddar, mae cyrff elusennol eraill wedi ffurfio **cymdeithasau tai**. Mae'r llywodraeth wedi cefnogi'r mudiad hwn, gan annog cynnydd cymdeithasau tai a darparu arian ar eu cyfer drwy'r Gorfforaeth Letya, a leolir yn Llundain.

Mae cymdeithasau tai yn cynnig dewis arall yn lle tai cyngor. Maent yn bodoli er mwyn darparu cartrefi ar gyfer pobl o wahanol gefndiroedd cymdeithasol a diwylliannol sydd angen tai; nid ydynt yn gwneud elw. Maent yn darparu cartrefi drwy adeiladu unedau newydd neu wella neu drosi eiddo hŷn.

Tai noddfa i ferched

Mae'r awdurdodau lleol yn rhoi cymorth ariannol i dai noddfa i ferched a'u plant a ddioddefodd gamdriniaeth gan bartneriaid gwrywaidd treisgar. Yn aml, bydd y tai noddfa hyn yn cael eu defnyddio fel hostelau hanner ffordd nes y gellir ailgartrefu'r merched. Yn aml bydd y staff sy'n gweithio ynddynt yn gyfuniad o wirfoddolwyr a staff cyflogedig.

DARPARIAETH TAI PREIFAT

Perchentyaeth

Mae tua 65 y cant o dai'r DU yn cynnwys perchenogion preswyl. Bu cynnydd enfawr yn nifer y perchenogion preswyl yn ystod yr 20fed ganrif. Mae'n anodd i bobl sy'n derbyn incwm isel brynu eu tai eu hunain, am fod angen blaendal a hefyd oherwydd cost uchel ad-daliadau morgais.

Rhentu'n breifat

Mae'r nifer yr adeiladau y gellir eu rhentu'n breifat wedi dirywio'n fawr yn ystod yr 20fed ganrif. Mae hyn yn arbennig o wir yn achos tai rhatach, gan nad yw perchenogion bellach yn fodlon gosod eu heiddo i deuluoedd, am nifer o resymau. Er hyn, mae bron 10 y cant o deuluoedd yn byw mewn llety wedi'i rentu'n breifat. Mae'r gyfraith yn amddiffyn y tenantiaid hyn rhag cael eu troi allan yn annisgwyl.

Gwirio'ch cynnydd

Ar gyfer pwy mae gan y wladwriaeth ddyletswydd i ddarparu llety?

Pam y bu dirywiad yn nifer y tai cyngor sydd ar gael i'w rhentu?

Lle gellid lletya teulu digartref, pe na bai tai cyngor ar gael?

Beth yw cymdeithas tai?

Ble gallai merch a'i phlant fynd ar ôl dioddef trais?

Sut mae tenantiaid preifat yn cael eu hamddiffyn?

Nawdd cymdeithasol

BUDD-DALIADAU CYMDEITHASOL STATUDOL

Nod nawdd cymdeithasol statudol yw sicrhau bod gan oedolion incwm sylfaenol os nad ydynt yn gallu ennill digon i gadw eu hunain a'r sawl sy'n dibynnu arnynt. Telir ystod o fudd-daliadau ariannol gan yr Adran Nawdd Cymdeithasol (DSS) (llywodraeth ganolog) drwy ei Hasiantaeth Budd-daliadau i bobl sy'n byw dan

Logos Nawdd Cymdeithasol
a'r Asiantaeth Budd-daliadau

amrywiaeth o amgylchiadau. Mae Deddf Nawdd Cymdeithasol 1986 yn nodi'r prif newidiadau, a gyflwynwyd yn Ebrill 1988.

Newidiadau i'r gyfundrefn ers 1998

Yng ngwanwyn 1998 cyhoeddodd y llywodraeth Lafur newidiadau mawr i'r modd y câi budd-daliadau gwladol eu talu. Dyma ran o'i rhaglen O Fudd-dal i Waith Bargen Newydd. Ei nod yw helpu ac annog pobl i weithio pan allant wneud hynny, i gynnal teuluoedd a phlant, delio â thlodi plant, ac i sefydlu cyfundrefn les hyblyg ac effeithiol sy'n haws i bobl ei defnyddio.

MATHAU O FUDD-DALIADAU GWLADOL

Budd-daliadau ar sail cyfraniadau

Mae budd-daliadau ar sail cyfraniadau yn cynnwys budd-daliadau afiechyd, diweithdra, anabledd a henaint, mamolaeth a gweddwdod. Fe'u telir i bobl sy'n perthyn i gategorïau penodol cyn belled â'u bod wedi gwneud cyfraniad (tynnir cyfraniadau Yswiriant Cenedlaethol o gyflog person).

Budd-daliadau anghyfrannol

Er mwyn derbyn budd-daliadau anghyfrannol rhaid bod yn perthyn i grŵp neu gategori ariannol penodol, ond nid yw'n ofynnol eu bod wedi cyfrannu eisoes. Mae budd-daliadau cyfrannol yn perthyn i ddau gategori:

- *Budd-daliadau cyffredinol* – fe'u rhoddir i bawb sy'n perthyn i gategori penodol ac sy'n eu hawlio, beth bynnag fo'u hincwm. Mae'r rhain yn cynnwys Budd-daliadau Plant, a delir i bob mam, a Lwfans Byw i'r Anabl. Mae rhai gwleidyddion o'r farn y dylid profi modd cyn talu'r budd-daliadau hyn, fel isod.

- *Budd-daliadau profi modd* – fe'u rhoddir i bob sy'n perthyn i gategori penodol os bydd eu hincwm a'u cynilion islaw lefel penodol. I'w hawlio, rhaid i'r bobl hyn lenwi ffurflenni hir (profion) yn rhoi manylion am eu hincwm (moddion). Dyma pam y defnyddir yr ymadrodd **prawf moddion**. Gall hyn atal pobl rhag eu hawlio.

term allweddol

Prawf moddion

asesiad o incwm a chynilion person, a wneir drwy gwblhau ffurflen (prawf) yn rhoi manylion am eu hincwm (moddion) i benderfynu a ydynt yn gymwys i dderbyn budd-daliadau penodol

BUDD-DALIADAU MAWR I DEULUOEDD

Budd-dal Plant

Bernir mai Budd-dal Plant yw conglfaen cefnogaeth y llywodraeth i deuluoedd. Fe'i gelwid gynt yn Lwfans Teulu. Ystyrir mai dyma'r ffordd decaf, fwyaf effeithiol a chost-effeithiol o gydnabod y costau a'r cyfrifoldebau sy'n wynebu pob rhiant. Yn aml, bydd codiad mewn budd-daliadau yn digwydd ar yr un pryd ag awgrymiadau y dylid trethu'r budd-dal a delir i deuluoedd ar incwm uchel.

Ategiad Incwm

Ategiad Incwm yw un o brif fudd-daliadau'r grŵp hwn; fe'u telir i bobl ddigyflog, neu sy'n cael eu cyflogi rhan amser, yn ôl diffiniad y DSS o 15 awr neu is, ac sy'n derbyn incwm is na lefel penodol. Tynnir pob incwm o'r Ategiad Incwm, boed yr arian yn dod o Fudd-dal Plant neu Fudd-dal Diweithdra. Mae'r arian a roddir fel Ategiad Incwm yn cynnwys lwfansau ar gyfer aelodau'r teulu ac ar gyfer anghenion gwahanol. Gosodir lefel y taliadau yn dilyn penderfyniad gwleidyddol. Ers nifer o flynyddoedd gosodwyd y lefel ar y *ffin tlodi*. Mae hyn yn golygu bod pobl sy'n byw dan y lefel incwm hwn yn byw mewn tlodi cymharol. Mae rhai yn credu bod y budd-

dal hwn yn annigonol gan fod y rhai sy'n byw ar Ategiad Incwm am gyfnod hir yn byw mewn tlodi i bob pwrpas.

Mentrau newydd i gynorthwyo hawlwyr di-waith

Mae'r llywodraeth Lafur yn parhau ag ymgyrch y blaid Geidwadol flaenorol i annog pobl i weithio os gallant. Mae'n ceisio ailadeiladu'r wladwriaeth les ar sail y 'moes gwaith' ac erbyn hyn gelwir y budd-daliadau i'r sawl a gofrestrwyd yn ddi-waith yn **Lwfans Ceisio Gwaith**. Estynnwyd ei gynllun gwaith-neu-hyfforddiant ar gyfer pobl ifainc 18-24 oed, a roddwyd ar waith ym mis Ebrill 1998, i sawl cyfeiriad. Ym Mehefin 1998 derbyniodd y 225,000 o bobl dros 25 oed a fu'n derbyn budd-daliadau am 2 flynedd neu fwy gymhorthdal £75 yr wythnos er mwyn i gyflogwyr eu derbyn i weithio iddynt; disgrifiwyd ef gan y llywodraeth yn 'basport i waith'. Mae'r Fargen Newydd hefyd yn rhoi hawliau i 250,000 o bartneriaid hawlwyr di-waith, 95 y cant ohonynt yn ferched, na chafodd yr hawl i gymryd rhan mewn rhaglenni diweithdra cyn hyn. Canolbwyntiwyd hefyd ar gynorthwyo rhieni unigol sy'n chwilio am waith.

term allweddol

Lwfans Ceisio Gwaith

budd-daliadau a delir i bobl sy'n cofrestru fel pobl ddi-waith

CREDYD TRETH TEULUOEDD SY'N GWEITHIO (WFTC)

Hyd Hydref 1999 talwyd budd-dal a elwid yn 'Gredyd Teulu' i deuluoedd gydag un rhiant a weithiai'n llawn amser ond gan dderbyn incwm a oedd islaw lefel penodol. Er i'r llywodraeth hysbysebu'r budd-dal hwn, ni hawliwyd ef gan nifer o'r rhai oedd yn gymwys i wneud hynny. Roedd y ffurflen hawlio'n hir, ac roedd yn rhy anodd i rai ei gwblhau. Nid oedd yn annog pobl i ennill mwy ychwaith, gan fod pobl yn colli eu Credyd Teulu ar ôl cyrraedd pwynt arbennig ac yn derbyn llai o arian yn y pen draw. O ganlyniad rhoddwyd cychwyn ar fentrau newydd gyda'r bwriad o roi hunan-barch ac urddas yn ôl i weithwyr ar gyflogau isel drwy eu galluogi i gadw mwy o'u henillion.

O ganlyniad i Gredyd Treth Teuluoedd sy'n Gweithio ar ddull Americanaidd (WFTC), a gyflwynwyd yng Nghyllideb Mawrth 1998 ac a roddwyd ar waith ym mis Hydref 1999, gwarantwyd isafswm incwm (£180 yr wythnos ar y pryd) i gannoedd ar filoedd o deuluoedd ar incwm isel. Roedd hwn yn cymryd lle Credyd Teulu. Y bwriad yw codi'r 'nenfwd ar ddyheadau dynion a merched sy'n awyddus i weithio'u ffordd i fyny'. Mae hyn yn gwrthdroi'r sefyllfa flaenorol, lle mae'n rhaid i weithwyr ar gyflog isel fodoli ar fudd-daliadau gwladol weithiau am fod cyfraddau treth uchel yn golygu nad yw'n economaidd i weithio.

Dan amodau'r WFTC, mae gweithwyr ar gyflog isel yn cadw'r rhan fwyaf o'u henillion. Yn ogystal, gall teuluoedd ar incwm isel hawlio credyd treth, sy'n darparu mwyafswm o 70 y cant o'u costau gofal plant hyd at nenfwd a oedd, bryd hynny, yn £150; mae hyn, ynghyd â mentrau eraill, yn ceisio sicrhau bod 'gwaith bob amser yn talu'. Gall teuluoedd ddewis pa bartner sy'n derbyn y credyd treth, a delir naill ai drwy eu cyflog neu'n uniongyrchol i'r rhiant di-waith. Rhaid i hawlwyr weithio lleiafswm o 16 awr yr wythnos, ond bydd y rhai sy'n gweithio mwy na 30 awr yn derbyn mwy o gredyd.

Yn ogystal, mae'r llywodraeth wedi parhau i leihau swm y dreth incwm a delir gan weithwyr ar gyflogau is.

Cronfa gymdeithasol

Defnyddir y gronfa gymdeithasol i wneud taliadau sy'n cwrdd ag anghenion arbennig, na ellir eu talu drwy Ategiad Incwm. Rhoddir y rhan fwyaf o'r arian hwn ar ffurf benthyciadau i dalu costau argyfwng a chostau arbennig yn ymwneud â'r cartref. Mae'r budd-dal hwn yn cael ei feirniadu am y rhesymau canlynol:

- mae'n ddewisol (gall swyddogion ddewis a ydynt yn mynd i'w ganiatáu ai peidio)
- rhaid i hawlwyr sydd eisoes yn derbyn incwm isel ei ad-dalu
- dim ond hyn a hyn o arian sydd ar gael bob blwyddyn

Dod i wybod am fudd-daliadau

Mae nifer o ffynonellau gwybodaeth yn nodi'r budd-daliadau statudol sydd ar gael i deuluoedd a phlant, ond mae pobl yn parhau i fod yn anymwybodol o ba fudd-daliadau y gallant eu hawlio. Dyma pam fod llawer o bobl yn cefnogi'r syniad o gadw budd-daliadau anghyfrannol, wedi'u seilio ar brofi modd megis Budd-dal Plant, gan fod y mwyafrif helaeth o bobl sydd â hawl iddo'n ei dderbyn am nad ydynt yn gorfod gwneud llawer i'w hawlio.

Gellir cael gwybodaeth am fudd-daliadau o lyfrgelloedd cyhoeddus, clinigau iechyd, swyddfeydd post a mannau cyhoeddus eraill. Mae gan yr asiantaeth budd-daliadau linellau cymorth neu gall pobl alw heibio. Mae gan awdurdodau lleol gynghorwyr hawliau lles, ac mae eu rhifau ffôn ar gael gan yr adran gwasanaethau cymdeithasol. O bryd i'w gilydd bydd yr asiantaeth budd-daliadau yn defnyddio'r cyfryngau, gan gynnwys y teledu, y radio a'r papurau newydd i dynnu sylw at fudd-dal penodol, yn enwedig pan yw'n newydd sbon.

Mae llawer o wybodaeth am fudd-daliadau ar gael o'r Rhyngrwyd (gan ddefnyddio un o'r prif beiriannau chwilio a theipio'r geiriau 'UK social security benefits', llwyddodd yr awdur i gael hyd i 115,000 o gofnodion mewn 1.54 eiliad!) Mae defnyddio'r rhyngrwyd yn destun dadl wleidyddol. Mae gwleidyddion yn ymwybodol bod rhai pobl mewn cymdeithas dan anfantais am nad oes ganddynt fynediad iddi. Mae'r llywodraeth yn bwriadu sicrhau bod y rhyngrwyd ar gael i bob plentyn ysgol.

DARPARU CYMORTH ARIANNOL O FEWN Y SECTOR GWIRFODDOL

Elusennau

Mae llawer o elusennau yn bodoli sy'n rhoi cymorth ariannol i bobl mewn angen dan wahanol amgylchiadau. Yn gyntaf, rhaid i bobl fod yn ymwybodol ohonynt ac yna gwneud cais amdanynt. Nid yw dod i wybod beth sydd ar gael a gwneud cais amdano yn hawdd bob amser ac mae'n bosibl y bydd pobl angen help i wneud hyn. Ar ben hyn, wedi'r newidiadau i nawdd cymdeithasol a wnaed yn 1988, bu llawer mwy o bwysau ar elusennau ac mae'r galw ar eu hadnoddau ariannol yn fwy na'r arian sydd ar gael. Ceir rhestr o rai o'r elusennau sy'n cadw cronfeydd ar gyfer helpu plant a theuluoedd yn *The Charities Digest*.

DARPARIAETH ANNIBYNNOL GWASANAETHAU ARIANNOL

Banciau

Mae gan bobl y rhyddid i fenthyg arian o ffynonellau preifat. Mae'r rhai sydd eisoes yn gymharol ddiogel yn ariannol, gyda swydd a thŷ, yn fwy tebygol o allu benthyg o ffynonellau megis banciau a chymdeithasau adeiladu, ac i fod yn berchen ar gardiau credyd.

Usurwyr

Weithiau rhaid i bobl sy'n llai cadarn yn ariannol fenthyg arian o ffynonellau llai parchus os bydd arnynt angen mwy o arian; mae'r rhain yn cynnwys cwmnïau preifat ac unigolion (a elwir weithiau yn 'usurwyr'). Mae'n bosibl y bydd pobl sy'n defnyddio'r dull hwn o fenthyg yn gorfod talu cyfraddau llog uwch ac felly dan fwy o anfantais, gan greu mwy o ddyled yn y pen draw. Mae rhai pobl o'r farn y dylid rheoli'r math hwn o fenthyg yn gyfreithiol er mwyn amddiffyn pobl.

Mae'r Strategaeth Gofal Plant Genedlaethol yn ceisio sicrhau gofal plant o safon uchel, hygyrch a fforddadwy i bob plentyn

Gwirio'ch cynnydd

Beth yw budd-dal cyffredinol?

Beth yw profi modd?

Pwy sy'n gallu hawlio Ategiad Incwm?

Beth yw'r Lwfans Ceisio Gwaith?

Beth yw Credyd Teulu a phryd ddaeth hwn i ben?

Beth yw'r Credyd Treth Teuluoedd sy'n Gweithio

Iechyd

DARPARIAETH STATUDOL – Y GWASANAETH IECHYD GWLADOL

Ffurfiwyd y Gwasanaeth Iechyd Gwladol (NHS) yn 1948 i sicrhau gofal iechyd rhad ac am ddim i bob un o drigolion y DU. Ers ei sefydlu:

- mae iechyd cyffredinol plant ac oedolion wedi gwella

- mae'r galw am wasanaethau wedi parhau i gynyddu, er gwaetha'r gwelliannau mewn iechyd cyffredinol

- mae technoleg a thriniaethau drutach wedi golygu bod costau'r gwasanaeth wedi cynyddu'n eithriadol ac yn dal i godi.

Mae'r cynnydd mewn costau wedi arwain at nifer o ddiwygiadau dros y blynyddoedd, gyda'r bwriad o greu gwasanaeth mwy effeithiol, ac mae hyn wedi cyfrannu at ddirywiad mewn safonau yng ngolwg rhai pobl, er enghraifft gan arwain at restrau aros hirach mewn ysbytai, a chyflwyniad a chodiad prisiau taliadau presgripsiwn.

Awdurdodau Iechyd

Yr Adran Iechyd (llywodraeth ganolog) sy'n gofalu am bolisi a chynllunio ar gyfer y gwasanaeth iechyd a gofal cymdeithasol yn gyffredinol. Mae'n rhoi grymoedd ac arian i awdurdodau iechyd Prydain.

Rhaid i bob awdurdod iechyd:

- benderfynu beth yw ystod lawn anghenion iechyd y boblogaeth leol, yn amrywio o frechiadau i drwsio esgyrn sydd wedi torri, a thrin cancr

- gynllunio ffurf y gwasanaethau sydd eu hangen, gan gynnwys gwasanaethau deintyddion, fferyllwyr ac optegwyr

- brynu'r gwasanaethau sydd eu hangen i gwrdd ag anghenion iechyd lleol

- adolygu eu heffeithiolrwydd a gwneud unrhyw newidiadau angenrheidiol.

Ymddiriedolaethau NHS

Yn fwy diweddar, addaswyd y cysyniad o 'farchnad' gofal iechyd, a gyflwynwyd yn 1990, gan olygu bod awdurdodau iechyd yn awr yn cyd-drefnu grwpiau o dimau gofal iechyd sylfaenol (meddygon teulu a nyrsys cymuned) i gomisiynu'r gwasanaethau y mae cleifion eu hangen gan ymddiriedolaethau NHS. Mae'r rhain yn cynnwys:

- ymddiriedolaethau gofal sylfaenol (PCTau)

- ymddiriedolaethau cymuned, yn darparu gwasanaethau cymuned megis ymwelwyr iechyd, bydwragedd a chlinigau mewn canolfannau iechyd

- ymddiriedolaethau ysbyty yn darparu ystod o wasanaethau i gleifion allanol a chleifion preswyl.

Mae gwaith ymddiriedolaethau NHS yn cynnwys gwasanaethau argyfwng a llym, yn ogystal â chwrdd ag anghenion mwy tymor hir o ran iechyd ac anabledd meddyliol.

DARPARIAETH WIRFODDOL GOFAL IECHYD

Mae traddodiad hir o ofal a darpariaeth iechyd drwy'r sector gwirfoddol yn bodoli yn y DU. Fodd bynnag, daeth nifer o ysbytai gyda statws gwirfoddol, gan gynnwys rhai enwog megis St Bartholomew's yn Llundain, yn rhan o'r NHS pan ffurfiwyd ef yn 1948. Cyn hyn, bu'n rhaid i bobl dalu i weld meddyg teulu, ac os na allant fforddio hyn, weithiau byddent yn mynd i ysbyty elusennol yn lle hynny.

Ceir llawer o fudiadau gwirfoddol a grwpiau hunangymorth yn delio ag ystod eang o gyflyrau a namau meddygol sy'n ceisio cynorthwyo a chefnogi pobl, ac i ariannu ymchwil.

Elusen genedlaethol sy'n darparu llety ar gyfer teuluoedd plant sâl mewn canolfannau lle darperir gofal pediatrig arbenigol yw'r Ymddiriedolaeth Plant Sâl. Mae'r ymddiriedolaeth yn berchen ar dai mewn gwahanol ddinasoedd ac yma darperir llety cartrefol ar gyfer teuluoedd ar gyfnodau o straen mawr.

DARPARIAETH BREIFAT GOFAL IECHYD

Bu cynnydd mawr yn narpariaeth y sector preifat ers 1979. Mae nifer cynyddol o bobl sy'n gallu fforddio ac sy'n awyddus i wneud hynny, yn cyfrannu i gynlluniau yswiriant preifat ac yna'r derbyn triniaeth yn breifat, neu'n prynu gofal yn uniongyrchol. Fel rheol, mae hyn yn golygu nad oes rhaid iddynt aros i dderbyn triniaeth, ac fel rheol mae'r safonau o ran darpariaeth faterol yn well. Fodd bynnag, ni ellir derbyn pob gwasanaeth drwy'r sector preifat, gan gynnwys gwasanaethau damwain ac argyfwng. Mae rhai pobl yn credu bod presenoldeb y sector preifat yn arwain at wasanaeth iechyd dwy haen, lle mae'r rhai sy'n gallu yn talu am wasanaeth da, a'r rhai sy'n methu yn gorfod derbyn gwasanaeth o safon is gan yr NHS (tebyg i effaith cael ysgolion preifat ac ysgolion y wladwriaeth). Mae'n bosibl y

bydd darpariaeth iechyd breifat yn dechrau chwarae mwy o ran yn narpariaeth yr NHS.

Gwirio'ch cynnydd

Pryd a pham y crëwyd yr NHS?

Beth mae awdurdodau iechyd yn ei wneud?

Beth mae gwaith ymddiriedolaethau NHS yn ei gynnwys?

Beth yw grwpiau hunangymorth?

Pam fod rhai pobl yn dewis talu am ofal iechyd preifat?

Nawr rhowch gynnig ar y cwestiynau hyn

Beth yw'r prif wahaniaethau rhwng corff statudol, gwirfoddol ac annibynnol?

Sut allai dulliau gweithredu gwleidyddol gwahanol effeithio ar lefel ddarpariaeth gwasanaethau o fewn ardal?

Ym mha ffyrdd y mae'r sector gwirfoddol yn cyfrannu at waith y wladwriaeth o ran darparu gwasanaethau i blant a'u teuluoedd?

Pa fentrau newydd pwysig a ddechreuwyd o ran darpariaeth nawdd cymdeithasol i deuluoedd?

AMDDIFFYN PLANT

*M*ae plant o bob oedran, bechgyn a merched, o bob diwylliant a grŵp economaidd gymdeithasol yn gallu dioddef camdriniaeth. Mae hanes yn dangos nad yw hyn yn beth newydd. Fodd bynnag, dim ond yn y degawdau diwethaf y cynyddodd ein hymwybyddiaeth a'n dealltwriaeth o gam-drin plant ac amddiffyn plant o fewn cymdeithas fel y DU, sy'n amddiffyn plant yn gyfreithiol ac yn gymdeithasol.

Un o'r egwyddorion y seiliwyd Deddf Plant 1989 arni yw bod rhaid i bawb sy'n gofalu am blant roi blaenoriaeth i fudd a lles y plentyn.

Bydd y rhan hon yn ymdrin â'r pynciau canlynol:

⌣ adnabod camdriniaeth a gweithio gyda phlant ifanc

⌣ anghenion a hawliau plant ifanc

⌣ asesu camdriniaeth.

Adnabod camdriniaeth a gweithio gyda phlant ifanc

*M*ae gan bawb sy'n gweithio gyda phlant ifanc gyfle a chyfrifoldeb unigryw i:

● adnabod arwyddion a symptomau camdriniaeth

● wybod sut i gofnodi a mynegi eu harchwiliadau a dilyn y gweithdrefnau cywir os ydynt yn amau bod camdriniaeth wedi digwydd

● wrando ar blant, i ddelio gyda datgelu

● weithio i gynnal plant sydd wedi cael eu cam-drin a'u teuluoedd. Mae gan bob gweithiwr gyfrifoldeb i roi grym yn nwylo plant, gan eu galluogi i ddatblygu'r sgiliau sy'n angenrheidiol ar gyfer amddiffyn eu hunain

● fod yn ymwybodol y gall camdriniaeth gael ei gyflawni o fewn y sefydliad lle maent yn gweithio a gwybod pa bolisïau a gweithdrefnau y dylid eu dilyn i ddelio â hyn.

Anghenion a hawliau plant ifanc

Mae barn cymdeithas ynglŷn ag ystyr cam-drin plant o fewn y gymdeithas honno wedi amrywio o un gymdeithas i'r llall ar wahanol gyfnodau. Yn ystod y 19eg a'r 20fed ganrif datblygodd y farn honno'n sylweddol, ynghyd â syniadau am anghenion a hawliau plant fel unigolion a chyfrifoldebau rhieni tuag atynt. Er mwyn deall cam-drin plant a'r ffordd orau o amddiffyn plant yn yr 21ain ganrif, mae angen i ni ddeall trothwy presennol yr hyn a ystyrir yn gamdriniaeth, a beth sy'n arwain at gamdriniaeth.

HAWLIAU PLANT – SAFBWYNT HANESYDDOL

Ceir enghreifftiau o oedolion yn trin plant yn greulon drwy gydol hanes. Mae nofelau Charles Dickens yn rhoi darlun byw o fywydau rhai plant ym Mhrydain yn y 19eg ganrif. Er enghraifft, yn Oliver Twist mae Dickens yn dangos bod creulondeb a thriniaeth lem yn gyffredin ac yn dderbyniol. Bu'n rhaid i lawer o blant weithio oriau hir; yn aml caent eu curo a'u hesgeuluso.

Un o'r bobl a roddodd gychwyn ar gyfres o ddiwygiadau cymdeithasol a fyddai'n gwella bywydau plant yn y 19eg ganrif oedd Iarll Shaftesbury. Fodd bynnag, mae maint y gamdriniaeth sy'n digwydd o fewn cymdeithas yn dibynnu yn y lle cyntaf ar ddiffiniad y gymdeithas honno o gamdriniaeth, ac mae hwn yn ei dro yn penderfynu beth yw'r trothwy y mae'n rhaid ei gyrraedd cyn y bydd y gymdeithas honno'n gweithredu yn erbyn y sawl sy'n cyflawni'r gamdriniaeth. Byddai diwygwyr y 19eg ganrif wedi cael anhawster i ddeall rhai o'r diffiniadau o gamdriniaeth a fodolai yn yr 20fed ganrif, a phryd yn union y mae'r wladwriaeth yn ystyried ei bod hi'n bryd ymyrryd. Yn gynyddol, mae cyfreithiau a basiwyd ers y 19eg ganrif wedi cydnabod **hawliau plant** i gael eu hamddiffyn ac i ddisgwyl y bydd eu hanghenion mwyaf sylfaenol yn cael eu cyflenwi, a chyfrifoldebau rhieni i amddiffyn plant ac i gyflenwi'r anghenion hynny. Y ddeddf amddiffyn plant bwysicaf i gael ei phasio yn ddiweddar oedd Deddf Plant 1989.

term allweddol

Hawliau plant
y disgwyliadau y dylai pob plentyn eu harddel ynglŷn â'r ffordd mae eu teuluoedd a chymdeithas yn eu trin

Mae nofelau Dickens yn rhoi darlun byw o fywydau rhai plant ym Mhrydain yn y 19eg ganrif

HANES DIWEDDAR

Erbyn y 1960au roedd y mwyafrif o bobl o'r farn bod cam-drin plant yn perthyn i'r gorffennol yn unig. Pan ddigwyddai achosion o gamdriniaeth, credai'r mwyafrif eu bod yn eithriadau, gan esbonio eu bod yn **ddigwyddiadau seicopathig** a gyflawnwyd gan bobl na allai roi eu hunain yn esgidiau pobl eraill a phrofi empathi â theimladau'r person hwnnw. Yn ogystal, nid yw pobl o'r fath yn teimlo euogrwydd, nac yn deall canlyniadau eu hymddygiad, sydd weithiau'n dreisgar.

I bob golwg, roedd diffyg ymwybyddiaeth am y gamdriniaeth gyffredinol a ddigwyddai ar drothwy **derbynioldeb uwch**. Mae'r trothwy derbynioldeb yn cyfeirio at y math o ymddygiad tuag at blant a dderbynnir gan gymdeithas ar adeg benodol. Er enghraifft, o fewn y DU mae'r mwyafrif o bobl yn ystyried bod y ffaith bod rhieni'n rhoi trawiad ysgafn a byr i'w plant yn dderbyniol, ac nid yw'n anghyfreithlon, tra bod curo plentyn am gyfnod hir, a fu unwaith yn dderbyniol, bellach yn annerbyniol ac yn anghyfreithlon. Mewn geiriau eraill, gostyngwyd y trothwy derbynioldeb.

Credwyd yn gyffredinol, hefyd, na ddylai neb ymyrryd â hawliau rhieni dros eu plant, yn enwedig eu hawl i'w cosbi. O ganlyniad, roedd y gyfraith yn parhau i fethu â'u hamddiffyn.

Fodd bynnag, yn ystod y 1960au dechreuodd rai meddygon a gweithwyr cymdeithasol ddatblygu ymwybyddiaeth newydd o gamdriniaeth. Dechreuasant edrych yn fanylach ar yr anafiadau a welsant ar y plant ac ar yr esboniadau a roddwyd gan ofalwyr dros anafiadau'r plant. Holwyd cwestiynau i geisio darganfod a oedd rhai anafiadau'n ddamweiniol a sylweddolwyd bod mathau penodol o gamdriniaeth yn fwy cyffredin ac na ellid dweud eu bod yn seicopathig. Dechreuasant ddeall y straen cymdeithasol ac amgylcheddol a allai wneud i bobl gam-drin plant. O ganlyniad, daethant ar draws mwy a mwy o achosion o gamdriniaeth.

Yn 1962, ysgrifennodd Dr C.H. Kempe am y 'syndrom plentyn cleisiog'. O ganlyniad, tynnwyd sylw at broblem 'anaf annamweiniol' a wnaed i blant gan eu gofalwyr yn UDA a hefyd y DU, a'r ffaith bod rhai plant yn fwy agored i gamdriniaeth nag eraill. Yn ystod y 1970au a'r 1980au cynyddodd yr ymwybyddiaeth o'r ystod arwyddion a allai ddangos bod plant wedi dioddef anaf bwriadol, a hefyd sut y gallai ffactorau cymdeithasol a seicolegol penodol ryngweithio i beri bod gan rai pobl dueddiad i ymddwyn yn dreisgar. Cynyddodd yr ymwybyddiaeth o arwyddion ac enghreifftiau o gamdriniaeth rywiol hefyd yn ystod y 1980au, ynghyd â'r ymwybyddiaeth o weithgareddau paedoffilyddion a chamdriniaeth droseddol wedi'i threfnu. Heddiw, derbynnir yn gyffredinol bod cyfuniad o ffactorau cymdeithasol, seicolegol, economaidd ac amgylcheddol yn chwarae rhan yng nghamdriniaeth neu esgeulustod plant.

DEDDF PLANT 1989

Mae Deddf Plant 1989 yn ddeddfwriaeth bwysig iawn. Roedd y cyfreithiau a basiwyd yn ystod y 19eg ganrif a'r 20fed ganrif yn gorgyffwrdd ac weithiau'n anghyson. Roedd hyn yn achosi dryswch ac anawsterau. Mae'r Ddeddf Plant yn ceisio bod yn gyson wrth ymdrin ag amddiffyn plant drwy ddod â'r cyfreithiau a basiwyd gynt at ei gilydd a hefyd eu newid.

Yn ogystal, roedd pryderon ei bod yn rhy hawdd defnyddio cyfraith ddiweddar, a basiwyd cyn Deddf y Plant, i gymryd hawliau a chyfrifoldebau i ffwrdd oddi wrth rieni. Credwyd nad oedd hyn o fudd i'r plant na'r rhieni. Un o brif nodau Deddf 1989, felly, oedd creu cydbwysedd rhwng anghenion a hawliau'r plant a chyfrifoldebau a hawliau'r rhieni.

Anghenion plant

Fodd bynnag, mae Deddf Plant 1989 yn cydnabod bod gan bob plentyn yn

---

termau allweddol

Digwyddiadau seicopathig

gweithredoedd pobl nad ydynt yn gallu dychmygu teimladau person arall nac uniaethu â hwy

Derbynioldeb uwch

yr ymddygiad tuag at blant y credir ei fod yn dderbyniol gan gymdeithas ar adeg benodol gyffredinol anghenion penodol. Mae'r anghenion datblygiadol sylfaenol hyn yn cynnwys yr angen am:

● ofal ac amddiffyniad corfforol

● ysgogiad deallusol a chwarae

● gariad a sicrwydd emosiynol

● gysylltiad cymdeithasol a pherthnasau positif.

Hawliau plant

Mae gan bob plentyn hawliau penodol. Mae'r rhain yn cynnwys yr hawl i:

● ddisgwyl y bydd eu hanghenion yn cael eu cyflenwi a'u diogelu

● gael eu hamddiffyn rhag cael eu hesgeuluso, eu cam-drin a'u hecsploetio

● gael eu magu gan eu teulu gwreiddiol, lle bo hynny'n bosibl

● gael eu trin fel unigolyn, yn cael gwrandawiad ac ystyriaeth o'u dymuniadau a'u teimladau pan wneir penderfyniadau sy'n ymwneud â'u lles.

Gwahaniaethau diwylliannol mewn patrymau magu plant

Mae magwraeth plant yn amrywio'n fawr rhwng gwahanol grwpiau cymdeithasol a gwahanol ddiwylliannau. Mae gan deuluoedd wahanol arferion yn ymwneud â phlant. Er enghraifft, mae rhai grwpiau yn fwy maldodus gyda'u plant, yn ôl eu traddodiad, tra bod eraill yn fwy llym. Mae rhai yn fwy parod i gosbi'n gorfforol; mae eraill yn fwy tebygol o ddefnyddio dulliau emosiynol o reoli. Mae Deddf Plant 1989 yn cydnabod gwahaniaethau ac yn gwerthfawrogi llawer ohonynt. Mae'n cydnabod bod rhaid arddel agwedd bositif tuag at weithio mewn partneriaeth â rhieni a deall eu safbwynt er mwyn gweithredu'n llwyddiannus wrth weithio gyda theuluoedd.

EGWYDDORION PELLACH YN YMWNEUD AG AMDDIFFYN PLANT

Mabwysiadu dull gweithredu proffesiynol

Er gwaethaf deddfwriaeth sy'n dangos yn glir beth yw hawliau plant a chyfrifoldebau rhieni, mae plant yn parhau i gael eu hesgeuluso a'u cam-drin mewn amryw ffyrdd.

Mae gan bob plentyn yr hawl i gael eu magu gan eu teulu gwreiddiol, lle bo hynny'n bosibl

Mae angen i weithwyr gofal plant ddeall pam fod hyn yn gallu digwydd er mwyn datblygu **dull gweithredu proffesiynol** wrth weithio gyda rhieni a gofalwyr. Os na fydd gweithwyr yn deall o leiaf rhai o'r ffactorau sy'n cyfrannu at achos cam-drin plant, mae perygl y byddant yn ymddwyn yn amhroffesiynol tuag at ofalwr, ac yn eu trin mewn ffordd anystyriol.

Mae dull gweithredu proffesiynol yn cynnwys:

- bod yn ystyriol, yn ofalgar a dangos dealltwriaeth
- peidio â barnu eraill
- peidio â stereoteipio unigolion na grwpiau o bobl
- parchu cyfrinachedd mewn ffordd briodol.

Gweithio mewn partneriaeth â rhieni

Mae gweithwyr gofal plant yn gweithio gyda rhieni yn amlach o hyd. Mae **partneriaeth â rhieni** yn un o egwyddorion Deddf Plant 1989. Mae'r Ddeddf yn cydnabod bod rhieni'n unigolion gydag anghenion eu hunain, a bod ganddynt yr hawl i gymorth ac ystyriaeth o'u hanghenion. Mae ganddynt hefyd yr hawl i gymryd rhan mewn penderfyniadau sy'n effeithio ar eu plant.

Osgoi agweddau beirniadol wrth asesu camdriniaeth

Mae dealltwriaeth o gam-drin plant yn gymorth wrth gynllunio ar gyfer gweithio gyda rhieni. Mae llawer o ffactorau yn gyfrifol am y ffaith bod rhieni'n cam-drin eu plant. Weithiau gelwir y ffactorau hyn yn '**ffactorau rhagdueddol**'. Mae deall pam fod camdriniaeth yn digwydd yn cynyddu gallu gweithiwr i ddeall anghenion gofalwr ac i ragweld prognosis (canlyniad mwyaf tebygol) gweithio gyda'r gofalwr hwnnw. Gall gallu rhiant i ymateb i'r gefnogaeth a roddir benderfynu a fydd y rhiant yn cael parhau i ofalu am eu plant.

Cyfrinachedd

Mae gwybodaeth bersonol am blant a theuluoedd sydd yn nwylo gweithwyr proffesiynol yn gyfrinachol yn ôl y gyfraith ac ni ddylid ei ddatgelu heb gydsyniad y bobl y mae'r wybodaeth yn ymwneud â hwy. Mae ymchwil a phrofiad wedi dangos, fodd bynnag, bod amddiffyn plant rhag niwed yn gofyn bod gweithwyr proffesiynol ac eraill yn rhannu gwybodaeth am blant a'u rhieni. Oherwydd hyn, mae'r gyfraith yn caniatáu datgelu gwybodaeth gyfrinachol er mwyn diogelu plentyn er lles y cyhoedd. Dylid gallu cyfiawnhau datgelu gwybodaeth i asiantaethau a gweithwyr proffesiynol eraill ym mhob achos, a rhaid derbyn cyngor cyfreithiol os bydd unrhyw amheuaeth. Nid oes gan weithwyr cymdeithasol a gyflogir gan awdurdod lleol nac unrhyw asiantaeth arall sy'n amddiffyn plant, megis meithrinfa ddydd, yr hawl i gadw cyfrinachedd os bydd plentyn yn agored i gamdriniaeth o ganlyniad i hynny. Rhaid i weithwyr fod yn ofalus ynglŷn ag addo i gadw datgeliadau am gamdriniaeth yn gyfrinachol.

---

term allweddol

Dull gweithredu proffesiynol

y ffordd mae gweithwyr yn delio gydag ac yn ymwneud â phobl – rhaid iddynt beidio â gadael i ymatebion personol effeithio ar eu gwaith

---

term allweddol

Partneriaeth gyda rhieni

dull o weithio gyda rhieni sy'n cydnabod eu hanghenion a'u hawl i gymryd rhan mewn penderfyniadau sy'n effeithio ar eu plant

---

term allweddol

Ffactorau rhagdueddol

ffactorau sy'n peri bod camdriniaeth neu esgeulustod yn fwy tebygol o ddigwydd – fel rheol, canlyniad nifer o'r ffactorau hyn yn digwydd ar yr un pryd

---

Gwirio'ch cynnydd

Beth mae ymchwil wedi dangos am y ffaith bod camdriniaeth yn digwydd?

Pam fod angen i weithwyr gofal plant wybod y rhesymau dros gamdriniaeth?

Beth mae Deddf Plant 1989 yn ei gydnabod am rieni?

Beth yw 'ffactor rhagdueddol'?

Beth yw'r egwyddorion cyffredinol yn ymwneud â chyfrinachedd mewn perthynas ag amddiffyn plant?

 575

Asesu camdriniaeth

DAMCANIAETHAU CAMDRINIAETH

Mae amryw o ddamcaniaethau'n bodoli yn ymwneud â'r rhesymau pam fod camdriniaeth yn digwydd a sut y dylid ei drin. Mae'n debyg mai'r ffordd fwyaf defnyddiol o ddeall camdriniaeth yw drwy gyfuno'r safbwyntiau hyn:

- Mae model meddygol yn tueddu i ystyried arwyddion camdriniaeth a chanolbwyntio ar adnabod y rhain, gan wahaniaethu rhyngddynt ag anafiadau damweiniol a chyflyrau meddygol. Yn achos Victoria Climbie yn 2000, canolbwyntiwyd ar hyn, yn hytrach nag edrych ar yr amgylchiadau ehangach, a dyma un o'r ffactorau a gyfrannodd at ei marwolaeth.

- Mae dull gweithredu seicolegol yn canolbwyntio ar fethiant y cysylltiadau rhwng gofalwyr a'r plant maent yn eu niweidio. Mae llawer o blant sy'n marw yn cael eu lladd gan 'lystadau' na fu'n bresennol i allu creu cysylltiad cynnar â'r plant, ond nid yw hyn yn esbonio'r cyfan.

- Mae dull gweithredu seicogymdeithasol yn pwysleisio'r rhyngweithio sy'n digwydd rhwng unigolion â'u hamgylcheddau cymdeithasol wrth geisio esbonio camdriniaeth.

- Mae damcaniaeth gymdeithasol ynglŷn â cham-drin plant yn pwysleisio rôl problemau ac amddifadiad cymdeithasol fel achos, ond mae cam-drin plant yn digwydd ym mhob grŵp a dosbarth cymdeithasol. Fodd bynnag, mae straen a achoswyd o ganlyniad i amddifadiad yn ffactor cydnabyddedig mewn sawl achos.

- Mae dull gweithredu ffeministaidd yn dadlau bod camdriniaeth yn digwydd am fod dynion yn rheoli cymdeithas a'u hangen i sefydlu eu grym dros fenywod a'u plant.

FFACTORAU RHAGDUEDDOL

Beth bynnag fo'r ddamcaniaeth, mae ymchwil yn dangos nad yw camdriniaeth yn digwydd ar hap bob tro, ond yn hytrach ei bod yn fwy tueddol o ddigwydd mewn rhai sefyllfaoedd nag eraill. Mae amrywiaeth eang o ffactorau rhagdueddol sy'n peri bod camdriniaeth neu esgeulustod yn fwy tebygol o ddigwydd. Fel rheol mae camdriniaeth yn ganlyniad i'r ffaith bod nifer o'r ffactorau hyn yn digwydd ar yr un pryd. Ym mhob achos, bydd y cyfuniad o ffactorau'n wahanol. Bydd pwysigrwydd cymharol bob un yn amrywio hefyd.

Y perygl wrth geisio deall camdriniaeth yw y gall arwain at ragweld y bydd camdriniaeth yn digwydd, os bydd nodweddion penodol yn bresennol, neu os bydd pobl gyda'r nodweddion hynny yn dechrau cam-drin plant. Yn ddi-os, nid yw hynny'n wir. Fodd bynnag, mae'n bosibl edrych ar ffactorau penodol, a chanfod bod cyfuniad ohonynt yn bresennol mewn nifer o achosion camdriniaeth. Mae'r ffactorau hyn yn ein galluogi i adnabod, deall a gweithio gyda theuluoedd lle mae mwy o berygl camdriniaeth.

FFACTORAU SY'N PERI BOD RHAGDUEDDIAD I BLANT GAEL EU CAM-DRIN

Mae ymchwilwyr wedi adnabod pum math o deulu sy'n dangos yr ystod nodweddion cefndirol y mae'n rhaid eu cadw mewn cof pan amheuir bod camdriniaeth yn digwydd. Mae'r rhain yn deuluoedd gyda llawer o broblemau, teuluoedd gyda phroblem benodol, teuluoedd mewn trallod mawr, teuluoedd lle mae'r troseddwr y tu allan i'r teulu a rhai lle mae'r troseddwr o fewn y teulu.

Mewn nifer o achosion camdriniaeth gall y ffactorau rhagdueddol gynnwys:

- ffactorau sy'n rhan o gefndir a phersonoliaeth yr oedolyn

- presenoldeb o ryw fath o anhawster a straen ym mywyd neu amgylchedd yr oedolyn
- ffactorau yn ymwneud â'r plentyn.

Ffactorau sy'n rhan o bersonoliaeth a chefndir yr oedolyn

Nodwyd bod cyfuniad o rai o'r nodweddion canlynol yn bodoli mewn rhieni sy'n cam-drin (cofiwch fod rhieni nad ydynt yn cam-drin yn gallu dangos rhai o'r nodweddion hyn):

- *Anaeddfedrwyd* – nid yw rhai pobl wedi datblygu lefel aeddfed o hunanreolaeth wrth ymateb i fywyd a'i broblemau. Mae'n bosibl y bydd oedolyn yn dangos diffyg hunanreolaeth ac yn ymateb yn gryf, yn debyg i rai plant ifanc, drwy ddangos tymer neu ymddygiad ymosodol yn wyneb sefyllfaoedd ingol ac anod.

- *Hunan-barch isel* – mae gan rai pobl hunanddelwedd wael iawn; ni chawsant eu gwerthfawrogi a'u caru er eu mwyn eu hunain. Os ydynt yn brwydro i ofalu am blentyn, mae'n bosibl y byddant yn teimlo'n annigonol ac yn beio'r plentyn am wneud iddynt deimlo'n waeth amdanyn nhw eu hunain am eu bod yn cael anhawster ymdopi.

- *Plentyndod anhapus lle na chawsant gyfle i ddysgu sut i ymddiried mewn eraill* – mae'n bosibl y bydd rhieni a brofodd anhapusrwydd yn ystod eu plentyndod yn llai tebygol o werthfawrogi'r hapusrwydd y gall plant ei roi iddynt. Ni fu ganddynt ddelfryd ymddwyn dda i'w galluogi i greu amgylchedd hapus a gofalgar i'w plant.

- *Anallu i brofi pleser* – gall anallu i fwynhau bywyd a chael hwyl fod yn arwydd o straen a phryder. Mae'n bosibl y bydd y person hwn yn cael anhawster delio â straen bod yn rhiant ac yn cael fawr ddim o bleser wrth wneud hynny.

- *Cael perthynas anfoddhaol* – pan fydd rhieni'n wynebu anawsterau yn eu perthynas, boed y problemau'n rhywiol neu o fath arall, gall hyn greu sylfaen o straen ac anhapusrwydd i'w bywydau. O bosibl, hefyd, bydd ganddynt gefndir lle profwyd esgeulustod cyffredinol neu drais teuluol, lle ni ddangoswyd fawr o barch at unrhyw unigolyn.

- *Tueddu at drais oherwydd teimladau o rwystredigaeth* – cydnabuwyd effeithiau niweidiol trais teuluol tymor hir ar blant. Mae ymchwil yn dangos bod plant sy'n gweld eu mam yn cael ei churo'n gyson yn gallu dioddef gymaint â phe bae nhw eu hunain yn cael eu curo.

- *Bod yn gymdeithasol ynysig* – nid oes gan rieni sydd heb ffrindiau neu deulu yn eu hymyl fawr ddim cymorth, ac weithiau dim o gwbl, pan fydd angen hynny; ni allant rannu eu pryderon, na gofyn am gymorth ymarferol.

- *Oedolion sy'n araf i glosio ac yn barod iawn i feirniadu* – mewn teuluoedd o'r fath, mae'n hawdd i blant deimlo nad oes neb yn eu caru, a gall digwyddiadau negyddol gynyddu nes troi'n drais.

- *Ofni difetha'r plentyn a chredu bod cosbi'n bwysig* – nid yw rhai pobl yn deall gwerth gwobrwyo wrth ddelio ag ymddygiad plant; credant y dylid cosbi plant er mwyn iddynt ddysgu beth sy'n gywir; credant fod ymateb i anghenion plentyn yn siŵr o'u 'difetha'. Maent yn fwy tebygol o adael i blentyn grïo ac i ymatal rhag ymateb iddynt mewn ffordd gynnes a digymell.

- *Credu bod disgyblaeth lem yn bwysig* – mae'r dulliau o fod yn rhiant, strwythurau teuluol a pherthnasau yn amrywio'n fawr; nid yw'r rhain yn well na'n waeth na'i gilydd o reidrwydd. Maent yn ateb anghenion plant mewn gwahanol ffyrdd. Mae rhai dulliau disgyblu yn defnyddio cosbi (yn gorfforol yn ogystal ag emosiynol)), yn hytrach na gwobrwyo. Mae hyn, fodd bynnag, yn fwy tebygol o arwain at gamdriniaeth pan fydd ffactorau ingol eraill yn pwyso.

- *Methu â rheoli plant* – yn aml, bydd gan rieni sydd dan bwysau lai o amser ar gyfer eu plant ac maent yn fwy tebygol o golli rheolaeth wrth gynddeiriogi oherwydd rhwystredigaeth rhyngweithio teuluol cyffredin.

- *Methu â gweld plant mewn ffordd realistig* – mae hyn yn golygu methu â deall, neu ddeall ychydig iawn am ddatblygiad plant ac ymddygiad normal plant ar wahanol gamau; mae oedolion o'r fath yn fwy tebygol o ymateb yn negyddol i ymddygiad sy'n peri anhawster iddynt, yn hytrach na'i dderbyn fel rhywbeth normal. Mae'n bosibl y byddant yn cosbi plentyn ifanc yn amhriodol am grïo, gwlychu, strancio neu greu llanastr.

- *Methu ag empatheiddio gydag anghenion plentyn ac ymateb yn briodol* – mae'n bosibl y bydd rhai pobl yn cael trafferth deall anghenion plant; o bosibl byddant yn ymateb yn negyddol pan fydd plant yn dangos beth yw eu hanghenion ac yn mynnu sylw.

- *Cael eu cam-drin eu hunain yn blant* – mae'n bosibl y bydd gan y rhieni hyn lawer o anghenion na chawsant eu cyflenwi, ac felly byddant yn llai tebygol o allu cyflenwi anghenion plentyn dibynnol; yn ogystal, cawsant ddelfryd ymddwyn wael o ran bod yn rhiant a bywyd teuluol.

- *Wedi cael anawsterau yn ystod beichiogrwydd a/neu enedigaeth, neu gael eu gwahanu o'u plant wedi'r geni* – mae ymchwil yn dangos bod anawsterau yn ystod beichiogrwydd a genedigaeth, neu wahanu'r fam o'i phlentyn yn gynnar, yn gallu peri bod rhiant yn llai positif tuag at blentyn. O bosibl ni fyddant yn gallu ymdopi cystal pan fydd y plentyn yn mynnu sylw. Gallent golli eu tymer yn gyflymach a bod yn fwy parod i ddefnyddio trais.

ANHAWSTER A PHWYSAU YM MYWYD AC AMGYLCHEDD YR OEDOLYN

Mae pwysau a straen yn bresennol yn nifer o achosion camdriniaeth ac esgeulustod. Gall straen fod yn dymor byr neu'n dymor hir (weithiau fe'i gelwir yn llym neu'n gronig). Gall ddigwydd am nifer o resymau, a cheir rhestr isod o rai ohonynt:

Achosion anhawster a straen ym mywyd ac amgylchedd yr oedolyn		
Arwahanrwydd cymdeithasol –ychydig iawn o ffrindiau/ dim teulu	Dull anhrefnus o fyw	Trais teuluol – fel rheol gan ddyn yn erbyn menyw
Colli perthynas – yn enwedig pan fydd un partner yn gadael	Afiechyd meddwl neu anhapusrwydd difrifol	Afiechyd corfforol
Camddefnyddio alcohol neu gyffuriau	Straen mawr mewn bywyd bob dydd	Amgylchedd gwael
Tlodi/diweithdra	Tai gwael	Dyled a phryderon ariannol
Ymddygiad troseddol o fewn y teulu	Profi gwahaniaethu	Profedigaeth

Mae straen yn peri bod gan bobl lai o egni ac yn golygu bod ganddynt lai o adnoddau ar gyfer delio â galwadau plant. Mae nifer o ffynonellau straen yn gallu peri bod person yn llai abl i ymdopi, ond nid yw'n golygu eu bod yn anghyfrifol neu ddim yn caru eu plant, o reidrwydd. Fodd bynnag, gall effeithio ar allu person i ofalu am eu plant.

Mae'n debyg bod pobl gyda llawer o bryderon a'r sawl sy'n gorfod delio ag anawsterau tymor hir yn profi mwy o straen na'r rhai sy'n rhydd o'r fath bryderon. Gall hyn greu cefndir anhapus a allai fod yn arwyddocaol os cyfunir ef â ffactorau eraill a ddisgrifiwyd yn yr adran hon.

Nid yw'n dilyn y bydd pobl sy'n brin o'r adnoddau i ymdopi yn cam-drin neu'n esgeuluso eu plant o reidrwydd. Yn y mwyafrif o deuluoedd nid ydynt yn gwneud hynny. Fodd bynnag, gall y ffactorau uchod ein helpu i ddeall y gwahanol fathau o straen a all fod yn bresennol ym mywyd rhiant ac a all arwain at sefyllfaoedd lle ceir camdriniaeth.

FFACTORAU YN YMWNEUD Â'R PLENTYN

Yn ogystal, mae'n bosibl y bydd rhai o nodweddion y plentyn yn golygu nad yw rhieni neu ofalwyr yn gallu eu caru'n hawdd. Nid yw hyn yn golygu bod y plentyn yn haeddu cael ei drin yn wael, ond os cyfunir hyn â ffactorau eraill, gall fod yn arwyddocaol.

Gallai'r ffactorau arwyddocaol hyn gynnwys y canlynol:

Mae'r mwyafrif o bobl yn gallu cydymdeimlo â'r straen a achosir gan blentyn sy'n crïo llawer

- *Plentyn yn crïo* – gall y mwyafrif o bobl gydymdeimlo â'r straen a achosir gan blentyn sy'n crïo'n aml; os bydd gofalwr wedi blino, a ffactorau eraill yn bresennol, gall y straen a achosir gan blentyn yn crïo beri bod y plentyn yn agored i ymateb treisiol.

- Ymyrraeth yn y bondio neu'r ymlyniad cynnar rhwng gofalwr a phlentyn – gwnaed llawer iawn o ymchwil ers gwaith Bowlby am effeithiau drwg gwahaniad cynnar rhwng rhiant a phlentyn. Mae tystiolaeth yn dangos bod gofalwr yn fwy tebygol o gam-drin plentyn pan fydd eu hymlymiad â hwy'n wan yn hytrach na chryf; dyma pam fod gofal ôl-eni'n ceisio sicrhau bod y rhieni'n aros gyda'u babanod newydd-anedig ac yn annog datblygiad ymlyniad cryf rhwng y rhiant a'r plentyn.

- Plant sydd, ym marn eu gofalwyr, yn fwy anodd i ofalu amdanynt yn ystod cam datblygiad penodol – mae rhai pobl yn meddwl bod babanod yn arbennig o anodd, gan fynnu sylw o hyd; mae eraill yn cael mwy o drafferth delio â phlant bach neu blant hŷn.

- Plant sy'n 'gwahodd' camdriniaeth – mae rhai plant wedi dysgu mai camdriniaeth yw'r unig sylw a gânt; maent yn dysgu sut i ddenu ymatebion negyddol gan eu gofalwyr gan fod hyn yn well na pheidio derbyn sylw o gwbl.

Astudiaeth achos ...

... agored i gamdriniaeth

Ela yw trydedd ferch Mr a Mrs Malik. Mae Mrs Malik yn 24 oed; mae Mr Malik 10 mlynedd yn hŷn na'i wraig. Mae Mr Malik yn teithio oherwydd ei waith, ac yn aml yn treulio sawl noson oddi cartref. Mae Mrs Malik yn anhapus ac yn bryderus oherwydd hyn. Yn eu hardal hwy, nid yw cymdogion yn cymysgu fawr ddim â'i gilydd, ac nid oes ganddi ffrindiau agos. Nid yw Mrs Malik yn gweld ei theulu'n aml, er eu bod yn byw yn y dref nesaf. Cafodd blentyndod anhapus; roedd ei rhieni'n cweryla ac yn ymladd yn aml. Teimlai'n falch o ddianc drwy briodi. Er bod teulu ei gŵr yn byw yn ymyl, nid yw'n eu gweld yn aml. Nid oeddent yn fodlon ar ddewis eu mab, gan nad oedd hi'n dod o'i gymuned ef. Mae Mrs Malik yn pryderu am na fu'n dda am ddelio gydag arian na rhedeg tŷ erioed, ac mae ei gŵr yn ei beio am hyn. Cyn

i Ela gael ei geni, roeddent yn awyddus i gael bachgen. Mae ei dwy chwaer yn 2 a 4 oed. Roedd gan Mrs Malik bwysau gwaed uchel yn ystod ei beichiogrwydd; o ganlyniad, prysurwyd genedigaeth Ela 4 wythnos cyn ei thymor. Yn ystod y geni, gwelwyd arwyddion bod y ffetws yn drallodus, ac felly nid oedd yn bosibl esgor yn naturiol. O ganlyniad, ganed Ela drwy doriad Cesaraidd dan anaesthetig cyffredinol.

Cafodd Mrs Malik ei gyrru adref o'r ysbyty bythefnos cyn Ela. Câi anhawster ymweld â hi yn ystod y cyfnod hwn. Pan ddaeth Ela adref, roedd hi'n aflonydd iawn ac yn crïo llawer. Roedd hi'n bwydo'n araf iawn, ac yn ôl y meddyg roedd yn dioddef o golig. Yn ystod yr wythnosau diwethaf mae mam Ela wedi gweld ymwelydd iechyd a meddyg sawl gwaith, ac wedi cyfeirio at gyfres o fân anhwylderau y mae'r plentyn yn dioddef ohonynt. O'r diwedd, galwodd Mrs Malik am ambiwlans ar ddiwedd sesiwn fwydo: roedd cleisiau ar gorff Ela ac roedd hi'n anymwybodol.

1. Beth yw'r elfennau ym mywydau a chefndir Mr a Mrs Malik a allai fod wedi cyfrannu at y gamdriniaeth a ddigwyddodd?

2. Pa ffactorau yn y plentyn a allai fod wedi cyfrannu at y gamdriniaeth?

3. Pa bwysau penodol a allai fod wedi cyfrannu at y gamdriniaeth?

4. Pan drafodwyd yr achos hwn mewn cynhadledd achos, pa gynllun gweithredu y cytunwyd arno, yn eich barn chi, gan gadw mewn cof egwyddorion Deddf Plant 1989?

FFACTORAU RHAGDUEDDOL, I ORFFEN

Gall nifer o ffactorau gyfrannu at gamdriniaeth neu esgeuluso plant. Mae ymwybyddiaeth ohonynt yn gallu helpu gweithwyr proffesiynol yn eu gwaith gyda theuluoedd a'u helpu i osgoi mabwysiadu agweddau beirniadol. Yn ogystal, gall gwybodaeth o'r fath helpu ymdrechion gweithwyr i wneud y penderfyniadau gorau posibl i blentyn mewn partneriaeth â'u rhieni.

Gwirio'ch cynnydd

Beth yw anghenion a hawliau plant?

Beth yw ystyr y term 'ffactor rhagdueddol'?

Enwch nifer o achosion straen y gallai rhieni plant bach eu profi.

Nawr rhowch gynnig ar y cwestiynau hyn

Disgrifiwch ddatblygiad ymwybyddiaeth cymdeithas o gam-drin plant.

Pa hawliau sydd gan blant a pham?

Beth yw elfennau dull gweithredu proffesiynol wrth weithio gyda rhieni?

Sut mae'n bosibl rhagweld bod rhai sefyllfaoedd yn fwy tebygol o arwain at gam-drin neu esgeuluso plentyn nag eraill?

DULLIAU CAM-DRIN AC EFFEITHIAU CAMDRINIAETH

Fel cam cyntaf tuag at amddiffyn plant rhag camdriniaeth, rhaid i weithwyr dderbyn bod hyn yn digwydd, ac yna deall natur camdriniaeth a'r mathau o gamdriniaeth sy'n bodoli, a'r arwyddion a'r symptomau posibl. Mae gwybod am effeithiau negyddol camdriniaeth ar blant yn pwysleisio dyletswydd gweithwyr i sicrhau bod atal a chanfod y gamdriniaeth yn flaenoriaeth yn eu gwaith.

Bydd y rhan hon yn ymdrin â'r pynciau canlynol:

- *effeithiau camdriniaeth*
- *dulliau cam-drin*
- *plant sy'n agored i niwed a chamdriniaeth.*

Effeithiau camdriniaeth

Gall camdriniaeth neu esgeulustod gael effaith negyddol ar bob agwedd o ddatblygiad, iechyd a lles plant. O bosibl, ni fyddant yn gallu datblygu hunanddelwedd bositif a hunan-barch cadarn, a gall hyn barhau i effeithio ar eu bywydau fel oedolion. Gall olygu bod plant yn cael anhawster ffurfio a chynnal perthnasau, gweithio a bod yn rhieni da. Rhai o'r pethau a all ddylanwadu ar effeithiau camdriniaeth, er gwell neu er gwaeth, yw gallu'r plentyn i ymdopi ac addasu, profiadau blaenorol o fywyd teuluol, y gynhaliaeth a roddir i'r plentyn yn ddiweddarach gan y teulu a'r gymuned, a'r ffordd y mae gweithwyr proffesiynol yn ymateb.

YR EFFAITH AR Y TEULU A'R GYMUNED

Pan fydd plentyn yn cael ei gam-drin, gall hyn gael effaith negyddol ar y teulu cyfan; hyd yn oed os yw'r mwyafrif o'r aelodau'n rhydd o fai, mae'n bosibl y byddant yn teimlo'n euog am beidio â sylweddoli bod y gamdriniaeth yn digwydd, ac am fethu ag amddiffyn y plentyn. Os yw'r achos yn cael ei drin gyda sensitifrwydd, mae'n fwy tebygol y bydd y canlyniad, o safbwynt y plentyn, yn fwy positif ac y bydd yn gallu aros gyda'i deulu.

Cafwyd tystiolaeth yn ddiweddar, a ddaeth i sylw'r cyfryngau, bod presenoldeb camdriniwr mewn cymuned yn gallu achosi pryder, yn enwedig os euog farnwyd a charcharwyd y person hwnnw am gamdriniaeth rywiol. Gall siglo perthnasau yn y gymuned a pheri bod pobl ddiniwed yn cael eu targedu ar gam ar gyfer mwy o gosbi.

Dulliau cam-drin

Er bod camdriniaeth yn amrywio mewn natur, gall plant fod yn agored i fwy nag un math. Dyma'r pedwar math:

- camdriniaeth ac anaf corfforol
- esgeulustod
- camdriniaeth emosiynol
- camdriniaeth rywiol.

CAMDRINIAETH AC ANAF CORFFOROL

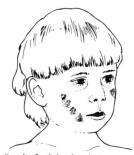

termau allweddol

Rhwygiadau

rhwygiadau yn y croen

Gwrymiau (*weals*)

rhes a adewir ar y cnawd

Cleisiau gwasgaredig

cleisio sydd wedi'i wasgaru

Gwaedlifau pinbwynt

ardaloedd bach o waedu dan yr wyneb

Melanocytau

celloedd yn llawn pigment

Sacrwm

gwaelod yr asgwrn cefn

Beth yw camdriniaeth ac anaf corfforol?

Mae camdriniaeth gorfforol yn digwydd pan fydd rhywun yn niweidio neu'n brifo plentyn yn fwriadol. Mae'n cynnwys ystod o ymddygiadau annerbyniol, gan gynnwys yr hyn y byddai rhai yn ei alw'n gosb gorfforol. Mae'n gallu cynnwys taro, ysgwyd, taflu, brathu, gwasgu, llosgi, sgaldanu, ceisio mygu, boddi a rhoi sylweddau gwenwynig, cyffuriau amhriodol neu alcohol. Mae'n cynnwys defnyddio nerth gormodol wrth gyflawni tasgau fel bwydo a newid cewynnau.

Mae camdriniaeth gorfforol hefyd yn cynnwys Syndrom Munchausen drwy Ddirprwy. (Bydd person sy'n dioddef o Syndrom Munchausen yn cyflwyno'i hun i staff meddygol er mwyn iddynt drin afiechyd nad yw'n bodoli neu a roddodd y claf iddo ef ei hun. Daw eu boddhad o'r sylw meddygol, profion meddygol, gofal a'r driniaeth a roddir iddynt.) Mae Syndrom Munchausen *drwy Ddirprwy* tuag at blant yn digwydd pan fydd rhiant neu ofalwr yn cael eu boddhau gan yr angen am ofal neu driniaeth gan eraill naill ai ar ôl iddynt ffugio neu achosi salwch neu anaf i blentyn yn fwriadol.

Dangosyddion camdriniaeth gorfforol

Mae gweithwyr Blynyddoedd Cynnar mewn safle unigryw, o bosibl, i sylwi ar arwyddion a symptomau cam-drin plant, a elwir hefyd yn ddangosyddion. Maent yn cynnwys y canlynol:

Cleisiau

Mae saith deg y cant o blant sy'n cael eu cam-drin yn dioddef anaf i'w meinwe feddal, megis cleisiau, **rhwygiadau** neu **wrymiau** (weals). Mae *safle'r* cleisiau'n bwysig: mae cleisiau ar fochau, llygaid wedi'u cleisio heb anafiadau eraill, cleisiau ar flaenau a chefnau'r ysgwyddau yn llai tebygol o ddigwydd yn ddamweiniol, ac felly hefyd cleisiau **gwasgaredig, gwaedlifau pinbwynt** a chleisiau ar flaenau'r bysedd. Gall cleisiau sy'n digwydd yn aml neu'n ail-ymddangos mewn safle tebyg i hen gleisiau neu gleisiau sydd wedi pylu hefyd fod yn arwydd o gamdriniaeth.

Gall *patrwm* y cleisiau fod yn arwyddocaol: cleisiau sy'n adlewyrchu'r achos, er enghraifft cleisiau yn dangos ôl blaenau bysedd, dwrn neu law. Nid yw cleisiau sy'n digwydd yn ddamweiniol yn dangos ôl patrwm.

Mae'n bwysig na ddrysir rhwng *smotiau mongolaidd* a chleisiau ac nad ydynt yn peri amheuaeth. Mae smotiau mongolaidd yn ddarnau o groen llyfn, yn amrywio rhwng glaslwyd a phiws, sy'n aml yn fawr, ac yn cynnwys gormodedd o gelloedd yn llawn pigment (**melanocytau**). O bryd i'w gilydd fe'u gwelir ar draws gwaelod asgwrn cefn (**sacrwm**) neu ffolennau plant bach neu blant ifainc o waed Asiaidd, De Ewropeaidd ac Affricanaidd. Yn aml byddant yn diflannu pan fydd y plentyn yn cyrraedd oed ysgol.

Gwneir diagnosis o gam-drin plant pan ddaw gweithwyr proffesiynol at ei gilydd i rannu gwybodaeth. Anaml y gwneir y diagnosis ar sail dangosyddion corfforol yn unig.

Beth fyddech chi'n amau pe baech yn gweld y patrwm cleisiau hwn ar wyneb plentyn bach?

Llosgiadau a sgaldiadau

Mae tua 10 y cant o blant sy'n cael eu cam-drin yn dioddef llosgiadau. Mae'r rhain yn cynnwys llosgiadau a wneir gan sigarét, yn enwedig pan fydd y marciau'n grwn ac yn glir, a phan geir mwy nag un, a llosgiadau sy'n dangos ôl yr offeryn a ddefnyddiwyd, er enghraifft drwy osod gwrthrych metel poeth megis haearn smwddio ar y croen.

Gall patrwm a safle sgaldiadau fod yn arwyddocaol, gan ddangos naill ai bod dŵr poeth wedi cael ei daflu'n fwriadol, neu fod y plentyn wedi ei dynnu'n ddamweiniol drosto. Mae sgaldiadau tebyg i sanau ar draed y plentyn yn awgrymu ei fod wedi cael ei osod mewn dŵr poeth a'i ddal yno.

Toriadau

Wrth wneud diagnosis yn dangos nad yw anaf yn ganlyniad damwain, mae'n bwysig ystyried y canlynol:

- oedran y plentyn – anaml iawn y mae babanod ansymudol yn dioddef toriadau damweiniol
- pelydrau X yn dangos hen doriadau o wahanol gyfnodau sydd bellach wedi gwella
- presenoldeb anafiadau eraill
- yr esboniad a roddir gan blentyn neu ofalwr.

Anafiadau i'r pen, ymennydd a'r llygad

Gall anafiadau i'r pen, ymennydd neu'r llygad ddangos bod plentyn wedi cael ei siglo, ei ysgwyd, ei daro neu ei daro yn erbyn arwyneb caled. Mae'n bosibl torri asgwrn penglog plentyn a niweidio'r ymennydd. Gall ysgwyd plentyn neu niweidio'r pen achosi gwaedu i mewn i'r ymennydd (**hematoma isdwraidd**). Rhaid i blentyn sy'n dangos yr arwydd lleiaf o niwed i'r pen ynghyd â sensitifedd, cysgadrwydd, cur pen, chwydu neu helaethiad i'r pen dderbyn triniaeth feddygol ar unwaith, gan fod hyn yn gallu arwain at niwed i'r ymennydd, dallineb, coma a marwolaeth.

term allweddol

Hematoma isdwraidd

gwaedu i mewn i'r ymennydd

Niwed mewnol

Mae niwed mewnol, a achoswyd gan ergydion, yn achosi marwolaeth llawer o blant sy'n cael eu cam-drin.

Gwenwyno

Rhaid ymchwilio i bob achos gwenwyno drwy gyffuriau neu hylifau.

Marciau eraill

Mae arwyddion eraill o gamdriniaeth yn cynnwys brathiadau, amlinelliadau arfau, marciau od, olion ewinedd a chrafiadau. Fel rheol, mae **ffrwynig** (gwe o groen sy'n cysylltu'r deintgig â'r wefus) plentyn bach sy'n dangos ôl rhwygo yn digwydd am fod rhywbeth, megis llwy, potel neu ddymi wedi cael eu gorfodi i mewn i'r geg. Anaml iawn y mae'r anaf yn digwydd drwy ddamwain.

term allweddol

Ffrwynig

y we o groen sy'n cysylltu'r deintgig â'r wefus

Dangosyddion ymddygiadol yn dynodi camdriniaeth gorfforol

Fel yn achos unrhyw drawma, mae plant yn amrywio yn eu hymateb i gamdriniaeth. Gall dioddef camdriniaeth effeithio ar bob agwedd ar ddatblygiad plant: corfforol, deallusol, ieithyddol, emosiynol a chymdeithasol. Mae'n bosibl mai effaith fwyaf arwyddocaol camdriniaeth yw'r niwed tymor hir sy'n digwydd i hunan-barch plentyn, niwed a all barhau pan fyddant yn oedolion. Mae camdriniaeth yn peri bod plentyn yn teimlo'n ddiwerth, euog, ac yn gwneud iddo deimlo ei fod wedi cael ei gamddefnyddio a'i fradychu. Gall y teimladau hyn ddod i'r amlwg yn eu patrymau ymddygiad. Dylid cofnodi'r ymddygiad hwn er mwyn gallu ei ystyried ochr yn ochr â dangosyddion corfforol, a dangosyddion eraill. Gall fod o gymorth wrth wneud diagnosis, ond nid yw'n dangos ynddo'i hun bod camdriniaeth yn digwydd:

- *ofn a phryder* – mae gweithwyr proffesiynol sy'n gweithio gyda phlant sydd

term allweddol

Ymwybyddiaeth rewedig/gwyliad-wrusrwydd rhewedig

edrych o amgylch, bod yn effro ac yn ymwybodol o hyd (gwyliadwrus), er bod eu cyrff yn llonydd (goddefol), yn dangos diffyg ymddiriedaeth mewn oedolion

wedi cael eu cam-drin wedi disgrifio agwedd neu ystum wynebol arbennig a ddefnyddir gan blant sydd wedi cael eu cam-drin, gan ei alw'n **ymwybyddiaeth rewedig** neu **wyliadwrusrwydd rhewedig**. Mae'r termau hyn yn disgrifio plentyn gyda llygaid sydd bob amser yn effro ac yn ymwybodol (gwyliadwrus), er bod eu cyrff yn llonydd (goddefol), yn dangos diffyg ymddiriedaeth mewn oedolion ond awydd i beidio â denu sylw

- cydio mewn, neu gyrcydu rhag y gofalwr mewn ffordd amhriodol

- yn ymddygiad sy'n anarferol o enciliol neu ymosodol (gall newid sydyn yn ymddygiad plentyn fod yn arwyddocaol iawn)

- ymddygiad plentyn mewn sefyllfaoedd chwarae rôl, gan gynnwys eu hesboniadau ynglŷn ag achos eu hanaf.

Lluniodd Martin a Beezley (1977) restr yn dangos ymddygiad nodweddiadol wedi'i seilio ar astudiaeth o 50 plentyn a ddioddefodd gamdriniaeth. Ystyrir bod y patrymau ymddygiad hyn yn dystiolaeth o gamdriniaeth:

- *diffyg gallu i fwynhau bywyd* – yn aml, bydd plant sydd wedi cael eu cam-drin yn ymddangos yn drist, yn synfyfyriol ac yn llesg

- *symptomau straen*, er enghraifft gwlychu'r gwely, strancio, ymddygiad od, problemau bwyta

- *hunan-barch isel* – yn aml, mae plant sydd wedi cael eu cam-drin yn meddwl eu bod yn ddiwerth ac wedi haeddu'r fath driniaeth

- *anawsterau dysgu*, megis diffyg canolbwyntio

- *ciliad* – mae llawer o blant a gafodd eu cam-drin yn cilio o berthnasau gyda phlant eraill, ac yn troi'n ynysig ac yn ddigalon

- *gwrthwynebiad neu herfeiddiad* – agwedd sy'n gyffredinol negatif ac yn dangos amharodrwydd i gydweithredu

- *gorwyliadwraeth*, neu ymwybyddiaeth rewedig neu ystum wynebol gwyliadwrus

- *gorfodaethyriaeth* – weithiau mae plant a gafodd eu cam-drin yn teimlo neu'n credu bod rhaid iddynt berfformio gweithredoedd neu ddefodau (setiau o weithredoedd) dro ar ôl tro

- *ymddygiad ffug-aeddfed* – ffugio annibyniaeth neu fod yn rhy 'dda' o hyd, neu gynnig anwyldeb yn ddiwahaniaeth i bob oedolion sy'n dangos diddordeb.

Gellir crynhoi ymateb plant drwy ei ddisgrifio fel 'ymladd neu ffoi'. Gallant ymateb naill ai drwy droi'n ymosodol ac yn anghymdeithasol (ymladd), neu drwy gilio a bod yn or-ufudd (ffoi).

Dangosyddion eraill yn dynodi camdriniaeth gorfforol

Nid yw dangosyddion corfforol ac ymddygiadol yn dystiolaeth ddigonol o gamdriniaeth bob amser. Dylid eu hystyried, felly, ochr yn ochr â ffactorau eraill. Mae presenoldeb y dangosyddion canlynol yn golygu ei bod hi'n fwy tebygol nad yw'r anafiadau yn ganlyniad damwain; dylid eu cofnodi ochr yn ochr â'r dangosyddion corfforol. Mae rhai o'r dangosyddion ychwanegol hyn yn tanlinellu'r angen i gadw cofnodion manwl gywir, cyfredol:

- esboniad gan y rhiant neu'r gofalwr sy'n annigonol, yn anfoddhaol neu'n aneglur, ac nad yw'n gyson â natur yr anafiad, o ystyried oedran neu gam datblygiad y plentyn

- oediad anesboniadwy wrth chwilio am gymorth meddygol, neu chwilio am driniaeth dim ond ar ôl i eraill eu gwthio i wneud hynny

- cyfres o fân-anafiadau i blentyn, er bod gan bob un, o bosibl esboniad boddhaol

- hanes o gam-drin neu esgeuluso'r plentyn hwn neu blant eraill yn y teulu

● agweddau'r rhieni, er enghraifft diffyg pryder, edifeirwch neu euogrwydd ynglŷn â damwain, beio eraill neu'r plentyn ei hunan am y ddamwain, gwrthod cydnabod bod unrhyw beth yn bod neu gyfiawnhau niweidio drwy gosbi, mewn ffordd hunangyfiawn. Pe bae gan blentyn 3 oed olion gwregys ar ei ffolennau a gwaelod ei gefn, er enghraifft, mae'n bosibl y byddai'r gofalwr yn esbonio hyn drwy ddweud, 'Roedd o'n haeddu hyn. Mi wnes i ei rybuddio fe os bydde fe'n ddigywilydd unwaith eto y byddwn i'n ei guro fe. Dydy taro gyda'r llaw ddim yn ddigon y dyddiau 'ma.'

Astudiaeth achos ...

... delio gyda'r posibilrwydd o gamdriniaeth gorfforol

Mae plentyn 2 oed yn dod i mewn i'r feithrinfa ddydd gyda chleisiau newydd ar ei freichiau a rhannau uchaf ei gorff yn aml. Yn ôl ei fam, achoswyd y cleisiau gan fân-ddamweiniau wrth chwarae.

Beth allai wneud i chi amau bod y plentyn yn cael ei niweidio'n fwriadol?

Esboniwch sut y byddech yn ymateb i'r fam ar unwaith.

Disgrifiwch y dull gweithredu y byddech yn ei ddefnyddio o fewn y sefydliad, gan gynnwys sut a beth y byddech yn ei gofnodi.

Effeithiau camdriniaeth gorfforol

Gall camdriniaeth gorfforol arwain at anafiadau corfforol, niwed nerfegol, anabledd a marwolaeth. Gall cyd-destun y trais, ymddygiad ymosodol a'r gwrthdrawiad effeithio ar ddatblygiad plant. Mae'n cael ei gysylltu ag ymddygiad ymosodol, problemau emosiynol ac ymddygiadol ac anawsterau addysgol.

Gwirio'ch cynnydd

Beth yw camdriniaeth gorfforol? Beth mae'n ei gynnwys?

Beth yw Syndrom Munchausen drwy Ddirprwy?

Pa agweddau ar gleisio sy'n arwyddocaol mewn achosion o gamdriniaeth?

Beth allai cysgadrwydd ei ddynodi, os oes niwed i'r pen yn ogystal?

Disgrifiwch rai o effeithiau posibl camdriniaeth gorfforol.

---

termau allweddol

Esgeulustod

peidio â gwneud y pethau y dylid eu gwneud, er enghraifft amddiffyn plant rhag niwed

Camweithio

gwneud y pethau hynny na ddylid eu gwneud, er enghraifft curo plant

---

ESGEULUSTOD

Beth yw esgeulustod?

Ystyr esgeulustod yw methu ag ateb anghenion hanfodol sylfaenol plentyn dro ar ôl tro a/neu fethu â diogelu eu hiechyd, diogelwch a'u lles.

Mae esgeulustod yn ymwneud â **gweithredoedd o esgeulustod**, hynny yw peidio â gwneud y pethau y dylid eu gwneud, megis peidio ag ateb anghenion datblygiadol plentyn neu beidio ag amddiffyn plentyn rhag niwed. Mae hyn yn wahanol i fathau eraill o gamdriniaeth, sy'n ymwneud â **gweithredoedd camweithiol**, sef gwneud y pethau na ddylid eu gwneud, er enghraifft curo plant.

Mathau o esgeulustod (yn aml bydd y meysydd hyn yn gorgyffwrdd)

Esgeulustod corfforol

Mae esgeulustod corfforol yn golygu peidio ag ateb anghenion plant am fwyd

digonol, dillad, cynhesrwydd, gofal meddygol, hylendid, cwsg, gorffwys, awyr iach ac ymarfer corff. Yn ogystal, mae'n cynnwys methu â diogelu, er enghraifft gadael plant ifainc ar eu pennau eu hunain heb oruchwyliaeth.

Esgeulustod emosiynol

Mae esgeulustod emosiynol yn golygu gwrthod, neu fethu â rhoi digon o gariad, anwyldeb, diogelwch, sefydlogrwydd, canmoliaeth, anogaeth, cydnabyddiaeth a chanllawiau ymddygiad rhesymol i blant.

Esgeulustod deallusol

Mae esgeulustod deallusol yn golygu gwrthod neu fethu â rhoi digon o symbyliad, profiadau newydd, cyfrifoldeb priodol, anogaeth a chyfleoedd i ddangos eu hannibyniaeth i blant.

Dangosyddion esgeulustod

Mae'n bosibl y gwelir yr arwyddion a'r symptomau canlynol a dylid eu cofnodi'n gywir a'u dyddio:

- llwgu parhaol, archwaeth reibus, abdomen mawr, teneuwch, tyfiant crablyd, gordewdra, diffyg cynnydd (isod)

- dillad sy'n annigonol ac yn amhriodol i'r tywydd, dillad budr iawn a olchir yn anaml iawn

- iechyd gwael o hyd, cyflyrau meddygol heb eu trin, er enghraifft brech cewyn barhaus, stumog anghyffyrddus dro ar ôl tro, dolur rhydd difrifol

- ymddangosiad anniben, hylendid personol gwael, gwallt pŵl, matiog, croen crychiog, plygiadau yn y croen

- blinder neu gysgadrwydd cyson

- anafiadau damweiniol i'w gweld dro ar ôl tro

- cyrraedd yr ysgol yn hwyr o hyd, neu beidio â chyrraedd o gwbl

- hunan-barch isel

- gorfodaeth i ddwyn neu garthysu

- anawsterau dysgu

- ymosodedd neu giliad

- perthnasau cymdeithasol gwael.

Mae'n bwysig cofio, fodd bynnag, y gall dangosyddion ymddygiadol fod yn ganlyniad pethau eraill ac nid esgeulustod. Bydd rhaid sicrhau nad yw'r dangosyddion corfforol a welwyd yn ganlyniad cyflyrau meddygol. Dyma pam fod angen i weithwyr fod yn ymwybodol o gefndir plant dan eu gofal.

Astudiaeth achos ...

... dangosyddion esgeulustod

Mae Rhiannedd, sy'n 2 oed, wedi dechrau mynychu meithrinfa ddydd ddrud yn ddiweddar. Mae ei rhieni, sy'n gyfreithwyr, yn ei gadael yno am 8 y bore o ddydd Llun hyd ddydd Gwener, a nhw yw'r olaf i'w chasglu pan fydd y feithrinfa'n cau am 6 yr hwyr. Droeon, ni ddaethant tan 7 p.m. Mae gan Rhiannedd bwysau isel i'w hoedran, ac nid yw'n gallu ymdopi â bwyd solid, gan ddewis defnyddio potel yn lle hynny. Nid yw'n cymryd fawr o ddiddordeb yng ngweithgareddau'r feithrinfa, ac

mae'n well ganddi eistedd ar ei phen ei hun yn sugno tegan ac yn siglo'n rhythmig.

Mae mam Rhiannedd yn esbonio bod Rhiannedd yn faban cynamserol, nad yw hi wedi ennill llawer o bwysau erioed, a bod teulu ei gŵr yn fach sut bynnag. Nid yw'r naill riant na'r llall yn hoffi cael eu holi am eu plentyn, ac maent yn cynnig mwy o dâl er mwyn gwneud yn iawn am yr anhwylustod i'r staff, pan gyrhaeddant yn hwyr i gasglu Rhiannedd.

1. *Lluniwch restr o'r dangosyddion esgeulustod a ddisgrifiwyd yn yr astudiaeth achos.*

2. *Disgrifiwch y math o gofnodion cyfredol a ddylai fod ar gael i gadarnhau pob dangosydd esgeulustod yn yr achos hwn.*

3. *Ysgrifennwch ddisgrifiad o blentyn y gwyddoch iddynt gael eu hesgeuluso'n gorfforol.*

4. *Pam fod gofalwyr y plentyn a ddisgrifiwyd gennych o bosibl yn esgeuluso anghenion y plentyn?*

Diffyg cynnydd

Mae'r term 'diffyg cynnydd' yn disgrifio plant sy'n methu â thyfu'n mewn ffordd normal. Gall hyn ddigwydd am nifer o resymau. Mae rhai plant yn fach am fod eu rhieni'n fach. Mae gan eraill gyflwr meddygol sy'n achosi diffyg twf. Mae'n bosibl y bydd plant yn cael eu cyfeirio at baediatregwyr am fod eu diffyg twf yn achosi pryder. Defnyddir siartiau twf (**siartiau canraddol**) i asesu plant o'r fath.

Fel canllaw bras, mae'n bosibl y bydd plentyn sy'n cyrraedd yn is na llinell waelod y graff (y trydydd canradd) yn cael eu derbyn i'r ysbyty i gael eu harchwilio. Mae'r mwyafrif o blant sy'n cael eu derbyn i ysbyty am resymau meddygol yn parhau i golli pwysau. Pan fydd yn yr ysbyty ond ddim yn derbyn unrhyw driniaeth benodol, os bydd y plentyn yn ennill mwy na 50g y diwrnod, mae'n debyg bod y diffyg cynnydd yn arwydd o esgeulustod, ac yn arbennig, o'r ffaith nad yw'r plentyn wedi bod yn derbyn digon o fwyd.

term allweddol

Siartiau canraddol

siartiau a baratowyd yn arbennig ac a ddefnyddir i gofnodi mesuriadau twf plentyn. Ceir siartiau canraddol ar gyfer pwysau, taldra a chylchedd pen

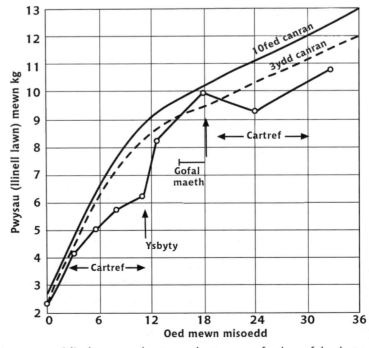

Siart yn dangos newidiadau ym mhwysau plentyn pan fu dan ofal ysbyty, gofal maeth a gartref

Effeithiau esgeulustod

Cysylltir esgeulustod difrifol â nam mawr ar dwf corfforol a datblygiad deallusol. Os yw'n parhau, gall arwain at iechyd gwael ac oedi datblygiadol. Mae'n bosibl y bydd plant yn cael anhawster gyda pherthnasau cymdeithasol a bydd eu cynnydd addysgol yn gyfyngedig. Mewn achosion eithafol, gall arwain at farwolaeth. Mae plant sy'n cael eu hesgeuluso'n fwy tebygol o ddioddef mathau eraill o gamdriniaeth, megis camdriniaeth emosiynol, rywiol neu gorfforol.

Gwirio'ch cynnydd

Beth yw esgeulustod?

Disgrifiwch dri math o esgeulustod plant.

Disgrifiwch ddangosyddion esgeulustod.

Beth yw diffyg cynnydd?

Pam ei bod hi'n bwysig gwybod am gefndir y plant dan eich gofal?

CAMDRINIAETH EMOSIYNOL

Beth yw camdriniaeth emosiynol?

Mae methu ag ateb (hepgor) anghenion emosiynol plant yn amharu ar eu datblygiad. Yn ogystal, mae rhai oedolion yn cyflawni camdriniaeth emosiynol, gan niweidio plant drwy fygwth, defnyddio iaith ymosodol, gwawdio neu weiddi o hyd. Cyfeirir at y categori hwn pan mai dyma'r unig, neu'r brif fath o gamdriniaeth.

Mae camdriniaeth emosiynol yn cynnwys effaith anffafriol ymddygiad rhiant neu ofalwr ar ymddygiad a datblygiad emosiynol plentyn, ymddygiad sy'n cynnwys esgeuluso a/neu wrthod y plentyn. Gall trais teuluol, problemau iechyd meddwl oedolyn a chamddefnydd sylweddau gan rieni nodweddu teuluoedd lle mae plant yn agored i gamdriniaeth o'r fath.

Effeithiau camdriniaeth emosiynol

Mae tystiolaeth gynyddol yn dangos canlyniadau anffafriol tymor hir camdriniaeth emosiynol ar ddatblygiad plant ('Working Together to Safeguard Children', Yr Adran Iechyd, 1999). Mae camdriniaeth emosiynol yn effeithio ar ddatblygiad iechyd meddwl, ymddygiad a hunan-barch plentyn, a gall fod yn arbennig o niweidiol i blant bach iawn. Fel ffactor gwaelodol, gall gael effaith yr un mor bwysig ar blentyn â'r arwyddion camdriniaeth eraill, fwy gweledol. Gall plant ddangos diffyg cynnydd o ganlyniad i esgeulustod neu gamdriniaeth emosiynol, yn ogystal ag esgeulustod corfforol.

Gwirio'ch cynnydd

Beth mae camdriniaeth emosiynol yn ei gynnwys?

Beth yw rhai o effeithiau posibl camdriniaeth emosiynol?

Astudiaeth achos ...

... dangosyddion camdriniaeth ac esgeulustod emosiynol

Mae'r teulu Williams yn byw mewn tŷ datgysylltiedig, mewn cyflwr da mewn maestref ddrud. Mae ganddynt ddau o blant, sef Gwynfor, sy'n 6 oed, ac Elen, sy'n 4 oed. Mae Elen yn fach am ei hoedran, ac mae ganddi wyneb tenau, gwelw. Mae'n edrych yn drist ac yn wyliadwrus o oedolion.

Mae staff y feithrinfa yn pryderu am Elen, sydd i bob golwg yn dangos diffyg cynnydd a diffyg hyder. Ers dechrau dod i'r feithrinfa 3 mis yn ôl, mae hi wedi bod yn amharod i gymryd rhan mewn gweithgareddau strwythuredig ac yn dweud wrth staff y feithrinfa nad yw hi'n gallu gwneud unrhyw beth yn iawn.

Pan ddaw'r teulu i'r feithrinfa ar wahoddiad y staff am sgwrs anffurfiol, mae Mrs Williams yn cymharu Elen yn anffafriol â'i brawd o hyd, ac mae hwnnw'n cytuno'n hunanfoddhaol â phopeth a ddywedir gan ei fam. Nid yw Mr Williams yn siarad ag Elen yn uniongyrchol o gwbl, ac yn ei thrin fel petai hi ddim yn bodoli. Wrth sgwrsio gyda'r staff, mae hi'n cyfeirio ati drwy ddweud ei bod hi 'yn union fel ei mam'.

Yn y man, daw'n amlwg fod Elen yn faban cynamserol, yn anodd ei bwydo, ddim yn ennill pwysau, yn araf i ddysgu ac yn fodlon cael ei gadael ar ei phen ei hun i orwedd yn ei chrud. Gadawai Mrs Williams hi yno'n aml gan fod Gwynfor yn blentyn a fynnai lawer o sylw. Roedd Mr Williams oddi cartref yn aml pan oedd Elen yn faban.

Ni wnaeth Mrs Williams unrhyw ymdrech i amddiffyn Elen rhag ei sylwadau negyddol, a dywedodd wrthi'n gyson ei bod hi'n ddiwerth ac yn anobeithiol, o'i chymharu â'i brawd. Cyfeiriai Gwynfor at Elen fel 'twpsen'. Dywedodd Mr Williams na allai ddeall yr holl ffwdan, gan mai dim ond merch oedd hi.

1. Ysgrifennwch y dangosyddion esgeulustod yn yr achos hwn.

2. Disgrifiwch sut roedd Elen yn cael ei cham-drin yn emosiynol.

3. Disgrifiwch yr effeithiau tymor byr a thymor hir posibl ar bob agwedd o ddatblygiad Elen.

4. Sut gallai staff y feithrinfa helpu i liniaru effeithiau esgeulustod neu gamdriniaeth?

5. Sut gellid annog y teulu i ddatblygu agwedd wahanol tuag at Elen?

6. Disgrifiwch rolau gweithwyr proffesiynol eraill a allai ddechrau gweithio gyda'r teulu hwn.

CAMDRINIAETH RYWIOL

Beth yw camdriniaeth rywiol?

Ystyr camdriniaeth rywiol yw 'gorfodi plant a phobl ifanc yn eu harddegau sy'n ddibynnol ac yn anaeddfed o ran eu datblygiad, i gymryd rhan mewn gweithgareddau rhywiol nad ydynt yn eu deall yn llawn ac yn methu rhoi cydsyniad gwybodus yn eu cylch, neu sy'n torri tabŵ cymdeithasol rolau teuluol' (Kempe, 1978). Un enghraifft o dabŵ cymdeithasol rolau teuluol yw llosgach.

Mae dioddefwyr camdriniaeth rywiol yn cynnwys plant a fu'n destun gweithgaredd rhywiol anghyfreithlon neu blant gyda rhieni neu ofalwyr sydd wedi methu â'u diogelu rhag gweithgaredd rhywiol anghyfreithlon, a phlant a gafodd eu cam-drin gan blant eraill. Mae camdriniaeth rywiol yn cynnwys ystod o ymddygiad camdriniol nad yw bob amser yn cynnwys cyffyrddiad corfforol uniongyrchol. Yn aml, mae'n dechrau ar ochr is y sbectrwm, er enghraifft dinoethiad a hunan-fastyrbiad gan y camdriniwr ac yn parhau gan arwain at gyffyrddiad corfforol megis anwesu, hyd at dreiddiad o ryw fath.

589

Pwy sy'n dioddef camdriniaeth rywiol?

Mae camdriniaeth rywiol plant yn ffenomen fyd-eang. Mae'n digwydd o fewn pob diwylliant a grŵp economaidd gymdeithasol. Mae'n digwydd i blant mewn teuluoedd a chymunedau o bob math. Nid yw'n wir ei bod yn digwydd mewn cymunedau gwledig ynysig yn unig.

Mae bechgyn a merched fel ei gilydd yn profi camdriniaeth rywiol. Hyd y gwyddom, mae llawer mwy o ferched yn cael eu cam-drin na bechgyn. Cafwyd adroddiadau bod plant sydd yn ddim mwy na 4 mis oed wedi cael eu cam-drin yn rhywiol.

Mae dynion a menywod fel ei gilydd yn cam-drin plant yn rhywiol. Mae'n dod i'r amlwg erbyn hyn bod y mwyafrif o blant sy'n cael eu cam-drin yn rhywiol yn adnabod y camdriniwr, sydd naill ai'n aelod o deulu'r plentyn, yn ffrind i'r teulu neu'n berson y mae'r plentyn yn ei adnabod ac yn ymddiried ynddo, er enghraifft athro neu ofalwr.

Pa mor gyffredin yw camdriniaeth rywiol?

Ni wyddom pa mor gyffredin yw camdriniaeth rywiol gan nad yw pob achos yn dod yn hysbys ac rydym yn dibynnu ar amcangyfrifon. Pan gynhaliwyd astudiaeth o fyfyrwyr mewn coleg, dywedodd 19 y cant o'r merched a 9 y cant o'r dynion eu bod wedi cael eu cam-drin yn rhywiol pan oeddent yn blant. O blith 3,000 o bobl a ymatebodd i arolwg diweddar gan gylchgrawn ar gyfer pobl ifanc yn eu harddegau, dywedodd 36 y cant eu bod wedi profi camdriniaeth rywiol o ryw fath pan oeddent yn blant.

Dangosyddion camdriniaeth rywiol

Os gellir adnabod dangosyddion camdriniaeth rywiol yn ddigon cynnar, mae'n bosibl y gellir atal y camdriniwr rhag symud o gyflawni gweithredoedd llai niweidiol i weithredoedd mwy niweidiol. Os nad adnabyddir camdriniaeth rywiol ar y dechrau, gall barhau i ddigwydd, heb i neb wybod amdano, am flynyddoedd maith.

Dangosyddion corfforol

Dyma ddangosyddion corfforol camdriniaeth rywiol:

term allweddol

Organau cenhedlu

organau rhyw

- cleisiau neu grafiadau ar neu yn ymyl yr **organau rhywiol** a'r ardaloedd rhefrol, y frest neu'r abdomen

- brathiadau

- staeniau gwaed ar ddillad isaf

- clefydau cysylltiad rhywiol

- semen ar groen, dillad neu yn y wain neu'r anws

- toriadau mewnol bach (namau) yn y wain neu'r anws

- y wain neu'r anws yn chwyddo'n annormal tuag allan (ymlediad)

- cosi neu deimlad anghysurus yn yr ardaloedd cenhedlol a rhefrol.

Yn ogystal, mae rhai arwyddion yn digwydd yn benodol yn achos naill ai bechgyn neu ferched:

Mewn bechgyn:
* poen wrth wneud wrin
* pidyn yn chwyddo
* rhedlif o'r pidyn

Mewn merched:
* rhedlif o'r wain
* llid wrethol, heintiadau'r llwybr wrinol
* llid yn y chwarren lymff
* beichiogrwydd.

Dangosyddion ymddygiadol

Mae'n bosibl na welir unrhyw arwyddion corfforol amlwg o gamdriniaeth rywiol, ac felly rhaid talu sylw arbennig i ddangosyddion ymddygiadol. Dylid cofnodi'r canlynol yn fanwl gywir a'u trafod gyda'r **person dynodedig** yn eich sefydliad chi neu aelod profiadol o'r staff:

- yr hyn mae'r plentyn yn ei ddweud neu'n datgelu drwy chwarae gyda doliau gyda nodweddion rhywiol, organau rhywiol ac yn y blaen

- ymddygiad gor-rywiol sy'n amhriodol ar gyfer oedran y plentyn; bod ag obsesiwn am faterion rhywiol; actio gweithredoedd rhywiol mewn ffordd sy'n rhy wybodus, gyda doliau neu blant eraill; tynnu lluniau o organau rhyw megis pidynnau sydd wedi'u codi; mastyrbiad gormodol

- newidiadau sydyn ac anesboniadwy mewn ymddygiad, troi'n ymosodol neu gilio

- dangos ymddygiad sy'n amhriodol ar gyfer cam datblygiad cynnar

- cael anhawster bwyta neu gysgu

- arwyddion bod rhywbeth yn effeithio ar berthnasau cymdeithasol, er enghraifft glynu'n amhriodol wrth ofalwyr; dangos ofn mawr tuag at, neu wrthod gweld, oedolion arbennig heb fod rheswm amlwg dros hynny; peidio â mwynhau cymryd rhan mewn gweithgareddau gyda phlant eraill

- dweud eu bod yn ddrwg, yn fudr neu'n ddrygionus (bod â hunanddelwedd wael)

- actio mewn ffordd a fydd, yn eu barn hwy, yn plesio ac yn atal yr oedolyn rhag eu brifo (cymodol), neu ymddwyn fel oedolyn mewn ffordd amhriodol (ymddygiad ffug-aeddfed).

Gwirio'ch cynnydd

Yn ôl diffiniad Kempe, beth yw camdriniaeth rywiol?

Beth yw dangosyddion corfforol ac ymddygiadol posibl camdriniaeth rywiol?

Pwy sy'n dioddef camdriniaeth rywiol?

A yw'r plentyn yn debygol o adnabod y camdriniwr?

Pam fod adnabod dangosyddion camdriniaeth rywiol yn gynnar mor bwysig?

Astudiaeth achos ...

... dangosyddion camdriniaeth rywiol

Cadi: Sylwir bod Cadi, sy'n 3½ oed, yn ail-greu amser gwely ac amser bath o hyd wrth chwarae yn y feithrinfa. Mae hi'n gosod doliau, tedi a hi ei hun yn y sefyllfaoedd hyn dro ar ôl tro, dros gyfnod o bythefnos. Mae hi hefyd yn actio cael ei slapio yn y bath.

    Dewi: Pan ofynnir i grŵp o blant dynnu llun ohonyn nhw eu hunain ar gyfer arddangosfa, mae Dewi yn tynnu llun yn dangos ei hun gyda phidyn a chaill enfawr, gan ddweud 'Mae gan fechgyn wilis, ond mae gan ferched dyllau'.

    Helen: Mae Helen yn dangos bod ardal ei gwain yn ddolurus. Treuliodd y penwythnos blaenorol gyda'i thad-cu. Euog farnwyd ef o gamdriniaeth rywiol tuag

at fam y plentyn flynyddoedd yn ôl.

Rhydian: Mae Rhydian wedi bod yn chwarae mewn ffordd or-rywiol gyda phlant eraill. Mae un bachgen yn dweud bod ganddo ofn Rhydian am ei fod yn gofyn iddo guddio a chwarae 'sugno wilis' o hyd.

Alwyn a Huw: Roedd Alwyn a Huw yn chwarae gyda'i gilydd mewn dŵr; roedd y ddau yn gorwedd yn noeth ar eu stumogau. Clywodd aelod o'r staff lawer o giglan a gwelodd y bechgyn yn ymarfer byrfreichiau yn y dŵr. Pan ofynnwyd iddynt beth oeddent yn ei wneud, dywedodd un bachgen 'Dyn ni'n tyfu ein cynffonnau'. Roedd gan y ddau fachgen godiad.

1. *Ym mhob un o'r achosion uchod, penderfynwch a allai'r ymddygiad ddangos bod camdriniaeth rywiol yn digwydd neu beidio.*

2. *Esboniwch beth a ddylanwadodd ar eich penderfyniad ym mhob achos.*

Effeithiau camdriniaeth rywiol

Gall camdriniaeth rywiol arwain at ymddygiad cythryblus, ymddygiad rhywiol amhriodol, tristwch, iselder a cholled hunan-barch. Po hiraf ac ehangaf y profiad o gamdriniaeth, a pho hynaf y plentyn, mwyaf llym y gall effaith y gamdriniaeth fod. Gall ei effeithiau barhau hyd at pan fydd y plentyn yn oedolyn. Mae'n bosibl y bydd plentyn yn gallu ymdopi'n well â'r profiad gyda chefnogaeth gofalwr nad yw'n cam-drin ac sy'n credu'r plentyn, yn helpu'r plentyn i ddeall, ac yn cynnig cymorth ac amddiffyniad. Fodd bynnag, dim ond lleiafrif o blant sy'n cael eu cam-drin yn rhywiol sy'n mynd ymlaen i gam-drin eraill.

Plant sy'n agored i niwed a chamdriniaeth

Mae popeth a ysgrifennwyd am gamdriniaeth hefyd yn berthnasol i blant anabl a'r rhai hynny gydag anghenion arbennig ac anawsterau dysgu. Mae'r plant hyn yn arbennig o agored i bob math o gamdriniaeth ac mae arnynt angen arbennig am gael eu hamddiffyn.

PAM FOD PLANT ANABL YN FWY AGORED I NIWED?

Mae rhai troseddwyr yn cam-drin plant am eu bod yn cael eu denu gan y ffaith bod y plant mor ddibynnol. Gall hyn, ynghyd ag agwedd negyddol cymdeithas tuag at bobl anabl, beri bod plant anabl, a'r rhai gydag anawsterau dysgu, yn fwy agored i gamdriniaeth. Yn ogystal, mae plant anabl:

- yn derbyn llai o wybodaeth am gamdriniaeth ac mae'n bosibl, felly, y byddant yn llai tebygol o ddeall pa mor amhriodol yw'r ymddygiad

- yn aml yn fwy dibynnol ar ofal corfforol am gyfnod hirach a chan wahanol bobl – mae hyn yn golygu eu bod yn fwy agored i niwed

- o bosibl yn derbyn llai o gariad gan eu teulu a ffrindiau ac felly'n fwy parod i dderbyn sylw rhywiol

- o bosibl yn llai tebygol o ddweud beth sydd wedi digwydd (datgelu) oherwydd problemau cyfathrebu, llai o gysylltiadau cymdeithasol, arwahanrwydd a'r

ffaith bod llai o bobl yn debygol o'u credu, ar y cyfan

- o bosibl yn fwy awyddus i blesio oherwydd yr ymatebion negyddol a dderbyniant yn aml, gan gynnwys gwrthodiad ac arwahanu

- o bosibl yn dangos diffyg pendantrwydd, geirfa neu sgiliau i allu cwyno'n briodol

- o bosibl yn cael anhawster gwahaniaethu rhwng cyffyrddiadau da a drwg

- yn debygol o ddangos hunan-barch isel a theimlo nad ydynt mewn rheolaeth

- yn debygol o gael llai o ddewis yn gyffredinol, ac felly llai o gyfle i ddysgu a ddylent ddewis derbyn neu wrthod cynigion rhywiol.

Astudiaeth achos ...

... plentyn anabl a chamdriniaeth

Mae gan Dyfed Huws, sy'n 7 oed, anawsterau dysgu. Mae Meirion, sy'n hen ffrind i Mr a Mrs Huws, yn gofalu am Dyfed yn gyson. Ym marn rhieni Dyfed, mae'n dda bod eu mab yn cyfarfod pobl hŷn ac maent yn falch o seibiant pan fydd Dyfed yn aros yn fflat Meirion neu'n gofalu amdano yn ei gartref tra bod Mr a Mrs Huws yn mynd allan.

Mae Meirion wedi bod yn cam-drin Dyfed yn rhywiol ers blwyddyn. Dechreuodd pan ofynnodd Meirion i Dyfed ddangos ei bidyn iddo ond erbyn hyn maent yn mastyrbio'i gilydd ac yn cael rhyw geneuol. Mae Meirion yn rhoi melysion i Dyfed ac yn dweud wrtho am beidio â dweud wrth ei rieni neu ni fydd Dyfed yn cael aros i fyny i wylio'r teledu gydag ef.

Mae Dyfed yn dweud wrth ffrind yn yr ysgol ei fod yn cael melysion gan Meirion ac yn cael aros i fyny'n hwyr i wylio'r teledu os bydd yn gadael i Meirion chwarae gyda'i 'wili'. Nid yw ffrind Dyfed yn deall ac mae'n gofyn i Dyfed ddangos iddo beth mae Meirion yn ei wneud. Mae rhywun yn gweld y bechgyn mewn cornel o lyfrgell yr ysgol a gofynnir iddynt ddweud beth sy'n digwydd. Mae Dyfed yn esbonio, ond yn gofyn i'r staff beidio â dweud wrth ei fam gan y byddai'n ddig wrtho am aros i fyny'n hwyr.

1. Disgrifiwch sut yr oedd Dyfed yn cael ei gam-drin.

2. Pa ddangosyddion camdriniaeth rywiol a oedd yn amlwg, o bosibl, yn yr achos hwn?

3. Disgrifiwch effeithiau tymor byr a thymor hir posibl y gamdriniaeth ar Dyfed.

4. Sut gallai staff yr ysgol helpu i liniaru effeithiau'r gamdriniaeth?

5. Pam fod Dyfed yn arbennig o agored i gamdriniaeth?

6. Awgrymwch sut y gellid bod wedi helpu Dyfed i amddiffyn ei hun a sut y gellid bod wedi atal y gamdriniaeth rhag digwydd.

CAMDRINIAETH GAN WEITHIWR GOFAL PLANT

Mae profiad wedi dangos bod plant yn gallu cael eu cam-drin mewn unrhyw leoliad gan y sawl sy'n gweithio gyda hwy. Dylid bod dulliau gweithredu clir, ysgrifenedig yn bodoli ym mhob lleoliad i ddelio â chyhuddiadau o'r fath, ac ar ben hynny dylid hyfforddi a goruchwylio staff. Dylid trin pob cyhuddiad o gamdriniaeth yn ddifrifol a dylid defnyddio'r dulliau gweithredu amddiffyn plant lleol wrth ymchwilio iddynt. Mae'n hanfodol bod pob cyhuddiad yn cael ei archwilio'n wrthrychol gan staff nad

ydynt yn rhan o'r sefydliad ('Working Together to Safeguard Children', Yr Adran Iechyd, 1999).

Mae Deddf Amddiffyn Plant 1999 yn gofyn bod sefydliadau gofal plant sy'n bwriadu cyflogi rhywun mewn swydd gofal plant yn chwilio 'Rhestr Deddf Amddiffyn Plant ' a Rhestr 99 (Adran Addysg a Sgiliau/DfEE) i sicrhau nad ydynt yn 'bersonau a ystyrir yn anaddas i weithio gyda phlant'. Yn ogystal, mae'n galluogi'r Biwro Cofnodion Troseddau i ddatgelu gwybodaeth am bobl a gynhwysir ar y rhestr ynghyd â'u cofnodion troseddol.

CAMDRINIAETH MEWN SEFYDLIAD NEU WEDI'I THREFNU

Mae camdriniaeth mewn sefydliad, camdriniaeth wedi'i threfnu neu gamdriniaeth luosog, gan gynnwys camdriniaeth sy'n digwydd ar draws teulu neu gymuned, yn ymwneud ag un neu fwy o gamdrinwyr a nifer o blant neu bobl ifainc sy'n perthyn iddynt neu ddim yn perthyn. Mae'n bosibl bod y camdrinwyr yn gweithio gyda'i gilydd neu ar wahân, neu o bosibl byddant yn defnyddio fframwaith sefydliadol neu safle o awdurdod i recriwtio plant ar gyfer cael eu cam-drin. Yn ystod y blynyddoedd diwethaf, caed achosion o hyn yn digwydd mewn meithrinfeydd, cartrefi preswyl ac ysgolion. Mae'n cynnwys defnydd cynyddol o'r Rhyngrwyd gan grwpiau o bedoffilyddion. Yn aml bydd yr ymchwiliad a gynhelir gan yr heddlu a staff gwaith cymdeithasol yn gymhleth ac yn anodd iawn.

Effeithiau camdriniaeth mewn sefydliad

Mae'r math hwn o gamdriniaeth yn drawmatig iawn i blant ac mae ei heffeithiau'n ysgytwol. Un o'r rhesymau dros hyn yw bod plant mewn lleoliadau sefydliadol fel rheol yn cael eu cam-drin gan y bobl y maent yn disgwyl iddynt ofalu amdanynt a'u hamddiffyn. Mae'n bosibl y bydd plant mewn cartrefi maeth a sefydliadau preswyl wedi cael eu gosod yno i'w hamddiffyn rhag y gamdriniaeth a gawsant gartref. Mae cael eu cam-drin mewn safleoedd o'r fath yn ail drawma iddynt, gan eu harwain i gredu na allant ymddiried mewn neb ac nad oes neb yn mynd i wrando arnynt.

Gwirio'ch cynnydd

Pam fod plant anabl yn fwy tebygol o gael eu cam-drin?

Beth yw camdriniaeth mewn sefydliad?

Pam fod camdriniaeth mewn sefydliadau yn gallu bod mor niweidiol?

Nawr rhowch gynnig ar y cwestiynau hyn

Disgrifiwch brif ffurfiau cam-drin plant.

Disgrifiwch ddangosyddion camdriniaeth gorfforol.

Disgrifiwch arwyddion ymddygiad a allai ddynodi camdriniaeth rywiol.

Esboniwch beth yw ystyr diffyg cynnydd.

Esboniwch y cysylltiad rhwng camdriniaeth emosiynol a phob ffurf arall ar gamdriniaeth.

GWEITHDREFNAU AMDDIFFYN PLANT

Yn y DU, fel yn nifer o wledydd eraill, mae cyfreithiau'n bodoli sy'n amddiffyn plant rhag camdriniaeth ac esgeulustod. Rydym wedi gweld eisoes mai Deddf Plant 1989 yw'r darn diweddaraf o ddeddfwriaeth gynhwysfawr yn ymwneud ag amddiffyn plant i gael ei phasio yn y DU. Fe'i seiliwyd ar nifer o egwyddorion. Un o'r pwysicaf o'r rhain yw bod lles y plentyn yn flaenoriaeth wrth ystyried pa gamau y dylid eu cymryd i amddiffyn plentyn. Mae Deddf Plant 1989 hefyd yn rhoi arweiniad i bob awdurdod lleol ynglŷn â'r camau y dylid eu cymryd pan amheuir bod camdriniaeth neu esgeulustod yn digwydd. Mae'n gofyn eu bod yn cytuno ar y camau hyn, a elwir yn weithdrefnau, ac yna eu cyhoeddi, gan sicrhau bod pawb sy'n gweithio gyda phlant yn yr awdurdod lleol hwnnw yn ymwybodol ohonynt. Cyfarwyddiadau cam-wrth-gam ar gyfer gweithredu neu gyfeirio achos o gamdriniaeth yw gweithdrefnau.

Bydd y bennod hon yn ymdrin â'r pynciau canlynol:

- gweithrefnau ar gyfer amddiffyn plant
- cyfeirio achosion lle amheuir camdriniaeth
- rôl y gweithiwr gofal plant ac addysg o ran cofnodi dangosyddion camdriniaeth
- delio â datgeliad
- gweithdrefnau ar gyfer ymchwilio i achosion lle amheuir camdriniaeth.

Gweithdrefnau ar gyfer amddiffyn plant

Mae cam-drin plant yn broblem gymdeithasol ac yn broblem iechyd sy'n digwydd ymhlith pobl o bob cefndir cymdeithasol, diwylliant a hil. Mae'n effeithio ar blant anabl ac abl fel ei gilydd. Gall ddigwydd mewn amrywiaeth o safleoedd gan gynnwys y teulu, sefydliadau gofal dydd a chartrefi preswyl. Mae Deddf Plant 1989 yn cydnabod angen a hawl plant o bob cefndir ac ym mhob lleoliad i gael eu hamddiffyn rhag camdriniaeth. Mae'r Ddeddf yn gwneud argymhellion clir ynglŷn â sut y dylid cyflawni hyn, ac yn gofyn bod pob awdurdod lleol yn ffurfio **Pwyllgor Amddiffyn Plant y Rhanbarth (ACPC)** a fydd yn ysgrifennu gweithdrefnau ar gyfer amddiffyniad yn yr ardal honno.

Mae gweithdrefnau amddiffyn plant pob ardal yn cynnwys:

- disgrifiad o arwyddion a symptomau camdriniaeth
- gwybodaeth sy'n angenrheidiol i bob asiantaeth ynglŷn â sut i gyfeirio achos

● manylion am yr ymholiadau a'r mesurau amddiffynnol a allai ddilyn cyfeiriad.

NODAU'R DULLIAU GWEITHREDU

Mae dulliau gweithredu amddiffyn plant yn ceisio:

● amddiffyn pob plentyn rhag cael eu cam-drin mewn sefydliad o unrhyw fath

● rhoi cyfarwyddiadau gweithredu clir i bawb sy'n ymwneud â gofal plant os amheuir bod y plentyn mewn perygl

● rhoi manylion am sut y dylai asiantaethau, hynny yw gwasanaethau cymdeithasol, yr heddlu neu'r NSPCC, ddelio â chyfeiriadau

● hyrwyddo cyd-weithredu a chyfathrebu rhwng pob gweithiwr drwy ddarparu cefnogaeth a dealltwriaeth o'u gwahanol rolau.

Pwyllgor Amddiffyn Plant y Rhanbarth

Mae'r Pwyllgor Amddiffyn Plant y Rhanbarth (ACPC) yn cynnwys cynrychiolwyr o bob sefydliad a allai ymwneud ag amddiffyn plant. Mae hyn yn cynnwys yr adran gwasanaethau cymdeithasol, heddlu, prawf, addysg, y gwasanaeth iechyd a chynrychiolwyr mudiadau gwirfoddol, gan gynnwys yr NSPCC. Mae'r pwyllgor yn hyrwyddo perthynas weithio agos rhwng pob gweithiwr proffesiynol. Rôl yr ACPC yw ysgrifennu, monitro ac adolygu'r dulliau gweithredu amddiffyn plant ar gyfer ei ranbarth, ac i hyrwyddo cyd-drefnu a chyfathrebu rhwng yr holl weithwyr. I wneud hyn, mae'n defnyddio'r canllawiau a ddarperir gan Ddeddf Plant 1989.

Gwirio'ch cynnydd

Ym mha sefydliadau y gall cam-drin plant ddigwydd?

Beth yw gweithdrefnau?

Beth yw prif nod gweithdrefnau amddiffyn plant?

Beth yw'r ACPC?

Beth yw rôl yr ACPC?

Beth yw un o'r egwyddorion pwysicaf sy'n sylfaenol i Ddeddf Plant 1989?

SEFYDLIADAU A GWEITHWYR PROFFESIYNOL SYDD YNGHLWM WRTH AMDDIFFYN PLANT

Mae gan bawb sy'n gweithio gyda phlant ddyletswydd i'w hamddiffyn. Mae hyn yn cynnwys pobl sy'n gweithio gyda phlant mewn ysgolion, gofal dydd a gofal iechyd. Mae gan rai asiantaethau a gweithwyr proffesiynol ran allweddol i'w chwarae mewn gwaith yn ymwneud ag amddiffyn plant.

CYFRIFOLDEBAU'R ASIANTAETHAU AMDDIFFYN PLANT
Gwneud ymholiadau

Yr unig asiantaethau gyda'r grym cyfreithiol (statudol) i wneud ymholiadau ac ymyrryd os amheuir bod camdriniaeth wedi digwydd yw'r adran gwasanaethau cymdeithasol, yr heddlu, y Gymdeithas Genedlaethol er Atal Creulondeb i Blant (NSPCC) a Chymdeithas Frenhinol yr Alban er Atal Creulondeb i Blant (RSSPCC).

Y sail i wasanaeth amddiffyn plant effeithiol yw bod rhaid i bob gweithiwr proffesiynol ac asiant:

- gydweithredu ar sail amlddisgyblaethol

- deall a rhannu nodau ac amcanion, a chytuno ynglŷn â sut y dylid trin achosion unigol

- bod yn sensitif i faterion yn ymwneud â rhyw, hil, diwylliant ac anabledd.

Hyrwyddo cyfle cyfartal

Er bod gwahaniaethu o bob math yn digwydd, mae Deddf Plant 1989 yn dangos yn glir bod rhaid gwneud pob ymdrech i sicrhau nad ydy asiantaethau'n defnyddio arferion gwahaniaethol neu'n cadarnhau arferion o'r fath. Mae gan bawb hawl i wasanaethau da, anwahaniaethol a chyfle cyfartal, ac mewn rhai achosion mae'n bosibl y bydd rhaid i weithwyr gymryd cyngor ynglŷn â sut i gyflawni hyn. Rhaid i weithwyr gofal plant ystyried rhyw, hil, diwylliant, cefndir ieithyddol ac anghenion arbennig ym mhob un o'u harferion gweithio. Yn ystod y camau rhagarweiniol, yn enwedig, rhaid i weithwyr sy'n ymwneud ag amddiffyn plant gadw meddwl agored wrth ystyried a yw camdriniaeth wedi digwydd ai peidio, ac osgoi gwneud unrhyw ragdybiaethau am bobl sydd wedi'u seilio ar stereoteip. Dyma rai dulliau o hyrwyddo cyfle cyfartal:

- Rhaid i bawb sy'n cyfweld plentyn neu riant ddefnyddio'r iaith a'r sgiliau gwrando priodol.

- Gallai cymorth gweithiwr croenddu, neu rywun gyda gwybodaeth ddiwylliannol briodol a phrofiad, fod yn werthfawr os cynhelir ymchwiliad i deuluoedd croenddu.

- Mae'n bosibl y bydd angen gwneud trefniadau i sicrhau bod plant a rhieni yn cael eu cyfweld drwy gyfrwng eu mamiaith.

- Os bydd gan riant neu blentyn broblemau cyfathrebu, er enghraifft nam ar y clyw, dylid rhoi cymorth yn ystod cyfweliadau.

Mae gweithdrefnau amddiffyn plant yn ceisio amddiffyn plant rhag pob math o gamdriniaeth mewn sefydliadau o bob math

- Cofiwch fod gan blant a rhieni gydag anableddau yr un hawliau â phob person arall.

- Rhaid cymryd rhyw'r sawl sy'n cael eu cyfweld i ystyriaeth; efallai y byddai'n well cael cymorth gweithiwr o'r un rhyw. Mae hyn yn arbennig o wir mewn achosion lle amheuir bod merch wedi dioddef camdriniaeth rywiol, a dyn wedi cyflawni'r trosedd.

YR ADRAN GWASANAETHAU CYMDEITHASOL

Ataliad

Mae gan adrannau gwasanaethau cymdeithasol ystod eang o ddyletswyddau a chyfrifoldebau statudol i ddarparu gwasanaethau ar gyfer unigolion a theuluoedd. Rhan yn unig o wasanaethau gofal plant yr adrannau gwasanaethau cymdeithasol yw eu gwaith amddiffyn plant. Mae gweithwyr cymdeithasol hefyd yn gweithio ym maes ataliad, drwy ddarparu gwasanaethau fel cyfeirio ar gyfer gofal dydd, a rhoi cyngor, arweiniad a chefnogaeth i deuluoedd gyda phlant a grwpiau cleientiaid eraill. Mae ganddynt ymwybyddiaeth eang o'r cyfleusterau sydd ar gael i helpu a chefnogi pob teulu, ac i atal esgeulustod a chamdriniaeth.

Gwneud ymholiadau yn dilyn cyfeirio

Dan Ddeddf Plant 1989 mae gan awdurdodau lleol, drwy gyfrwng eu hadrannau gwasanaethau cymdeithasol, ddyletswydd statudol i ymchwilio i unrhyw gyfeirio a wnaed am fod achos rhesymol i gredu bod plentyn yn dioddef neu'n debygol o ddioddef niwed sylweddol. Maent yn arwain y ffordd o ran ymholiadau, mewn cynadleddau amddiffyn plant, ac o ran cadw'r gofrestr amddiffyn plant (disgrifir pob un yn fanylach isod). I gyflawni'r rôl hon, mae rhai adrannau gwasanaethau cymdeithasol wedi apwyntio arbenigwyr gwaith cymdeithasol i gynghori a chefnogi gweithwyr cymdeithasol eraill yn eu gwaith amddiffyn plant.

Yn ogystal, mae gan adrannau gwasanaethau cymdeithasol system y gall pobl ei defnyddio i gyfeirio'u pryderon am blant unigol iddynt. Darperir rhif ffôn er mwyn galluogi'r cyhoedd a phlant i gysylltu â hwy.

Gweithio mewn partneriaeth gyda rhieni

Erbyn hyn, rhaid i awdurdodau lleol gynnwys rhieni ym mhob cam o'r broses amddiffyn plant, cyn belled ag y bo hyn yn gyson â lles a diogelwch y plentyn. Rhaid iddynt:

- roi gwybodaeth lawn i'r rhieni am yr hyn sy'n digwydd

- alluogi rhieni i rannu eu pryderon am les eu plant yn agored

- ddangos parch tuag at safbwyntiau'r rhieni a'u hystyried

- sicrhau bod rhieni'n cymryd rhan wrth gynllunio, gwneud penderfyniadau ac adolygu.

YR NSPCC (RSSPCC YN YR ALBAN)

Y Gymdeithas Genedlaethol er Atal Creulondeb i Blant yw'r unig fudiad gwirfoddol gyda'r grymoedd statudol i ymchwilio ac i wneud cais am orchmynion llys i amddiffyn plant. I wneud hyn, mae ganddi dimau o weithwyr cymdeithasol cymwysedig, a elwir yn *swyddogion amddiffyn plant*. Mae'r gymdeithas yn gweithio'n agos gyda'r adrannau gwasanaethau cymdeithasol yn yr ardaloedd lle mae'n gweithredu.

Mae'r NSPCC yn ymwneud ag atal camdriniaeth, gweithio gyda phlant sy'n agored i niwed a'u teuluoedd, ac ymchwilio a chyhoeddi.

YR HEDDLU

Mae gan swyddogion yr heddlu ddyletswydd i ymchwilio i achosion a gyfeiriwyd atynt, lle amheuir bod plentyn wedi cael ei gam-drin. Eu nod yw:

- penderfynu a gyflawnwyd trosedd neu beidio
- dilyn dulliau gweithredu troseddau os oes digon o dystiolaeth
- erlyn os yw er lles y plentyn a'r cyhoedd
- ystyried beth yw'r ffordd orau o amddiffyn plentyn sydd wedi dioddef niwed.

Mae'r heddlu'n rhannu eu gwybodaeth gydag asiantaethau eraill mewn cynadleddau amddiffyn plant. Mae'n hanfodol bod cydweithrediad a dealltwriaeth yn bodoli ar y lefel hwn.

Yn ogystal, mae gan yr heddlu rymoedd unigryw ar adeg o argyfwng sy'n eu galluogi i fynd i mewn i adeiladau a'u chwilio, ac i gadw plentyn mewn man diogel am 72 awr, heb orfod gwneud cais i'r llys.

ROLAU GWEITHWYR ERAILL MAES AMDDIFFYN PLANT

Gwarcheidwad ad litem

Mae Deddf Plant 1989 yn cydnabod bod plant yn gallu cael anhawster siarad drostynt hwy eu hunain yn y llys ac i ddeall y broses gwneud penderfyniadau. Bydd **gwarchodwr ad litem** yn gallu helpu yn y ddau achos. Gallant hefyd roi ail farn werthfawr yn y llys ynglŷn â beth fyddai'r canlyniad gorau o safbwynt lles y plentyn.

Apwyntir gwarcheidwaid gan y llys i ddiogelu a hyrwyddo budd a lles plant yn ystod achosion llys. Mae'r gwarcheidwad yn berson annibynnol, ac fel rheol maent wedi eu hyfforddi ym maes gwaith cymdeithasol. Mae ganddynt nifer o rymoedd, gan gynnwys y gallu i gyfarwyddo cyfreithiwr i gynrychioli plentyn mewn llys os bydd angen.

Y gwasanaeth prawf

Mae gan swyddogion prawf gyfrifoldeb dros oruchwyliaeth troseddwyr. Mae hyn yn golygu y gallent fod yn rhan o achos cam-drin plentyn, er enghraifft os rhyddheir troseddwr o'r carchar. Byddant yn hysbysu'r gwasanaethau cymdeithasol os ceir unrhyw bryder am ddiogelwch plentyn sy'n byw yn yr un tŷ a throseddwr.

Y gwasanaeth iechyd

Ataliad

Mae pob gweithiwr gwasanaeth iechyd yn ymrwymedig i amddiffyn plant. Maent yn chwarae rhan bwysig drwy gefnogi'r gwasanaethau cymdeithasol a rhoi cefnogaeth barhaus i blant a'u teuluoedd. Mae meddygon teulu a gweithwyr iechyd cymuned yn chwarae rhan effeithiol o ran amddiffyn plant. Gallant weld pan fydd pwysau ar deulu ac maent yn adnabod arwyddion sy'n dangos bod y plentyn yn cael ei niweidio; o bosibl, byddant yn **cyfeirio'r** achos ar y dechrau ac yn mynychu cynhadledd amddiffyn plant. Mae ymwelwyr iechyd a nyrsys ysgol yn cofnodi ac yn monitro twf a datblygiad plant. Maent mewn safle da i adnabod pa blant sy'n cael eu hesgeuluso a'u niweidio neu sydd mewn perygl o niwed.

Triniaeth ac archwiliad

Os bydd iechyd plentyn mewn perygl, dyletswydd gyntaf meddyg mewn argyfwng yw rhoi triniaeth i'r plentyn. Fodd bynnag, lle honnir neu amheuir bod camdriniaeth wedi digwydd, ond lle nad oes argyfwng meddygol amlwg, rhaid i'r meddyg archwilio plentyn a gyfeiriwyd a chofnodi unrhyw dystiolaeth y gellid ei defnyddio mewn achos cyfreithiol. Mae hon yn dasg sy'n gofyn sgìl, ac yn waith i feddyg dynodedig gyda phrofiad arbenigol o gam-drin plant. Mae'n bosibl y bydd rhieni'n ceisio atal y fath

term allweddol

Gwarchodwr ad litem

person a apwyntiwyd gan y llysoedd i ddiogelu a hyrwyddo budd a lles plant yn ystod achos llys

term allweddol

Cyfeirio

y broses lle mae un person sy'n amau bod camdriniaeth yn digwydd yn adrodd yn ôl i berson arall, a fydd yn gallu gweithredu os bydd angen gwneud hynny

archwiliad, ond os bydd hynny'n digwydd, gellir cymryd camau i amddiffyn y plentyn, er enghraifft drwy ofyn i'r heddlu ddefnyddio eu grymoedd.

Y gwasanaeth addysg

Ataliad

Weithiau bydd ysgolion yn cymryd rhan yn yr ataliad drwy gyfrwng rhaglenni addysg bersonol a chymdeithasol. Gallant helpu plant i wella'u diogelwch personol drwy ddatblygu sgiliau pendantrwydd, codi eu hunan-barch a'u helpu i ddeall beth yw ymddygiad annerbyniol gan oedolyn.

Arsylwi a chyfeirio

Mae athrawon a staff eraill mewn ysgolion yn ymwneud â phlant bob dydd. Oherwydd hyn, maent mewn safle da i nodi arwyddion corfforol ac ymddygiadol o gamdriniaeth. Nid yw'r gwasanaeth addysg yn asiantaeth ymchwiliol; rhaid iddo gyfeirio'i amheuon at yr adran gwasanaethau cymdeithasol. Mae angen i bob aelod staff mewn ysgol wybod y dulliau gweithredu cyfeirio o fewn eu lleoliad hwy. O fewn pob ysgol dylid sicrhau bod gan aelod staff hŷn sydd wedi'i hyfforddi gyfrifoldeb penodol dros gyfeirio a chysylltu â'r gwasanaethau cymdeithasol. Gelwir y person hwn yn athro dynodedig.

Dylid hysbysu ysgolion am bob plentyn sydd ar y **gofrestr amddiffyn plant**. Bydd hyn yn sicrhau eu bod yn sylwi ar bresenoldeb, datblygiad ac ymddygiad y plentyn.

Mae gan swyddogion lles addysg a seicolegwyr addysg rannau pwysig i'w chwarae hefyd. Maent yn helpu ac yn cefnogi'r plentyn yn yr ysgol a'r cartref. Mae'n bosibl y byddant yn cyfrannu i gynadleddau amddiffyn plant.

Mudiadau gwirfoddol eraill

Mae ystod eang o fudiadau gwirfoddol cenedlaethol a lleol sy'n darparu gwasanaethau i gefnogi plant a'u teuluoedd. Mae mudiadau gwirfoddol cenedlaethol, megis Barnardos, Cymdeithas y Plant a NCH Gweithredu dros Blant oll yn darparu ac yn rhedeg canolfannau cefnogi teuluoedd. Mae Parentline a Childline yn darparu gwasanaethau cynghori dros y ffôn a gwasanaethau cefnogi i rieni a phlant.

Mae llawer o fudiadau gwirfoddol yn bodoli'n lleol. Mae rhai o'r rhain yn cefnogi teuluoedd a phlant sy'n perthyn i grwpiau lleiafrif ethnig yn benodol.

---

term allweddol

Cofrestr amddiffyn plant

rhestrau o'r holl blant o fewn ardal y credir eu bod mewn perygl o gael eu cam-drin neu eu hesgeuluso

---

Gwirio'ch cynnydd

Gan ba dair asiantaeth mae'r grym i wneud ymholiadau amddiffyn plant?

Enwch dri pheth y gall gwarchodwr ad litem ei wneud.

Pam fod angen meddyg gyda sgiliau arbenigol, o bosibl, mewn ymchwiliad amddiffyn plant?

Pa rôl bwysig sydd gan weithwyr gofal plant mewn ysgol?

Dros beth y mae athro dynodedig yn gyfrifol?

Cyfeirio achosion lle amheuir camdriniaeth

CYFEIRIADAU

Ystyr cyfeirio yw'r broses lle bydd un person sy'n amau bod camdriniaeth yn digwydd yn adrodd yn ôl i berson sydd â'r grym i weithredu os bydd angen. Mae cyfeiriadau sy'n digwydd pan amheuir camdriniaeth yn tarddu o ddwy brif ffynhonnell:

- *gan aelodau o'r cyhoedd, yn cynnwys aelodau o'r teulu* – mae ychydig mwy na 51 y cant o ymholiadau'n dechrau pan fydd rhywun, fel rheol y plentyn neu aelod o'r teulu, yn datgelu eu pryderon i weithiwr proffesiynol

- *gan weithwyr proffesiynol sy'n gweithio gyda phlant mewn amrywiaeth o sefydliadau ac sy'n amau bod rhywbeth yn digwydd* – mae tua 39 y cant o ymholiadau yn dechrau fel hyn.

Mae'r 10 y cant o ymholiadau sydd yn weddill yn dilyn digwyddiadau anghysylltiol, megis ymweliadau â chartrefi neu arestiadau.

Cyfeiriadau gan aelodau o'r cyhoedd

Mae gan aelodau'r cyhoedd yr hawl i gael ymchwiliad pan wneir cyfeiriadau. Os bydd person yn gwybod neu'n amau bod plentyn yn cael ei gam-drin neu yn agored i niwed, dylent ddweud wrth un o'r asiantaethau sydd â dyletswydd statudol i ymyrryd (hynny yw'r heddlu, yr adran gwasanaethau cymdeithasol neu'r NSPCC/RSSPCC).

Cyfeiriadau gan weithwyr proffesiynol

Mae gan weithwyr proffesiynol, yn cynnwys gweithwyr gofal plant ac addysg, ddyletswydd i gyfeirio pob achos lle amheuir camdriniaeth. Er mwyn gallu ymateb i arwyddion o gamdriniaeth a chyfeirio'r achos, mae gweithwyr proffesiynol angen:

- hyfforddiant priodol er mwyn gallu adnabod arwyddion camdriniaeth ac esgeulustod

- gwybod beth yw dulliau gweithredu eu lleoliad, gan gynnwys eu rôl hwy, sut i ymateb a'u cyfrifoldeb o safbwynt cyfeirio, a hefyd a ddylid adrodd yn ôl am hyn i berson dynodedig neu gyfeirio'r achos eu hunain

- bod yn ymwybodol o'r dulliau gweithredu lleol sy'n digwydd yn sgil cyfeirio achos lle amheuir camdriniaeth

term allweddol

Tystiolaeth ail law

yr hyn a ddywedwyd wrthych gan eraill

- gallu adnabod a gwerthuso'r gwahaniaeth rhwng gwahanol ffynonellau tystiolaeth, a'u gwerth cymharol gan gynnwys: tystiolaeth a welwyd yn uniongyrchol (h.y. tystiolaeth a welsant neu a glywsant eu hunain), tystiolaeth o ffynonellau dibynadwy (h.y. tystiolaeth cydweithwyr proffesiynol eraill), barn (h.y. yr hyn mae pobl yn ei feddwl, rhywbeth y dylid ei drin yn ofalus iawn), **tystiolaeth ail law** (h.y. tystiolaeth a basiwyd ymlaen gan un neu fwy ac o bosibl wedi newid wrth fynd o berson i berson).

Rôl y gweithiwr gofal plant ac addysg o ran cofnodi dangosyddion camdriniaeth

term allweddol

Aelod staff dynodedig

y person a benodwyd mewn sefydliad i wrando ar gyhuddiadau neu amheuon o gamdriniaeth plant

Os bydd gweithiwr gofal plant yn gweld dangosyddion camdriniaeth, bydd ganddynt ddyletswydd i'w disgrifio a'u cofnodi. Mae'n bosibl y defnyddir y cofnodion hyn er mwyn cyfeirio'r achos at y gweithwyr proffesiynol priodol a chydweithredu gyda hwy. Dylai'r cofnodion fod yn gywir ac wedi'u dyddio, a dylent wahaniaethu'n glir rhwng arsylwadau uniongyrchol a thystiolaeth ail law. Dylid cofnodi safle'r anaf, gan gynnwys y patrwm a welir, yn ogystal â natur yr anaf. Gellir cofnodi dangosyddion corfforol ar ddiagram o gorff plentyn i ddangos safle'r anaf yn glir ac yn fanwl gywir, er mwyn osgoi camddealltwriaeth.

Bydd angen i bob aelod staff sy'n gweithio yn y sefydliad ddefnyddio dulliau cofnodi tebyg i'w gilydd ac i rannu'r cyfrifoldeb am y dasg hon. Mae gweithwyr mewn safle da i sylwi ar ddangosyddion camdriniaeth posibl, a dylent wybod i bwy y dylent adrodd yn ôl o fewn y sefydliad, h.y. **yr aelod staff dynodedig**. Dylent hwy, neu

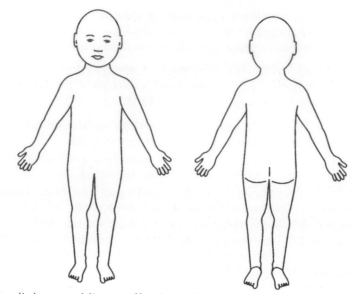

Gellir cofnodi dangosyddion corfforol ar ddiagram o gorff plentyn

gydweithiwr profiadol, gael gwybod ar unwaith mewn ffordd briodol.

Dylai gweithwyr ddeall rheolau eu sefydliad ynglŷn â rhannu gwybodaeth a chyfrinachedd, ac o dan ba amgylchiadau y mae'n dderbyniol i dorri'r cyfrinachedd a rhannu'r wybodaeth. Os byddant yn ansicr am rywbeth a welsant neu a glywsant, dylent ei drafod gyda'r person dynodedig neu aelod profiadol o'r staff, yn hytrach na chadw'n dawel.

Astudiaeth achos ...

... gweithio mewn canolfan deulu neu feithrin

Mae Jen yn weithiwr gofal plant mewn canolfan deulu a meithrin brysur. Mae Nerys, plentyn 3 oed yn ei grŵp, yn dechrau achosi pryder, yn rhannol am nad yw'n dod i'r ganolfan yn gyson.

Mae Caren, mam ifanc Nerys, wedi bod yn dod i'r ganolfan a than yn ddiweddar, roedd y staff yn falch o weld bod ei sgiliau magu plant yn gwella. Fodd bynnag, yn ddiweddar, dechreuodd ddod â Nerys i'r ganolfan yn hwyr, os o gwbl. Y mae hefyd wedi dechrau gwneud esgusion ynglŷn â pham nad yw'n gallu aros ar y boreau hynny pan gynhelir dosbarthiadau magu plant. Mae Jen yn sylwi ac yn cofnodi bod Nerys yn ymddangos yn llwglyd amser bwyd, yn bwyta'n gyflym ac yn awyddus am fwy, yn cysgu weithiau wrth chwarae, ac yn gwisgo ffrogiau haf bach hyd ddiwedd yr hydref. Eisoes mae rheolwr y ganolfan wedi cysylltu ag ymwelydd iechyd y plentyn, sy'n poeni am y ffaith bod Nerys wedi colli pwysau'n ddiweddar.

Un bore, mae ei mam yn cyrraedd yn hwyr, ac mae ganddi lygad du amlwg. Mae Nerys yn gafael yn dynn ynddi ac yn crïo, ond mae Caren yn ei gadael yn gyflym, gan ddweud ei bod hi wedi baglu yn erbyn cwpwrdd. Mae mam arall o'r enw Delyth yn yr ystafell ar y pryd. Mae'n dweud wrth Jen bod gan Caren gariad newydd, a bod pawb yn y stryd yn gwybod amdano am ei fod yn chwarae cerddoriaeth yn uchel yn hwyr bob nos ac yn ymateb yn ymosodol i bawb sy'n cwyno. Mae'n dweud ei fod wedi bod yn y carchar, i bob golwg, tan yn gynharach eleni ac mae'r cymdogion yn dweud ei fod yno am ymosod ar rywun. Mae'n dweud ei bod hi'n credu bod y cariad yn curo Caren ac yn cymryd ei harian.

Mae Jen yn gwneud cofnod llawn o'r hyn a welodd ac a glywodd, ac yna'n ei lofnodi a'i ddyddio. Mae'n dweud wrth y rheolwr am ei thystiolaeth a'i phryderon.

1. Beth yw'r prif achosion pryder yn yr achos hwn?

2. Pam ei bod hi'n bwysig bod y gweithiwr gofal plant yn llofnodi ac yn dyddio ei hadroddiad?

3. Rhowch enghraifft eglurhaol o'r astudiaeth achos hon o dystiolaeth a welwyd, tystiolaeth o ffynhonnell ddibynadwy, barn a thystiolaeth ail law.

Delio â datgeliad

BETH YW DATGELIAD?

Mewn unrhyw leoliad gofal dydd, mae'n bosibl y bydd plant yn dweud wrth weithiwr eu bod yn cael eu cam-drin. Mewn geiriau eraill, byddant yn gwneud **datgeliad**. Gallai hyn ddigwydd mewn ffordd agored a llawn, neu drwy eiriau neu weithredoedd sy'n awgrymu bod rhywbeth wedi digwydd. Gall ddatgeliad fod yn rhannol, yn anuniongyrchol neu'n guddiedig. Gall hyn ddigwydd ar adegau amhriodol neu brysur ac mewn sefyllfaoedd annifyr. Rhaid i oedolion fod yn barod i ymateb yn sensitif ac yn briodol, ar unwaith, pan wneir y datgeliad, ac yn ddiweddarach.

<table>
<tr><td>

term allweddol

Datgeliad (camdriniaeth)

pan fydd plentyn yn dweud wrth rywun eu bod wedi cael eu cam-drin

</td></tr>
</table>

RÔL Y GWEITHIWR GOFAL PLANT O RAN YMATEB I DDATGELIAD

Nid yw'n bosibl dweud yn union beth ddylai gweithiwr gofal plant ei ddweud pan fydd plant yn dweud wrthynt eu bod wedi cael, neu yn cael, eu cam-drin. Bydd rhaid i weithwyr ddefnyddio eu sgiliau cyfathrebu ac addasu eu dull o ddelio â'r datgeliad yn ôl oedran a cham datblygiad y plentyn. Canllawiau yn unig yw'r pwyntiau isod:

- Gwrandewch a byddwch yn barod i dreulio amser gyda'r plentyn, gan beidio â'i frysio. Defnyddiwch sgiliau gwrando gweithredol. Peidiwch â'u holi gormod, a pheidiwch â defnyddio cwestiynau sy'n dechrau gyda Pam? Sut? Pryd? Ble? neu Pwy?

- Peidiwch â gofyn cwestiynau arweiniol, gan roi geiriau yng nghegau plant, er enghraifft, 'Wnaeth y person yma dy gam-drin di, felly?'

- Tawelwch eu meddyliau mewn ffordd ddidwyll. Dywedwch wrthynt nad ydynt yn rhyfedd nac yn unigryw; rydych chi'n eu credu; rydych chi'n falch eu bod nhw wedi dweud wrthych; does dim bai arnyn nhw; roedden nhw'n ddewr iawn i ddweud; mae'n ddrwg gennych chi ei fod wedi digwydd.

- Ceisiwch ganfod beth sy'n codi ofn arnynt, fel y byddwch yn gwybod sut i helpu orau. Mae'n bosibl y bydd rhywun wedi eu rhybuddio i beidio â dweud.

- Byddwch yn barod i gofnodi'r hyn mae'r plentyn yn ei ddweud wrthych, mor fuan â phosibl (o fewn 24 awr), yn gyflawn, yn fanwl gywir ac yn ddarllenadwy, gan gynnwys dyddiad y datgeliad.

- Gadewch i'r plentyn wybod pam rydych chi'n bwriadu dweud wrth rywun arall.

- Ymgynghorwch â'r person profiadol (dynodedig), canllawiau eich asiantaeth neu weithiwr proffesiynol priodol a fydd, yn eich barn chi, yn gallu helpu. Os ydych yn gweithio ar eich pen eich hun, er enghraifft fel nani, gall y person hwn fod yn weithiwr cymdeithasol, ymwelydd iechyd, swyddog heddlu, neu swyddog amddiffyn plant yr NSPCC. Os ydych yn warchodwr plant, mae'n bosibl y byddwch yn siarad â swyddog plant dan 8 oed yn gyntaf.

- Chwiliwch am gydweithiwr neu weithiwr proffesiynol priodol i'ch helpu i ddelio â'ch ymatebion ac anghenion emosiynol personol.

Peidiwch â cheisio delio â'r mater ar eich pen eich hun. Mae datgeliad yn ddechreuad, ond ni fydd yn ddigon ynddo'i hun i atal camdriniaeth bellach.

 603

Gwrandewch a byddwch yn barod i dreulio amser gyda'r plentyn, gan ymatal rhag ei ruthro

LLWYBR POSIBL DULLIAU GWEITHREDU AMDDIFFYN PLANT

Argyfyngau meddygol

Dylai unrhyw aelod staff sy'n darganfod bod gan blentyn anaf, beth bynnag fo'r achos, benderfynu yn gyntaf a yw'r anaf angen triniaeth feddygol ar frys neu beidio. Os bydd angen triniaeth, rhaid mynd â'r plentyn ar unwaith i adran ddamwain ac argyfwng yr ysbyty lleol. Mae'n well cael caniatâd y rhieni, a gadael iddynt gymryd rhan, er y gallai fod yn briodol, mewn achosion amddiffyn plant, i ymgynghori â'r gwasanaethau cymdeithasol ynglŷn â gwneud hyn.

Gwirio'ch cynnydd

Beth mae'n ddyletswydd ar weithwyr proffesiynol ei wybod a'i wneud mewn unrhyw achos lle amheuir camdriniaeth?

Pam fod cofnodion da yn hanfodol?

Beth ddylai aelod staff sy'n canfod bod plentyn wedi cael anaf ei benderfynu yn y lle cyntaf?

Pam ei bod hi'n bwysig gwneud cofnodion o fewn 24 awr, fan bellaf?

Beth yw ystyr datgeliad?

Beth yw ystyr datgeliad rhannol?

Beth yw rhai o'r pethau pwysig y dylid eu cofio wrth gyfathrebu gyda phlant sy'n dweud wrthych eu bod wedi cael eu cam-drin?

Gweithdrefnau ar gyfer ymchwilio i achosion lle amheuir camdriniaeth

YR YMHOLIAD CYNTAF – YMGYNGHORIAD

Yn dilyn cyfeiriad, bydd yr adran gwasanaethau cymdeithasol, yr NSPCC a'r heddlu'n ymgynghori â'i gilydd, gan ddibynnu i bwy y gwnaed y cyfeiriad. Bydd

cofnodion yn cael eu gwirio, cysylltir ag asiantaethau a gweithwyr proffesiynol eraill sy'n gweithio gyda'r teulu, a rhaid gwirio'r gofrestr. Bydd y sawl sy'n cymryd rhan yn y cam hwn yn penderfynu a oes sail i ymchwil pellach ac yn cytuno ar y rhannau y byddant yn eu chwarae mewn unrhyw **ymholiad** dilynol. Gellir cynnal yr ymholiad yn ddiarwybod i'r rhieni. O'r 160,000 o gyfeiriadau a dderbyniwyd yn 1992, ni wnaed ymchwiliad nac ymholiad pellach yn achos 40,000 (*Child Protection - Messages from Research*, HMSO, 1995).

YMHOLIAD

Yn dilyn cyfeirio ac ymgynghoriad, os bydd sail resymol i amau bod plentyn yn dioddef neu'n debyg o ddioddef niwed sylweddol, mae gan awdurdod lleol ddyletswydd i gynnal ymholiad.

Dyma nodau'r ymholiad:

- edrych ar y ffeithiau
- penderfynu a oes rheswm i bryderu
- darganfod ffynhonnell y perygl ac asesu pa mor fawr ydyw
- penderfynu sut i weithredu, os bydd angen hynny, er mwyn amddiffyn y plentyn.

Yn arbennig, rhaid i'r ymholiad benderfynu a oes argyfwng, ac a oes angen i'r heddlu neu'r awdurdod ddefnyddio'u grym dan y Ddeddf Plant i amddiffyn y plentyn rhag unrhyw berson neu sefyllfa.

Er mwyn sefydlu'r ffeithiau, bydd gweithwyr cymdeithasol yn ymweld â'r cartref – cynhaliwyd tua 120,000 o ymweliadau â chartrefi yn 1992. Byddant yn cyfweld y plentyn, y rhiant/rhieni, gofalwyr, unrhyw un sydd â diddordeb personol yn y plentyn ac unrhyw asiantaethau a gweithwyr proffesiynol. Gall hyn gynnwys archwiliad meddygol gan feddyg dynodedig. Dyma pryd y bydd yr ymholiad yn troi'n achos cyhoeddus, a gall hyn gael effaith ddifrifol ar y teulu. Gall rhieni deimlo sioc, ofn a dryswch. Rhaid bod yn ofalus iawn wrth weithio mewn partneriaeth â hwy. Gwneir cofnodion manwl gywir yn ystod pob cyfweliad. Unwaith eto, rhaid dangos y gwahaniaeth rhwng ffaith, tystiolaeth ail law a barn yn glir iawn. Mae darpariaethau newydd dan Ddeddf Cyfiawnder Troseddol 1991 yn caniatáu defnyddio recordiad fideo fel prif dystiolaeth y plentyn mewn achos troseddol.

Os gwelir bod achos i bryderu o ganlyniad i ymholiad, cynhelir cynhadledd amddiffyn plant cychwynnol. Dylai hyn ddigwydd o fewn 8 diwrnod i'r cyfeirio cychwynnol, ond yn ymarferol, gall gymryd hyd at fis.

Astudiaeth achos ....

... yr ymweliad cartref

Mae Cerys yn mynd i ysgol fabanod leol. Mae ei hathrawes yn poeni am fod ei hymddangosiad wedi dirywio'n gyffredinol yn ddiweddar. Yn aml, mae ei dillad a'i chorff yn fudr. Pan roddir llaeth ganol bore, mae hi'n ymddangos yn llwglyd ac yn gofyn am fisgedi. Mae cymdoges ei mam wedi bod yn dod â hi i'r ysgol yn ddiweddar ac mae hi'n awgrymu nad yw'r sefyllfa deuluol yn dda ar hyn o bryd.

Mae'r athrawes ddosbarth yn trafod sefyllfa Cerys gyda'r athro dynodedig, sy'n penderfynu cyfeirio'u pryderon at y gwasanaethau cymdeithasol. Mae'r gweithwyr cymdeithasol yn cynnal ymholiad cychwynnol ac yn dod i ddeall bod staff ysgol y plant hŷn hefyd yn pryderu. Maent yn penderfynu parhau â'r ymholiad ac ymweld â'r teulu. Mae gweithiwr cymdeithasol yn ymweld â'r cartref ac yn dweud wrth fam

Term allweddol

Ymholiad (i achos lle amheuir camdriniaeth)

mae gan awdurdod lleol ddyletswydd i gynnal ymchwiliad os ceir digon o sail i gredu bod plentyn yn dioddef neu'n debyg o ddioddef niwed sylweddol

Cerys am y cyfeirio. Mae hi'n dod i ddeall bod Cerys yn un o dair chwaer ifanc sy'n byw gyda'u mam. Yn ddiweddar, gadawodd y tad y cartref teuluol. Mae ei mam yn wraig swil, sy'n amharod i rannu ei anawsterau â neb, ond ers i'w gŵr adael, mae hi wedi cael anhawster ymdopi, ac mae hyn wedi peri ei bod hi'n esgeuluso rhai o anghenion corfforol y plant. Gwneir penderfyniad i beidio â chyfeirio'r achos at gynhadledd achos, ond mae'r gweithiwr cymdeithasol yn gallu awgrymu rhai gwasanaethau a all gynnig cymorth a chefnogaeth i'r teulu.

1. *Pam fod staff yr ysgol yn pryderu am Cerys?*

2. *Beth oedd achosion y problemau?*

3. *Pam wnaeth y gwasanaethau cymdeithasol benderfynu peidio â chyfeirio'r achos at gynhadledd, yn eich barn chi?*

AMDDIFFYNIAD YR HEDDLU

Os ystyrir bod argyfwng yn bodoli, gall yr heddlu drefnu bod plentyn yn derbyn amddiffyniad yr heddlu. Gallant symud plentyn i lety addas (er enghraifft, gofal maeth neu gartref cymuned), neu sicrhau bod y plentyn yn aros mewn lle diogel (er enghraifft, ysbyty).

Ni all amddiffyniad yr heddlu barhau am fwy na 72 awr. Yn ystod y cyfnod hwn, bydd swyddog a gafodd ei hyfforddi'n arbennig (swyddog dynodedig) yn ymholi i'r achos. Rhaid i'r swyddog hysbysu'r plentyn, y rhai sydd â chyfrifoldeb dros fagu'r plentyn, a'r awdurdod lleol ynglŷn â'r camau a gymerwyd. Rhaid cael gorchymyn llys priodol a bydd angen diogelu'r plentyn o hyd.

Gorchymyn Diogelu Brys

Os penderfynir bod plentyn angen ei ddiogelu ymhellach yn ystod ymholiad, gall yr heddlu neu'r awdurdod lleol wneud cais am **Orchymyn Diogelu Brys**. I roi'r gorchymyn hwn, rhaid i'r llys deimlo'n sicr:

- bod y gorchymyn er lles cyffredinol y plentyn

- bod y plentyn yn debyg o ddioddef niwed sylweddol os na symudir ef neu hi o'u llety presennol.

Mae'r gorchymyn hwn yn caniatáu i blentyn gael ei symud i lety diogel neu gael ei gadw mewn lle diogel. Gall y llys hefyd ddweud pwy sy'n cael cysylltu â'r plentyn tra bod y gorchymyn yn weithredol.

Mae Gorchymyn Diogelu Brys yn parhau am 8 diwrnod, fan bellaf. Gall awdurdod ofyn i'r llys ymestyn y gorchymyn am 7 niwrnod arall os bydd angen mwy o amser i ymchwilio. Os nad oedd rhieni'r plant yn y llys pan ganiatawyd y gorchymyn, ar ôl 72 awr gallant fynegi eu safbwynt hwy o flaen y llys a gwneud cais i gael gwared ar y Gorchymyn Diogelu Brys. O bosibl, bydd y llys yn apwyntio gwarchodwr ad litem i ddiogelu lles y plentyn yn ystod y cyfnod hwn. Yn 1992, (y flwyddyn olaf lle mae ffigurau swyddogol ar gael) gwnaed tua 1,500 o wahaniadau brys.

Gorchmynion Asesu Plentyn

Os nad ystyrir bod plentyn mewn unrhyw berygl uniongyrchol yn ystod ymchwiliad, ond mae'r awdurdod yn awyddus i wneud asesiad o iechyd a datblygiad y plentyn, neu o'r ffordd y cafodd ei drin, gall yr awdurdod wneud cais i'r llys am Orchymyn Asesu Plentyn, os bydd:

- rhieni neu ofalwyr plentyn yn gwrthod cydweithredu yn ystod ymchwiliad

- digon o reswm i bryderu am y plentyn

term allweddol

Gorchymyn Diogelu Brys

gorchymyn llys sy'n caniatáu i blentyn gael ei symud i lety diogel neu ei gadw mewn lle diogell

● yr awdurdod yn credu y gallai'r plentyn ddioddef niwed sylweddol os na wneir asesiad.

Rhaid i'r awdurdod argyhoeddi'r llys eu bod wedi gwneud ymdrech deg i berswadio rhieni neu ofalwyr i gydweithredu ag asesiad.

Rhaid i Orchymyn Asesu Plentyn nodi'r dyddiad pan ddechreua'r asesu. Bydd yn parhau am 7 diwrnod, fan bellaf. O bosibl, bydd y llys yn apwyntio gwarchodwr ad litem i ddiogelu budd y plentyn yn ystod cyfnod y gorchymyn. Gall plant wrthod cymryd rhan mewn asesiad neu archwiliad (cyn belled â'u bod yn deall digon i allu gwneud penderfyniad gwybodus am hyn).

Y GYNHADLEDD AMDDIFFYN PLANT GYCHWYNNOL

Yn dilyn ymholiad, os gwelir bod achos i bryderu, **cynhelir cynhadledd amddiffyn plant gychwynnol**. Mae'r Arweiniad i Ddeddf Plant 1989 yn nodi y dylid ei chynnal o fewn 8 diwrnod gwaith, a bod rhaid ei chynnal o fewn 15 diwrnod. Fodd bynnag, mae ymchwil yn dangos mai 34 diwrnod, ar gyfartaledd, yw hyd y cyfnod rhwng cyfeiriad a chynhadledd.

Mae'r gynhadledd amddiffyn plant gychwynnol yn dod â'r teulu, gweithwyr proffesiynol yn ymwneud ag amddiffyn plant (gwasanaethau cymdeithasol, iechyd, yr heddlu, ysgolion, gwasanaeth prawf), ac arbenigwyr eraill sy'n gallu rhoi cyngor (seiciatryddion, seicolegwyr, cyfreithwyr) at ei gilydd. Mae'n eu galluogi i:

● gyfnewid gwybodaeth o fewn cyd-destun sy'n eu galluogi i rannu gwybodaeth sensitif

● wneud penderfyniadau am faint y perygl

● benderfynu a oes angen cofrestru'r plentyn a sut orau i amddiffyn y plentyn

● gytuno ar gynllun amddiffyn plant ar gyfer y dyfodol a sicrhau bod plant sy'n agored i niwed yn cael eu monitro, ac yn destun adolygiad, yn gyson.

Un ffordd y gall gweithwyr gofal plant helpu i amddiffyn plant yw drwy roi gwybodaeth i weithwyr proffesiynol eraill mewn cynhadledd amddiffyn plant. Gall hyn fod ar ffurf adroddiad cyffredinol am ddatblygiad plentyn, neu adroddiad mwy penodol am rywbeth a welsoch neu yr oeddech yn dyst iddo.

GWEITHIO GYDA RHIENI

Rhaid i'r egwyddor o weithio mewn partneriaeth gyda rhieni ffurfio sail y gynhadledd amddiffyn plant. Fel mater o egwyddor, mae rhieni a gofalwyr yn cael eu cynnwys mewn cynadleddau. Er hyn, ar adegau ni fydd presenoldeb rhieni yn hyrwyddo lles y plentyn, a bydd rhaid eu heithrio o ran o'r gweithrediadau, neu'n gyfan gwbl. Mae ymchwil yn dangos nad yw bron traean o rieni yn mynychu'r gynhadledd neu'n gwrthod gwahoddiad i'w mynychu. Anogir plant i fynychu cynhadledd os oes ganddynt ddealltwriaeth ddigonol. Gallant fynd â ffrind gyda hwy i'w cefnogi.

Rhaid i'r gynhadledd asesu'r perygl a phenderfynu a yw plentyn yn dioddef neu'n debyg o ddioddef niwed sylweddol. O bosibl, bydd y gynhadledd yn penderfynu cofrestru'r plentyn. Bydd yn apwyntio ac yn enwi gweithiwr allweddol a hefyd yn argymell grŵp craidd o weithwyr proffesiynol i gymryd rhan mewn cynllun amddiffyn plant. Bydd y gweithiwr allweddol yn dod o'r adran gwasanaethau cymdeithasol neu'r NSPCC. Fodd bynnag, gall gytuno bod gweithwyr eraill o'r grŵp craidd yn cael mwy o gysylltiad dydd i ddydd gyda'r plant a'r teulu. O blith y 40,000 o achosion a fu'n destun cynhadledd yn 1992, gosodwyd 25,000 ar y gofrestr amddiffyn plant. Mewn 96 achos allan o 100, arhosodd y plant yn eu cartrefi gyda pherthnasau.

Astudiaeth achos ...

... adrodd yn ôl i gynhadledd achos

Mae Jaci'n 3 oed ac yn mynychu canolfan deulu a meithrin awdurdod lleol. Mae ei mam-gu wedi ei chyfeirio at y gwasanaethau cymdeithasol, gan ddweud bod partner mam Jaci yn gweiddi arni'n aml ac yn ei chloi yn ei hystafell am gyfnodau hir. Yn dilyn ymholiad, penderfynwyd galw cynhadledd amddiffyn plant gychwynnol. Gofynnwyd i Mair, ei gweithiwr allweddol yn y ganolfan, gyflwyno adroddiad ysgrifenedig ffeithiol am Jaci i'r gynhadledd. Bydd rheolwr y ganolfan yn rhoi adroddiad cyffredinol am y plentyn, gan gynnwys ffeithiau am y teulu. Gofynnir i Mair seilio'i hadroddiad ffeithiol yn bennaf ar ei harsylwadau cofnodedig o ddatblygiad y plentyn, ac y dylai hefyd gynnwys:

- am ba hyd y bu'n gweithio gyda'r plentyn

- pa mor aml y mae'r plentyn gyda hi yn ystod yr wythnos

- disgrifiad o'r plentyn pan fydd yn cyrraedd ac yn gadael y feithrinfa, gan gynnwys ei chyflwr corfforol ac emosiynol

- y ffordd mae'r plentyn yn ymateb wrth adael a chyfarch ei mam

- pa gam y mae'r plentyn wedi ei gyrraedd o ran ei datblygiad corfforol, deallusol, ieithyddol, emosiynol a datblygiad cymdeithasol

- natur ei chysylltiad â rhieni neu ofalwyr y plentyn

- a yw'n gweithio ochr yn ochr â'r rhieni yn y feithrinfa

- unrhyw anghenion arbennig sydd gan y plentyn o safbwynt diwylliant, rhyw, neu anghenion corfforol neu addysgol.

1. *Pam ofynnwyd i Mair ysgrifennu'r adroddiad hwn?*

2. *Ar beth y bydd hi'n seilio ei hadroddiad am ddatblygiad y plentyn?*

3. *Pam ddylai hi allu disgrifio'n fanwl gywir sut mae'r plentyn yn ymateb i'w mam, ac ar beth y bydd hi'n seilio hyn?*

4. *Beth ddylai hi beidio â'i gynnwys yn ei hadroddiad?*

Y GOFRESTR AMDDIFFYN PLANT

Mae'r gofrestr amddiffyn plant yn rhestru pob plentyn y tybir eu bod yn agored i niwed yn yr ardal. Rhoddir enw plentyn ar y gofrestr dim ond ar ôl sicrhau cytundeb mewn cynhadledd amddiffyn plant. Rhaid cadw'r gofrestr yn swyddfa ranbarth gwasanaethau cymdeithasol. Dyma bedwar prif gategori cofrestriad:

- esgeulustod

- niwed corfforol

- camdriniaeth rywiol

- camdriniaeth emosiynol.

Ond defnyddir labelau eraill hefyd, gan gynnwys:

- diffyg cynnydd

- plentyn yn byw yng nghartref cyn-gamdriniwr.

Yn dilyn penderfyniad i gofrestru, gosodir enw plentyn ar gofrestr amddiffyn plant ganolog. Ym marn gweithwyr proffesiynol, mae'r gofrestr yn offeryn hanfodol sy'n

rhoi ffocws i gynhadledd achos, ac yn annog cydweithrediad rhwng asiantaethau. Mae cofrestru plentyn yn golygu:

- y bydd cynllun amddiffyn y plentyn yn cael ei adolygu'n ffurfiol bob 5 mis fan lleiaf

- bod gweithiwr proffesiynol sy'n pryderu am ei fod yn credu nad yw'r plentyn yn cael ei amddiffyn yn ddigonol, neu fod angen newid y cynllun, yn gallu gofyn i'r adran gwasanaethau cymdeithasol (neu'r NSPCC) alw am adolygiad amddiffyn plant

- bod unrhyw weithiwr proffesiynol sy'n pryderu am blentyn yn gallu cyfeirio'n gyflym at y gofrestr i weld a yw'r plentyn wedi cael ei gofrestru ac felly yn cael ei ystyried fel rhywun sy'n agored i niwed. Yn ogystal, gall weld a oes cynllun amddiffyn mewn grym.

Astudiaeth achos …

… y gofrestr amddiffyn plant

Yn eich swydd fel swyddog meithrinfa mewn meithrinfa ddydd, rydych wedi sylwi bod un plentyn yn amharod i fynd adref gyda'i mam. Mae'n gafael yn dynn ynddoch chi pan fydd hi'n amser mynd adref, ac rydych yn clywed ei mam yn siarad â hi mewn ffordd ymosodol wrth adael y feithrinfa. Ychydig wythnosau'n ddiweddarach, rydych chi'n sylwi bod y plentyn yn eistedd gyda'i thraed ar led ar draws dolen ysgubell ac yn rhwbio'i hunan a hefyd yn cyffwrdd â'i hunan y tu mewn i'w phants. Rydych chi'n gwneud cofnod o'r digwyddiadau hyn ac yn eu trafod gyda'ch cydweithwyr. Y diwrnod canlynol, rydych chi'n sylwi bod cleisiau yn dangos olion blaenau bysedd ar ran uchaf breichiau'r plentyn. Rydych chi'n gwybod nad oedd y cleisiau yno ddoe. Rydych chi'n adrodd yn ôl i'ch swyddog-â-gofal. Mae hi'n dweud wrthych y bydd hi'n dilyn y dulliau gweithredu amddiffyn plant ac yn cyfeirio'r mater at yr adran gwasanaethau cymdeithasol. Mae'n eich cyfarwyddo i ysgrifennu adroddiad ffeithiol am bopeth a glywsoch ac a welsoch, ac i nodi lleoliad y cleisiau ar ddiagram. Yn dilyn ymholiad, mae'r plentyn yn cael ei chyfeirio at gynhadledd achos. Mae ymchwiliadau a thrafodaethau'n dangos bod y fam wedi cael cyfres o bartneriaid gwrywaidd, a bod ei sgiliau magu plant yn wael. Gosodir enw'r plentyn ar y gofrestr amddiffyn plant a chytunir ar gynllun amddiffyn plant gychwynnol.

1. Pa arwyddion a achosodd bryder i staff y feithrinfa?

2. Pam wnaeth y swyddog â gofal gyfeirio'r mater at yr adran gwasanaethau cymdeithasol, yn eich barn chi?

3. Pam osodwyd enw'r plentyn ar y gofrestr amddiffyn plant?

CYNLLUN AMDDIFFYN PLANT CYCHWYNNOL

Bydd y cynllun amddiffyn plant cychwynnol a wneir gan y grŵp craidd o weithwyr proffesiynol ar ôl y gynhadledd:

- yn cynnwys asesiad cyflawn o'r plentyn a'r sefyllfa deuluol

- yn ffurfio sail cynlluniau gwaith gyda'r plentyn a'r teulu yn y dyfodol.

GORCHYMYN GOFAL

Os bydd cynhadledd yn penderfynu bod plentyn mewn perygl, gall y gwasanaethau cymdeithasol wneud cais i'r llys am Orchymyn Gofal. Os caniateir hyn, bydd y plentyn yn cael ei osod dan ofal yr awdurdod lleol. Mae hefyd yn rhoi cyfrifoldeb rhiant i'r awdurdod, yn ogystal â'r rhieni. Mae Gorchymyn Gofal yn rhoi grym i

awdurdod lleol i ofalu am y plentyn a hefyd penderfynu i ba raddau y gall y rhieni ymwneud â'u plentyn. Gall plentyn gael ei leoli naill ai gyda rhieni maeth neu mewn cartref plant.

GORCHYMYN GOFAL DROS DRO

Os nad yw asesiadau'n ddigon cyflawn i warantu gwneud Gorchymyn Gofal llawn, gall llys ganiatáu Gorchymyn Gofal Dros Dro. Yn y lle cyntaf, ni all hwn barhau am fwy nag 8 wythnos; gall gorchymyn dilynol barhau dim ond am 4 wythnos, fel na fydd y broses gwneud penderfyniadau yn llusgo.

GORCHYMYN GORUCHWYLIO

Os bernir nad oes angen gorchymyn Gofal, gall llys ganiatáu Gorchymyn Goruchwylio. Mae hwn yn rhoi'r hawl i awdurdod lleol oruchwylio, cynghori, bod yn gyfaill i, a chyfarwyddo gofal plentyn sy'n aros gartref. Mae'n effeithiol am flwyddyn.

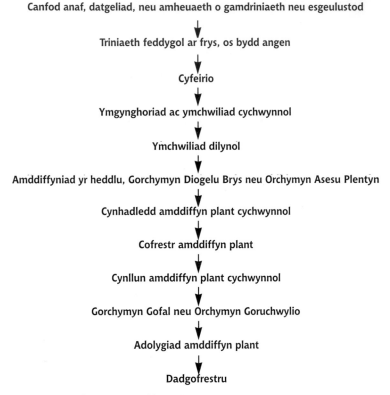

Canfod anaf, datgeliad, neu amheuaeth o gamdriniaeth neu esgeulustod

↓

Triniaeth feddygol ar frys, os bydd angen

↓

Cyfeirio

↓

Ymgynghoriad ac ymchwiliad cychwynnol

↓

Ymchwiliad dilynol

↓

Amddiffyniad yr heddlu, Gorchymyn Diogelu Brys neu Orchymyn Asesu Plentyn

↓

Cynhadledd amddiffyn plant cychwynnol

↓

Cofrestr amddiffyn plant

↓

Cynllun amddiffyn plant cychwynnol

↓

Gorchymyn Gofal neu Orchymyn Goruchwylio

↓

Adolygiad amddiffyn plant

↓

Dadgofrestru

Llwybr posibl gweithdrefnau amddiffyn plant

ADOLYGIAD AMDDIFFYN PLANT

I sicrhau bod plant cofrestredig yn parhau i gael eu diogelu rhag camdriniaeth, a bod eu hanghenion yn cael eu cyflawni, rhaid i'r sawl sy'n ymwneud â'r achos gynnal adolygiad o'r cynllun amddiffyn plant yn gyson, fan lleiaf bob 6 mis.

Dadgofrestru

Dylid ystyried dadgofrestru (tynnu enw'r plentyn oddi ar y gofrestr amddiffyn plant) ym mhob adolygiad amddiffyn plant a gynhelir. Fel arall, gall unrhyw asiantaeth alw am gynhadledd i ystyried dadgofrestru. Dyma'r rhesymau dros ddadgofrestru:

- nid yw'r ffactorau gwreiddiol a arweiniodd at gofrestru yn berthnasol mwyach. Efallai bod y sefyllfa gartref wedi gwella neu nad yw'r camdriniwr bellach yn dod i gysylltiad â'r plentyn

- mae'r plentyn a'r teulu wedi symud i ardal arall (pan fydd hyn yn digwydd, rhaid i'r ardal arall dderbyn cyfrifoldeb am yr achos)

- nid yw'r plentyn bellach yn blentyn yng ngolwg y gyfraith; mac hyn yn dilyn 18fed penblwydd neu briodas cyn cyrraedd 18 oed

- mae'r plentyn yn marw.

DULLIAU GWEITHREDU AR GYFER ADRODD AM AC YMCHWILIO I GAMDRINIAETH SEFYDLIADOL

Pan wneir cyhuddiadau o gamdriniaeth yn erbyn aelod o'r staff neu wirfoddolwr, dylid dilyn y dulliau gweithredu a restrir isod.

1. Dylid cyfeirio'r mater yn ôl at yr adran gwasanaethau cymdeithasol. Dylai'r gwasanaethau cymdeithasol drafod yr achos gyda'r heddlu bob amser ar y cyfle cyntaf os oes posibilrwydd bod y plentyn wedi dioddef trosedd.

   Gall ymchwiliad gynnwys dair elfen:

   - ymholiadau amddiffyn plant yn ymwneud â diogelwch a lles y plentyn

   - ymchwiliad gan yr heddlu i'r posibilrwydd o drosedd

   - dulliau gweithredu'r lleoliad yn ymwneud â disgyblu.

2. Dylid gwerthuso a rheoli'r perygl o niwed i blentyn.

3. Dylai'r person sy'n ymwneud â'r achos dderbyn cefnogaeth a thriniaeth deg ac onest, a hefyd gwybodaeth.

4. Dylai rhieni sy'n ymwneud â'r achos dderbyn gwybodaeth am y pryderon a'r canlyniadau.

5. Rhaid i'r ymchwiliad fod yn barod i ystyried patrymau sy'n awgrymu y gallai fod ar raddfa fwy eang na'r hyn a awgrymwyd gan yr adroddiad cyntaf.

6. Os profir cyhuddiad, dylid defnyddio'r gwersi a ddysgir i arwain gweithredu yn y dyfodol.

Ymchwiliadau i gamdriniaeth sydd wedi'i threfnu, camdriniaeth sefydliadol neu gamdriniaeth luosog

Bydd pob ymchwiliad i gamdriniaeth sefydliadol yn wahanol, ond yn achos pob un bydd angen cynllunio a rhyngweithio da ymhlith yr asiantaethau, a rhoi sylw i les ac anghenion y plentyn. Yn ychwanegol at yr arweiniad uchod mae'n bwysig bod dulliau gweithredu lleol yn adlewyrchu'r angen i ddod â thimau heddlu a gweithwyr cymdeithasol y gellir ymddiried ynddynt ac a gafodd eu harchwilio at ei gilydd i gynnal ymchwiliadau pwysig, a bod pob ymchwiliad yn cynnwys uwch-reolwyr sy'n gwneud defnydd o adnoddau priodol. Fel ym mhob achos, rhaid storio cofnodion yn ddiogel. O bosibl bydd gweithwyr a'r tîm ymchwilio angen cefnogaeth a chynghori.

SUT Y GALL GWEITHWYR GOFAL PLANT AMDDIFFYN EU HUNAIN RHAG CYHUDDIADAU O GAMDRINIAETH

Mae'n bosibl y bydd adegau pan fydd gweithwyr gofal plant yn cael eu cyhuddo o gamdriniaeth. Er bod hyn yn digwydd yn anaml, yn drist iawn mae sail i'r cyhuddiadau ar adegau. Rhaid i bawb sy'n gweithio'n uniongyrchol gyda phlant

ystyried sut i osgoi cyhuddiadau di-sail. Mae'n bosibl bod canllawiau'n bodoli eisoes yn eich sefydliad chi. Os felly, dylech sicrhau eich bod yn gwybod beth ydynt ac yn eu deall. Os nad oes canllawiau, gellir defnyddio'r syniadau canlynol, a seiliwyd ar synnwyr cyffredin ac sy'n dod o 'The Kidscape Training Guide', i'ch helpu i lunio canllawiau ar gyfer eich man gwaith chi:

- Os bydd plentyn yn dioddef anaf, damweiniol neu beidio, sicrhewch fod oedolyn arall yn cofnodi ac yn dyst i hynny.

- Cadwch gofnodion o unrhyw gyhuddiadau ffug a wneir gan y plentyn yn eich erbyn. Cofnodwch ddyddiadau ac amserau.

- Gofynnwch i oedolyn arall fod yn dyst i'r cyhuddiad, os bydd hynny'n bosibl.

- Os bydd plentyn yn cyffwrdd â chi mewn man amhriodol, cofnodwch yr hyn a ddigwyddodd a sicrhewch fod oedolyn arall yn gwybod (peidiwch â gwneud i'r plentyn deimlo fel troseddwr).

- Ar deithiau ysgol, sicrhewch fod dau aelod o'r staff fan lleiaf yn bresennol.

- Peidiwch â rhoi eich hun mewn sefyllfa lle rydych yn treulio gormod o amser ar eich pen eich hun gydag un plentyn, i ffwrdd o bobl eraill.

- Mewn lleoliadau preswyl, peidiwch byth â mynd â phlentyn i mewn i'ch ystafell wely.

- Peidiwch â chario plant yn eich car chi ar eich pen eich hun.

- Os ydych yn gwneud gwaith sy'n ymwneud â gofal, ceisiwch sicrhau bod rhywun gyda chi wrth i chi newid cewynnau, dillad neu olchi plentyn.

- Peidiwch byth â gwneud rhywbeth personol dros blant os gallant ei wneud drostynt hwy eu hunain, er enghraifft sychu penolau.

- Peidiwch â mynd i'r toiledau ar eich pen eich hun gyda phlant.

- Byddwch yn ofalus sut a ble rydych yn cyffwrdd â phlentyn. Ystyriwch ddefnyddio clustog arffed gyda phlant ifainc neu blant anabl a fydd, o bosibl, angen eistedd ar eich pen-glin.

- Gwyliwch rhag cofleidiau hir a chusanau ar y geg gan blant. Gall hyn fod yn arbennig o berthnasol i'r rhai sy'n gweithio gyda phlant ag anawsterau dysgu.

- Dywedwch wrth rywun bob amser os ydych yn amau bod cydweithiwr wedi bod yn cam-drin plentyn.

Gwirio'ch cynnydd

Beth sy'n digwydd pan gynhelir ymholiad cychwynnol?

Beth yw cynhadledd achos?

Beth yw'r gofrestr amddiffyn plant?

Beth yw camdriniaeth sefydliadol?

Beth yw rhai o'r prif ffyrdd y gall gweithwyr amddiffyn eu hunain rhag cyhuddiadau o gam-drin plant?

Nawr rhowch gynnig ar y cwestiynau hyn

Disgrifiwch rymoedd penodol yr adran gwasanaethau cymdeithasol, yr NSPCC a'r heddlu mewn perthynas ag amddiffyn plant, nad ydynt yn cael eu rhannu gan sefydliadau eraill.

Disgrifiwch rôl y person dynodedig sy'n gyfrifol am amddiffyn plant mewn lleoliad gwaith.

Beth yw'r gwahaniaethau rhwng tystiolaeth sy'n dod o arsylwi, tystiolaeth o ffynonellau dibynadwy, barn a thystiolaeth ail law?

Disgrifiwch sefyllfa a allai arwain at blentyn yn cael ei gyfeirio at gynhadledd achos.

Beth yw canlyniadau posibl cyfeirio achosion lle amheuir camdriniaeth neu esgeulustod at adrannau gwasanaethau cymdeithasol?

AMDDIFFYN PLANT: YMATEB I GAM-DRIN PLANT

Mae rhieni, gweithwyr proffesiynol a hyd yn oed gwleidyddion yn rhannu cyfrifoldeb dros blant ac atal cam-drin plant. Yn rhannol, mae'r cyfrifoldeb hwn yn golygu dysgu plant sut i amddiffyn eu hunain. Ni fydd hyn ynddo'i hun yn atal pob camdriniaeth, mwy nag y mae dysgu plant am ddiogelwch yn atal pob damwain. Er hyn, byddai'r bobl hyn yn esgeulus pe na baent yn ymgymryd â'r cyfrifoldeb hwn. Mae llawer o oedolion yn anfodlon trafod amddiffyniad rhag camdriniaeth am eu bod yn:

- amharod i gydnabod bod perygl yn bodoli
- teimlo'n chwithig neu'n teimlo cywilydd
- awyddus i ddal gafael yn niniweidrwydd plentyndod
- gyndyn o gyflwyno pwnc rhyw mewn ffordd negyddol neu ddychryn plant
- ansicr ynglŷn â sut i ddelio â'r pwnc.

Bydd y rhan hon yn ymdrin â'r pynciau canlynol:

- hunanamddiffyniad
- cefnog plant sydd wedi cael eu cam-drin.

Hunanamddiffyniad

EGWYDDORION HELPU PLANT I AMDDIFFYN EU HUNAIN

Dysgwyd lawer am faes hunanamddiffyniad i blant y DU gan waith Ymgyrch Kidscape er Diogelwch Plant (Kidscape Campaign for Children's Safety) ac oddi ar hynny fel rhan o ymgyrch 'Full Stop' yr NSPCC.

Dyma rai o egwyddorion sylfaenol helpu plant i amddiffyn eu hunain:

- Dylai plant ddeall bod ganddynt yr hawl i fod yn ddiogel a deall sut y gallant wella'u diogelwch personol.
- Dylai plant ddod yn fwy ymwybodol o'u cyrff, gan ddeall mai nhw sydd biau eu cyrff ac na ddylai neb arall gyffwrdd â hwy mewn ffordd amhriodol.
- Dylai plant ddysgu i adnabod ac ymddiried yn eu teimladau, a'u derbyn.
- Dylid hyrwyddo sgiliau hunanhyder a phendantrwydd plant.

● Dylid cydnabod bod plant angen siarad, rhannu eu pryderon, cael gwrandawiad a gwybod bod rhywun yn eu credu. Mae angen iddynt ddeall na ddylid byth gadw'n dawel am gusanau, cofleidiau a chyffyrddiadau, hyd yn oed os ydynt yn teimlo'n braf.

Gellir dysgu'r cysyniadau hyn, ynghyd â'r sgiliau y mae plant eu hangen er mwyn eu rhoi ar waith, drwy'r cwricwlwm ysgol. Yn ogystal, gellir eu hymgorffori yn y themâu a'r pynciau a gyflwynir mewn lleoliad cyn ysgol. Os dysgir hwy yn dda, gallant hybu hyder, pendantrwydd a sgiliau cyfathrebu plant, yn ogystal â'u gwneud yn fwy diogel. Maent yn berthnasol i bob plentyn, gan gynnwys plant anabl a phlant ag anableddau dysgu, a allai fod yn fwy agored i niwed na phlant eraill.

Yr hawl i ddiogelwch

Mae angen i blant ddeall bod ganddynt hawl dynol sylfaenol i ddiogelwch ac i gael eu hamddiffyn rhag perygl. Gallant ddysgu bod gan oedolion gyfrifoldeb i'w hamddiffyn a'u cadw'n ddiogel. Mae'r NSPCC yn awgrymu gweithgareddau penodol a fydd yn pwysleisio'r syniad hwn, gan gynnwys rhai sy'n gwella dealltwriaeth plant o bwy sy'n eu diogelu, sut i chwarae'n ddiogel, a beth i'w wneud os bydd rhywbeth yn digwydd sy'n achosi pryder iddynt. Mae Kidscape wedi llunio rhestr gynghori i sicrhau diogelwch personol plant, yn cynnwys peidio ag ateb y drws os ydynt gartref ar eu pen eu hunain, peidio â dweud wrth neb dros y ffôn eu bod gartref ar eu pen eu hunain, dweud wrth ofalwyr ble maent yn mynd bob amser, mynd i le diogel fel siop os ydynt ar goll neu'n ofnus, rhedeg i ffwrdd os ymosodir arnynt, gwybod eu rhif ffôn a pheidio â mynd i unrhyw fan gyda dieithryn, hyd yn oed os byddant yn adrodd stori gredadwy.

Ymwybyddiaeth o'u cyrff a'u hawliau drostynt

Gall plant ddatblygu ymwybyddiaeth o'u cyrff eu hunain drwy wneud gweithgareddau'r cwricwlwm. Mae angen iddynt allu enwi rhannau'r corff a deall eu swyddogaethau i lefel sy'n briodol i'w datblygiad. Bydd pynciau megis 'Fi fy Hunan' yn eu helpu i ddeall twf a datblygiad, a gall gweithgareddau yn ymwneud â 'Fi', er enghraifft, eu helpu i archwilio syniadau am wahanol gyfraddau datblygiad a'r

Rhaid i blant allu enws rhannau eu cyrff a deall eu swyddogaethau ar lefel sy'n briodol i'w datblygiad

berthynas rhwng maint a grym pobl. Gellir defnyddio gweithgaredd am 'Fi a fy nghorff' i ddatblygu eu dealltwriaeth bod eu cyrff yn eiddo iddyn nhw eu hunain, a bod ganddynt yr hawl i ddweud pa gyffyrddiadau sy'n dderbyniol a pha rai sy'n annerbyniol, ac na ddylai neb eu cyffwrdd mewn ffordd amhriodol neu yn erbyn eu dymuniad. Gall plant feddwl a siarad am gyffyrddiadau sy'n teimlo'n dda, yn ddiogel ac yn gyffyrddus, a chyffyrddiadau sy'n teimlo'n ddrwg ac yn anniogel neu'n gyfrinachgar.

Dysgu i adnabod ac ymddiried yn eu teimladau a'u derbyn

Gall plant ymchwilio i'w teimladau a'u meddyliau am amrywiaeth o brofiadau; gall hyn gynnwys teimladau am unrhyw beth, ond gwnewch yn siŵr eu bod yn cynnwys pethau nad ydynt yn eu hoffi. Gallant ddysgu i siarad am deimladau 'ie' a 'nage'. Bydd hyn yn eu helpu i adnabod a dysgu i ymddiried yn eu teimladau eu hunain a'u derbyn.

Hyrwyddo hunan-barch, sgiliau pendantrwydd, ac ymwybyddiaeth gorfforol plant

Er mwyn hyrwyddo sgiliau pendantrwydd plant mae'n bwysig gwella eu teimladau o **hunan-barch** a hunanwerth. Yn ogystal, mae angen i rieni sy'n gweithio gyda phlant:

> **term allweddol**
>
> **Hunan-barch**
> hoffi a gwerthfawrogi eich hunan

- wrth-ddweud y negeseuon arferol a roddant i blant ynglŷn â gwrando ar oedolion bob amser ac ymddwyn yn ôl dymuniad oedolion, gan ddysgu nad yw rheolau cwrteisi bob amser yn berthnasol

- helpu plant i ddysgu sut i ddweud 'na', gan ymarfer gwneud hyn mewn ffordd bendant drwy gyfrwng chwarae rôl ac efelychiadau

- dysgu plant bod posibilrwydd y bydd angen iddynt ddweud na wrth bobl maent yn eu caru, dan rai amgylchiadau, ond os nad yw'n bosibl dweud na, oherwydd ofn neu berygl trais, bydd oedolion gofalgar eraill yn deall ac yn eu cefnogi

- sicrhau eu bod yn gwybod y gwahaniaeth rhwng cyfrinachau diogel a chyfrinachau anniogel, a deall y gwahaniaeth rhwng anrhegion a llwgrwobrwyon

- ddangos iddynt sut i gael help a chymorth oedolyn pan fydd rhywun yn ceisio cymryd eu hawliau oddi arnynt, er enghraifft drwy gamdriniaeth neu fwlio, a gwahaniaethu rhwng cario clecs i ddwyn rhywun i drwbl a chwilio am help pan fo rhywun yn bygwth eu diogelwch.

Cydnabod bod plant angen siarad, cael gwrandawiad a chael eu credu

Gellir annog plant i siarad drwy ddyfeisio rhestr o gwestiynau 'Beth os ...?' ar gyfer y plant dan eu gofal i annog trafodaeth am sefyllfaoedd a allai fod yn beryglus neu'n gamdriniol. Mae cwestiynau o'r fath yn cynnwys, 'Beth petaech chi'n cael eich bwlio gan rywun a wnaeth i chi addo i beidio â dweud?' neu 'Beth pe bae oedolyn yn dweud wrthych chi i redeg ar draws y ffordd ac mae car yn dod?'

Rhaid i oedolion ddarparu sefyllfaoedd ac amser er mwyn galluogi plant i siarad â hwy. Mae'n hanfodol i wrando ar blant a chredu'r hyn a ddywedant.

Adnoddau ar gyfer datblygu sgiliau ymwybyddiaeth ac amddiffyniad

Mae llawer o lyfrau ac adnoddau yn ymwneud ag amddiffyniad (er enghraifft, llyfrau a fideos i blant) ar gael i'w defnyddio gyda phlant. Er mwyn gwneud yn siŵr eu bod yn effeithiol, bydd angen eu defnyddio mewn ffordd ryngweithiol gyda chymorth oedolyn. Rhaid iddynt ffurfio rhan o raglen sy'n cynnig y cyfle i blant drafod y materion sy'n codi. Rhaid i weithwyr gofal plant fod yn barod i ddelio ag ofnau a phryderon plant neu unrhyw ddatgeliadau o gamdriniaeth.

Gwirio'ch cynnydd

Pwy sy'n gyfrifol am amddiffyn plant?

Pam fod llawer o oedolion yn amharod i drafod amddiffyniad gyda phlant?

Beth yw egwyddorion amddiffyn plant?

Cefnogi plant sydd wedi cael eu cam-drin

DARPARIAETH GOFAL DYDD I BLANT MEWN ANGEN

Mae Deddf Plant 1989 yn cydnabod dyletswydd awdurdodau lleol i ddarparu ystod o wasanaethau sy'n briodol ar gyfer plant eu hardal sydd 'mewn angen'. Dyma'r plant sy'n 'annhebygol o gyflawni neu gynnal safon iechyd neu ddatblygiad rhesymol heb ddarpariaeth gwasanaethau'. Ystyrir bod plant a gafodd eu cam-drin yn blant 'mewn angen'.

Ar gyfer plant sy'n byw gyda'u teuluoedd, dylai'r awdurdod lleol ddarparu canolfannau teulu i weithio gyda'r plant a hefyd eu rhieni a'u gofalwyr. Gallent hefyd ystyried darparu gofal dydd ar gyfer plant dan 5 oed a darpariaeth tu allan i'r ysgol i blant oedran ysgol. Yn ogystal, gall awdurdod lleol ddarparu gofal penodol i blant ifainc gyda gwarchodwyr plant cofrestredig. Gall gweithwyr gofal plant weithio yn unrhyw un o'r lleoliadau hyn gyda phlant ifainc. Mae'n bosibl y bydd rhai o'r plant wedi cael eu cam-drin.

RÔL Y GWEITHIWR GOFAL PLANT

Mae gweithwyr gofal plant angen datblygu sgiliau penodol er mwyn gallu cefnogi plant sydd wedi cael eu hesgeuluso neu eu cam-drin. O bosibl, bydd plant yn dweud wrth weithwyr neu'n dangos iddynt sut y cawsant eu cam-drin.

Efallai y bydd rhaid i weithwyr gofal plant *arsylwi* a *monitro* plant sydd wedi cael eu cam-drin, helpu i liniaru effeithiau camdriniaeth a rheoli ymddygiad anodd. Mae'n bosibl y bydd angen iddynt gysylltu'n gyson â theuluoedd, gan gynnwys yr aelodau hynny a fu'n cam-drin.

Mae'n debyg y bydd rhaid iddynt gofnodi eu harsylwadau er mwyn *cyfeirio'r* achos at asiantaethau a gweithwyr proffesiynol eraill, a *chydgysylltu* â staff, rhieni a gofalwyr.

I weithredu mewn ffordd broffesiynol mae'n hanfodol eich bod chi'n:

- cydnabod eich ymatebion eich hunan i faterion cam-drin plant
- ystyried anghenion plant a'u teuluoedd cyn meddwl am eich anghenion chi
- cydnabod y straen corfforol ac emosiynol sy'n codi wrth weithio mewn sefyllfaoedd o'r fath
- gwneud darpariaeth ar gyfer cael cymorth
- ffurfio perthnasau gweithio da gydag aelodau'r tîm staff
- siarad am, a rhannu'ch teimladau gyda'r bobl briodol.

Gellir dysgu a datblygu llawer o'r sgiliau sydd eu hangen yn y sefyllfaoedd hyn drwy weithredu'n ymarferol, dan oruchwyliaeth gweithwyr proffesiynol profiadol.

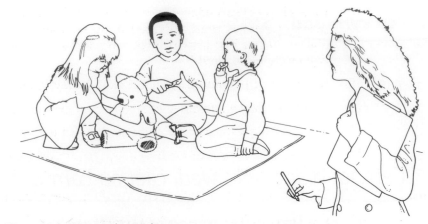

Mae sgiliau arsylwi yn amhrisiadwy

LLINIARU EFFEITHIAU CAMDRINIAETH

Yn gyffredinol, mae dioddef camdriniaeth yn gallu peri bod plant yn anodd eu trin. Gall fod yn anodd iawn hoffi plant sydd wedi cael eu cam-drin. Yn aml iawn, nid ydynt yn denu'r cariad a'r anwyldeb y maent eu hangen. Rhaid ymateb yn broffesiynol, gan roi anghenion y plant o flaen eich anghenion chi, er mwyn gallu lliniaru effeithiau camdriniaeth. Gall gofalu am blant sydd wedi cael eu cam-drin fod yn waith boddhaol, ond nid dyma swyddogaeth plant o'r fath. Dylid cynnig cariad ac anwyldeb hyd yn oed i'r personoliaethau lleiaf deniadol ac ymatebol. Mae plant a gafodd eu cam-drin angen oedolion sy'n gyson, yn ofalgar ac yn ddibynadwy, a fydd yn darparu cariad ac anwyldeb heb amodau.

Mae'n bosibl mai un o effeithiau mwyaf arwyddocaol camdriniaeth yw'r niwed tymor hir a wneir i hunan-barch plentyn, niwed a all parhau pan fyddant wedi tyfu'n oedolion. Mae plentyn sy'n cael ei gam-drin yn teimlo ei fod yn ddiwerth, wedi cael ei gamddefnyddio, yn euog, ac wedi'i fradychu. Mae'n bosibl y bydd teimladau plant yn dod i'r amlwg yn eu patrymau ymddygiad.

Gwella hunanddelwedd plant

Er mwyn gallu helpu plant sydd wedi cael eu cam-drin, rhaid bod gennych ddealltwriaeth dda o ddatblygiad hunanddelwedd neu hunansyniad. Bydd angen i chi gyfrannu at ddatblygiad hunanddelwedd bositif, a gwella hunan-barch plant. Bydd eich dull o wneud hyn mewn ffordd ymarferol yn amrywio yn ôl eu hoedran a'u cam datblygiad.

Dyma ugain rheol euraidd ar gyfer gwella hunan-barch plant:

1. O'r oedran cynharaf, dangoswch gariad ac anwyldeb tuag at blant, yn ogystal ag ateb eu hanghenion datblygiadol cyffredinol.

2. Rhowch gyfleoedd i fabanod ymchwilio drwy ddefnyddio'u pum synnwyr.

3. Anogwch blant i fod yn hunan ddibynnol ac yn gyfrifol.

4. Esboniwch pam fod rheolau'n bodoli a pham ddylai plant wneud yr hyn a ofynnwch. Defnyddiwch 'gwna' yn hytrach na 'paid gwneud' a phwysleisiwch yr hyn rydych eisiau i'r plentyn ei wneud yn hytrach na beth sydd ddim yn dderbyniol. Pan fydd plant yn camymddwyn, esboniwch iddynt pam ei fod yn anghywir.

5. Anogwch blant i werthfawrogi eu cefndir diwylliannol eu hunain.

6. Anogwch blant i wneud cymaint ag y gallant drostynt hwy eu hunain, i fod yn gyfrifol ac i gwblhau gweithgareddau.

7. Peidiwch â sarhau na gwawdio.

8. Rhowch weithgareddau sy'n heriol ond o fewn cyrraedd y plant. Os nad yw'r plant yn cymryd rhan, gofynnwch gwestiynau i ddarganfod pam. Cofiwch ei bod yn bosibl bod arnynt angen amser ar eu pen eu hunain i ddeall sut i wneud y gweithgaredd.

9. Rhowch ganmoliaeth briodol am ymdrech, yn hytrach na llwyddiant.

10. Dangoswch eich bod chi'n gwerthfawrogi gwaith y plant.

11. Darparwch gyfleoedd sy'n galluogi plant i ddefnyddio eu sgiliau cofio.

12. Anogwch blant i ddefnyddio iaith i fynegi eu teimladau a'u meddyliau eu hunain a sut maent yn meddwl bod eraill yn teimlo.

13. Rhowch bethau i'r plant sy'n eiddo iddynt hwy, gyda labeli yn dangos eu henw.

14. Darparwch gyfleoedd ar gyfer chwarae rôl

15. Rhowch gyfle i blant arbrofi gyda rolau gwahanol, er enghraifft 'arweinydd, dilynwr'.

16. Byddwch yn rôl fodel hyblyg a da o ran rhyw, ethnigrwydd ac anabledd.

17. Cefnogwch y plentyn! Cymerwch yn ganiataol eu bod wedi bwriadu gwneud y peth iawn yn hytrach na'r peth anghywir. Peidiwch â bod yn rhy awdurdodol drwy roi cyfarwyddiadau fel 'Rhaid i ti wneud hyn am mai fi yw'r athro a dwi'n dweud bod rhaid i ti', oni bai bod y plentyn mewn perygl.

18. Cymerwch ddiddordeb yn yr hyn mae plant yn ei ddweud; byddwch yn wrandäwr gweithredol. Rhowch eich sylw llawn pan allwch, a pheidiwch â chwerthin ar ymateb plentyn, oni bai ei fod yn wirioneddol ddoniol.

19. Peidiwch â chreu ffefrynnau a dioddefwyr.

20. Symbylwch blant drwy ofyn cwestiynau diddorol sy'n gwneud iddynt feddwl.

Annog plant i fynegi eu teimladau

Mae plant a gafodd eu cam-drin yn elwa o gymryd rhan mewn gweithgareddau sy'n eu galluogi ac yn eu hannog i fynegi eu teimladau mewn modd priodol a derbyniol. Mae llawer o weithgareddau y gall gweithwyr gofal plant eu cynllunio i helpu plant i ddeall teimladau a'u mynegi mewn ffyrdd positif a diogel. Mae angen i'r sawl sy'n gweithio gyda phlant a gafodd eu cam-drin ddeall y cysylltiad rhwng teimladau ac ymddygiad. Mae angen iddynt allu gweld y tu hwnt i'r ymddygiad a deall beth yw teimladau gwaelodol y plant, ac i ymateb i'r rhain yn hytrach na'r ymddygiad annerbyniol a ddangosir.

Mae sgiliau arsylwi yn hanfodol ar gyfer hyn. Dylid cofnodi gwybodaeth sy'n codi o arsylwadau yn ofalus gan sicrhau ei fod ar gael i bawb sy'n ymwneud â gofal plentyn a gafodd ei gam-drin. Nid yw'n bosibl gwybod bob amser beth yw teimladau plentyn. Dylid cofnodi'r ymddygiad yn ogystal â'r hyn rydych yn tybio bod y plentyn yn ei deimlo (y gwerthusiad neu'r dadansoddiad).

Rheoli dicter ac ymddygiad anodd

Gall niwed emosiynol ymddangos ar ffurf ymddygiad gwrthgymdeithasol. Hyd yn oed os byddwch yn deall y rheswm dros deimladau plant a gafodd eu cam-drin, gall fod yn anodd delio â'u hymddygiad. Bydd eich dull o ymateb i ymddygiad anodd yn effeithio ar hunanddelwedd a hunanbarch y plentyn. Gall ymatebion priodol helpu i liniaru effeithiau'r gamdriniaeth.

Nid yw'n bosibl rhoi cyngor manwl ynglŷn â sut i ymateb i'r holl sefyllfaoedd y gallech ddod ar eu traws. Mae'r tabl isod yn crynhoi egwyddorion sylfaenol rheoli ymddygiad anodd. Mae'n bosibl na fydd yn hawdd cadw atynt bob amser, ond mae'n bwysig gosod safonau uchel. Mae'n bosibl y bydd plant a gafodd eu cam-drin wedi dioddef niwed emosiynol sylweddol yn barod drwy law oedolyn a ymddiriedwyd ynddo.

Mae pawb ohonom yn ymateb yn well i ganmoliaeth ac anogaeth nag i gosbi. Os nad oes modd osgoi cosbi, peidiwch â gwneud môr a mynydd o'r peth. Ceisiwch drefnu eich bod yn cosbi drwy dynnu sylw oddi ar y plentyn, yn hytrach na chreu drama a fydd yn peri bod y plentyn eisiau ailadrodd y digwyddiad, am ei fod yn derbyn sylw.

Mae'n bwysig cofio bod ymddygiad ymosodol yn gallu digwydd o ganlyniad i deimladau o ddicter, rhwystredigaeth a thrallod. Nid yw'n dda i blant guddio'u teimladau, nac i gael eu cosbi ar ôl cael eu cyhuddo o fod yn ddrwg. Mae plant angen dysgu sut i gyfeirio eu hymosodedd mewn ffordd sy'n caniatáu iddynt ryddhau eu teimladau heb niweidio eu hunain neu rywun arall. Mae chwarae gyda deunyddiau hydrin a naturiol fel toes, clai, tywod a phaent yn gallu helpu plentyn i wneud hyn ac i siarad am eu teimladau.

PWYNTIAU YMARFEROL AR GYFER RHEOLI DICTER AC YMDDYGIAD ANODD

GWNEWCH	PEIDIWCH
• Gwobrwywch ymddygiad positif neu dderbyniol	• Ddefnyddio trais i gosbi ymddygiad ymosodol
• Rhowch ganmoliaeth, amser a sylw yn gyson	• Cymryd yn ganiataol bod ymddygiad plentyn wedi'i anelu atoch chi'n bersonol
• Peidiwch â chynhyrfu a rheolwch eich teimladau	• Cymryd arnoch fod popeth yn iawn os nad yw hynny'n wir
• Parchwch y plentyn	• Tybio mai chi sy'n iawn bob amser
• Sicrhewch blentyn â'r wybodaeth y byddwch yn parhau i'w caru	• Addo rhywbeth na allwch ei gyflawni
• Sylwch sut mae ymddygiad y plentyn yn gwneud i chi deimlo	
• Ataliwch y plentyn mewn ffordd dyner os bydd angen gwneud hynny	
• Rhesymwch â'r plentyn	
• Ymatebwch yn gyson i ddigwyddiadau tebyg	

Therapi chwarae a defnyddio doliau sy'n anatomegol gywir

Bydd rhai plant a gafodd eu cam-drin angen cyngor proffesiynol neu therapi chwarae i liniaru effeithiau camdriniaeth. Gall hyn ddigwydd gyda seicolegydd, seiciatrydd, cynghorwr neu therapydd chwarae. Mae'n bosibl y byddwch chi'n cysylltu â'r gweithwyr proffesiynol hyn. Dan eu harweiniad hwy mae'n bosibl y byddwch yn ymwneud â defnyddio **doliau anatomegol cywir** gyda phlant sydd wedi dioddef camdriniaeth rywiol.

Gall defnyddio'r doliau hyn fod yn ddefnyddiol am eu bod yn:

• lleihau pryder oedolion yn ogystal â phlant wrth drafod materion rhywiol

• torri'r garw wrth ddechrau trafodaeth, efallai drwy greu enwau ar gyfer disgrifio'r organau rhyw a'u nodweddion

• apelio at blant o wahanol oedrannau

• cynnal awyrgylch plentyn-gyfeiriedig

---

term allweddol

Doliau anatomegol gywir

doliau gyda rhannau cyrff manwl gywir, yn cynnwys organau rhyw

---

Gall defnyddio doliau anatomegol cywir leihau'r pryder a ddaw o ganlyniad i drafod materion rhywiol

- rhoi caniatâd i blant drafod materion rhywiol a deall beth sy'n naturiol.

Gellir defnyddio'r doliau i:

- roi cyfle i blant actio, drwy gyfrwng y doliau, eu teimladau am yr hyn sydd wedi digwydd iddynt
- addysgu plant am faterion rhywiol yn gyffredinol
- ddisgrifio a dangos yr hyn a ddigwyddodd yn ystod y gamdriniaeth
- hwyluso sesiynau therapi chwarae grŵp neu unigol, yn ymwneud ag aelodau eraill o'r teulu.

Gellir eu defnyddio hefyd i annog a galluogi'r plentyn i wneud datgeliad pan gynhelir ymchwiliad i achos lle amheuir bod camdriniaeth wedi digwydd, ac i gael tystiolaeth o gamdriniaeth wirioneddol. Yn y cyd-destun hwn, gellid gwneud fideo ohonynt.

Partneriaeth gyda rhieni a gofalwyr

Mae'n bosibl y bydd gweithio gyda rhieni yn rhan o'ch cyfrifoldeb. Byddwch yn ceisio gwella yn hytrach na thanseilio'r berthynas rhwng plant a gafodd eu cam-drin a'u rhieni neu eu gofalwyr. Dylid rhoi cefnogaeth ac anogaeth i rieni neu ofalwyr er mwyn eu symbylu i efelychu dulliau ac arferion da mewn perthynas â'u plentyn, yn hytrach na'u beirniadu a'u dieithrio.

Mae'n bosibl y bydd angen helpu rhai plant i ddatblygu perthnasau positif gyda'u rhieni neu ofalwyr. Bydd rhaid dangos sensitifrwydd a dealltwriaeth o bwysigrwydd y berthynas rhwng y rhiant neu'r gofalwr a'r plentyn. Bydd angen ymrwymo o ddifrif i'r gwaith o greu partneriaeth â rhieni.

Gwirio'ch cynnydd

Pam nad yw bob amser yn hawdd hoffi plant a gafodd eu cam-drin?

Pam fod gan blant sydd wedi cael eu cam-drin angen mawr am gariad ac anwyldeb heb amodau?

Edrychwch ar bob un o'r 20 rheol euraidd ar gyfer gwella hunan-barch plant ac esboniwch pam eu bod yn debygol o wella hunanbarch plentyn a'u helpu i ddatblygu hunanddelwedd neu hunangysyniad positif.

Sut mae eich ffordd o ymateb i ymddygiad anodd yn effeithio ar hunanddelwedd neu hunanbarch plentyn?

Sut gall ymatebion priodol helpu i liniaru effeithiau camdriniaeth?

Pam fod canmoliaeth ac anogaeth yn fwy effeithiol na chosbi?

Sut gellir defnyddio doliau i helpu plant sydd wedi cael eu cam-drin?

Pa weithgareddau sy'n helpu plant i fynegi teimladau cryf yn ddiogel?

Nawr rhowch gynnig ar y cwestiynau hyn

Disgrifiwch sut y gellir lliniaru effeithiau camdriniaeth.

Sut gellir rheoli ymddygiad anodd plant sydd wedi cael eu cam-drin?

Pennod 10: Ymarfer wrthwahaniaethol

Yn y bennod hon byddwch yn dysgu am hawliau plant a'u teuluoedd ac achosion ac effeithiau gwahaniaethu. Byddwch yn dysgu am ddeddfwriaeth, siarteri a pholisïau a gynlluniwyd i hyrwyddo cyfleoedd cyfartal a rôl y gweithiwr gofal plant ac addysg o ran hyrwyddo arfer gwrthwahaniaethol a gwrthragfarn.

Drwy gydol y llyfr hwn ymchwilir i'r cydbwysedd rhwng hawliau a chyfrifoldebau unigolion a theuluoedd, e.e. yn nghyd-destun amddiffyn plant.

HAWLIAU PLANT A'U TEULUOEDD

ANABOD PLANT ANABL

CEFNOGI PLANT ANABL A'U TEULUOEDD

GWEITHWYR PROFFESIYNOL YN GWEITHIO GYDA PHLANT ANABL

HAWLIAU PLANT A'U TEULUOEDD

Er bod egwyddorion hawliau, cyfle cyfartal, arfer gwrthwahaniaethol a gwrthragfarn yn cael eu trafod bob yn un yn y penodau canlynol, dylent fod yn rhan annatod o bob rhan o'ch gwaith ym myd gofal ac addysg plant. Yn ogystal â deall y materion a drafodir, bydd angen i chi ddatblygu hunanymwybyddiaeth ac agwedd bositif sy'n gwerthfawrogi amrywiaeth er mwyn rhoi'r ddealltwriaeth hon ar waith.

Bydd y rhan hon yn ymdrin â'r pynciau canlynol:

⌣ hawliau ac anghenion plant

⌣ achosion ac eiffeithiau gwahaniaethu

⌣ y ffordd mae cymdeithas yn hyrwyddo cyffleoedd cyfartal.

Hawliau ac anghenion plant

Mae'r datganiadau canlynol, a ddaw o '*Young Children in Group Day Care: Guidelines for Good Practice*' gan Uned Plentyndod Cynnar Biwro Cenedlaethol y Plant, yn amlinellu set o gredoau heriol am anghenion a hawliau plant ifanc. Maent yn berthnasol i bob sefyllfa gofal neu addysgol:

- Lles plant yw'r peth pwysicaf.

- Mae plant yn unigolion yn eu hawl eu hunain, ac mae ganddynt wahanol anghenion, alluoedd a photensial. O ganlyniad, dylai pob cyfleuster gofal dydd fod yn hyblyg ac yn sensitif wrth ymateb i'r anghenion hyn.

- Gan fod gwahaniaethu o bob math yn digwydd bob dydd ym mywydau nifer o blant, dylid gwneud pob ymdrech i sicrhau nad yw gwasanaethau ac arferion yn adlewyrchu nac yn atgyfnerthu hyn, ond yn hytrach yn brwydro yn erbyn hyn. Felly dylai cyfle cyfartal i blant, rhieni a staff fod yn eglur ym mholisïau ac arferion cyfleuster gofal dydd.

- Derbynnir bod gweithio mewn partneriaeth gyda rhieni yn bwysig ac yn werthfawr iawn.

- Gall arfer da o fewn gofal dydd i blant wella eu datblygiad cymdeithasol, deallusol, emosiynol, corfforol a chreadigol llawn.

- Mae plant ifanc yn dysgu ac yn datblygu orau drwy ymchwilio a phrofi drostynt hwy eu hunain. Seilir cyfleoedd o'r fath ar gyfer dysgu a datblygu ar berthnasau sefydlog a gofalgar, arsylwi cyson ac asesu parhaus. O ganlyniad, bydd ymarferwyr yn fwy ystyriol ac yn defnyddio'u harsylwadau i gyfoethogi'r profiadau dysgu a gynigir ganddynt.

- Mae gwerthuso polisïau, dulliau gweithredu ac arfer yn gyson ac yn drylwyr yn arwain at ddarparu gofal dydd o safon uchel.

DEDDF HAWLIAU DYNOL 1998

Roedd y Confensiwn Ewropeaidd ar Hawliau Dynol, cytundeb a gadarnhawyd gan y DU yn 1951, yn gwarantu gwahanol hawliau a rhyddid a nodwyd yn Natganiad Hawliau Dynol y Cenhedloedd Unedig, a fabwysiadwyd yn 1948. Mae Deddf Hawliau Dynol 1998, a ddaeth i rym yn llawn ar 2 Hydref 2000, yn rhoi cyfleoedd i bobl yn y DU orfodi'r hawliau hyn yn uniongyrchol yn llysoedd Prydain, yn hytrach na gorfod wynebu costau ac oedi dwyn achos o flaen y Llys Ewropeaidd yn Strasbwrg.

Achosion ac effeithiau gwahaniaethu

RÔL AGWEDDAU, GWERTHOEDD A SAFBWYNTIAU STEREOTEIPIEDIG O RAN EU DYLANWAD AR YMDDYGIAD

Agweddau a gwahaniaethu

Mae'n bwysig bod gweithwyr gofal plant yn dangos agweddau positif tuag at y plant a'r teuluoedd sy'n gweithio gyda hwy. Mae plant a'u teuluoedd angen teimlo eu bod yn cael eu gwerthfawrogi er eu mwyn eu hunain. Gall agweddau negyddol gweithwyr gofal plant arwain at arfer gwahaniaethol, sy'n dylanwadu ar deimladau o hunanwerth. Gall hyn olygu bod plant yn methu â chyrraedd eu potensial yn ddiweddarach yn eu bywydau a bod teuluoedd yn teimlo'n anfodlon â'r ganolfan gofal plant a'i weithwyr.

Agweddau positif a negyddol

Mae agweddau yn adlewyrchu ein barn. Gallant fod yn bositif ac yn negyddol. Mae ein hagwedd tuag at bobl yn effeithio ar y ffordd yr ydym yn ymddwyn tuag atynt. Os ydym yn dangos agwedd bositif tuag at rywun, bydd y person hwnnw'n teimlo'n dda, yn werthfawr a bydd ganddo lawer o **hunanbarch**. Mae agwedd negyddol tuag at berson yn debyg o leihau eu hunanbarch a gwneud iddynt deimlo'n ddiwerth ac yn wrthodedig.

Labelu a stereoteipio

Mae **stereoteipio'n** hybu datblygiad agweddau negyddol. Mae'n ymwneud â gwneud rhagdybiaethau am bobl, heb unrhyw dystiolaeth neu brawf, er enghraifft am eu bod yn perthyn i hil, rhyw neu grŵp cymdeithasol penodol. Mae stereoteipiau yn niweidiol am eu bod yn bytholi agweddau negyddol, difeddwl; maent yn cyfyngu am eu bod yn dylanwadu ar ddisgwyliadau.

Mae ganddom enwau penodol ar gyfer rhai agweddau negyddol:

- Defnyddir y term hiliaeth pan fydd pobl un hil neu ddiwylliant yn credu eu bod yn well nag un arall.

- Rhywiaeth yw'r term a ddefnyddir pan fydd pobl o'r un rhyw yn credu eu bod yn well na'r rhyw arall.

- Yn aml gwneir rhagdybiaethau stereoteipiedig am bobl gydag anableddau, pobl sy'n perthyn i **grwpiau economaidd-gymdeithasol** is, dynion a menywod hoyw, a grwpiau lleiafrifol eraill.

- Mae **gwahaniaethu** a **gormes** yn debyg o ddigwydd pan fydd un grŵp mewn cymdeithas yn gryf ac yn arddel safbwyntiau stereoteipiedig am grwpiau eraill. Gall hyn leihau dewis, cyfleoedd ac, yn y pen draw, llwyddiannau'r grŵp hwnnw.

GWAHANIAETHU MEWN SEFYDLIAD

Gall gwahaniaethu ddigwydd hyd yn oed pan fydd gan weithwyr unigol agweddau positif. Os nad yw sefydliad yn ystyried ac yn ateb anghenion pawb yn y sefydliad, ac yn gwneud rhagdybiaethau a seiliwyd ar un set o werthoedd/safbwyntiau stereoteipiedig, gall arwain at **wahaniaethu sefydliadol**. Er enghraifft, gall hyn ddigwydd:

- pan nad yw plant gydag anableddau yn cael mynediad i bob rhan o'r cwricwlwm

- pan nad yw'r gwasanaeth prydau bwyd yn ateb gofynion grwpiau crefyddol penodol

- pan nad yw trefn gwisgo iwnifform yn ystyried traddodiadau diwylliannol grwpiau penodol ynglŷn â gwisg.

Yn aml iawn, nid yw gweithwyr gofal plant yn ymwybodol o rym diwylliant ac arferion sefydliadedig eu sefydliad, o ran eu gallu i wahaniaethu yn erbyn grwpiau penodol o blant a'u teuluoedd. Nid yw gwahaniaethu sefydliadol yn bolisi bwriadol ar ran y sefydliad; yn amlach na dim, mae'n bodoli oherwydd diffyg ystyriaeth o'r amrywiaeth o fewn y gymuned. Boed y polisi'n fwriadol neu'n anfwriadol, mae gwahaniaethu sefydliadol yn beth grymus a niweidiol.

EFFEITHIAU GWAHANIAETHU AC ARFERION GWAHANIAETHU AR DDATBLYGIAD PLANT

Gall plant ddioddef effeithiau stereoteipio a gwahaniaethu mewn sawl ffordd:

- Mae ymchwil gan Milner (1983) yn dangos bod plant cyn lleied â 3 oed yn rhoi gwerth ar liw croen, a bod plant du a gwyn fel ei gilydd yn tybio bod croen gwyn yn 'well' na chroen du. Mae hyn yn awgrymu bod plant yn amsugno negeseuon am stereoteipiau hiliol o gyfnod cynnar iawn. Mae'r negeseuon yn

Termau allweddol

Hunanbarch

hoffi a gwerthfawrogi eich hunan

Stereoteipio

pan fydd pobl yn meddwl bod gan bob aelod unigol o grŵp yr un nodweddion; yn aml seilir hyn ar hil, rhyw neu anabledd

Grŵp economaidd-gymdeithasol

grwpio pobl yn ôl eu statws mewn cymdeithas, gan seilio hynny ar eu gwaith, sy'n gysylltiedig â'u cyfoeth/incwm

Gwahaniaethu

ymddygiad a seilir ar ragfarn, sy'n peri bod rhywun yn cael eu trin yn annheg

Gormes

defnyddio grym i ddominyddu a chyfyngu pobl eraill

Gwahaniaethu mewn sefydliad

triniaeth anffafriol sy'n digwydd oherwydd dulliau gweithredu a systemau sefydliad gallu bod yn niweidiol iawn i blant du a gall hyn olygu eu bod yn methu â chyflawni eu potensial. Gwneir niwed i blant gwyn hefyd, ac i gymdeithas yn gyffredinol, oni bai bod y canfyddiad hwn am ragoriaeth hiliol yn cael ei wynebu a'i herio'n effeithiol. Mae'r darganfyddiadau hyn yn pwysleisio'r angen i bob sefydliad, gan gynnwys rhai mewn ardaloedd gwbl wyn, i greu amgylchedd a dull gweithredu positif sy'n herio stereoteipio.

- Mae gan blant ifanc iawn hyd yn oed syniadau pendant am yr hyn y gall bechgyn ei wneud a'r hyn y gall merched ei wneud. Mae arsylwadau a wnaed yn ystod chwarae plant yn dangos bod rhai gweithgareddau yn cael eu hosgoi oherwydd syniadau am yr hyn sy'n briodol i ferched neu i fechgyn. Gall hyn olygu bod gan fechgyn a merched syniadau cul am y dewis sydd ar gael i fechgyn a merched yn ein cymdeithas. Mae hyn yn arbennig o arwyddocaol am fod llawer o ferched yn parhau i dangyflawni, er gwaetha'r cynnydd a wnaed yn y blynyddoedd diwethaf.

- Mae plant gydag anableddau a'u teuluoedd yn dioddef sawl math o wahaniaethu. Gall amgylchedd gofalgar, hyd yn oed, esgeuluso anghenion cyffredin plentyn anabl drwy gymryd gofal i ofalu am eu hanghenion arbennig. Gall hyn olygu eu bod yn canolbwyntio ar yr anabledd yn hytrach na'r plentyn, a bod hyn yn effeithio ar ddatblygiad y plentyn am ei fod yn arwain at gyfleoedd cyfyngedig a disgwyliadau isel.

- Yn ôl yr ystadegau, mae plant sy'n perthyn i grwpiau economaidd gymdeithasol is yn tangyflawni'n academaidd. Gan fod cysylltiad cryf rhwng llwyddiant addysgol a lles economaidd yn ddiweddarach, mae'r cysylltiad hwn yn achosi pryder ac mae'r llywodraeth yn awyddus i newid y drefn hon.

Rhaid i ym arfer gofal plant ateb anghenion cymuned sy'n cynnwys amrywiaeth o ddiwylliannau

Gwirio'ch cynnydd

Pam ei bod hi'n bwysig bod gweithwyr gofal plant yn dangos agweddau positif tuag at y plant a'r teuluoedd y maent yn gweithio â hwy?

Beth yw effeithiau stereoteipio a gwahaniaethu?

Beth yw gwahaniaethu sefydliadol?

Pa rai yw'r prif grwpiau sy'n debygol o ddioddef mwyaf oherwydd gwahaniaethu?

Y ffordd mae cymdeithas yn hyrwyddo cyfleoedd cyfartal

Cyfleoedd cyfartal

pawb yn cymryd rhan mewn cymdeithas hyd eithaf eu gallu, beth bynnag fo'u hil, crefydd, anabledd, rhyw neu gefndir cymdeithasol

Mae hyrwyddo **cyfleoedd cyfartal** yn golygu rhoi cyfle cyfartal i bawb gymryd rhan mewn bywyd hyd eithaf eu gallu, beth bynnag fo'u hil, crefydd, anabledd, rhyw neu gefndir cymdeithasol. Ni wneir hyn drwy drin pawb yr un fath, ond drwy gydnabod ac ymateb i'r ffaith bod pobl yn wahanol i'w gilydd, a bod gan wahanol bobl wahanol anghenion a gofynion. Os na chydnabyddir yr anghenion a'r gwahaniaethau hyn, yna ni fydd pobl yn derbyn cyfle cyfartal.

Hyrwyddir cyfle cyfartal mewn sawl ffordd:

- Ar lefel llywodraethol, mae cyfreithiau sy'n anelu at wrthsefyll gormes a gwahaniaethu.
- Ar lefel sefydliadol, mae gan lawer o sefydliadau bolisïau a chodau ymddygiad sy'n hyrwyddo cydraddoldeb.
- Ar lefel personol, sicrheir cyfleoedd cyfartal wrth i unigolion ddod yn fwy ymwybodol, gan edrych yn fanwl ar eu hagweddau a'u gwerthoedd.

LEFEL LLYWODRAETHOL

Rôl deddfwriaeth

Nid yw cyfreithiau ynddo'u hunain yn atal gwahaniaethu, yn fwy nag y mae cyfyngiadau cyflymder yn atal pobl rhag gyrru'n rhy gyflym. Er hyn, mae'r gyfraith yn datgan yn glir bod gwahaniaethu'n annerbyniol a bod y sawl sy'n torri'r cyfreithiau'n cael eu cosbi.

Deddfwriaeth i wrthsefyll hiliaeth

- Gwaharddodd Deddf Cysylltiadau Hiliol 1965 wahaniaethu ar sail hil o ran darpariaeth nwyddau a gwasanaethau, cyflogaeth a thai. Hefyd, gwnaed annog casineb hiliol yn drosedd dan amodau'r Ddeddf hon.
- Yn 1976 derbyniodd y Comisiwn er Cydraddoldeb Hiliol y grym i ddechrau achos llys pan gaed achosion o wahaniaethu hiliol.
- Mynnai Deddf Plant 1989 fod y sawl a ofalai am blant yn ystyried anghenion plant o ran eu hil, diwylliant, crefydd ac iaith.

Deddfwriaeth i wrthsefyll rhywiaeth

- Rhoddodd Deddf Cyflog Cyfartal 1970 yr hawl i fenywod dderbyn yr un cyflog â dynion am wneud gwaith gyda'r un gwerth.
- Rhoddodd Deddf Diogelu Cyflogaeth 1975 yr hawl i fenywod dderbyn taliad absenoldeb mamolaeth.
- Yn ôl Deddf Gwahaniaethu ar Sail Rhyw 1975 gwaharddwyd gwahaniaethu ar sail rhyw mewn perthynas â chyflogaeth, addysg, darparu nwyddau a gwasanaethau a thai.
- Sefydlwyd y Comisiwn Cyfle Cyfartal yn 1975 i orfodi'r cyfreithiau yn ymwneud â gwahaniaethu ar sail rhyw.

Deddfwriaeth anabledd

- Rhoddodd Deddf Addysg 1944 ddyletswydd ar awdurdodau addysg lleol (AALl) i ddarparu addysg ar gyfer pob plentyn, gan gynnwys y rhai gydag anghenion arbennig.

- Rhoddodd Deddf Pobl Anabl (Cyflogaeth) 1944 bwysau ar gyflogwyr mwy o faint i recriwtio cyfran benodol o bobl a gofrestrwyd yn bobl anabl fel rhan o'u gweithlu.

- Nododd Deddf Addysg 1981 ddulliau gweithredu penodol ar gyfer asesu a gwneud datganiad am blant gydag anghenion addysgol arbennig. Disodlwyd hwn gan y Cod Ymarfer Anghenion Addysgol Arbennig, a gyflwynwyd fel rhan o Ddeddf Addysg 1993.

- Nododd Deddf Cleifion Cronig a Phersonau Anabl 1970 a Deddf Personau Anabl 1986 bod gan awdurdodau lleol ddyletswyddau gwahanol tuag at bobl anabl.

- Diffiniodd Deddf Plant 1989 y gwasanaethau y dylai'r awdurdod lleol eu darparu ar gyfer 'plant mewn angen'. Mae plant anabl yn cael eu cynnwys yn y categori hwn.

- Pasiwyd Deddf Gwahaniaethu ar Sail Anabledd 1995 i sicrhau bod unrhyw wasanaethau o gynigir i'r cyhoedd yn gyffredinol yn cael eu cynnig, ar yr un sail, i bobl anabl.

Er bod hyn yn ymddangos fel deddfwriaeth luosog, dylid cofio mai'r person sy'n teimlo eu bod wedi dioddef gwahaniaethu sy'n gorfod llunio achos a dechrau'r broses o chwilio am gyfiawnder. Mae erlyniadau llwyddiannus yn gymharol brin.

LEFEL SEFYDLIADOL
Polisïau a dulliau gweithredu

Mae llawer o sefydliadau wedi datblygu a mabwysiadu eu polisïau cyfle cyfartal eu hunain, ac yn eu defnyddio mewn perthynas â materion yn ymwneud â staff a chleientiaid. Yn aml, bydd mynd yn groes i'r polisi yn peri bod staff yn cael eu disgyblu. Fel yn achos pob polisi, mae effeithiolrwydd polisïau cyfle cyfartal yn dibynnu ar barodrwydd staff i'w gweithredu, ar adnoddau digonol ac ar y ffaith eu bod yn cael eu gwerthuso, eu hadolygu a'u diweddaru'n gyson.

term allweddol

Arfer gwrth-wahaniaethol

arfer sy'n annog sy'n annog edrych ar wahaniaeth mewn ffordd bositif, ac yn gwrthwynebu agweddau ac ymarfer negyddol sy'n arwain at drin pobl mewn ffordd anffafriol

SUT Y GALL UNIGOLION HYRWYDDO ARFER YN YMWNEUD Â CHYFLE CYFARTAL, GWRTHWAHANIAETHU A GWRTHRAGFARN YN EFFEITHIOL

Fel unigolion, mae pobl yn cyfrannu tuag at hyrwyddo arfer yn ymwneud â chyfle cyfartal, **gwrthwahaniaethu** a gwrthragfarn drwy:

- edrych yn fanwl ar eu hagweddau a'u gwerthoedd eu hunain – gall hon fod yn brofiad anodd ac ysgytiol ar brydiau

- herio ymddygiad ac iaith sy'n gamdriniol neu'n sarhaus

- gynyddu eu gwybodaeth a'u dealltwriaeth o bobl sy'n wahanol iddynt hwy eu hunain

- ymgymryd â hyfforddiant i gynyddu eu gallu i ddarparu ar gyfer anghenion pawb.

Gwirio'ch cynnydd

Beth yw ystyr y term 'cyfle cyfartal' yn eich barn chi?

Pam fod trin pawb yr un fath yn annhebygol o sicrhau cyfle cyfartal?

Pam ei bod hi'n bwysig cael cyfreithiau sy'n delio â gwahaniaethu?

Sut gall polisi cyfle cyfartal hyrwyddo cydraddoldeb?

Beth gall un gweithiwr gofal plant yn unig ei wneud i hyrwyddo cydraddoldeb?

GWERTHFAWROGI AMRYWIAETH

Y cam cyntaf wrth ymarfer gwrthwahaniaethol a gwrthragfarn yw cydnabod amrywiaeth ein cymdeithas a'i gwerthfawrogi fel ffactor positif yn hytrach na negyddol.

Gwerthfawrogi amrywiaeth o ymarfer magu plant

Er mwyn gallu gwneud hyn, bydd rhai i weithwyr gofal plant **fod yn ddi-duedd** wrth weithio gyda theuluoedd. Mae hyn yn golygu peidio â barnu bod gwahanol arddulliau teuluol, credoau, traddodiadau ac, yn arbennig, dulliau o ofalu am blant yn well neu'n waeth na'i gilydd, ond yn hytrach eu bod yn haeddu parch. Bydd gwahanol deuluoedd yn darparu ar gyfer eu plant mewn gwahanol ffyrdd a bydd ymarfer gofal plant sy'n **wrth-wahaniaethol** yn ceisio ateb anghenion pob teulu o fewn fframwaith sy'n parchu eu hunigolrwydd.

> **term allweddol**
>
> **Bod yn ddi-duedd**
>
> peidio â chymryd safbwynt anhyblyg ynglŷn â rhywbeth

Astudiaeth achos ...

...ymateb i wahaniaeth

Dechreuodd Dinh fynychu grŵp chwarae pan oedd yn 3 oed. Roedd ei deulu wedi symud i'r dref fach lle cynhaliwyd y grŵp chwarae. Roedd ei fam a'i dad yn siarad rhywfaint o Saesneg, ond roedd Dinh yn deall ac yn siarad Fietnameg yn unig. Nid oedd gan staff y grŵp lawer o brofiad o ran gweithio gyda phlant di-Saesneg, ond cysylltwyd â'r awdurdod addysg lleol ac o ganlyniad, cawsant gefnogaeth athro cylchynol Saesneg Ail Iaith a mynediad i adnoddau arbenigol. Drwy weithio gyda'r athro, gallai'r staff gefnogi Dinh, a ddaeth yn fwy abl a hyderus o ran siarad Saesneg ac ambell i air Cymraeg, gan ymuno i mewn a mwynhau pob un o weithgareddau'r grŵp chwarae yn y man.

1. Beth oedd anghenion Dinh?

2. Beth fyddai wedi digwydd i Dinh pe bai staff y grŵp chwarae wedi peidio ag ymateb iddo fel hyn?

3. Meddyliwch am rai sefyllfaoedd eraill lle byddai methu ag ymateb i wahaniaeth yn arwain at fethu ag ateb anghenion.

RÔL Y GWEITHIWR GOFAL PLANT O RAN ADNABOD GWAHANIAETHU AC YMARFER GWAHANIAETHOL

Bydd y dystiolaeth orau o'r ffaith bod gweithwyr gofal plant yn gwerthfawrogi amrywiaeth i'w gweld mewn amgylchedd positif a ddarparwyd at ofal ac addysg plant. Yn y cyd-destun hwn, mae'r amgylchedd yn cynnwys agweddau ac ymddygiad pawb sy'n ymwneud â'r canolfan, yn ogystal ag amgylchedd ffisegol, sef adeiladau, arddangosfeydd ac offer, a'r ffordd y bydd gofal a'r cwricwlwm yn cael eu rhoi ar waith o ddydd i ddydd. Mae dull o weithio sy'n gwerthfawrogi amrywiaeth yn cyfoethogi profiad pob plentyn ac yn eu paratoi ar gyfer bywyd fel oedolyn mewn cymdeithas heddiw. Dylid ystyried y canlynol:

> **term allweddol**
>
> **Delwedd bositif**
>
> delwedd sy'n herio stereoteipiau ac yn ymestyn ac yn cynyddu disgwyliadau

- dangos, drwy weithredu mewn ffordd bositif, eich bod yn gwerthfawrogi teuluoedd a phlant er eu mwyn eu hunain

- darparu adnoddau, gan gynnwys llyfrau ac arddangosfeydd, sy'n cyflwyno **delweddau positif**, yn enwedig o grwpiau sy'n cael eu tangynrychioli

- sicrhau bod yr amgylchedd a'r gweithgareddau a gyflwynir yn hygyrch i bob plentyn yn y grŵp, gan gynnwys y rhai anabl

- ystyried dymuniadau ac arferion rhieni yn ymwneud â gofal eu plant. Gall hyn olygu ffafrio bwyd neu wisg benodol, neu unrhyw fater arall

- sicrhau bod persbectif cyfle cyfartal yn rhan annatod o gynllunio'r cwricwlwm

- annog pob plentyn i gymryd rhan mewn ystod lawn o weithgareddau sy'n osgoi rhagfarn rywiol neu ddiwylliannol

- **gweithredu'n bositif** pan fydd un plentyn neu grŵp o blant i'w gweld dan anfantais. Yn aml bydd ymyriad a gweithredu mewn ffordd arall yn datrys y broblem

- annog staff i gwestiynu eu hagweddau a'u gwerthoedd eu hunain. A ydynt yn fwy parod i dderbyn chwarae corfforol iawn gan fechgyn na merched? A oes gan staff ddisgwyliadau is o ran plant o grwpiau economaidd – gymdeithasol penodol, neu blant sy'n perthyn i grwpiau lleiafrifol ethnig neu blant anabl?

- dangos ymrwymiad i fonitro a gwerthuso'r ddarpariaeth i sicrhau ei bod yn ateb anghenion pob grŵp.

> **term allweddol**
>
> **Gweithredu'n bositif**
>
> cymryd camau i sicrhau bod gan unigolyn neu grŵp penodol gyfle cyfartal i lwyddo

RÔL Y GWEITHIWR GOFAL PLANT O RAN WYNEBU A GWRTHSEFYLL GWAHANIAETHU AC YMARFER GWAHANIAETHOL

Bydd adegau pan fydd gweithwyr gofal plant yn gorfod delio â gwahaniaethiad, er gwaetha'r ffaith eu bod wedi cymryd y camau positif a amlinellwyd uchod. Mae hyn yn debyg o fod yn brofiad anodd a heriol. Gall fod yn ddefnyddiol i ystyried rhai strategaethau ymlaen llaw:

- Heriwch ymddygiad neu iaith enllibus. Gallai hyn fod yn jôc rywiaethol a glywsoch mewn lifft neu sylw hiliol gan rywun yn yr ystafell staff. Os na fyddwch yn herio hyn, bydd yn ymddangos fel petaech yn cytuno ag ef. Os bydd hyn yn digwydd yn eich gweithle, mae'n bosibl y bydd angen i chi drafod y digwyddiad â'ch rheolwr.

- Rhowch sylw llawn i bob digwyddiad sy'n ymwneud â galw enwau neu fwlio. Nid yw'n ddigon i gysuro'r dioddefwr; rhaid herio'r ymddygiad a dangos ei fod yn annerbyniol.

- Cofiwch fod iaith yn dylanwadu'n gryf ar ddatblygiad hunanbarch a hunaniaeth plant. Byddwch yn ymwybodol o'r termau a ddefnyddiwch. Mae sylwadau rhywiaethol am 'fechgyn cryf' a 'merched prydferth' yn atgyfnerthu stereoteipiau. Peidiwch â defnyddio termau sy'n rhoi arwyddocâd negyddol i'r gair 'du', er enghraifft 'marc du', 'dewiniaeth ddu', 'dafad ddu'r teulu', ond yn hytrach defnyddiwch ef mewn ffordd ddisgrifiadol, megis 'paent du', 'trywsus du', 'coffi du'. Heriwch eiriau ymosodol fel 'nigar', 'sbastig' a 'cripil' pan fydd plant ac oedolion yn eu defnyddio.

Mae pawb sy'n gweithio gyda phlant yn dylanwadu'n fawr ar ddatblygiad eu hagweddau a'u gwerthoedd. Bydd plant yn efelychu ymatebion oedolion, ac felly mae'n bwysig nad yw staff yn trin materion yn ymwneud â chydraddoldeb yn ysgafn.

Astudiaeth achos ...

... ymateb i ymddygiad gwahaniaethol

Roedd Lewis a Cynan yn mynychu meithrinfa brysur ar ganol dinas. Roedd y ddau'n byw ar yr un stryd ac yn cael eu cludo gyda'i gilydd i'r feithrinfa'n aml. Roedd staff y feithrinfa yn synnu pan roddodd y ddau y gorau i chwarae gyda'i gilydd a dechrau osgoi ei gilydd. Un prynhawn, daeth yn amlwg beth oedd wedi digwydd. Pan oedd hi'n amser mynd adref, dechreuodd eu mamau ddadlau y tu allan i fynedfa'r feithrinfa. Roedd y ddwy wedi cweryla am y ffaith bod un ohonynt yn chwarae cerddoriaeth yn uchel yn hwyr y nos ac yn tarfu ar y cymdogion. Gwaethygodd y ffrae, ac yna dechreuodd mam Cynan weiddi geiriau ymosodol, gan alw Lewis a'i fam yn 'gythreuliaid croenddu'. Clywyd hyn gan staff y feithrinfa, ac aethant ati i geisio tawelu'r ddwy drwy eu gwahanu a'u harwain i mewn i wahanol ystafelloedd, i ffwrdd o'r plant. Gofynnodd yr athrawes iddynt ddod i'w gweld y diwrnod canlynol. Pan siaradodd â mam Cynan, esboniodd wrthi pam fod ei sylwadau'n annerbyniol a gofynnodd am sicrwydd na fyddai'n digwydd eto neu na fyddai croeso iddi ar dir y feithrinfa yn y dyfodol.

1. Pam fod y sefyllfa hon yn un anodd i staff y feithrinfa ymdrin â hi?

2. Sut lwyddodd y staff i dawelu'r sefyllfa?

3. Beth fyddai anghenion y plant yn y sefyllfa hon?

Gwirio'ch cynnydd

Pam ei bod hi'n bwysig i werthfawrogi amrywiaeth?

Sut gall gweithwyr gofal plant ddangos eu hymrwymiad i hyrwyddo amrywiaeth?

Beth gall gweithwyr gofal plant ei wneud i wrthwynebu gwahaniaethiad?

Pam fod iaith yn agwedd bwysig ar ymarfer gwrthwahaniaethol?

Pam ddylech chi bob amser ddangos eich gwrthwynebiad pan welwch ymddygiad ymosodol neu wahaniaethol?

Nawr rhowch gynnig ar y cwestiynau hyn

Pam fod ystyried cyfleoedd cyfartal yn fater pwysig i weithwyr gofal plant?

Pa gyfreithiau sy'n bodoli er mwyn gwrthwynebu gwahaniaethiad?

Fel swyddog â gofal, rydych yn gyfrifol am sicrhau bod y feithrinfa yn adlewyrchu amrywiaeth y gymuned. Sut fyddech chi'n mynd ati i wneud hyn?

Yn eich gwaith dyddiol fel gweithiwr gofal plant, sut allech chi wrthwynebu gwahaniaethiad?

Sut fath o weithgareddau hyfforddi fyddai'n ddefnyddiol ar gyfer gweithwyr gofal plant sydd wedi'u hymrwymo i weithredu ymarfer gwrthwahaniaethol, yn eich barn chi?

 631

ADNABOD PLANT ANABL
(PLANT GYDAG ANGHENION ADDYSGOL ARBENNIG)

Mae angen gwybodaeth drylwyr am ddatblygiad plant er mwyn deall anghenion plant anabl. Mae pennod pedwar yn rhoi gwybodaeth fanwl ar bob agwedd ar ddatblygiad plant: datblygiad corfforol, datblygiad iaith a gwybyddol, a datblygiad cymdeithasol ac emosiynol. Mae hyn i gyd yn berthnasol i ddatblygiad plant anabl a dylid ystyried eu hanghenion ochr-yn-ochr ag anghenion pob plentyn.

Nid yw'r wybodaeth a roddir yma'n gallu cynnwys pob agwedd ar anabledd. Mae llawer o sefydliadau cyflwr- neu nam-benodol sy'n gweithio gyda grwpiau penodol o bobl anabl yn cynhyrchu gwybodaeth ddefnyddiol ac yn cynnig hyfforddiant ymwybyddiaeth anabledd. Er mwyn bod yn gwbl ddilys, dylai gwybodaeth a hyfforddiant o'r fath gynnwys y rhai sydd wrth galon y pwnc: pobl anabl eu hunain.

Erbyn hyn, mae'n fwy tebygol y bydd plant anabl yn cael eu cynnwys ym mhob sefydliad, megis dosbarthiadau meithrin, ysgolion, meithrinfeydd dydd, canolfannau teulu neu sefydliadau preswyl. Er mwyn sicrhau bod ymarfer gofal plant yn gynhwysol, rhaid adnabod a chwrdd ag anghenion plant anabl a'u teuluoedd.

Bydd y bennod hon yn ymdrin â'r pynciau canlynol:

⊂ achosion ac effeithiau gwahaniaethu

⊂ y ffordd mae cymdeithas yn hyrwyddo cyfleoedd cyfartal i blant anabl

⊂ adnabod plant ag anghenion arbennig

⊂ Cod Ymarfer anghenion addysgol arbennig.

Achosion ac effeithiau gwahaniaethu

RÔL AGWEDDAU, GWERTHOEDD A SAFBWYNTIAU STEREOTEIPIEDIG O RAN EU DYLANWAD AR YMDDYGIAD

Yn gyffredinol, ystyrir bod **anabledd** yn gyflwr annymunol a brofir gan bobl eraill, ac yn rhywbeth y mae unigolion yn gobeithio na fydd yn digwydd iddynt hwy. Yn aml, ystyrir bod anabledd plant yn drasiedi, gan ennyn tosturi ar ran y 'dioddefwyr' a'u teuluoedd. Mae'r agweddau hyn, ac agweddau eraill, ynghyd â'r amgylchedd, er enghraifft mynediad corfforol i adeiladau, yn aml yn creu anabledd dianghenraid. Mae anwybodaeth ac ofn yn gallu arwain at wahaniad, gwaharddiad, rhagfarn a gwahaniaethu yn erbyn pobl anabl.

Mae'r rhan hon yn ceisio dylanwadu ar agweddau pobl yn gymaint â chynyddu eu gwybodaeth. Mae gweithio gyda phlant ifainc yn gyfle delfrydol i ddylanwadu ar

corfforol neu feddyliol ac felly yn eu heithrio o brif ffrwd gweithgareddau cymdeithasol. Yn ôl y model cymdeithasol, diffinnir anabledd fel 'cyfyngiad wedi ei orfodi gan gymdeithas' (Oliver, 1981)

agweddau. Nid yw plant yn eithrio nac yn dibrisio ei gilydd oni bai eu bod yn dysgu hynny o ganlyniad i ymddygiad anymwybodol neu anwybodus oedolion.

Goblygiadau hanes

Yn ystod y Chwyldro Diwydiannol ym Mhrydain aeth mwy o bobl i weithio mewn ffatrïoedd mawr, gan roi'r gorau i weithio i ddiwydiannau cartref teuluol. Gwahaniaethai hyn yn erbyn pobl anabl gan na allant reoli eu hamgylchoedd eu hunain na chyflymder eu gwaith mwyach. Gorfodwyd pobl anabl i fod yn ddibynnol ac yn dlawd, gan golli'r statws a ddeuai o fod yn weithiwr cyflogedig.

Tua'r un pryd, roedd dylanwad y proffesiwn meddygol yn cynyddu. Ceisiai meddygon drin pobl a gwella'u **namau** fel y gallent gydymffurfio â'r gymdeithas o'u hamgylch. Os nad oedd hyn yn bosibl, cuddiwyd pobl anabl mewn ysbytai a sefydliadau arhosiad hir; nid oedd fawr o gysylltiad â'r byd allanol.

Gwirio'ch cynnydd

Beth yw barn cymdeithas am anabledd, yn aml?

Beth sy'n achosi anabledd dianghenraid?

Yn ystod y Chwyldro Diwydiannol, beth oedd achos y gwahaniaethu yn erbyn pobl anabl?

Beth ddigwyddai i bobl anabl ar yr adeg honno, os na ellid gwella'u namau?

term allweddol

Nam

diffyg aelod cyfan o'r corff neu ran ohono, neu newid neu gyfyngiad yn swyddogaeth aelod, organeb neu fecanwaith y corff. Yn ôl y model cymdeithasol, diffinnir nam fel 'cyfyngiad a osodwyd gan gymdeithas ar yr unigolyn' (Oliver, 1981)

Cuddiwyd plant gydag anableddau mewn sefydliadau arhosiad hir ar un adeg

term allweddol

Model meddygol

safbwynt sy'n barnu bod pobl anabl angen ymyriad meddygol

MODELAU ANABLEDD

Y model meddygol

Oherwydd agweddau'r gorffennol, mae cymdeithas wedi cael ei chyflyru i drin pobl anabl yn ôl **model meddygol** (a elwir hefyd yn fodel trasiedi bersonol). Mae cymdeithas yn gwahanu ac yn eithrio pobl anabl na ellir eu trin, fel petaent yn annynol. Yn gyffredinol, ystyrir bod anabledd yn drasiedi bersonol sy'n haeddu ymyriad meddygol. Mae hyn yn annog safbwynt negyddol, sy'n canolbwyntio ar yr

termau allweddol

Model cymdeithasol

safbwynt sy'n ystyried bod anabledd yn broblem o fewn cymdeithas

Cyflwr

salwch a ddiffiniwyd yn feddygol

hyn na all person ei wneud yn hytrach na'r hyn y gall ei wneud. Ystyrir bod anabledd yn broblem y mae'n rhaid ei datrys yn hytrach na gwahaniaeth y dylid ei dderbyn. Mae'n rhwydd iawn, o safbwynt y model meddygol, i feddwl bod pobl anabl yn unigolion problemus a ddylai addasu er mwyn cydymffurfio â chymdeithas.

Y model cymdeithasol

Erbyn hyn, fodd bynnag, nid yw pobl anabl yn fodlon derbyn y model meddygol. Defnyddir mudiadau fel y Mudiad Anabledd i ymgyrchu dros dderbyn **model cymdeithasol** o anabledd. Maent yn awyddus i sicrhau bod pobl yn ystyried bod nam (diffiniad meddygol y **cyflwr**) yn her, ac i newid cymdeithas fel ei bod yn cynnwys pobl anabl, gan gynnwys pobl nad ydynt wedi cael gwellhad. Bydd hyn yn golygu ymateb i'w hanghenion gwirioneddol.

Yn ôl y model cymdeithasol, mae anabledd yn broblem o fewn cymdeithas yn hytrach na phroblem pobl anabl. Mae'r model hwn yn mynnu y gellid cael gwared ar lawer o'r anawsterau sy'n wynebu pobl anabl drwy newid agweddau pobl a'r amgylchedd. Yn ôl y model cymdeithasol, ystyrir bod problem mudoledd yn digwydd o ganlyniad i bresenoldeb grisiau yn hytrach na'r ffaith na all unigolyn gerdded; mae person byddar yn methu â derbyn gwybodaeth am nad yw pobl eraill yn gwybod Arwyddiaith Brydeinig, yn hytrach nag am ei fod wedi colli'i glyw.

Mae pobl anabl wedi cymryd y model cymdeithasol gam ymhellach ac wedi diffinio anabledd fel **creadigaeth gymdeithasol**, problem a grëwyd gan y sefydliadau, mudiadau a'r prosesau sy'n ffurfio cymdeithas. Mae'r model hwn o gymdeithas wedi peri bod pobl anabl yn dod at ei gilydd i ymgyrchu dros eu hawliau, dros newid cymdeithasol ac i ymladd yn erbyn **gormes sefydliadol**.

Roedd yr Ymgyrch dros Gludiant Hygyrch yn enghraifft dda o hyn; trefnwyd bod nifer mawr o ddefnyddwyr cadeiriau olwyn yn ceisio teithio ar fysiau a chludiant tiwb Llundain. Drwy wneud hyn, bwriadwyd tynnu sylw at y ffaith bod systemau cludiant cyhoeddus yn gwasanaethu pobl nad ydynt yn anabl ac yn gwahaniaethu yn erbyn pobl anabl.

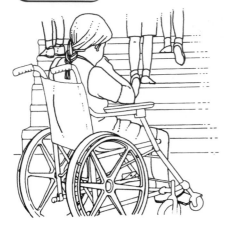

Bernir bod problem mudoledd yn cael ei achosi gan fodolaeth grisiau yn hytrach na'r ffaith na all unigolyn gerdded

Gwirio'ch cynnydd

Diffiniwch fodelau meddygol a chymdeithasol o anabledd.

termau allweddol

Creadigaeth gymdeithasol

wedi'i achosi gan gymdeithas

Gormes sefydliadol

grym sefydliadau yn cael eu gorfodi ar unigolyn er mwyn ei gadw yn ei le

PWYSIGRWYDD TERMINOLEG

Pam fod terminoleg yn bwysig?

Mae terminoleg yn adlewyrchu ac yn dylanwadu safbwynt cymdeithas am anabledd, gan gynnwys pobl anabl eu hunain. Y mae hefyd yn dylanwadu ar ganfyddiadau ac agweddau pobl, sydd yn ei dro'n effeithio ar ddarpariaeth adnoddau a gwasanaethau.

Dros y blynyddoedd, cyfeiriwyd at bobl anabl dan sawl enw a label, a roddwyd, yn aml gan weithwyr proffesiynol nad oeddent yn anabl. Mae'r rhain wedi cynnwys dosbarthiadau cyffredinol sy'n dad-ddyneiddio, megis 'y methedig' a 'dan anfantais', neu hyd yn oed 'yr anabl'.

Yn ogystal, cyfeiriwyd at rai fel petaent yn un â'u nam: 'Mae Siân yn sbastig', 'Mae Siôn yn epileptig', 'ein plentyn syndrom Down', 'mae Paul yn achos cadair olwyn'. Mae llawer o'r termau hyn yn nawddoglyd ac yn dirmygu pobl anabl. Defnyddir rhai termau mewn ffordd ymosodol ymhlith pobl nad ydynt yn anabl, er enghraifft 'cripils', 'dymis', 'sbasis', 'hurtynnod', 'mongoliaid', 'pobl fethedig', a gwaeth na hyn.

Mae gan bobl anabl nifer o wahanol gyflyrau a namau; os yw'r cyflwr yn glir, dylid defnyddio'i enw cywir. Mae hyn yn arbennig o wir yn achos plant anabl, sydd yn aml yn methu cael gafael ar wybodaeth gywir amdanyn nhw eu hunain.

Mae esbonio terminoleg i blant ifainc, anabl neu beidio, yn rhoi cyfle i ddysgu gwybodaeth sylfaenol am bynciau megis cyrff, iechyd neu afiechyd. Nid yw'n bwnc gwaharddedig i blant ifainc sydd angen, ac sy'n hoffi, gwybod y gwir. Mae'n rhoi cyfle i gael gwared ar rai o'r mythau a'r ofnau sy'n gysylltiedig ag anabledd, ac i ddylanwadu ar agweddau yn ystod cam ffurfiannol.

Nid yw plant yn eithrio nac yn dibrisio ei gilydd oni bai eu bod yn dysgu hynny o ganlyniad i ymddygiad anymwybodol neu anwybodus oedolion

Diffiniadau o anabledd

Mae'r diffiniadau a ddefnyddir yn y llyfr hwn yn ceisio parchu safbwynt pobl anabl a hyrwyddo ymarfer da o ran y defnydd o derminoleg. Fe'u dyfeisiwyd gan Undeb Pobl â Nam Corfforol yn Erbyn Arwahanu yn 1976. Fe'u derbynnir yn eang gan y Mudiad Anabledd a'r sawl sy'n gweithio ar gydraddoldeb i bobl anabl.

Gellir disgrifio nam fel diffyg aelod cyfan o'r corff neu ran ohono, neu newid neu gyfyngiad yn swyddogaeth aelod, organeb neu fecanwaith y corff. Mae Oliver (1981) yn diffinio nam fel 'cyfyngiad ar unigolyn'.

Gellir disgrifio anabledd fel yr anfantais neu'r cyfyngiad gweithgarwch a achosir gan gyfundrefn gymdeithasol gyfredol (cymdeithas), sy'n talu fawr ddim neu ddim sylw o gwbl i bobl â namau corfforol neu feddyliol ac felly yn eu heithrio o brif lif gweithgareddau cymdeithasol. Mae Oliver yn diffinio anabledd fel 'cyfyngiad a osodwyd gan gymdeithas ar yr unigolyn'.

Mae'n bwysig cofio bod pobl anabl yn unigolion gydag enwau. Fodd bynnag, gan ddefnyddio'r diffiniadau uchod, mae'n briodol cyfeirio at bobl neu blant anabl. Mae'r termau hyn yn galluogi unigolion anabl i adnabod eu hunain fel grŵp yn ymladd yr un frwydr, i ddod â gormes cymdeithas sy'n anablu i ben. Roedd yr ansoddair 'anabl' yn debyg i'r term 'du' am ei fod yn derm negyddol, ond un sydd bellach yn cyfleu balchder y mae pobl yn ei deimlo o ran eu hunaniaeth.

Mae'n glir o'r diffiniadau uchod y gall fod gan nifer o bobl namau corfforol, namau ar y synhwyrau, a/neu anableddau dysgu. Fodd bynnag, mae'n bosibl y bydd yn well gan rai o'r bobl anabl hyn ddefnyddio termau eraill. Er enghraifft, mae'n

bosibl y bydd rhai oedolion a gollodd eu clyw yn hwyr yn eu bywydau yn galw eu hunain yn 'drwm eu clyw'. O bosibl, bydd pobl a aned heb glyw yn 'fyddar', 'anghyflawn eu clyw' neu'n 'rhannol fyddar'. Mae'n well gan rai pobl â namau dysgu gyfeirio atynt hwy eu hunain fel pobl 'gydag anawsterau dysgu'.

Plant gydag anghenion arbennig

Erbyn hyn, defnyddir y term anghenion arbennig (y term llawn yw **anghenion addysgol arbennig**) yn eang, yn enwedig mewn sefydliadau addysgol, mewn perthynas â phlant. Cyflwynodd Deddf Addysg 1981 gysyniad anghenion addysgol arbennig. Mae plant ag anghenion arbennig yn cynnwys y rhai gydag anawsterau dysgu sy'n gofyn cael darpariaeth addysgol arbennig. Mae'r Ddeddf yn nodi bod gan blant anawsterau dysgu os:

term allweddol

Anghenion addysgol arbennig

anawsterau dysgu sy'n gofyn cael darpariaeth addysgol arbennig

- ydynt yn cael llawer mwy o anhawster i ddysgu na'r mwyafrif o blant o'r un oedran â hwy, neu

- os oes ganddynt anabledd sy'n eu hatal neu'n eu rhwystro rhag defnyddio adnoddau addysgol o'r math a ddarperir fel arfer mewn ysgol, ar gyfer plant o'u hoedran hwy, o fewn yr awdurdod lleol perthnasol.

Yn y gorffennol, weithiau gelwid plant ag anghenion arbennig yn blant 'dan anfantais' neu 'isnormal'. Weithiau gelwir plant unigol yn blant 'â nam corfforol', 'â nam ar y golwg' neu 'â meddwl isnormal'.

Mae'r bobl hynny sy'n dadlau dros ddefnyddio'r term anghenion arbennig yn awgrymu bod y labelai hyn yn anfoddhaol oherwydd:

- eu bod yn canolbwyntio ar wendidau yn hytrach na chryfderau

- nad ydynt yn dangos beth yw canlyniadau ymarferol yr anhawster ac felly hefyd y mesurau y gellid eu defnyddio i gynorthwyo'r plentyn

- yn awgrymu bod pob plentyn 'dan anfantais' neu 'isnormal' yr un fath ac angen yr un fath o gefnogaeth

- yn annog pobl i ganolbwyntio ar y cyflwr ac i edrych ar bobl mewn modd stereoteipiedig; er enghraifft, ystyrir bod plant â Syndrom Down yn annwyl, diniwed a hawdd eu caru; ystyrir bod plant byddar yn araf i ddeall pethau

- yn awgrymu bod rhaniad pendant rhwng plant 'dan anfantais' ac 'isnormal' a phlant eraill.

Mae'r bobl sydd o blaid defnyddio'r term anghenion arbennig yn ceisio pwysleisio'r tebygrwydd rhwng plant ag anghenion arbennig a phlant sy'n datblygu yn ôl y norm. Maent yn gobeithio y bydd newid y derminoleg o 'dan anfantais' i 'anghenion' yn annog trin pob plentyn fel unigolyn unigryw, gyda'i bersonoliaeth, ei syniadau, synnwyr digrifwch a lefel gallu ei hunan. Fodd bynnag, mae'r term 'anghenion arbennig' yn parhau i gydymffurfio â model meddygol o anabledd.

Ystod anghenion addysgol arbennig

Gall y term 'anghenion addysgol arbennig', gynnwys plant:

- ag anawsterau dysgu canolig hyd at anawsterau llym

- â nam ar y synhwyrau, hynny yw nam ar y clyw a/neu olwg

- â nam corfforol neu nerfegol

- ag anawsterau llefaru ac iaith

- ag anawsterau emosiynol neu ymddygiadol

- **anawsterau dysgu penodol** – defnyddir y term hwn i ddisgrifio anawsterau plant o ran dysgu i ddarllen, ysgrifennu, sillafu neu wneud mathemateg. Nid yw plant o'r fath yn cael anawsterau i ddysgu sgiliau eraill.

Gwirio'ch cynnydd

Diffiniwch y termau nam ac anabledd.

Ble ddefnyddir y term anghenion addysgol arbennig yn gyffredinol?

Y ffordd mae cymdeithas yn hyrwyddo cyfleoedd cyfartal i blant anabl

Newidir a diweddarir **deddfwriaeth** yn ymwneud â gofal ac addysg plant anabl yn gyson. Mae'r adran hon yn ceisio esbonio egwyddorion gwaelodol deddfwriaeth gyfredol. Fodd bynnag, bydd angen i chi edrych ar y ddeddfwriaeth ei hun am fwy o fanylion, ac i ddiweddaru'ch gwybodaeth yn gyson er mwyn bod yn ymwybodol o unrhyw newidiadau.

term allweddol

Anawsterau dysgu penodol

anawsterau o ran dysgu darllen, ysgrifennu neu sillafu neu wneud mathemateg, nad ydynt yn ymwneud ag anawsterau dysgu cyffredinol

DEDDF ADDYSG 1944

Dyma'r darn cyntaf o ddeddfwriaeth a ddisgrifiodd ac a ddiffiniodd anghenion a darpariaeth addysgol arbennig. Roedd meddygon yn elfen ganolog o'r broses, ac yn dilyn asesiad barnwyd bod gan blentyn un o blith unarddeg 'anhwylder', cyn ei yrru i ysgol arbenigol.

Yn y cyfnod hwn credwyd na fyddai plant ag anawsterau dysgu difrifol yn gallu elwa o addysg, a gofalwyd amdanynt mewn canolfannau hyfforddi iau a reolwyd gan yr awdurdodau iechyd.

ADRODDIAD WARNOCK 1978

Adolygodd yr adroddiad hwn y ddarpariaeth a oedd ar gael i bob plentyn gydag anghenion arbennig. Roedd Adroddiad Warnock yn bwysig iawn am fod ei gynnwys yn sail i Ddeddf Addysg 1981.

term allweddol

Deddfwriaeth

cyfreithiau a wnaed

DEDDF ADDYSG 1981

Rhoddodd Deddf Addysg 1981 ddyletswydd statudol ar awdurdodau addysg lleol (AALl) i sicrhau bod darpariaeth addysgol arbennig ar gael i ddisgyblion gydag anghenion addysgol arbennig.

Ceisiodd y Ddeddf ganolbwyntio ar blant unigol yn hytrach na'u namau. Roedd y term 'plant gydag anghenion arbennig' yn cynnwys y rhai gydag anawsterau dysgu lle'r oedd angen gwneud darpariaeth addysgol arbennig. Yn ôl y Ddeddf, roedd gan blant anawsterau dysgu os:

- oeddent yn cael llawer mwy o anhawster dysgu na'r mwyafrif o blant eu hoedran hwy
- oedd ganddynt anabledd a oedd yn eu hatal neu eu rhwystro rhag defnyddio cyfleusterau addysgol o'r math a ddarperir mewn ysgolion fel rheol, i blant o'u hoedran hwy, o fewn yr awdurdod lleol perthnasol.

Adnabod plant ag anghenion addysgol arbennig

GWEITHDREFNAU ASESU STATUDOL

Yn ôl Deddf Addysg 1981, hefyd, roedd gan AALl **ddyletswydd statudol** i adnabod ac asesu plant gydag anghenion addysgol arbennig er mwyn penderfynu pa ddarpariaeth addysgol fyddai'n ateb eu hanghenion. Penderfynwyd sefydlu gweithdrefnau asesu amlbroffesiwn.

Mae gofyn i AALl:

- ymateb i geisiadau rhieni am asesiadau o'u plentyn, cyn belled â bod y cais yn un rhesymol (mae gan rieni'r hawl i apelio i'r Ysgrifennydd Gwladol dros Addysg)

- gynnwys rhieni fel rhan o'r broses asesu.

Roedd cylchlythyr dilynol, 1/83, sef Asesiadau a Datganiadau Anghenion Addysgol Arbennig, yn argymell bod yr asesiadau yn dilyn y pum cam a nodwyd yn Adroddiad Warnock. Ni ddylai'r asesiadau fod yn gyflawn ynddynt hwy eu hunain, ond yn rhan o broses barhaus yn cynnwys adolygiadau cyson, i adlewyrchu anghenion newidiol y plant wrth iddynt dyfu. Dylai'r asesiadau gynnwys:

- cynrychiolaethau uniongyrchol gan rieni (llafar neu ysgrifenedig)

- tystiolaeth a roddwyd naill ai gan y rhiant neu ar gais y rhiant

- cyngor addysgol, meddygol a **seicolegol** ysgrifenedig

- gwybodaeth yn ymwneud ag iechyd a lles y plentyn gan yr awdurdodau iechyd rhanbarthol neu wasanaethau cymdeithasol.

DATGANIADAU ANGHENION ADDYSGOL ARBENNIG

Yn dilyn y trefniadaethau asesu statudol, byddai **Datganiad Anghenion Addysgol Arbennig** yn cael ei greu, a fyddai'n rhoi disgrifiad manwl o anghenion y plentyn a'r adnoddau a ddylai fod ar gael i gwrdd â'r anghenion hyn.

Nodwyd y dylai'r ddarpariaeth hon fod ar gael o fewn ysgol leol y plentyn, lle bo hynny'n bosibl.

Dylai pob datganiad gynnwys pum rhan:

- Rhan 1, tudalen rhagarweiniol, yn cynnwys gwybodaeth ffeithiol megis enw, cyfeiriad, oedran ac ati

- Rhan 2, anghenion addysgol arbennig y plentyn, yn ôl barn y gweithwyr proffesiynol a gymerodd ran yn yr asesiad

- Rhan 3, y ddarpariaeth addysgol a ystyrir yn angenrheidiol ar gyfer ateb anghenion addysgol arbennig y plentyn, gan nodi'r cyfleusterau, trefniadau dysgu, cwricwlwm a'r offer sydd eu hangen ar gyfer y plentyn

- Rhan 4, y math o ysgol neu sefydliad (er enghraifft, ysbyty) a ystyrir yn briodol i'r plentyn

- Rhan 5, unrhyw ddarpariaeth anaddysgol a ystyrir yn angenrheidiol er mwyn galluogi'r plentyn i elwa o'r ddarpariaeth addysgol a gynigir, er enghraifft teclynnau clywed gan yr awdurdod iechyd.

Noder: Erbyn hyn mae rhan ychwanegol yn disgrifio sut y bydd plentyn yn cael y cymorth a ddisgrifir yn Rhan 5.

Yn y lle cyntaf, dylai'r datganiad fod yn ddogfen ddrafft. Dylid ei hanfon at rieni gydag esboniad ynglŷn â'u hawl i apelio. Os bydd y rhiant yn anghytuno â rhan o'r cynnwys, bydd ganddynt yr hawl i ddweud eu barn wrth yr awdurdod addysg leol. Yn y pen draw, mae gan y rhieni'r hawl i apelio i'r Ysgrifennydd Gwladol dros Addysg, a bydd ei benderfyniad ef neu hi'n orfodol o safbwynt rhieni a'r awdurdod lleol.

Mae'n hanfodol bod y datganiad yn gyfrinachol. Dan y rhan fwyaf o amgylchiadau, ni ellir datgelu unrhyw ran o'r datganiad heb ganiatâd y rhieni. Fel rheol, cedwir y datganiad yn swyddfeydd gweinyddol yr awdurdod lleol.

Rhaid adolygu cynnydd plant sy'n destun datganiad anghenion addysgol arbennig o leiaf unwaith bob 12 mis. Gelwir hwn yn Adolygiad Blynyddol. Mae plant, rhieni, gweithwyr proffesiynol a phleidiau eraill sy'n ymwneud â'r achos yn cael y cyfle i gyfrannu i'r adolygiadau hyn. Dylai'r adolygiad ystyried pob cynnydd a wnaed a gosod nodau a thargedau newydd ar gyfer y flwyddyn i ddod.

Gwirio'ch cynnydd

Yn ôl Deddf Addysg 1981, pwy oedd yn gyfrifol am adnabod a chwrdd ag anghenion plant ag anghenion addysgol arbennig?

Sut mae Deddf Addysg 1981 yn diffinio plant ag anghenion addysgol arbennig?

Beth ddylid ei gynnwys mewn datganiad anghenion addysgol arbennig?

Beth yw pwrpas yr Adolygiad Blynyddol?

term allweddol

Cwricwlwm Cenedlaethol

cwrs astudiaeth a bennwyd gan y llywodraeth ac y mae'n rhaid i bob plentyn sy'n mynychu ysgolion gwladol y DU ei ddilyn

DEDDF DIWYGIO ADDYSG 1988

Mae Deddf 1988 yn gofyn bod pob ysgol a gynhelir, gan gynnwys ysgolion arbennig, yn darparu'r Cwricwlwm Cenedlaethol. Yn achos plentyn sy'n destun datganiad, nid yw'n angenrheidiol i addasu neu eithrio'r plentyn o ofynion y **Cwricwlwm Cenedlaethol**, ond mae hyn yn bosibl os yw'r addasiad er budd y plentyn. Mae Deddf 1988 yn annog cynnwys yn hytrach na gwahardd plant ag anghenion arbennig o ran y Cwricwlwm Cenedlaethol. Yn bwysicach na dim, mae'n datgan bod gan bob plentyn ag anghenion arbennig yr hawl i addysg eang a chytbwys. Mae hyn yn cynnwys gwneud defnydd o'r Cwricwlwm Cenedlaethol i'r graddau eithaf.

Gwirio'ch cynnydd

Yn ôl Deddf Diwygio Addysg 1988, pwy sy'n gorfod darparu'r Cwricwlwm Cenedlaethol?

Yn ôl Deddf Diwygio Addysg 1988, beth yw hawl plant ag anghenion addysgol arbennig?

DEDDF PLANT 1989

Mae Deddf Plant 1989 yn dod â'r mwyafrif o ddeddfau cyhoeddus a phreifat yn ymwneud â phlant at ei gilydd. Mae'n cynnwys swyddogaethau'r adrannau gwasanaethau cyhoeddus mewn perthynas â phlant anabl. Mae'r Ddeddf yn trin plant anabl yn union fel plant eraill.

Mae'r Ddeddf yn diffinio categori o 'blant mewn angen' y dylai'r gwasanaethau cymdeithasol ddarparu gwasanaethau ar ei gyfer. Mae plant anabl yn cael eu cynnwys yn y categori hwn. Dyma sut mae'r Ddeddf Plant yn diffinio anabledd: 'Mae plentyn yn anabl os yw'n ddall, yn fyddar neu'n fud neu'n dioddef o anhwylder meddwl o unrhyw fath neu dan anfantais sylweddol a pharhaol oherwydd salwch, anaf neu **anffurfiad cynenedigol** neu unrhyw anabledd arall y gellir ei ragnodi.'

Dyletswyddau awdurdodau lleol

Rhoddodd y Ddeddf ddyletswydd ar yr awdurdod lleol i ddarparu ystod a lefel briodol o wasanaethau i ddiogelu a hyrwyddo lles 'plant mewn angen'. Dylid gwneud hyn mewn modd sy'n ceisio sicrhau bod plant yn cael eu magu o fewn eu teuluoedd eu hunain.

Egwyddorion gwaelodol

Mae'r Ddeddf Plant yn amlinellu'r egwyddorion canlynol ar gyfer gwaith gyda phlant anabl:

- dylai'r sawl sy'n darparu gwasanaethau ddiogelu a hyrwyddo lles y plentyn
- dylid anelu yn arbennig at sicrhau bod gan bob plentyn fynediad i'r un ystod o wasanaethau
- yr angen i gofio bod plant anabl yn blant yn gyntaf, ac nid pobl anabl
- pwysigrwydd rhieni a theuluoedd ym mywydau plant
- partneriaeth rhwng rhieni ac awdurdodau lleol ac asiantaethau eraill
- dylid canfod ac ystyried safbwyntiau plant a rhieni.

Gwasanaethau

Er mwyn annog teuluoedd i ofalu am blant anabl yn y cartref, anogir awdurdodau lleol i ddarparu'r gwasanaethau canlynol, naill ai'n uniongyrchol neu drwy gyfrwng sefydliadau gwirfoddol:

- **gwasanaethau cartref**, er enghraifft **cynllun dysgu gartref Portage** a chynlluniau ymgyfeillio
- arweiniad a chynghori neu waith cymdeithasol
- gofal seibiant – byddai hwn yn cael ei ddarparu mewn cydweithrediad ag ymddiriedolaethau gofal iechyd rhanbarthol, o fewn sefydliadau gwasanaeth iechyd neu sefydliadau sy'n cael eu rheoli gan fudiadau gwirfoddol
- gwasanaethau gofal dydd, gan gynnwys canolfannau teulu a gwasanaethau gwarchod plant – lle bo hynny'n bosibl, byddai'r rhain ar gael mewn sefydliadau gofal dydd sydd yn agored i bob plentyn yn hytrach na mewn sefydliadau ar wahân neu ddidoledig
- gwasanaethau gan therapyddion galwedigaethol, gweithwyr adfer, swyddogion technegol, gweithwyr cymdeithasol arbenigol a darpariaeth **cymhorthion ac addasiadau amgylcheddol**
- gwybodaeth am ystod o wasanaethau a ddarperir gan asiantaethau eraill
- **eiriolaeth** a chynrychiolaeth i blant a rhieni
- cymorth gyda chostau trafnidiaeth i ymweld â phlant sy'n byw oddi cartref
- cynlluniau chwarae dros y gwyliau
- llyfrgelloedd teganau
- grwpiau cefnogi
- benthyg offer neu ddeunydd chwarae.

Gall gwasanaethau eraill ar gyfer plant anabl a'u teuluoedd gynnwys:

- adnabod anghenion yn eu hardal a hysbysebu'r gwasanaethau sydd ar gael

- gweithio gydag awdurdodau addysg lleol ac awdurdodau iechyd rhanbarthol

- llunio cofrestr o blant gydag anableddau yn eu hardal hwy

- asesu, ailasesu ac adolygu plant mewn angen a chynllunio ar gyfer eu dyfodol tymor hir

- cynllunio gwasanaethau mewn partneriaeth â rhieni a phlant anabl eu hunain.

Llety oddi cartref

Mae'n bosibl y bydd plant anabl yn byw mewn **llety oddi cartref**, mewn cartref maeth neu sefydliadau preswyl. Mae'r Ddeddf yn darparu amddiffyniadau newydd ar eu cyfer:

- rhaid i'w hachosion gael eu hadolygu

- rhaid ystyried eu lles

- rhaid ymgynghori â'r plant a'u rhieni cyn gwneud penderfyniadau.

Yn ôl y Ddeddf rhaid i awdurdodau lleol sicrhau bod y llety a ddarperir ganddynt neu a ddarperir gan awdurdodau addysg neu iechyd ar gyfer plant anabl yn addas at anghenion y plentyn.

Yn ymarferol, mae hyn yn golygu y dylai bod gan blant anabl fynediad i bob math o lety a'r un hawliau i breifatrwydd â'u cymheiriaid abl. Rhaid i gartrefi sy'n rhoi llety i blant anabl ddarparu'r offer, cyfleusterau ac addasiadau angenrheidiol. Dylid anelu at sicrhau bod plant yn cymryd rhan ym mhob agwedd ar fywyd y cartref. Rhaid ystyried agweddau iechyd a diogelwch yn ymwneud â phlant anabl.

term allweddol

Llety oddi cartref
lleoliad gyda gofalwr maeth neu mewn sefydliad preswyl a drefnwyd gan adran gwasanaethau cymdeithasol yr awdurdod lleol

Gwirio'ch cynnydd

Pa gyfreithiau a gesglir at ei gilydd yn Neddf Plant 1989?

Beth yw cyfrifoldeb yr AALl tuag at 'blant mewn angen' yn ôl y Ddeddf Plant?

Pa wasanaethau yr anogir awdurdodau lleol i'w darparu ar gyfer plant anabl a'u teuluoedd?

DEDDF ADDYSG 1993

Mae Deddf Addysg 1993 yn ychwanegu at ac i raddau pell yn disodli Deddf Addysg 1981. Mae'n cynnwys Cod Ymarfer sy'n rhoi arweiniad ymarferol ar sut i adnabod ac asesu anghenion addysgol arbennig.

Cod Ymarfer anghenion addysgol arbennig

Yn 1993 adolygwyd Deddf Addysg 1981 gan God Ymarfer 1993 ar gyfer plant gydag anghenion addysgol arbennig. Daliwyd gafael yn rhai o'r termau a oedd yn perthyn i'r hen ddeddfwriaeth, megis Datganiadau Anghenion Addysgol Arbennig.

Mae'r Cod Ymarfer yn ganllaw ar gyfer ysgolion ac AALl yn ymwneud â'r cymorth ymarferol y gallant ei roi i blant ag anghenion addysgol arbennig. Ers 1 Medi 1994 dylai pob ysgol y wladwriaeth adnabod anghenion plant a gweithredu er mwyn ateb

yr anghenion hynny mor fuan â phosibl, gan weithio gyda rhieni.

Yn bwysicach na dim, mae'r Cod Ymarfer yn rhoi arweiniad cliriach i ysgolion ynghylch sut i adnabod a rheoli anghenion pob plentyn. Erbyn hyn ystyrir bod asesu plant yn broses sy'n cynnwys camau, ac o fewn y broses, dim ond rhai yn unig fydd yn cyrraedd lefel lle bydd yr awdurdod addysg leol yn eu hasesu ac yn caniatáu datganiad.

Gweithdrefn sy'n cynnwys camau

Mewn perthynas ag anghenion addysgol arbennig, gallai gweithdrefn sy'n cynnwys camau ddilyn y drefn ganlynol:

- *Cam 1* – mae athro'r plentyn yn adnabod ac yn cofnodi eu pryderon. Cynhelir trafodaethau â'r rhieni a gweithredir yn ymarferol yn y dosbarth.

- *Cam 2* – mae'r cydgysylltwr anghenion addysgol arbennig (SENCO) yn dod yn rhan o'r broses, a chrëir **Cynllun Addysg Unigol (IEP)** ar ôl ymgynghori â rhieni'r plentyn.

- *Cam 3* – o bosibl, gofynnir am gyngor arbenigol yn y cam hwn, ac mae'n bosibl y cynhyrchir cynlluniau addysg unigol newydd. Cynhelir cyfarfodydd adolygu. Penderfynir a ddylid gofyn i'r AALl wneud asesiad statudol.

- *Cam 4* – ymgynghorir â'r AALl, ac o bosibl cynhelir asesiad amlbroffesiwn.

- *Cam 5* – Mae'r AALl yn ystyried yr wybodaeth a gasglwyd o'r asesiad ac yn llunio Datganiad Anghenion Addysgol Arbennig ar sail yr wybodaeth.

Ni ystyrir bod y camau hyn yn llwybr unffordd. Atebir anghenion y mwyafrif o blant yng Nghamau 1, 2 a 3, heb yr angen am Ddatganiad.

Pan fydd eu problemau wedi cael eu hadnabod a'u goresgyn, disgwylir bod plant yn mynd yn ôl yn y rhengoedd. Dim ond cyfran fach fydd yn symud ymlaen at Gam 4 a 5.

Polisïau a threfniadaethau'r ysgol

Rhaid i ysgolion ystyried cynnwys y Cod Ymarfer wrth lunio'u polisïau ar gyfer plant ag anghenion arbennig. Bydd polisi'r ysgol yn amlinellu:

- enw'r athro sy'n gyfrifol am blant ag anghenion addysgol arbennig (fe'i gelwir yn aml yn Gydgysylltwr Anghenion Addysgol Arbennig)

- trefniadau'r ysgol ar gyfer penderfynu pa blant sydd angen cymorth arbennig, gam wrth gam

- sut mae'r ysgol yn bwriadu cydweithio'n agos â rhieni.

term allweddol

Cynllun Addysg Unigol (IEP)

amlinelliad o nodau ac amcanion tymor byr a thymor hir gyda thargedau cyrhaeddiad gan blant ag anghenion arbennig

term allweddol

Asesiad amlbroffesiwn

mesuriad o berfformiad plentyn gan weithwyr proffesiynol o wahanol gefndiroedd, e.e. gofal iechyd, gwaith cymdeithasol, seicoleg ac ati

Gwirio'ch cynnydd

Disgrifiwch y broses gam wrth gam a nodir yn y Cod Ymarfer, ar gyfer adnabod a rheoli anghenion pob plentyn.

Beth ddylai gael ei lunio yng Ngham 2?

Ym mha gamau y byddai gweithwyr proffesiynol allanol yn dod yn rhan o'r broses?

Sut gall rhieni apelio yn erbyn y broses asesu neu ddarpariaeth yr AALl?

Y Cod Ymarfer a rhieni

Mae'r Cod Ymarfer yn rhoi hawliau newydd i rieni, a bernir erbyn hyn bod eu rôl yn fwy canolog nag a gredwyd cyn hynny. Rhaid i ysgolion ac asiantaethau eraill weithio mewn partneriaeth â rhieni, ac mae gan rieni hawl i gael mynediad i dribiwnlys annibynnol newydd os teimlant fod asesiad neu ddarpariaeth yr AALl yn ddiffygiol.

Nawr rhowch gynnig ar y cwestiynau hyn

Disgrifiwch fodel meddygol a chymdeithasol o anabledd.

Pam ei bod hi'n bwysig defnyddio terminoleg briodol i ddisgrifio pobl anabl?

Amlinellwch y prif ofynion mewn perthynas â phlant ag anghenion addysgol arbennig yn Neddf Addysg 1998.

Disgrifiwch, yn eich geiriau eich hun, egwyddorion sylfaenol y Ddeddf Plant mewn perthynas â phlant anabl.

Pa wasanaethau y bydd eu hangen ar deuluoedd gyda phlentyn anabl, o bosibl?

Disgrifiwch weithdrefn ysgol os bydd aelod o'r staff yn meddwl bod gan blentyn yn eu dosbarth anghenion addysgol arbennig.

Sut mae deddfwriaeth ddiweddar wedi diogelu lles plant anabl?

Sut mae deddfwriaeth ddiweddar wedi hyrwyddo partneriaeth gyda rhieni plant anabl?

CEFNOGI PLANT ANABL (PLANT AG ANGHENION ADDYSGOL ARBENNIG) A'U TEULUOEDD

Er mwyn deall anghenion plant anabl mae angen deall datblygiad plant yn drylwyr. Mae gweithio mewn partneriaeth â rhieni yn cynnwys gweithio gyda rhieni plant anabl, a bydd y rhan hon yn helpu'r gweithiwr gofal plant i ddeall eu hanghenion.

Bydd y rhan hon yn ymdrin â'r pynciau canlynol:

⌣ *anghenion plant anabl*

⌣ *dulliau ymarferol o weithio gyda phlant anabl (plant ag anghenion addysgol arbennig).*

Anghenion plant anabl

DEALL ANGHENION PLANT ANABL

Mae'r llyfr hwn wedi pwysleisio droeon nad oes cydberthynas o reidrwydd rhwng datblygiad ag oedran. Gall plant gyrraedd camau datblygiad, neu gerrig milltir, ar wahanol oedrannau. Yn ogystal, mae plant unigol yn symud trwy wahanol gamau'r meysydd datblygiadol ar wahanol gyflymderau.

Yn aml, mae plant anabl yn cael eu trin fel petaent yn ieuengach nag ydynt mewn gwirionedd am nad ydynt wedi cyrraedd yr hyn a elwir yn gerrig milltir 'normal' ym mhob agwedd ar eu datblygiad. Er enghraifft, os bydd angen i blentyn anabl wisgo cewynnau yn 5 oed neu os yw'n teithio ar feic tair olwyn yn 10 oed, mae'n eithaf posibl y bydd pobl yn eu trin fel petaent yn ieuengach nag ydynt mewn gwirionedd.

ANGHENION ARBENNIG PLANT ANABL

Mae perygl hefyd y bydd anghenion arbennig plant anabl yn mynd yn bwysicach na'u hanghenion cyffredin. Yn ôl model meddygol o anabledd, mae hyn yn awgrymu bod rhywbeth o'i le, ac y dylid cyfeirio ymdrechion y plentyn at gyrraedd **nodau therapiwtig penodol**. Gellir annog yr agwedd hon drwy gyfrwng rhaglenni arbennig fel addysg ddargludol.

O bosibl, bydd plant anabl angen ffisiotherapi, therapi lleferydd neu raglenni dysgu arbennig, ond ni ddylai'r rhain fod yn bwysicach na'u hanghenion arferol bob amser. Mae pob plentyn angen cyfnodau o chwarae hunangyfeiriedig. Mae plant anabl angen oedolion a fydd yn hwyluso gweithgareddau chwarae, yn hytrach na chyfeirio'r gweithgareddau o hyd.

term allweddol

Nod therapiwtig penodol

yn nodi amcanion a fydd yn gwrthweithio effeithiau'r cyflwr neu'r nam

644

ATEB ANGHENION PLANT ANABL

Mae pob plentyn anabl yn unigolyn gyda doniau ac anghenion unigryw. Er mwyn ateb eu hanghenion, mae'n ddefnyddiol gwybod rhywfaint am achosion a goblygiadau meddygol eu nam neu gyflwr penodol.

Y ffordd orau o ddefnyddio'r wybodaeth hon yw drwy ei chyfuno ag agwedd bositif a pharodrwydd i ddysgu sut i wneud y mwyaf o botensial plentyn unigol. Gallwch ychwanegu at eich gwybodaeth drwy ddarllen mwy neu siarad â gweithwyr proffesiynol, ond cofiwch mai gofalwr llawn amser y plentyn, o bosibl, yw'r person gorau i roi gwybodaeth ac arweiniad.

Er mwyn ateb anghenion plant anabl, rhaid edrych yn fanwl ar agweddau a thybiaethau yn ymwneud ag anabledd. Un o'r dulliau gorau o wneud hyn yw drwy gyfrwng hyfforddiant cydraddoldeb anabledd (Disability Equality Training - DET), dan arweiniad hyfforddwr DET profiadol, sy'n cynnwys y bobl anabl eu hunain.

Rhoi grym

Fel yn achos pob plentyn, rhaid i blant anabl gael grym (teimlo'n **rymus**) i allu byw bywyd yn effeithiol, ond rhaid i hyn ddigwydd yn ôl eu telerau hwy, yn hytrach na gorfod cydymffurfio â disgwyliadau pobl nad ydynt yn anabl. Gellir annog hyn drwy wneud y pethau canlynol:

term allweddol

Rhoi grym i blant

galluogi plant i gymryd rhan yn y byd

- Ymateb i'r anghenion a'r gofynion a fynegir gan blant anabl. Mae'n bosibl y bydd plant anabl yn cael anhawster mynegi eu hunain neu gyfathrebu. Mae arnynt angen oedolion sy'n fodlon gwrando, aros ac adnabod yr arwyddion lleiaf sy'n dangos bod y plentyn wedi gwneud dewis neu fynegi angen. O bosibl, bydd rhaid i oedolion ddyfalu, rhoi cynnig ar nifer o atebion posibl a pharhau i wylio i weld a ydynt wedi deall yn gywir.

- Canmol a gwobrwyo ymdrech yn hytrach na chyflawniad. Ni ddylid cymharu plant, yn enwedig plant anabl, â'i gilydd. Mae'n well cymharu eu llwyddiant a'u cyflawniad â'u hymdrechion blaenorol.

term allweddol

Gallu cynhenid

gallu naturiol

- Ymateb i bethau y mae'r plant yn gallu eu rheoli, yn hytrach na **gallu cynhenid** neu briodoleddau cynhenid. Yn aml bydd oedolion yn canmol plant ifainc am gyflawniadau nad ydynt yn eu rheoli, er enghraifft eu maint, cyflymder, neu eu deallusrwydd neu sgiliau corfforol: 'O, mi wnaeth hi wenu pan oedd hi'n 3 diwrnod oed'; 'Mae e'n bwyta bwyd solet yn barod!'; 'Dydy hi byth yn crïo'; 'Dechreuodd e ddarllen cyn dechrau yn yr ysgol'. Mae hyn yn dibrisio plant sy'n fach, yn araf, yn analluog ac yn y blaen. Mae sylwadau fel 'O, roedd hynny'n beth caredig iawn i'w wneud!' a 'Rwyt ti wedi gweithio'n galed iawn heddiw' yn helpu i roi gwerth i'r pethau y gall plant eu rheoli.

Gwirio'ch cynnydd

Pam fod plant yn anabl yn cael eu trin fel petaent yn ieuengach na'u hoedran yn aml?

Enwch ddwy raglen addysg arbennig ar gyfer plant anabl.

Sut gellir rhoi grym i blant anabl?

Pwy yw'r ffynhonnell orau am wybodaeth ac arweiniad yn ymwneud â phlant anabl fel rheol?

Beth yw un o'r ffyrdd gorau o edrych yn fanwl ar agweddau a thybiaethau am anabledd?

DIAGNOSIS

Pan fydd plentyn yn cael ei eni gyda chyflwr neu nam penodol, neu pan wneir diagnosis sy'n dangos hyn yn ddiweddarach, bydd rhieni a gofalwyr yn ymateb yn eu ffordd eu hunain. Mae cymdeithas yn tueddu i ystyried bod anabledd yn drasiedi, ac mae llawer o rieni a gofalwyr yn dangos patrwm ymateb sy'n debyg i'r hyn a brofir ar ôl 'trasiedïau' eraill, megis profedigaeth.

Mae'r patrwm ymateb hwn yn rhannu'n bedwar cam. Gall unigolion fynd drwy'r camau hyn ar wahanol gyflymderau:

- *sioc ac anghrediniaeth* – Dydy hyn ddim yn gallu digwydd i ni'

- *cyfnod o alaru ac arwahanrwydd* – 'Roedden ni'n torri'n calonnau. Roedden ni'n teimlo bod rhywun yn ein cosbi ni. Doedden ni ddim eisiau bod gyda neb oedd ddim yn gwybod am ein plentyn'

- *cyfnod o addasu* – 'Roedden ni'n teimlo bod hyn yn her. Roedden ni eisiau gwybodaeth, help a dealltwriaeth, ac i beidio â theimlo ein bod ni ar ein pen ein hunain'

- *addasu* – 'Dyn ni'n dysgu sut i ymdopi ac i fwynhau ein plentyn. Pan oedden ni'n barod i wynebu dweud wrth ffrindiau a pherthnasau daeth pethau'n haws'.

Fel yn achos profedigaeth a cholled dan amgylchiadau eraill, mae llawer o bobl yn methu â symud trwy gamau 'galar', ond weithiau yn aros yn eu hunfan mewn un cam penodol.

ANGHENION RHIENI A GOFALWYR

Yn debyg i bob rhiant a gofalwr, mae angen i rieni a gofalwyr plant anabl fwynhau eu plant, ac i deimlo'n hyderus ac yn falch ohonyn nhw eu hunain fel rhieni. Er mwyn gwneud hyn, mae'n debyg y bydd angen iddynt gael:

- gwybodaeth am gyflwr neu nam eu plentyn, model cymdeithasol yr anabledd, y gwasanaethau sydd ar gael, syniadau newydd ac yn y blaen

- cefnogaeth emosiynol, a chymorth i fwynhau eu plentyn

- cymorth ymarferol, er enghraifft rhywun i warchod, gofal seibiant, cymhorthion ac addasiadau amgylcheddol, cymorth yn y cartref, cefnogaeth ariannol

- cysylltiad â rhieni neu ofalwyr eraill gyda phlant anabl, a chyfleoedd i weithio gyda'i gilydd i ddod o hyd i'r gwasanaethau sydd eu hangen arnynt

- sicrwydd gan ddarparwyr gwasanaeth (addysg a gofal) eu bod yn awyddus i weithio gyda'r plentyn ac y gellir ymdopi ag ef neu hi

- cysylltiad ag oedolion anabl am gyngor, cefnogaeth, gwybodaeth ac yn y blaen

- hyfforddiant mewn **hunan-eiriolaeth** a chael gafael ar y pethau y mae arnynt hwy a'u teuluoedd eu hangen

- amser i fod yn nhw eu hunain ac i gwrdd â'u hanghenion hwy ac aelodau eraill o'r teulu

- sylweddoli mai nhw fel rheol yw'r bobl sy'n adnabod eu plant orau.

> **term allweddol**
>
> **Hunan-eiriolaeth**
> mynegi eich safbwynt eich hun

Anghenion brodyr neu chwiorydd

Mae'n amhosibl cyffredinoli am effaith plentyn anabl ar frodyr a chwiorydd. Bydd llawer yn dibynnu ar ffactorau megis natur y cyflwr neu'r nam, nifer y plant yn y teulu, eu trefn oedran ac yn y blaen.

Mae'n bosibl y bydd angen brodyr a chwiorydd yn debyg i angen pennaf y rhieni neu'r gofalwyr, sef mwynhau cael brawd neu chwaer anabl. Yn ogystal, mae'n bosibl y bydd arnynt angen y canlynol:

termau allweddol

Adnabyddiaeth

gwneud ein hunain yr un fath â'r rhai sy'n bwysig i ni

Cynhwysol

wedi'i drefnu mewn ffordd sy'n galluogi pawb i gymryd rhan lawn a gweithredol; ateb anghenion pob plentyn

- anogaeth i fynegi eu teimladau yn agored ac yn ddidwyll
- gwybodaeth sy'n cynnwys termau ystyrlon ar lefel sy'n ddealladwy iddynt
- paratoad ar gyfer posibilrwydd agweddau ac ymddygiad negyddol gan bobl eraill
- sicrwydd o'u gwerth eu hunain a gwerth eu brawd neu chwaer anabl
- sylw unigol
- cymryd rhan mewn gofalu am y plentyn anabl, heb gael eu llethu gan gyfrifoldeb.

Tra ei bod hi'n gymharol hawdd i roi braslun o'r anfanteision a allai godi, mae'n bosibl hefyd i frodyr neu chwiorydd elwa wrth dyfu i fyny gyda phlentyn anabl.

Mae llawer o bobl anabl yn rhieni neu'n ofalwyr

RHIENI A GOFALWYR ANABL

Mae llawer o bobl anabl yn rhieni neu'n ofalwyr. Yn aml, nid yw cymdeithas yn derbyn bod ganddynt y gallu i fod yn oedolion cyfrifol, gofalgar, gyda llawer i'w gyfrannu. Mae'n bosibl na fydd y bobl o'u hamgylch yn rhannu eu dealltwriaeth a'u profiad o effeithiau posibl cyflyrau neu namau penodol.

Mewn swyddogaethau proffesiynol a dibroffesiynol, mae'n bosibl y bydd oedolion anabl yn barod i gefnogi gofalwyr plant anabl. Mae'n bosibl hefyd y byddant yn fodlon bod yn rôl fodelau ar gyfer plant anabl. Mae'n bosibl y bydd plant anabl yn tyfu i fyny heb fawr o gysylltiad, neu ddim cysylltiad o gwbl, ag oedolion anabl. Mae gan hyn oblygiadau ar gyfer y broses **adnabyddiaeth** a datblygiad hunanddelwedd.

Weithiau ystyrir bod rhieni a gofalwyr anabl yn peri bod eu plant eu hunain dan anfantais. O bryd i'w gilydd mae awdurdodau lleol wedi rhoi llety i'r plant hyn oddi cartref. Yn aml, gellid goresgyn y problemau hyn drwy ddefnyddio mesurau eraill fel cymorth i wneud gwaith tŷ, cymhorthion ac addasiadau amgylcheddol neu gefnogaeth ariannol.

Weithiau mae oedolion anabl yn cael eu heithrio o'r gwasanaethau a ddarperir ar gyfer eu plant. Bydd gofal ac addysg **gynhwysol** yn ystyried eu hanghenion ochr yn ochr â defnyddwyr gwasanaethau eraill. Dylai'r pwyslais ar rieni a gofalwyr yn gweithio mewn partneriaeth â gweithwyr proffesiynol gynnwys gofalwyr anabl hefyd.

Astudiaeth achos ...

... babi yn union fel fi

Pan ofynnodd fy ffrindiau, sy'n gallu clywed yn iawn, 'Ceri, wyt ti eisiau bachgen neu ferch?', gawson nhw sioc pan atebais i 'Sdim ots 'da fi, cyn belled bod y plentyn yn fyddar'. Chi'n gweld, dwi'n hollol fyddar ac mae'r ffaith fy mod ar fin cael plentyn wedi gwneud i mi feddwl am fy mhlentyndod eto.

Roedd hi'n amlwg 'mod i'n siom i fy rhieni. Trasiedi, hyd yn oed. Sut gallai hyn fod wedi digwydd iddyn nhw? Beth oedden nhw wedi'i wneud o'i le? Nawr dwi'n deall eu hymateb; bryd hynny, ro'n i 'mond yn gallu ei brofi.

Roedden nhw'n benderfynol y byddwn i fel pob plentyn arall. Roedd eu bwriad yn dda, ond allwn i ddim cyflawni hynny. Mae fy atgofion cynnar yn llawn clinigau gwahanol lle byddwn yn disgwyl am oriau. Y siom ar wynebau fy rhieni. Yr oriau o gael fy hyfforddi i lefaru, a'r golwg ar wynebai pobl a glywai am nad oeddent yn fy neall, er 'mod i'n gwneud ymdrech fawr!

Yn y man, rhoddodd fy rhieni'r gorau i'r ymdrech, a chefais fy ngyrru i Ysgol y

Byddar. Llawenydd! Plant eraill fel fi ac oedolion a oedd yn gallu cyfathrebu'n gyflym iawn gan ddefnyddio'u holl gyrff.

Yn y diwedd, dechreuodd fy rhieni ddysgu Arwyddiaith Brydeinig gan ddod i Glwb y Byddar, hyd yn oed, o bryd i'w gilydd. Mae fy chwaer yn hyfforddi i fod yn gyfieithydd arwyddiaith. Diolch i fi, mae hi'n ddwyieithog!

Os bydd fy mhlentyn yn clywed, mi fyddwn ni'n gallu ymdopi, ond yn naturiol dyn ni eisiau baban sy'n union fel ni!

1. *Beth mae'r atgofion hyn yn ei ddweud wrthym am blentyndod Ceri?*

2. *Pam ei bod hi'n awyddus i gael baban byddar?*

3. *Pam fod rhieni Ceri'n credu eu bod yn colli'r frwydr drwy ei gyrru i Ysgol y Byddar?*

4. *Sut oedd byddardod Ceri'n effeithio ar ei chwaer?*

Gwirio'ch cynnydd

Disgrifiwch y patrwm neu'r ymateb y gallai rhieni neu ofalwyr ei ddangos pan ddangosir bod gan eu plant anabledd.

Beth yw anghenion rhieni neu ofalwyr plant anabl wedi'r diagnosis?

Beth yw anghenion brodyr a chwiorydd plant anabl wedi'r diagnosis?

Beth gall rhieni neu ofalwyr anabl ei gynnig i blant anabl?

DARPARIAETH GOFAL AMGEN

Gofal preswyl

Mae deddfwriaeth ddiweddar yn cadarnhau mai'r lle gorau i fagu plentyn anabl yw o fewn ei deulu ei hun. Am nifer o resymau, fodd bynnag, ni fydd hyn yn bosibl bob amser. Mae rhai plant anabl angen gofal meddygol ac oherwydd hyn yn cael llety mewn sefydliadau gwasanaeth iechyd. Mae rhai yn mynychu ysgolion arbennig preswyl lle arhosant am wythnos neu dymor ar y tro.

Mae plant anabl mewn gofal preswyl yn fwy agored i niwed. Bu llawer o ddigwyddiadau, nifer ohonynt wedi'u cofnodi mewn bywgraffiadau gan bobl anabl, yn ymwneud â chamdriniaeth tymor hir mewn sefydliadau preswyl. Mae Deddf Plant 1989 yn ceisio darparu dulliau o ddiogelu lles plant anabl sy'n lletya oddi cartref.

Yn gyffredinol, ni ddylid lletya plant am gyfnod hir mewn sefydliadau ysbyty Gwasanaeth Iechyd Gwladol. Bwriad y Ddeddf Plant yw sicrhau nad yw plant anabl mewn gofal preswyl, gan gynnwys ysgolion annibynnol, yn cael eu hanghofio a bod y gwasanaethau cymdeithasol yn asesu ansawdd y gofal plant a ddarperir.

Llety oddi cartref

Os bydd rhaid i blentyn letya oddi cartref, yna rhaid sicrhau bod y cartrefi preswyl yn gofrestredig ac yn rheoledig. Mae gan y gwasanaethau cymdeithasol yr hawl i fynd i mewn i gartref gofal i weld a yw lles y plant yn cael ei ddiogelu a'i hyrwyddo..

Lleoliadau maeth

Bu cynnydd yn nifer y lleoliadau maeth llwyddiannus ar gyfer plant anabl dros y 10

mlynedd ddiwethaf. Mae rhai mudiadau gwirfoddol cenedlaethol yn darparu rhaglenni maethu arbenigol i blant anabl.

Rhaid i ofalwyr maeth fod yn fodlon cymryd rhan yn rhaglenni dysgu eu plentyn anabl, a lle bo hynny'n briodol, yn rhan o asesiadau ac adolygiadau, a bod yn barod i annog y plentyn anabl i wneud ffrindiau yn y gymuned.

Gofal seibiant

Er cymaint y boddhad a geir, mae gofalu am blentyn anabl yn gallu bod yn waith blinedig. Os mai magu'r plentyn o fewn ei deulu ei hun sydd orau, mae'n debyg y bydd y teulu angen cefnogaeth ac anogaeth fel y gallant barhau i roi gofal. Mae gofal seibiant (a elwir, yn aml, yn 'doriad tymor byr') yn un ffordd o gynnig y fath gefnogaeth ac anogaeth.

Mae pedwar prif fath o ofal seibiant:

- gofal preswyl
- gofal wedi'i seilio ar y teulu
- gofal yng nghartref y plentyn
- cynlluniau gwyliau.

Cynigir y gwasanaethau hyn gan wahanol asiantaethau statudol a gwirfoddol, a grwpiau o rieni a ddaeth at ei gilydd at y pwrpas hwn. Mae'n bosibl y bydd mudiad gwirfoddol yn darparu'r gwasanaeth, a'r gwasanaethau cymdeithasol yn talu amdano. Mae pob gwasanaeth yn cynnig amser rhydd i rieni a gofalwyr, ac mae ganddynt fanteision ac anfanteision. Yn anaml iawn y mae pob gwasanaeth ar gael i rieni neu ofalwyr plant anabl; weithiau nid yw'r un ohonynt ar gael.

Gofal seibiant preswyl

Mae'r plentyn anabl yn mynd i aros mewn llety trwyddedig am gyfnod o amser a gytunwyd ymlaen llaw. Fel rheol bydd sefydliad megis ward ysbyty, cartref plant neu ysgol breswyl yn darparu llety.

Yr anfantais yw mai gofal sefydliadol ydyw fel rheol, rhywbeth sy'n gwbl wahanol i fywyd teulu mewn cartref. Y manteision yw y gall ddod yn rhan cyfarwydd o fywyd y plentyn, ac nid yw'r gwasanaeth a gynigir yn dibynnu ar un person.

Gofal seibiant wedi'i seilio ar y teulu

Cysylltir teulu plentyn anabl â theulu (neu berson sengl) arall, sy'n fodlon derbyn y plentyn anabl i mewn i'w cartref am gyfnodau o amser. Fel rheol mae'r gwasanaethau cymdeithasol neu fudiad gwirfoddol yn rheoli'r fath gynlluniau.

Gofal preswyl yng nghartref y plentyn

Mae'r math hwn o ofal yn wasanaeth gwarchod plant arbenigol. Gall fod yn estyniad ar wasanaeth cymorth cartref, ac eithrio'r ffaith bod y 'cymorth teulu' yn gofalu am y plentyn yn hytrach na'r cartref.

Cynlluniau gwyliau seibiant

Mae cynlluniau gwyliau'n bodoli ar gyfer plant anabl. Mae rhai yn darparu ar gyfer plant yn unig, ac eraill ar gyfer y teulu cyfan. Fe'u trefnir gan nifer o fudiadau gwirfoddol ac maent yn amrywio o ran math, er enghraifft gwyliau antur, teithiau tramor. Yn aml, rhaid i rieni neu ofalwyr dalu am y gwasanaeth hwn.

Gwirio'ch cynnydd

Ble yw'r lle gorau fel rheol i fagu plentyn anabl?

Pa Ddeddf sy'n ceisio diogelu lles plant anabl sy'n byw mewn llety oddi cartref?

Beth ddylai gofalwyr maeth plant anabl fod yn fodlon ei wneud?

Nodwch bedwar math o ofal seibiant.

Dulliau ymarferol o weithio gyda phlant anabl (plant ag anghenion addysgol arbennig)

Mae deddfwriaeth ddiweddar yn annog cynnwys plant mewn sefydliadau prif lif yn ymwneud ag addysg a gofal. Erbyn hyn mae plant anabl yn fwy tebygol o fynychu dosbarthiadau meithrin, ysgolion, meithrinfeydd dydd, canolfannau teulu neu sefydliadau preswyl. Rhaid ystyried anghenion pob plentyn er mwyn sicrhau bod y sefydliadau hyn yn hollol gynhwysol.

Os bydd sefydliadau'n mabwysiadu model cymdeithasol o anabledd, byddant yn awyddus i adolygu eu darpariaeth i sicrhau nad yw'r amgylchedd, yr agweddau na'r ymarfer yn anablu plant gyda chyflyrau neu namau canfyddadwy.

Mae deddfwriaeth ddiweddar yn annog cynnwys plant anabl mewn sefydliadau prif lif

HYRWYDDO CYFLEOEDD CYFARTAL AC YMARFER GWRTHWAHANIAETHOL A GWRTH-RAGFARN

Iaith

Fel yn achos materion yn ymwneud â hil a rhyw, dylai fod gan y sefydliad bolisi clir am yr iaith a ddefnyddir i ddisgrifio plant anabl. Dylid esbonio'r polisi yn glir i bawb sy'n defnyddio'r sefydliad.

Delweddau

Mae popeth a ddysgwyd am ddelweddau o grwpiau sydd wedi eu hymyleiddio neu grwpiau lleiafrifol yn berthnasol i blant anabl. Yn y gorffennol, crëwyd bron pob delwedd o bobl anabl gan bobl nad oedd yn anabl, yn aml ar ran elusennau. Eu bwriad oedd creu cydymdeimlad, tosturi, ofn ac euogrwydd. Cyfiawnhawyd hyn drwy ddadlau ei fod yn angenrheidiol er mwyn codi arian ar gyfer pobl anabl.

Mae'n anodd iawn i ddod o hyd i ddelweddau positif o blant anabl. Nid ocs llawer o gymeriadau anabl mewn llyfrau plant. Yn aml, mae'r llyfrau sydd ar gael yn canolbwyntio'n llwyr ar y nam, gyda theitlau fel *Mae Mair wedi Colli Clyw* neu *Mae Gen i Barlys yr Ymennydd*. Anaml iawn y portreadir pobl anabl fel pobl gyffredin. Fodd bynnag, erbyn hyn mae 'Letterbox Library' yn marchnata rhai testunau sy'n portreadu plant anabl mewn ffordd bositif ac sy'n cynnwys cymeriadau anabl ochr yn ochr â'u cyfoedion, nad ydynt yn anabl.

Gweithgareddau

Dylai gweithgareddau sydd wedi'u trefnu a'u cyfarwyddo geisio bod yn gynhwysol bob amser. Dylid ystyried anghenion plant anabl y grŵp yn ystod y cam cynllunio. Os nad yw plentyn yn gallu gwneud rhywbeth mewn ffordd sy'n debyg i blant eraill, gellid eu holi am yr hyn y gallent ei wneud yn lle hynny.

Mewn sefydliadau addysgol, bydd athrawon yn ceisio gwahaniaethu wrth osod tasgau. Mae hyn yn golygu bod unigolion neu grwpiau o blant yn derbyn gwahanol dasgau sy'n berthnasol i nod y wers, ar lefel sy'n her ond sydd o fewn eu gallu. Rhaid cynllunio'n ofalus er mwyn sicrhau nad yw plant anabl yn cael eu gwahanu o'r dosbarth. Mae'n bosibl y bydd angen cynnwys cynorthwywyr cefnogi anghenion arbennig yn y broses hon wrth gynllunio a rhoi'r cynlluniau ar waith.

Rôl fodelau

Gall cynnwys oedolion anabl, o bob oedran ac ar bob lefel, yng ngweithgareddau sefydliadau gofal ac addysg, olygu bod gan blant anabl rôl fodelau positif. Yn ogystal, gall oedolion anabl helpu i godi lefel ymwybyddiaeth y sefydliad o ran anabledd.

Gall cynnwys oedolion anabl olygu bod gan blant anabl rôl fodelau positif

---

Gwirio'ch cynnydd

O ble daeth y rhan fwyaf o ddelweddau pobl anabl yn y gorffennol? Pam gawsant eu cynhyrchu?

Pa offer chwarae y dylid ei gynnwys mewn lleoliad cynhwysol?

Beth yw gwahaniaethu?

Sut gall cynnwys oedolion anabl fod o fantais i sefydliad addysgol?

MYNEDIAD

Er mwyn sicrhau bod lleoliad yn gallu cynnwys plant anabl, rhaid ystyried rhai agweddau penodol. Mae gwybodaeth fanwl a hyfforddiant ar gynnwys plant anabl ar gael gan fudiadau gwirfoddol cyflwr- neu nam-benodol a grwpiau hunangymorth, ond ceir braslun o egwyddorion ymarfer da cyffredinol uchod. Mae'n bwysig bod sefydliadau sy'n cynnwys plant anabl yn darparu:

- offer y gall pob plentyn eu defnyddio; mae llawer o'r offer a gynhyrchir ar gyfer plant anabl yn gynhwysol: gall pob plentyn ddefnyddio rampiau, lifftiau,

byrddau cymwysadwy, drysau awtomatig, tapiau gyda dolennau hir, rheolyddion sensitif i gyffyrddiad, print bras a chanllawiau bach (*grab rails*)

- ystod o ddewisiadau megis tapiau a dogfennau ar ffurf Braille a phrint

- ystod o seddau a byrddau o feintiau a siapiau gwahanol

- gofod llawr gwag sy'n rhydd o annibendod bob amser

- offer hyblyg, cymwysadwy, er enghraifft hambwrdd tywod sy'n codi oddi ar ei stand, cadeiriau uchel gyda hambyrddau symudadwy

- fersiynau cadarn o deganau a dodrefn 'cyffredin'

- ystod o sisyrnau, cyllyll ac offer eraill

- ardaloedd chwarae meddal ar gyfer gweithgareddau megis cropian, neidio, dringo

- goruchwyliaeth ychwanegol gan oedolion i hwyluso integreiddio

- offer ar gyfer plant unigol i hwyluso integreiddio; dylid cynnal trafodaethau â'r plentyn a'r gofalwyr amser-llawn ynglŷn â'r hyn y dylid ei brynu cyn gwario llawer o arian

- cyfleusterau toiled gyda digon o ofod, wedi'u cynllunio ar gyfer y sawl sy'n defnyddio cadair olwyn, ond y gall pob plentyn eu defnyddio

- toiledau neu ardaloedd newid preifat sy'n briodol ar gyfer oedran penodol

- hyfforddiant ymwybyddiaeth o anabledd a chydraddoldeb i bob aelod o'r staff.

Mynediad i blant â nam ar y synhwyrau

Rhaid ystyried yr agweddau canlynol er mwyn cynnwys plant dall a phlant sy'n gweld yn rhannol. Bydd angen i sefydliadau ddarparu:

- cyfleoedd i archwilio'r amgylchedd a phobl gan ddefnyddio cyffyrddiad, arogleuo, clyw a gweddill golwg

- y cyfle i blant gyfeiriadu eu hunain yn gorfforol (gall hyn olygu ymweld â'r sefydliad pan na fydd llawer o bobl yno)

- sefydlogrwydd a threfn, lle i bopeth a phopeth yn ei le; bydd angen rhoi gwybodaeth i'r plentyn a dangos unrhyw newidiadau iddo

- digon o olau

- amgylchedd sy'n rhydd o beryglon, neu arwydd o bethau peryglus megis grisiau neu gorneli llym

- gwybodaeth am anghenion plant eraill, er enghraifft plentyn sy'n colli eu clyw na fydd, o bosibl, yn ymateb iddynt

- rhai eitemau penodol megis llyfrau Braille, teganau neu gemau bwrdd a gynlluniwyd yn benodol i fod yn gynhwysol.

Dylai sefydliad sy'n cynnwys plant byddar neu blant â nam ar eu clyw ystyried y pwyntiau canlynol:

- i raddau helaeth, mae nam ar y clyw yn anweladwy; mae hyd yn oed ychydig o golli clyw yn beth sylweddol mewn ystafell orlawn, swnllyd

- nid yw plentyn â nam ar ei glyw yn gallu dweud wrthych yr hyn a gollodd

- nid yw teclynnau clywed yn gallu cymryd lle clywed, ac mae'n bosibl na fyddant o gymorth mawr i rai plant

- angen arbennig mwyaf plant byddar yw mynediad iaith a chyfathrebu; gellir

gwneud hyn dim ond pan fydd pawb yn defnyddio iaith a ffurf o gyfathrebu sy'n ddealladwy i blant byddar. Yn aml, bydd hyn yn golygu Arwyddiaith Brydeinig, a bydd rhaid i bawb yn y sefydliad ei defnyddio

- mae angen i blant anabl gyfathrebu â phlant eraill yn ogystal ag oedolion

- fel pob plentyn, mae gan blant byddar ystod o allu deallusol; drwy rwystro eu mynediad iaith, rydym yn creu anhawster dysgu iddynt.

Astudiaeth achos ...

... addysg gynhwysol

Roedd llyfryn Ysgol Trillyn yn nodi eu bod yn darparu addysg ar gyfer pob plentyn rhwng 3 a 7 oed yn y fro. Dydw i ddim yn meddwl eu bod nhw wedi sylweddoli gymaint o her oedd yn eu hwynebu pan gafodd fy merch Elan gynnig i ddod i'r feithrinfa.

Cyn i Elan ddechrau, aethom yno ar ymweliad am sesiwn. Roedd y plant eraill yn chwilfrydig ac yn gofyn i mi pam fod gan Elan wyneb rhyfedd a'i bod hi'n methu â siarad yn iawn. Yn dilyn yr ymweliad, penderfynodd y staff baratoi'r plant cyn i Elan ddechrau yn y feithrinfa. Bu'n rhaid iddyn nhw chwilio'n galed am lyfrau addas i'w darllen gyda'r plant, ond o'r diwedd daethant o hyd i 'Letterbox Library'. Roedd y staff yn barod i ddysgu; gofynnwyd cwestiynau i mi am Elan a chawsant ddwy sesiwn gyda hyfforddwr cydraddoldeb anabledd.

Roedd Elan yn glynu'n dynn ac yn mynnu sylw ar y dechrau. Doedd y staff ddim yn gallu dygymod â hi gyda 35 o blant eraill, ac felly cyflogodd yr ysgol cynorthwyydd cefnogi anghenion arbennig rhan amser, i helpu Elan i integreiddio â'r plant eraill. Siaradodd yr ysgol â'r coleg lleol a daeth myfyriwr ag anawsterau dysgu i'r ysgol fel rhan o'i leoliad gwaith. Cymerodd Elan ato ar unwaith ac i bob golwg rhoddodd hynny hwb i'w hunanhyder, yn ogystal â hunanhyder Elan.

Os bydd y plant yn gofyn beth sy'n bod ar Elan, bydd y staff yn ateb bod ganddi Syndrom Down. Maen nhw bob amser yn ateb cwestiynau'r plant yn onest, hyd yn oed pan fo'r cwestiynau'n ddoniol, fel 'Dych chi'n gallu ei ddal e?'

Mae'r staff yn dweud eu bod nhw wedi dysgu llawer ers cael Elan ac erbyn hyn maen nhw'n gwneud rhai pethau mewn ffordd wahanol i bob plentyn.

Pam fod rhieni Elan yn awyddus iddi fynd i'r ysgol leol?

Sut wnaeth staff y feithrinfa fynd ati i baratoi ar gyfer derbyn Elan?

Pam fod y staff wedi defnyddio'r enw cywir wrth esbonio cyflwr Elan?

Pam fod y staff wedi chwilio am fyfyriwr gydag anawsterau dysgu i helpu yn y feithrinfa?

Gwirio'ch cynnydd

Ar ba ffurf y dylid cynhyrchu dogfennau/gwybodaeth ysgrifenedig i sicrhau eu bod ar gael i rieni/gofalwyr sydd o bosibl yn anabl?

Beth fydd ei angen er mwyn hwyluso integreiddiad plant i'r sefydliad?

Sut ddylai sefydliad benderfynu beth i'w brynu er mwyn cefnogi plentyn anabl?

Beth ddylid ei ddarparu ar gyfer pob aelod o'r staff?

Beth sy'n creu anhawster dysgu i blant byddar?

Nawr rhowch gynnig ar y cwestiynau hyn

Sut mae'r Ddeddf Plant yn ceisio diogelu lles plant anabl ac annog cefnogaeth sy'n galluogi rhieni/gofalwyr i ofalu am eu plant anabl yn eu cartrefi?

Sut gall plant anabl a'u teuluoedd elwa o ofal seibiant?

Pam ei bod hi'n bwysig i ddeall datblygiad plant yn drylwyr er mwyn deall anghenion plant anabl?

Esboniwch pam ei bod hi'n bwysig sicrhau nad yw anghenion arbennig plant anabl yn mynd yn fwy na'u hanghenion arferol.

Disgrifiwch ymatebion posibl rhieni ar ôl derbyn diagnosis sy'n dangos bod gan eu plentyn gyflwr neu nam penodol.

Beth yw anghenion teuluoedd plant anabl?

Pam ei bod hi'n bwysig bod gweithwyr gofal plant mewn cysylltiad ag oedolion anabl?

GWEITHWYR PROFFESIYNOL YN GWEITHIO GYDA PHLANT ANABL (PLANT AG ANGHENION ADDYSGOL ARBENNIG)

Mae'r casgliad o weithwyr proffesiynol sy'n ymwneud â phlant anabl a'u teuluoedd yn gallu ymddangos yn gymhleth. O bryd i'w gilydd mae'r teitlau'n newid. Mae'n bwysig bod gweithwyr gofal plant yn deall y sectorau statudol, gwirfoddol a phreifat, ac yn gallu dangos y ffordd i blant anabl a'u teuluoedd. Bydd angen iddynt wybod am, a deall, beth yw swyddogaeth gweithwyr proffesiynol pwysig.

Er mwyn eglurder, dosbarthwyd y gweithwyr proffesiynol a ddisgrifir yn y bennod hon drwy ystyried a ydynt yn gweithio o fewn sefydliadau iechyd, addysg, gwasanaethau cymdeithasol neu fudiadau gwirfoddol. Wrth gwrs, bydd rhai yn gweithio i fwy nag un ohonynt. Mewn rhai ardaloedd, bydd gwasanaeth a ddarperir, er enghraifft, gan wasanaethau cymdeithasol, yn cael ei ddarparu mewn ardaloedd eraill gan fudiad gwirfoddol ar ran y gwasanaethau cymdeithasol.

Dylid defnyddio'r wybodaeth yn y bennod hon i gefnogi gwybodaeth y byddwch yn ei ddirnad yn lleol.

Bydd y rhan hon yn ymdrin â'r pynciau canlynol:

- gweithwyr proffesiynol y gwasanaeth iechyd
- gweithwyr proffesiynol y gwasanaeth addysg
- gweithwyr proffesiynol y gwasanaeth cymdeithasol
- yr Asiantaeth Budd-daliadau Nawdd Cymdeithasol
- mudiadau gwirfoddol.

Gweithwyr proffesiynol y gwasanaeth iechyd

PAEDIATREGWYR

Mae paediatregwyr yn feddygon sy'n arbenigo mewn gwneud diagnosis yn ymwneud â chyflyrau a namau mewn plant, ac yn y gofal meddygol a roddir i blant gyda'r cyflyrau a'r namau hyn. Mae'n bosibl mai hwy fydd y gweithwyr proffesiynol cyntaf o fewn y gwasanaeth iechyd i ymwneud â phlentyn anabl yn yr uned mamolaeth, ward plant neu'r adran cleifion allanol.

YMWELWYR IECHYD

Mae gan bob plentyn dan 5 oed ymwelydd iechyd. Nyrsys cymwysedig sydd wedi derbyn hyfforddiant ychwanegol yw ymwelwyr iechyd. Maent yn gweithio yn y gymuned sydd ynghlwm wrth glinig neu feddygfa deulu ac fel rheol yn ymgymryd â'r gwaith o wirio datblygiad y plentyn yn rheolaidd. Yn aml iawn yr ymwelydd iechyd yw'r proffesiynolyn gofal iechyd sy'n gweithio agosaf â'r teulu yn eu cartref. Gallant ddarparu cyswllt gyda, a rhwng, gweithwyr proffesiynol eraill a gwasanaethau.

FFISIOTHERAPYDDION

Mae ffisiotherapyddion yn asesu datblygiad a sgiliau motor plant ac yn asesu i ba raddau y gallant symud a chadw cydbwysedd. O bosibl byddant yn gweithio mewn ysgolion yn ogystal â chlinigau mewn ysbytai. Weithiau maent yn dangos i rieni a gofalwyr eraill sut i gyflawni ymarferion a gweithgareddau gyda'u plant.

THERAPYDDION GALWEDIGAETHOL

Mae therapyddion galwedigaethol yn ceisio annog datblygiad **sgiliau byw yn annibynnol**, megis gwisgo, bwyta a symud o amgylch yn annibynnol. Oherwydd hyn mae'n bosibl y byddant yn asesu sgiliau motor manwl plentyn. Gallant roi cyngor am unrhyw offer arbennig a allai fod o gymorth a threfnu iddo gael ei ddarparu. Mae'n bosibl gwneud hyn allan yn y gymuned yn ogystal â mewn clinigau ysbytai.

THERAPYDDION LLEFERYDD AC IAITH

Mae therapyddion lleferydd ac iaith yn ceisio datblygu pob agwedd ar sgiliau cyfathrebu mynegiannol a derbyngar a datblygiad iaith plant. Yn ogystal ag asesu lleferydd, maent hefyd yn asesu symudiadau'r tafod a'r ceg, a'u heffeithiau ar fwyta a llyncu. Bydd therapyddion lleferydd yn creu rhaglenni gweithgareddau ac ymarferion sy'n helpu plant i ennill iaith, deall cysyniadau a defnyddio lleferydd. O bosibl bydd rhieni neu ofalwyr yn helpu i weithredu'r rhaglenni hyn. Mae'n bosibl y bydd therapyddion lleferydd yn gweithio mewn ysgolion, clinigau ysbytai neu yn y gymuned.

SEICOLEGWYR CLINIGOL

Mae seicolegwyr clinigol yn ymwneud yn bennaf â datblygiad emosiynol, cymdeithasol a deallusol plant. Mae eu hasesiad o blant yn cynnwys pob agwedd ar eu hamgylchiadau. Byddant yn trafod gyda'u teuluoedd a gofalwyr eraill, yn ogystal ag arsylwi ymddygiad plant yn uniongyrchol.

NYRSYS YSGOL

Yn aml mae nyrsys ysgol yn gwirio pwysau, taldra, golwg a chlyw plant mewn ysgol. Gallent nodi problemau yn unrhyw un o'r meysydd uchod. Weithiau maent yn gweithio llawn amser mewn ysgolion arbennig, gan oruchwylio gofal meddygol plant anabl yn rheolaidd.

THERAPYDDION CHWARAE

Mae therapyddion chwarae yn defnyddio chwarae i helpu plant i ddelio â theimladau neu brofiadau penodol a all fod yn rhwystro eu datblygiad. Rhaid bod y therapyddion wedi derbyn hyfforddiant er mwyn gwneud y dasg hon, a rhaid iddynt dderbyn cefnogaeth, gan ei bod hi'n debyg y byddant yn delio ag emosiynau cryf iawn.

GWEITHWYR CHWARAE

Fel rheol nyrsys meithrin sydd wedi derbyn hyfforddiant yw gweithwyr chwarae, wedi'u cyflogi gan ysbytai i chwarae gyda phlant sy'n ymweld â chlinigau a hefyd y rhai sy'n dod i'r wardiau. Mae'r gweithwyr chwarae yn oedolyn cyfeillgar mewn sefydliad a allai achosi pryder i'r plant. O bosibl, byddant yn ymwneud â chodi ymwybyddiaeth a pharatoi plant ar gyfer aros yn yr ysbyty.

term allweddol

Sgiliau byw yn annibynnol

sgiliau y mae eu hangen ar gyfer byw a gofalu amdanoch chi'ch hunan

Gwirio'ch cynnydd

Pam fydd therapydd galwedigaethol o bosibl yn asesu sgiliau motor manwl plant?

Pa weithwyr proffesiynol fydd, o bosibl, yn esbonio cyflwr neu nam plentyn anabl i'w rieni ar ôl y diagnosis?

Beth mae therapyddion lleferydd yn ei wneud i annog datblygiad iaith plant?

Beth yw'r gwahaniaeth rhwng therapydd chwarae a gweithiwr chwarae ?

Gweithwyr proffesiynol y gwasanaeth addysg

SEICOLEGWYR ADDYSG

Mae seicolegwyr addysg yn rhoi cyngor i'r awdurdod addysg leol am addysg plant unigol. Byddant yn cymryd rhan mewn asesiad addysgol plant anabl, gan gynnwys yr asesiad a allai arwain at ddatganiad anghenion addysgol arbennig. Gallant gynghori gweithwyr proffesiynol sy'n gweithio'n uniongyrchol gyda phlentyn anabl ynglŷn â rhaglenni dysgu ac addasu ymddygiad.

ATHRAWON CEFNOGI ANGHENION ARBENNIG

Athrawon sydd yn aml wedi cael hyfforddiant a phrofiad ychwanegol yw athrawon cefnogi anghenion arbennig, a elwir weithiau yn athrawon arbenigol neu athrawon cefnogi; yn aml maent yn athrawon **peripatetig** sy'n ymweld â phlant anabl mewn gwahanol ysgolion. Gallant arbenigo mewn un nam penodol, er enghraifft colli clyw neu nam ar y golwg. Maent yn cymryd rhan mewn dysgu plant unigol yn uniongyrchol, yn ogystal â chynghori staff a rhieni ar sut i wneud y mwyaf o botensial plentyn i ddysgu.

term allweddol

Peripatetig

teithio i weld y rhai y maent yn gweithio gyda hwy

ATHRAWON CEFNOGI BLYNYDDOEDD CYN-YSGOL

Dyma'r athrawon cefnogi anghenion arbennig sy'n gweithio gyda phlant anabl a theuluoedd cyn i'r plentyn ddechrau yn yr ysgol. Maent yn ymweld â phlant yn eu cartrefi ac yn dyfeisio rhaglenni dysgu camau bach i rieni/gofalwyr eu dilyn gyda'u plant.

CYNORTHWYWYR CEFNOGI ANGHENION ARBENNIG

SMae'n bosibl y bydd gan gynorthwywyr cefnogi anghenion arbennig nifer o deitlau, er enghraifft cynorthwywyr arbennig, swyddogion gofal addysg, cynorthwywyr dosbarth neu nyrsys meithrin anghenion arbennig. Gallant fod yn nyrsys meithrin cymwysedig neu weithwyr gofal plant, neu efallai nad oes ganddynt unrhyw gymhwyster gofal plant ffurfiol.

Maent yn cyflawni nifer o wahanol swyddogaethau, gan ddibynnu ar yr ysgol neu'r feithrinfa a'r plant y byddant yn eu cefnogi. Mae rhai yn gweithio gyda phlant unigol gyda Datganiad Anghenion Addysgol Arbennig, ac eraill gyda grwpiau o blant gydag amrywiaeth o anghenion ychwanegol. O bosibl, bydd eu gwaith yn canolbwyntio ar ddarparu cefnogaeth feddygol neu ddysgu. Mae'n bosibl y byddant yn cymryd rhan mewn arsylwi a monitro plant, cysylltu â gweithwyr proffesiynol eraill a chael eu cyfarwyddo ganddynt yn eu gwaith. Gallant hefyd fod mewn cysylltiad cyson â rhieni a gofalwyr.

YMGYNGHORWYR ANGHENION ARBENNIG

Mae ymgynghorwyr anghenion arbennig yn ffocysu ar y cwricwlwm, dulliau dysgu, deunyddiau, cynlluniau a'r offer a ddefnyddir mewn ysgolion. Maent yn gweithredu fel arolygwyr i sicrhau bod y Cwricwlwm Cenedlaethol yn cael ei ddarparu.

SWYDDOGION LLES ADDYSG

Mae swyddogion lles addysg yn ymgymryd â dyletswyddau lles ar ran plant a'u rhieni neu eu gofalwyr. Byddant yn ymwneud â phlant sy'n dod i'r ysgol weithiau ond nid yn gyson. O bosibl, byddant yn trefnu cludiant i ddod â phlant anabl i'r ysgol.

Gwirio'ch cynnydd

Pwy fydd yn cymryd rhan yn y dull gweithredu asesu statudol ar gyfer plant gydag anghenion addysgol arbennig?

Beth yw ystyr peripatetig?

Disgrifiwch rôl cynorthwyydd cefnogi anghenion arbennig.

Sut gallai swyddog lles addysg fod yn gweithio gyda phlant anabl a'u teuluoedd?

Gweithwyr proffesiynol y gwasanaethau cymdeithasol

GWEITHWYR CYMDEITHASOL

Mae'n bosibl y bydd gweithwyr cymdeithasol yn gweithio mewn ysbytai neu swyddfeydd rhanbarth lleol. Mae eu gwaith gyda phlant anabl yn cynnwys dyletswyddau **amddiffyn plant statudol**. Gallant roi cyngor ar argaeledd gwasanaethau'r ardal, er enghraifft iechyd, addysg, budd-daliadau lles neu ofal, neu o bosibl byddant yn arwain teuluoedd at yr asiantaethau priodol.

O bosibl, byddant yn eirioli ar ran plant anabl, er enghraifft er mwyn eu galluogi i ddefnyddio'r gwasanaethau y mae ganddynt yr hawl iddynt. Mae'n bosibl y bydd gweithwyr cymdeithasol yn ymwneud ag asesiadau er mwyn cyfeirio at ofal dydd, gofal seibiant, cymorth cartref a mathau eraill o ofal cartref, dan yr enw cynorthwywyr teulu.

> **term allweddol**
>
> **Amddiffyn plant statudol**
>
> yr agweddau hynny ar amddiffyn plant sy'n rhan o ddeddfwriaeth

GWEITHWYR CYMDEITHASOL ARBENIGOL A SWYDDOGION TECHNEGOL

Mae'n bosibl y bydd gweithwyr cymdeithasol arbenigol a swyddogion technegol wedi derbyn hyfforddiant a chael profiad ychwanegol er mwyn gweithio â phlant gyda chyflyrau neu namau penodol, er enghraifft plant byddar neu ddall.

SWYDDOGION MEITHRIN

Mae swyddogion meithrin yn gweithio mewn meithrinfeydd dydd a chanolfannau teulu. Mae'n bosibl, hefyd, y byddant yn ymweld â chartref teuluoedd er mwyn ffurfio cysylltiad rhwng y cartref a'r feithrinfa.

CYNORTHWYWYR TEULU/YMWELWYR

Mae cynorthwywyr teulu/ymwelwyr yn rhoi cefnogaeth ymarferol i deuluoedd yn eu cartrefi eu hunain. Mae'n bosibl y bydd y cynorthwywyr yn ymwneud â dyletswyddau cartref, gofal plant ac anghenion teuluol eraill.

SWYDDOGION GOFAL PLANT PRESWYL

O bosibl bydd swyddogion gofal plant preswyl yn gweithio mewn lletyp preswyl arhosiad hir neu arhosiad byr i blant anabl. Gall y gweithiwr fod yn weithiwr allweddol ar gyfer plentyn anabl sy'n cael ei letya oddi cartref gan yr awdurdod lleol.

Gwirio'ch cynnydd

Pa ddyletswyddau statudol a gyflawnir gan weithwyr cymdeithasol?

Beth yw swyddogaeth nyrsys meithrin sy'n gweithio i'r gwasanaethau cymdeithasol?

Yr Asiantaeth Budd-daliadau Nawdd Cymdeithasol

Prif swyddogaeth yr Asiantaeth Budd-daliadau Nawdd Cymdeithasol yw darparu budd-daliadau lles. Mae ystod o fudd-daliadau ar gael i blant anabl a'u teuluoedd. Mae'r rhain yn gallu newid yn aml. Mae'r Canolfan Gynghori (CAB) yn darparu cyngor a gwybodaeth gyfredol am fudd-daliadau lles.

Gwirio'ch cynnydd

Beth yw swyddogaeth yr Asiantaeth Budd-daliadau Nawdd Cymdeithasol?

Pa fudiad gwirfoddol sy'n gallu rhoi cyngor am fudd-daliadau nawdd cymdeithasol?

Mudiadau gwirfoddol

Gyda'i gilydd, mae mudiadau gwirfoddol yn darparu pob math o gefnogaeth i blant anabl a'u teuluoedd. Mae rhai yn fudiadau cenedlaethol ac eraill yn lleol. Nid pwrpas y llyfr hwn yw rhoi gwybodaeth am y gwasanaethau a gynigir ganddynt, ond mae gwybodaeth ar gael o lyfrgelloedd lleol.

Yn y blynyddoedd diwethaf, bu cynnydd yn rôl a maint ymrwymiad mudiadau gwirfoddol ym mywydau plant anabl. Mae llawer o'r mudiadau hyn yn gweithio mewn ffordd broffesiynol ac arloesol iawn. Gwneir llawer o'r gwaith arloesol gyda, ac ar ran, pobl anabl, drwy gyfrwng mudiadau gwirfoddol a grwpiau hunangymorth.

Gwirio'ch cynnydd

Beth yw rolau a swyddogaethau mudiadau gwirfoddol sy'n ymwneud â phlant anabl a'u teuluoedd?

RHAGLENNI DYSGU A THERAPI

Cynllun dysgu gartref Portage

Dyfeisiwyd Canllaw Portage i Addysg Gynnar yn wreiddiol mewn ardal wledig wedi'i chanoli ar dref Portage yn Wisconsin yn UDA. Defnyddir y cynlluniau a ddyfeisiwyd gyda phlant sydd ag anawsterau dysgu canolig a llym, problemau ymddygiad ac oedi yn y datblygiad. Gwneir ymweliadau cartref yn para 1 i 2 awr gan ymwelydd cartref Portage. Mae ymwelwyr cartref yn dod o ystod o broffesiynau.

Canfuwyd bod rhaglen hyfforddi fer yn ddigonol ar y dechrau, yn achos y mwyafrif o ddulliau gweithredu. Pwrpas pob ymweliad yw helpu'r rhiant neu'r gofalwr i ddewis a gosod nodau tymor byr ar gyfer y plentyn, nodau y disgwylir iddynt eu cyrraedd o fewn 1 neu 2 wythnos, ac i ddyfeisio ffordd briodol y gall y gofalwr ddysgu'r nodau hyn.

Yn ogystal â nodau tymor byr, mae pob ymwelydd cartref Portage yn gosod, gyda'r rhiant neu'r gofalwr, nodau tymor hir y gall y plentyn weithio tuag atynt, fel y gellir gweld yr ymweliadau wythnosol a'r nodau tymor byr fel camau mewn dilyniant cyffredinol tuag at yr amcan a ddymunir.

Hyfforddwyd gweithwyr i ddefnyddio rhestr wirio ddatblygiadol sy'n cynnwys datblygiad o enedigaeth hyd at 6 oed, ym meysydd cymdeithasoliad ac iaith, sgiliau gwybyddol, hunangymorth a symudol.

Un o nodau Portage yw bod rhieni a gofalwyr yn ennill digon o sgiliau i alluogi'r ymwelydd cartref Portage i droi'n ymgynghorydd a chefnogwr. Mae dull Portage yn anelu at alluogi rhieni a gofalwyr i fod yn annibynnol ar yr ymwelydd cartref yn y man, gan gymryd rôl y prif weithiwr gyda'r plant. Yn anffodus, o ganlyniad i adnoddau ariannol prin, mae posibilrwydd y bydd rhai awdurdodau lleol yn ystyried bod Portage yn ateb cymharol rhad i anghenion plant anabl a'u teuluoedd, yn hytrach na gwasanaeth y dylid ei gynnig ochr yn ochr â gwasanaethau eraill.

Techneg Bobath

Ffurf ar ffisiotherapi a ddatblygwyd gan yr Athro Bobath a'i wraig yw techneg Bobath. Ei nod yw sicrhau bod gan blant â pharlys yr ymennydd yr ymddaliad a'r symudedd gorau posibl. Mae'n bwysig bod y sgiliau yn cael eu trosglwyddo o'r therapydd i'r rhieni neu'r gofalwyr a chanddynt hwy i bwy bynnag sy'n gofalu am y plentyn. Mae'r driniaeth yn dechrau gydag asesiad cychwynnol yng Nghanolfan Bobath yn Llundain.

Therapi Doman-Delacato (patrymu)

Mae therapi Doman-Delacato yn honni ei bod yn bosibl trin yr ymennydd ei hunan. Yn ôl y ddamcaniaeth hon, gellir dysgu'r darnau o'r ymennydd sy'n rhydd o niwed i gyflawni swyddogaethau'r darn a niweidiwyd. Y dybiaeth sylfaenol yw y gellir cael symudedd drwy symud. Nid yw'r symud hwn yn gallu digwydd yn ddigymell a rhaid ei sbarduno o'r tu allan gan bobl eraill. Rhaid i'r symud fod yn gyson, yn ddwys ac yn ailadroddus. Mae timau o wirfoddolwyr yn helpu'r plentyn i gyflawni set o symudiadau am gyfnod o rwng 3 ac 8 awr y dydd. Nid yw'n syndod bod y plentyn yn protestio'n aml, ac oherwydd hyn mae Doman-Delacato yn therapi dadleuol.

Addysg ddargludol

Yn ôl Dr Mari Hari, cefnogwr blaengar addysg ddargludol, mae'n 'ddull sy'n galluogi'r sawl sydd â "**nam symudol**" i weithredu o fewn cymdeithas heb orfod defnyddio cyfarpar arbennig fel cadeiriau olwyn, rampiau neu gymhorthion artiffisial eraill'. Fe'i seilir ar ddamcaniaeth bod y brif system nerfol yn gallu ailstwythuro'i hun dan yr amgylchiadau iawn.

Mae tywyswyr (therapyddion) yn defnyddio **ortho-weithredu**, dull dysgu sy'n cynnwys yr holl berson, yn gorfforol ac yn feddyliol, ac yn 'rhoi i blant y gallu i weithredu fel aelodau o gymdeithas, ac i gymryd rhan mewn sefyllfaoedd

cymdeithasol normal sy'n briodol i'w hoedran'.

Mae addysg ddargludol yn cynnig dull positif o weithio tuag at set glir o nodau. Mae canlyniadau'r dull hwn yn llawer gwell na disgwyliadau gweithwyr proffesiynol a rhieni plant â pharlys yr ymennydd a spina bifida. Dylid cofio, fodd bynnag, bod y driniaeth yn rhoi pwyslais mawr ar addasu unigolion yn hytrach nag amgylcheddau. Mae'n dilyn model anabledd meddygol yn hytrach na chymdeithasol.

Gwirio'ch cynnydd

Yn fyr, esboniwch y rhaglenni dysgu a therapi canlynol:

(a)   *Portage*

(b)   *Techneg Bobath*

(c)   *Therapi Doman-Delacato*

(ch) *Addysg ddargludol.*

Nawr rhowch gynnig ar y cwestiynau hyn

Dewiswch naill ai'r gwasanaethau iechyd, addysg neu gymdeithasol. Rhowch fraslun o rolau a chyfrifoldebau tri gweithiwr proffesiynol o fewn y gwasanaeth hwnnw.

Beth yw manteision ac anfanteision rhaglenni dysgu a therapi?

Yn y bennod hon, byddwch yn dysgu sut i adnabod, gwerthfawrogi a pharchu rhieni fel prif ofalwyr ac addysgwyr eu plant. Byddwch yn ystyried eich rôl a'ch cyfrifoldebau mewn perthynas â rhieni'r plant dan eich gofal, ac yn dadansoddi'r ffactorau sy'n cyfrannu at gyfathrebu'n dda â rhieni a'r dulliau o wneud hyn. Byddwch hefyd yn nodi'r dulliau gwahanol o sicrhau bod rhieni'n cymryd rhan yn y gofal a ddarparwch ar gyfer eu plant.

GWEITHIO GYDA RHIENI

*B*ydd pawb sy'n gweithio gyda phlant ifanc yn gwybod bod y berthynas sy'n bodoli rhwng sefydliad gofal plant a rhieni (neu brif ofalwyr) plentyn yn bwysig iawn. Bydd perthynas dda o fudd i'r plentyn, y rhiant a'r sawl sy'n gweithio gyda'r plentyn. Bydd y bennod hon yn ystyried y materion yn ymwneud â gweithio gyda rhieni, ac yn edrych yn fanwl ar ddulliau o sefydlu a chynnal partneriaeth effeithiol rhwng y canolfan gofal plant a'r rhieni.

Derbynnir nad yw pob plentyn yn derbyn gofal gan eu rhieni. Defnyddiwyd y term hwn i hwyluso'r darllen, ac mae'n cynnwys pawb arall sy'n cyflawni rôl y rhiant.

Bydd y rhan hon yn ymdrin â'r pynciau canlynol:

⌒ beth yw pwrpas gweithio gyda rhieni?

⌒ cyfathrebu'n dda gyda rhieni

⌒ rhieni a chadw cofnodion

⌒ sefyllfaoedd anodd

⌒ cynnwys rhieni.

Beth yw pwrpas gweithio gyda rhieni?

Tan yn gymharol ddiweddar, nid oedd yn arferol i adael i rieni gymryd rhan weithredol yng ngwaith lleoliad gofal plant. Mae'n bosibl eich bod yn cofio gweld arwyddion yn annog rhieni i beidio â dod i mewn i'r ysgol neu'r feithrinfa. Nid yw arwydd sy'n darllen 'Dim rhieni y tu hwnt i'r fan hon' yn debyg o feithrin perthynas dda rhwng rhieni a'r sawl sy'n gofalu am eu plant, ac nid ydynt i'w gweld mor aml erbyn hyn. Mae nifer o resymau pam yr ystyrir bod gweithio gyda rhieni'n bwysig ac yn angenrheidiol:

- Mae gan rieni fwy o wybodaeth am eu plant a gwell ddealltwriaeth ohonynt na neb arall. Os anogir hwy i rannu'r rhain â'r staff, bydd y plant yn elwa.

- Mae angen trin plant mewn ffordd gyson er mwyn gwneud iddynt deimlo'n ddiogel. Mae hyn yn fwy tebygol o ddigwydd os ceir cyfathrebu da rhwng rhieni a staff.

- Mae deddfwriaeth ddiweddar a ymgorfforir o fewn Deddf Diwygio Addysg 1988, Deddf Plant 1989, a Chod Ymarfer Anghenion Addysgol Arbennig 1993, yn rhoi cyfrifoldeb ar weithwyr proffesiynol i weithio mewn partneriaeth â rhieni. Rhaid i wasanaethau a ddarperir i blant yn y sector cyhoeddus, preifat a gwirfoddol gymryd hyn i ystyriaeth.

- Mae derbyn arian cyhoeddus ar gyfer darpariaeth addysgol i blant 3 a/neu 4 oed (a elwir yn grant meithrin) yn dibynnu ar y ffaith bod sefydliadau'n gweithio mewn partneriaeth gyda rhieni.

- Mae mentrau megis Siarter y Rhieni yn pwysleisio hawliau rhieni i wneud dewisiadau ac i roi eu barn ar benderfyniadau yn ymwneud ag addysg eu plant.

- Mae ymchwil wedi dangos yn derfynol bod y ffaith bod rhieni yn cymryd rhan yn y broses addysg yn cael effaith bositif ar gynnydd y plant. Os bydd rhieni'n dechrau cymryd rhan yn gynnar, mae'n debyg y byddant yn parhau i gymryd rhan drwy gydol gyrfa addysg eu plant.

- Nid yw plant yn dysgu yn y sefydliad gofal plant yn unig. Bydd cyfnewid gwybodaeth rhwng y canolfan a'r cartref ac fel arall, yn atgyfnerthu dysgu, ble bynnag y cyflawnir y dysgu hwnnw.

- Mae gan rieni lawer o sgiliau a phrofiadau y gallant eu rhannu â'r canolfan gofal plant. Bydd cyfranogi fel hyn yn ehangu ac yn cyfoethogi'r rhaglen a gynigir i bob plentyn. Mae llawer o grwpiau'n dibynnu ar rota rhieni i ychwanegu at nifer eu staff.

- Gall person ychwanegol sy'n gweithio ar weithgaredd, yn helpu yn ystod taith ysgol neu'n paratoi deunyddiau wneud cyfraniad gwerthfawr i sefydliad prysur. Bydd rhieni sy'n cymryd rhan fel hyn yn ennill profiad uniongyrchol o'r ffordd y mae'r ganolfan yn gweithredu ac yn dod i ddeall ei ddull o weithio.

- O bosibl, bydd rhai canolfannau yn gweithredu dan amodau rheoliadau sy'n gofyn bod rhiant yn aelod o'r pwyllgor rheoli neu'r corff llywodraethol. Weithiau bydd y cyfrifoldebau hyn yn sylweddol ac yn cynnwys rheolaeth ac atebolrwydd ariannol, dewis a recriwtio staff, yn ogystal â rhedeg y canolfan o ddydd i ddydd.

- Mae'n bosibl y bydd rhieni sy'n cael anawsterau gyda'u plant yn gallu rhannu'r problemau hyn a cheisio'u datrys drwy weithio ochr yn ochr â gweithwyr proffesiynol cydymdeimladol a chefnogol.

- Mae'n bosibl y bydd dulliau gweithredu amddiffyn plant yn golygu bod gweithwyr proffesiynol yn y canolfan gofal plant yn gwylio ac yn goruchwylio

rhieni gyda phlant fel rhan o raglenni hawl i weld neu ailsefydlu. (Mewn sefyllfaoedd o'r fath, rhaid cael gweithwyr gyda phrofiad a sensitifrwydd.)

- Efallai y bydd rhieni teimlo eu bod yn colli eu rôl pan fydd plentyn yn dechrau mynychu meithrinfa neu ysgol. Drwy eu cynnwys a'u gwerthfawrogi, o bosibl gellir eu helpu i addasu a theimlo eu bod yn cael eu gwerthfawrogi.

- Yn aml ni ariannir darpariaeth i blant ifainc yn ddigonol. Mae gan lawer o ganolfannau grwpiau rhieni sy'n trefnu gweithgareddau cymdeithasol ac yn codi arian. Mae hyn yn galluogi rhieni nad ydynt ar gael yn ystod oriau gwaith i gymryd rhan.

- Mae mentrau newydd megis 'Cychwyn Cadarn', sy'n anelu at wella cyfleoedd a chyfleusterau ar gyfer plant a'u teuluoedd, yn gofyn bod cymunedau yn cymryd rhan weithredol mewn penderfynu beth sydd ei angen a sut y dylid ei ddarparu. Bydd rhieni plant ifainc yn chwarae rhan allweddol yn y datblygiadau hyn.

Mae pob canolfan yn datblygu dulliau o weithio gyda rhieni, ond yn naturiol mae gwahaniaethau rhyngddynt, yn dibynnu ar bwyslais y sefydliad penodol hwnnw. Er enghraifft, bydd canolfan teulu sy'n derbyn llawer o blant a gyfeiriwyd yno gan y gwasanaethau cymdeithasol, efallai o ganlyniad i argyfwng o ryw fath, yn gweithio gyda rhieni mewn modd gwahanol iawn i'r dulliau a ddefnyddir, er enghraifft, mewn meithrinfa ddydd, gweithle sy'n gofalu am blant yn ystod oriau gwaith hir rhieni, neu grŵp chwarae lle mae rhieni'n dilyn rota ddyddiol. Er hyn, bydd rhai egwyddorion cyffredinol yn berthnasol bob amser:

- Byddwch yn gyfeillgar ac yn hawdd mynd atoch. Cofiwch y gall rhieni deimlo'n anesmwyth mewn lleoliad anghyfarwydd ac mae'n bwysig bod y staff yn cymryd y camau cyntaf yn y ffordd briodol.

- Byddwch yn gwrtais, gan gynnal perthynas broffesiynol.

- Ceisiwch sicrhau bod y cyfnewid gwybodaeth rhwng y cartref â'r canolfan yn ystyrlon.

Gwirio'ch cynnydd

Pam ei bod hi'n bwysig bod gweithwyr gofal plant proffesiynol yn gweithio gyda rhieni?

Pa ddeddfwriaeth sy'n gofyn bod gweithiwyr proffesiynol yn gweithio mewn partneriaeth gyda rhieni?

Sut mae partneriaeth yn helpu:

(a) plant?

(b) rhieni?

(c) gweithwyr gofal plant?

Pam fod angen i ganolfannau ddatblygu eu dulliau arbennig eu hunain o gynnwys y teuluoedd y maent yn gweithio gyda hwy?

Cyfathrebu'n dda gyda rhieni

Mae'n gyfrifoldeb ar y sawl sy'n gweithio gyda phlant i wneud popeth y gallant i sicrhau bod rhieni'n cael eu croesawu a'u gwerthfawrogi. Dylid ystyried anghenion a theimladau pob rhiant. Mae'n bosibl y bydd gan rai ohonynt atgofion llai positif na'i gilydd am eu plentyndod ac y bydd angen eu hannog i deimlo'n

gysurus. Efallai y bydd angen rhoi esboniadau ychwanegol a cheisio tawelu meddyliau rhieni sydd heb arfer â'r dulliau gweithredu a ddefnyddir. O bosibl, bydd rhieni sy'n perthyn i grwpiau ethnig lleiafrifol yn poeni na fydd cefndir diwylliannol a chrefyddol y plentyn yn cael ei ddeall. Dylid gwneud darpariaeth i sicrhau bod rhieni nad ydynt yn defnyddio iaith y sefydliad yn derbyn ystod lawn o gyfleoedd i gymryd rhan yng ngofal ac addysg eu plant.

ARGRAFFIADAU CYNTAF

Mae argraffiadau cyntaf yn gallu bod yn bwysig iawn, ac yn gallu helpu rhieni i benderfynu a fydd eu plant yn mynychu canolfan penodol neu ganolfan arall. Bydd y mwyafrif o sefydliadau wedi deall hyn ac yn cymryd gofal arbennig i sicrhau bod y ffordd i mewn i'r adeilad yn amlwg, gydag arwyddion sy'n helpu ymwelwyr i ddod o hyd i'r person priodol. Mae hysbysfyrddau ac arddangosfeydd yn y fynedfa a'r cyntedd yn dangos ar unwaith beth yw athroniaeth y ganolfan. Mae arddangosfeydd o waith y plant, a drefnwyd gyda gofal a dychymyg yn dangos safonau proffesiynol, gallu'r plant a'r ffaith bod eu gwaith yn cael ei werthfawrogi. Mae ffotograffau o'r staff ynghyd â'u henwau yn rhoi syniad i rieni o'r ffordd mae'r canolfan yn gweithio. Mae'n bosibl y bydd hysbysfwrdd sy'n cael ei ddiweddaru'n gyson ac yn cynnwys gwybodaeth am ddigwyddiadau a phynciau cyfredol yn denu sylw rhieni ac yn eu hannog i gymryd rhan yn y gweithgareddau. Mae cyflwr a chynhaliaeth ffisegol yr adeilad hefyd yn creu argraff; ni fyddai'r un rhiant yn dewis gyrru eu plant i amgylchedd llwm, peryglus neu fudr.

O bosibl, bydd ymateb y staff yn fwy pwysig na chroeso'r amgylchedd ffisegol. Yn y mwyafrif o sefydliadau, bydd un person yn gyfrifol am ddelio gydag ymholiadau a helpu plant a theuluoedd newydd i ymgyfarwyddo, ond nid yw hyn yn golygu na ddylai aelodau eraill o'r staff gymryd rhan. Dylai fod gan bawb amser i wenu a chyfarch wrth i rieni aros i weld yr aelod penodol o'r staff. Cofiwch ei bod hi'n bosibl y bydd rhieni'n teimlo'n anesmwyth mewn lleoliad anghyfarwydd. Heb os, bydd rhieni'n pryderu wrth adael plentyn am y tro cyntaf a bydd angen eich cefnogaeth arnynt. Gall cofio'r pwyntiau canlynol fod yn gymorth i dawelu meddyliau'r rhieni:

- Gwenwch a nodiwch eich pen pan welwch riant, hyd yn oed os ydynt ar eu ffordd i weld aelod arall o'r staff.

Mae mynedfa groesawgar yn creu argraff bositif

- Gwnewch amser i siarad â rhieni. Os bydd angen amser a phreifatrwydd ar gyfer trafod eu pryderon, ceisiwch drefnu apwyntiad sy'n gyfleus iddynt hwy ac i chithau.

- Os gallwch, cyfarchwch bobl yn ôl eu henwau. Mae 'mam Elan' yn iawn mewn argyfwng, ond nid yw'n ffordd briodol o gyfarch rhywun, o bosibl.

- Cofiwch fod sawl math gwahanol o deulu, ac nad yw'n anarferol i ganfod bod gan rieni gyfenw gwahanol i'w plant neu eu partner. Rydym yn byw mewn cymdeithas sy'n llawn amrywiaeth ddiwylliannol, a rhaid bod yn ymwybodol bod gan gymunedau eu harferion enwi eu hunain ac nad ydynt yn dilyn, o bosibl, arfer y Gorllewin o roi enw teuluol ar ôl enwau personol. Gofynnwch i gydweithwyr neu edrychwch ar gofnodion i ganfod sut y mae rhieni yn hoffi cael eu cyfarch. Os nad ydych yn sicr sut i'w ynganu, holwch y rhiant.

Astudiaeth achos ...

... argraff dda

Pan aned Esyllt, gadawodd ei mam, Meinir, ei gwaith dros dro. Pan ddaeth yr adeg i Meinir ddychwelyd i'r gwaith, ymwelodd â nifer o feithrinfeydd a oedd wedi'u lleoli rhwng ei chartref a'i gweithle. Roedd plant nifer o'i ffrindiau mewn meithrinfeydd lleol, ac felly gwrandawodd ar yr hyn a oedd ganddynt i'w ddweud cyn penderfynu ymweld â rhai ohonynt. Pan ffoniodd Meinir y feithrinfa a ddewiswyd yn y pen draw, trefnodd ymweliad ar adeg pan fyddai nyrs feithrin brofiadol yn rhydd i'w thywys o amgylch. Fe'i anogwyd i ddod ag Esyllt gyda hi.

Ni chafodd Meinir unrhyw drafferth i ddod o hyd i'r feithrinfa. Dilynodd arwydd yn cyfeirio at y drws blaen, a agorodd ar fynedfa olau. Roedd yn amlwg bod y feithrinfa'n eu disgwyl, am fod yr aelod staff a agorodd y drws wedi cyfarch Meinir ac Esyllt yn ôl eu henwau. Gofynnwyd iddynt eistedd yn y fynedfa ac aros nes y byddai'r nyrs feithrin wedi cyrraedd. Cafodd amser i edrych ar arddangosfeydd o waith y plant ac ar yr hysbysfwrdd rhieni amlwg, a oedd yn llawn gwybodaeth am yr hyn a oedd yn digwydd yn y feithrinfa, ynghyd â nodiadau atgoffa i rieni. Tywyswyd Meinir ac Esyllt o amgylch y feithrinfa. Esboniwyd trefniadaeth yr ystafelloedd a threfn y dydd, ac fe'u cyflwynwyd i'r staff. Dangoswyd yr ystafell lle byddai Esyllt yn treulio'r rhan fwyaf o'i hamser a chafodd gyfle i gyfarfod â'r staff a weithiai gyda phlant o'i hoedran hi.

Cynigiwyd paned o de i Meinir yn swyddfa'r feithrinfa a chafodd gyfle i holi ynglŷn â'r hyn a welodd ac i godi unrhyw bwyntiau eraill. Cafodd ddigon o amser i wneud hyn, ac atebwyd ei chwestiynau'n llawn. Wrth iddi adael, cafodd gopi o lyfryn y feithrinfa ac fe'i anogwyd i gysylltu â'r staff os oedd ganddi unrhyw gwestiynau neu bryderon.

Pam fod Meinir wedi dewis y feithrinfa hon, yn eich barn chi?

Pam fod y feithrinfa wedi annog Esyllt i ymweld gyda'i mam, yn eich barn chi

Beth fyddai rhiant eisiau gwybod, o bosibl, wrth ymweld â meithrinfa am y tro cyntaf?

SGILIAU SIARAD A GWRANDO

Mae'n werth ystyried eich sgiliau cyfathrebu a sut y gallant ddylanwadu ar eich perthynas â rhieni. Wrth siarad â, neu wrando ar rieni, ystyriwch y pwyntiau canlynol:

- Sicrhewch fod eich llygaid yn cyfarfod ond byddwch yn ofalus – gall syllu'n galed wneud iddynt deimlo'n anghysurus.

- Peidiwch â thorri ar draws a chymharu drwy siarad am eich profiadau chi'ch hun. Anogwch fwy o sgwrs drwy ddefnyddio ymadroddion fel 'Dwi'n gweld …', 'Dwedwch wrtha' i …'

- Gwnewch yn siŵr eich bod chi ar yr un lefel. Peidiwch ag eistedd i lawr os yw'r rhiant yn sefyll, neu fel arall. Bydd hyn yn golygu bod y cyfathrebu yn llai cyfartal.

- Os yw'r rhiant wedi eu cynhyrfu neu'n awyddus i drafod rhywbeth mewn preifat, chwiliwch am rywle addas i siarad.

- Dangoswch beth yw ffiniau cyfrinachedd. Sicrhewch y rhiant y byddwch yn delio ag unrhyw wybodaeth a rennir mewn ffordd broffesiynol, ond y bydd gofyn datgelu rhywfaint o'r wybodaeth, o bosibl.

- Crynhowch y pwyntiau a wnaed yn ystod ac ar ddiwedd y drafodaeth. Bydd hyn yn arbennig o ddefnyddiol os yw'r rhiant wedi dod i drafod dulliau o ddelio â phroblem.

- Cadwch eich pellter. Mae pawb angen rhywfaint o ofod. Os ydych yn mynd yn rhy agos, mae'n bosibl y bydd y person arall yn teimlo'n anghysurus. (Ar y llaw arall, weithiau bydd gan bobl o wledydd eraill safbwyntiau gwahanol ynglŷn â gofod personol ac mae'n bosibl y byddant yn ystyried bod cadw pellter yn arwydd o elyniaeth.)

- Mae'n bosibl y byddwch yn credu bod rhiant yn poeni am rywbeth sy'n gwbl ddibwys. Peidiwch â thrin y pryderon hyn fel petaent yn ddim byd, rhag ofn na fydd y rhiant yn barod i rannu eu pryderon yn y dyfodol. Ceisiwch dawelu eu meddyliau.

- Peidiwch â defnyddio **jargon** (termau na fyddai neb ond rhywun gyda'ch cefndir proffesiynol chi yn eu deall). Mae hyn yn gallu creu annifyrrwch, ac mae'n golygu nad ydych yn cyfathrebu'n effeithiol.

term allweddol

Jargon
terminoleg sy'n benodol i gefndir proffesiynol penodol

- Os nad yw rhai o'r rhieni'n siarad /CymraegSaesneg, ceisiwch drefnu cyfieithydd a fydd yn gallu cyfieithu drostynt. Bydd rhai awdurdodau lleol yn darparu'r gwasanaeth hwn, neu efallai y byddwch yn gallu cael hyd i rywun lleol. Y mae pob rhiant, nid yn unig y rhai sy'n siarad Saesneg, yn awyddus i rannu gwybodaeth ac i gael eu holi ynghylch cynnydd eu plant.

- Cofiwch (yn enwedig os ydych yn fyfyriwr) y bydd rhaid i chi drafod, fel rheol, unrhyw geisiadau gan rieni gyda'ch cydweithwyr a'ch rheolwr llinell. Peidiwch â gwneud cytundebau na allwch, o bosibl, eu cadw!

CYFATHREBU YSGRIFENEDIG

Bydd gan bob canolfan lyfryn ar gyfer rhieni, yn cynnwys gwybodaeth gychwynnol am y gwasanaeth a gynigir. Yn naturiol, bydd y llyfrynnau'n amrywio, er bod ganddynt elfennau cyffredin. Mae'n debyg y bydd y rhain yn cynnwys y canlynol:

- lleoliad, gan gynnwys cyfeiriad, rhif ffôn, person y gellir cysylltu â nhw

- amserau agor y ganolfan a hyd y sesiynau

- ystod oedran y plant sy'n mynychu'r ganolfan

- meini prawf ar gyfer mynediad (er enghraifft, mae'n bosibl y bydd meithrinfa gweithle yn gofyn bod y rhiant yn gweithio yn y sefydliad; mae nifer o sefydliadau gwasanaeth cymdeithasol yn gofyn bod gweithwyr cymdeithasol neu ymwelydd iechyd yn cyfeirio plentyn atynt)

- gwybodaeth am unrhyw brydau bwyd a byrbrydau a ddarperir

- gwybodaeth am y cyfleusterau a'r llety sydd ar gael

- rhestr ffioedd (os o gwbl) a godir

- cyfeiriad at unrhyw bolisïau, yn enwedig rhai yn ymwneud ag anghenion addysgol arbennig a chyfleoedd cyfartal

- cymwysterau, rolau a chyfrifoldebau'r staff

- mynegiad o raglen ddyddiol neu sesiynol ar gyfer y plant

- yr hyn y disgwylir i rieni ei ddarparu, er enghraifft cewynnau, dillad sbâr, hufen haul

- manylion am unrhyw ymrwymiadau y bydd rhaid i'r rhieni eu gwneud, er enghraifft dyddiau rota, nodyn o ymadael, mynychiad cyson

- manylion am ba bynnag ddull o ddysgu a ddefnyddir er enghraifft dysgu drwy chwarae, Highscope, Montessori a'r cwricwlwm a ddilynir

- gwybodaeth am y drefn gwyno.

Mae llyfryn yn gallu rhoi llawer o wybodaeth i riant a bydd hefyd o ddefnydd oherwydd y gellir cyfeirio ati'n ddiweddarach.

Gall rhieni ddisgwyl derbyn ystod eang o gyfathrebiadau ysgrifenedig unwaith y bydd eu plentyn wedi dechrau mynychu'r canolfan. Mae rhai canolfannau'n cynhyrchu eu llyfrynnau eu hunain, er enghraifft, am eu dull o ddysgu darllen neu feysydd eraill y cwricwlwm, gan ddangos i rieni sut y gallant chwarae rhan yn addysg eu plant. Mae'n bosibl, hefyd, y bydd rhieni'n derbyn taflenni newyddion cyson, gwahoddiadau i gyngherddau, cyfarfodydd rhieni, ceisiadau am gymorth a chefnogaeth, gwybodaeth am y gweithgareddau a ddarperir ar gyfer plant, rhagrybuddion am wyliau a chau'r ganolfan, ac yn y blaen. Yn aml, atgoffir y rhieni eto drwy gyfrwng rhybuddion ysgrifenedig ac ar lafar. Mae'n bwysig bod y rhybuddion a'r llythyrau hyn yn cyfathrebu'r wybodaeth mewn ffordd glir a chyfeillgar.

Weithiau bydd angen cyfnewid gwybodaeth ar lefel unigol, er enghraifft os bydd plentyn wedi cael damwain yn ystod y sesiwn. O bosibl, bydd rhiant yn derbyn nodyn am y digwyddiad, neu esboniad wrth gasglu'r plentyn. Mae rhieni angen gwybod beth sydd wedi digwydd, a rhaid i rywun fod yn gyfrifol am roi'r wybodaeth hon iddynt.

Gwirio'ch cynnydd

Pam ei bod hi'n bwysig bod mynedfa canolfan yn groesawgar ac yn denu'r rhieni?

Beth ddylai staff gofal plant ei wneud i sicrhau bod eu sgyrsiau â rhieni'n bositif ac yn gynhyrchiol?

Sut gallwch chi gyfathrebu'n effeithiol gyda rhieni nad ydynt yn defnyddio Cymraeg/Saesneg fel eu hiaith gyntaf? Rhowch enghreifftiau.

Pa wybodaeth y dylid ei chynnwys yn llyfryn y ganolfan?

Pa fathau eraill o wybodaeth ysgrifenedig y gallai rhieni ddisgwyl eu derbyn?

Beth ddylech chi ei gadw mewn cof wrth baratoi gwybodaeth ysgrifenedig i'w rhannu â rhieni?

Rhieni a chadw cofnodion

Mae'n ofynnol bod pob sefydliad yn cadw cofnodion am y plant a'r teuluoedd y maent yn ymwneud â hwy. Bydd cynnwys y cofnodion hyn yn amrywio yn ôl y math o ofal a ddarperir. Byddant bob amser yn cynnwys data personol am y plentyn, a roddwyd gan y rhieni. Yn ogystal, bydd cofnodion yn dangos cynnydd a chyflawniadau plentyn yn ystod eu cyfnod yn y ganolfan a gofynnir i rieni gyfrannu at y rhain hefyd.

GWYBODAETH GYCHWYNNOL

Fel rheol gofynnir i rieni gwblhau ffurflen sy'n cynnwys y canlynol:

- manylion personol am y plentyn: enw llawn, dyddiad geni ac yn y blaen
- enwau, cyfeiriadau a rhifau ffôn rhieni ac unrhyw bobl eraill y gellir cysylltu â hwy mewn argyfwng
- manylion meddygol a fydd yn cynnwys cyfeiriad a rhif ffôn meddyg y plentyn ac unrhyw wybodaeth am alergedd a meddyginiaethau a roddir yn gyson
- manylion am unrhyw anghenion dietegol penodol
- manylion am grefydd a allai effeithio ar y gofal a ddarperir ar gyfer y plentyn.

Ar ben hyn, mae'n bosibl y bydd y ganolfan angen gwybodaeth sensitif; er enghraifft, a oes unrhyw gyfyngiadau ynghylch pwy sy'n casglu'r plentyn o'r ganolfan? A yw'r gwasanaethau cymdeithasol yn gweithio gyda'r teulu?

Bydd angen sicrhau rhieni bod y fath wybodaeth yn gyfrinachol ac yn cael ei storio'n ddiogel. Rhaid i ganolfannau sicrhau bod yr wybodaeth hanfodol hon yn gywir ac yn gyfredol.

Bydd mathau eraill o wybodaeth yn ddefnyddiol iawn i staff. Gall y rhain gynnwys y canlynol:

- unrhyw wrthrych cysur sy'n eiddo i'r plentyn
- yr hyn mae'r plentyn yn hoffi, ac yn casáu, ei fwyta
- unrhyw ofnau penodol
- geiriau arbennig y gallai'r plentyn eu defnyddio, er enghraifft ar gyfer y toiled.

Mae'n arbennig o bwysig bod gan rieni hyder yn y staff a'u bod yn teimlo y gallant roi gwybodaeth am ddigwyddiadau yn y cartref a allai effeithio ar y plentyn. Bydd salwch yn y teulu, baban newydd neu riant yn gadael cartref oll yn bethau sy'n effeithio ar y plentyn. Mwya'n y byd yr anogir rhannu gwybodaeth o'r fath, llyfna'n y byd fydd y broses o rannu gofal. Mae rhai canolfannau'n defnyddio system **gweithiwr allweddol** lle bydd gan un aelod o'r staff gyfrifoldeb dros grŵp penodol o blant. Gall hyn fod yn ddefnyddiol i rieni'r plentyn gan y bydd yn eu galluogi i ffurfio perthynas â gweithiwr allweddol eu plentyn.

Cofiwch y bydd rhai rhieni'n cael anhawster â llenwi ffurflenni a gwybodaeth ysgrifenedig. Mae'n bosibl na fyddant yn llythrennog, neu efallai eu bod yn llythrennog mewn iaith arall ac angen cefnogaeth ieithyddol neu wybodaeth wedi'i chyfieithu.

---

term allweddol

Gweithiwr allweddol

yn gweithio gyda, ac yn ymwneud â, gofal ac asesiad plant penodol

---

Astudiaeth achos ...

... mynegi pryderon

Roedd Siân wedi bod yn dod i'r feithrinfa ers dros flwyddyn. Roedd hi'n ferch ddisglair ac allblyg gyda digon o ffrindiau, ac roedd hi'n cymryd rhan ym mhob gweithgaredd. Un bore, daeth i mewn yn edrych yn welw ac yn flinedig. Treuliodd y sesiwn gyfan yn ei chwrcwd yn y gornel lyfrau, yn aml wedi'i gorchuddio â ryg, yn ffugio cysgu. Pan ddaeth yn amser mynd adref, siaradodd y nyrs feithrin â mam Siân, gan ddisgrifio ei hymddygiad. Roedd ei mam yn agos at ddagrau. Esboniodd bod mam-gu Siân, a oedd yn byw gyda'r teulu, yn ddifrifol wael a'i bod hi wedi cael ei derbyn i'r ysbyty'r diwrnod cynt, a bod hyn wedi effeithio ar yr holl deulu.

Beth oedd yn bod ar Siân, yn eich barn chi?

Pam ei bod yn ddefnyddiol i'r staff wybod beth oedd yn ei chynhyrfu?

Yn eich lleoliad chi, pa gyfleoedd sydd gan rieni i rannu'r math hwn o wybodaeth unigol?

CYNNYDD A CHYFLAWNIADAU

Mae cadw cofnodion gyda rhieni yn fanteisiol iawn. Nid yw hyn yn golygu gwneud dim mwy na sicrhau bod cofnodion ar gael i rieni, ond yn hytrach annog rhieni i gyfrannu drwy gynnig eu harsylwadau eu hunain, gan osod y plentyn, felly, mewn cyd-destun ehangach sy'n cynnwys y cartref a'r gymuned. Gall rhieni gymryd rhan yn y broses o gofnodi cynnydd a chyflawniadau eu plant mewn sawl ffordd:

- Yn aml, bydd rhieni'n helpu staff i lunio proffil o'u plant pan dderbynnir hwy yn gyntaf. Fel rheol, trefnir y proffil yn ôl meysydd datblygiad ac mae'n dangos yr hyn y gall y plentyn ei wneud. Gall hefyd gynnwys gofod ar gyfer cyfeirio at hoffterau'r plentyn, er enghraifft 'yn hoffi peintio', ac unrhyw wybodaeth berthnasol arall, gan gynnwys pryderon. Bydd y proffiliau cyntaf hyn yn fan cychwyn ac ychwanegir atynt wrth i'r plentyn symud yn ei flaen ac ennill sgiliau newydd.

- Fel rheol cyfnewidir gwybodaeth am gyflawniadau neu bryderon plentyn mewn ffordd anffurfiol ar ddechrau neu ddiwedd sesiynau, a gall fod yn ddefnyddiol iawn.

- Byddai'r mwyafrif o leoliadau a rhieni'n cytuno bod angen cyfnewid gwybodaeth yn gyson mewn ffordd fwy strwythuredig, lle gall rhieni a staff ddiweddaru cofnodion a thrafod unrhyw gynnydd. Bydd hyn yn rhoi'r cyfle i rieni ychwanegu at y cofnodion a wnaed gan staff ac ychwanegu gwybodaeth atynt yn codi o'u harsylwadau eu hunain. Dylid hefyd trafod cynlluniau ar gyfer cynnydd yn y dyfodol gyda rhieni, gan bwysleisio'r bartneriaeth rhwng rhieni a staff, a chydnabod rôl allweddol y rhieni o ran hyrwyddo datblygiad eu plant.

- Mae rhestrau gwirio yn rhoi manylion am sgiliau a chyflawniadau ar ffurf ddarluniadol, fel y gwelir isod, yn gyflym ac yn hawdd eu llenwi. Bydd plant a rhicni'n mwynhau eu llenwi a chofnodi cynnydd gyda'i gilydd.

- Mae llyfrynnau tebyg i ddyddiadur, a lenwir yn gyson â chofnodion, ac a anfonir adref gyda'r plant, fel y gall rhieni eu darllen a rhoi sylwadau, yn ffordd ddefnyddiol arall o gyfnewid gwybodaeth, yn enwedig yn achos y rhieni hynny sy'n methu â dod i'r ganolfan yn gyson.

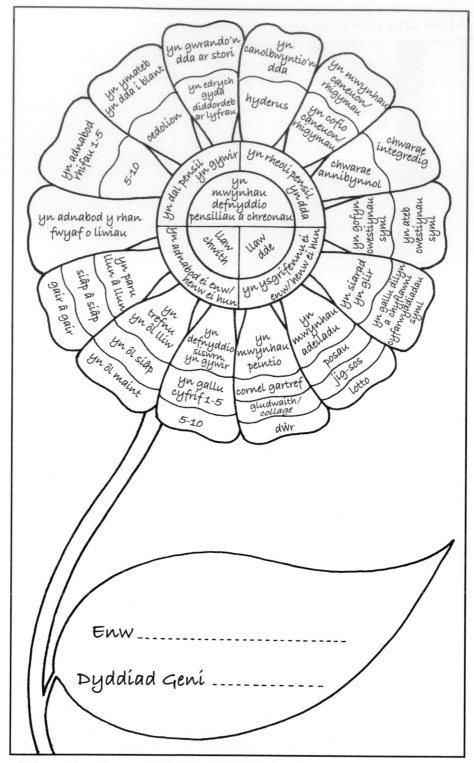

Bydd rhieni a phlant yn mwynhau cofnodi cynnydd gyda'i gilydd

Gwirio'ch cynnydd

Pa fath o wybodaeth y bydd canolfannau'n ei chadw am blant sydd dan eu gofal?

Pam ei bod hi'n bwysig storio'r wybodaeth hon yn ofalus a'i diweddaru'n aml?

Sut gall gweithwyr gofal plant sicrhau bod rhieni'n cael cyfle i rannu gwybodaeth unigol neu sensitif yn ymwneud â'u plant?

Sut gall rhieni gyfrannu at gofnodion am gynnydd a chyflawniadau eu plant?

Pam fod hyn yn fanteisiol i rieni ac i'r staff?

Sefyllfaoedd anodd

O bosibl, ceir adegau pan fydd gwrthdaro rhwng y ganolfan gofal plant a gweithwyr a rhieni. Gall deall a datrys y gwrthdaro fod yn dasg anodd i'r staff ei rheoli. Mae problemau megis plentyn yn mynd adref gyda'r got anghywir yn gymharol rwydd eu datrys mewn ffordd ysgafn, ond isod ceir enghreifftiau o sefyllfaoedd a allai achosi problemau mwy dyrys:

- Ar brydiau, bydd gwerthoedd y ganolfan, er enghraifft dulliau disgyblu plant, yn wahanol iawn i'r rhai a arferir gartref.

- O bosibl, bydd rhieni sy'n profi pwysau a straen yn eu bywydau fel petaent yn ymateb gyda dicter ac mewn ffordd ymosodol i'r hyn sy'n ymddangos yn ddigwyddiad dibwys, er enghraifft rhwyg yn nillad y plentyn.

- Os bydd dulliau gweithredu amddiffyn plant ar waith, a'r ganolfan yn monitro ac yn adrodd yn ôl am bob unrhyw ymwneud rhwng rhieni a phlant, mae'n bosibl y bydd straen ar y berthynas rhwng gweithwyr gofal plant a rhieni.

- Mae'n bosibl na chedwir at gytundebau, er enghraifft ynglŷn â chasglu'r plant ar amser a gytunwyd, neu dalu ffioedd ymlaen llaw.

- Mae'n bosibl y bydd rhieni'n anghytuno â dulliau'r ganolfan, er enghraifft gan herio dull gweithredu dysgu drwy chwarae.

- O bosibl, bydd rheolau yn gwahardd ysmygu ar y safle yn cael eu torri neu eu herio.

- Efallai y bydd gan rieni gwynion a phryderon ynghylch aelodau penodol o'r staff. Gallai hyn arwain at gŵyn swyddogol yn erbyn y ganolfan.

Nid oes unrhyw ateb perffaith sy'n gallu datrys problemau o bob math ac mae angen amlwg am hyfforddiant cyson sy'n rhoi'r sgiliau i staff i'w galluogi i ddelio â sefyllfaoedd anodd a heriol. Bydd canolfan sy'n gwerthfawrogi ei phartneriaeth â rhieni'n gweithio'n galed i gynnal hyder rhieni drwy geisio datrys problemau mewn ffordd sy'n bodloni pawb. Mae hyn yn debyg o ddigwydd os bydd:

- staff yn cymryd pryderon rhieni o ddifri ac yn trin y pryderon hynny gyda chwrteis

- eir ati i ddelio â dicter ac ymddygiad ymosodol mewn ffordd dawel, gan osgoi gwrthdaro

- sgiliau, teimladau a barn rhieni yn cael eu cydnabod a'u gwerthfawrogi

- y ganolfan yn dilyn dull gweithredu cyson a doeth wrth weithio gyda rhieni, a

bod pob aelod o'r staff yn ymwybodol ohono

● y staff yn adrodd eu pryderon wrth rieni mewn ffordd brydlon a gonest.

I grynhoi, er mwyn gweithio gyda rhieni yn y modd mwyaf effeithiol, rhaid i weithwyr gofal plant weithio mewn ffordd sy'n osgoi barnu, sef ffordd sy'n cydnabod bod gan rieni lawer iawn i'w gyfrannu wrth rannu gofal eu plant, a lle mae gweithwyr proffesiynol yn gwerthfawrogi ac yn gweithredu o ganlyniad i'r cyfraniadau hyn.

Astudiaeth achos ...
... sefyllfa anodd

Roedd Heledd wedi bod yn cael problemau gyda'i phartner. Roedd staff y ganolfan deulu a ofalai am ei mab, Huw, yn ymwybodol o'r problemau gartref ac wedi sylwi pa mor flinedig yr edrychai Heledd yn ddiweddar. Un prynhawn, ysgubodd Heledd i mewn i'r ganolfan gan waeddu mewn ffordd ymosodol ar Julie, gweithiwr allweddol Huw. Pan ofynnodd Julie beth oedd yn bod, gafaelodd yn Huw a throi i adael y ganolfan. Safodd Julie wrth y drws, gan ofyn i Heledd ddod i gael gair â hi yn y swyddfa. Roedd Heledd yn gyndyn, ond mewn ymateb i ymddygiad tawel ond cadarn Julie, cytunodd o'r diwedd. Gofynnodd Julie i Heledd beth oedd yn bod, ac esboniodd Heledd ei bod wedi cyrraedd adref a chanfod bod ei phartner wedi ei gadael. Dywedodd ei bod yn pryderu y byddai ei phartner yn ceisio cymryd y bachgen oddi arni. Rhoddodd Julie awgrymiadau ynglŷn â'r hyn y dylai Heledd ei wneud a phwy y dylai gysylltu â nhw pe bai hi'n ofni y byddai Huw yn cael ei gipio. Ar ôl iddi dawelu, ymddiheurodd Heledd a dywedodd y byddai'n aros gyda Huw am weddill y sesiwn er mwyn tawelu ei meddwl.

1. Pam fod Julie yn teimlo bod angen siarad â Heledd, yn hytrach na gadael iddi ruthro i ffwrdd mewn dicter?

2. Beth wnaeth Julie er mwyn sicrhau'r lleiafswm posibl o wrthdaro?

3. Pam fod mynd i mewn i'r swyddfa yn syniad da?

Gwirio'ch cynnydd

Pa fath o bethau allai achosi gwrthdaro rhwng y ganolfan gofal plant a rhieni? Rhowch enghreifftiau.

Pam ei bod hi'n bwysig bod staff yn ceisio datrys y problemau hyn?

Sut all staff sicrhau bod effeithiau'r gwrthdaro yn cael yr effaith leiaf posibl?

Pam fod dull gweithredu sy'n osgoi barnu yn bwysig

Cynnwys rhieni

Bydd pob rhiant yn ymwneud i raddau â'r ganolfan a fynychir gan eu plentyn. Bydd eu dull o gyfrannu yn dibynnu ar sut fath o ganolfan ydyw, ar y ffordd mae'r staff yn dehongli eu briff i weithio gyda rhieni ac ar y rhieni eu hunain. Isod ceir rhai enghreifftiau o'r modd y gall canolfannau gofal plant weithio gyda rhieni er lles eu plant.

YMGARTREFU

Mae pawb yn deall pa mor bwysig yw'r cyfnod ymgartrefu o safbwynt y plentyn a'r rhiant, ac anogir rhieni i gymryd rhan lawn. Bydd canolfannau'n defnyddio rhai neu bob un o'r canlynol i sicrhau bod y trawsnewidiad yn brofiad cadarnhaol.

- Yn aml bydd rhieni'n aros gyda'u plant nes, gydag anogaeth y staff, hyd nes eu bod yn hapus i adael. Yn y cam hwn, mae cyfnewid gwybodaeth yn hanfodol: bydd staff eisiau gwybod popeth am y plentyn, a'r rhieni eisiau gwybod sut mae eu plentyn yn ymgartrefu yn y dyddiau cynnar hyn. Mae'n bosibl y bydd rhieni sy'n gweithio llawn amser yn cael anhawster aros yn ystod y sesiynau hyn, ond ni fyddant yn llai pryderus; bydd rhoi digon o rybudd iddynt ynghylch dechrau yn golygu, o bosibl, y byddant yn gallu ail-drefnu a bod yno.

- Yn aml, bydd gan feithrinfeydd dydd sy'n ymwneud yn bennaf â rhieni sy'n gweithio, raglen ar gyfer cyflwyno rhieni a phlant i'r lleoliad, ac yn darparu sesiynau gyda'r nos lle gall plant a rhieni gyfarfod â staff ac ymweld â'r adeilad. Pan fydd y plentyn yn dechrau mynychu'r feithrinfa, fel rheol bydd rhywun ar gael i ffonio'r rhieni a thawelu eu meddyliau.

- Bydd gan rai meithrinfeydd glwb cyn-ysgol (neu gyn-feithrinfa) lle gall plant ddod gyda'u rhieni am nifer o sesiynau cyn dechrau'n swyddogol.

- Bydd rhai canolfannau'n ymweld â theuluoedd yn eu cartrefi cyn i'w plant ddechrau mewn meithrinfa neu ysgol. Yn aml, bydd rhieni'n teimlo'n fwy cysurus yn eu cartrefi eu hunain yn hytrach nag amgylchedd anghyfarwydd sydd o bosibl yn eu brawychu.

Mae'n bwysig cofio bod y cyfnod ymgartrefu'n gallu bod yn fwy o straen ar rieni nag ar y plentyn. O bosibl, bydd rhieni angen amser i addasu i'w rôl newydd.

Ar ôl y cyfnod o ymgartrefu, gall rhieni gymryd rhan mewn sawl ffordd.

Mae sesiynau aros a chwarae yn gallu bod yn boblogaidd iawn

GWEITHIO GYDA'R PLANT

Yma anogir rhieni i aros a chymryd rhan mewn gweithgareddau gyda'r plant, weithiau gan ymrwymo eu hunain i fynychu sesiynau'n gyson - er enghraifft gyda rota grŵp chwarae - ond yn amlach gan gymryd rhan dim ond weithiau. Mae presenoldeb oedolyn arall yn llesol i'r plant, mae rhieni'n cael cyfle i weld y lleoliad ar waith ac mae'r plant yn ymwybodol o'r cyswllt rhwng eu cartref a'r lleoliad. Yn aml darperir sesiynau coginio, crefft a nofio fel hyn ac mae llawer o ysgolion yn dibynnu ar gymorth rhieni wrth gynnal gweithgareddau darllen. Ni fyddai'n bosibl nac yn ddiogel i fynd â grwpiau o blant ar deithiau pe na bai rhieni'n gwirfoddoli i fynd gyda hwy. O bosibl, gall rhieni gyfrannu mewn ffordd fwy penodol, er enghraifft drwy siarad am eu swydd, dweud stori mewn iaith arall neu ganu offeryn.

Astudiaeth achos ...

... siarad â'r dosbarth

Roedd y dosbarth derbyn wedi bod yn gweithio ar y pwnc 'Ni ein Hunain'. Roedd y plant wedi archwilio eu nodweddion corfforol eu hunain gan eu cymharu â rhai eu ffrindiau, ac wedi cymryd rhan mewn nifer o weithgareddau cysylltiedig eraill. Roedd gan yr ysgol berthynas dda gyda'i rhieni, ac fe'u gwahoddwyd yn aml i gymryd rhan mewn gweithgareddau dosbarth. Cyn cychwyn pob pwnc, rhoddai athrawon dosbarth wybodaeth am eu cynlluniau ar hysbysfwrdd y rhieni, gan ofyn am gyfraniadau ar ffurf deunyddiau neu syniadau. Sylwodd un rhiant bod un athro yn cynllunio gweithio ar gymalau a'r ysgerbwd. Gan ei bod yn radiograffydd, gallai gael gafael ar luniau belydrau X a fyddai, meddyliai, yn ddefnyddiol ar gyfer y project. Ar ôl siarad â'r athrawes ddosbarth, fe'i perswadiwyd nid yn unig i gyfrannu'r lluniau pelydr X, ond hefyd i ddod a siarad gyda'r dosbarth. Er bod ganddi rai amheuon, daeth yno yn ei gwisg ysbyty a siarad â'r plant am ei gwaith. Roedd llawer o gwestiynau ar ddiwedd y sgwrs, llawer ohonynt gan blant a oedd wedi profi pelydrau X ar ôl damweiniau. Pan ddaeth yn ôl i gasglu ei phlant, gwelodd y gwaith a wnaed gan y plant ar ôl ei hymweliad ar hysbysfwrdd y dosbarth.

1. Sut wnaeth y plant elwa o'r profiad hwn, yn eich barn chi?

2. Sut wnaeth y rhiant elwa wrth gymryd rhan fel hyn, yn eich barn chi?

3. Ydych chi'n meddwl y byddai pob rhiant yn fodlon ymgymryd â'r rôl hon? Ar beth fyddai hynny'n dibynnu?

GWEITHIO YN Y CEFNDIR

Nid yw pawb yn gallu neu'n teimlo'n gysurus yn gweithio ochr yn ochr â'r plant. Gall rhieni gymryd rhan yn y dasg o wneud, trwsio a chynnal offer. Mae rhai grwpiau rhieni hefyd yn cymryd cyfrifoldeb dros godi arian a threfnu digwyddiadau cymdeithasol. Mae'r digwyddiadau cymdeithasol hyn, sy'n dod â staff a rhieni at ei gilydd, fel rheol yn hyrwyddo perthynas dda ac yn aml yn codi arian hefyd. Gall rhieni sy'n methu cymryd rhan yn ystod y dydd fod yn gyfrifol am bethau fel hyn.

ACHLYSURON ARBENNIG

Mae'r mwyafrif o ganolfannau'n gwahodd rhieni i bartïon, cyngherddau, chwaraeon, dyddiau agored neu sesiynau chwarae. Fel rheol, mae digwyddiadau o'r fath yn boblogaidd iawn. Bydd y mwyafrif o rieni yn gallu manteisio ar wahoddiad o'r fath os cymerir ymrwymiadau eraill i ystyriaeth, er enghraifft, os oes croeso i fabanod a phlant bach ddod i gyngerdd yn y prynhawn, neu os bydd digwyddiadau gyda'r nos yn cael eu cynnal o bryd i'w gilydd fel bod y rhai hynny sy'n gweithio yn

ystod y dydd yn gallu dod.

CEFNOGAETH I RIENI

Mewn rhai canolfannau mae gan y staff friff arbennig i weithio gyda rhieni. Gall hyn ddigwydd am fod rhyw anhawster o fewn y teulu sy'n effeithio ar y plentyn ac mae angen cefnogaeth ar y rhiant. Mae'r staff yn gweithio ochr yn ochr â rhieni a phlant fel rhan o raglenni unigol. Er mwyn i'r math hwn o waith lwyddo, mae'n hanfodol bod gan aelod o'r staff ymddiriedaeth a hyder y rhiant. O bosibl, bydd rhai canolfannau hefyd yn cynnig cyfleusterau galw heibio a grwpiau rhieni fel rhan o'u rhaglenni.

MYND Â'R CWRICWLWM ADREF

Bydd y mwyafrif o rieni'n disgwyl chwarae rhan o ran helpu eu plant i ddarllen. Mae dyddiaduron darllen cartref-ysgol, sy'n cynnwys sylwadau rhieni a staff am lyfrau a darllen, yn gyswllt sy'n dangos i blant bod pawb yn cefnogi eu cynnydd. Weithiau bydd canolfannau'n darparu pecynnau gweithgareddau i blant a rhieni, neu daflenni sy'n cynnwys awgrymiadau ynglŷn â sut i barhau neu atgyfnerthu'r hyn a wnaethant yn ystod y sesiynau. Mae'r dull hwn o weithio yn cydnabod ac yn pwysleisio y rhan bwysig a chwaraeir gan y cartref a rhieni yn addysg plant.

ROLAU SWYDDOGOL

Bydd rhai rhieni yn gweithio gyda'r ganolfan gofal plant yn swyddogol. Bydd gan bob ysgol wladol rieni, a etholwyd gan rieni eraill, ar eu cyrff llywodraethol ac mae ganddynt rôl bwysig a ddiffinnir gan y gyfraith. Fel rheol, mae pwyllgor o rieni'n rhedeg grwpiau chwarae er lles y gymuned leol. Mae'n bosibl y bydd gan sefydliadau o fathau eraill rieni ar eu pwyllgorau rheoli. Weithiau bydd rhieni'n gyndyn o gymryd rhan yn y ffordd yma, a rhaid eu sicrhau bod eu cyfraniad yn bwysig ac yn werthfawr.

Gwirio'ch cynnydd

Pam fod ymgartrefu'n gyfnod allweddol ar gyfer gwahodd rhieni i gymryd rhan?

Pam fod hyblygrwydd yn bwysig wrth wneud trefniadau ar gyfer helpu plant i ymgartrefu?

Ydy cymryd rhan yn golygu bod rhaid i rieni helpu yn y dosbarth? Esboniwch eich ateb.

Sut gall rhieni gymryd rhan yn y cwricwlwm?

Rhestrwch y gwahanol ffyrdd y gall rhieni weithio 'yn y cefndir'.

Nawr rhowch gynnig ar y cwestiynau hyn

Pam ei bod hi'n bwysig bod staff gofal plant yn gweithio mewn partneriaeth â rhieni?

Sut allech chi ddangos i rieni eich bod chi'n eu croesawu ac yn gwerthfawrogi eu cyfraniad?

Sut allech chi gwrdd ag anghenion:

(a)   rhieni nad ydynt yn siarad Cymraeg yn rhugl?

(b)   rhieni a fydd, o bosibl, yn teimlo'n anghysurus neu'n cael eu brawychu gan y sefydliad?

Pam fod rhannu'r dasg o gadw cofnodion gyda rhieni yn helpu'r plant i gynyddu?

GEIRFA

ABC ymddygiad patrwm pob ymddygiad. Rhagflaenydd – yr hyn sy'n digwydd cyn yr ymddygiad; Ymddygiad – yr ymddygiad sy'n digwydd o ganlyniad, boed hwnnw'n dderbyniol neu'n annerbyniol; Canlyniad – canlyniad yr ymddygiad, boed hwnnw'n bositif neu'n negyddol

Adfywio'r galon a'r ysgyfaint cywasgu'r frest ac awyru'n artiffisial er mwyn sicrhau bod ocsigen yn cylchdroi o amgylch y corff

Adnabyddiaeth uniaethu â'r sawl sy'n bwysig i ni

Adroddiad ail-law yr hyn a ddywedir wrthych gan eraill

Addasu ymddygiad technegau a ddefnyddir i newid ymddygiad annerbyniol a'i wneud yn dderbyniol

Addysg ddargludol dull o ddysgu a anelir at alluogi plant gyda nam symudol i weithredu o fewn cymdeithas

Addysg gydadferol rhaglen neu fenter a gynigir i'r sawl a allai brofi anfantais o fewn y system addysg

Aeddfedrwydd bod wedi datblygu'n llawn a medru rheoli'ch hunan

Aelod staff dynodedig y person a ddynodwyd o fewn sefydliad i wrando ar gyhuddiadau neu amheuaeth o gam-drin plant

Alergeddau bwyd adweithiau i fwydydd penodol yn y diet

Amddifadiad mamol plant yn cael eu 'hamddifadu o ofal mamol dros gyfnod hir' (Bowlby)

Amddiffyn plant statudol yr agweddau hynny o amddiffyn plant a gynhwysir mewn deddfwriaeth

Amlddisgyblaethol yn cynnwys gwahanol weithwyr proffesiynol

Amnion y pilenni sy'n ffurfio'r goden sy'n cynnwys y baban datblygol

Amniosentesis tynnir sampl o hylif amniotig drwy nodwydd a osodir i mewn i'r groth drwy'r wal abdomenol; fe'i defnyddir i ganfod abnormaleddau yn y cromosomau

Anabledd yr anfantais neu'r cyfyngiad ar weithgarwch a achosir gan gymdeithas sy'n araf i ystyried neu'n diystyru pobl gydag anableddau corfforol neu feddyliol ac felly yn eu heithrio o brif ffrwd gweithgareddau cymdeithasol. Yn ôl y model cymdeithasol, diffinnir anabledd fel 'cyfyngiad wedi ei orfodi gan gymdeithas' (Oliver, 1981)

Anaemia cyflwr lle na cheir digon o haemoglobin yn y gwaed

Anaemia cryman-gell cyflwr etifeddol yn ymwneud â ffurfiant haemoglobin

Anawsterau dysgu penodol anawsterau o ran dysgu darllen, ysgrifennu neu sillafu neu wneud mathemateg, nad ydynt yn ymwneud ag anawsterau dysgu cyffredinol

Anfanteision lluosog crynodiad problemau cymdeithasol mewn un ardal

Anffurfiad cynenedigol term a ddefnyddiwyd yn Neddf Plant 1989; anabledd sy'n amlwg ar adeg y geni

Anghenion addysgol arbennig anawsterau dysgu sy'n gofyn cael darpariaeth addysgol arbennig

Anhwylderau genedigol y glun mae cymal y glun yn wan neu wedi'i ddadleoli am nad yw'n llwyddo i ddatblygu'n iawn cyn y geni

Animistiaeth y gred bod gan bopeth sy'n bodoli ymwybyddiaeth

Annibyniaeth datblygu sgiliau sy'n arwain at lai o ddibyniaeth ar bobl eraill am gymorth neu gefnogaeth

Anwyldeb yr angen emosiynol i deimlo bod eich rhieni, gofalwyr, teulu, ffrindiau a'r gymuned gymdeithasol ehangach yn eich caru

Anymwybodol yn dangos diffyg ymateb i ysgogiad allanol

Arfer gwrth-wahaniaethol arfer sy'n annog edrych ar wahaniaeth mewn ffordd bositif, ac yn gwrthwynebu agweddau ar ymarfer negyddol sy'n arwain at drin pobl mewn ffordd anffafriol

Arferion canllawiau arbennig ar gyfer ymddwyn, a ddilynir gan grwpiau penodol o bobl

Arsylwad cofnod o ymateb plentyn i weithgaredd neu sefyllfa, a ddefnyddir gan weithwyr proffesiynol i fesur cynnydd ac anghenion

Arwahaniad cymdeithasol mae pobl yn profi arwahaniad cymdeithasol pan nad oes ganddynt deulu agos neu ffrindiau i ofalu amdanynt

Arwyddiaith Brydeinig iaith weledol ystumiol cymuned fyddar Prydeinig

Asesiad amlbroffesiwn mesuriad o berfformiad plentyn gan weithwyr proffesiynol o wahanol gefndiroedd, e.e. gofal iechyd, gwaith cymdeithasol, seicoleg ac ati

Asesiad sylfaen asesiad o sgiliau plant a gynhelir o fewn chwe wythnos pan dderbynnir y plant i'r ysgol am y tro cyntaf. Yn y dyfodol, mae'n debygol y cynhelir yr asesiad ar ddechrau Blwyddyn 1

Asesu cyfateb perfformiad plentyn i raddfa safonol, gan fesur eu cyflawniadau neu normau datblygiad

Asgwrn y forddwyd yr asgwrn hir yn y forddwyd

Asid amino rhan o brotein

Asthma anhawster anadlu, pan fydd llwybrau anadlu'r ysgyfaint yn culhau; yn cael ei sbarduno gan alergedd,

heintiau, ymarfer corff a gofid emosiynol

Atchweliad ymateb mewn modd sy'n briodol ar gyfer cam datblygiad cynharach

Atgyfnerthu ymateb i weithred neu ymddygiad fel bod canlyniad penodol - gwobr neu gosb - yn cael ei gysylltu â'r weithred gan olygu bod y weithred yn cael ei hailadrodd (atgyfnerthu cadarnhaol) neu beidio (atgyfnerthu negyddol)

Atgyrch ymateb anwirfoddol i ysgogiad

Atgyrch cysefin ymateb awtomatig baban newydd-anedig i ysgogiad penodol

Awtistiaeth anhawster ymwneud â phobl eraill a deall y byd cymdeithasol

Awyru artiffisial anadlu ceg-wrth-ceg er mwyn rhoi ocsigen yn ysgyfaint y claf

Bod yn ddiduedd peidio â chymryd safbwynt anhyblyg ynglŷn â rhywbeth

Braster annirlawn mae'n hylifol ar dymheredd ystafell ac yn dod yn bennaf o olew llysiau a physgod

Braster dirlawn mae'n solid ar dymheredd ystafell, ac yn deillio o fraster anifeiliaid yn bennaf

Brechlyn paratoad a ddefnyddir i ysgogi cynhyrchu gwrthgyrff a sicrhau imiwnedd yn erbyn un clefyd neu fwy

Broncitis haint ar y frest a achosir gan haint ar y prif lwybrau anadlu

Broncoledydd (esmwythwr) cyffur sy'n helpu'r llwybrau anadlu i ehangu. Fe'i defnyddir i drin asthma

Brych strwythur sy'n cynnal y baban sy'n datblygu yn y groth

Bwyd cyflenwol bwydo ychwanegol yn ogystal â bwydo o'r fron

Bwydo ar alw bwydo babanod yn ôl eu dymuniad yn lle bwydo yn ôl y cloc

Byddardod nerfol byddardod a achosir gan niwed i'r glust ganol, neu i'r nerfau, neu ganolfannau clywed yr ymennydd

Byddardod yn y glust ganol byddardod a achosir gan amhariad ar y broses o sŵn yn pasio trwy dympan y glust a'r glust ganol

Cadwraeth dealltwriaeth bod ansawdd sylwedd yn aros yr un fath os nad ychwanegir neu tynnir rhywbeth i ffwrdd, er ei fod o bosibl yn ymddangos yn wahanol

Calori uned egni

Canlyniad dysgu datganiad o'r hyn y bydd y plant/plentyn yn ei ddysgu o'r

gweithgaredd neu'r profiad

Canolbwyntio sgil sy'n caniatáu i chi ffocysu'ch holl sylw ar un dasg

Capilarïau pibellau gwaed bach iawn

Carthion ymgarthion, cynnyrch bwyd wedi ei dreulio

Cefndir diwylliannol ffordd o fyw teulu'r plentyn, sef cefndir ei fagwraeth

Ceilliau sydd heb ddisgyn pan fo'r caill yn aros yn y corff, yn lle disgyn i mewn i'r ceillgwd

Cenhedliad mae'n digwydd pan fydd sberm yn ffrwythloni ofwm aeddfed

'Cerrig sarn' dynodiad o'r camau y bydd angen i blant eu cymryd o 3 oed tuag at y nodau addysg gynnar yn 5+ oed

Cesaraidd geni'r ffetws drwy endoriad yn yr abdomen

Clefyd melyn y croen a gwyn y llygaid yn melynu am fod gormod o filirwbin yn y gwaed

Cleisiau gwasgaredig cleisio sydd wedi'i wasgaru

Clust ludiog lle mae deunydd heintiedig yn casglu yn y glust ganol ar ôl nifer o heintiau ar y glust

Cofrestr amddiffyn plant rhestrau o'r holl blant o fewn ardal y credir eu bod mewn perygl o gael eu cam-drin neu eu hesgeuluso

Colostrwm y llaeth cyntaf o'r fron yn cynnwys cyfran uchel o brotein a gwrthgyrff

Confylsiynau twymyn ffit neu drawiad sy'n digwydd o ganlyniad i dymheredd uchel yn y corff

Cosb canlyniad negyddol a gysylltir ag ymddygiad penodol

Creadigaeth gymdeithasol rhywbeth a achoswyd gan gymdeithas

Creadigrwydd mynegiant o syniadau mewn ffordd bersonol ac unigryw

Credoau ysbrydol yr hyn mae person yn ei gredu am y byd anfaterol

Crogiant fentrol pan ddelir y baban yn yr awyr, wyneb i lawr

Croth rhan o'r llwybr atgenhedlol

Crud cynnal crud amgaeedig sy'n rheoli tymheredd a lleithder

Cwricwlwm y cynnwys a'r dulliau dysgu sy'n ffurfio'r cwrs o ddysgu

Cwricwlwm Cenedlaethol cwrs o astudiaeth a bennwyd gan y llywodraeth. Rhaid i bob plentyn rhwng 5 ac 16 oed sy'n mynychu ysgolion y wladwriaeth yn y DU ei ddilyn

Cwricwlwm cudd negeseuon a gyflëir, yn anfwriadol yn aml, i blant o ganlyniad i agweddau a gwerthoedd yr oedolion sy'n dysgu'r cwricwlwm

Cwsg trwm ymlaciol (DRS) cyfnodau o anymwybyddiaeth yn ystod y cylch cysgu

Cydwybod y gynneddf sy'n dweud wrthym beth yw'r gwahaniaeth rhwng cywir ac anghywir

Cyfangiad cyhyrau'r groth yn tynhau'n ysbeidiol ac yn ddigymell

Cyfartaledd canol, safon neu 'norm'

Cyfathrebu di-eiriau cyfathrebu heb siarad, er enghraifft, symudiadau'r corff, cyswllt llygaid, ystumiau a mynegiant yr wyneb weithiau fe'i defnyddir i wella neu gymryd lle iaith

Cyfeiriadu i benderfynu safle pethau

Cyfeirio y broses lle mae un person sy'n amau bod camdriniaeth yn digwydd yn adrodd yn ôl i berson arall, a fydd yn gallu gweithredu os bydd angen gwneud hynny

Cyflawniad yr angen emosiynol am y boddhad a ddaw o ganlyniad i lwyddiant

Cyfleoedd cyfartal pawb sy'n cymryd rhan mewn cymdeithas hyd eithaf eu gallu, heb ystyried hil, crefydd, anabledd, rhyw neu gefndir cymdeithasol

Cyflwr salwch a ddiffiniwyd yn feddygol

Cyflwr coeliag anhwylder metabolaidd yn ymwneud â sensitifrwydd i lwten; ceir anhawster treulio bwyd

Cyfnod magu y cyfnod sy'n cychwyn pan fydd y pathogenau'n dod i mewn i'r corff ac yn gorffen pan welir arwyddion cyntaf heintiad

Cyfnod sensitif (neu allweddol) cyfnod o amser sy'n hanfodol ar gyfer cyflawni sgìl penodol

Cylchfa datblygiad procsimol (ZPD) term Vygotsky ar gyfer yr ystod o ddysgu na all y plentyn ei gyflawni ar ei ben ei hun, ond sy'n bosibl gyda chymorth

Cymdeithas amlddiwylliannol cymdeithas gydag aelodau sy'n dod o nifer o wahanol gefndiroedd diwylliannol ac ethnig

Cymdeithasau tai sefydliadau dielw sy'n bodoli er mwyn darparu cartrefi ar gyfer pobl o wahanol gefndiroedd cymdeithasol a diwylliannol sydd angen tai

Cymdeithasoli y broses sy'n galluogi plant i ddysgu diwylliant (neu ffordd o fyw) cymdeithas eu genedigaeth

Cymell geni dechrau'r esgor drwy ddulliau artiffisial, er enghraifft drwy dorri'r dŵr neu roi hormonau i ysgogi cyfangiadau

Cymeradwyaeth gymdeithasol pan fydd ymddygiad ac ymdrechion person yn cael eu cymeradwyo gan eraill

Cymhareb perthynas neu gyfran rifiadol un maint â maint arall

Cymhorthdal meithrin arian cyhoeddus a delir i sefydliadau yn y sector breifat a gwirfoddol er mwyn addysgu plant rhwng 2 a 5 oed

Cymhorthion ac addasiadau amgylcheddol er enghraifft, cloch drws blaen sy'n fflachio ar gyfer pobl fyddar, offer ac offer bwyta wedi'u haddasu, cymhorthion ymolchi ac ati

Cyn-cenhedlu y cyfnod rhwng penderfyniad cwpl i gael baban a chenhedliad y baban

Cynenedigol Clefyd neu anhwylder sy'n digwydd yn ystod cyfnod beichiogrwydd ac sy'n bresennol ar adeg y geni

Cynhadledd Amddiffyn Plant Gychwynnol yn dod â'r teulu, gweithwyr proffesiynol yn ymwneud â'r plentyn ac arbenigwyr eraill at ei gilydd i gyfnewid gwybodaeth a gwneud penderfyniadau

Cynhwysol wedi'i drefnu mewn modd sy'n galluogi pawb i gymryd rhan lawn a gweithredol; yn ateb anghenion pob plentyn

Cynllun Addysg Unigol (IEP) amlinelliad o nodau ac amcanion tymor byr a thymor hir gyda thargedau cyrhaeddiad gan blant ag anghenion arbennig

Cynllun dysgu gartref Portage cynllun sy'n helpu rhieni/gofalwyr i ddysgu eu plant gydag anawsterau dysgu yn eu cartrefi eu hunain, drwy osod tasgau tymor byr sydd o fewn eu cyrraedd

Cyn-tymor baban a enir cyn diwedd 36 wythnos y beichiogrwydd; fe'i disgrifir hefyd fel baban cynamserol

Cysgadrwydd yn brin o egni, yn flinedig ac yn ddiymateb

Cysondeb darpariaeth ac ansawdd rhyngweithio'n gyson (yn aros yr un fath), heb ddibynnu ar ba oedolyn y mae'r plentyn yn ymwneud ag ef/hi

Cytundeb cytundeb rhwng oedolyn a phlentyn - mae'r plentyn yn cytuno i ymddwyn mewn ffordd arbennig ac mae'r oedolyn yn cytuno i wobrwyo'r ymddygiad hynny pan fydd yn digwydd

Chwarae cydweithredol mae plant yn gallu chwarae gyda'i gilydd drwy gydweithredu; gallant fabwysiadu rôl o

fewn y grŵp a chymryd anghenion a gweithredoedd eraill i ystyriaeth

Chwarae cyfochrog mae'r plentyn yn chwarae ochr yn ochr â phlentyn arall ond heb ryngweithio; mae gweithgareddau chwarae yn dal i fod yn bersonol

Chwarae cysylltiadol mae'n dechrau chwarae gyda phlant eraill; mae plant yn rhyngweithio weithiau a/neu'n cymryd rhan yn yr un gweithgaredd er bod eu chwarae'n bersonol o hyd

Chwarae rôl esgus eich bod yn rhywun, neu rywbeth, arall

Chwarae unigol mae'r plentyn yn chwarae ar ei ben ei hun

Chwilfrydedd diddordeb holgar

Chwys hylif a grëir yn y chwarennau chwys ac a secretir trwy'r mandyllau ar wyneb y croen

Dadl natur-magwraeth trafodaeth i geisio penderfynu ai ffactorau genetig (natur) neu ffactorau amgylcheddol (magwraeth) sy'n dylanwadu mwy ar ymddygiad a chyrhaeddiad

Damcaniaeth seicreddiadol cyfuniad o ddamcaniaethau biolegol a dysgu, yn ymwneud â'r syniad y bydd datblygiad plentyn yn cael ei amharu, o bosibl, os na chyflenwir ei anghenion yn briodol yn ystod rhyw gam

Damcaniaethau biolegol mae'r hyn a etifeddwn yn enetig gan ein rhieni biolegol yn penderfynu beth fydd ein natur, cymdeithasgarwch, ymatebion emosiynol a'n deallusrwydd

Damcaniaethau datblygiad syniadau am sut a pham mae datblygiad yn digwydd

Damcaniaethau dysgu mae plant yn datblygu fel y gwnânt am eu bod yn cysylltu â phobl eraill ac yn dysgu oddi wrthynt

Dannedd sugno yr ugain dant cyntaf

Datblygiad corfforol datblygiad symudiad a rheolaeth gorfforol

Datblygiad cymdeithasol cynnydd yn y gallu i ymwneud ag eraill yn briodol a dod yn annibynnol, o fewn fframwaith gymdeithasol

Datblygiad emosiynol cynnydd yn y gallu i deimlo a mynegi ystod gynyddol o emosiynol yn briodol, gan gynnwys rhai yn ymwneud â'r hunan

Datblygiad gwybyddol datblygiad y gallu i feddwl a deall, sy'n cynnwys datrys problemau, rhesymu, canolbwyntio, cof, dychymyg a chreadigrwydd; fe'i gelwir hefyd yn

ddatblygiad deallusol

Datblygiad iaith datblygiad sgiliau cyfathrebu, sy'n cynnwys cyfathrebu dieiriau, darllen ac ysgrifennu, yn ogystal ag iaith lafar; fe'i gelwir hefyd yn ddatblygiad ieithyddol

Datblygiad motor y broses lle mae symudiadau cyhyrol yn mynd yn fwy cymhleth

Datganiad Anghenion Addysgol Arbennig adroddiad ysgrifenedig sy'n nodi anghenion plentyn anabl a'r adnoddau sydd eu hangen i gwrdd â'r anghenion hyn

Datganoli gallu gweld pethau o safbwynt rhywun arall

Datgeliad (camdriniaeth) pan fydd plentyn yn dweud wrth rywun eu bod wedi cael eu cam-drin

Datrys problemau y gallu i gasglu ynghyd ac asesu gwybodaeth am sefyllfa er mwyn darganfod ateb

Deddfwriaeth cyfriethiau a waned

Deddfwriaeth diogelwch cyfreithiau a grëir i atal damweiniau a hyrwyddo diogelwch

Delweddau cadarnhaol cynrychiolaeth o drawstoriad o nifer o rolau a sefyllfaoedd bob dydd, i herio stereoteipiau ac i ymestyn a chynyddu disgwyliadau

Derbynioldeb uwch yr ymddygiad tuag at blant y credir ei fod yn dderbyniol gan gymdeithas ar adeg benodol

Diabetes cyflwr sy'n rhwystro'r corff rhag metaboleiddio carbohydradau, gan arwain at lefelau uchel o siwgr yn y gwaed a'r wrin

Diddyfnu trawsnewid o fwyd llaeth i fwyd solid

Diffyg cynnydd methu â thyfu'n normal, heb fod rheswm organig dros hynny

Digwyddiadau seicopathig gweithredoedd pobl nad ydynt yn gallu dychmygu teimladau person arall nac uniaethu â hwy

Dilyniant darparu gweithgareddau a phrofiadau mewn trefn resymegol

Diwylliant dull o fyw, iaith ac ymddygiad sy'n dderbyniol ac yn briodol i'r gymdeithas y mae rhywun yn byw ynddi

Doliau anatomegol gywir doliau gyda rhannau cyrff manwl gywir, yn cynnwys organau rhyw

Dos y maint rhagnodedig o foddion y dylid ei gymryd

Dos cyfnerthol dos ychwanegol o'r brechlyn, a roddir ar ôl y dos cyntaf

Drwy brofiadau cyflawni drwy brofiad

 *681*

Dull gweithredu proffesiynol y ffordd mae gweithwyr yn delio â phobl ac yn ymwneud â nhw - ni ddylent adael i ymatebion personol effeithio ar eu gwaith

Dwyieithog siarad dwy iaith

Dychymyg y gallu i ffurfio delweddau meddyliol, neu gysyniadau o wrthrychau nad ydynt yn bresennol neu'n bodoli

Dyfais Caffael Iaith (LAD) yr enw a roddir gan Chomsky i'n galluoedd corfforol a deallusol cynhenid sy'n ein galluogi i gaffael a defnyddio iaith

Dyletswydd statudol dyletswydd sy'n ofynnol yn ôl y gyfraith

Dynwared copïo'n agos, cymryd patrwm

Dysgu mentro-a-methu cam cynharaf datrys problemau. Mae plant ifanc yn rhoi cynnig ar atebion hap, gan wneud camgymeriadau'n aml, nes dod o hyd i'r ateb neu roi'r gorau iddi

Edrych a dweud dull o ddysgu darllen sy'n dibynnu ar adnabod siâp neu batrwm gair

Egwyddor gwirionedd sylfaenol, sy'n sail i weithgaredd

Eiriolaeth siarad ar ran neu o blaid pobl anabl

Embryo term a ddefnyddir i ddisgrifio'r baban sy'n datblygu o'r cenhedliad hyd at 8 wythnos wedi'r cenhedliad

Emosiynau cymdeithasol empathi â theimladau eraill; y gallu i ddeall sut mae eraill yn teimlo

Empathi dealltwriaeth o sut mae eraill yn teimlo

Encopresis baeddu'r trôns, y llawr neu rywle arall yn fwriadol, a hynny ar ôl dysgu sut i reoli'r perfedd

Endometriwm leinin y groth

Ensym sylwedd sy'n helpu i dreulio bwyd

Enwresis gwlychu'r gwely'n anwirfoddol wrth gysgu

Epidwral anaesthetig a chwistrellir i mewn i'r gofod epidwral yn y madruddyn i feirioli'r ardal o dan y wasg

Epilepsi amhariad dros dro ar waith yr ymennydd, yn digwydd dro ar ôl tro

Episiotomi toriad yn y perinëwm i gynorthwyo gyda geni'r ffetws

Esgeulustod peidio â gwneud y pethau y dylid eu gwneud, er enghraifft amddiffyn plant rhag niwed

Esgor y broses sy'n peri bod y ffetws, y brych a'r meinweoedd yn cael eu gyrru allan o'r llwybr geni

Fasgwlar wedi'i gyflawni'n ddigonol â phibellau gwaed

Fentws cwpan sugno a roddir ar ben y ffetws er mwyn ei eni

Fernics sylwedd gwyn, hufennog ar groen y ffetws. Yng nghrychiadau croen babanod aeddfed ac ar fongyrff babanod a aned yn gynnar

Fitamin braster-hydawdd fitamin y gellir ei storio yn y corff, gan olygu nad oes angen ei gynnwys yn y diet bob dydd

Ffactorau rhagdueddol ffactorau sy'n peri bod cam-drin neu esgeulustod yn fwy tebygol o ddigwydd – fel rheol am fod nifer o'r ffactorau hyn yn digwydd ar yr un pryd

Ffagosytosis y broses lle mae'r celloedd gwyn yn amsugno pathogenau ac yn eu dinistrio

Ffetws y term a ddefnyddir i ddisgrifio'r baban o'r wythfed wythnos wedi'r cenhedliad hyd y geni

Ffibrosis y bledren cyflwr etifeddol sy'n peryglu bywyd, ac yn effeithio ar yr ysgyfaint a'r llwybr treulio

Fflamadwy defnydd sy'n llosgi'n hawdd

Ffloworid mwyn sy'n helpu i gadw'r dannedd rhag pydru

Ffoneg dull o ddysgu darllen a seilir ar adnabod seiniau

Ffontanél pen blaen ardal o feinwe siâp diemwnt ar flaen pen y baban. Mae'n cau rhwng 12 a 18 mis oed

Ffenylcetonwria (PKU) amhariad metabolaidd sy'n atal treuliad normal protein; fe'i etifeddir yn enciliol

Ffrwynig y we o groen sy'n cysylltu'r deintgig â'r wefus

Gafael Almar gafael drwy ddefnyddio'r llaw cyfan

Gafael pinsiwrn gafael drwy ddefnyddio'r mynegfys a'r bawd

Gafael trybedd cysefin gafael yn defnyddio bawd a dau fys

Galar teimladau o dristwch mawr wrth golli rhywun agos drwy farwolaeth

Gallu cynhenid gallu naturiol

Gefeiliau offer siâp llwy i amddiffyn pen y baban a chynorthwyo gyda geni'r ffetws

Glwten protein sy'n ymddangos mewn gwenith, rhyg, barlys a cheirch

Gofal dirprwyol y gofal a roddir i blant yn ystod cyfnodau o wahaniad oddi wrth eu prif ofalwyr

Gofal dydd darpariaeth gofal yn ystod y

dydd mewn amrywiaeth o leoliadau y tu allan i gartref plentyn gyda phobl nad ydynt yn berthnasau agos, naill ai'n llawn-amser neu'n rhan-amser

Gofal iechyd cychwynnol gofal iechyd uniongyrchol a hybu iechyd

Gofal preswyl darpariaeth gofal yn ystod y dydd a'r nos y tu allan i gartref y plentyn gyda phobl nad ydynt yn berthnasau agos

Gofal seibiant gofal tymor byr sy'n caniatáu i blentyn dderbyn hyfforddiant a chael ei asesu a/neu i roi seibiant i'w deulu

Gofid gwahanu mae babanod yn cynhyrfu wrth gael eu gwahanu oddi wrth y person y maent wedi ymlynu wrthynt

Gonadotroffin corionig dynol (HGC) hormon a gynhyrchir gan yr embryo a fewnblanwyd, ac a ysgarthir yn wrin y fam; mae ei bresenoldeb yn cadarnhau beichiogrwydd

Gorchmynion Adran 8 fe'u pennir gan lys pan fydd anghydfod ynghylch pa riant y dylai'r plentyn fyw gyda hwy, gyda phwy y gallant gysylltu, a rhai o'r camau a'r penderfyniadau y gall rhieni eu gwneud yn eu cylch

Gorchymyn Diogelu Brys gorchymyn llys sy'n galluogi plentyn i gael ei roi mewn llety diogel neu ei gadw mewn lle diogel

Gormes defnyddio grym i ddominyddu a chyfyngu pobl eraill

Gormes sefydliadol grym sefydliadau yn cael eu gorfodi ar unigolyn er mwyn ei gadw yn ei le

Gorweddol gorwedd ar y cefn

Greddfau patrymau ymddygiad na chafodd eu dysgu

Grŵp economaidd gymdeithasol grwpio pobl yn ôl eu statws mewn cymdeithas, yn seiliedig ar eu galwedigaeth, a gysylltir yn agos â'u cyfoeth/incwm; ffordd arall o gyfeirio at ddosbarth cymdeithasol person

Grŵp ethnig grŵp o bobl sy'n rhannu diwylliant cyffredin

Grŵp lleiafrif ethnig grŵp o bobl gyda diwylliant cyffredin, sy'n llai na'r grŵp mwyafrifol yn eu cymdeithas

Gwaedlifau pinbwynt ardaloedd bach o waedu dan yr wyneb

Gwahaniaethu i weld gwahaniaeth a dosbarthu yn ôl y gwahaniaeth hwnnw

Gwahaniaethu ymddygiad a seilir ar ragfarn, gan olygu bod rhywun yn cael eu trin yn annheg

Gwahaniaethu mewn sefydliad

triniaeth anffafriol sy'n digwydd oherwydd gweithdrefnau a systemau sefydliad

Gwarchodwr ad litem person a apwyntiwyd gan y llysoedd i ddiogelu a hyrwyddo budd a lles plant yn ystod achos llys

Gwasanaeth statudol gwasanaeth a ddarperir gan y llywodraeth ar ôl pasio cyfraith (neu statud) yn y Senedd

Gwasanaethau cartref gwasanaethau a ddarperir yn y cartref

Gwasanaethau gwirfoddol gwasanaethau a ddarperir gan sefydliadau gwirfoddol, a sefydlir gan bobl sydd yn awyddus i helpu grwpiau penodol o bobl sydd, yn eu barn hwy, angen cefnogaeth

Gwasanaethau preifat gwasanaethau a ddarperir gan unigolion, grwpiau o bobl, neu gwmnïau i ateb angen, darparu gwasanaeth, a gwneud elw ariannol

Gwefus neu daflod hollt nam ar ffurfiant y wefus uchaf, y daflod neu'r ddau

Gweithdrefn ffordd ragosodedig o wneud rhywbeth, y cytunwyd arno eisoes

Gweithiwr allweddol cyfundrefn staff lle mae aelod penodol o'r staff yn cymryd y cyfrifoldeb am grŵp o blant

Gweithred wirfoddol gweithred fwriadol y mae plentyn yn dewis ei chyflawni

Gweithredu cadarnhaol gweithredu i sicrhau bod gan unigolyn neu grŵp arbennig hawl cyfartal i lwyddo

Gwerthoedd credoau bod rhai pethau penodol yn bwysig ac y dylid eu gwerthfawrogi, er enghraifft, hawl person i'w heiddo ei hun

Gwrth gonfylsiwn cyffur a roddir i atal ffitiau

Gwrthgorff sylwedd wedi'i wneud gan gelloedd gwyn i ymosod ar bathogenau

Gwrthrychol yn rhydd o ddylanwad teimladau neu feddyliau personol

Gwrymiau rhes a adewir ar y cnawd

Haemoffilia anhwylder gwaed etifeddol, lle mae un o'r ffactorau ceulo'n ddiffygiol

Haemoglobin protein coch sy'n cario ocsigen ac yn cynnwys haearn, ac sy'n bresennol yn y celloedd gwaed coch

Hawliau plant y disgwyliadau a ddylai fod yn eiddo i bob plentyn ynghylch sut y dylent gael eu trin o fewn eu teuluoedd a chymdeithas

Hematoma isdwraidd gwaedu i mewn i'r

ymennydd

Hunan dderbyniad cymeradwyo chi'ch hun, heb geisio newid eich hun o hyd

Hunan gymeradwyaeth bod yn fodlon arnoch chi'ch hun

Hunan-barch hoffi a gwerthfawrogi'ch hunan

Hunanddelwedd bositif gweld eich hunan fel rhywun gwerthfawr

Hunanddelwedd negyddol mae'r plentyn yn teimlo'n ddiwerth

Hunan-ddibyniaeth y gallu i ddibynnu arnoch chi'ch hun i ymdopi

Hunan-eiriolaeth mynegi eich safbwynt eich hun

Hunanganolog yn gweld popeth o'ch safbwynt chi'ch hun yn unig

Hunangysyniad (neu hunanddelwedd) y ddelwedd sydd gennym ohonom ni'n hunain a'r ffordd y tybiwn fod eraill yn ein gweld

Hunaniaeth bersonol unigoliaeth person, y nodweddion sy'n peri ein bod ni'n wahanol i eraill ac ar wahân iddynt, ein personoliaeth

Hunan-werth ystyried bod gennych werth

Hunanymwybyddiaeth gwybodaeth am, a dealltwriaeth o'r hunan

Hydroceffalws cyflwr sy'n achosi i'r hylif sy'n amgylchynu'r ymennydd gynyddu, yn aml yn gysylltiedig â spina bifida

Hyfyw y gallu i oroesi y tu allan i'r groth

Hyfforddi i ddefnyddio'r toiled dysgu plant bach sut i wagio'r bledren a'r perfeddion i mewn i boti a/neu doiled mewn modd sy'n dderbyniol i gymdeithas

Hygyrch hawdd ei gyrraedd neu ddod ato

Hylendid astudiaeth o egwyddorion iechyd

Hylif yr ymennydd yr hylif sy'n amgylchynu'r ymennydd a madruddyn y cefn

Hypoglycaemia lefelau isel o glwcos yn y gwaed

Imiwnedd presenoldeb y gwrthgyrff sy'n amddiffyn y corff yn erbyn clefyd heintus

Imiwnedd goddefol gallu'r corff i wrthsefyll clefyd, drwy gyfrwng gwrthgyrff a roddwyd yn uniongyrchol i mewn i'r corff, er enghraifft y gwrthgyrff sy'n bodoli mewn llaeth o'r fron

Imiwnedd gweithredol gallu'r corff i wrthsefyll clefyd a gafwyd drwy ddioddef y clefyd neu drwy dderbyn

imiwneiddiad penodol

Impiad mae'n digwydd pan fydd yr ofwm ffrwythlon yn sefydlu ei hunan yn leinin y groth

Inswlin hormon a gynhyrchir yn y pancreas i fetaboleiddio carbohydrad yn llif y gwaed a rheoli glwcos

Isymwybod meddyliau a theimladau nad yw person yn gwbl ymwybodol ohonynt

Jargon terminoleg sy'n benodol i gefndir proffesiynol penodol

Labelu rhoi enw drwg (neu label) i rywun ar sail un rhan fach o'u hymddygiad yn unig. Er enghraifft, byddai'n bosibl labelu plentyn swnllyd drwy ddweud ei fod yn aflonyddgar. Mae hyn yn rhoi darlun rhagfarnllyd o'r plentyn

Lanwgo blew mân a geir ar gorff y ffetws cyn y geni, ac ar y baban newydd-anedig

Layette dillad cyntaf baban

Lefel datblygiadol y cam y mae plentyn wedi ei gyrraedd yn ei ddatblygiad. Nid yw hwn o reidrwydd yn gyson ag oed cronolegol y plentyn (oedran mewn blynyddoedd)

Lwfans Ceisio Gwaith budd-daliadau a delir i bobl sy'n cofrestru fel pobl ddi-waith

Lleoleiddio chwilio am, a lleoli, ffynonellau sŵn

Llety oddi cartref lleoliad gyda gofalwr maeth neu o fewn lleoliad preswyl a drefnwyd gan adran gwasanaethau cymdeithasol yr awdurdod lleol

Llindag haint ffwngaidd o'r geg a/neu'r cewyn

Llyfr damweiniau dogfennaeth gyfreithiol yn cofnodi pob damwain ac anaf sy'n digwydd mewn unrhyw sefydliad

Llygaid gludiog rhedlif o'r llygaid sy'n digwydd yn ystod 3 wythnos gyntaf bywyd

Llythrennedd agweddau ar iaith sy'n ymwneud â darllen ac ysgrifennu

Maetholyn sylwedd sy'n rhoi maeth hanfodol i'n cyrff

Makaton cyfundrefn o arwyddion syml a ddefnyddir gyda phobl â sgiliau iaith cyfyngedig

Meconiwm carthion cyntaf y baban newydd-anedig - symudiad meddal, du/gwyrdd sy'n bresennol ym

683

mherfedd y ffetws o tua 16eg wythnos y beichiogrwydd

Melanocytau celloedd yn llawn pigment

Mesuriadau normadol cyfartaledd neu norm y gellir mesur datblygiad unrhyw blentyn unigol yn ei erbyn

Metabolaidd yn ymwneud â'r broses o dreulio, amsugno a defnyddio bwyd

Mewnoli i ddeall y pethau sy'n bwysig i oedolion a dechrau credu ac ymddwyn yn debyg

Milia 'smotiau llaeth' – smotiau bach gwyn ar drwynau babanod newydd-anedig a achosir gan chwarennau sebwm caeedig

Model cymdeithasol safbwynt sy'n ystyried bod anabledd yn broblem o fewn cymdeithas

Model meddygol safbwynt sy'n barnu bod pobl anabl angen ymyriad meddygol

Myctod genedigaeth methiant y baban i resbiradu'n ddigymell ar enedigaeth

Mygu atal anadlu

Nam diffyg aelod cyfan o'r corff neu ran ohono, neu newid neu gyfyngiad yn swyddogaeth aelod, organeb neu fecanwaith y corff. Yn ôl y model cymdeithasol, diffinnir nam fel 'cyfyngiad a osodwyd gan gymdeithas ar yr unigolyn' (Oliver, 1981)

Nam ar y clyw naill ai byddardod yn y glust ganol neu fyddardod nerfol; yn amrywio o amhariad bach ar y clyw i fyddardod difrifol

Nam ar y golwg nam gweledol, yn amrywio o ddallineb i olwg rhannol

Nam ar y synhwyrau colli clyw neu olwg

Nam symudol nam ar swyddogaeth neu symudiad

Nod therapiwtig penodol yn nodi amcanion a fydd yn gwrthweithio effeithiau'r cyflwr neu'r nam

Nodau Addysg Gynnar y cwricwlwm ar gyfer plant dan 5 oed yng Nghymru

Norm sgìl datblygiadol a enillir o fewn graddfa amser gyfartalog

Normau y rheolau a'r canllawiau sy'n troi gwerthoedd yn weithredoedd

Nychdod cyhyrol (Duchenne) cyflwr sy'n ymwneud â dinistriad cynyddol meinwe'r cyhyrau, yn effeithio ar fechgyn yn unig

Oed cronolegol oedran plentyn mewn blynyddoedd a misoedd

Oedema meinweoedd yn chwyddo oherwydd hylif

Oedran ysgol statudol yr oedrannau pan fo rhaid i blentyn dderbyn addysg yn ôl y gyfraith; o ddechrau'r tymor ar ôl eu 5ed penblwydd, tan ddiwedd y flwyddyn ysgol pan gawsant eu 16eg penblwydd

Oesoffagws brig y llwybr treulio, sy'n arwain o'r geg i'r stumog

Oestrogen hormon a gynhyrchir gan yr ofarïau

Ofwm wy a gynhyrchir gan yr ofari

Organau cenhedlu organau rhyw

Ortho-weithredu dull dysgu sy'n cynnwys yr holl berson, yn gorfforol ac yn feddyliol, ac yn 'rhoi i blant y gallu i weithredu fel aelodau o gymdeithas, ac i gymryd rhan mewn sefyllfaoedd cymdeithasol normal sy'n briodol i'w hoedran'

Otitis media haint ar y glust ganol

Pancreas chwarren sy'n secretu inswlin ac ensymau sy'n cynorthwyo treulio

Parablu mam neu barablu rhiant term a ddefnyddir gan ymchwilwyr i ddisgrifio'r rhyngweithio ieithyddol sydd wedi ei ffocysu ac yn galluogi, a welir fel rheol rhwng mam a baban

Parasit yn byw oddi ar, ac yn cael ei fwyd o fodau dynol

Parlys yr ymennydd anhwylder mewn symudiad ac ystum; mae'r rhan o'r ymennydd sy'n rheoli symudiad ac ystum wedi ei niweidio neu'n methu â datblygu

Partneriaeth gyda rhieni ffordd o weithio gyda rhieni sy'n adnabod eu hanghenion a'u hawl i gymryd rhan mewn penderfyniadau sy'n ffeithio ar eu plant

Pathogenau germau megis bacteria a firysau

Pelfis yr esgyrn sy'n ffurfio'r gwregys pelfig

Pen yn llusgo mae pen y baban yn syrthio'n ôl pan dynnir ef ar ei eistedd

Pennaf o'r pwys mwyaf

Peripatetig teithio i weld rhai y maent yn gweithio gyda hwy

Plant mewn angen mae plentyn 'mewn angen' os yw'n annhebygol o lwyddo i gynnal safon iechyd neu ddatblygiad rhesymol heb ddarpariaeth gwasanaethau, neu os yw'n anabl

Plentyn newydd-anedig baban sydd newydd gael ei eni

Plentyn-ganolog gyda'r plentyn yn y canol, gan gymryd i ystyriaeth persbectif y plentyn

Polisïau cyfle cyfartal polisïau wedi'u llunio i ddarparu cyfleoedd i bawb lwyddo yn ôl eu hymdrechion a'u galluoedd

Prawf Guthrie ar y 6ed diwrnod wedi'r geni, cymerir sampl o waed y baban, fel rheol drwy bigo'r sawdl, i brofi ar gyfer ffenylcetonwria, ffibrosis y bledren a chretinedd

Prawf moddion asesiad o incwm a chynilion person, a wneir drwy gwblhau ffurflen (prawf) yn rhoi manylion am eu hincwm (moddion) i benderfynu a ydynt yn gymwys i dderbyn budd-daliadau penodol

Prawf triphlyg prawf gwaed cyn-geni i fesur lefelau serwm alffa-ffetoprotein (SAFP), gonadotroffin corionig dynol (HCG) ac oestriol

Prawf tynnu sylw prawf ar y clyw a gynhelir pan fydd y plentyn tua 7 mis oed

Prif system nerfol yr ymennydd, madruddyn y cefn a'r nerfau

Progesteron hormon a gynhyrchir gan yr ofarïau

Proses cyfres barhaol o ddigwyddiadau yn arwain at ganlyniad

Protein anghyflawn protein sy'n cynnwys rhai asidau amino hanfodol; enw arall arnynt yw proteinau ail ddosbarth

Protein cyflawn protein sy'n cynnwys yr holl asidau amino hanfodol; enw arall arnynt yw proteinau dosbarth cyntaf

Pryder oherwydd dieithriaid ofn dieithriaid

Pwyllgor Amddiffyn Plant y Rhanbarth yn ysgrifennu, monitro ac adolygu'r dulliau gweithredu amddiffyn plant ar gyfer ei ranbarth, ac yn hyrwyddo cyd-drefnu a chyfathrebu rhwng yr holl weithwyr

Pwysau geni isel babanod a enir cyn eu hamser neu o dan y 10fed canradd o ran eu cyfnod cario, fel rheol yn pwyso llai na 2.5kg ar enedigaeth

Rôl fodel rhywun y mae eu hymddygiad yn cael ei ddefnyddio gan rywun arall fel esiampl o'r ffordd iawn o ymddwyn

Rôl gymdeithasol safle mewn cymdeithas a gysylltir â grŵp penodol o ymddygiadau disgwyliedig

Rolau penodedig dyletswyddau a bennir gan eraill

Rolau stereoteipiedig syniadau sefydlog, gosodedig y disgwylir i unigolion gydymffurfio â hwy

Rhagdybiaeth esboniad neu ddatrysiad

dros dro i broblem, ar ôl asesu'r ffeithiau dan sylw

Rhagfarn barn, sydd fel rheol yn anffafriol, am rywun neu rywbeth, wedi'i seilio ar ffeithiau anghyflawn

Rheolaeth leol ysgolion (LMS) yn galluogi prifathro a llywodraethwyr ysgol benderfynu sut i wario'u harian a staffio ysgol

Rheoliadau rheolau ffurfiol y mae'n rhaid eu dilyn

Rhif E rhif a roddwyd i adchwanegyn ac a gymeradwyid gan yr Undeb Ewropeaidd

Rhoi grym i blant galluogi plant i gymryd rhan yn y byd

Rhwygiadau rhwygiadau yn y croen

Rhwystrwr cyffur a roddir yn gyson er mwyn atal pyliau o asthma. Fe'i rhoddir yn aml drwy gyfrwng mewnanadlydd

Rhyw bod yn wrywaidd neu'n fenywaidd

Sacrwm gwaelod yr asgwrn cefn

Sachau stori cymorth i adrodd stori, yn cynnwys pypedau, gemau a gweithgareddau eraill neu weithgareddau eraill a gysylltir â'r stori

Sail resymegol y rheswm dros drefnu gweithgaredd neu brofiad

Samplo filws corionig (CVS) tynnir sampl bach o feinwe'r brych drwy'r wain; fe'i defnyddir i ganfod abnormaledd cromosomaidd ac unrhyw abnormaledd arall

Sberm cell rhyw'r gwryw aeddfed

Sebwm sylwedd olewog sy'n iro'r croen. Fe'i cynhyrchir gan y chwarennau sebwm ac fe'i secretir trwy'r mandyllau ar wyneb y croen

Sector gwirfoddol safleoedd gofal a ddarperir gan sefydliadau gwirfoddol

Sefydlogrwydd gwrthrych dealltwriaeth bod gwrthrychau'n parhau i fodoli hyd yn oed pan na fyddant i'w gweld

Seicolegol yn codi o astudiaeth o'r meddwl

Serwm alffa-ffetoprotein (SAFP) protein a ddarganfyddir yng ngwaed y fam yn ystod beichiogrwydd; os ceir hyd i lefel uchel, rhaid ymchwilio ymhellach

Sgema term Piaget i ddisgrifio'r holl syniadau, atgofion a gwybodaeth sydd gan blentyn, o bosibl, am gysyniad neu brofiad

Sgìl gallu sydd wedi ei ymarfer

Sgiliau byw yn annibynnol sgiliau y mae eu hangen ar gyfer byw a gofalu amdanoch chi'ch hun

Sgiliau motor bras symudiadau'r corff

cyfan

Sgiliau motor manwl cyd-drefniant llaw-llygad

Sgôr Agpar dull o asesu cyflwr y baban newydd-anedig drwy sylwi ar yr arwyddion bywyd

Sgrinio gwirio'r boblogaeth gyfan o blant ar oedrannau penodol am abnormaleddau penodol

Siart canraddol siartiau a baratowyd yn arbennig ac a ddefnyddir ar gyfer cofnodi mesuriadau cynnydd plentyn o ran ei dyfiant a'i ddatblygiad. Ceir siartiau canraddol sy'n mesur pwysau, uchder, cylchedd pen a datblygiad

Smotiau glas Mongolaidd darnau llyfn, glaslwyd neu biws ar y croen, gyda gormodedd o gelloedd croen sy'n cynnwys pigment

Spina bifida cyflwr lle nad yw'r asgwrn cefn yn datblygu'n iawn cyn y geni

Statws cymdeithasol y gwerth mae cymdeithas yn ei roi ar bobl sy'n cyflawni swyddogaethau penodol

Stenosis pyloraidd y cyhyr wrth allfa'r stumog i'r coluddyn bach yn tewhau - nid yw llaeth yn gallu symud trwy'r allfa fach i mewn i'r coluddyn bach

Stereoteipio y gred bod holl aelodau grŵp yn rhannu'r un nodweddion, yn aml ar sail hil, rhyw neu anabledd

Strategaeth Gofal Plant Genedlaethol strategaeth a gyflwynwyd gan lywodraeth y DU ym Mai 1998 i sicrhau gofal plant safonol, hygyrch, fforddiadwy ar gyfer plant hyd at 14 oed

Strategaeth Llythrennedd Cenedlaethol arweiniad gan y llywodraeth (1998) ar strwythur a chynnwys gwers lythrennedd ddyddiol yn para awr i blant rhwng Cyfnod Derbyn a Chyfnod Allweddol Dau

Strategaeth Rhifedd Cenedlaethol arweiniad gan y llywodraeth (1999) ar strwythur a chynnwys gwers rifedd ddyddiol yn para 45 munud i blant rhwng Cyfnod Derbyn a Chyfnod Allweddol Dau

Swyddogaeth y teulu y pethau mae teulu yn eu gwneud er mwyn ei aelodau

Symudiad llygad cyflym (REM) cyfnodau o gwsg sy'n cynnwys breuddwydio

Symudoledd cymdeithasol symudiad person o un grŵp cymdeithasol i un arall

Syndrom cyfyngder y patrwm ymddygiad a ddangosir gan y plant

sy'n profi colled gofalwr cyfarwydd, heb fod rhywun arall yn dod yn eu lle

Syndrom Down cyflwr a achosir gan gromosom abnormal, sy'n effeithio ar ymddangosiad a datblygiad person

Syndrom marwolaeth sydyn babanod (SIDS) marwolaeth annisgwyl, ac fel rheol, anesboniadwy, baban ifanc

Talipes safle abnormal y droed, a achosir gan gyfangiad cyhyrau neu dendonau penodol

Targedau cyrhaeddiad gwahanol elfennau'r Meysydd Dysgu e.e. siarad a gwrando, darllen ac ysgrifennu yw'r targedau cyrhaeddiad ar gyfer y Gymraeg (iaith, llythrennedd a sgiliau cyfathrebu)

Teulu ad-drefniedig teulu sy'n cynnwys oedolion a phlant a fu unwaith yn rhan o deulu arall

Teulu cnewyllol grŵp teuluol lle mae rhieni'n byw gyda'u plant ac yn ffurfio grŵp bach, heb fod aelod teuluol arall yn byw yn agos

Teulu dechreuadol y teulu mae plentyn yn cael ei eni i mewn iddo

Teulu estynedig grŵp teuluol sy'n cynnwys aelodau eraill o'r teulu sy'n byw naill ai gyda'i gilydd neu'n agos iawn i'w gilydd ac sy'n cysylltu â'i gilydd yn aml

Teulu matriarchaidd teulu lle mae'r gwragedd yn bwysig ac yn ddominyddol

Teulu patriarchaidd teulu lle mae'r dynion yn dominyddu ac yn gwneud y penderfyniadau pwysig

Tîm gofal iechyd cychwynnol grŵp o weithwyr proffesiynol sy'n ymgymryd â darparu gofal iechyd uniongyrchol a hybu iechyd

Tiwb niwral celloedd yn yr embryo a fydd yn datblygu i ffurfio madruddyn cefn y baban

Tlodi absoliwt heb ddigon o ddarpariaeth i gynnal iechyd ac effeithlonedd gweithio

Tlodi cymharol yn digwydd pan fydd adnoddau pobl yn llawer is na'r adnoddau sydd ar gael i unigolyn neu deulu cyffredin yn y gymuned

Tocsin sylwedd gwenwynig a gynhyrchir gan y pathogenau

Tocynistaidd cynrychiolaeth arwynebol o grwpiau lleiafrifol neu dan anfantais, er enghraifft cynnwys un plentyn du mewn llyfryn ysgol, un wraig ar y bwrdd cyfarwyddwyr

Tor-orweddol gorwedd wyneb i lawr

Trap tlodi rhywbeth a brofir gan bobl os ydynt yn derbyn budd-daliadau gan y wladwriaeth ac yn darganfod eu bod yn colli'r mwyafrif o'r budd-daliadau ac yn dlotach nag erioed drwy ennill ychydig mwy o arian

Trawsnewidiad symudiad plentyn o un sefyllfa gofal i un arall

Trefn amser gwely dull cyson o roi'r plant yn y gwely, sy'n hyrwyddo cwsg drwy greu teimlad o sicrwydd

Treuliad y broses o dorri bwyd i lawr er mwyn i'r corff ei amsugno a'i ddefnyddio

Tymor rhwng 38ain a 42ain wythnos beichiogrwydd

Y gylchred fislifol proses ofwliad a mislif mewn merched sy'n aeddfed yn rhywiol a ddim yn feichiog

Y llinyn bogail mae'n cynnwys y pibellau gwaed sy'n cysylltu'r baban datblygol â'r brych

Ymarferwyr adlewyrchol gweithwyr sy'n ystyried yr hyn maen nhw wedi'i wneud/dweud, gyda'r bwriad o wella ymarfer

Ymberthyn yr angen emosiynol i deimlo eich bod yn perthyn i grŵp

Ymddaliad safle rhannau'r corff

Ymddygiad action neu ymateb mewn ffordd benodol, boed hynny'n annerbyniol neu'n dderbyniol

Ymfudiad symud i wlad neu allan ohoni

Ymholiad (i achos lle amheuir camdriniaeth) mae gan awdurdod lleol ddyletswydd i gynnal ymchwiliad os ceir digon o sail i gredu bod plentyn yn dioddef neu'n debyg o ddioddef niwed sylweddol

Ymlyniad perthynas ddwyffordd serchog sy'n datblygu rhwng baban ac oedolyn

Ymsymudiad gallu datblygol i symud o un lle i'r llall, fel rheol drwy gropian, cerdded neu redeg

Ymwelydd iechyd nyrs hyfforddedig sy'n arbenigo mewn hyrwyddo iechyd plant

Ymwybyddiaeth o ofod gwybodaeth ddatblygol o'r ffordd mae pethau'n symud ac effaith symudiad

Ymwybyddiaeth rewedig/gwyliadwrusrwydd rhewedig edrych o amgylch, bod yn effro ac yn ymwybodol o hyd (gwyliadwrus), er bod eu cyrff yn llonydd (goddefol), yn dangos diffyg ymddiriedaeth mewn oedolion

Ysgafn-am-ddyddiadau baban sy'n llai na'r disgwyl o ystyried hyd y beichiogrwydd (cyfnod beichiogi)

Ysgogiad rhywbeth sy'n creu ymateb

Ysgogiad nerfau trawsgroenol (TENS) dyfais electronig i helpu rheoli poen yn ystod yr esgor

Ysgrifennu allddodol ffordd o ddysgu ysgrifennu sy'n annog plant i ysgrifennu'n annibynnol; fe'i gelwir hefyd yn ysgrifennu datblygiadol

Ystum adferol ffordd ddiogel o osod anafedig anymwybodol os ydynt yn anadlu ac yn dangos pwls

MYNEGAI

Mae cyfeiriadau tudalen mewn llythrennau *italig* yn dynodi ffigurau, tablau neu ddarluniau.